Erich Hoepke | Stefan Breuer (Hrsg.)
Wolfgang Appel | Hermann Brähler | Ulrich Dahlhaus |
Thomas Esch | Stephan Kopp | Bernd Rhein

Nutzfahrzeugtechnik

## Aus dem Programm Kraftfahrzeugtechnik

**Handbuch Verbrennungsmotor**
herausgegeben von R. van Basshuysen und F. Schäfer

**Lexikon Motorentechnik**
herausgegeben von R. van Basshuysen und F. Schäfer

**Ottomotor mit Direkteinspritzung**
herausgegeben von R. van Basshuysen

**Vieweg Handbuch Kraftfahrzeugtechnik**
herausgegeben von H.-H. Braess und U. Seiffert

**Automobildesign und Technik**
herausgegeben von H.-H. Braess und U. Seiffert

**Bremsenhandbuch**
herausgegeben von B. Breuer und K. H. Bill

**Wasserstoff in der Fahrzeugtechnik**
von H. Eichlseder und M. Klell

**Umweltschutz in der Automobilindustrie**
von D. Gruden

**Fahrwerkhandbuch**
herausgegeben von B. Heißing und M. Ersoy

**Verbrennungsmotoren**
von E. Köhler und R. Flierl

**Automobilelektronik**
herausgegeben von K. Reif

**Automotive Software Engineering**
von J. Schäuffele und T. Zurawka

**Virtuelle Produktentstehung für Fahrzeug und Antrieb im Kfz**
herausgegeben von U. Seiffert und G. Rainer

**Motorradtechnik**
von J. Stoffregen

**Handbuch Kraftfahrzeugelektronik**
herausgegeben von H. Wallentowitz und K. Reif

**Bussysteme in der Fahrzeugtechnik**
von W. Zimmermann und R. Schmidgall

**Die BOSCH-Fachbuchreihe:**
- **Ottomotor-Management**
- **Dieselmotor-Management**
- **Autoelektrik/Autoelektronik**
- **Sicherheits- und Komfortsysteme**
- **Fachwörterbuch Kraftfahrzeugtechnik**
- **Kraftfahrtechnisches Taschenbuch**

herausgegeben von Robert Bosch GmbH

Erich Hoepke | Stefan Breuer (Hrsg.)
Wolfgang Appel | Hermann Brähler | Ulrich Dahlhaus |
Thomas Esch | Stephan Kopp | Bernd Rhein

# Nutzfahrzeugtechnik

Grundlagen, Systeme, Komponenten

5., vollständig überarbeitete Auflage

Mit 579 Abbildungen und 35 Tabellen

PRAXIS | ATZ/MTZ-Fachbuch

VIEWEG+
TEUBNER

Bibliografische Information der Deutschen Nationalbibliothek
Die Deutsche Nationalbibliothek verzeichnet diese Publikation in der Deutschen Nationalbibliografie; detaillierte bibliografische Daten sind im Internet über <http://dnb.d-nb.de> abrufbar.

1. Auflage November 2000
2., überarbeitete Auflage April 2002
3., überarbeitete und erweiterte Auflage September 2004
4., aktualisierte und ergänzte Auflage September 2006
5., vollständig überarbeitete Auflage 2008



Lektorat: Ewald Schmitt | Gabriele McLemore

Vieweg+Teubner ist Teil der Fachverlagsgruppe Springer Science+Business Media.
www.viewegteubner.de



Umschlaggestaltung: KünkelLopka Medienentwicklung, Heidelberg
Satz: FROMM MediaDesign, Selters/Ts.
Druck und buchbinderische Verarbeitung: Krips b.v., Meppel
Gedruckt auf säurefreiem und chlorfrei gebleichtem Papier.
Printed in the Netherlands

ISBN 978-3-8348-0374-0

# Vorwort

Vor Ihnen liegt das Buch Nutzfahrzeugtechnik in seiner 5. Auflage. Ein Buch zu einem Thema, welches sehr wenig besetzt ist, die meisten Werke zum Thema Nutzfahrzeuge beziehen sich auf die Historie verschiedener Marken oder Fahrzeuge. Die Technik selbst wird kaum zusammenfassend behandelt. Dieses ist nicht trivial, da sich die Technik grundlegend von der in einem Pkw unterscheidet. Um sie zu verstehen, braucht man einiges Hintergrundwissen bezüglich des Einsatzzweckes, der Fahrphysik (Fahrmechanik) und der gesetzlichen Vorschriften. Der Einsatzzweck ist nahezu ausschließlich rational gesteuert, d. h., wie erfüllt man die gestellt Transportaufgabe am wirtschaftlichsten? Emotionale Beweggründe, wie „Freude am Fahren“, zählen beim Nutzfahrzeug nur sekundär.

Die Technik eines Nutzfahrzeuges hat eine wesentlich höhere Betriebsdauer. Nutzfahrzeugmotoren werden auf bis zu 1,7 Millionen km Lebensdauer ausgelegt. Hier macht sich komplexe Technik schnell bezahlt, wenn man damit für die ganze Lebensdauer Kraftstoff sparen kann. Die Einspritz- und Abgasreinigungssysteme moderner Nutzfahrzeugmotoren belegen dieses. Besonders wichtig dafür ist die Zuverlässigkeit, sonst steigen die Lifecycle-Kosten durch Reparaturen und Ausfallzeiten.

Die Fahrphysik basiert auf den gleichen Gesetzmäßigkeiten wie beim Pkw, liefert hier aber andere Restriktionen, denn die Motivation für die Auslegung eines Antriebsstranges beim Nutzfahrzeug kann nicht die maximale Höchstgeschwindigkeit und das Beschleunigungsvermögen sein, sondern die Effizienz z. B. bei einer Autobahnfahrt bei 85 km/h. Das Effizienzpotential ist so groß, dass Hersteller unterschiedliche Achsübersetzungen für den gleichen Fahrzeugtyp anbieten, um so das Optimum für jeden Einsatzzweck darstellen zu können.

Achslasten und deren Verteilung werden weniger durch die Fahrdynamik als durch gesetzliche Vorgaben und technische Grenzen vorgegeben. Der Effizienz sind gesetzliche Grenzen hinsichtlich der Länge, des Volumens und der Masse gesetzt. Gerade die Ausführung der Längenbegrenzung zeigt sich in einer vollkommen unterschiedlichen Ausführung des Fahrerhauses in Europa und den Vereinigten Staaten. Während in Europa ca. 2,35 m Länge für ein Fahrerhaus ausreichen muss, gibt es diese Beschränkung in der USA nicht. Dort setzt man den Motor vor das Fahrerhaus, hat ausreichend Knautschzone, einen niedrigeren Einstieg und mehr Fahrkomfort, während man in Europa das Fahrerhaus über den Motor platziert, um die maximal gesetzlich vorgeschriebene Ladeflächenlänge zu realisieren.

Dieses Zusammenspiel aus Einsatzzweck, gesetzlichen Vorgaben, Fahrmechanik und der darausfolgenden Konzeption von Nutzfahrzeugen wird in Kapiteln 1 bis 3 beschrieben. Kapitel 4 beschreibt das Lastkraftwagen- und Anhängerfahrgestell. Hier werden die Komponenten eines Nutzfahrzeuges bis auf den Antriebsstrang vorgestellt und analysiert. Dem Motor ist das Kapitel 6 und dem Getriebe das Kapitel 7 gewidmet. Die meisten Nutzfahrzeuge werden ohne ihren nutzbringenden Aufbau ausgeliefert. Dieser wird getrennt bei einem Aufbauhersteller gefertigt. Kapitel 5 befasst sich mit der Konstruktion von Nutzfahrzeugtragwerken und deren Aufbauten. Der wesentlichen und zunehmend wichtigen Rolle der Elektrik und Elektronik im Fahrzeug- und Motorenbau sowie bei den Assistenzsystemen wird im Kapitel 8 Rechnung getragen.

Das rege Interesse am vorliegenden Buch macht eine 5. Auflage nötig. Der Inhalt wurde ergänzt, neue Entwicklungen aufgenommen und hinsichtlich der geänderten Vorschriften aktualisiert. Die vollständige Neubearbeitung der Fahrdynamik insbesondere die dynamischen Wechselwirkungen bei der Aerodynamik kennzeichnen die Bearbeitung der 5. Auflage. Zwei neue Autoren, Herr Stefan Kopp (MAN Nutzfahrzeuge) und Herr Bernd Rhein (BPW – Bergische Achsen), bereichen dieses Buch mit aktuellen Beiträgen zur Nutzfahrzeugaerodynamik und Fahrwerkstechnik. Das Team der Autoren besteht neben den Herausgebern aus Herrn Appel (Daimler AG), Herrn Brähler (Technische Fachschule Fulda), Herrn Dahlhaus (Freudenberg), Herrn Prof. Esch (FH Aachen) und Herrn Prof. Gräfenstein (FH Dresden). Allen Autoren sei an dieser Stelle für ihre Mitarbeit gedankt, die neben ihrer zum Teil sehr hohen Belastung Zeit gefunden haben, zum Gelingen dieses Buches beizutragen.

Dieses Buch richtet sich an Ingenieure, Techniker sowie Lehrende, Forschende und Studierende im Bereich der Fahrzeugtechnik und technisches Personal, welche in der Konzeption, Konstruktion, Entwicklung, Produktion, Vertrieb und Überwachung von Nutzfahrzeugen tätig sind.

Dank gilt auch dem Engagement von Herrn Schmitt, Programmleiter Technik, sowie den Mitarbeiterinnen und Mitarbeitern des Verlages, die das Erscheinen der 5. Auflage zur IAA Nutzfahrzeuge in Hannover im September 2008 möglich machen. Dem Verlag und allen Autoren wünsche ich einen erfolgreichen Start in die 5. Auflage.

Köln und Weinheim, im März 2008 *Erich Hoepke* und *Stefan Breuer*

# Autorenverzeichnis

| | | |
|---|---|---|
| Erich Hoepke/<br>Dipl.-Ing. Hermann Brähler | 1 | Einführung in die Nutzfahrzeugtechnik |
| Prof. Dr.-Ing. Stefan Breuer/<br>Stephan Kopp | 2 | Fahrmechanik |
| Dipl.-Ing. Hermann Brähler | 3 | Konzeption von Nutzfahrzeugen |
| Dipl.-Ing. Hermann Brähler/<br>Bernd Rhein | 4 | Lastkraftwagen- und Anhänger-<br>fahrgestell |
| Dipl.-Ing. Hermann Brähler | 5 | Nutzfahrzeugtragwerke und<br>deren Aufbauten |
| Prof. Dr.-Ing. Thomas Esch/<br>Dipl.-Ing. Ulrich Dahlhaus | 6 | Motor |
| Prof. Dr.-Ing. Stefan Breuer | 7 | Getriebe |
| Dipl.-Ing. Wolfgang Appel | 8 | Elektrik und Elektronik |

# Inhaltsverzeichnis

# Formelzeichen

**a, A**

| | | |
|---|---|---|
| $a$ | m/s² | Beschleunigung, Verzögerung |
| $a_{A,g}$ | mm, m | minimaler Abstand der Aufbauten in Geradeausfahrtstellung |
| $a_{A,min}$ | mm, m | minimaler Abstand der Aufbauten beim Durchlenken |
| $a_{A,v}$ | mm, m | Aufbaubeginn ab Vorderachse |
| $a_F$ | mm | Felgenmittenabstand |
| $a_i$ | mm, m | verschiedene, durch Index $i$ unterschiedene Abstände |
| $a_m$ | m/s² | Mittlere Verzögerung |
| $a_Q$ | mm, m | Querträgerabstand, Stützweite |
| $a_{S,A+N}$ | mm, m | Abstand des Aufbau- und Nutzlastschwerpunktes von der Hinterachse |
| $a_{S,bFZ}$ | mm, m | Schwerpunktabstand des betriebsfertigen Fahrzeuges von der Hinterachse |
| $a_{S,N}$ | mm, m | Abstand des Nutzlastschwerpunktes von der Hinterachse |
| $a_{S,N,opt}$ | mm, m | optimaler Abstand des Nutzlastschwerpunktes von der Hinterachse |
| $a_x$ | m/s² | Beschleunigung |
| $A$ | mm², m² | Fläche |
| $A$ | cm², mm² | Querschnittsfläche |
| $A$ | m² | wirksame Querschnittsfläche |
| $A_{G''}$ | m² | durch Flächenlast belastete Fläche |
| $A_N$ | m² | Ladefläche |
| $A_5$ | % | Bruchdehnung |

**b, B**

| | | |
|---|---|---|
| $b_A$ | mm, m | Aufbaubreite |
| $b_e$ | gr/kWh | spezifischer Kraftstoffverbrauch |
| $b_i$ | mm, m | verschiedene, durch Index $i$ unterschiedene Breiten |
| $b_N$ | mm, m | lichte Ladebreite |
| $b_P$ | mm | Querschnittsbreite |
| $b_1$ | – | Oberflächenbeiwert |
| $b_2$ | – | Größenbeiwert |
| $b_P$ | mm | Breite Palette |
| $B$ | kg/h | Kraftstoffverbrauch |
| $B$ | mm, m | Breite, Fahrzeugbreite |
| $B_{RhA}$ | N | Bremskraft an der Hinterachse des Anhängers |
| $B_{RhZ}$ | N | Bremskraft an der Hinterachse des Zugfahrzeugs |
| $B_{RvA}$ | N | Bremskraft an der Vorderachse des Anhängers |
| $B_{RvZ}$ | N | Bremskraft an der Vorderachse des Zugfahrzeugs |
| $\Delta B$ | % | Kraftstoffmehrverbrauch |

**c, C**

| | | |
|---|---|---|
| $c$ | N/m | Federsteifigkeit |
| $c_F$ | N/m | Federsteifigkeit der Fahrwerksfeder |
| $c_p$ | $\frac{\text{kJ}}{\text{kg} * \text{K}}$ | spez. Wärme (bei konst. Druck) |
| $c_R$ | N/m | Reifen-Federsteifigkeit |

| | | |
|---|---|---|
| $c_T$ | – | Tangentialkraftbeiwert |
| $c_v$ | $\frac{kJ}{kg * K}$ | spez. Wärme (bei konst. Volumen) |
| $c_w$ | – | Luftwiderstandsbeiwert |
| $C$ | – | Tabellenwert |
| $C^*$ | – | Bremsenkennwert |
| $\Delta_{c_w}$ | – | Verkleinerung des Luftwiderstandsbeiwertes |

**d, D**

| | | |
|---|---|---|
| $d$ | mm | Materialdicke |
| $d_S$ | mm | Stautoleranz |
| $d_z$ | mm, cm | Zylinderdurchmesser |
| $D$ | m | Kreislauf-Durchmesser |
| $D$ | N, kN | Deichselkraft, D-Wert |

**e, E**

| | | |
|---|---|---|
| $e$ | mm | Abstand Resultierende der Flächenpressung von der Radmitte |
| $e_i$ | mm | verschiedene, durch Index *i* unterschiedene Randfaserabstände |
| $E$ | N/mm$^2$ | Elastizitätsmodul |
| $ET$ | mm | Einpresstiefe |

**f, F**

| | | |
|---|---|---|
| $f$ | 1/s | Frequenz, Eigenfrequenz |
| $f^*$ | – | Beiwert für vertikale Lastamplitude an der Zugöse |
| $f_A$ | 1/s | Aufbaueigenfrequenz |
| $f_{Ac}$ | 1/s | Achseigenfrequenz |
| $F$ | – | Kennzahl |
| $F_A$ | N | Antriebskraft an der Hinterachse |
| $F_{AV}$ | N | Antriebskraft an der Vorderachse |
| $F_B$ | N | Beschleunigungswiderstand |
| $F_{BA}$ | N | Beschleunigungswiderstand des Anhängers |
| $F_{BRh}$ | N | Bremskraft an der Hinterachse |
| $F_{BRv}$ | N | Bremskraft an der Vorderachse |
| $F_{Br}$ | N | Bremskraft |
| $F_{Br,max}$ | N | maximal übertragbare Bremskraft (= Haftungskraft) |
| $F_{BZ}$ | N | Beschleunigungswiderstand des Anhängers |
| $F_c$ | N | Fliehkraft |
| $F_D$ | N | Kraft in der Zuggabel |
| $F_{ers}$ | N | Ersatzkraft |
| $F_F$ | N | Fußkraft (Bremsbetätigung) |
| $F_G$ | N | Gewichtskraft |
| $F_h$ | N | Achslast hinten |
| $F_H$ | N | Handkraft (Bremsbetätigung) |
| $F_i$ | N | verschiedene, durch Index *i* unterschiedene Kräfte |
| $F_L$ | N | Luftwiderstand |
| $F_{LA}$ | N | Luftwiderstand des Anhängers |
| $F_{LZ}$ | N | Luftwiderstand des Zugfahrzeugs |

| | | |
|---|---|---|
| $F_N$ | N | Normalkraft |
| $F_N$ | N | Normalkraft |
| $F_{Nh}$ | N | dynamische Achslast Hinterachse Solofahrzeug |
| $F_{Nv}$ | N | dynamische Achslast Vorderachse Solofahrzeug |
| $F_{NhA}$ | N | dynamische Achslast Hinterachse Anhänger |
| $F_{NvA}$ | N | dynamische Achslast Vorderachse Anhänger |
| $F_{NhZ}$ | N | dynamische Achslast Hinterachse Zugfahrzeug |
| $F_{NhZ}$ | N | dynamische Achslast Vorderachse Zugfahrzeug |
| $F_N''$ | N | Flächen(nutz)last |
| $F_R$ | N | Rollwiderstand |
| $F_R$ | N | Gleitreibungskraft |
| $F_{Rad}$ | N | Radwiderstand |
| $F_{Rh}$ | N | Rollwiderstand an der Hinterachse (Solofahrzeug) |
| $F_{RhA}$ | N | Rollwiderstand an der Hinterachse des Anhängers |
| $F_{RhZ}$ | N | Rollwiderstand an der Hinterachse des Zugfahrzeugs |
| $F_{Rv}$ | N | Rollwiderstand an der Vorderachse (Solofahrzeug) |
| $F_{RvA}$ | N | Rollwiderstand an der Vorderachse des Anhängers |
| $F_{RvZ}$ | N | Rollwiderstand an der Vorderachse des Zugfahrzeugs |
| $F_{res}$ | N | Resultierende Kraft |
| $F_s$ | N | Seitenführungskraft |
| $F_{sh}$ | N | Seitenführungskraft an der Hinterachse |
| $F_{sv}$ | N | Seitenführungskraft an der Vorderachse |
| $F_{St}$ | N | Steigungswiderstand |
| $F_{sa}$ | N | vertikale Lastamplitude an der Zugöse |
| $F_{Si}$ | N | Sicherungskraft |
| $F_{S,i}$ | N | verschiedene, durch Index *i* unterschiedene Schräglaufkräfte |
| $F_{sm}$ | N | vertikale Mittellast an der Zugöse |
| $F_{Sp}$ | N | Spannkraft (an der Bremse) |
| $F_{St}$ | N | Steigungswiderstand |
| $F_{StA}$ | N | Steigungswiderstand des Anhängers |
| $F_{StZ}$ | N | Steigungswiderstand des Zugfahrzeugs |
| $F_{St,i}$ | N | verschiedene, durch Index *i* unterschiedene Stabkräfte |
| $F_T$ | N | Trägheitskraft |
| $F_U$ | N | Umfangskraft an der Bremse |
| $F_v$ | N | Vorspurwiderstand |
| $F_v$ | N | Achslast vorne |
| $F_x$ | N | Kraftkomponente in X-Richtung |
| $F_y$ | N | Kraftkomponente in Y-Richtung |
| $F_z$ | N | Kraftkomponente in Z-Richtung |
| $\Delta F$ | N | Kraftänderung |

**g, G**

| | | |
|---|---|---|
| $g$ | m/s² | Erdbeschleunigung |
| $G$ | Liter/sec | Grenzwert |
| $G$ | N/mm² | Gleitmodul |
| $G$ | N | Gewicht |
| $G_A$ | kg | Aufbaugewicht |

| | | |
|---|---|---|
| $\Delta_{G_A}$ | N | dynamischer Anteil des Achsgewichtes beim Anhänger |
| $G_{An}$ | N | Gewicht des Anhängers |
| $G_{bFG}$ | kg | Gewicht des betriebsfertigen Fahrgestells |
| $G_{bFG,h}$ | kg | Gewicht des betriebsfertigen Fahrgestells, hinten |
| $G_{bFG,v}$ | kg | Gewicht des betriebsfertigen Fahrgestells, vorne |
| $G_{bFZ}$ | kg | Gewicht des betriebsfertigen Fahrzeuges |
| $G_{bFZ,h}$ | kg | Gewicht des betriebsfertigen Fahrzeuges, hinten |
| $G_{bFZ,v}$ | kg | Gewicht des betriebsfertigen Fahrzeuges, vorne |
| $G_{FG}$ | kg | Fahrgestellgewicht |
| $G_{FG,h}$ | kg | Fahrgestellgewicht hinten |
| $G_{FG,v}$ | kg | Fahrgestellgewicht vorne |
| $G_G$ | N | Gewicht des Solofahrzeugs |
| $G_{GN}$ | N | Normalkraft-Komponente des Gewichtes beim Solofahrzeug |
| $G_h$ | N | statisches Hinterachslast beim Solofahrzeug |
| $G_h$ | kg | Achslast hinten |
| $G_{hA}$ | N | statische Hinterachslast beim Anhänger |
| $G_{h,i}$ | kg | Achslastanteil hinten |
| $G_{h,res}$ | kg | resultierende Achslast hinten |
| $G_{h,zul}$ | kg | zulässige Achslast hinten |
| $G_{h1}$, $G_{h2}$ | kg | Achslast 1. Hinterachse, Achslast 2. Hinterachse |
| $G_{hZ}$ | N | statische Hinterachslast beim Zugfahrzeug |
| $G_i$ | kg | verschiedene, durch Index *i* unterschiedene Einzellasten |
| $G_N$ | kg | Nutzlast |
| $G_N^*$ | – | Nutzlastverhältnis |
| $G_N'$ | kg | Streckennutzlast |
| $G_N''$ | kg | Flächennutzlast |
| $G_{NA}$ | N | Normalkraft-Komponente des Anhängergewichtes |
| $G_{Nh}$ | N | Normalkraft-Komponente der Hinterachslast des Solofahrzeugs |
| $G_{NhA}$ | N | Normalkraft-Komponente der Hinterachslast des Anhängers |
| $G_{NhZ}$ | N | Normalkraft-Komponente der Hinterachslast des Zugfahrzeugs |
| $G_{N,max}$ | kg | maximal mögliche Nutzlast |
| $G_{Nv}$ | N | Normalkraft-Komponente der Vorderachslast des Solofahrzeugs |
| $G_{NvA}$ | N | Normalkraft-Komponente der Vorderachslast des Anhängers |
| $G_{NvZ}$ | N | Normalkraft-Komponente der Vorderachslast des Zugfahrzeugs |
| $G_{NZ}$ | N | Normalkraft-Komponente des Gewichtes des Zugfahrzeugs |
| $G_{N,zul}$ | kg | zulässige Nutzlast |
| $G_{res}$ | kg | resultierende Last |
| $G_S$ | N/kg | Sattellast, Stützlast |
| $G_{S,dyn}$ | kg | dynamische Stützlast |
| $G_{S,stat}$ | kg | statische Stützlast |
| $G_v$ | kg | Achslast vorne |
| $G_{vA}$ | N | Vorderachslast des Anhängers |
| $G_{v,i}$ | kg | Achslastanteil vorne |
| $G_{v,zul}$ | kg | zulässige Achslast vorne |
| $G_{vZ}$ | kg | Vorderachslast des Zugfahrzeugs |
| $G_Z$ | kg | Gewicht des Zugfahrzeugs |
| $G'$ | kg | Streckenlast |

| | | |
|---|---|---|
| $G''$ | kg | Flächenlast |
| $GG$ | kg | Gesamtgewicht |
| $GG_{An,kg}$ | kg | Gesamtgewicht des Anhängers |
| $GG_{An,zul}$ | kg | zulässiges Gesamtgewicht des Anhängers |
| $GG_h$ | kg | Gesamtgewicht hinten |
| $GG_{K,zul}$ | kg | zulässiges Gesamtgewicht der Fahrzeugkombination |
| $GG_v$ | kg | Gesamtgewicht vorne |
| $GG_Z$ | kg | Gesamtgewicht des Zugfahrzeuges |
| $GG_{zul}$ | kg | zulässiges Gesamtgewicht |
| $GG_{Z,zul}$ | kg | zulässiges Gesamtgewicht des Zugfahrzeuges |
| $\%G_{v,min}$ | % | Mindestvorachslastanteil |
| $\%G_h$ | % | Hinterachsslastanteil |
| $\Delta_{G_A}$ | N | dynamischer Anteil des Achsgewichtes beim Anhänger |
| $\Delta_{GG}$ | N | dynamischer Anteil des Achsgewichtes beim Solofahrzeug |
| $\Delta_{G_N}$ | N | dynamischer Anteil der Achslast beim Solofahrzeug auf Steigungen |
| $\Delta_{G_Z}$ | N | dynamischer Anteil des Achsgewichtes beim Zugfahrzeug |

**h, H**

| | | |
|---|---|---|
| $h_D$ | mm | Höhe der Zuggabel |
| $h_L$ | mm | Höhe der resultierenden Luftwiderstandskraft über der Fahrbahn |
| $h_{LA}$ | mm | Höhe der resultierenden Luftwiderstandskraft des Anhängers über der Fahrbahn |
| $h_{LZ}$ | mm | Höhe der resultierenden Luftwiderstandskraft des Zugfahrzeugs über der Fahrbahn |
| $h_N$ | mm, m | lichte Ladehöhe |
| $h_P$ | mm | Querschnittshöhe |
| $h_S$ | mm, m | Schwerpunkthöhe |
| $h_{sA}$ | mm | Schwerpunkthöhe des Anhängers |
| $h_{S,A}$ | mm, m | Schwerpunkthöhe des Aufbaus |
| $h_{S,bFG}$ | mm. m | Schwerpunkthöhe des betriebsfertigen Fahrgestells |
| $h_{S,ges}$ | mm, m | Schwerpunkthöhe des Gesamtfahrzeuges |
| $h_{SK}$ | mm | Höhe der waagerechten Komponente der Sattelkraft |
| $h_{S,N}$ | mm, m | Schwerpunkthöhe der Nutzlast |
| $h_{sZ}$ | mm | Schwerpunkthöhe des Zugfahrzeugs |
| $H$ | – | Tabellenwert |
| $HB$ | kp/mm$^2$ | Brinell-Härte |
| $H_i$ | Torr | atmosphärischer Druck |
| $H_u$ | kJ/kg | Heizwert |
| $H_o$ | kJ/kg | Brennwert |
| $H_{Gem}$ | kJ/m$^2$ | Gemischheizwert |
| $\Delta h$ | m | Höhenunterschied zwischen zwei Punkten einer Strecke |

**i, I**

| | | |
|---|---|---|
| $i$ | – | Faktor |
| $i$ | – | Übersetzungsverhältnis |
| $i_A$ | – | Achsübersetzung |
| $i_G$ | – | Getriebeübersetzung |
| $I_{ax}$ | mm$^4$, cm$^4$ | Axiales Flächenmoment 2. Grades |
| $I_{ax,i}$ | mm$^4$, cm$^4$ | verschiedene, durch Index *i* unterschiedene axiale Flächenmomente 2. Grades |

| | | |
|---|---|---|
| $I_p$ | mm$^4$, cm$^4$ | Polares Flächenmoment |
| $i_R$ | – | Drehmoment-Steigerungsfaktor für Rangegruppe |
| $i_{Split}$ | – | Drehmoment-Steigerungsfaktor für Splitgruppe |

**j, J**

| | | |
|---|---|---|
| $J_A$ | kg m$^2$ | Massenträgheitsmoment der Triebwerksteile |
| $J_M$ | kg m$^2$ | Massenträgheitsmoment des Motors |
| $J_R$ | kg m$^2$ | Massenträgheitsmoment |
| $J_{Rh}$ | kg m$^2$ | Massenträgheitsmoment der Hinterräder einschließlich der auf die Hinterräder umgerechneten Anteile des Triebwerksstranges |
| $J'_{Rh}$ | kg m$^2$ | Massenträgheitsmoment der Hinterräder |
| $J_{Rv}$ | kg m$^2$ | Massenträgheitsmoment der Vorderräder |

**k, K**

| | | |
|---|---|---|
| $k$ | 1/m | Absorptionskoeffizient |
| $k$ | – | Korrekturfaktor für Spurversatz in der Übergangskurve |
| $k_g$ | – | geometrischer Größeneinflußfaktor |
| $k_t$ | – | technologischer Größeneinflußfaktor |
| $k_\alpha$ | – | formzahlabhängiger Größeneinflußfaktor |
| $k^*$ | – | Beiwert für Biegeeigenfrequenz des Balkens |
| $k_R$ | – | Rollwiderstandsbeiwert |
| $k'_R$ | – | Rollwiderstandsbeiwert, bezogen auf Zwillingsbereifung |

**l, L**

| | | |
|---|---|---|
| $l$ | mm, m | Radstand, Achsabstand |
| $l_A$ | mm, m | Aufbaulänge |
| $l_{AK}$ | mm, m | Ausladung der Anhängekupplung |
| $l_{An}$ | mm, m | Radstand des Anhängers |
| $l_{A,max}$ | mm, m | maximale Aufbaulänge |
| $l_{A,min}$ | mm, m | minimale Aufbaulänge |
| $l_B$ | mm, m | Balkenlänge |
| $l_{D,w}$ | mm, m | wirksame Deichsellänge |
| $l_{D,f}$ | mm, m | freie Deichsellänge |
| $l_{ers}$ | mm, m | Ersatzradstand |
| $l_{G'}$ | mm, m | Strecke mit Streckenlast |
| $l_{HA,Z}$ | mm, m | Frontabstand der Hinterachse des Zugfahrzeuges |
| $l_h$ | mm | Abstand Schwerpunkt – Mitte Hinterachse |
| $l_{hA}$ | mm | Abstand Schwerpunkt – Mitte Hinterachse des Anhängers |
| $l_{hZ}$ | mm | Abstand Schwerpunkt – Mitte Hinterachse des Zugfahrzeugs |
| $l_i$ | mm, m | verschiedene, durch Index *i* unterschiedene Längen |
| $l_L$ | mm, m | Länge des Längsträgers |
| $l_N$ | mm, m | lichte Ladelänge |
| $l_{N,min}$ | mm, m | Mindestladelänge |
| $l_P$ | mm, m | Länge Palette |
| $l_Q$ | mm, m | Länge des Querträgers |
| $l_s$ | mm | Abstand Mitte Vorderachse – Mitte Sattelkupplung |
| $l_{SK}$ | mm, m | Sattelvormaß |

| | | |
|---|---|---|
| $L_{St}$ | $\frac{kg_{Luft}}{kg_{Kraftstoff}}$ | Luftbedarf für stöchiometrische Verbrennung |
| $l_{tech}$ | mm, m | technischer Radstand |
| $l_v$ | mm | Abstand Mitte Vorderachse – Schwerpunkt |
| $l_{vA}$ | mm | Abstand Mitte Vorderachse – Schwerpunkt des Anhängers |
| $l_{vZ}$ | mm | Abstand Mitte Vorderachse – Schwerpunkt des Zugfahrzeugs |
| $l_Z$ | mm, m | Radstand des Zugfahrzeuges |
| $l_{Zu}$ | mm, m | Ausladung der Zuggabel |
| $l_1$, $l_2$ | mm, m | 1. Radstand, 2. Radstand |
| $L$ | N | Längskraft |
| $\Delta l$ | m | Abstand zwischen zwei Punkten in der Horizontalen |

**m, M**

| | | |
|---|---|---|
| $m$ | kg | Masse |
| $m_A$ | kg | Masse Anhänger (= Gesamtgewicht) |
| $m_g$ | kg | Ladungseinsatz |
| $m_g$ | kg | gefederte Masse |
| $m_{Kr}$ | g, kg | Kraftstoffmasse |
| $\dot{m}_{Kr}$ | kg/sec | Kraftstoffmassenstrom |
| $m_L$ | g, kg | Luftmasse |
| $\dot{m}_L$ | kg/sec | Luftmassenstrom |
| $m_L$ | kg | Masse Lkw (= Gesamtgewicht) |
| $m_{Motor}$ | kg | Masse des Motors |
| $M_P$ | Nm | Pumpenmoment |
| $m_P$ | kg | Masse Pkw (= Gesamtgewicht) |
| $m_S$ | kg | Sattelmasse (= Sattellast) |
| $m_u$ | kg | „ungefederte" Masse |
| $m_Z$ | kg | Masse Zugfahrzeug (= Gesamtgewicht) |
| $M$ | Nmm, Nm | Biegemoment |
| $M_{(i)}$ | Nmm, Nm | Moment einer Kraft bezüglich eines durch Index *i* gekennzeichneten Bezugspunktes |
| $M$, $M'$ | – | Kurvenmittelpunkt |
| $M_{max}$ | Nm | maximales Motormoment |
| $M_{max}$ | Nmm, Nm | maximales Biegemoment |
| $M_{nenn}$ | Nm | Motormoment bei maximaler Motorleistung |
| $M_M$ | Nm | Motormoment |

**n, N**

| | | |
|---|---|---|
| $n$ | 1/min | Drehzahl |
| $n_{Motmax}$ | U/min | Motordrehzahl bei maximalem Motormoment |
| $n_{max}$ | U/min | maximale Motordrehzahl |
| $n_{min}$ | U/min | minimale Motordrehzahl |
| $n_{nenn}$ | U/min | Motordrehzahl bei maximaler Motorleistung |
| $n_P$ | – | Anzahl der Paletten |
| $n_{R,i}$ | – | Anzahl der Reifen an der *i*-ten Achse |

**p, P**

| | | |
|---|---|---|
| $p$ | bar, Pa | Druck |
| $p$ | % | Steigung (Gefälle) der Fahrbahn |
| $p_0$, $p_u$, $p_{atm}$ | bar, Pa | Umgebungsdruck |
| $p_i$ | bar, Pa | indizierter mittlerer Druck der vollkommenen Maschine |
| $p_{me}$ | bar, Pa | mittlerer effektiver Druck |
| $p_{mi}$ | bar, Pa | mittlerer indizierter Druck |
| $p_{mr}$ | bar, Pa | Reibmitteldruck |
| $p_s$ | kPa | trockener atmosphärischer Druck |
| $p_v$ | bar, Pa | Mitteldruck des vollkommenen Prozesses |
| $p_z$ | bar, Pa | Zylinderdruck |
| $P$ | kW | Leistung |
| $P_{Br}$ | W, kW | Bremsleistung |
| $P_P$ | kW | Pumpenleistung |
| $P_{ges}$ | kW | Summe aus Luft- und Rollwiderstand |
| $P_{max}$ | kW | maximale Motorleistung |
| $P_i$ | kW | indizierte, innere Leistung |
| $P_{Max}$ | kW | Motorleistung bei maximalem Drehmoment |
| $p_{me}$ | $N/cm^2$ | effektiver Mitteldruck |
| $P_r$ | kW | Reibleistung |
| $P_s$ | kW | spezifische Leistung |

**q, Q**

| | | |
|---|---|---|
| $q$ | N/m | Streckenlast |
| $q$ | % | Steigung (einer Fahrbahn) |
| $q_{ab}$ | kJ/kg | abgeführte Wärmemenge pro Gewichtseinheit |
| $q_{zu_p}$ | kJ/kg | zugeführte Wärmeenergie pro Gewichtseinheit bei konstantem Druck |
| $q_{zu_v}$ | kJ/kg | zugeführte Wärmeenergie pro Gewichtseinheit bei konst. Volumen |
| $Q$ | N | Querkraft |
| $Q$ | W | Wärmemenge |
| $\dot{Q}$ | W | Wärmestrom |
| $Q_{ab}$ | kJ | abgeführte Wärmemenge, Energie |
| $Q_{Kr}$ | kJ | Energiegehalt des Kraftstoffes |
| $Q_{zu}$ | kJ | zugeführte Wärmemenge, Energie |

**r, R**

| | | |
|---|---|---|
| $r_{dyn}$ | mm | dynamischer Reifenhalbmesser |
| $r_{i,min}$ | mm | kleinster zulässiger Biegeradius |
| $r_{K,h}$ | mm, m | Schleppkurvenhalbmesser |
| $r_{K,v}$ | mm, m | Führungskurvenhalbmesser |
| $r_{stat}$ | mm | Statischer Reifenhalbmesser |
| $R_A$ | mm, m | Wendekreishalbmesser des Aufliegers |
| $R_a$, $R_i$ | mm, m | Halbmesser des BO-Kraft-Kreises |
| $R_e$ | $N/mm^2$ | Streckgrenze |
| $R_m$ | $N/mm^2$ | Bruchfestigkeit |
| $R_Z$ | mm, m | Wendekreishalbmesser des Zugfahrzeuges |
| $R_z$ | µm | gemittelte Rautiefe |

**s, S**

| | | |
|---|---|---|
| $s$ | mm, cm | Hubweg |
| $s$ | – | Schlupf |
| $s$ | mm | Schüsseldicke, Kolbenhub |
| $s$ | % | Schlupf |
| $s^*$ | – | Stoßfaktor |
| $s_o$ | m | Teilabschnitt des Anhalteweges |
| $s_1$ | m | Teilabschnitt des Anhalteweges |
| $s_2$ | m | Teilabschnitt des Anhalteweges |
| $\Delta_s$ | m | Abstand zum vorausfahrenden Lkw |

**t, T**

| | | |
|---|---|---|
| $t$ | K | Temperatur |
| $t_e$ | s | Beginn der Beschleunigung nach Beendigung des Kuppelns |
| $t_K$ | s | Zeitpunkt des Einkuppelns |
| $t_{Kr}$ | sec, h | Kraftstoffdurchflußzeit |
| $T$ | Nm | Torsionsmoment |
| $T$ | K | Temperatur |
| $T_0$ | K | Umgebungstemperatur |
| $T_0$ | s | Teilzeit der Anhaltezeit |
| $T_1$ | s | Teilzeit der Anhaltezeit |
| $T_2$ | s | Teilzeit der Anhaltezeit |
| $T_B$ | s | Beschleunigungszeit |
| $T_K$ | s | Kuppelzeit |
| $T_P$ | Nm | Pumpenmoment |
| $T_T$ | Nm | Turbinenmoment |
| $T_{max}$ | K | maximale Temperatur |
| $T_{min}$ | K | minimale Temperatur |
| $\Delta t_{8/5}$ | s | Abkühlzeit der Schweißraupe zwischen 800 und 500° C |

**u, U**

| | | |
|---|---|---|
| $u_i$ | mm | verschiedene, durch Index *i* unterschiedene Schwerpunktabstände |
| $\ddot{u}_{An,v}$ | mm, m | vordere Überhanglänge des Anhängers |
| $\ddot{u}_Q$ | mm, m | Querträgerüberhang |
| $\ddot{u}_{Z,h}$ | mm, m | hintere Überhanglänge des Zugfahrzeuges |
| $\ddot{u}^*$ | – | Überlastfaktor |
| $U$ | kJ | innere Energie |
| $U$ | mm | Abrollumfang |

**v, V**

| | | |
|---|---|---|
| $v$ | km/h | Geschwindigkeit |
| | m/s | |
| $v_R$ | m/s | Relativgeschwindigkeit |
| $v_0$ | m/s | Anfangsgeschwindigkeit |
| $v_1$ | m/s | Geschwindigkeit bei Beginn der Vollverzögerung |
| $v_1$ | m/s | Endgeschwindigkeit |
| $v_F$ | m/s | Fahrzeuggeschwindigkeit |

| | | |
|---|---|---|
| $v_h$ | m/s | Geschwindigkeit des Hinterrades |
| $v_L$ | m/s | Geschwindigkeit Lkw |
| $v_{Lres}$ | m/s | resultierende Luftgeschwindigkeit |
| $v_P$ | m/s | Geschwindigkeit Pkw |
| $v_v$ | m/s | Geschwindigkeit des Vorderrades |
| $V$ | l, $mm^3$, $dm^3$ | Hubraum des Motors, Brennraumvolumen |
| $V$ | $m^3$ | Zylindervolumen |
| $V_{Gem}$ | l, $m^3$ | Gemischvolumen |
| $V_H$ | l, $cm^3$ | Hubraum des Motors |
| $V_h$ | l, $cm^3$ | Zylinderhubvolumen |
| $V_k$ | l, $cm^3$ | Kompressionsvolumen |
| $V_{Kr}$ | l, $cm^3$ | Kraftstoffvolumen |
| $\dot{V}_K$ | $cm^3$/sec | Kühlmittelvolumenstrom |
| $\dot{V}_{Kr}$ | $cm^3$/sec | Volumenstrom des Kraftstoffes |
| $V_L$ | l, $cm^3$ | Ladungsvolumen |
| $V_N$ | $m^3$ | Ladevolumen |
| $\Delta v_L$ | m/s | Geschwindigkeitsänderung Lkw |
| $\Delta v_P$ | m/s | Geschwindigkeitsänderung Pkw |
| $v_w$ | m/s | Windgeschwindigkeit |
| $v_o$ | m/s | Ausgangsgeschwindigkeit bei einer Stoppbremsung |

**w, W**

| | | |
|---|---|---|
| $w$ | mm | Vertikalverschiebung, Durchbiegung |
| $w_{max}$ | mm | maximale Durchbiegung |
| $W$ | Nm | Arbeit |
| $W_{ax}$ | $mm^3$, $cm^3$ | axiales Widerstandsmoment |
| $W_{ax,erf}$ | $mm^3$, $cm^3$ | erforderliches axiales Widerstandsmoment |
| $W_{Br}$ | Nm/s, kW | Bremsarbeit |
| $W_i$ | Nm | indizierte Arbeit |
| $W_{theor.}$ | Nm | theoretische Arbeit |
| $W_p$ | $mm^3$, $cm^3$ | polares Widerstandsmoment |

**x, X**

| | | |
|---|---|---|
| $\Delta x$ | mm, m | Federweg |

**y, Y**

| | | |
|---|---|---|
| $\Delta y$ | mm, m | Spurversatz |
| $\Delta y'$ | mm, m | Spurversatz in der Übergangskurve |

**z, Z**

| | | |
|---|---|---|
| $z$ | – | Anzahl der Zylinder |
| $z$ | – | Abbremsung |
| $z_{max}$ | – | Maximal erzielbare Abbremsung |
| $z_{min}$ | – | Mindestabbremsung |

**Griechische Formelzeichen**

| | | |
|---|---|---|
| $\alpha$ | $\dfrac{\text{W}}{\text{m}^2 \cdot K}$ | Wärmeübergangskoeffizient |
| $\alpha_{an}$ | ° | Anströmwinkel |
| $\alpha_h$ | ° | Schräglaufwinkel, hinten |
| $\alpha_i$ | ° | verschiedene, durch Index *i* unterschiedene Schräglaufwinkel |
| $\alpha_{St}$ | ° | Steigungswinkel |
| $\alpha_v$ | ° | Schräglaufwinkel, vorn |
| $\beta$ | ° | Winkel zwischen Fahrzeuglängsmittelebene und resultierender Luftgeschwindigkeit |
| $\beta_k$ | – | Kerbwirkungszahl |
| $\beta_{K,N}$ | ° | Knickwinkel zwischen Ladungslängs- und Nachläuferlängsachse |
| $\beta_{K,S}$ | ° | Knickwinkel zwischen Zugmaschinen- und Aufliegerlängsachse |
| $\delta_v$ | ° | Radeinschlagwinkel |
| $\delta_v$ | ° | Lenkwinkel an der Vorderachse |
| $\delta_h$ | ° | Lenkwinkel an der Hinterachse |
| $\delta_A$ | ° | Lenkwinkel der Aufliegerachse |
| $\delta_N$ | ° | Lenkwinkel der Nachläufer-Vorderachse |
| $\Delta\,\eta_{bv}$ | – | Wirkungsgradverlust durch nicht ideale Verbrennung |
| $\Delta\,\eta_u$ | – | Wirkungsgradverlust durch Undichtheit |
| $\Delta\,\eta_k$ | – | Wirkungsgradverlust durch Kühlung |
| $\Delta\,\eta_{lw}$ | – | Wirkungsgradverlust durch Ladungswechsel |
| $\Delta\,\eta_r$ | – | Wirkungsgradverlust durch Reibung |
| $\varepsilon$ | – | Verdichtungsverhältnis |
| $\varepsilon$ | – | Gütegrad der Bremsanlage |
| $\Phi$ | – | Austauschgrad |
| $\varphi$ | –/° | Gleichdruckverhältnis, Einspritzverhältnis, Kurbelwinkel |
| $\kappa$ | – | Isentropenexponent |
| $\kappa$ | – | Grenzspannungsverhältnis |
| $\lambda$ | – | Luftverhältnis, Leistungsziffer |
| $\lambda_a$ | – | Luftaufwand |
| $\lambda_L$ | – | Liefergrad |
| $\lambda$ | – | Faktor zur Berücksichtigung der rotierenden Massen |
| $\mu$ | – | Momentenwandlungsfaktor |
| $\mu_H$ | – | Haftbeiwert |
| $\mu_R$ | – | Reibbeiwert |
| $\pi$ | – | Kreiskonstante |
| $\nu_D$ | – | Sicherheit gegen Dauerbruch |
| $\nu_F$ | – | Sicherheit gegen Fließen |
| $\nu$ | – | Drehzahlverhältnis |
| $v$ | $\text{cm}^3$, $\text{dm}^3$ | Volumen |
| $\rho$ | $\text{kg/m}^3$ | Dichte |
| $\rho_{Kr}$ | $\text{g/cm}^3$ | Kraftstoffdichte |
| $\rho_{th}$ | $\text{kg/m}^3$ | theoretische Luftdichte |
| $\rho$ | $\text{kg/dm}^3$ | Dichte |
| $\rho_{N,g}$ | $\text{t/m}^3$ | Grenz-Nutzlastdichte |
| $\sigma$ | $\text{N/mm}^2$ | Normalspannung |

| | | |
|---|---|---|
| $\sigma_a$ | N/mm$^2$ | Ausschlagsspannung |
| $\sigma_{bD}$ | N/mm$^2$ | Biegedauerfestigkeit |
| $\sigma_{bF}$ | N/mm$^2$ | Biegefließgrenze |
| $\sigma_D$ | N/mm$^2$ | Dauerfestigkeit |
| $\sigma_F$ | N/mm$^2$ | Fließgrenze |
| $\sigma_G$ | N/mm$^2$ | Gestaltfestigkeit |
| $\sigma_m$ | N/mm$^2$ | ruhende Mittelspannung |
| $\sigma_n$ | N/mm$^2$ | Nenn(normal)spannung |
| $\sigma_{n,i}$ | N/mm$^2$ | verschiedene, durch Index *i* unterschiedene Nenn(normal)spannungen |
| $\sigma_o$ | N/mm$^2$ | Oberspannung |
| $\sigma_{kr}$ | N/mm$^2$ | kritische Beulspannung |
| $\sigma_u$ | N/mm$^2$ | Unterspannung |
| $\sigma_v$ | N/mm$^2$ | Vergleichsspannung |
| $\sigma_{zul}$ | N/mm$^2$ | zulässige Bauteil(nenn)spannung |
| $\tau_n$ | N/mm$^2$ | Nenn(schub)spannung |
| $\ddot{\varphi}$ | °/s$^2$ | Winkelbeschleunigung |
| $\dot{\varphi}_M$ | °/s | Winkelgeschwindigkeit des Motors |
| $\dot{\varphi}_R$ | °/s | Winkelgeschwindigkeit der Getriebeausgangswelle und der Kardanwelle |
| $\dot{\varphi}_{Rh}$ | °/s | Winkelgeschwindigkeit der Hinterräder |
| $\varphi$ | ° | Kreisbogenwinkel |
| $\varphi_L$ | °, rad | Verdrehwinkel des Längsträgers |
| $\varphi_Q$ | °, rad | Verdrehwinkel des Querträgers |
| $\psi$ | rad | Tangentendrehwinkel |
| $\sigma$ | kg/m$^3$ | Luftdichte |
| $\eta_e$ | – | effektiver Wirkungsgrad, Gesamtwirkungsgrad |
| $\eta_g$ | – | Gütegrad |
| $\eta_i$ | – | Innenwirkungsgrad |
| $\eta_{iHD}$ | – | Hochdruckwirkungsgrad |
| $\eta_{hyd}$ | – | hydraulischer Wirkungsgrad |
| $\eta_m$ | – | mechanischer Wirkungsgrad |
| $\eta_{th}$ | – | thermischer Wirkungsgrad |
| $\eta_{thCar}$ | – | thermischer Wirkungsgrad, Carnot-Prozeß |
| $\eta_{thGd}$ | – | thermischer Wirkungsgrad, Gleichdruckprozeß |
| $\eta_{thSeiliger}$ | – | thermischer Wirkungsgrad, Seiligerprozeß |
| $\eta_v$ | – | Wirkungsgrad der vollkommenen Motors |
| $\eta_T$ | – | Triebwerkswirkungsgrad |
| $\omega$ | 1/sec. | Kreisfrequenz, Winkelgeschwindigkeit |
| $\omega_P$ | 1/sec. | Winkelgeschwindigkeit, Pumpe |
| $\omega_T$ | 1/sec. | Winkelgeschwindigkeit, Turbine |
| $\psi$ | – | Drucksteigerungsverhältnis |

# 1 Einführung in die Nutzfahrzeugtechnik

## 1.1 Transportaufgabe

Das Nutzfahrzeug als Lastkraftwagen oder Lastzug hat die Aufgabe, eine Nutzlast mit möglichst geringem Aufwand über kürzere oder längere Strecken von Haus zu Haus zu transportieren. Die Vorgaben des Gesetzgebers in Form der deutschen Straßenverkehrszulassungsordnung (StVZO) und die Vorschriften der EU beziehen sich nicht nur auf die Abmessungen und Gewichte, sondern auch auf die Emissionen des Dieselmotors. Um allen Transportaufgaben gerecht zu werden, bieten die Hersteller Transporter, Lastkraftwagen , Zugmaschinen, Auflieger, Anhänger und branchengerechte Aufbauten in großer Vielfalt an. Die wesentlichste Transportaufgaben sind:

- leichter urbaner und regionaler Verteilerverkehr mit Transportern
- schwerer Verteilerverkehr mit Solo-Lkw und leichten Sattelzügen
- nationaler Fernverkehr mit Lastzügen mit mittlerer Motorleistung
- internationaler Fernverkehr mit 40-t-Sattelzügen mit hoher Motorleistung und Fahrerhäusern mit hohem Komfort und Kommunikationsmöglichkeiten über Satelliten; Gliederzüge spielen eine untergeordnete Rolle
- kombinierter Verkehr mit speziellen Waggons als „Rollende Landstraße“ (Rola) für komplette Lastzüge oder durch Umsetzen der Ladungsträger auf spezielle Waggons
- Baustellenfahrzeuge mit Kippaufbau oder z. B. Betonmischaufbauten mit zwei bis fünf Achsen als Solo-Fahrzeuge oder Lkw mit Tandemachsanhänger; für erschwerten Betrieb mit Antrieb auf mehrere Achsen

Das Fahrgestell eines Nutzfahrzeuges ist universell, erst durch branchen- oder ladungsgerechte Aufbauten und eventuell Ladeeinrichtungen wird es spezialisiert. Für den Vor- und Nachlauf zu den Terminals des kombinierten Verkehrs werden Containerchassis als Auflieger oder Anhänger für übliche Container bis 45’ und für genormte Wechselaufbauten angeboten.

Transport und Logistik sind die Stützen einer wachsenden Weltwirtschaft und zugleich Schrittmacher einer fortschreitenden Globalisierung von Produktion und Wirtschaft. Das Nutzfahrzeug, selbst schon ein Produkt globalisierter Forschung, Entwicklung und Produktion, trägt und prägt den Globalisierungsprozess.

Bei allen Vorteilen, die der Güterverkehr auf der Schiene bieten kann, bleibt der grenzüberschreitende Verkehr durch mehrere Stromsysteme, verschiedene Spurweiten und unterschiedliche Sicherungssysteme gegenüber dem Lkw im Nachteil.

Am Transport der Güter des täglichen Bedarfs (Konsumgüter) wie auch der Investitionsgüter sind Fahrzeuge beteiligt, die sich zu Wasser, auf dem Land (Schiene und Straße) oder in der Luft bewegen. Die Wahl des für eine konkrete Transportaufgabe geeignetsten Verkehrsmittels ist vom Transportweg, der angestrebten Transportzeit, dem Ausbau des betreffenden Transportwegesystems, den Abmessungen und dem Gewicht des Transportgutes und vor allem den entstehenden Transportkosten abhängig. Unter Abwägung dieser Kriterien wählt der Auftraggeber oder der von diesem beauftragte Spediteur ein einzelnes oder eine Kombination aus mehreren Transportmitteln aus.

Für den Transport schwerer und großvolumiger Fracht über große Entfernungen sind aufgrund eines geringen spezifischen Energieverbrauchs wie auch niedriger spezifischer Transportkosten *Wasserfahrzeuge* am geeignetsten. Die niedrigen Transportgeschwindigkeiten erfordern allerdings erhebliche Frachtzeiten. Da die zur Verfügung stehenden Verkehrswege (Meere, Seen, große Flüsse, Kanäle) geographisch bedingt begrenzt sind, muss in der Regel auf andere Verkehrsmittel umgeschlagen werden.

*Schienenfahrzeuge* nutzen ein festes Gleiswegenetz, das aber nur für die wenigsten Transportaufgaben (Firmen mit Gleisanschluss) ausschließlich genutzt werden kann. Darüber hinaus sind ländliche Gebiete wie auch Gebirge selten durch die Bahn erschlossen. Die maßlichen Beschränkungen für das Transportgut ergeben sich durch das Bahn-Verladeprofil C22. Da die Bahn aus ökonomischen Gründen große Transporteinheiten (Züge) bildet, sind die Transportzeiten trotz der höheren Geschwindigkeiten größer als bei reinem Straßentransport, da durch Rangieraufgaben und den Umschlag auf Straßenfahrzeuge zeitliche Einbußen entstehen.

*Straßenfahrzeuge* profitieren in erster Linie vom weit und engmaschig ausgebauten Straßenverkehrswegenetz. Kurze Transportzeiten und die Möglichkeit, „just in time" zu liefern, sind das oft entscheidende Argument im Vergleich zum Transport auf der Schiene. Belastend auf Mensch und Umwelt wirken sich die insbesondere durch den gewerblichen Güterfernverkehr verursachte hohe Verkehrsdichte auf den Autobahnen und Bundesstraßen, Abgasbelästigung und Umweltschädigung wie auch der hohe Bedarf an Verkehrsflächen aus.

**Bild 1-1** „CargoRoo Trailer" (ADtranz)

*Luftfahrzeuge* (Flugzeuge) sind bezüglich kürzester Transportzeiten über große Entfernungen unschlagbar. Sie werden allerdings nur dort eingesetzt, wo die hohen spezifischen Transportkosten in angemessener Relation zum Warenwert stehen oder leicht verderbliche Waren kurze Transportzeiten zwingend erfordern. Als attraktives Transportmittel für besonders schwere und großvolumigen Lasten sehen zukunftweisende Konzepte das Luftschiff an.

*Straße-Schiene-Transportkonzepte* sind mit weniger als 10 % am Gütertransport in Deutschland beteiligt. Um den kombinierten Verkehr attraktiv zu machen, sind besondere technische und logistische Konzepte entwickelt worden. Bild 1-1 zeigt das mobile Umschlagsystem „CargoRoo Trailer“. Dieses basiert auf Eisenbahnwagen mit bordeigenen Lafetten als Umschlageinrichtungen und dem Sattelanhänger als einheitlichem Straßenfahrzeug. Statt Umschlaganlagen wird lediglich ein Gleis und beiderseits Fahrbahnen für die Sattelkraftfahrzeuge benötigt.

## 1.2 Die Entwicklung des Nutzfahrzeugs

Der Lastkraftwagen blickt auf mehr als 100 Jahre zurück [1-1]. Es lohnt sich, einige Stationen oder Schwerpunkte der Entwicklung bis zum heutigen Nutzfahrzeug kurz zu betrachten, um den gewaltigen technischen und wirtschaftlichen Fortschritt in den letzten Jahrzehnten zu erfassen und zu verstehen.

Das Nutzfahrzeug als Lkw oder Lastzug ist ein fester Bestandteil logistischer Systeme. Seine Konstruktion hat größten Kundennutzen als Zielvorgabe, in weitestem Sinn heißt das Wirtschaftlichkeit und Zuverlässigkeit, verbunden mit hoher aktiver und passiver Sicherheit und hoher Umweltverträglichkeit. Die Verfügbarkeit des Lkw soll durch maximal 10 Tage für Wartung und Reparatur eingeschränkt werden.

**Bild 1-2** 1923: Erster Lastwagen mit Dieselmotor vom Benz-Werk Gaggenau, 5 t Nutzlast, Vierzylinder-Motor mit 50 PS, entwickelt bei Benz & Cie. AG in Mannheim (Daimler AG)

Es war ein Traum von Rudolf Diesel, seinen Motor mit Kraftstoffeinspritzung und Selbstzündung für Kraftfahrzeuge verwenden zu können, aber es war ein langer Weg; erst 1923 konnte der erste Lkw mit Dieselmotor auf den Markt kommen [Bild 1-2]. Büssing stellte ebenfalls 1923, einen so genannten Sechsradwagen mit besserem Verhältnis von Nutzlast zu Eigengewicht vor.

Diese markanten Entwicklungen setzten für die Nutzfahrzeugtechnik Maßstäbe für die nächsten Jahre [1-2]. Trotz schlechter wirtschaftlicher Lage wurde die Weiterentwicklung von allen Beteiligten zielstrebig in Richtung auf den wirtschaftlichen Lastkraftwagen betrieben. Kardanantrieb statt Kette, Luftreifen und Druckluftbremse wurden Standard in schweren Lastwagen. Die Verwirklichung des alten Projekts einer Autobahn von Hamburg nach Basel in diesen 1930er Jahren beflügelte die Entwicklung in Richtung höherer Nutzlast durch Betrieb mit Anhängern und größerer Motorleistung. Gleichzeitig wurde der Lastwagen ein ernst zu nehmender Konkurrent der Eisenbahn, zumal er freizügig in der Fläche operieren kann. Durch Längen- und Gewichtsbegrenzung waren zunächst noch deutliche Grenzen gesetzt.

Die Straßenverkehrszulassungsordnung (StVZO) von 1935 erlaubte Lastzüge bis 22 m Länge; ein dreiachsiger Lastwagen durfte 18,5 t wiegen und ein dreiachsiger Anhänger 16,5 t. Für einen Lastzug von 35 t Gesamtgewicht ergab sich bei der vorherrschenden Motorleistung von 150 PS eine spezifische Leistung von 4,3 PS/t (3,15 kW/t). Ein zweiachsiger Lkw konnte mit zwei Anhängern betrieben werden und erreicht 13 t +11 t +11 t = 35 t [Bild 1-3]. In den 1950er Jahren wurde der zweite Anhänger generell verboten. Die Höchstgeschwindigkeiten der Solo-Lkw betrugen nur maximal 60 km/h. Die vorhandenen Straßen ließen keine höhere Geschwindigkeit zu, bis das Autobahnnetz zu wachsen begann. Für den zunehmenden Straßengüterverkehr entstanden um 1937 noch ein vierachsiger Lkw von Faun und mehrere Anhängerbauer stellten vierachsige Anhänger vor.

**Bild 1-3** Untermotorisierter Lastzug 1936 von Henschel/Kässbohrer mit 125-PS-Dieselmotor, 34 t Gesamtgewicht (3,7 PS/t) (Karl Kässbohrer GmbH)

Die StVZO von 1965 begrenzte die Länge der Lastzüge auf 18 m, womit der Auslöser für die Einführung der Frontlenkerbauweise gegeben war. Dies zwang zu Motoren mit geringem Bauraum und möglichst kurzer Baulänge, obwohl die Motorleistungen ständig weiter stiegen. Die Fahrerhäuser wurden geräumiger, der Fahrerarbeitsplatz erhielt hohen Stellenwert. Im Kampf um hohe Verfügbarkeit und größere Wirtschaftlichkeit gewinnt nun der Sattelzug an Boden. Er fährt wirtschaftlicher als ein Gliederzug, weil er durch das Fehlen des Totraums zwischen Motorwagen und Anhänger und durch einfache Verkleidungen hinter der Kabine der Zugmaschine geringeren Luftwiderstand aufweist. Die Trennung von Zugkraft und Tragkraft lässt einen freizügigen Einsatz der Zugmaschinen ohne Wartepausen zu, was dazu führte, dass im Schnitt drei Auflieger auf eine Zugmaschine entfallen.

In den letzten 20 Jahren kam neben hoher Nutzlast die Forderung nach maximalem Transportvolumen durch die Zunahme spezifisch leichten Transportguts hinzu und führte zur Entwicklung spezieller so genannter Volumenzüge [Bild 1-4]. Als besondere Transportaufgabe ist der so genannte Volumentransport zu betrachten, da im Extremfall niedrig bauende Fahrgestelle mit Niederquerschnittreifen notwendig werden. Sattelschlepper haben hierfür extrem niedrige Sattelhöhen von ca. 950 mm und eingeschränkte Bewegungsfreiheit beim Überfahren von Bordsteinen und Befahren von Senken oder Kuppen. In der Regel ist hier ein internationaler Fernverkehr nicht möglich, allein schon, weil kein Platz für eine komfortable Kabine übrig bleibt.

**Bild 1-4** MAN-TGA mit Zentralachsanhänger als moderner 40-t-Volumenzug (MAN Nutzfahrzeuge)

Nicht zuletzt muss die Aerodynamik des Nutzfahrzeugs behandelt werden. Ihre Bedeutung für die Gestaltung von Kabine und Aufbau zum Vermindern schädlicher Luftwirbel, um Kraftstoff zu sparen, wurde spät erkannt. Der Sattelzug wurde auch begünstigt, weil er geringeren Luftwiderstand erzeugt als ein Gliederzug.

Das Fahrerhaus mutierte von der primitiven Kabine in Holzkonstruktion mit Blechbeplankung und einer Holzkiste mit aufgelegtem Sitzpolster zu einem ästhetischen Modul mit Geräuschdämmung und Wärmeisolierung. Der Arbeitsplatz ist ergonomisch gestaltet, der Sitz ist gefedert und gedämpft, die Armaturentafel übersichtlich und in die freundliche Innenraumgestaltung integriert. Das heutige Fahrerhaus ist ein Markenzeichen des Herstellers und in Verbindung mit einer gut gestalteten Werbefläche des Aufbaus eine gute Werbung für den Besitzer. Design und aerodynamisch optimale Gestaltung werden sinnvoll vereint.

An Nutzfahrzeuge werden heute diese Anforderungen gestellt:

- Sicherheit im Straßenverkehr
- Zuverlässigkeit und Wirtschaftlichkeit
- hohe Verfügbarkeit durch niedrige Ausfallzeiten
- Konkurrenzfähigkeit im globalen Wettbewerb
- Umweltfreundlichkeit durch niedrige Geräusch- und Abgasemissionen
- höchstmögliche Fahrerentlastung
- optimale Schonung von Ladung, Fahrzeug und Straße
- Berücksichtigung aller Einsatzbedingungen: Nahverkehr – Fernverkehr, Sommer – Winter

Für Schwertransporte wurden spezielle Schwerlastzugmaschinen mit Motoren aus dem Programm von Industriemotoren verschiedener Hersteller in kleinen Serien gebaut. Durch die Entwicklung des Lastkraftwagens in den letzten 40 Jahren, begünstigt durch die Zulassung vierachsiger Fahrzeuge zum Straßenverkehr und die beträchtlich angestiegene Leistung der Motoren aus der Serie, können heute Schwertransporte mit Zugmaschinen auf Serienbasis mit Zuggesamtgewichten bis 250 t und mehr bewältigt werden. Für extreme Lasten stehen Spezialzugmaschinen noch eines Herstellers in Europa zur Verfügung.

### 1.2.1 Variationen des Dieselmotors

Die ersten Dieselmotoren für Lastwagen von 1923/24 hatten eine Leistung von 40 bis 50 PS und arbeiteten ganz verschieden: Benz & Cie AG in Mannheim bevorzugte das Vorkammerprinzip mit Drucklufteinblasung des Kraftstoffs, was eine „weiche“ Verbrennung ergab; der erste Lkw mit Dieselmotor, gebaut bei Benz in Gaggenau, war mit diesem Motor ausgerüstet. Die MAN-Motorenwerke in Nürnberg arbeiteten mit direkter Einspritzung und „harter“ Verbrennung, aber mit höherem Gesamtwirkungsgrad [Bild 1-5]. Erst in den 1970er Jahren wurde die direkte Einspritzung Allgemeingut. Innerhalb von 12 Jahren gelang es, die Motorleistung auf 150 PS (110 kW) zu steigern, andererseits fand der Dieselmotor zunehmend Eingang bei leichteren Lastwagen ab etwa 2 t Nutzlast. Drehmomentverlauf und Elastizität waren bei den Ottomotoren überlegen, aber die anfällige elektrische Zündanlage und der niedrige Preis des Dieselkraftstoffs, damals Gasöl genannt, begünstigten das Vordringen des Dieselmotors [1-3].

Die Entwicklungstätigkeit der Motorenbauer ging in den 1930er Jahren in alle Richtungen, teils um höhere Motorleistung zu erreichen, teils um den idealen Motor für Nutzfahrzeuge schlechthin zu finden. Henschel baute in seine Dreiachser 1937 einen Reihenachtzylinder-Dieselmotor mit 170 PS (125 kW) ein nachdem vorher schon ein Otto-Doppelmotor mit 2x6 Zylindern und 250 PS für kurze Zeit gebaut worden war. Er sollte speziell für den Betrieb mit Holzgas eine noch ausreichend hohe Leistung bringen. Büssing-NAG entschied sich ebenfalls für einen gleichen Diesel-Doppelmotor, bei dem beide Zylinderreihen unabhängig arbeiteten. Mit 320 PS (235 kW) verlieh er dreiachsigen Omnibussen im Überlandlinienverkehr relativ überragende Fahreigenschaften; in schweren dreiachsigen Sattelzugmaschinen (6x6) in 30 m langen und bis 67 t schweren Lastzügen arbeiteten diese Motoren mit zwei Holgaserzeugern mit ca. 250 PS (184 kW). Von Büssing-NAG wurde der Unterflurmotor zur Anwendung in Lastwagen und Omnibussen eingeführt. Nach Übernahme von Büssing durch die MAN wurde der Unterflurmotor für Lkw verlassen.

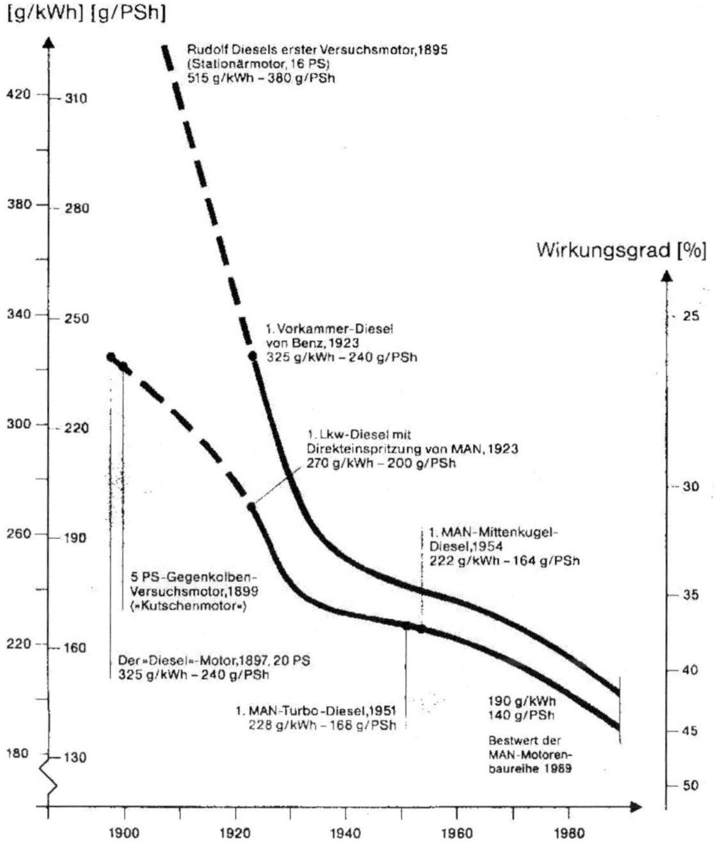


**Bild 1-5**
Kraftstoffverbrauch von Lkw-Dieselmotoren mit direkter Einspritzung (unten) und Vorkammerverfahren von 1900–1998 (MAN Nutzfahrzeuge AG)

In den Jahren von 1935 bis 1945 wurden Holzgaserzeuger verwendet. Um den schlechten Wirkungsgrad zu erhöhen, rüstete FBW (Schweiz) um 1943 den Motor eines 6-t-Lkw mit einem der ersten Abgasturbolader für Fahrzeugmotoren von Brown Boveri aus, der die verdichtete Ansaugluft in den Gaserzeuger leitete und eine indirekte Aufladung des Motors bewirkte. Der Betrieb mit Holzgas blieb dennoch als Notlösung nicht von Dauer.

Auch Luftkühlung und Zweitaktverfahren fanden Eingang in das Nutzfahrzeug. Krupp entwickelte einen luftgekühlten Boxermotor mit vier Zylindern für Schnelllastwagen, der als Viertakt- und Zweitakt-Dieselmotor gleiche Leistung und mit gleichen Abmessungen gebaut wurde. Der Zweitaktmotor war nicht erfolgreich. Parallel dazu wurden Zweitakt-Gegenkolbenmotoren in Lizenz Junkers für mittelschwere und schwere Lkw verwendet. Ein thermokonzentrischer V8-Zweitaktdieselmotor hatte Auslassventile im den Zylinderköpfen und entwickelte 200 PS (147 kW), auch er führte sich in der Praxis nicht ein. Krupp blieb dem Zweitaktprinzip dennoch treu und führte in den 1950er Jahren einen dreizylindrigen Zweitaktmotor mit Roots-

Gebläse ein, der als Doppelmotor mit sechs Zylindern in Reihe bis 210 PS leistete und einen Höhepunkt der klassischen Haubenbauweise darstellte [Bild 1-6]. Nach einigen Jahren wurden diese Motoren durch Krupp-Cummins-V8-Viertakt-Dieselmotoren ersetzt. Auch Deutz schuf 1937 einem Reihenachtzylinder mit maximal 200 PS, der zunächst in einen sensationellen vierachsigen Lastwagen von Faun für 15 t Nutzlast als Mittelmotor hinter der Fahrerkabine eingebaut war.

**Bild 1-6** Klassischer Hauben-Lkw: Krupp-Titan SW 80 (ab 1951) mit 210-PS-Zweitaktdieselmotor (E. Hoepke)

Der 1939 ausgebrochene Krieg unterbrach alle diese Entwicklungen für kommerzielle Anwendung, begünstigte aber die neuen luftgekühlten Deutz-Dielmotoren mit Vorkammerverfahren für militärische Fahrzeuge. Später entstand daraus eine homogene Baureihe luftgekühlter Motoren als Reihensechszylinder, als V8-, V10- und V12-Motoren für Lastwagen, Baumaschinen und Fahrzeugkrane mit weltweiter Verbreitung.

Letzten Endes mündeten alle Entwicklungsrichtungen im Viertakt-Dieselmotor mit Wasserkühlung, Abgasturbolader mit Ladeluftkühler und direkter Kraftstoffeinspritzung. Nur so waren die Voraussetzungen für höhere Mitteldrücke und für die steigenden Anforderungen in ökonomischen und ökologischen Hinsicht gegeben. Neben Drehmoment und Antriebsleistung wurde das Thema Verbrennung im Motor durch Vorgaben zur Emissionsbegrenzung vorrangig und beeinflusst seitdem die Entwicklung der Motoren [1-4]. Auf EURO-0 im Jahr 1988 folgten EURO-1 (1992/93), EURO-2 (1995/96), EURO-3 (2000/01), EURO-4 (2005/6) und EURO-5 (2008/09). Da die Emissionsbegrenzung derzeit nur durch außermotorische Maßnahmen erreicht werden kann, entstanden innovative Lösungen durch Abgasrückführung über Abgaskühler und die zur Erfüllung der Vorgaben nach EURO-5 notwendige Abgasnachbehandlung nach dem SCR-Verfahren (Selected Catalytic Reduction) [1-5]. Die Vorgaben nach EURO-5 werden schon heute von den Motoren mittlerer und schwerer Lastwagen erreicht und möglicher weise wird das SCR-Verfahren auch in den USA eingeführt, um die gesetzlichen Vorgaben von EPA10 (ab 2010) erfüllen zu können. Ansätze zur Erfüllung künftiger Vorgaben ausschließlich durch innermotorische Maßnahmen sind weltweit Gegenstand intensiver Forschung und Entwicklung.

Trotz verschiedener Prognosen stiegen die Motorleistungen unaufhaltsam an. Auch die Emissionsbegrenzungen änderten daran nichts und offenbar ist die allen Ansprüchen des Transportgewerbes genügende Obergrenze noch nicht allgemein erreicht [Tabelle 1-1]. Trotz permanent enger werdender Rahmenbedingungen blieb genügend Spielraum für Entwickler und Konstrukteure, um mit Hilfe neuester Technologieen das im Dieselmotor steckende Potenzial auszuschöpfen.

Der Dieselmotor bleibt noch die wirtschaftlichste Antriebsart, nicht zuletzt durch den drucklos speicherbaren Dieselkraftstoff mit hohem Energieinhalt. Vom Dieselmotor abgeleitete Gasmotoren für den Betrieb mit Erdgas finden zunehmend Anwendung in Stadtlinienbussen und Transportern.

**Tabelle 1-1** Entwicklung der Motorleistungen

| **Fabrikat**<br>Bauart /Hubraum | **bis 1988** | **Euro 0**<br>1988 | **Euro 1**<br>1992/93 | **Euro 2**<br>1995/96 | **Euro 3**<br>2000/01 | **Euro 4**<br>2005/06 | **Zunahme %**<br>gegen Erstmotor |
|---|---|---|---|---|---|---|---|
| Mercedes-Benz<br>V8, 14,6 l | 1979: 276 kW<br>375 PS<br>1.550 Nm | 353 kW<br>480 PS | 370 kW<br>503 PS | 390 kW *<br>530 PS * | | 440 kW<br>598 PS<br>2.700 Nm | 59<br><br>74 |
| Scania<br>V8, 14,2 l | 1969 : 257 kW<br>350 PS<br>1.245 Nm | 346 kW<br>470 PS | 368 kW<br>500 PS | 390 kW<br>530 PS | 426 kW **<br>580 PS ** | 456 kW<br>620 PS<br>3.000 Nm | 77<br><br>141 |
| Volvo<br>R6, 16,1 l | 1987 : 335 kW:<br>425 PS<br>2.005 Nm | 342 kW<br>465 PS | 368 kW<br>500 PS | 382 kW<br>520 PS | 449 kW<br>610 PS | 485 kW<br>660 PS<br>3.100 Nm | 42<br><br>49 |
| MAN<br>V10, 18,3 l | 1987: 338 kW<br>460 PS<br>1.200 Nm | 368 kW<br>500 PS | | 441 kW<br>600 PS | | 485 kW ***<br>660 PS ***<br>2.700 Nm | 43<br><br>125 |

* Hubraum von 14,6 l auf 16 l vergrößert ** Hubraum von 14,2 l auf 16 l vergrößert *** ausschließlich für Schwerlastzugmaschinen

**Alle Motoren erfuhren im dargestellten Zeitraum konstruktive und verbrennungstechnische Weiterentwicklungen, weshalb die Zunahme der Daten in % nur als Größenordnung zu verstehen ist; auch weil die Ausgangsbasis sehr verschieden ist:**

- Übergang von Reiheneinspritzpumpe auf Einzelpumpen oder Common Rail-Verfahren
- Erhöhung der Einspritzdrücke bis 1.600 bar
- Vierventiltechnik mit zentraler Einspritzdüse
- Einführun der Elecrronic Diesel Control (EDC)
- Nach Euro 3 mit SCR-Technik

## 1.2.2 Entwicklung der Fahrleistungen

Die Fahrleistung ist eine Funktion der Motorleistung, des Drehmomentverlaufs und der Wahl des Getriebes in Verbindung mit einer darauf abgestimmten Übersetzung des Hinterachsgetriebes. Das Getriebe spielt eine wesentliche Rolle und entwickelte sich vom Handschaltgetriebe mit vier Gängen in den 1930er Jahren zum automatisierten Getriebe mit 10 bis 16 Gängen. Das im Pkw verbreitet Automatikgetriebe wurde wegen des schlechteren Wirkungsgrades von den Kunden abgelehnt. Für schweren Betrieb gewann das Getriebe mit Wandlerschaltkupplung mit überbrückbarem Wandler Bedeutung, für schwere Lkw ist das unsynchronisierte Getriebe mit automatisierter Kupplung ohne Kupplungspedal sicher die wirtschaftlichste Lösung mit deutlicher Entlastung des Fahrers.

Je günstiger die Abstimmung von Motor und Getriebe in Verbindung mit einer geeigneten Übersetzung der Antriebsachse getroffen wird, desto mehr wird die Fahrleistung positiv beeinflusst. Da unterschiedliche firmenspezifische Getriebebauarten auf dem Markt sind, ist eine Fahrerschulung wichtig..

Die Autobahnen erlaubten in der Anfangszeit bereits höhere Geschwindigkeiten, aber mit den üblichen Vierganggetrieben, einige mit zusätzlichem „Schnellgang", und den niedrigen Motorleistungen bedeutete jede Steigung einen starken Geschwindigkeitsverlust. Auf Steigungen und in Gefällen musste in den 2. Gang zurück geschaltet werden. Mit der Einführung der Getriebe mit 12 und 16 Gangstufen ab 1968 und den steigenden Motorleistungen änderte sich die Fahrleistung beträchtlich. Wie die Grafik [Bild 1-7] zeigt, steigt nach Testfahrten von „lastauto omnibus" die durchschnittliche Geschwindigkeit eines 38-t-Zuges zwischen 1966 und 1986 von 50 km/h auf ca. 65 km/h, während der Kraftstoffverbrauch von 50 auf ca. 35 l/100 km sinkt. Im gleichen Zeitraum stieg die Motorleistung von ca. 350 PS (257 kW) auf ca. 450 PS (331 kW) an; Diese Entwicklung setzte sich nach Einführung des 40-t-Limits fort und nähert sich asymptotisch den Marken 75 km/h und ca. 32 l/100 km. Ein Anstieg des Verbrauchs durch Einführung der strengen Abgasvorschriften ab 1990 konnte durch innermotorische Maßnahmen und durch Einführung der SCR-Technik verhindert werden.

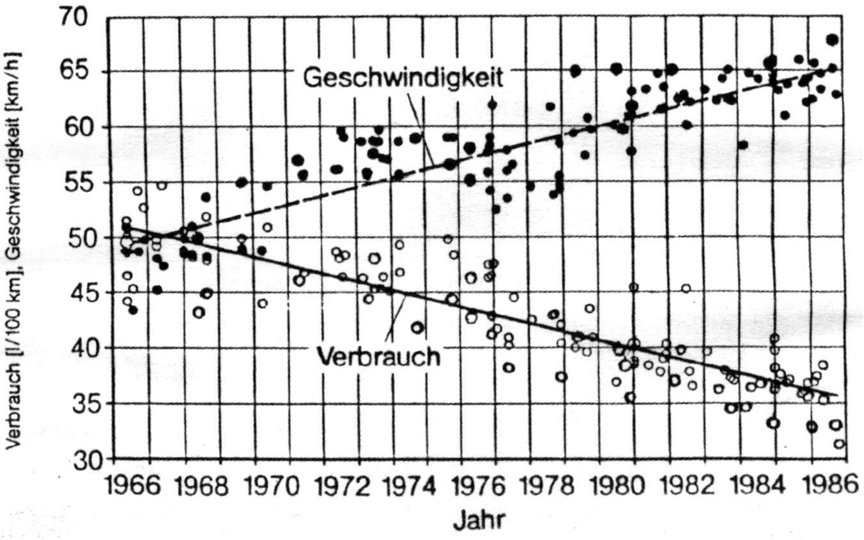


**Bild 1-7** Entwicklung von Durchschnittsgeschwindigkeit und Verbrauch von 38/40-t-Lastzügen von 1966–1986 (lastauto omnibus)

Nur mit hoher Fahrleistung kann der heutige internationale Fernverkehr bewältigt werden. Die Motorleistungen erreichten 2005 für Lkw ein Grenze von 660 PS (485 kW), während die optimale Leistung für wirtschaftlichen Betrieb im nationalen Fernverkehr bei ca. 450 PS (331 kW) liegt. Für die künftigen 60-t-Züge sollte die spezifische Antriebsleistung bei mindestens 10 PS/t liegen. Die Vorgaben für die Emissionsbegrenzung bewirkten keinen Rückschritt und die Globalisierung von Unternehmen bringt auch neue globale Herausforderungen an die Motoren- und Fahrzeughersteller. Die Einführung der Leistungsangabe in kW kann den weiteren Gebrauch der Angabe in PS in der Praxis nicht verhindern und auch die Typenbezeichnung einiger Hersteller enthält nach wie vor die Leistung in PS.

Um den Betrieb mit untermotorisierten Lastzügen zu unterbinden, wurde 1968 gesetzlich eine Mindestmotorleistung von 8 PS/t eingeführt. Damit ergab sich für den 38-t-Zug eine Mindestmotorleistung von 304 PS (224 kW) und für den 40-t-Zug ab 1995 von 320 PS (235 kW). Damit wurden die Fahrleistungen, besonders auf Steigungsstrecken, erhöht. Ein wesentliches Argument für höhere Motorleistung ist die Entlastung des Fahrers durch niedrigere Schalthäufigkeit. In der Schweiz werden für die ursprünglich nur mit 28 t zugelassenen Lastzüge 10 PS/t vorgeschrieben.

Die 1968 eingeführte 8-PS/t-Regel löste eine wichtigen Diskussion aus. Das Fachblatt „lastauto omnibus" wies durch Testfahrten mit den damaligen 38-t-Zügen nach, dass das Drehmoment und die Motorleistung im günstigsten Bereich des Drehmoments wichtiger sind als die höchste Motorleistung. Dem kam das 8-Ganggetriebes mit Splitgetriebe (16 Gänge) mit feinstufigere Anpassung an wechselnde Fahrwiderstände entgegen. Die heutigen Motoren ermöglichen durch höhere Elastizität ein längeres Verbleiben im grünen Bereich ohne Gangwechsel und es zeigt sich deutlich, dass im hohen Leistungsbereich der 40-t-Züge ein Getriebe mit 12 Gängen ausreicht.

### 1.2.3 Entwicklung der Antriebstechnik

Die Entwicklung des „sauberen" Dieselmotors verschlang weltweit einschließlich der Entschwefelung des Dieselkraftstoffs in den Raffinerien Kosten in Milliardenhöhe und wird in den nächsten Jahren durch Erfüllung der extremen Forderungen nach EURO-6 einen vielleicht endgültigen Höhepunkt erreichen. Der ungeheure Aufwand wird zu weiteren Joint Ventures, Kooperationen und Übernahmen führen, um Synergieeffekte nutzen und Überkapazitäten abbauen zu können. Je mehr die Abgasbestimmungen verschärft werden, desto mehr werden künftig neben außermotorische Maßnahmen innermotorische Maßnahmen eine Rolle spielen. Versuchsweise wird schon mit Einspritzdrücken über 2.000 bar gearbeitet. Ob Reihen- und V-Motoren weiterhin nebeneinander Bestand haben, ist noch nicht abzusehen; der Trend geht offenbar zum kostengünstigeren Reihenmotor. Eine Vorstellung von den heutigen Grenzen des Verbrennungsmotors mit Hubkolbentriebwerk gibt die neue Baureihe 890 von MTU [1-6]; der V6-Motor erzielt aus 6 l Hubraum eine Spitzenleistung von 550 kW (748 PS). Diese Motoren wurden für luftverladbare militärische Kettenfahrzeuge entwickelt und eignen sich natürlich nicht für Nutzfahrzeuge.

Die konventionelle Lichtmaschine mit relativ schlechtem Wirkungsgrad und der Anlasser im heutigen 24-Volt-System werden in absehbarer Zeit weitgehend zu einer Einheit verschmelzen. Das System bietet interessante Zusatzfunktionen wie regeneratives Bremsen, eine Boosterfunktion zum Anfahren mit gewonnener Bremsenergie und Speisung elektrischer Komponenten.

Die Anwendung der Brennstoffzelle macht vor allem im Omnibus Fortschritte, aber die Kosten sind noch zu hoch. Prognosen über die Einführung der Brennstoffzelle im Nutzfahrzeug erwiesen sich als verfrüht. Der Hybridantrieb wird als Übergangslösung an Boden gewinnen, er ist eine geeignete Plattform zur Weiterentwicklung elektrischer Antriebe für Fahrzeuge mit Brennstoffzelle als Energielieferant. Mehr als 1000 Hybridbusse von Orion und Mitsubishi Fuso aus dem globalen Produktionsverbund von Daimler stehen in Nord-Amerika und Asien im Einsatz, für Europa steht der Einsatz eines Mercedes-Benz Hybrid-Citaro bevor.

### 1.2.4 Gesetzliche Vorgaben und Innovationen

Gesetze engen ein oder Gesetze beflügeln die Konstrukteure, den vorgegebenen Rahmen optimal auszufüllen. Die unverständliche Begrenzung der Gesamtgewichte auf 28 t bei auf 16 m verminderter Gesamtlänge im Jahr 1958 brachten z. B. den dreiachsigen Lkw von Mercedes-Benz mit zwei gelenkten Vorderachsen hervor; mit Achslasten von 4 t+4 t+8 t ergaben sich 16 t, wodurch das Mitführen eines zweiachsigen Anhängers noch zulässig war. Dennoch war diese Einschränkung kontraproduktiv. 1965 wurde diese Fehlentscheidung durch den 38-t-Lastzug mit 18 m Länge, 1995 den 40-t-Zug mit 18,75 m Länge und 2,55 m Breite korrigiert. Die Wandstärke von Kühlaufbauten war bei 2,50 m Breite nicht ausreichend, aber das Innenmaß war durch die Abmessungen der Paletten vorgegeben. Die Längenbegrenzung führte schnell zum Frontlenkerfahrerhaus, um möglichst hohe Ladekapazität zu erhalten. Daraus entwickelte sich der lange Zeit als optimale Lösung geltende „Speditions-Lastzug“ mit zweiachsigem Motorwagen und dreiachsigem Anhänger, weil damit das günstigste Verhältnis von Nutzlast zu Eigengewicht erzielbar war. Die Fahrerhäuser waren bis in die 1960er Jahre kurz und ohne sonderlichen Komfort.

Die elektronischen Assistenzsysteme sind bereits hoch entwickelt und können den Fahrer vor allem im Langstreckenverkehr entlasten. Diese Systeme sind naturgemäß als Neuentwicklungen noch teuer und werden wenig von den Kunden verlangt. Sie können Unfälle und Unfallfolgen vermeiden oder mindern, aber Unfälle werden nicht einkalkuliert. Obwohl der Anschaffungspreis eines schweren Lkw nur etwa 15 % der gesamten Betriebskosten über die Lebensdauer beträgt, hat er hohen Stellenwert. Hier sind gesetzliche Vorgaben notwendig, weil beispielsweise Systeme zum automatischen Verhindern von Auffahrunfällen ihre Wirkung verfehlen, wenn nicht alle Lkw damit ausgerüstet sind. Gesetzliche Vorgaben würden zu höheren Stückzahlen und niedrigeren Preisen führen. Der mit allen derzeit verfügbaren Assistenzsystemen ausgestattete Mercedes-Benz Safety Truck wird nur durch gesetzliche Vorgaben allgemeine Realität werden.

## 1.3 Rechtliche Grundlagen, Vorschriften, Normen

### 1.3.1 Rechtliche Grundlagen

Das Straßenverkehrsgesetz (StVG) bildet die Rechtsgrundlage für den Bau und den Betrieb von Kraftfahrzeugen. § 1 StVG bestimmt die Zuständigkeit für deren Zulassung. § 6 StVG ermächtigt den Bundesminister für Verkehr zum Erlass von Rechtsverordnungen und Verwaltungsvorschriften, welche deren Beschaffenheit, Ausrüstung, Prüfung und Kenntlichmachung betreffen.

Auf einer solchen Ermächtigung beruht die Straßenverkehrs-Zulassungs-Ordnung (StVZO). Die §§ 16 bis 29 regeln Fragen der Zulassung und der regelmäßigen Untersuchung. Für den Fahrzeugkonstrukteur sind die in den §§ 30 bis 67 aufgeführten Bau- und Betriebsvorschriften besonders wichtig. Sie werden ständig dem aktuellen Stand der Technik angepasst. Ältere, bereits im Verkehr befindliche Fahrzeuge sind durch die in § 72 StVZO ausgeführten Übergangsvorschriften teilweise von der Anpassungspflicht auf die aktuelle Verordnungslage entbunden oder es wird eine angemessene Frist für eine entsprechende Umrüstung eingeräumt. In vielen Textstellen wird auf weitere, im Anhang aufgeführte Bestimmungen verwiesen. Diese sind ausnahmslos in verbindlich nationales Recht umgesetzte EU-Richtlinien.

Die Fahrzeugteileverordnung (FzTVO) beruht auf § 22a StVZO, wonach bestimmte Einrichtungen an Kraftfahrzeugen in einer amtlich genehmigten Bauart ausgeführt sein müssen.

Allgemeine Grundsätze, insbesondere solche zur sicherheitstechnischen Gestaltung von Kraftfahrzeugen, werden in § 30 StVZO (*Beschaffenheit der Fahrzeuge*) formuliert:

- Niemand soll geschädigt oder mehr als unvermeidbar gefährdet, behindert oder belästigt werden.
- Die Insassen sollen insbesondere bei Unfällen vor Verletzungen möglichst geschützt sein und das Ausmaß und die Folgen von Verletzungen sollen möglichst gering bleiben.
- Fahrzeuge müssen in straßenschonender Bauweise hergestellt sein.
- Fahrzeugteile, die für die Verkehrs- und Betriebssicherheit wichtig sind und die besonders leicht abgenutzt oder beschädigt werden können, müssen einfach zu überprüfen und leicht auswechselbar sein.

Die in § 30 StVZO genannten allgemeinen Gestaltungsgrundsätze werden durch zahlreiche, im Verkehrsblatt (Amtsblatt des Bundesverkehrsministeriums) veröffentlichte Richtlinien und Merkblättern konkretisiert [1-7]. Auszugsweise seien hier genannt: Zulässige Messwertabweichungen bei Fahrzeugprüfungen (Toleranzkatalog); Richtlinien für die Verbindung zwischen Container und Fahrzeug; Richtlinie über die Gestaltung und Ausrüstung der Führerhäuser; Merkblatt über Aufbauten von Viehtransportfahrzeugen; Sicherung von hydraulisch wirkenden Kippeinrichtungen sowie von Hub- und sonstigen Arbeitsgeräten.

Fahrzeugteile, die für die Verkehrs- und Betriebssicherheit eines Fahrzeuges von besonderer Bedeutung sind, unterliegen nach § 22a StVZO der *Bauartgenehmigungspflicht*. Hierunter fallen unter anderem kraftstoffbetriebene Heizungen, Gleitschutzeinrichtungen, Scheiben aus Sicherheitsglas, Auflaufbremsen, Verbindungseinrichtungen zwischen Fahrzeugen, sämtliche lichttechnischen Einrichtungen, Fahrtschreiber und Sicherheitsgurte. Dabei ist es gleichgültig, ob diese Teile an zulassungspflichtigen oder zulassungsfreien Fahrzeugen verwendet werden und der Einbau vorgeschrieben ist oder freiwillig vorgenommen wurde (z. B. Einbau zusätzlicher Bremsleuchten).

Die Anforderungen, welche bauartgenehmigungspflichtige Teile erfüllen müssen, sind in den „Technischen Anforderungen an Fahrzeugteile bei der Bauartprüfung nach § 22a StVZO" (veröffentlicht im Amtsblatt des Bundesverkehrsministeriums) enthalten. Die Fahrzeugteileverordnung (FzTVO), die das Verwaltungsverfahren über die Prüfung und Kennzeichnung bauartgenehmigungspflichtiger Fahrzeugteile regelt, unterscheidet:

- Allgemeine Bauartgenehmigung für die Bauart eines Typs für reihenweise zu fertigende Einrichtungen
- Bauartgenehmigung im Einzelfall für einzeln zu fertigende Einrichtungen

Für die allgemeine Bauartgenehmigung ist ein Antrag beim Kraftfahrt-Bundesamt nötig, der vom Hersteller, einem vom Hersteller Beauftragten oder im Falle von Importfahrzeugteilen von einem Händler mit ausschließlicher Vertriebsberechtigung gestellt werden kann. Ein Doppel des Antrags, zwei Muster der zu prüfenden Einrichtung, eine Typenbezeichnung und Funktionsbeschreibung, eine maßstäbliche Zusammenstellungszeichnung, Angaben zu den zugeordneten Fahrzeuggewichten (z. B. bei Zugeinrichtungen) und über die verwendeten Werkstoffe sind der zuständigen Prüfstelle einzureichen. Nach Erstellung des Gutachtens durch die Prüfstelle entscheidet das Kraftfahrt-Bundesamt. Es erteilt die Bauartgenehmigung und vergibt das Prüfzeichen (Bild 1-8), das aus einer Wellenlinie von drei Perioden, der Prüfnummer und einem vor dieser Nummer anzubringenden Unterscheidungsbuchstaben der Prüfstelle besteht.

**Bild 1-8** Prüfzeichen für Bauartgenehmigung durch das Kraftfahrt-Bundesamt (Grau GmbH)

Die Beantragung und Erteilung einer Bauartgenehmigung im Einzelfall ist wesentlich unkomplizierter. Sie wird unter Vorlage des Gutachten eines amtlich anerkannten Sachverständigen für den Kraftfahrzeugverkehr bei der zuständigen Verwaltungsbehörde beantragt. Die Erteilung erfolgt durch den Vermerk „Einzelgenehmigung erteilt" auf dem Gutachten.

Nach § 18 StVZO dürfen Kraftfahrzeuge mit einer durch die Bauart bestimmten Höchstgeschwindigkeit von mehr als 6 km/h und deren Anhänger auf öffentlichen Straßen nur in Betrieb genommen werden, wenn sie durch Erteilung einer *Betriebserlaubnis* und durch Zuteilung eines amtlichen Kennzeichens von der Verwaltungsbehörde (Zulassungsstelle) zum Verkehr zugelassen sind.

Für reihenweise zu fertigende Fahrzeuge kann die Betriebserlaubnis dem Hersteller nach Antrag beim Kraftfahrt-Bundesamt und der Prüfung durch eine beauftragte Prüfstelle allgemein erteilt werden (§ 20 StVZO). Für einzeln zu fertigende Fahrzeuge muss der Hersteller die Betriebserlaubnis bei der Verwaltungsbehörde beantragen und einen Fahrzeugbrief vorlegen, in dem ein amtlich anerkannter Sachverständiger bescheinigt haben muss, dass das Fahrzeug richtig beschrieben ist und den geltenden Vorschriften entspricht (§ 21 StVZO).

Im Fall von Veränderungen an einem bereits zugelassenen Fahrzeug erlischt die Betriebserlaubnis, wenn Teile des Fahrzeugs verändert werden, deren Beschaffenheit vorgeschrieben ist oder deren Betrieb eine Gefährdung anderer Verkehrsteilnehmer bedeuten kann (§19 StVZO). Beispielkataloge [1-7] beschreiben detailliert, welche Fahrzeugveränderungen zum Erlöschen der Betriebserlaubnis führen.

Mit dem 1. Januar 1993, der Verwirklichung des EG-Binnenmarktes, ist die Allgemeine Betriebserlaubnis für Fahrzeuge in allen EG-Mitgliedsstaaten auf eine neue rechtliche Grundlage gestellt worden. Die entsprechenden Richtlinien 92/53/EWG und 70/156/EWG gestatten außereuropäischen Fahrzeugherstellern den Verkauf von Fahrzeugen in allen Mitgliedsstaaten, wenn die EU-Betriebserlaubnis (Typengenehmigung) einer Genehmigungsbehörde in einem der Mitgliedsstaaten erteilt wurde.

## 1.3.2 Nationale Normen, Vorschriften und Richtlinien

Der Normenausschuss (FAKRA) im Deutschen Institut für Normung e.V. (DIN) führt für alle Kraftfahrzeuge nach DIN 70010 sowie deren Anhängern Normungsaufgaben bezüglich Vereinbarkeit, Austauschbarkeit und Sicherheit durch. Dabei ist es gleichgültig, ob diese mit Verbrennungsmotoren, Elektromotoren oder Hybridantrieben ausgerüstet sind. Weiter dazu gehört auch die Normung der gesamten Ausrüstungen vorstehend genannter Fahrzeuge und deren Aufbauten sowie von Containern. Das fünfbändige FAKRA-Handbuch [1-8] enthält über

700 DIN-Normen und Norm-Entwürfe, bei denen der Normenausschuss Kraftfahrzeuge Haupt- oder Mitträger ist:

Band 1: Allgemeine Kfz-Technik
Band 2: Motoren und Triebwerkteile
Band 3: Räder und Reifen
Band 4: Bremsausrüstungen
Band 5: Elektrische Ausrüstung

Auf der Rechtsgrundlage des siebten Sozialgesetzbuches (SGB VII) ist jeder Unternehmer Mitglied einer Berufsgenossenschaft, wobei die Zuordnung sich nach dem Produkt richtet, welches das Unternehmen herstellt. Für Fahrzeugbaubetriebe sind das in der Regel die Metallberufsgenossenschaften.

Entsprechend ihrer Aufgabe, mit allen geeigneten Mitteln für die Verhütung von Arbeitsunfällen, Berufskrankheiten und arbeitsbedingten Gesundheitsgefahren zu sorgen, sind die Berufsgenossenschaften ermächtigt, als autonomes Recht *Vorschriften für Sicherheit und Gesundheit bei der Arbeit* (BG-Vorschriften) [1-9] zu erlassen und die Betriebe auf derer Einhaltung hin zu überprüfen. Für den Fahrzeugbau sind relevant: BGV A1 (Allgemeine Vorschriften, früher VGB 1); BGV C27 (Müllbeseitigung, früher VBG 126); BGV D4 (Kälteanlagen, Wärmepumpen und Kühleinrichtungen, früher VBG 20); BGV D6 (Krane, früher VBG 9); BGV D8 (Winden, Hub- und Zuggeräte, früher VBG 8); BGV D29 (Fahrzeuge, früher VBG 12).

Relevante *Unfallverhütungsvorschriften*, welche überwiegend Beschaffenheitsanforderungen enthalten, sind VBG 5 (Kraftbetriebene Arbeitsmittel) sowie VBG 14 (Hebebühnen).

Weitere berufsgenossenschaftliche Schriften (früher ZH-1-Schriften) sind die so genannten *Berufsgenossenschaftlichen Regeln für Sicherheit und Gesundheit bei der Arbeit* (BGR), einer Zusammenstellung von Inhalten aus staatlichen Arbeitsschutzvorschriften, BG-Vorschriften, technischen Spezifikationen oder berufsgenossenschaftlichem Erfahrungsgut sowie die *Berufsgenossenschaftlichen Informationen* (BGI) und die *Berufsgenossenschaftlichen Grundsätze* (BGG).

Der Verein Deutscher Ingenieure (VDI) hat in Zusammenarbeit mit Fachleuten aus Industrie, Güterkraftverkehr, Berufsgenossenschaften und TÜV sowie Fahrzeug- und Aufbautenherstellern *VDI-Richtlinien* zur Sicherung von Ladungen auf Straßenfahrzeugen erarbeitet (siehe Abschnitt 4.5): Ladungssicherung auf Straßenfahrzeugen (Richtlinie VDI-2700), Zurrmittel (Richtlinie VDI-2701), Zurrkräfte (Richtlinie VDI-2702).

Der Verband der Technischen Überwachungs-Vereine e.V. ist Herausgeber zahlreicher Merkblätter [1-10] *(VdTÜV-Merkblätter)* zu Fragen der technischen Sicherheit. Die Merkblätter zum Kraftfahrwesen befassen sich unter anderem mit Verbindungseinrichtungen (Nr. 712), der Prüfung von Druckluftbremsanlagen (Nr. 742 und Nr. 754) und der Sicherung von Schraubenverbindungen (Nr. 1).

Von brennbaren Flüssigkeiten als auch unter Druck stehenden Gasen gehen besondere Gefahren aus. Wichtige Regelwerke, die sich mit den Anforderungen bezüglich Lagerung und Transport dieser Medien befassen, sind: Gerätesicherheitsgesetz (GSG), Gefahrgutverordnung Straße und Eisenbahn (GGVSE), Verordnung über brennbare Flüssigkeiten (VbF), Technische Regeln für brennbare Flüssigkeiten (TRbF), Druckbehälterverordnung (DruckbehV), Technische Regeln Druckbehälter (TRB).

### 1.3.3 Internationale Richtlinien

Der internationale Warenaustausch – hier der Export und Import Fahrzeugen und Fahrzeugteilen – wird immer dann schwierig sein, wenn innerhalb der in Handelskontakt stehenden Staaten Rechtsvorschriften mit unterschiedlichen Anforderungen bestehen. Mit dem wirtschaftlichen und politischen Zusammenwachsen Europas lag es nahe, die technischen Vorschriften für Kraftfahrzeuge und deren Anhänger anzugleichen und Verfahren zu entwickeln, die es ermöglichen, auf der Basis gemeinsam erarbeiteter Vorschriften Genehmigungen zu erteilen und diese gegenseitig anzuerkennen.

Mit der Harmonisierung der Vorschriften für Fahrzeuge befassen sich die Wirtschaftskommission der Vereinten Nationen für Europa (ECE) sowie die Europäische Union (EU), früher Europäische Wirtschaftsgemeinschaft (EWG).

*ECE-Regelungen* enthalten Bedingungen für die Genehmigung von Fahrzeugen und Fahrzeugteilen. Die nationale Inkraftsetzung dieser Regelungen ist den Vertragsstaaten freigestellt. Von den über 109 erarbeiteten Regelungen hat das Bundesministerium für Verkehr im Rahmen der Ermächtigung des § 6 StVG über 90 durch Rechtsverordnung ohne Zustimmung des Bundesrates national in Kraft gesetzt (Bild 1-9).

**Regelung Nr. 13**

Einheitliche Bedingungen für die Genehmigung der Fahrzeuge hinsichtlich der **Bremsen**

| Anwenderstaat | | Datum | Zust. Behörde | Zust. Techn. Dienst |
|---|---|---|---|---|
| E 1 | Deutschland | 29.11.1980 | 1/A | 1/F u. 1/S |
| E 2 | Frankreich | 21. 7.1980 | 2/C | 2/C u. 2/E |
| E 3 | Italien | 1. 6.1970 | 3/A a u. b | 3/B a bis h |
| E 4 | Niederlande | 1. 6.1970 | 4/A | 4/A |
| E 5 | Schweden | — | — | — |
| E 6 | Belgien | 11.10.1976 | 6/A | 6/A |
| E 7 | Ungarn | 18.10.1976 | 7/A | 7/C u. 7/F |
| E 8 | Tschechoslowakei | 18. 9.1982 | 8/A | 8/C |
| E 9 | Spanien | 6. 2.1989 | 9/A | 9/D |
| E 10 | Jugoslawien | 5. 1.1985 | 10/A | 10/A |
| E 11 | Vereinigtes Königreich | 30.11.1979 | 11/A | 11/A |
| E 12 | Österreich | — | — | — |
| E 13 | Luxemburg | 1.10.1983 | 13/A | 13/B b u. c |
| E 14 | Schweiz | — | — | — |
| E 16 | Norwegen | — | — | — |
| E 17 | Finnland | — | — | — |
| E 18 | Dänemark | — | — | — |
| E 19 | Rumänien | 5. 6.1981 | 19/A | 19/E |
| E 20 | Polen | — | — | — |
| E 21 | Portugal | — | — | — |
| E 22 | UdSSR | 17. 2.1987 | 22/A | 22/B |

**Bild 1-9** Übersicht über die Vertragsparteien der ECE-Regelung Nr. 13 (aus [1-11])

Die zuständige Genehmigungsbehörde für die Bundesrepublik Deutschland ist das Kraftfahrt-Bundesamt in Flensburg (1/A), die zuständigen Technischen Dienste die Abgasprüfstelle beim Rheinisch-Westfälischen Technischen Überwachungsverein e.V. in Essen (1/F) und die Technische Prüfstelle beim Kraftfahrzeug-Überwachungsverein e.V. in Dresden (1/S).

Das Prüfzeichen der nach ECE genehmigten Fahrzeugteile besteht aus einem Kreis, in dessen Innerem sich der Buchstabe „E“ und die Kennzahl des Staates befinden, der die Genehmigung erteilt hat sowie aus der Genehmigungsnummer in der Nähe dieses Kreises (Bild 1-10).

Im nationalen Betriebserlaubnisverfahren sind ECE-Regelungen immer dann von Bedeutung, wenn sie national in Kraft gesetzt sind. § 21a StVZO führt dazu aus, dass im Verfahren auf Erteilung der Betriebserlaubnis Genehmigungen und Prüfzeichen anerkannt werden, die ein ausländischer Staat unter Beachtung der mit der Bundesrepublik Deutschland vereinbarten Bedingungen für Ausrüstungsgegenstände oder Fahrzeugteile erteilt hat.

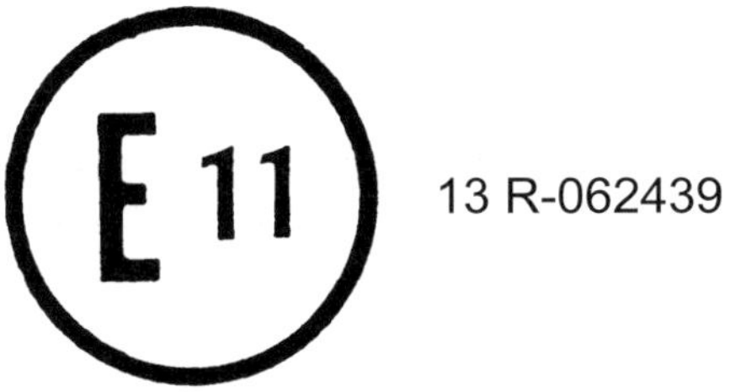


**Bild 1-10**
ECE-Genehmigungszeichen (aus [1-11]).
Das hier gezeigte, an einem Fahrzeug angebrachte Genehmigungskennzeichen bedeutet, dass dieser Fahrzeugtyp im Vereinten Königreich (E11) nach der Regelung Nr. 13 unter der Nummer 062439 hinsichtlich der Bremsanlage genehmigt wurde.

*EU-Richtlinien* (EWG-Richtlinien) enthalten Vorschriften für den Bau und die Ausrüstung von Straßenfahrzeugen innerhalb der Mitgliedsstaaten. Sie müssen bis zu einem durch die jeweilige Richtlinie festgesetzten Zeitpunkt in das geltende nationale Recht übernommen werden. Für die Bundesrepublik Deutschland müsste demnach die StVZO so erweitert werden, dass in ihr die harmonisierten Vorschriften der EU enthalten sind. Da aber durch eine volltextliche Einbindung die StVZO auf ein Mehrfaches an Umfang anwachsen würde, wird zur Zeit in den §§ der StVZO nur auf mit anzuwendende EU-Richtlinien verwiesen.

EU-Richtlinien dürfen, auch wenn sie noch nicht in nationale Vorschriften umgesetzt sind, anstelle der betreffenden Vorschriften der StVZO angewendet werden.

Für Fahrzeugteile kann auf Antrag des Herstellers eine EU-Bauartgenehmigung erteilt werden. Das entsprechende Prüfzeichen besteht aus einem Rechteck, in dessen Innerem sich der Buchstabe „e“ und die Kennzahl des Mitgliedstaates befinden, der die Genehmigung erteilt hat, sowie die Bauartgenehmigungsnummer (Bild 1-11).

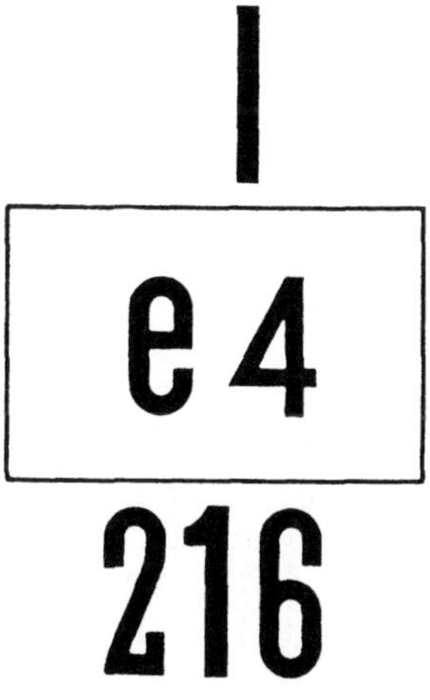


**Bild 1-11**
EU-Bauartgenehmigungszeichen (aus [1-11]).
Der Rückstrahler mit dem dargestellten EU-Genehmigungszeichen ist ein Rückstrahler der Klasse I, für den in den Niederlanden (4) unter der Nummer 216 eine Bauartgenehmigung entsprechend Richtlinie 76/757/EWG erteilt wurde.

Der EG-Ministerrat hat im Jahr 1989 die Rechtsvorschriften der Mitgliedsstaaten für Maschinen harmonisiert. Durch die Richtlinie 89/392/EWG (*Maschinenrichtlinie*) werden verbindliche Voraussetzungen zur Vereinheitlichung des sicherheitstechnischen Standards im Bereich der Europäischen Union geschaffen, die dem Schutz der Verbraucher und Arbeitnehmer, die mit diesen Maschinen arbeiten, dienen sollen. In Deutschland ist die Maschinenrichtlinie durch eine Verordnung zum Gerätesicherheitsgesetz (GSG) in nationales Recht umgesetzt worden und ab dem 01.01.1995 anzuwenden. Der Hersteller einer Maschine muss die Konformität mit den Bestimmungen formell erklären und diese Konformitätserklärung durch Anbringen des so genannten CE-Zeichens (CE = Communautées Européennes) (Bild 1-12) bestätigen. Er versichert damit, dass die betreffende Maschine allen einschlägigen Richtlinien der EU entspricht.

Im Gegensatz zum CE-Zeichen ist das GS-Zeichen (Geprüfte Sicherheit) (Bild 1-13) ein ausschließlich deutsches Sicherheitszeichen. Es darf nur von zugelassenen Institutionen (beispielsweise berufsgenossenschaftlichen Fachausschüssen) nach einer eingehenden sicherheitstechnischen Prüfung vergeben werden. Das CE-Zeichen kann es nicht ersetzen, sondern nur ergänzen.

**Bild 1-12** CE-Zeichen

**Bild 1-13** GS-Zeichen (TÜV Süddeutschland)

Der Anwendungsbereich der Maschinenrichtlinie erstreckt sich, wie der Name schon sagt, in erster Linie auf Maschinen. Maschinenanlagen, auswechselbare Ausrüstungen und Sicherheitsteile sind dabei den Maschinen gleichgestellt. Unter einer Maschine wird nach Definition der Richtlinie die Gesamtheit von miteinander verbundenen Teilen oder Vorrichtungen verstanden, von denen mindestens eines beweglich ist. Maschinenanlagen werden als eine Gesamtheit von Maschinen beschrieben, die als Gesamtheit angeordnet sind und auch als Gesamtheit betätigt werden und funktionieren. Auswechselbare Ausrüstungen sind solche, welche die Funktion einer Maschine ändern und vom Bedienungspersonal selbst angebracht werden können. Als Sicherheitsteile gelten alle Teile, deren Ausfall oder Fehlfunktion die Sicherheit oder Gesundheit von Personen gefährdet.

Über die Anwendung der Maschinenrichtlinie auf Fahrzeuge und ihre Aufbauten bestehen gegenwärtig teilweise noch unterschiedliche Auffassungen. Grundsätzlich sind zunächst nach Artikel 1 Abs. 3 Fahrzeuge und dazugehörige Anhänger, die ausschließlich für den Transport von Gütern auf öffentlichen Straßen konzipiert sind, vom Anwendungsbereich der Richtlinie ausgeschlossen. Dazu gehören z. B. hydraulisch betätigte Führerhauskippeinrichtungen, Ersatzradhebevorrichtungen und Sattelstützwinden.

Alle Fahrzeugteile, die jedoch nach Definition der Richtlinie Maschinen sind und nicht der Beförderung eines Gutes dienen, sondern dazu konzipiert sind, dieses Gut vor, während oder nach der Beförderung zu bewegen, zu bearbeiten oder zu behandeln, fallen unter den Anwendungsbereich der Richtlinie [1-12]:

- Ladekräne und Ladebordwände
- hydraulische Kippvorrichtungen
- Transportbetonaufbauten
- Kühlaggregate
- durch gespeicherte Energie betriebene Falttüren und Rolltore
- durch Hilfsenergie betriebene verschiebbare und klappbare Zwischenwände
- hydraulisch, elektromechanisch oder manuell verstellbare Zwischenböden
- Ausschubkabinen für Sonderfahrzeuge
- Hubdächer und Schiebeverdecke

Für Fahrzeugaufbauten und deren Aggregate, die bereits den berufsgenossenschaftlichen Vorschriften entsprechen, ergeben sich durch die erforderliche Anwendung der Maschinenrichtlinie oft nur geringfügige konstruktive Änderungen. Allerdings verursacht das CE-Kennzeichnungsverfahren oft erhebliche Kosten für die erforderlichen technischen Dokumentationen wie Gefahrenanalyse, Bedienungsanleitungen und Gebrauchsanweisungen.

Bei der überwiegenden Zahl der technischen Produkte, die von der CE-Kennzeichnung betroffen sind, ist das Konformitätsverfahren nach Modul A anzuwenden. Hier genügt es, dass der Hersteller die erforderlichen technischen Unterlagen zur Verfügung der Behörden hält, die Konformität des Produktes mit den einschlägigen Richtlinien erklärt und das CE-Zeichen anbringt. Nur in bestimmten Fällen (gefährliche Maschinen im Sinne der Richtlinie) muss vor dem Inverkehrbringen das Produkt durch einen unabhängigen Dritten zertifiziert werden.

### 1.3.4 Fahrzeugbenennungen

DIN 70010 (Systematik der Straßenfahrzeuge) benennt und definiert in Übereinstimmung mit der internationalen Norm ISO 3833 bestimmte Straßenfahrzeuge nach deren technischen Merkmalen. Dabei wird nicht berücksichtigt, ob die benannten Fahrzeuge und Fahrzeugkombinationen amtlich zulassungsfähig sind oder nicht. Als Beispiele seien hier genannt:

- Lastkraftwagen, der entweder als Solo-Fahrzeug eingesetzt oder mit Gelenkdeichselanhänger oder Zentralachsanhänger zu einem Lastkraftwagenzug kombiniert wird.
- Sattelzugmaschine, die mit einem Sattelanhänger zu einem Sattelkraftfahrzeug oder mit einem Nachläufer und der verbindenden Ladung zu einem Brückenzug kombiniert wird.

### 1.3.5 Allgemeine Abmessungen

Entsprechend der Empfehlung ISO/R 612 der International Organisation for Standardization (ISO) sind in DIN 70020 Teil 1 die allgemeinen Abmessungen von Kraftfahrzeugen und ihren Anhängefahrzeugen benannt und definiert. Dabei wird von einem Fahrzeug ausgegangen, das sich auf einer horizontalen Standebene in Geradeauslaufstellung befindet und bei einem der Achslast angepasstem Reifenfülldruck bis zum zulässigen Gesamtgewicht belastet ist.

DIN 70020 definiert folgende Fahrzeugmaße (nicht vollständig). Die Nummern in Klammern entsprechen sowohl der Nummerierung in der Norm als auch der Bilder 1-14 bis 1-16:

*Fahrzeugaußen- und Nutzmaße*: Fahrzeuglänge (1.1), Fahrzeugbreite (1.2), Fahrzeughöhe (1.3), Radstand (1.4), Spurweite (1.5), Vordere Überhanglänge (1.6), Hintere Überhanglänge (1.7), Rahmenhöhe (1.8), Rahmenlänge hinter Führerhaus (1.9), Größte Innenmaße des Laderaumes (1.10), Lichte Innenmaße des Laderaumes (1.11).

*Fahrbetriebs- und Fahrwerksmaße*: Bodenfreiheit vor, zwischen und hinter den Achsen (2.1.1), Bodenfreiheit unter einer Achse (2.1.2), Rampenwinkel (2.2), Vorderer Überhangwinkel (2.3), Hinterer Überhangwinkel (2.4), Kleinster Spurkreisdurchmesser (2.6), Kleinster Wendekreisdurchmesser (2.7).

*Anhängebetriebsmaße*: Frontabstand der Anhängerkupplung (3.1.1), Frontabstand der Sattelkupplung (3.1.2), Ausladung der Anhängerkupplung (3.2.1), Heckabstand der Anhängerkupplung (3.2.2), Höhe der Anhängerkupplung (3.2.3), Sattelvormaß (3.2.4), Höhe der Sattelkupplung (3.2.5), Heckradius (3.3), Ausladung der Zuggabel (3.4), Länge der Zuggabel (3.5), Schwanenhalsfreiradius (3.6), Vorderer Überhangradius (3.7).

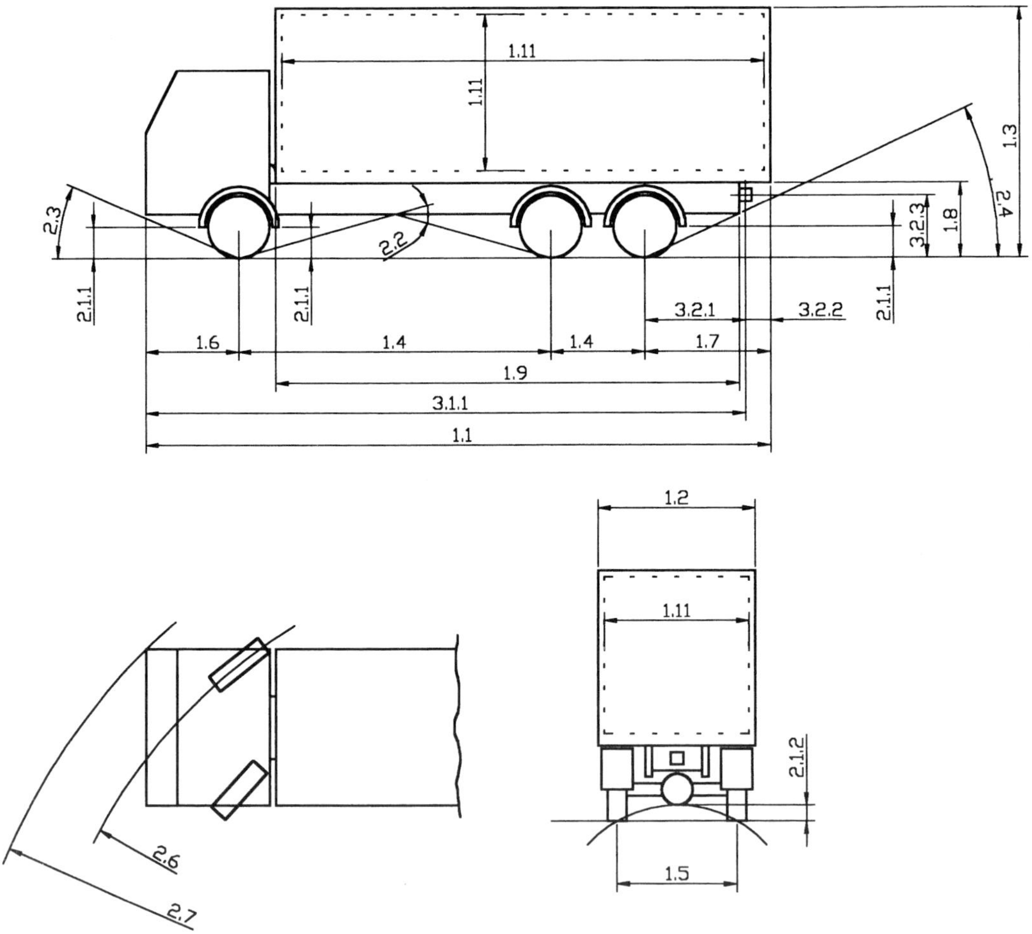


**Bild 1-14** Allgemeine Fahrzeugabmessungen entsprechend DIN 70020 (Lastkraftwagen)

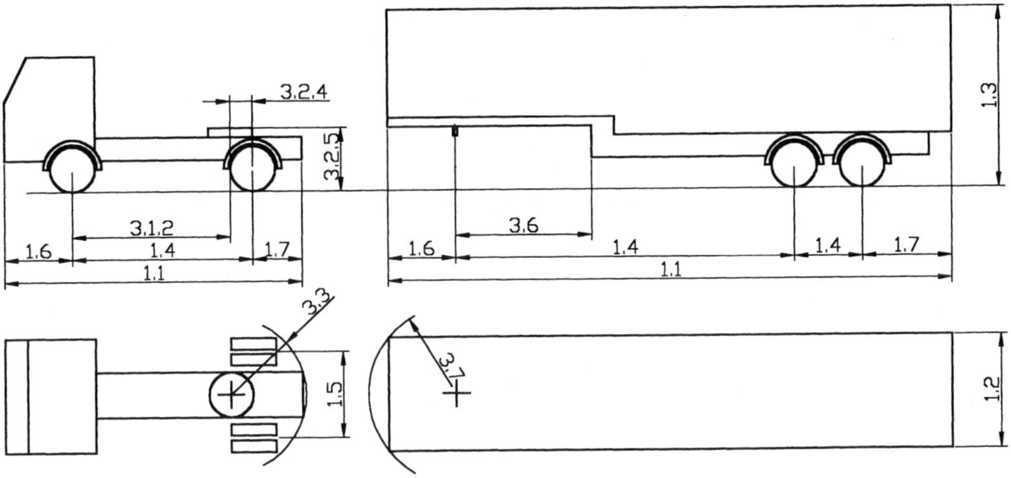


**Bild 1-15** Allgemeine Fahrzeugabmessungen entsprechend DIN 70020 (Sattelkraftfahrzeuge)

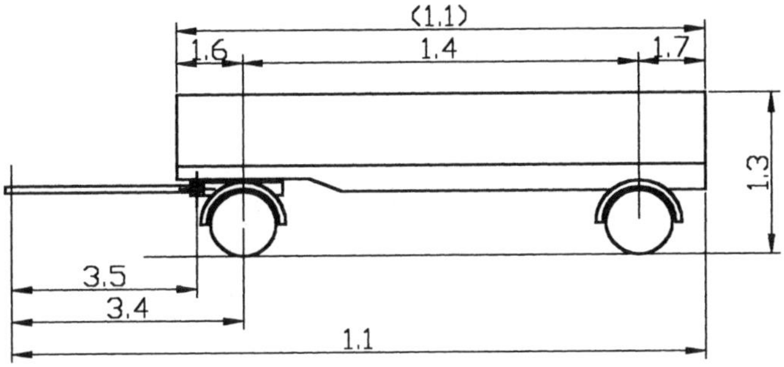


**Bild 1-16** Allgemeine Fahrzeugabmessungen entsprechend DIN 70020 (Gelenkdeichselanhänger)

# 1.4 Lastkraftwagenangebot

Bedingt durch gesetzliche Rahmenbedingungen und einsatzspezifische Anforderungen haben sich bei den am Markt angebotenen Nutzfahrzeugen Klassen mit merkmalprägenden Eigenschaften herausgebildet. Strukturierungsmerkmale für Solo-Fahrzeuge sind die Gewichtsklassen 2,8 t, 3,5 t, 7,5 t, 12 t und 18 t für 2-achsige, 26 t für 3-achsige und 32 t für 4-achsige Fahrzeuge. Für Fahrzeugkombinationen ergeben sich je nach Anzahl der Achsen und dem dadurch begrenzten Gesamtgewicht (§ 34 StVZO) 28 t, 36(38) t und 40 t. Daneben bestimmen Anzahl von angetriebenen wie auch gelenkten Rädern, die Art der Federung und die dem Fahrzeug-Gesamtgewicht zugeordnete Motorleistung das Fahrzeugkonzept. Meist werden Gruppen von Fahrzeugen bestimmter Gewichtsklassen oder für einen gemeinsamen Verwendungszweck als Baureihe mit Abstufungen von Gesamtgewichten, Radständen und Antriebsleistungen entwickelt. Sie erhalten zur Typisierung ein einheitliches Erscheinungsbild und einen eigenständigen Namen: IVECO (Daily, Eurocargo, Stralis), MAN (TGL, TGM, TGS, TGX), Mercedes Benz (Sprinter, Vario, Atego, Axor, Actros), Renault (Master, Mascott, Midlum, Premium, Magnum, Kerax), Volvo (FL, FM 9, FM 12, FH 12, FH 16, NH 12).

### 1.4.1 Typenbezeichnung von Lastkraftwagenfahrgestellen

Zur Kennzeichnung der unterschiedlichen Lastkraftwagenfahrgestelle sind von den Herstellern Typenbezeichnungen eingeführt worden, die am Fahrzeug im Bereich der Fahrerhauskabine angebracht werden. Sie entsprechen allerdings keiner einheitlichen Konvention und können in unterschiedlicher Verschlüsselung Angaben über Baureihe, Gesamtgewicht, Motorleistung, Verwendungszweck, Federung, Solo-/Anhängerversion wie auch Antriebs- und Fahrwerksart enthalten. Als Beispiele älterer Baureihen seien hier aufgeführt:

IVECO: MT 400 E 30 T/P (MT: Medium Truck = Mittelschwere Reihe; 400: 40 t zulässiges Zuggesamtgewicht; E: EURO-Generation; 30: 300 PS; T/P: Sattelzugmaschine, Luftfederung an der Hinterachse)

MAN: 18.224 MLC (18: 18 t zulässiges Gesamtgewicht; 22: 220 PS; 4: Baumuster Nr. 4; M: Baureihe M 2000; L: Blatt-/Luftfederung; C: Pritschenwagen/Chassis)

Die Bezeichnung der auf Bild 1-17 beispielhaft dargestellten Antriebs- und Fahrwerkskonzepte erfolgt nach einem einheitlichen Schlüssel:

$N \times Z/L$ mit

N = Anzahl der Räder (Doppelbereifung zählt als ein Rad)
Z = Anzahl der angetriebenen Räder
L = Anzahl der gelenkten Räder, wobei /L in eindeutigen Fällen weggelassen wird

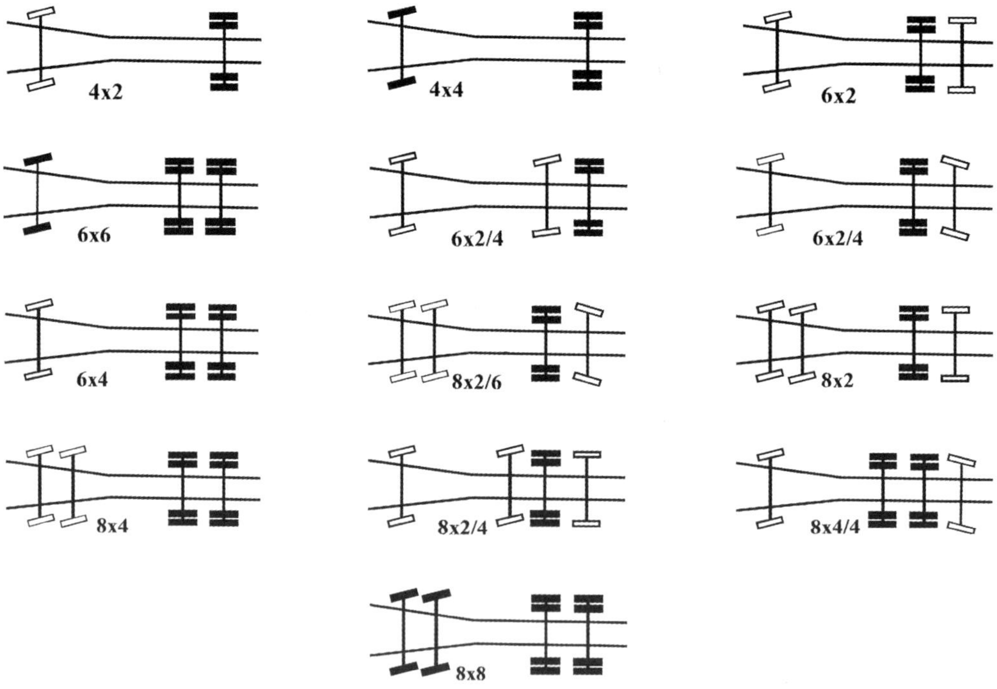


**Bild 1-17** Antriebs- und Fahrwerksarten (nach SCANIA)

Der klassische, nur hinterachsangetriebene Lastkraftwagen mit achsschenkelgelenkten Rädern an der Vorderachse wird demnach mit $4 \times 2$ und bei Allradantrieb mit $4 \times 4$ gekennzeichnet. Dreiachsfahrzeuge ( $6 \times 2$ ) für den Straßeneinsatz haben zusätzlich zur angetriebenen doppelbereiften Hinterachse eine einzelbereifte Vor- oder Nachlaufachse.

Wahlweise werden auch Dreiachsfahrzeuge mit liftbarer Nachlaufachse oder wegen der hervorragenden Kurvenläufigkeitseigenschaften $6 \times 2/4$ -Fahrzeuge mit zwangsgelenkter Vorlauf- oder Nachlaufachse angeboten. Sattelzugmaschinen für den Straßeneinsatz sind entweder $4 \times 2$ - oder $6 \times 2/4$ -Fahrzeuge. Im Baustellenverkehr werden zweiachsige $4 \times 4$ -, dreiachsige $6 \times 4$ - und $6 \times 6$ - bzw. vierachsige $8 \times 4/4$ -, $8 \times 6/4$ - und $8 \times 8/4$ -Fahrzeuge eingesetzt. Bau-Sattelzugmaschinen gibt es in der $4 \times 4$ -, $6 \times 4$ - und $6 \times 6$ -Version.

## 1.4.2 Motoranordnungen

Je nach Lage des Motors unterscheidet man die drei prinzipiell unterschiedlichen Anordnungskonzepte Hauber, Frontlenker und Frontlenker in Unterflurbauweise (Bild 1-18).

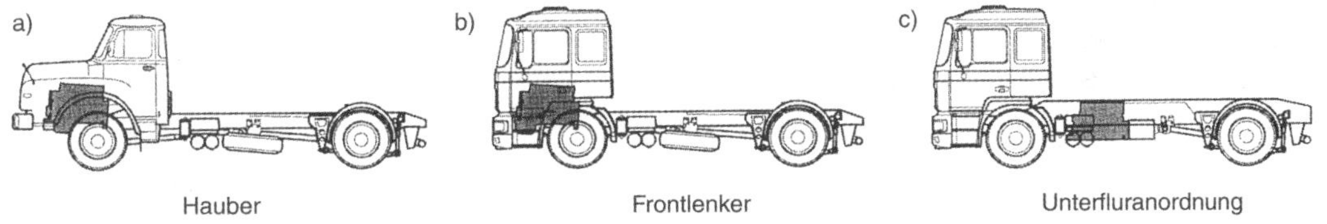


**Bild 1-18** Motoranordnungen: Hauber (a), Frontlenker (b) und Unterfluranordnung (c) (MAN)

Beim *Hauber* (Haubenfahrzeug) sitzt der Fahrer hinter der Vorderachse. Der Motor ist vor der Achse angeordnet, wodurch die Innengeräusche minimiert werden. Fahrer und Beifahrer können mühelos einsteigen. Der Motorvorbau gewährt einen wirkungsvollen Schutz in jeder Fahrsituation. Für den Einsatz auf der Baustelle ergibt der weit vorne liegende Schwerpunkt des Fahrgestells Sicherheit beim Kippbetrieb. Der lange Radstand sorgt für exzellente Geradeauslaufeigenschaften und bringt z. B. für Schneeräumfahrzeuge die nötige Richtungsstabilität. Der Motor ist ausgesprochen gut zugänglich. Alle Service- und Wartungsarbeiten können schnell und ohne Probleme durchgeführt werden. Hauber stellten bis in die 1950er Jahre hinein den Stand der Technik dar, wurden aber unter der Zielsetzung maximaler Ladelängen bei begrenzten Längenabmessungen für Solofahrzeuge wie für Fahrzeugkombinationen durch Frontlenkerfahrzeuge verdrängt. Ihr Einsatzgebiet beschränkt sich auf den außereuropäischen Markt (USA, Mittlerer Osten) und auf den Einsatz als Baustellen- und Schneeräumfahrzeug.

Beim *Frontlenkerfahrzeug* ist der Motor unter dem Fahrerhaus angeordnet. Hauptvorteil dieser Bauweise ist neben den möglichen großen Ladelängen die optimale Straßenübersicht für den Fahrer und der infolge des kürzeren Radstandes kleinere Wendekreis. Des weiteren ermöglicht der tiefliegende Rahmen maximale Aufbauhöhen und somit großes Ladevolumen. Nachteilig ist die erforderliche besondere Geräuschkapselung des Motors und die aufwändige Konstruktion des kippbaren Fahrerhauses.

*Frontlenkerfahrzeuge in Unterflurbauweise* haben einen zwischen den Achsen eingebauten Motor. Das Fahrerhaus ist mit dem der reinen Frontlenker-Bauwiese identisch, weist jedoch einen durchgehend ebenen Boden im Fußraum auf. Der tiefliegende Schwerpunkt und die gleichmäßige Achslastverteilung garantieren auch bei leerem oder teilbeladenem Fahrzeug eine gute Traktion und ein ausgewogenes Fahrverhalten. Durch den höherliegenden Rahmen und die schlechte Zugänglichkeit des Motors hat sich diese Konzeption nicht durchsetzen können. Sie wird derzeit nur als Fahrschulfahrzeug (MAN) angeboten.

### 1.4.3 Lastkraftwagenangebot nach Gewichtsklassen

*Leichte Lieferwagen und Pick-Ups* sind für viele Handwerker und Gewerbetreibende die preiswerte Alternative zum Transporter der 2,8-Tonnen-Klasse. Wenn nicht als Pick-Up-Variante vom Geländewagen abgeleitet, basieren diese Fahrzeuge auf Pkw-Karosserien, von denen die Frontpartien und Fahrerhäuser fast identisch übernommen sind (Bild 1-19).

*Transporter bis 2,8 t Gesamtgewicht* waren bis zur Neuregelung der Vorschriften über Geschwindigkeitsbegrenzungen im September 1997 diejenigen Transporter, für die noch kein Tempolimit von 60 km/h auf Landstraßen und 80 km/h auf Autobahnen galt und dadurch sehr erfolgreich verkaufte Fahrzeuge.

*Transporter bis 3,5 t Gesamtgewicht* zeigen seit der Verschiebung des Tempolimits auf Gesamtgewichte jenseits der 3,5 t steigende Verkaufszahlen. Stark motorisierte Modelle mit bis zu 156 PS sorgen für flotte Fahrleistungen. Neben Kastenwagen (Bild 1-20) werden auch verstärkt Lastkraftwagenfahrgestelle mit tragendem Leiterrahmen angeboten.

**Bild 1-19** Volkswagen Caddy (Verlag H. Vogel)

**Bild 1-20** Mercedes-Benz Sprinter (Verlag H. Vogel)

*Schwere Transporter und leichte Lastkraftwagen* teilen das Nutzfahrzeugangebot *bis 7,5 t Gesamtgewicht.* Zum einen sind das die teilweise noch selbsttragend gebauten Großraumkastenwagen (Bild 1-21), zum anderen die Klein-Lastkraftwagen mit tragendem Leiterrahmen (Bild 1-22).

Aufgrund der neuen EU-Führerscheinregelung ist das Angebot in dieser Gewichtsklasse in den letzten Jahren kaum gewachsen, da der künftige Pkw-Führerschein der Klasse B nur zum Fahren eines Fahrzeuges bis zu 3,5 t zulässigem Gesamtgewicht ermächtigt. Für Führerscheininhaber der alten Klasse 3 bleibt der 7,5 Tonner nach wie vor ein interessantes Fahrzeug, da es mit Tandemanhänger und durchgehender Druckluftbremsanlage zu einem Lastkraftwagenzug mit bis zu 18,5 t Zug-Gesamtgewicht kombiniert werden darf.

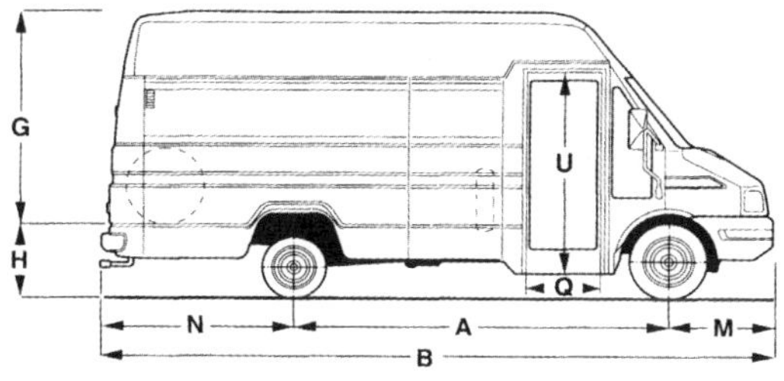


**Bild 1-21** IVECO Daily (IVECO)

**Bild 1-22** Isuzu NQR70L (Verlag H. Vogel)

*Leichte Verteiler-Lastkraftwagen bis 12 t Gesamtgewicht* (Bild 1-23) sind noch eine sehr junge Fahrzeugklasse, die nach der Einführung der Lkw-Maut in Deutschland von der noch bis zu dieser Gewichtsklasse hinauf kostenfreien Benutzung der Autobahnen profitieren. Hierfür sind speziell für den Solo-Einsatz ausgelegte Modelle entwickelt worden.

*Solo-Lastkraftwagen bis 18 t Gesamtgewicht* sind auf geringes Eigengewicht und günstigen Anschaffungspreis hin konzipierte Fahrzeuge für den Verteilerverkehr. Für Gesamtgewichte bis 28 t bei insgesamt drei Achsen bietet als Fahrzeugkombination eine 18-t-Sattelzugmaschine mit einachsigem Auflieger und zwangsgelenkter 10-t-Achse (Bild 1-24) viel Ladevolumen bei niedrigen Betriebskosten.

**Bild 1-23** Mercedes-Benz Atego (Verlag H. Vogel)

**Bild 1-24** MAN M 2000 (Verlag H. Vogel)

*Lastkraftwagen bis 18 t Gesamtgewicht für Anhängerbetrieb mit bis zu 36 t Gesamtgewicht* werden sowohl als Solo-Fahrzeug im städtischen Verteilerverkehr als auch mit Anhänger auf der Überlandstrecke eingesetzt. Sie sind oft die Antwort auf eine der maximalen Nutzlast exakt angepasste Fahrzeugkonzeption. Während sich vierachsige Lastkraftwagenzüge (Gliederzüge) eher für den flexiblen Einsatz mit gelegentlichem Solo-Betrieb eignen, setzen sich im Lebensmittel-Verteilerverkehr dank gelenkter Aufliegerachsen rangierfreudige vierachsige *Sattelkraftfahrzeuge mit bis zu 38 t Gesamtgewicht* durch, da sie an der Rampe in einem Zug be- und entladen werden können.

*Lastkraftwagen und Sattelzugmaschinen bis 18 t Gesamtgewicht für Anhänger- bzw. Aufliegerbetrieb im schweren Verteilerverkehr mit bis zu 40 t Gesamtgewicht* sind Fahrzeuge für hohe Lasten auf kurzen Strecken. Gegenüber den schweren Langstreckenfahrzeugen bieten sie mehr Nutzlast bei sparsameren Triebwerken und günstigerem Anschaffungspreis. Sie werden meist mit einem für Einzelfahrer vielfach ausreichendem kurzen und schmalen Fahrerhaus ausgerüstet.

*Lastkraftwagen und Sattelzugmaschinen bis 18 t Gesamtgewicht für Anhänger- bzw. Aufliegerbetrieb im Fernverkehr mit bis zu 40 t Gesamtgewicht* (Bild 1-25) sind die Flaggschiffe im Fahrgestellangebot. Um mit einem gut ausgelasteten Zug durchschnittliche Fahrleistungen zwischen 76 und 78 km/h zu erreichen, sind Leistungsgewichte zwischen 8 und 12 PS/t erforderlich. Dies entspricht bei 40 t Gesamtgewicht einem Leistungsbedarf zwischen 320 und 480 PS. Das Leistungsgewicht von 8 PS/t orientiert sich an Flachlandstrecken und relativ niedrigen Aufbauten. 12 PS/t werden erforderlich, wenn es bergige Autobahnen und windreiche Strecken mit Großaufbauten zu überwinden gilt.

*Lastkraftwagen und Sattelzugmaschinen für den Volumentransport* sind auf niedrige Höhen der Fahrgestellrahmenoberkante hin konzipiert. Bei maximal 13,60 m Aufbaulänge lassen sich beim volumenoptimierten Sattelkraftfahrzeug 100 $m^3$ und beim Lastkraftwagenzug mit maximal 15,65 m Aufbaulänge 120 $m^3$ Ladevolumen erreichen. Daher kann sich, ganz im Gegensatz zum allgemeinen Trend, beim Volumentransport der Lastkraftwagenzug (Gliederzug) gegenüber dem Sattelkraftfahrzeug nach wie vor behaupten.

Der Volumentransport ist aufgrund der niedrigen Ladungsgewichte ganz klar eine Domäne der Mittelklasse-Lastkraftwagen. Gesamt-Zuggewichte, die selten über 30 t gehen, machen sowohl schwere Rahmenkonstruktionen als auch starke Motoren in den meisten Fällen überflüssig. Speziell bei Paketdiensten und Möbelspeditionen besteht Interesse nach Volumen-Gliederzügen für Wechselbrücken mit 1020 mm Abstellhöhe. Sollen mit diesen Fahrzeugen auch Standard-Wechselbrücken mit 1320 mm Abstellhöhe aufgenommen werden, sind entweder Hubschwingen oder hydraulisch anhebbare Tragegestelle erforderlich.

*Dreiachsige Lastkraftwagen mit Lenk- und/oder Liftachsen* sind Fahrzeuge, die sich durch hohe Nutzlast, gute Wendigkeit und geringen Reifenverschleiß auszeichnen. Da für den Wendekreis der Radstand zwischen der Vorderachse und der nichtgelenkten doppelbereiften Antriebsachse entscheidend ist, bieten sich hier gelenkte Nachlaufachsen mit Einzelbereifung an. Ist eine Nachlaufachse zusätzlich liftbar, kann sie auf verschneiter oder vereister Fahrbahn durch Anheben die Antriebsachse kurzzeitig höher belasten (Anfahrhilfe gemäß Ausnahmeverordnung zu § 34 StVZO) und damit deren Traktion verbessern. Eher für den Fernverkehr geeignet ist die nichtgelenkte Liftachse, die bei Leerfahrten oder bei Teilbeladung angehoben werden kann. Fahrzeuge mit gelenkten Vorlaufachsen (siehe Bild 4-18) verlieren gegenüber denen mit Nachlaufachsen an Wendigkeit, sind aber bei großen Hecklasten (Ladekran, Ladebordwand, Hecklade-Müllsammelfahrzeug, Zentralachsanhängerbetrieb) erforderlich.

*Kipperfahrgestelle und Sattelzugmaschinen für den Einsatz am Bau* glänzen nicht durch hohe Nutzlasten, sondern zeichnen sich durch soliden Fahrgestellrahmen, kurze Radstände, Blattfederung, mehrachsigen Antrieb und bei Bedarf Außenplanetenachsen und größere Bereifung aus. Sie garantieren im Geländeeinsatz hervorragende Traktion sowie ausreichende Bodenfreiheit bei großen Überhangwinkeln und großem Rampenwinkel. Das Marksegment bis 7,5 t Gesamtgewicht war infolge der alten „Dreier“-Führerschein-Bestimmung ein interessantes Fahrzeug, das allerdings mit Kipperaufbau und Ladekran kaum mehr als 1,5 t Nutzlast bieten konnte. Vermutlich wird mit Einführung der neuen Fahr-Erlaubnisklassen die Entwicklung eher in Richtung 12 t Gesamtgewicht gehen. Der schwere $4 \times 4$-Zweiachser mit Dreiseitenkipper und 18 t Gesamtgewicht ist ein Fahrzeug für den universellen Einsatz. Im Solo-Betrieb sind Nutzlasten von acht bis neun Tonnen möglich und bei entsprechender Motorisierung können schwere Tiefladeanhänger gezogen werden. Dreiachsige $6 \times 4$- oder $6 \times 6$-Kipperfahrgestelle bieten deutlich mehr Nutzlast. Für hohe Transportleistungen bei variablen Einsatz werden sie gerne mit einem Zentralachshänger kombiniert. Im schweren Gelände ist allerdings der vierachsige $8 \times 8/4$-Kipper (Bild 1-26) sowohl bezüglich der Nutzlast als auch Traktion unumstritten das leistungsfähigste Fahrzeug.

*Schwere dreiachsige und vierachsige Fahrgestelle ohne Allradantrieb* haben ihr Haupeinsatzgebiet als Träger von Betonmischer-Aufbauten. An der Schnittstelle zwischen Bau- und Straßenbetrieb hat maximale Nutzlast hier höhere Priorität als perfekte Geländegängigkeit. Der Fahrgestellrahmen ist daher gegenüber dem Kipperfahrgestell wesentlich filigraner.

*Schwerlastzugmaschinen* sind immer dann erforderlich, wenn es Gesamtgewichte von deutlich über 40 t über große Entfernungen zu bewegen gilt. Spezielle Schwerlastversionen von Serienfahrzeugen werden dazu mit Motorleistungen mit bis zu 1000 PS, Wandlerschaltkupplung zum verschleißlosen Anfahren, Primär-Retarder (zwischen Motor und Getriebe angeordnet) sowie Zusatzkühlung für Motor und Getriebe ausgestattet. Da Schwerlastzugmaschinen extrem teuer sind und sich nur dann rentieren, wenn sie permanent im Einsatz sind, gehen viele Schwertransport-Spezialisten dazu über, zwei oder drei Standard-Zugmaschinen vor ihre Spezialanhänger zu spannen.

Eine umfassende Übersicht über das Lastkraftwagenangebot bietet [1-13].

**Bild 1-25** Mercedes-Benz Actros (Verlag H. Vogel)

**Bild 1-26** DAF 85CF (Verlag H. Vogel)

## 1.5 Entwicklungsschwerpunkte und künftige Konzepte

Nutzfahrzeuge nehmen im Güterverkehr gegenüber anderen Verkehrsträgern eine deutlich führende Stellung ein. Von den insgesamt im Jahr 1997 in Deutschland transportierten Waren (3,9 Mrd. t) entfielen 60 % auf den Lkw-Nahverkehr und weitere 23 % auf den Fernverkehr. Der Anteil der Bahn betrug lediglich 8 % (Bilder 1-27 und 1-28). Beim Transport typischer Einzelhandelsgüter (Lebensmittel, Druckereierzeugnisse, Pharmaprodukte) beträgt der Anteil des Lkw-Transports sogar über 96 %. Hauptgrund für den Vorsprung der Nutzfahrzeuge ist ihre Flexibilität, die Ware in der Regel vom Absender bis zum Empfänger direkt, d. h. ohne umzuschlagen, transportieren zu können. Die Zahlen machen deutlich, dass die Straße allein aus Kapazitätsgründen (wenn man nur 10 % der transportierten Gütermenge auf die Bahn verlagern würde, müsste die Kapazität der Bahn verdoppelt werden) auf längere Sicht Verkehrsträger Nummer eins bleiben wird. Da es für den überwiegenden Teil des Straßentransports überdies praktisch keine Verlagerungsmöglichkeit auf andere Verkehrsträger gibt, müssen die zweifelsohne von ihm ausgehenden Beeinträchtigungen noch geringer werden. Nutzfahrzeuge müssen daher so wirtschaftlich, so umweltverträglich und so sicher sein, wie dies unter den gegebenen technischen Voraussetzungen möglich ist [1-14].

Für zukünftige Entwicklungen stecken Gesetze, Verordnungen, Richtlinien und Normen den entsprechenden Rahmen ab. Zu diesen Rahmenbedingungen gehören die zulässigen Abmessungen, Achslasten und Gesamtgewichte (siehe Abschnitt 4.1). Hier scheinen mit der Anhebung der Gesamtlänge für den Lastkraftwagenzug von 18,35 m auf 18,75 m bei einer unveränderten Systemlänge von 16,40 m und der Anhebung der Fahrzeugbreite von 2,50 m auf 2,55 m auf längere Sicht unaufweichbare Grenzen gesteckt zu sein. Im Rahmen dieser Bedingungen gab und gibt es stets neue Bemühungen, die Ladevolumina zu vergrößern (Kurzkuppelsysteme, Zentralachsanhänger, Niederquerschnittsreifen, Low-Deck-Sattelzugmaschine, Hubdach). Als konstruktiv mögliche Obergrenze sind für Sattelauflieger etwa 110 $m^3$ erreichbar. Der Versuch, durch konstruktive Maßnahmen Sattelkraftfahrzeugkonzepte auf die zulässige Gesamtlänge eines Gliederzuges abzustimmen und die Kurvenläufigkeit entsprechend zu verbessern (Swap-Trailer, Krone GmbH), scheiterten am Veto des Bundesverkehrsministeriums.

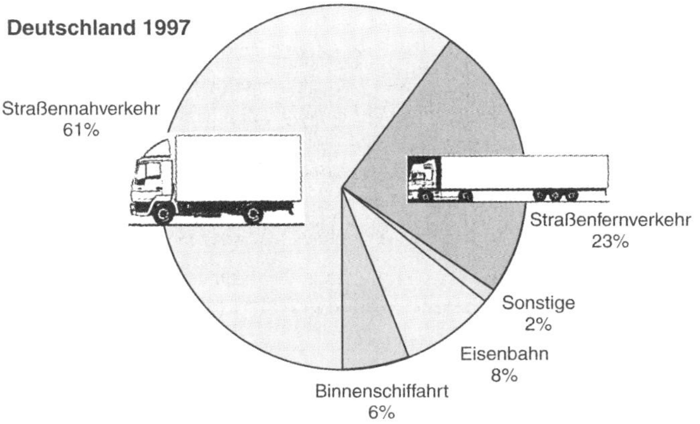


**Bild 1-27**
Güterverkehr in Deutschland (aus [1-14])

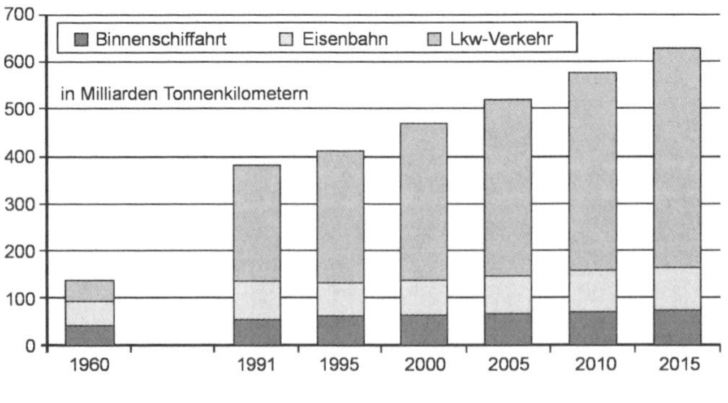


**Bild 1-28**
Entwicklung der Güterverkehrsleistung nach Verkehrsarten (aus [1-14])

Im Zuge der Volumenoptimierung wurde für Sattelkraftfahrzeuge der Standard einer einheitlichen Sattelkupplungshöhe von 1250 mm aufgegeben. Auch für Wechselaufbauten sind neben der genormten Abstellhöhe von 1320 mm auch solche bis hinunter zu 1020 mm üblich.

Der Trend zu immer leichteren Fahrzeugen und einer damit verbundenen Steigerung der Nutzlast ist ungebrochen. Im Bereich des Motorwagens zeigen sich Gewichtseinsparungsmöglichkeiten durch den Ersatz des Stahl-Leiterrahmens durch eine Aluminiumkonstruktion, Achsgehäuse aus Stahlblech, Fahrerhäuser nach dem Space-Cage-Prinzip (Bild 1-29) oder aus Faserverbundwerkstoffen (Bild 1-30) sowie Super-Single-Bereifung für die Antriebsachse. Die Einsparungspotenziale bei Anhängern bzw. Aufliegern betreffen den Einsatz hochfester Feinkornbaustähle oder warmausgehärteter Aluminiumwerkstoffe für den Rahmen, selbsttragende Böden aus stranggepressten Aluminiumprofilen sowie der Computerunterstützung in Konstruktion und Berechnung. Für das Sattelkraftfahrzeug mit 40 t Gesamtgewicht werden derzeit für den Schiebegardinen-Auflieger als unterster Grenzwert 5,2 t Leergewicht erzielt. Der als Sattelzugmaschine für die gewichtssensiblen Branchen (Tank-, Silo- und Kühlauflieger) konzipierte Axor von Mercedes-Benz erreicht als betriebsfertiges Fahrzeug 6,5 t.

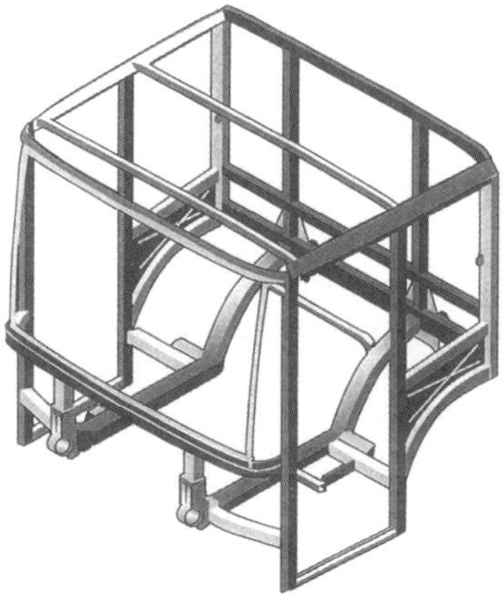

**Bild 1-29** Fahrerhaus-Rohbaustruktur nach dem Space-Cage-Prinzip (aus: ATZ 100(1998) Nr. 9)

**Bild 1-30** Fahrerhaus des kleinen Unimog aus Kohlefaser-Verbundwerkstoff (aus: F+K 1/2000)

Bei kleineren Fahrzeugen zeigen sich seit der veränderten Gesetzeslage deutliche Verschiebungen in den Gewichtsklassen. So liegen Transporter mit 3,5 t Gesamtgewicht (keine Geschwindigkeitsbegrenzung mehr) sowie die 12-Tonnen-Klasse (z. B. IVECO Eurocargo), für die in Zukunft auf deutschen Autobahnen noch keine Benutzungsgebühr entrichtet werden muss, voll im Trend; und mit der neuen EU-Führerschein-Regelung wird die 7,5-Tonnen-Klasse bald keine Rolle mehr spielen.

Neu- und Weiterentwicklungen im Bereich der Motoren konzentrieren sich neben der Steigerung der spezifischen Leistung (max. 30 kW je Liter Hubraum), des Wirkungsgrades und der damit verbundenen Senkung des spezifischen Kraftstoffverbrauchs (min. 190 g/kWh) verstärkt auf den Sektor der Abgasemission. 1992/93 wurden die zulässigen Abgasgrenzwerte durch die Richtlinie 91/542/EWG (EURO-1) erstmals festgeschrieben und seither stetig reduziert. Seit 2005/06 gilt EURO-5 nach Richtlinie 1999/96/EG mit einem gegenüber EURO-1 von 9 auf 3,5 g/kWh gesenkten zulässigen $NO_x$-Wert. Unabhängig davon werden für die sensiblen

Innenstadtbereiche alternative Antriebe erprobt. Dies sind der Erdgasmotor (CNG-Erdgasmotor von MAN), die Diesel-Elektro-Hybrid-Technik, der Gasturbinen-Elektro-Hybrid-Antrieb (Volvo Environment Concept Truck) und die Brennstoffzelle.

Die moderne Schaltgetriebetechnik basiert für schwere Nutzfahrzeuge auf bewährten mechanischen 16-Gang-Getrieben. Zur Entlastung des Fahrers und zur Optimierung von Fahrleistung und Kraftstoffverbrauch sind sie in der Lage, vollständig autonom zu schalten. Dazu erfasst eine intelligente Elektronik eine Vielzahl von Parametern (Fahrbahnsteigung oder -gefälle, Fahrzeuggewicht, Beladungszustand, Motorleistung, Fahrstil des Fahrers), errechnet durch eine Fuzzy-Logik die Schaltstrategie und steuert vollautomatisch die elektrohydraulisch betätigten Aktuatoren im Getriebe.

Die Erhöhung der aktiven Sicherheit durch leistungsfähigere Bremssysteme sind ohne Scheibenbremsen und EBS (elektronische Bremsensteuerung) nicht denkbar. Während ein Sattelkraftfahrzeug älterer Bauart mit Trommelbremsen zum Abbremsen aus 80 km/h bis zum Stillstand noch einen Bremsweg von etwa 60 m benötigt, vermindert sich dieser mit Scheibenbremsen an den Vorderrädern und einem auf 10 bar erhöhten Betriebsdruck auf 45 m, mit Scheibenbremsen rundum auf 42 m.

Als in die Zukunft gerichtete Entwicklung sind die Fahrdynamikregelung (FDR) und der abstandsgeregelte Tempomat (ACC) zu sehen. FDR ist in der Lage, durch gezielte Bremseingriffe der Schleuderbewegung (z. B. bei übersteuernder Zugmaschine und untersteuerndem Auflieger) entgegenzuwirken. ACC ist eine Erweiterung des konventionellen Tempomaten, der die zusätzliche Fähigkeit erhält, bei Annäherung auf vorausfahrende Fahrzeuge die Geschwindigkeit zu reduzieren und einen Sicherheitsabstand einzuregeln.

Mögliche Beiträge zur Steigerung der Sicherheit von Nutzfahrzeugen zeigte bereits das Tankfahrzeug TOPAS (Tankfahrzeug mit optimierten passiven und aktiven Sicherheitseinrichtungen). Aktuelle Maßnahmen zur Steigerung der passiven Sicherheit sind die Ausstattung der Fahrerhäuser mit Airbag und für den Kollisionsfall die Verbesserung der Kompatibilität des Nutzfahrzeuges zu anderen Verkehrsteilnehmern (Seitliche Schutzvorrichtung, Frontschutzsysteme, Plankenrahmen).

Die Entwicklung der Nutzfahrzeugelektronik ging zunächst in den 1980er Jahren von den überwiegend mechanischen Steuer- und Regelsystemen aus und ersetzte diese durch elektronische Stand-alone-Systeme. Der Anwendungsbereich beschränkte sich auf Funktionen des Antriebsmanagements. Seit der Einführung des CAN-Datenbus-Systems in Zweidraht-Technik am Anfang der 1990er Jahre ist es möglich geworden, Fahrzeugelektroniken zu vernetzen und somit Daten bzw. Informationen allen angeschlossenen Teilnehmern zur Verfügung zu stellen.

Einen „Welt-Lkw“ wird es durch die gravierenden Unterschiede in den Kontinenten nicht geben, aber das Beispiel Daimler-Truck Group mit Mitsubishi und Freightliner zeigt, dass eine Gleichteilstrategie und eine Bildung von Entwicklungszentren für Komponenten, z. B. Achsen und Motoren, erfolgreich sein kann. Generell sind zukünftige Entwicklungen ein Produkt aus Erfahrung, interdisziplinärer Forschung und intensiver Entwicklungs- und Konstruktionsaktivität. Die Zukunft baut sich daher durch schrittweise Weiterentwicklung des Stands der Technik auf.

Ein Beispiel für Weiterentwicklung ist der vierachsige Lkw, der nach jahrelanger Bewährung in der Schweiz 1985 endlich auch in Deutschland, zunächst mit 30 t zulässigem Gesamtgewicht, später mit 32 t, zugelassen wurde. Nachdem fünfachsige Solo-Lkw für die Bauwirtschaft in den Niederlanden und ab 2006 auch in der Schweiz zugelassen sind, bahnt sich eine entsprechende Entwicklung auch in Deutschland an, bislang sind solche Fahrgestelle für Sonderzwecke, z. B. mit Aufbau einer Betonpumpe, Betonmischer und Hubmastsystemen mit Sondergenehmigung zugelassen.

Eine andere schon greifbare Entwicklung sind die in Skandinavien und den Niederlanden verkehrenden Lastzüge mit 25,25 m Länge und 60 t Gesamtgewicht. Einerseits ist es bestechend, solche Züge mit dreiachsigem Auflieger und zweiachsigem Tandemanhänger mit Langdeichsel zu bilden, andererseits sollten solche Züge über Lenksysteme verfügen, die straßenschonender sind als heute üblich. Schon 1936 gab es acht- und neunachsige Züge mit ca. 30 m Länge und bis 67 t Gesamtgewicht, bei denen in der Kurve alle Anhängerräder Schräglaufwinkel frei in der Spur der Zugmaschine liefen. Hier müsste noch Entwicklungsarbeit geleistet werden. In diesem Zusammenhang gewinnt der bei niedrigen Geschwindigkeiten zuschaltbare Antrieb der Vorderräder besondere Bedeutung; für die 60-t-Lastzüge müssen zwei Achsen angetrieben sein und der Hydro Drive vermeidet den permanenten Antrieb zweier Achsen.

Die Elektronik weist im Automobil allgemein die größte Zuwachsrate auf. Hier liegt für Nutzfahrzeuge noch ein großes Potenzial, um den Betrieb wirtschaftlicher ökologischer und sicherer zu gestalten. Mit der prognostizierten Zunahme des Straßengüterverkehrs in zweistelliger Höhe in den nächsten Jahren und in Anbetracht des zu schleppenden Ausbaus der Fernstraßen erreicht die Sicherheit den höchsten Stellenwert. Elektronische Bausteine und Systeme werden also den Stand der Technik von morgen bestimmen. Die Fahrerassistenzsysteme sollen wie ein aufmerksamer Beifahrer den Fahrer, der das schwächste Glied in der Kette bildet, unterstützen. Die aktuellste Sicherheitstechnik müsste in den geplanten 60-t-Zügen installiert sein (Bild 1-31).

**Bild 1-31** Modellversuch 2006: Eco-Combi von Mercedes-Benz mit acht Achsen, 60 t Gesamtgewicht und 25,25 m Länge. Mercedes-Benz Actros mit 440-kW(598-PS)-Dieselmotor, ca. 10 PS/t (Daimler AG)

Die Assistenzsysteme werden nicht zu einem fahrerlosen Betrieb auf öffentlichen Straßen führen, aber im Werksgelände oder auf Betriebshöfen ist er bereits nach dem Muster fahrerloser Transportsysteme in automatisierten Produktionen realisiert. So werden in einem Baulogistikzentrum zwei dreiachsige Lkw im zweischichtigen fahrerlosen Betrieb (Bild 1-32) mit elektronischer Spurführung und vollautomatischer Be- und Entladefunktion eingesetzt. In 10.000 Fahrten zwischen Produktion und Lager werden ca. 14.000 t jährlich transportiert. Kollisionen werden durch Sensoren verhindert. Eine Anwendung des Systems in Autohöfen zum Umladen von Behältern oder Containern von Lastzügen auf Verteilerfahrzeuge oder zum Zwischenlagern ist denkbar.

**Bild 1-32** Innerbetrieblicher fahrerloser Transport mit automatischem Materialumschlag mit dreiachsigem Mercedes-Benz Actros (Daimler AG)

Ein weiteres Beispiel ist die Entwicklung der Betriebsbremse – ohne gesetzliche Vorgaben – von der reinen Druckluftbremse über die elektrisch angesteuerte Druckluftbremse zur rein elektrischen Bremse (brake by wire), jeweils mit kürzerer Ansprechzeit und kürzerem Bremsweg. Parallel dazu führt der Ersatz mechanisch-hydraulischer Lenksysteme durch ein elektrisches Lenksystem (steer by wire) zu ganz neuen Perspektiven.

Der Versuch liegt nahe, aus den nachvollziehbaren Entwicklungsschritten durch Extrapolation den Stand der Technik in der Zukunft zu fixieren. Wie aber die Erfahrung zeigt, ist das nur mit großem Vorbehalt möglich. Die prognostizierte Steigerung der Güterverkehrsleistung von 1997 bis 2015 um 60 % tritt offenbar ein und stellt für Verkehrsplaner, Straßenbauer und Fahrzeughersteller eine Herausforderung dar.

# Literaturverzeichnis

# 1 Einführung in die Nutzfahrzeugtechnik

[1-1] Sievers, I.: 110 Jahre Daimler-Lastwagen. In: ATZ 09/2006, S. 720–723

[1-2] Hoepke, E.: Hundert Jahre Lastkraftwagen mit Verbrennungsmotor. In: ATZ 09/1996, S. 386–399

[1-3] Hoepke, E.: Hundert Jahre Verbrennungsmotor im Nutzfahrzeug. In: MTZ 09/1990, S. 470–475

[1-4] Hoepke, E.: Euro II – Ein Höhepunkt nach 70 Jahren Dieselmotor im Lastwagen. In: ATZ 07/08 1994, S. 418–426

[1-5] The emission legislation – challenge or opportunity? Vortrag von Prof. M. Schittler (Daimler AG) auf der Tagung der AVL List GmbH in Graz 2003, ICPC 2003-2.1

[1-6] Demark, R., Groddeck, M. und Ruetz, G.: Die neue Dieselmotoren-Baureihe 890 von MTU. In: MTZ 02/2006, S. 80–86

[1-7] StVZO Straßenverkehrs-Zulassungs-Ordnung, Loseblatt-Ausgabe. Kirschbaum-Verlag, Bonn

[1-8] FAKRA-Handbuch, Normen für den Kraftfahrzeugbau. Beuth-Verlag, Berlin

[1-9] Hauptverband der gewerblichen Berufsgenossenschaften: Berufsgenossenschaftliches Vorschriften- und Regelwerk. Carl Heymanns Verlag, Köln

[1-10] Verband der Technischen Überwachungsvereine e.V.: VdTÜV-Merkblätter. Verlag TÜV Rheinland, Köln

[1-11] FEE Fahrzeugtechnik EWG/ECE, Richtlinien der Europäischen Wirtschaftsgemeinschaft für Straßenfahrzeuge und Regelungen der Economic Commission for Europe für Kraftfahrzeuge und Anhänger, Loseblatt-Textsammlung. Kirschbaum-Verlag, Bonn

[1-12] Zentralverband Karosserie- und Fahrzeugtechnik: Einzelfragen zur Anwendung der EG-Maschinenrichtlinie auf bestimmte Anbauteile und Geräte. ZKF-Seminar 26.09.1995, Frankfurt

[1-13] Nutzfahrzeug Katalog 1999/2000. Verlag Heinrich Vogel, München, 1999

[1-14] Schubert, K.: Die Bedeutung des Nutzfahrzeuges heute und morgen. In: VDI-FVT-Jahrbuch 2000, Fahrzeug- und Verkehrstechnik. VDI-Verlag, Düsseldorf, 2000

# 2 Fahrmechanik

Die Fahrmechanik ist die Lehre der Kräfte und Bewegungen an einem Fahrzeug, sie setzt sich zusammen aus der Dynamik – der Lehre der Kräfte – und der Kinematik – der Lehre des räumlichen und zeitlichen Zusammenhangs von Bewegungen. Sie ist die Basis zum Verständnis des Gesamtfahrzeugs. Dieses ist gerade beim Nutzfahrzeug sehr wichtig, da es meistens von unterschiedlichen Gruppen konzipiert wird. Das Fahrgestell wird überwiegend getrennt von dem Nutzaufbau gefertigt.

Unterteilt wird die Fahrmechanik richtungsabhängig in die Längs-, Quer- und Vertikaldynamik, Definition der Richtungen siehe Bild 2-1. Die Längsdynamik beschäftigt sich mit den Kräften in Längsrichtung (x-Richtung), also dem Fahrwiderstand, dem Kraft- und Leistungsbedarf, den Fahrgrenzen und dem Bremsen. Die Querdynamik analysiert die Kräfte in Querrichtung (y-Richtung), wie sie z. B. bei einer Kurvenfahrt auftreten, aber auch bei Geradeausfahrt mit Seitenwind. Die Vertikaldynamik beschreibt Kräfte und Bewegungen in vertikale Richtung (z-Richtung), die in Form von Schwingungen auf den Fahrer und das Ladegut einwirken. Das Bestimmen von Rad- und Achslasten fällt ebenfalls zur Vertikaldynamik. Die Drehbewegung um die Koordinatenachsen heißen Wanken, Nicken und Gieren.

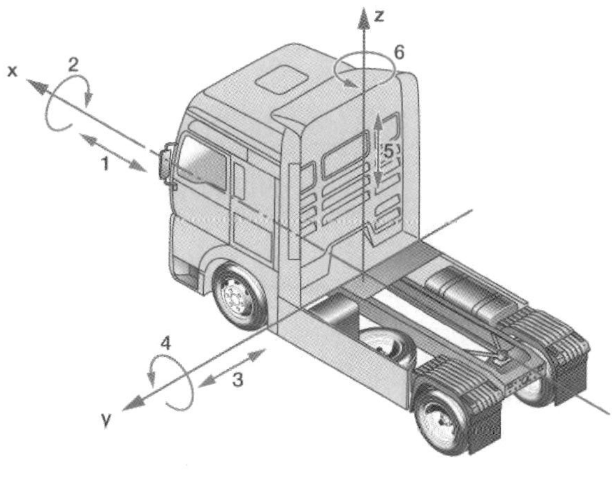


**Bild 2-1**
Koordinatensystem am Fahrzeug [2-1]
x – Längsrichtung
y – Querrichtung
z – Vertikale
Bewegungen:
Translation:
1 – Treiben, Bremsen
3 – Querschwingen
6 – Heben, Senken
Rotation:
2 – Wanken
4 – Nicken
6 – Gieren (Schleudern)

In diesem Kapitel wird der Kraft- und Leistungsbedarf eines Nutzfahrzeug analysiert, die Fahrgrenzen sowie statische und dynamische Achslasten beschrieben. Die Kennungswandlung, d. h. das Anpassen der Motorcharakteristik an den Bedarf, wird in Kapitel 7 beschrieben.

## 2.1 Kraftbedarf eines Nutzfahrzeugs

Der Kraftbedarf eines Fahrzeugs wird durch unterschiedliche Faktoren bestimmt. Neben dem fahrzeugspezifischen Rollwiderstand, der den Widerstand des Rades gegen eine gleichförmige Bewegung beschreibt, gibt es den fahrzeugspezifischen und vom Fahrzustand (Geschwindigkeit) abhängigen Luftwiderstand. Von der Topologie abhängig ist der Steigungswiderstand, den man braucht, um den Widerstand der Gewichtskraft des Fahrzeugs zu überwinden. Im umgekehrten Fall, im Gefälle, wird der Steigungswiderstand zur Hangabtriebskraft, da sich das Vorzeichen des Steigungswinkels ändert. Der Beschleunigungswiderstand wird über den Fahrzustand definiert.

$$F_{An} = mg\, f_R + \frac{1}{2} \rho_L c_w A\, v^2 + mg \sin(\alpha) + m\, \ddot{x} \qquad (2.0)$$

Diese vier elementaren Fahrwiderstände lassen sich durch die Fahrwiderstandsgleichung (2.0) beschreiben. Darin bedeutet $F_{An}$ die benötigte Antriebskraft, m die Masse des Fahrzeugs, g den Betrag der Erdbeschleunigung. $\ddot{x}$ stellt die Beschleunigung in x-Richtung dar. Auf der linken Seite teilt das Additionszeichen die verschiedenen Widerstände. Der erste Summand stellt den Rollwiderstand dar. Er ist vom Gewicht des Fahrzeugs abhängig und vom Rollwiderstandsbeiwert $f_R$. Da dieser einen entscheidenden Beitrag zum Fahrwiderstand liefert, wird er im Abschnitt Reifen besonders betrachtet. Der zweite Term stellt den Luftwiderstand dar, er ist linear von der Dichte der Luft $\rho_L$, dem Luftwiderstandsbeiwert $c_w$ und der Querschnittsfläche des Fahrzeugs $A$ abhängig. Eine quadratische Abhängigkeit zeigt sich von der Geschwindigkeit der anströmenden Luft. Auch diese Thematik wird im Abschnitt Aerodynamik vertieft. Der Steigungswiderstand wird aus dem Sinus des Hangwinkels $\alpha$ und der Gewichtskraft gebildet, der Beschleunigungswiderstand folgt aus dem 2. Newton'schen Grundgesetz: Kraft = Masse * Beschleunigung. Während der Steigungswiderstand von der Topologie und der Bedarf an Beschleunigungskraft von der Verkehrssituation sowie der Fahrweise des Fahrers abhängig ist, sind Roll- und Luftwiderstand Größen die vom Design des Fahrzeug bzw. beim Rollwiderstand insbesondere von den Reifen abhängig sind. Die Größe des Steigungswiderstandes kann bei ausgelasteten Nutzfahrzeugen ein mehrfaches des Roll- und Luftwiderstandes betragen. Andersherum bedeutet dieses, dass im Fall einer Gefällefahrt die Hangabtriebskraft ein mehrfaches des Wiederstandes bei ebener Fahrt erreichen kann. Diesem Sachverhalt träg das Nutzfahrzeug durch eine entsprechende Dauerbremseinrichtung Rechnung, denn die Reibungsbremsen können die aus dieser Bremsleistung resultierende Energie in Form von Wärme nicht ausreichend abführen.

Bild 2-2 zeigt die Abhängigkeit des Energiebedarfs eines 40-t-Zuges bei unterschiedlichen Fahrprofilen. Die Fahr in der Ebene zeigt eine Aufteilung von ca. 1/3 des Energieverbrauchs zur Überwindung des Luftwiderstandes zu 2/3 zur Überwindung des Rollwiderstandes. Das heißt eine Verbesserung des Luftwiderstandes wirkt sich nur mit dem Faktor 0,33 auf den Kraftstoffverbrauch aus, eine Verbesserung des Rollwiderstandes mit dem Faktor 0,66. Dabei ist der Rollwiderstand kaum geschwindigkeitsabhängig, also bleibt diese Größe absolut betrachtet bei allen Fahrstrecken gleich groß. Man sieht, dass auf bergiger Landstraße der Luftwiderstand durch die geringere Fahrgeschwindigkeit fast ganz verschwindet, der Rollwiderstand aber nur ca. 1/4 des Fahrwiderstandes beträgt, der Rest, also fast 3/4 werden für den Beschleunigungs- und Steigungswiderstand benötigt. Bei gleichbleibendem Rollwiderstand bedeutet dies eine Erhöhung des Kraftstoffverbrauches um das 2,6-fache. Der Beschleunigungswiderstand hängt in hohem Maße von der Fahrweise ab, d. h. schließt der Fahrer jede Lücke, wie oft setzt er die Bremse ein, etc. Aus dem besprochenen Diagramm kann man daher den Bedarf für Fahrerschulungen mit dieser Thematik ableiten.

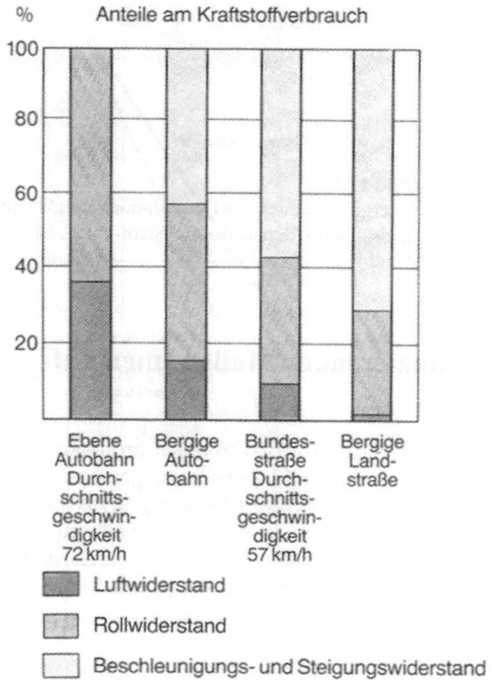


**Bild 2-2**
Energiebedarf eines 40-t-Sattelzuges bei verschiedenen Einsatzarten [2-2]

Konstruktiv lässt sich der Roll- und Luftwiderstand am besten beeinflussen, daher wird diesen beiden Phänomenen in den kommenden Abschnitten besondere Aufmerksamkeit geschenkt.

## 2.1.1 Beschleunigungswiderstand

Um ein Fahrzeug zu beschleunigen muss man eine Kraft aufbringen, die die Trägheit des zu beschleunigenden Körpers überwindet. Dieses gilt nicht nur für die eine translatorische Beschleunigung, sondern ebenfalls für eine rotatorische Beschleunigung, d. h. für drehende Teile, welche beschleunigt oder verzögert werden sollen. Hier ist es nicht die Masse alleine, die die Drehträgheit verursacht, sondern die Verteilung der Masse um die Drehachse, das so genannte Massenträgheitsmoment, abgekürzt mit dem Buchstaben $\Theta$. Da es sich um eine Drehung handelt, wird hier das kinematische Gesetz, der Momentensatz, nicht in einer Kraftgleichung, sondern in einer Momentengleichung formuliert. Das zum Beschleunigen benötigte Moment ist gleich dem Massenträgheitsmoment mal der Winkelbeschleunigung:

$$M = \Theta_A \, \ddot{\varphi} \tag{2.1}$$

Hier gibt der Buchstabe A die Lage der Achse an, um die der Körper rotiert, $\varphi$ ist der Winkel im Bogenmaß bzw. $\ddot{\varphi}$ seine 2. Ableitung nach der Zeit, also die Winkelbeschleunigung.

Betrachtet man ein Nutzfahrzeug, so kann der Trägheitsanteil der drehenden Teile erheblich sein, Bild 2-3. Extrem wird es bei einem 8 x 8-Fahrzeug. Dieses Fahrzeug ist üblicherweise, um ausreichend Bodenfreiheit zu haben, mit großen Reifen ausgestattet, welche ein hohes Trägheitsmoment haben sowie Radnabengetrieben. An jeder Achse drehen sich Antriebswellen und Ausgleichgetriebe, es gibt mehrere Kardanwellen, ein Verteilergetriebe, das normale Getriebe und den Motor. Beschleunigt das Gesamtfahrzeug rein translatorisch, müssen alle Drehteile ihre Drehträgheit überwinden. Die Kraft, die man zum Beschleunigen braucht kann daher deutlich größer sein, als die Kraft, welche man sich alleine aus dem 2. Newton'schen Gesetz bestimmen würde.

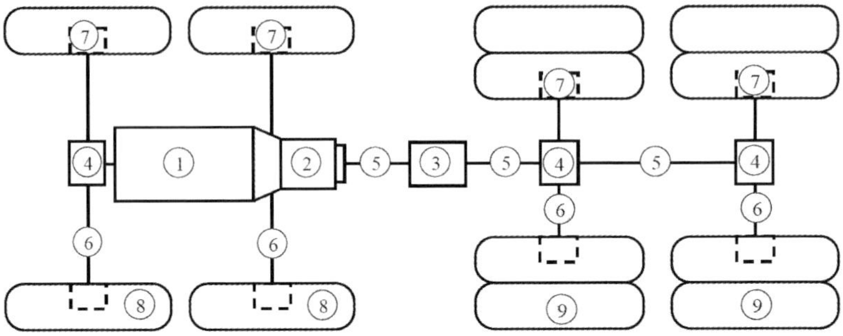


**Bild 2-3**
Antriebsstrang eines 8x8-Nutzfahrzeuges
1 – Motor
2 – Getriebe
3 – Verteilergetriebe
4 – Ausgleichgetriebe
5 – Kardanwellen
6 – Antriebswellen
7 – Radvorgelege
8 – Vorderrad
9 – Hinterrad

Stellt man für den Antriebsstrang den Momentensatz abschnittsweise auf, mit $M_1$ als geliefertem Motordrehmoment, $M_2$ als abgegebenes Abtriebsmoment an der Getriebeausgangswelle und F als Kontaktkraft an den Zahnflanken, so folgt aus der stark vereinfachten Darstellung in Bild 2-4:

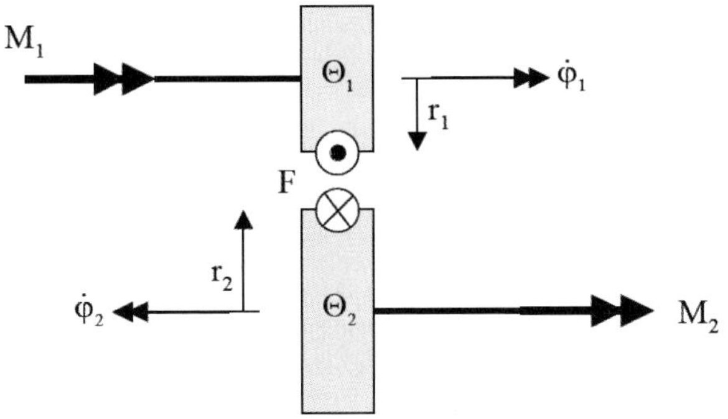


**Bild 2-4**
Stark vereinfachter Abschnitt des Antriebsstranges zur Bestimmung des Abtriebsmomentes $M_2$

$$\begin{aligned} \Theta_1 \ddot{\varphi}_1 &= M_1 - F\, r_1 \\ \Theta_2 \ddot{\varphi}_2 &= -M_2 + F\, r_2 \end{aligned} \tag{2.2}$$

Eliminiert man aus diesen Gleichungen die unbekannte Kontaktkraft F erhält man für das Abtriebsmoment:

$$\begin{aligned} \Theta_1 \ddot{\varphi}_1 &= M_1 - \frac{r_1}{r_2}\left[M_2 + \Theta_2 \ddot{\varphi}_2\right] \\ M_2 &= \frac{r_2}{r_1} M_1 - \left[\frac{r_2}{r_1}\Theta_1 \ddot{\varphi}_1 + \Theta_2 \ddot{\varphi}_2\right] \end{aligned} \tag{2.3}$$

Das heißt, dass Abtriebsmoment ist gleich dem mit dem Übersetzungsverhältnis multiplizierten Antriebsmoment, abzüglich den aus beiden Massenträgheiten stammenden Momenten. Dabei ist der Trägheitsanteil der Antriebswelle ebenfalls mit dem Übersetzungsverhältnis zu multiplizieren. Jeder dieser Trägheitsterme wird durch seine Winkelbeschleunigung bestimmt. Diese

Winkelbeschleunigungen sind aber nicht unabhängig, da die Tangentialgeschwindigkeit im Kontaktpunkt der Zahnräder gleich ist. Es gilt also:

$$\dot{\varphi}_1 r_1 = v = \dot{\varphi}_2 r_2$$
$$\rightarrow \dot{\varphi}_1 = \frac{r_2}{r_1}\dot{\varphi}_2 \rightarrow \ddot{\varphi}_1 = \frac{r_2}{r_1}\ddot{\varphi}_2 \tag{2.4}$$

Somit lässt sich das Massenträgheitsmoment der Antriebswelle auf die Drehzahl der Abtriebswelle umrechnen und für das Abtriebsmoment gilt:

$$M_2 = \frac{r_2}{r_1} M_1 - \left[\left(\frac{r_2}{r_1}\right)^2 \Theta_1 + \Theta_2\right]\ddot{\varphi}_2 \tag{2.5}$$

Man spricht hier vom reduzierten Trägheitsmoment, da es auf einen Drehzahlparameter reduziert wurde. Dafür muss man das entsprechende Trägheitsmoment mit dem Quadrat des Übersetzungsverhältnisses *i* multiplizieren.

$$\Theta_{1,Red} = i_1^{\,2}\,\Theta_1 \tag{2.6}$$

Mit dieser an dem sehr einfachen Beispiel gewonnenen Erkenntnis können wir den Antriebsstrang eines Nutzfahrzeuges deutlich vereinfachen, indem wir alle Trägheitsmomente auf die Raddrehzahl umrechnet. Dazu braucht man nur das entsprechende Übersetzungsverhältnis i zwischen dem betrachteten Drehkörper und dem Rad. Auf das Bild 2-3 bezogen bedeutet das:

$$\begin{aligned} M_{Rad} &= i_1 M_1 \\ &- \left[i_1^{\,2}\,\Theta_1 + i_2^{\,2}\,\Theta_2 + i_3^{\,2}\,\Theta_3 + i_4^{\,2}\,\Theta_4 + i_5^{\,2}\,\Theta_5 + i_6^{\,2}\,\Theta_6 + i_7^{\,2}\,\Theta_7 + \Theta_8 + \Theta_9\right]\ddot{\varphi}_{Rad} \end{aligned} \tag{2.7}$$

Damit lässt sich die ganze Drehträgheit auf den Term in den Klammern reduzieren. Anzumerken ist hier noch, dass durch Ändern von Übersetzungsstufen z. B. im Schaltgetriebe, aber ggf. auch im Verteilergetriebe, sich das Übersetzungsverhältnis der nachgeschalteten Drehkörper ändert, somit hat man für jeden Gang ein anderes reduziertes Trägheitsmoment. Am größten ist das reduzierte Trägheitsmoment im kleinsten, also 1. Gang.

Mit diesen Vereinfachungen lässt sich leicht das Beschleunigungsverhalten eines Fahrzeuges analysieren. Betrachtet man in Bild 2-5 die mittlere Darstellung des Fahrzeugs, so erhält man für die Beschleunigung aus dem Newton'schen Grundgesetz:

$$\ddot{x} = \frac{F_x}{m} \tag{2.8}$$

Betrachtet man in der untere Darstellung das Hinterrad und reduziert alle Drehkörper auf die Antriebsachse, so wird die Drehträgheit durch das reduzierte Trägheitsmoment $\Theta_{Red}$ dargestellt. Der Momentensatz um den Radmittelpunkt mit der Radradius r liefert:

$$\Theta_{Red}\ddot{\varphi} = M_{An} - F_{An}\,r$$
$$\rightarrow F_{An} = \frac{M_{An} - \Theta_{Red}\ddot{\varphi}}{r} \tag{2.9}$$

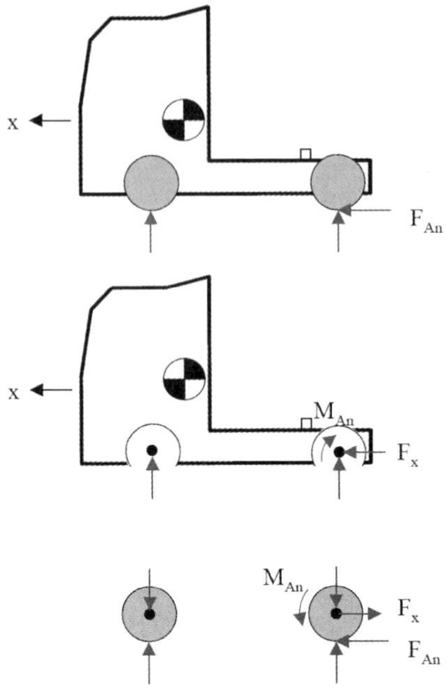


**Bild 2-5**
Einfacher Freischnitt eines Fahrzeugs zur Analyse des Beschleunigungsvermögens

Die Summe der Horizontalkräfte am Rad liefert $F_x = F_{an}$. Die Winkelbeschleunigung $\ddot{\varphi}$ und die translatorische Beschleunigung $\ddot{x}$ sind bei einem rollenden Rad von einander abhängig:

$$\ddot{x} = r\,\ddot{\varphi}$$

Damit folgt die Beschleunigung zu:

$$\ddot{x} = \frac{F_{An}}{m + \frac{\Theta_{Red}}{r^2}} \qquad (2.10)$$

Diese Gleichung zeigt, dass die rotatorische Beschleunigung sich bei der translatorischen Beschleunigung genau so bemerkbar macht, wie wenn man die Masse des Fahrzeugs vergrößert. Dieser Umstand führt dazu, dass man den Einfluss der rotatorischen Beschleunigung auf die translatorische häufig durch einen Drehmassenzuschlagsfaktor $\lambda$ berücksichtigt.

$$m + \frac{\Theta_{Red}}{r^2} = \lambda\, m \qquad (2.11)$$

Dieser Faktor liegt bei Pkws im letzten Gang nahe bei 1, dem entsprechend gering ist sein Einfluss in dieser Situation, im ersten Gang bei Pkws kann er den Wert 1,1 erreichen. Bei Nutzfahrzeugen, siehe Bild 2-6, kann dieser Wert bis 1,4 und darüber liegen, d. h. 40 % des Trägheitswiderstandes wird von der Drehträgheit der Drehkörper verursacht. Es kann dadurch sinnvoll sein, den kleinsten Gang nicht zum Beschleunigen zu nutzen, sondern nur dann, wenn hohe Radmomente benötigt werden, z. B. in Steigungen und schwerem Gelände.

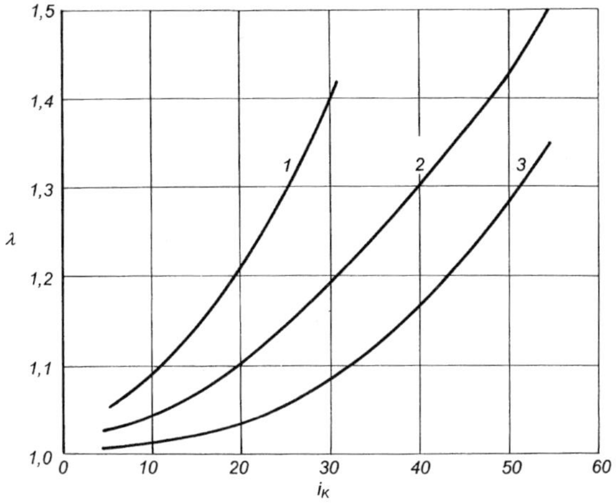


**Bild 2-6**
Drehmassenzuschlagsfaktor λ von Nutzfahrzeugen als Funktion der Getriebeübersetzung $i_K$:
1 Lkw mit m = 15 t,
2 Lkw mit m = 13 t,
3 Lkw mit Hänger [2-3]

## 2.1.2 Steigungswiderstand

Beim Befahren einer Steigung tritt gegenüber der Fahrt in der Ebene ein weiterer Fahrwiderstand auf. Wird die Gewichtskraft eines Fahrzeugs, das eine Steigung befährt, in Komponenten senkrecht und parallel zur Fahrbahn zerlegt, so ist die zur Fahrbahn parallele Komponente, die Hangabtriebskraft, identisch mit dem Steigungswiderstand. Sie errechnet sich allgemein nach der Gleichung:

$$F_{St} = mg \sin(\alpha) \tag{2.12}$$

Die Steigungen der Straßen werden in Prozent angegeben. Die Prozentzahl ist definiert als Höhenunterschied zwischen zwei Punkten, bezogen auf den Abstand derselben in der Horizontalen:

$$q = \frac{\Delta h}{\Delta l} \tag{2.13}$$

Damit ergibt sich:

$$F_{St} = mg \sin(\arctan q) \tag{2.14}$$

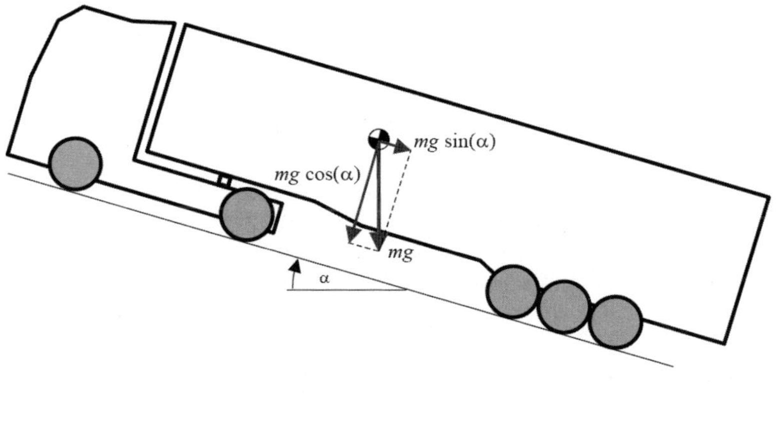


**Bild 2-7**
Zerlegen der Gewichtskraft G auf einer Steigung in Komponenten senkrecht und parallel zur Fahrbahn

Für kleine Winkel (< 15°) ist der Tangens etwa gleich dem Winkel im Bogenmaß, also arctan(q) gleich q und der Sinus etwa gleich dem Winkel im Bogenmaß, so dass man aus der Prozentangabe der Steigung gleich den Steigungswiderstand bestimmen kann:

$$F_{St} \approx mg \frac{q}{100} \tag{2.15}$$

Die Steigungen des Straßennetzes sollten aus fahrdynamischen, ökonomischen und sicherheitstechnischen Gründen möglichst niedrig gehalten werden, da nur so eine hohe Durchschnittsgeschwindigkeit bei wirtschaftlichem Kraftstoffverbrauch gefahren werden kann. Je kleiner die Steigungen sind, die bei der Projektierung zugrunde gelegt werden, um so schwieriger wird jedoch die Trassierung, um so größer werden die Eingriffe in die Landschaft und um so höher der Bauaufwand (Dammschüttungen, Kunstbauten), auch deshalb, weil für hohe Durchschnittsgeschwindigkeiten große Kurvenradien erforderlich sind.

Die Größe der Entwurfsgeschwindigkeit richtet sich nach der Aufgabe der Straße im Straßennetz, dem sie zuzuordnen ist. Im vorhandenen Straßennetz, welches in seiner Entstehung bis in das 19. Jahrhundert zurückreicht, sind Steigungen zu finden, welche teilweise beträchtlich höher sind als die beim Neubau von Straßen zulässigen. Auch die Alpenstraßen weichen davon ab. Hier sind bis zu 30 % möglich, die aber auf Straßen mit lokaler Bedeutung beschränkt sind. Mit 26 % ist der Wurzenpass von Villach nach Kranjska Gorda einer der steilsten. Die Tauernautobahn hat 15 %, die meisten Pässe für den Transitverkehr sind weniger steil.

### 2.1.3 Rollwiderstand – Reifen

Bei Nutzfahrzeugen muss man dem Rollwiderstand der Reifen einen besonderen Stellenwert zuweisen. Wie man aus Bild 2-2 sieht, hat er einen Anteil von 30 bis 50 % am Kraftstoffverbrauch, je nach Fahrer und Topologie der Strecke. Reifenhersteller sprechen von einer Aufteilung von je einem Drittel auf Rollwiderstand, Luftwiderstand und der Summe aus Beschleunigungs- und Steigungswiderstand.

Zum Vergleich, bei einem Pkw beträgt der Anteil des Rollwiderstandes am Kraftstoffverbrauch ca. 15 bis 20 %. Dementsprechend groß ist der Aufwand, den die Nutzfahrzeugreifenhersteller in die Reifenentwicklung stecken. Es gibt unterschiedliche Reifen für die verschiedenen Achsen, also Lenk-, Antriebs- und gezogene Achsen. Ebenfalls werden die Reifen auf den Einsatzzweck, z. B. Fern-, Nah- und Baustellenverkehr, abgestimmt. Daraus resultiert ein großes Spektrum an Nutzfahrzeugreifen.

Nutzfahrzeugreifen müssen enormen Lasten und Lastschwankungen standhalten, ohne dass der Luftdruck von bis zu 9 bar jedes Mal angepasst werden kann. Im Fall einer leeren und beladenen Sattelzugmaschine kann die Hinterachslast zwischen 2 t und 11,5 t schwanken, damit ändert sich die Bodenaufstandsfläche. Das Reifendesign muss darauf abgestimmt sein, um unabhängig vom Beladungszustand möglichst gleichbleibende Fahreigenschaften darzustellen.

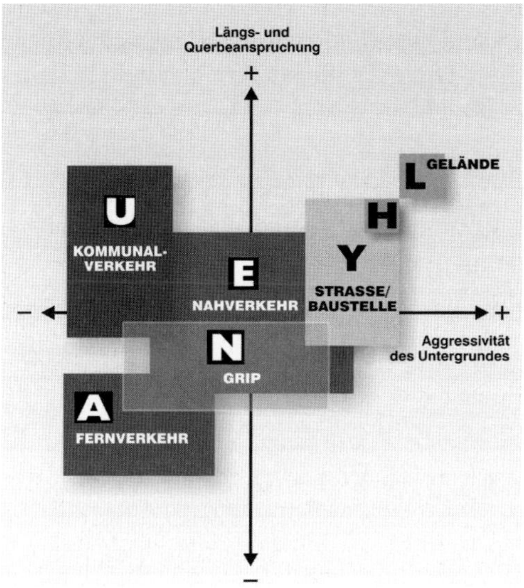


**Bild 2-8**
Einsatzsegmente der Michelin-Produktpalette [2-4]

Betrachtet man einen belasteten Reifen, so deformiert sich der Reifen an der Reifenaufstandsfläche. Der Abstand vom Radmittelpunkt zu Reifenaufstandspunkt wird statischer Reifenhalbmesser ($r_{stat}$) genannt. Rollt man den belasteten, deformierten Reifen über eine gerade Oberfläche wird man feststellen, dass die Abwicklung bzw. der Umfang dieses Reifens einen Reifenhalbmesser bedarf, der geringfügig größer ist als der statische Reifenhalbmesser. Diesen Halbmesser, der den Umfang des Reifens definiert, nennt man dynamischen Halbmesser ($r_{dyn}$). Legt man den Reifen dagegen flach auf den Boden, misst man den physikalischen Halbmesser, beim Neureifen wäre dieses der Fertigungshalbmesser ( $r_0$ ).

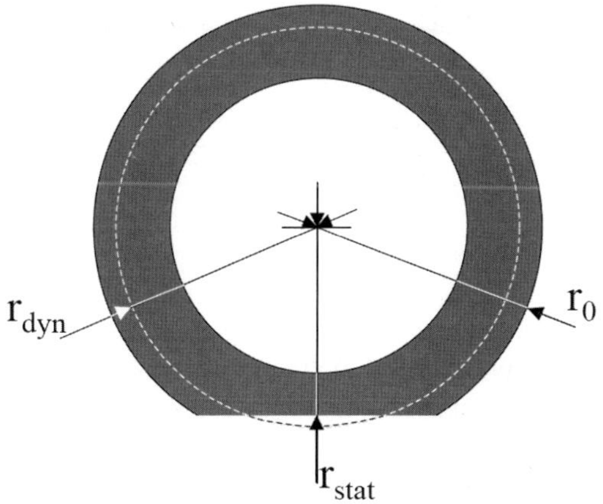


**Bild 2-9**
Definition des statischen ($r_{stat}$), dynamischen ($r_{dyn}$) und der Fertigungshalbmessers ($r_0$) eines Reifens

Fährt ein Fahrzeug mit konstanter Geschwindigkeit $v_F$ kann man mit Kenntnis des Reifenumfangs die Raddrehzahl $n_R$ bestimmen.

$$n_R = \frac{v_F}{2\pi \, r_{dyn}} \tag{2.16}$$

Bei konstanter Geschwindigkeit ist auch die Raddrehzahl konstant. Bei einer konstanten Raddrehzahl beobachtet man in der Reifenaufstandsfläche, dem Reifenlatsch, unterschiedliche Geschwindigkeiten. In den Reifenlatsch taucht die Reifenoberfläche mit der Geschwindigkeit

$$v_0 = 2\pi\, r_0\, n_R \tag{2.17}$$

ein. Unterhalb des Radmittelpunktes ist der statische Radius geringfügig kleiner als der dynamische und der Fertigungshalbmesser. Daraus folgt eine geringere Geschwindigkeit der Reifenoberfläche. Das heißt, die Reifenoberfläche wird im Reifenlatsch beschleunigt und verzögert, um am Ende mit der Geschwindigkeit $v_0$ aus der Aufstandsfläche aufzutauchen. Dabei bewegt sich das Fahrzeug gleichmäßig mit der Geschwindigkeit $v_F$ über die Fahrbahn. Die Differenzgeschwindigkeit verursacht Deformation in Umfangsrichtung. Da heutige Reifen meist als Radialreifen mit einem sehr steifen Gürtel aus Stahl in Umfangsrichtung ausgeführt sind, muss sich diese Verformung zwischen Reifenoberfläche und Stahlgürtel abspielen, also größtenteils im Profil. Geht man von einer linearen Änderung des Radius und von einer konstanten Raddrehzahl aus, so ergibt sich für einen Reifen die in Bild 2-10 gezeigte Profilverformung.

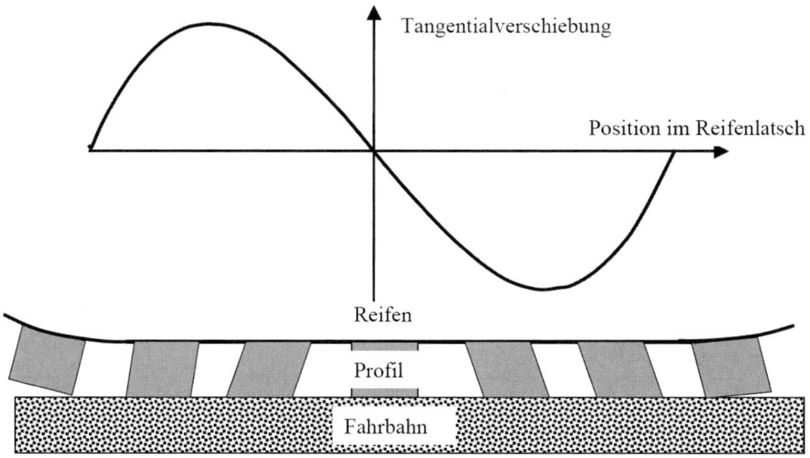


**Bild 2-10** Verformung in Umfangsrichtung in der Reifenaufstandsfläche

Die bisherigen Betrachtungen gelten nur für ein frei rollendes Rad. Möchte man mit dem Rad Kräfte übertragen greifen weiter Kräfte an der Reifenoberfläche an und verformen die Profilblöcke. Um Kräfte übertragen zu können braucht ein Reifen immer einen gewissen Schlupf. Dieser Schlupf führt dazu, dass sich die Profilblöcke innerhalb des Latsches immer stärker verformen, bis in der Kontaktfläche Boden-Reifen die maximal übertragbare Kraft überschritten wird. Ähnlich wie beim Coulomb'schen Reibungsgesetz können jetzt nur noch Gleitreibungskräfte übertragen werden. Diese sind deutlich geringer als die Kräfte während der Haftung. Daraus resultiert die typische $\mu$-Schlupfkurve eines Reifens, wie sie in Bild 2-11 dargestellt ist.

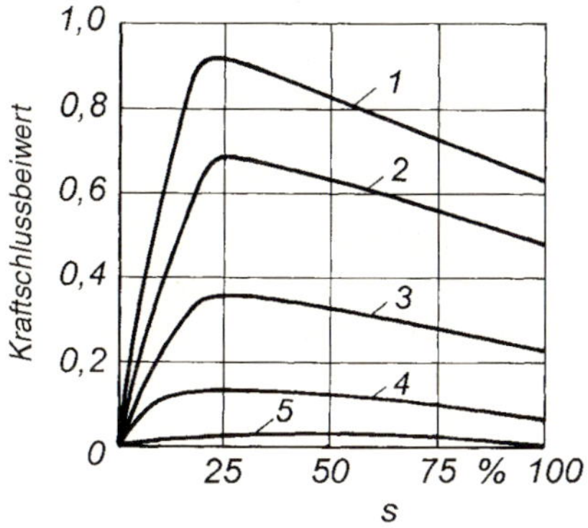


**Bild 2-11**
Prinzipieller Verlauf des Kraftschlussbeiwertes über dem Schlupf:
1 trocken
2 nass
3 verschneit
4 vereist trocken
5 tauendes Eis oder gefrierender Regen

Typischerweise kann man ohne Schlupf keine Kraft übertragen. Dann folgt ein steiler Anstieg des Kraftschlussbeiwertes um bei 10 bis 20 % Schlupf ein Maximum zu erreichen. Danach fällt dies Kurve wieder ab.

Wird ein Reifen gleichzeitig durch Längs- und Querkräfte beansprucht, so addieren sich die Kräfte vektoriell. Die maximal übertragbaren Kräfte kann man dabei als einen Kreis darstellen, die Resultierende aus Längskraft, also z. B. Antriebs- oder Bremskräften und Querkräften, also z. B. Kurvenkraft, muss dann immer innerhalb dieses Kreises liegen. Diesen Kreis nennt man Kamm'schen Kreis.

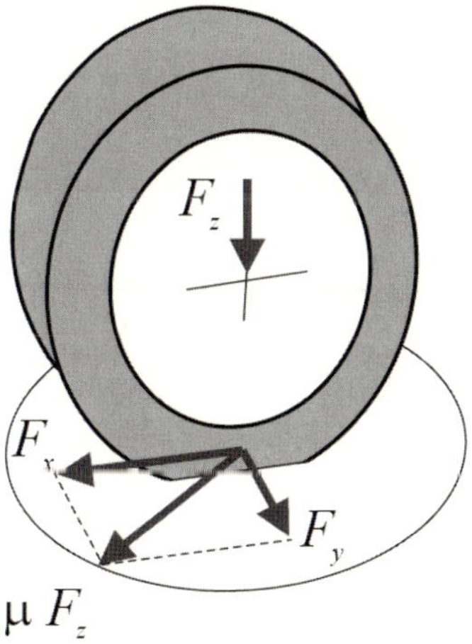


**Bild 2-12**
Kamm'scher Kreis: Reifen unter Längs- und Querbeanspruchung. Die Resultierende muss immer kleiner sein als max. Kraftschlussbeiwert mal Radlast.

Der Rollwiderstand resultiert aus den Verformungen in der Reifenaufstandsfläche und der Verteilung der Flächenpressung (Bild 2-13). Durch die auf das Rad wirkende Normalkraft $F_N$ entsteht eine Flächenpressung mit unsymmetrischem Verlauf in Abrollrichtung des Reifens. Die resultierende Auflagerreaktionskraft $F_N$ wirkt um den Abstand e zur Radmitte versetzt. Für ein Rad mit konstanter Drehzahl kann man folgende Gleichung aufstellen:

$$\begin{aligned} &F_R\ r_{stat} = F_N\ e \\ &\Rightarrow\ F_R = \frac{e}{r_{stat}} F_N = f_R\ F_N \end{aligned} \tag{2.18}$$

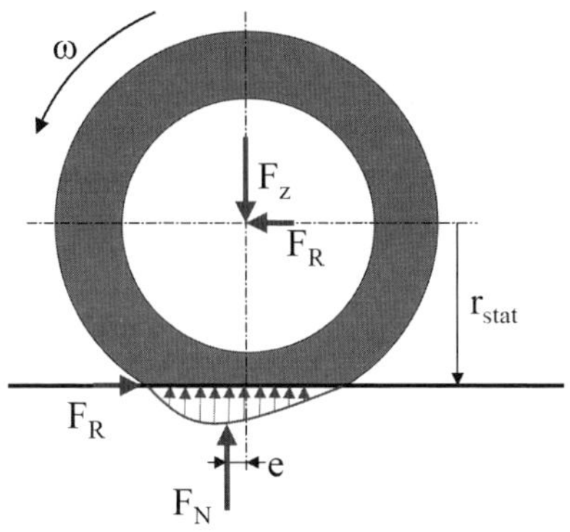


**Bild 2-13**
Kräfte am rollenden Rad und Verteilung der Flächenpressung in Abrollrichtung

Der Rollwiderstandsbeiwert, hier $f_R$, in anderer Literatur auch $k_R$ genannt, hat bei niedrigen Geschwindigkeiten im Diagramm einen annähernd waagerechten Verlauf und steigt mit zunehmender Geschwindigkeit immer stärker an, wobei der Verlauf der Kennlinie außer von der Geschwindigkeit auch von der Reifenkonstruktion abhängig ist.

Der Rollwiderstand der Reifen von Nutzfahrzeugen ist ähnlich dem der Pkw, weist aber einige Besonderheiten auf. Er steigt mit zunehmender Geschwindigkeit geringfügig linear an (Bild 2-14), wobei durch unterschiedliche konstruktive Gestaltung ein Streuband entsteht [1-8].

Wird bei steigender Radlast der Reifeninnendruck der Belastung angepasst, so verringert sich der Rollwiderstand (Bild 2-15).

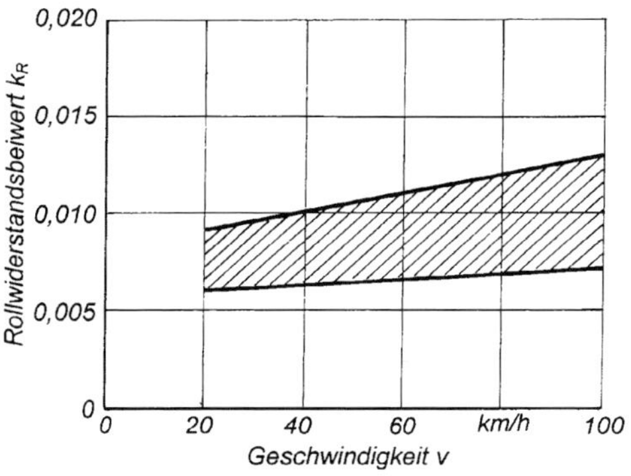


**Bild 2-14** Rollwiderstandsbeiwert von Nutzfahrzeugreifen in Abhängigkeit von der Fahrgeschwindigkeit für Reifen von 20 bis 24 Zoll Durchmesser [2-3]

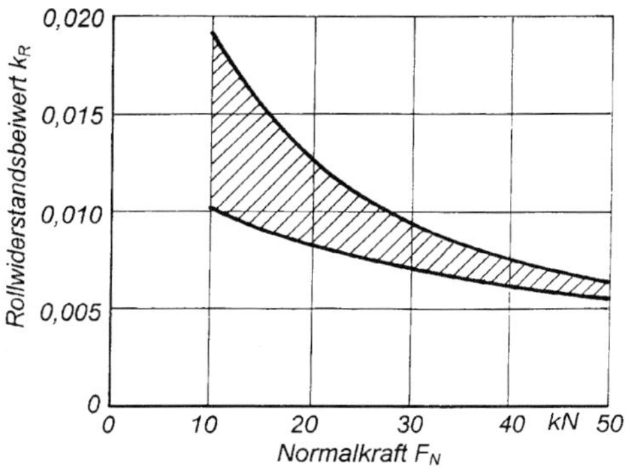


**Bild 2-15** Rollwiderstand von Nutzfahrzeugreifen in Abhängigkeit von der Radlast bei angepasstem Reifeninnendruck [2-3]

Die Verformungen im Profil sind reibungsbehaftet und verursachen einen Teil des Rollwiderstands. Ein weitere Teil resultiert aus der permanenten Deformation des Reifenkörpers, wie oben beschrieben, ein anderer Teil wird durch die Verzahnung des Gummis mit dem Boden verursacht. Einen geringen Beitrag liefert der Lüfterwiderstand, verursacht durch die den Reifen umstreichende Luft. Dieser Anteil wird meistens dem Luftwiderstand zugeschlagen.

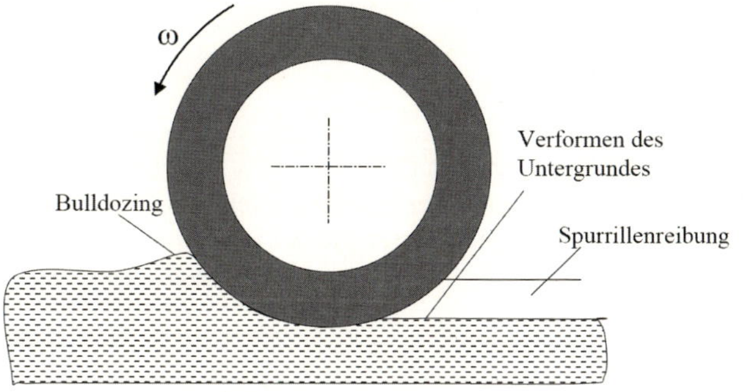


**Bild 2-16**
Entstehung des Bulldozingwiderstandes und Widerstand durch bleibende Verformung des Untergrundes. Spurrillenwiderstandes entsteht an den Flanken des Reifens.

Je nach Fahrsituation werden noch weiter Rollwiderstände generiert. Durch den Vorspurwinkel rollen die Räder nicht parallel zur Fahrtrichtung ab, es entsteht eine Vorspurseitenkraft, die eine Komponente entgegen der Fahrtrichtung hat. Bei Kurvenfahrt tritt der Kurvenwiderstand auf. Ähnlich wie beim Vorspurwiderstand treten Kraftkomponente auf, welche Anteile entgegen der Fahrtrichtung haben. Auf nasser Fahrbahn muss der Reifen das Wasser verdrängen, dieses erhöht den Rollwiderstand, man spricht vom Schwallwiderstand. Für Fahrzeuge, welche abseits befestigter Straßen betrieben werden, kann sich der Rollwiderstand drastisch erhöhen. Auf weichem Untergrund verformt sich der Boden plastisch, dieses erhöht den Rollwiderstand durch das Verformen des Untergrundes. Bei losem Untergrund, wie z. B. Sand oder Schnee schiebt das Rad eine Materialanhäufung vor sich her. Hier spricht man vom Bulldozingwiderstand. Sinkt das Rad in seiner Spurrille ein, kommt es zur Spurrillenreibung an den Flanken des Reifens.

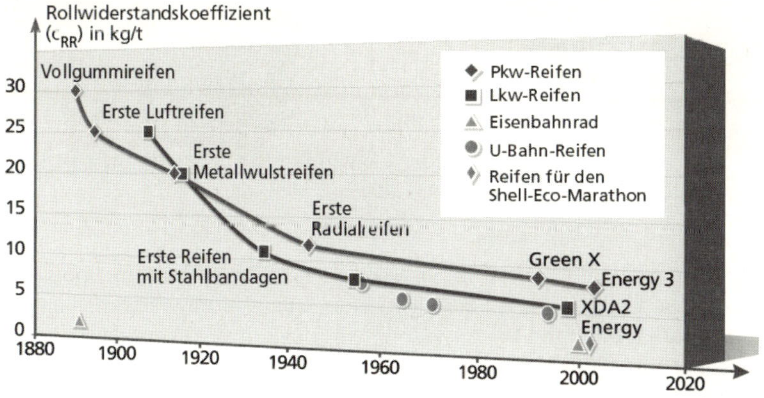


**Bild 2-17**
Entwicklung des Reifenrollwiderstandes [2-5]

Der Rollwiderstandbeiwert $f_R$ liegt bei optimalen Bedingungen für einen Fernverkehrsreifen bei 0,007, d. h., der Rollwiderstand eines 40-t-Fernverkehrszug beträgt ca. 2,7 kN. Bei Fahrten im Gelände kann der Rollwiderstand, wie oben geschildert, deutlich ansteigen, bis auf den dimensionslosen Wert 1, in Extremfällen sogar noch höher. Ein 32-t-8x8-Fahrzeug muss dann einen Rollwiderstand von ca. 314 kN überwinden.

## 2.1.4 Luftwiderstand – Aerodynamik des Nutzfahrzeuges

### *2.1.4.1 Historie*

Seit der Energiekrise in den 70er Jahren findet die Aerodynamik verstärkt Beachtung bei der Auslegung von Nutzfahrzeugen. Vor allem in Zeiten einer schrittweisen Verteuerung der Kraftstoffe im Rahmen der Ökosteuer und des steigenden Kostendrucks im Transportgewerbe durch die Einführung der Lkw-Maut, rückt die Wirtschaftlichkeit und damit auch die Aerodynamik des Nutzfahrzeuges in den Vordergrund des Interesses.

**Bild 2-18** Historische MAN Windkanalmodelle im Maßstab 1:4

Zu Beginn der Aerodynamikentwicklung von Nutzfahrzeugen waren es vor allem Spoileranbauteile und Seitenverkleidungen auf denen das Hauptaugenmerk der Aerodynamiker lag. Die einfache Nachrüstbarkeit der Anbauteile und die bequeme Möglichkeit der Anpassung an die jeweilige Aufbauhöhe haben die schnelle Verbreitung der Dachspoilers und der Windleiteinrichtungen gefördert.

Auch andere Gebiete, wie z. B. Heckeinzüge von Aufliegern, wirbelreduzierende Anbauteile in den Zwischenräumen von Zugmaschine und Anhängern wurden gründlichst untersucht. Obwohl mit diesen Maßnahmen große Kraftstoffeinsparungen realisiert werden könnten, fanden sie nie den Weg in die Serienfertigung. Dies lag zum einen an gesetzlichen Beschränkungen und daraus resultierenden Handhabungsschwierigkeiten und zum anderen an der Tatsache, dass ein Nutzfahrzeug nicht im Verantwortungsbereich eines einzelnen Herstellers liegt. So wird das Zugfahrzeug (Fahrerhaus, Fahrgestell und Antriebsstrang) zwar von einem Hersteller ent-

Der MAN TGX V8 mit 680 PS.
Dynamik trifft Emotion.
V8
MAN
TRUCK OF THE YEAR
MAN TGX TGS
2008
M AN 680

wickelt, das Gesamtfahrzeug wird anschließend allerdings von unabhängigen Aufbaufirmen, je nach Einsatzzweck mit dem jeweiligen Aufbau komplettiert.

Kevin R. Cooper [2-6] beschrieb die Probleme der Nutzfahrzeugaerodynamik treffend mit dem Satz:

„We know most of the answers, we need to apply them.“

Da die großen Einsparungen sich nicht realisieren ließen, verstärkten die Nutzfahrzeughersteller ihre Bemühungen das Fahrerhaus und Fahrgestell aerodynamisch zu optimieren. So wuchsen die Anstrengungen und die finanziellen Aufwendungen immer mehr, um immer geringere Kraftstoffeinsparungen zu realisieren.

Jedoch ist es bei der Nutzfahrzeugaerodynamik nicht die Frage wie man den Luftwiderstand um weitere 0,002 senken kann, sondern vielmehr wie man die Aufbauhersteller, Flottenbetreiber und Gesetzgeber dazu bewegen kann, die bereits bekannten Maßnahmen anzuwenden und umzusetzen.

### *2.1.4.2 Luftwiderstand*

Die Aerodynamik beschäftigt sich als Teilgebiet der Physik mit allen Vorgängen die bei der Umströmung und Durchströmung eines Körpers beobachtet werden.

Der Luftwiderstand eines Fahrzeuges entsteht überwiegend durch Druckdifferenzen am Fahrzeug in Strömungsrichtung, Reibung an der Fahrzeugoberfläche und aufgrund von Impuls und Reibungsverlusten bei der Durchströmung von Kühler, Motorraum sowie dem Innenraum. Diese Widerstandsanteile sind im dimensionslosen $c_W$-Wert zusammengefasst, aus dem sich die Luftwiderstandskraft ergibt.

Dic Luftwidcrstandskraft $F_L$ hängt von folgenden Faktoren ab:

- Luftwiderstandsbeiwert $c_W$
- Stirnfläche des Fahrzeuges A
- Luftdichte $\rho$
- gefahrene Geschwindigkeit v

$$F_L = \frac{1}{2} \cdot C_w \cdot A \cdot \rho \cdot v^2$$

Die aerodynamische Güte eines Fahrzeuges wird über den dimensionslosen Luftwiderstandsbeiwert $c_W$ ausgedrückt. Je niedriger der $c_W$-Wert eines Fahrzeuges desto besser sind die Strömungseigenschaften des Fahrzeuges. Doch die eigentliche bestimmende Größe ist die Luftwiderstandsfläche $c_W \cdot A$. So ist bei einem Nutzfahrzeug wesentlich mehr Motorleistung aufzubringen um dessen Luftwiderstand bei 85 km/h zu überwinden wie bei einem DTM oder Formel 1 Rennfahrzeug, obwohl diese annähernd die gleichen $c_W$-Werte aufweisen.

Die Dichte der Luft ist abhängig vom barometrischen Druck, der Temperatur der Luft und im geringen Umfang der Luftfeuchte. Vernachlässigt man letztere, so vergrößert sich die Dichte trockener Luft von 1,112 kg/m³ bei 40 °C auf 1,377 kg/m³ bei –20 °C. Aufgrund der direkten Abhängigkeit des Luftwiderstandes von der Dichte wird so ersichtlich, dass Kraftstoffmehrverbräuche im Winterhalbjahr nicht nur aus schlechten Fahrbahnbedingungen und erhöhten Rollwiderständen der Winterreifen, sondern auch aus der steigenden Luftwiderstandskraft resultieren.

Bild 2-19 zeigt die Strömungsablösegebiete an den unterschiedlichen Fahrzeugtypen, visualisiert durch die 3D-Strömungssimulation mittels der Isotropen Flächendarstellung $p_{total} = 0$.

Vorzugsweise am Heck, aber auch am Bug des Fahrzeuges, an den Rädern, Rückspiegeln und an den Einzelteilen des Unterbodens (Lenker, Achsen und Aggregate) löst die Strömung ab. Es entstehen Gebiete, in denen der Druck vom demjenigen in idealer, d. h. reibungsfreier Strömung abweicht. Daraus resultiert der Druckwiderstand, welcher sehr viel größer als der Reibungswiderstand infolge von Wandschubspannungen ist.

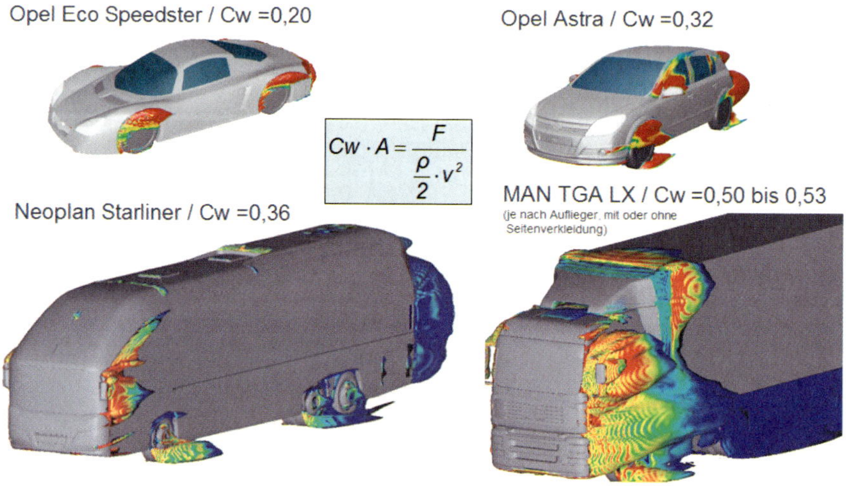


**Bild 2-19** Veranschaulichung der Ablösegebiete an unterschiedlichen Fahrzeugtypen, Isotrope pt = 0

Bild 2-20 zeigt die Streubreite für die unterschiedlichen Fahrzeuggrundformen. Der höhere Luftwiderstand der Nutzfahrzeuge gegenüber dem Pkw resultiert vor allem aus dem Bemühen um maximalen Laderaum bei Einhaltung der vom Gesetzgeber vorgegebenen maximalen Fahrzeugabmessungen. Nachteilig sind außerdem zerklüftete, wenig strömungsgünstige Aufbauten, offene Ladungsträger wie z. B. Pritschen und Kippmulden.

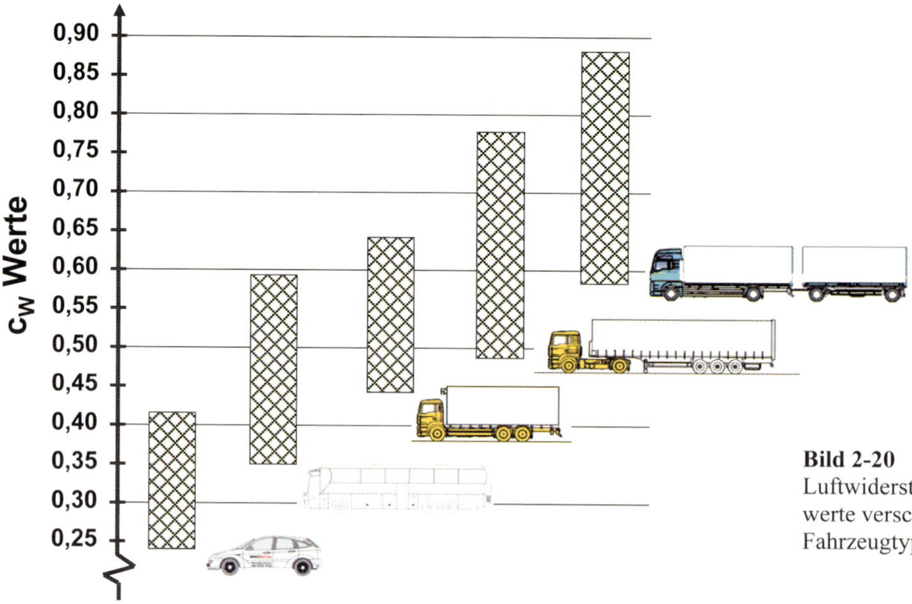


**Bild 2-20** Luftwiderstandsbeiwerte verschiedener Fahrzeugtypen

Die vorstehende Gleichung zur Berechnung des Luftwiderstandes gilt exakt nur bei gerader Anströmung von vorne. Dies ist allerdings die Ausnahme. Aufgrund der relativ geringen Geschwindigkeiten von Nutzfahrzeugen werden diese im praktischen Fahrbetrieb sehr häufig durch Seitenwind schräg angeströmt. Die Größe des Luftwiderstandes ergibt sich aus der in Fahrtrichtung wirkenden Komponente der Relativgeschwindigkeit und dem Tangentialbeiwert $c_T$ (Luftwiderstandsbeiwert in Fahrtrichtung bei Schräganströmung). Bei Schräganströmung ändern sich die Strömungsverhältnisse gegenüber der symmetrischen Umströmung (Bild 2-21).

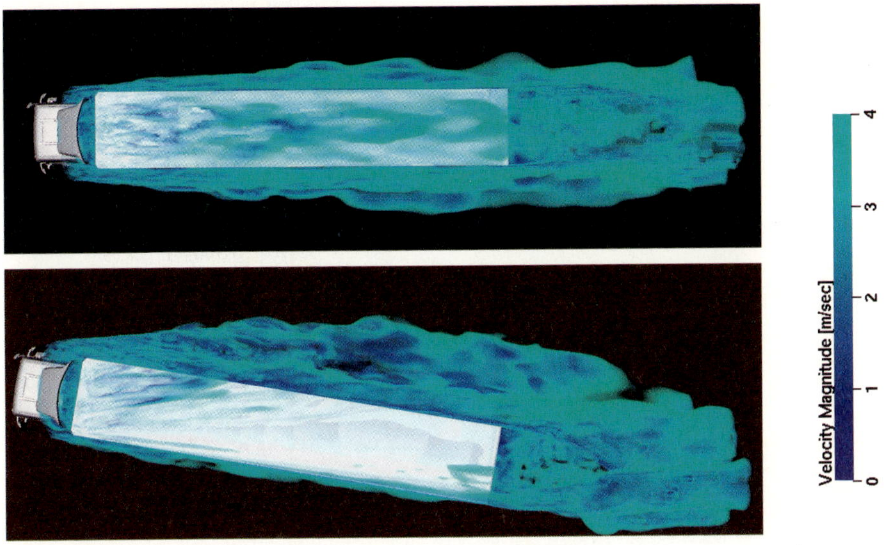


**Bild 2-21** Strömungsverlauf bei gerader und bei 10° Schräganströmung

Das Ansteigen des Luftwiderstandes gegenüber der symmetrischen Anströmung ist abhängig von der Größe des Anströmwinkels β und von der Grundform des Fahrzeuges. Es erfolgt eine großflächige Strömungsablösung am Auflieger und eine turbulente Um- und Durchströmung des Fahrwerks (Bild 2-22).

**Bild 2-22**
3D-Strömungsverlauf bei 10° Schräganströmung

Bild 2-23 zeigt den Quotienten $c_T$ und $c_W$. Man erkennt, dass für Lkw mit geschlossenem Aufbau ohne Freiraum hinter dem Fahrerhaus bzw. bei Verwendung eines Aeropakets der Anstieg geringer ausfällt.

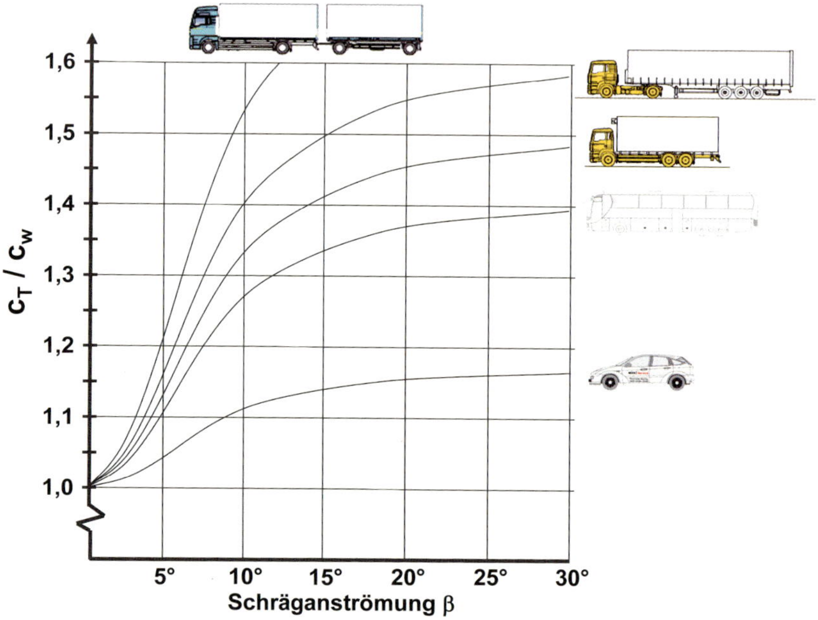


**Bild 2-23** Korrekturfaktor für den Luftwiderstandsbeiwert bei schrägangeströmten Fahrzeug

Hintergrund ist die veränderte Umströmung und Durchströmung des Freiraums zwischen Fahrerhaus und Aufbau bzw. Auflieger. Wie in Bild 2-24 ersichtlich wird die Strömung bei Verwendung eines Aeropakets weitestgehend gehindert zwischen Fahrerhaus und Auflieger hindurchzuströmen. Ohne Seitenverkleidung und Dachspoiler hingegen wird der Freiraum zwischen Fahrerhaus und Auflieger durchströmt und der Luftwiderstand steigt in Abhängigkeit des Anströmwinkels stärker an.

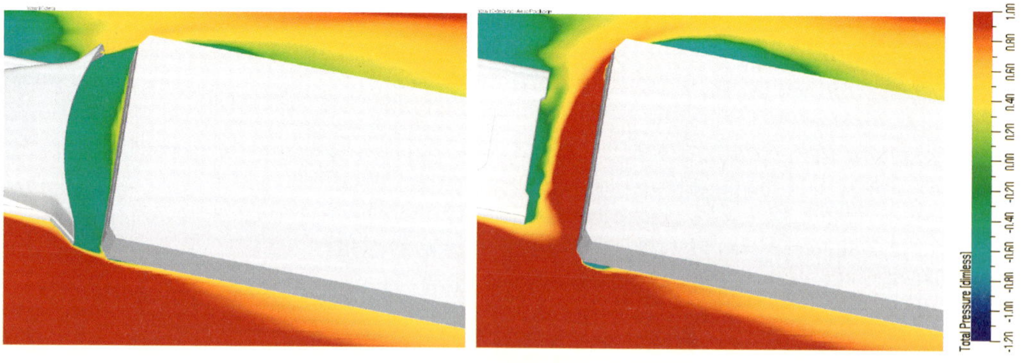


**Bild 2-24** Strömungsverlauf zwischen Fahrerhaus und Auflieger bei 10° Schräganströmung, links mit Aeropaket, rechts ohne Aeropaket

### *2.1.4.3 Zielgruppe*

In welcher Höhe eine verbesserte Aerodynamik zur Einsparung an Kraftstoff beiträgt, hängt in erster Linie von der Fahrgeschwindigkeit ab. Je höher das durchschnittliche Geschwindigkeitsniveau, desto größer der Anteil des Luftwiderstandes am Gesamtfahrwiderstand (Bild 2-25). So profitieren vor allem die Nutzfahrzeuge welche im Überland- und Fernverkehr eingesetzt werden von den neuesten Erkenntnissen und den Weiterentwicklungen der Aerodynamikentwicklungsprozesse.

Dabei stehen folgende Entwicklungsziele im Vordergrund:

- Minimierung des Luftwiderstandes bei Fahrt- und Seitenwind
- Minimierung der Windgeräusche im Fahrzeuginnenraum
- Schmutzfreihaltung der Außenspiegelgläser und der Seitenscheiben
- Schmutzfreihaltung der Heckscheibe beim Bus
- Optimierung der Kühlluftanströmung
- Optimierung der Innenraumklimatisierung

**Bild 2-25** Anteil von Luftwiderstand und Rollwiderstand am Gesamtfahrwiderstand und des Verbrauchs eines 40-t-Sattelzugs mit 410 PS [2-1]

Nutzfahrzeuge, welche aufgrund ihres speziellen Einsatzgebietes hauptsächlich im Verteiler-, Nahverkehr und im Offroad- Bereich tätig sind, wie, z. B. Baufahrzeuge, Fahrzeuge mit Spezialaufbauten und landwirtschaftliche Nutzfahrzeuge profitieren nur indirekt von den Optimierungen der Fahrerhäuser welche auch bei Fernverkehrsfahrzeugen eingesetzt werden.

Betrachtet man die Zulassungsstatistik in Deutschland so fallen etwa 60 % der Nutzfahrzeuge zum Gütertransport unter die Fahrzeugtypen B (Bild 2-26), welchen aufgrund ihres Einsatzzwecks eine Aerodynamikoptimierung zu Gute kommt.

Die Problematik der unterschiedlichen Nutzfahrzeugtypen mit unterschiedlichen Einsatzzwecken führte dazu, dass die Nutzfahrzeughersteller sich ausschließlich auf die Entwicklung und Fertigung von Fahrgestellen, Antriebsstrang und Fahrerhäusern spezialisierten. Die Fertigstellung des Nutzfahrzeuges durch Aufbau, Auflieger oder Anhänger wird von Marken unabhängigen Firmen übernommen.

## Fahrzeugtypen A

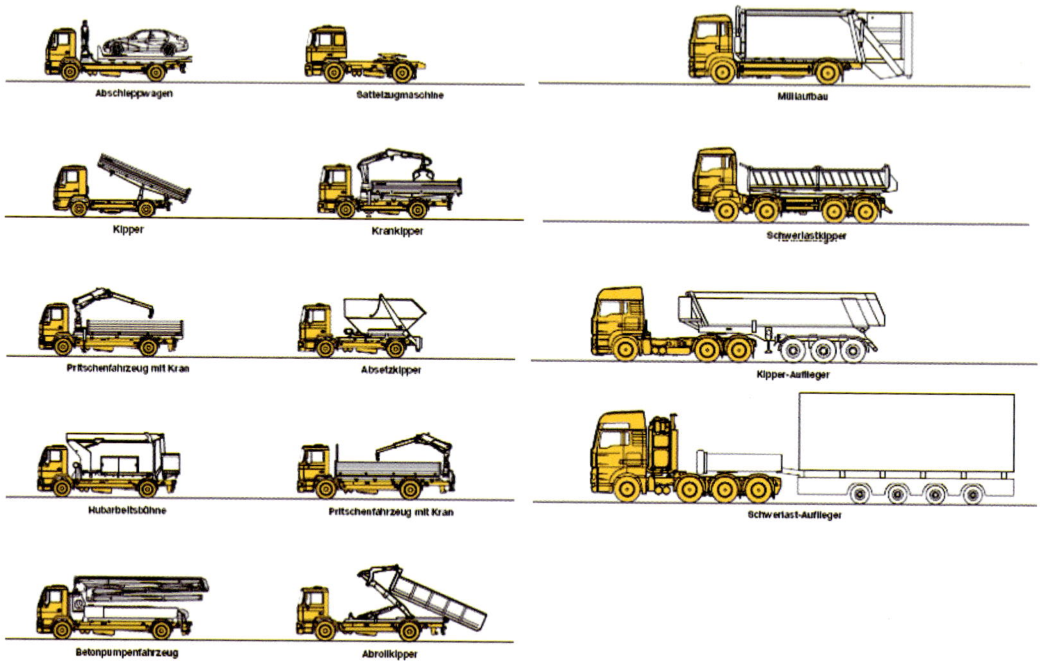


## Fahrzeugtypen B

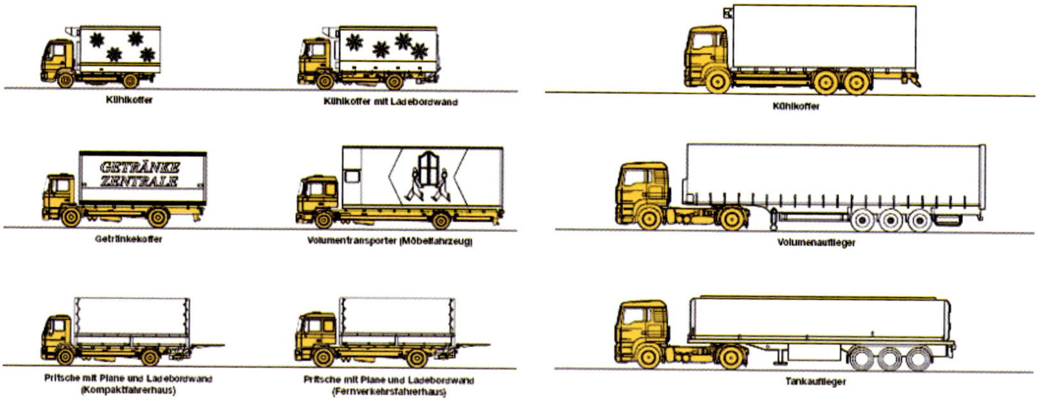


**Bild 2-26** Fahrzeugtypen, geordnet nach Wirksamkeit von aerodynamischen Maßnahmen
Fahrzeugtypen A: Aerodynamikmaßnahmen wenig effizient
Fahrzeugtypen B: Aerodynamikmaßnahmen sehr effizient

#### *2.1.4.4 Gesetzliche Rahmenbedingungen*

Nutzfahrzeuge dienen dem sicheren und rationellen Transport von Gütern und Personen. Entscheidend für die Wirtschaftlichkeit eines Nutzfahrzeuges ist das Verhältnis von Nutzlast zu Gesamtgewicht sowie Nutzraum zu Gesamtbauraum. So werden bei Nutzfahrzeugen die gesetzlich vorgegeben maximalen Abmessungen weitestgehend ausgenützt um ein maximalen Nutzraum zu realisieren. Eine Verbesserung des Luftwiderstandes durch die Änderung der äußeren Form des Aufbaus ist beim Nutzfahrzeug nur im geringen Maße möglich, da durch die Abrundung der Ecken oder durch Heckeinzüge der Laderaum verkleinert wird und somit die Wirtschaftlichkeit des Fahrzeuges abnimmt. Zudem würde ein Heckeinzug das Be- und Entladen des Fahrzeuges erheblich erschweren bzw. einen kostenintensiven Klappenmechanismus erfordern.

In Kapitel 1 werden die gesetzlichen Vorgaben bzgl. Länge und Breite von Lkws beschrieben. Hieraus wird ersichtlich, dass der Bus aufgrund seiner gesetzlichen und betriebswirtschaftlichen Rahmenbedingungen wesentlich mehr Freiraum für aerodynamische Optimierungen lässt als der Lkw. So wird im Bus Bereich nicht nur die Front, sondern auch das Heck des Fahrzeuges für aerodynamische Optimierungen genutzt.

Beim Lkw hingegen ist dem Nutzfahrzeughersteller ein quadratischer Raum von L x B x H = ca. 2,0 m x 2,55 m x 4,0 m vorgegeben in welchem ein Fahrerhaus entwickelt werden muss, welches folgenden Ansprüchen genügen muss:

- aerodynamisch günstige Form
- ausreichende Kühlung für hohe Motorleistungen
- hoher Fahrkomfort
- ausreichend Arbeits- und Lebensraum für 2 Personen

#### *2.1.4.5 Einfluss der Aerodynamik auf den Kraftstoffverbrauch*

Wie bereits erläutert ist es aufgrund der Geschwindigkeitsabhängigkeit offensichtlich, dass Fahrzeuge mit hohem Autobahnanteil den größten Nutzen von Luftwiderstandsoptimierenden Maßnahmen haben. Bild 2-27 zeigt die zu erzielende Kraftstoffeinsparung bei Verwendung eines Aeropaketes beim TGA LX-Fahrerhaus in Abhängigkeit der Kilometerleistung.

Bei Fahrleistungen von Sattelzugmaschinen von durchschnittlich 150.000 km pro Jahr ist dies für einen Spediteur, welcher meistens mehrere Sattelzüge betreibt, eine Kosteneinsparung von ca. 2500 € pro Fahrzeug im Jahr. In Anbetracht der Kosten von ca. 2000 € für ein Aeropaket hat sich diese Investition innerhalb eines ¾ Jahres amortisiert.

Durch eine aerodynamische Formgebung eines kompletten Sattelzuges inkl. Auflieger kann eine Kraftstoffverbrauchsreduzierung von bis zu 15 % realisiert werden. Wie dies in der Realität aussehen könnte wurde von MAN 1995 mit der Rekordfahrt „Eco Challenge" einer F2000 460-PS-Sattelzugmaschine unter Beweis gestellt. Ein bezüglich Aerodynamik und Rollwiderstand optimierter Sattelzug fuhr quer durch Europa von Edinburgh nach Bari (2800 km) mit einer Durchschnittsgeschwindigkeit von 76 km/h und einem Durchschnittsverbrauch von 25,2 L / 100 km. Ein durchschnittlicher Sattelzug benötigt dagegen ca. 33 L / 100 km.

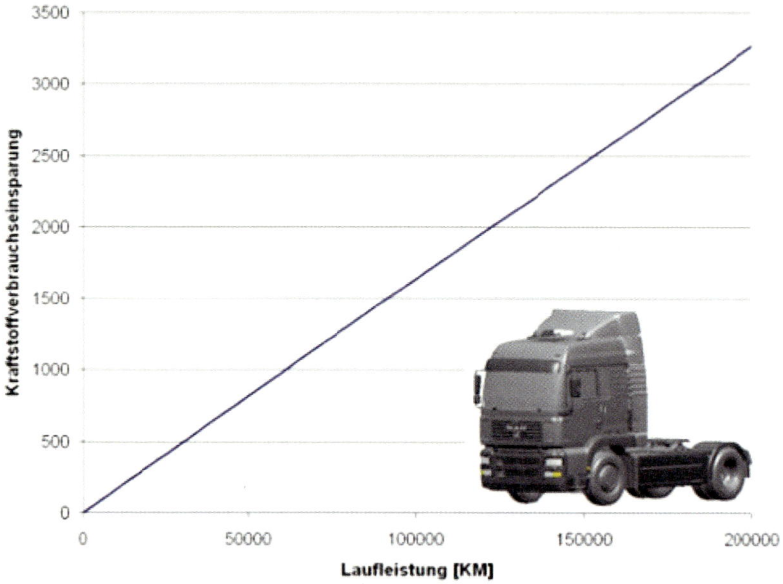


**Bild 2-27** Kraftstoffverbrauchseinsparung pro Kilometer durch den Anbau eines Aeropakets an eine MAN LX Sattelzugmaschine im Fernverkehrseinsatz

**Bild 2-28**
MAN Eco Challenge 1995

### *2.1.4.6 Prozesse und Methoden der Aerodynamikentwicklung*

#### Überblick Entwicklungsprozesse

Der Aerodynamik Entwicklungsprozess besteht im Wesentlichen aus drei Phasen.

In der **Definitionsphase** werden die grundlegende Struktur und die Lastenheftanforderungen des neuen Fahrzeugs festgelegt. Hierbei werden unter anderem die für die Aerodynamik und Aeroakustik wichtigen Verbrauchs-, Nutzwert- und Komfortziele definiert.

Eine große Bandbreite von Designkonzepten und Proportionsmodellen prägt diese Phase. Hier stehen vor allem die Fahrerhausgrundstruktur, die Frontscheibenneigung, die Dachkonturen und die Formgebung der Dachspoiler im Vordergrund der Untersuchungen. Aufgrund der schnellen Designänderungs-Zyklen ist es für die Aerodynamikentwicklung unabdinglich, möglichst schnelle Entwicklungswerkzeuge einzusetzen um die jeweiligen Potenziale der einzelnen Studien aufzeigen zu können. Hierfür eignet sich hervorragend der Einsatz von CFD (Computational Fluid Dynamic)-Simulation und die Windkanalmodelltechnik.

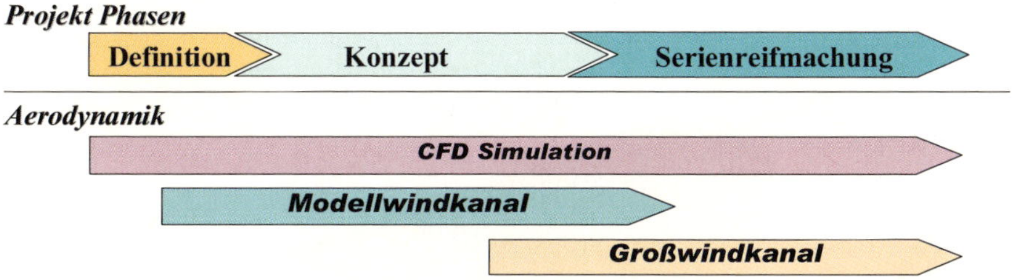


**Bild 2-29** Aerodynamischer Entwicklungsprozess

Am Ende der Definitionsphase steht das Designthema und die Packageauslegung des Fahrzeuges fest.

In der **Konzeptphase** erfolgt die Detailausarbeitung des festgelegten Designthemas. Die Radien der A-Säulen, Stoßfänger und der Dachkanten werden nun im Modell-Windkanal mittels eines Plastilinmodells optimiert, um die Strömungsablösungen auch bei Seitenwindanströmung zu minimieren. Parallel hierzu werden nun die Exterioranbauteile wie Sonnenblenden, seitliche Windleitblenden und Außenspiegel in die Aerodynamikuntersuchung miteinbezogen. Da diese Bauteile einen wesentlichen Einfluss auf die Aeroakustik und die Fahrzeugverschmutzung haben, wird die Detailoptimierung der Anbauteile in die Phase der Serienreifmachung gelegt. Wie schon in der Designphase ist auch in dieser Phase die Unterstützung durch virtuelle Methoden nicht mehr wegzudenken.

Mit Beginn der **Serienreifmachung** erfolgt das Stylingfreeze für die Grundform des Fahrerhauses. Die ersten Aerodynamik Prototypen werden mit Hilfe von GFK Außenhäuten aufgebaut und die Detailoptimierung der Anbauteile erfolgt im 1:1-Windkanal. Hierbei stehen nun besonders die Kühlluftführung, die Aeroakustik und die Eigenverschmutzung im Vordergrund der Untersuchungen. In dieser letzten Phase nimmt der Einsatz von CFD und die Anzahl der Modell-Windkanalmessungen stetig ab. Insgesamt hat sich jedoch gezeigt, dass nicht die Substitution der einen Methode durch die andere zum Erfolgt führt. Das Ineinandergreifen und das gegenseitige Ergänzen der drei unterschiedlichen Entwicklungsmethoden mit ihren Vor- und Nachteilen ist das Ziel und führt dazu, dass Probleme früher erkannt und Lösungen schneller gefunden werden.

### Einsatz von 3D-Simulationen

Der gesamte aerodynamische Entwicklungsprozess wird durch 3D-Strömungssimulation (CFD) begleitet und unterstützt. Dabei zeichnet sich die Berechnung, neben der Bestimmung der aerodynamischen Kräfte durch die Visualisierung von Strömungstopologien aus und hilft damit dem Aerodynamiker, Strömungseffekte sichtbar und verständlich zu machen.

Noch bevor die ersten Modelle im Windkanal den Optimierungsschleifen unterzogen werden, liegen die ersten Erkenntnisse durch die CFD-Berechnung vor. Diese Erkenntnisse ergänzen und beschleunigen äußerst effizient den Aerodynamikentwicklungsprozess. Zum einen stehen frühzeitig erste Ergebnisse über die zu erwartenden Aerodynamikbeiwerte zur Verfügung, zum anderen liefert die Strömungsvisualisierung (Bild 2-30) der virtuellen Außenumströmung eventuelle Hinweise über Optimierungspotentiale, welche im Windkanal anschließend gezielt untersucht werden können. Diese direkte Kopplung von CFD und Versuch wird über ein komplettes Projekt konsequent weiterverfolgt, so dass vor jedem Windkanaltermin das CFD-Berechnungsergebnis vorliegt. Darüber hinaus ist die Strömungsvisualisierung auch hervorragend zur Illustration von Handlungsempfehlungen in Projektentscheidungen geeignet.

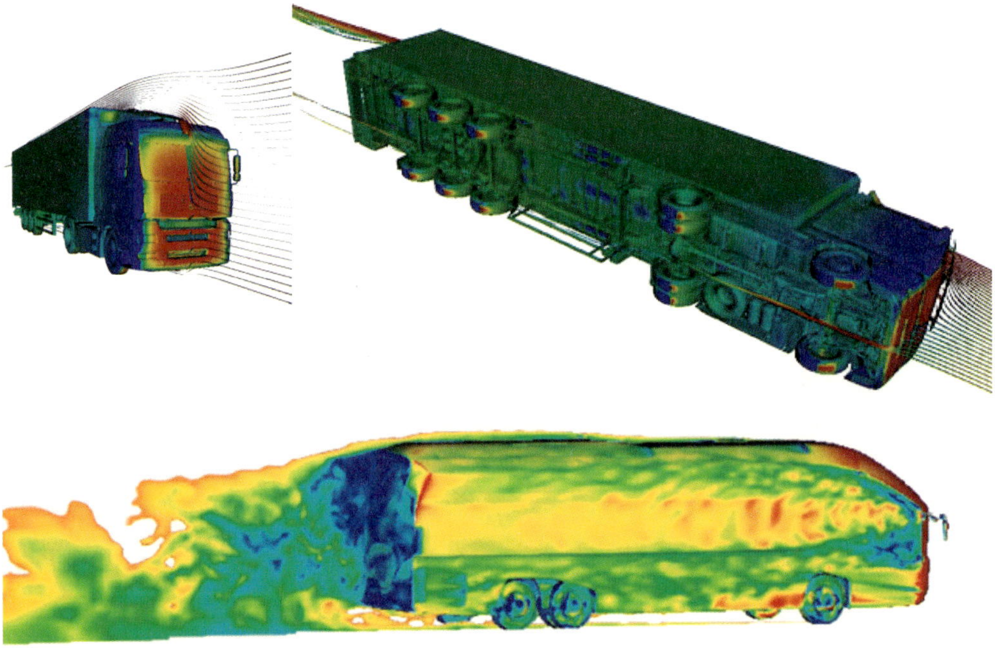

**Bild 2-30** Druck und Strömungsvisualisierung per CFD

In der Theorie hört sich dies ziemlich einfach an, doch in der Praxis stellt die Simulation hohe Anforderungen an vorbereitende Arbeit und an Rechnerkapazitäten.

Um ein detailgetreues Rechenmodell zu generieren, welches verlässliche Ergebniswerte liefert, müssen zuerst sämtliche Bauteile des Busses oder Sattelzuges, welche die Außen- oder Motorraumdurchströmung beeinflussen in einem Modell zusammengespielt werden. Diese Original CAD-Daten sind für eine Strömungssimulation jedoch noch nicht direkt anwendbar, da die Strömungssimulation die Geometrien in Form von Oberflächennetzen verwendet. Die CAD-Daten der Bauteile sind oft mit Schraubenlöchern, Durchbrüchen oder mit geometrischen Fehlern, wie kleinen Lücken versehen. Für die Berechnung sind allerdings geschlossene Hüllflächen nötig. Mit einer speziellen Vernetzungssoftware werden aus den CAD-Daten Oberflächennetze erzeugt, wobei Geometriefehler teils manuell, teils automatisch repariert und Lücken geschlossen werden.

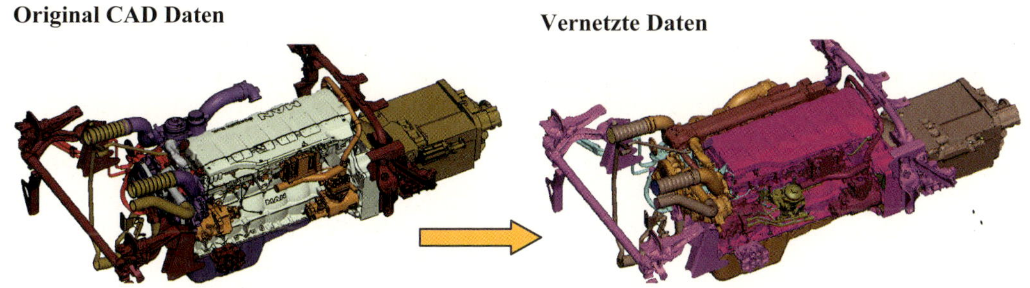


**Bild 2-31** Oberflächenaufbereitung eines Motorblocks

Ist die Außenhaut geometrisch geschlossen, wird ein Oberflächen-Netz aus Dreieckselementen erzeugt. Das Netz muss bestimmten Qualitätskriterien genügen, damit der CFD-Solver ein numerisch gutes Raumnetz aus dem Oberflächennetz erzeugen kann. Die Rechenergebnisse sind stark von der Beschaffenheit der Oberflächennetze abhängig. Um diese hohe Qualität zu garantieren werden die Fahrzeugaußenflächen, welche den $c_W$-Wert des Fahrzeuges zum Größenteil bestimmten, manuell vernetzt. Fahrwerkskomponenten und Motorbauteile werden automatisch vernetzt. Eine genaue Erfassung des Motorraums ist insbesondere für die CFD-Berechnung der Wärmeaustauscher-Lüfter Kombination und für das Zusammenspiel zwischen Außenaerodynamik und Motorraumdurchströmung notwendig.

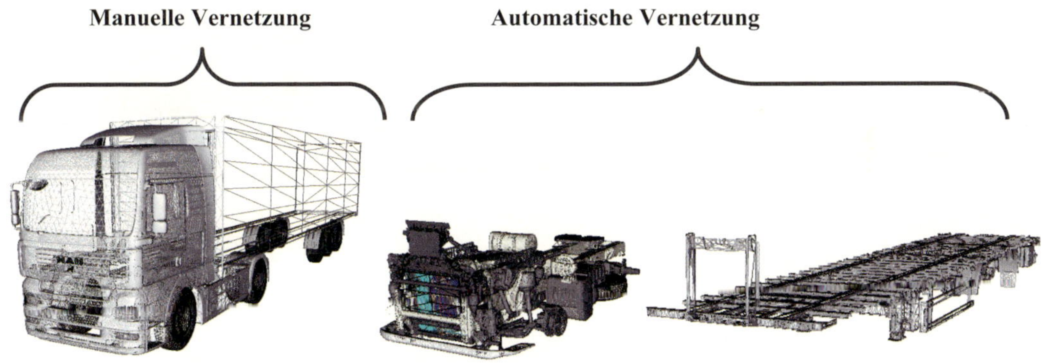


**Bild 2-32** Manuelle und automatische Oberflächennetzgenerierung

Das Oberflächennetz eines kompletten Sattelzug besteht aus ca. 2 Millionen Oberflächendreiecken. Der bei MAN eingesetzte CFD Solver PowerFlow generiert hieraus, um die Anbindung an das Volumennetz sicherzustellen, etwa das 6- bis 8-fache an Oberflächenelementen „Surfels“. Das zur Berechnung nötige Volumennetz wird vollautomatisch generiert. Dieses Netz besteht bei einem Sattelzug mit Motorraumdurchströmung aus ca. 60 Millionen so genannten „Voxels“.

Die kleinsten Voxels werden in strömungsrelevanten Bereichen, wie z. B. Motorraum, A-Säule, Übergang Dach/Auflieger platziert und haben ein Größe von 1 bis 5 mm. Mit zunehmenden Abstand vom Fahrzeug werden die Kantenlängen der Volumenelemente schrittweise erhöht (VR1-VR5 in Bild 2-34). Der gesamte Rechenraum eines Sattelzuges hat eine Breite von ca. 120 m, eine Länge von ca. 130 m und eine Höhe von ca. 80 m.

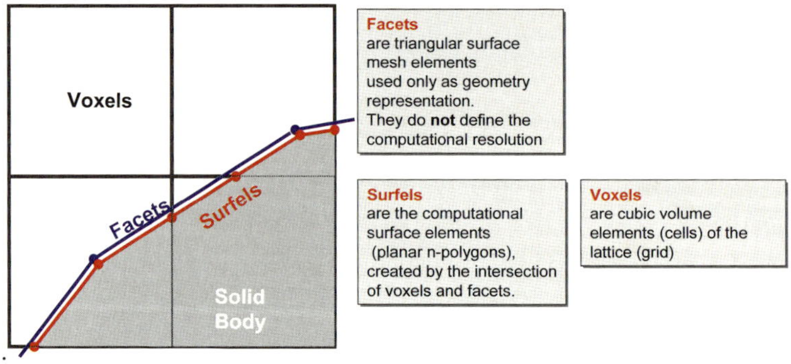


**Bild 2-33** Oberflächen und Volumennetz-Bestandteile

Bei Rechnungen mit detaillierter Fahrzeuggeometrie liegt die Übereinstimmung der berechneten, mit den im Windkanal gemessenen Werten bei ca. ±5 % was sich zum einen durch ggf. vorhandene geometrische Differenzen im digitalen Modell als auch durch die Eigenschaften des Windkanals (Druckgradient etc.) und der Messtechnik eingrenzen lässt.

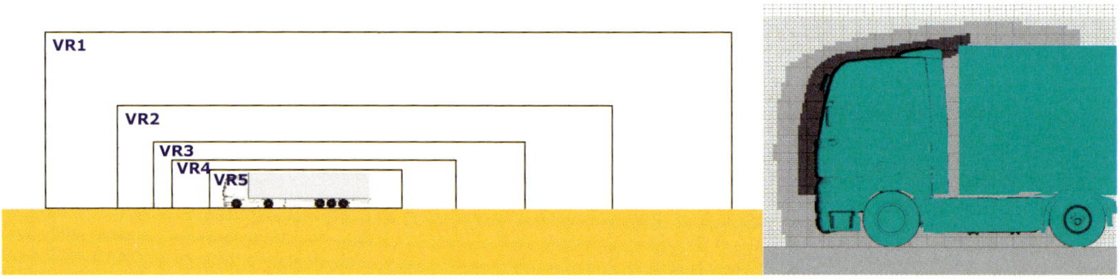


**Bild 2-34** Einteilung des Volumennetzes

## Messungen im Modellwindkanal

Die Messungen im Modellmaßstab haben im Gegensatz zur CFD-Berechnung eine lange Historie und eignen sich äußerst effizient zur Formoptimierung. Je nach zu optimierenden Bauteil und Entwicklungsfortschritt wird das Modell in Plastilin oder in Rapid-Prototyp-Teilen aufgebaut. Steht eine komplette Fahrerhausneuentwicklung an, so wird das Fahrerhaus mit Plastilin dem neusten Stylingstand entsprechend nachmodelliert. Inzwischen vereinfachen CNC-Fräsen den Modelleuren die Arbeit und bescheunigen diese um ein Vielfaches. Wurde in der Vergangenheit die Front eines Fahrzeugs in wochenlanger Detailarbeit nachmodelliert, so wird heutzutage der aktuellste Stylingstand innerhalb weniger Tage anhand der verfügbaren CAD-Daten gefräst und im Detail per Hand nachgearbeitet.

Der aktuelle Designstand wird nun im Windkanal anhand einer Vielzahl von Modifikation optimiert. Dabei wird das „Trail-and-Error"-Verfahren angewandt. Die Geometrie des Bauteils wird schrittweise verändert und jeweils der $c_W$-Wert der einzelnen Konfigurationen ermittelt. Hierbei werden im Schnitt ca. 30 verschiedene Konfigurationen pro Tag im Windkanal gemessen. Am Ende einer Windkanalsession steht aufgrund dieser Vorgehensweise die aerodynamisch günstigste Form des zu untersuchenden Bauteils fest.

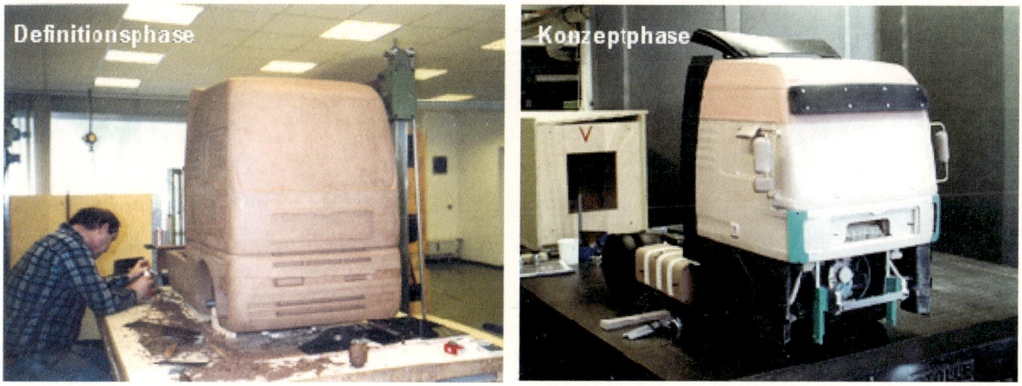


**Bild 2-35** 1:4-Modellaufbau des MAN TGA in der Definitions- und Konzeptphase

Je nach Nutzfahrzeughersteller werden Modellmessungen in unterschiedlichen Maßstäben durchgeführt. So sind auch Maßstäbe von 1:10, 1:6, 1:2,5 und 1:2 durchaus gängig. Die Wahl des Maßstabes hängt von folgenden Faktoren ab:

- verfügbarer Windkanal (max. Anströmgeschwindigkeit/Versperrung < 10 %)
- zur Verfügung stehende Reaktionszeit auf verschiedene Designvorschläge
- Anforderung an Detailgenauigkeit des Modells (Kantenradien)
- Effizienz, Anzahl der Konfigurationen/Tag (und damit auch Kostenfrage)

Damit die Strömung im Modellmaßstab physikalisch der Strömung im 1:1-Maßstab entspricht, muss die Reynoldszahl (Re) möglichst gleich gehalten werden.

$$Re = V \cdot L / \nu$$

L: charakteristische Länge (m)
V: Anströmgeschwindigkeit (m/s)
$\nu$: kinematische Viskosität ($m^2/s$)

**Bild 2-36** 1:4 MAN TGA Modell im Windkanal

Verwendet man den Maßstab 1:4, so reduziert sich die Referenzlänge L um das 4-fache. Um eine gleiche Reynoldszahl „Re" wie im 1:1-Maßstab zu erreichen, muss somit das Modell mit 4-facher Windgeschwindigkeit V angeströmt werden. Der von MAN verwendete Windkanal strömt die Modelle mit ca. 290 km/h an, welches im 1:1-Maßstab einer Anströmung von ca. 72 km/h entspricht. Dies erfordert zum einen von den Modelleuren ein hohes Maß an Genauigkeit und stellt zum anderen besondere Anforderungen an das Material der verwendeten Prototypenbauteile.

**Windkanalmessungen im 1:1-Maßstab**

Noch vor dem Exterior Stylingfreeze beginnen die Messungen im 1:1-Windkanal. Bei diesen Messungen werden neben der aerodynamischen Optimierung von Anbauteilen auch die Details, welche im Modell nur schwer oder gar nicht darstellbar sind untersucht. Dabei handelt es sich vor allem um die Motorraumdurchströmung und die Aeroakustik. Die Messungen werden in Europas größten Windkanal, dem DNW (Deutsch Niederländischer Windkanal) in Holland durchgeführt. Der Kanal ermöglicht die Messung eines kompletten Sattelzugs bzw. Busses. Die Düsenaustrittsfläche des Kanals beträgt 9,5 x 9,5 m². Bei einer Stirnfläche der Sattelzüge von ca. 10 m² bedeutet dies eine Versperrung von ca. 10 %. Um dies und den Druckgradienten des Kanals zu korrigieren wird die Korrektur nach E. Merker [2-7] angewendet.

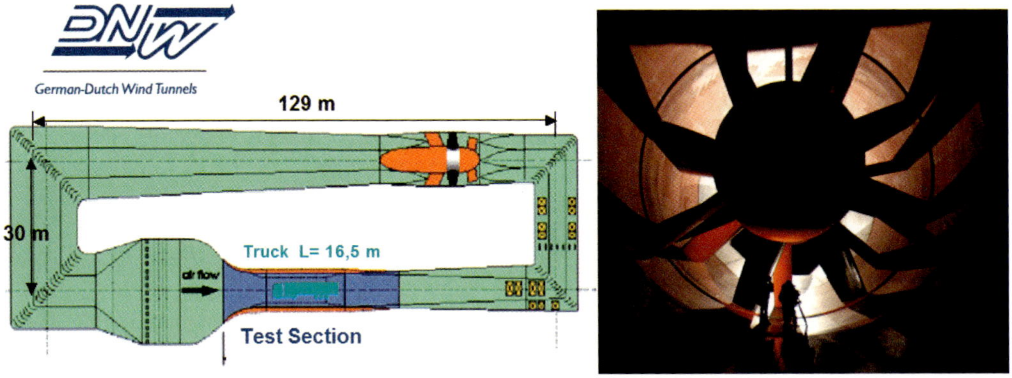


**Bild 2-37** 1:1-Windkanal von DNW

**Bild 2-38**
TGX im 1:1-Windkanal

### *2.1.4.7 Bereiche der Aerodynamikoptimierung am Nutzfahrzeug*

Dem Nutzfahrzeugaerodynamiker sind hinsichtlich betriebswirtschaftlichen Überlegungen und gesetzlichen Vorschriften enge Grenzen gesetzt. So müssen beim Lkw die maximale Ladekapazität unter Berücksichtigung eines ausreichend dimensionierten Arbeits- und Schlafplatzes für 2 Fahrer mit den aerodynamischen Potenzialen in Einklang gebracht werden. Realisiert wird dieser Spagat durch eine Vielzahl von Detailoptimierungen, welche dem ungeschulten Auge meist verborgen bleiben.

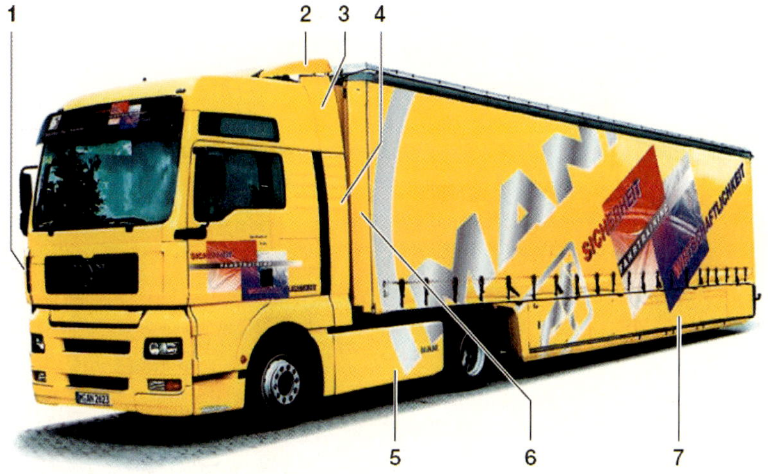


**Bild 2-39**
Aerodynamisch relevante Bauteile eines Fernverkehrssattelzugs

**Visualisierung der Druck- und Strömungsverhältnisse am Nutzfahrzeug**

Um die Bereiche lokalisieren zu können, welche den größten Einfluss auf den Luftwiderstandes eines Fahrzeuges nehmen, muss man die Strömungs- und Druckverhältnisse am Fahrzeug messen bzw. visualisieren. Hierzu stehen heutzutage modernste Mess- und Simulationsmethoden zur Verfügung.

Bild 2-40 zeigt die mit Hilfe von CFD-Visualisierung die Druck- und Strömungsverhältnisse eines konventionellen Reisebusses am Beispiel des MAN Lions Coach.

Deutlich ist das große Staudruckgebiet an der Front des Busses zu erkennen. Die Strömungsgeschwindigkeit sinkt im Bereich des Staupunktes auf Null und wird im Bereich der Frontradien wieder sehr stark beschleunigt. Ist der Radius zur Seitenwand zu klein, löst die Strömung ab. Im weiteren Verlauf legt sie sich wieder an die Fahrzeugoberfläche an bevor sie am Fahrzeugheck endgültig ablöst. Der Druck am Fahrzeugheck ist geringer als Umgebungsdruck, so dass auch das Heck einen ganz wesentlichen Anteil am Luftwiderstand hat.

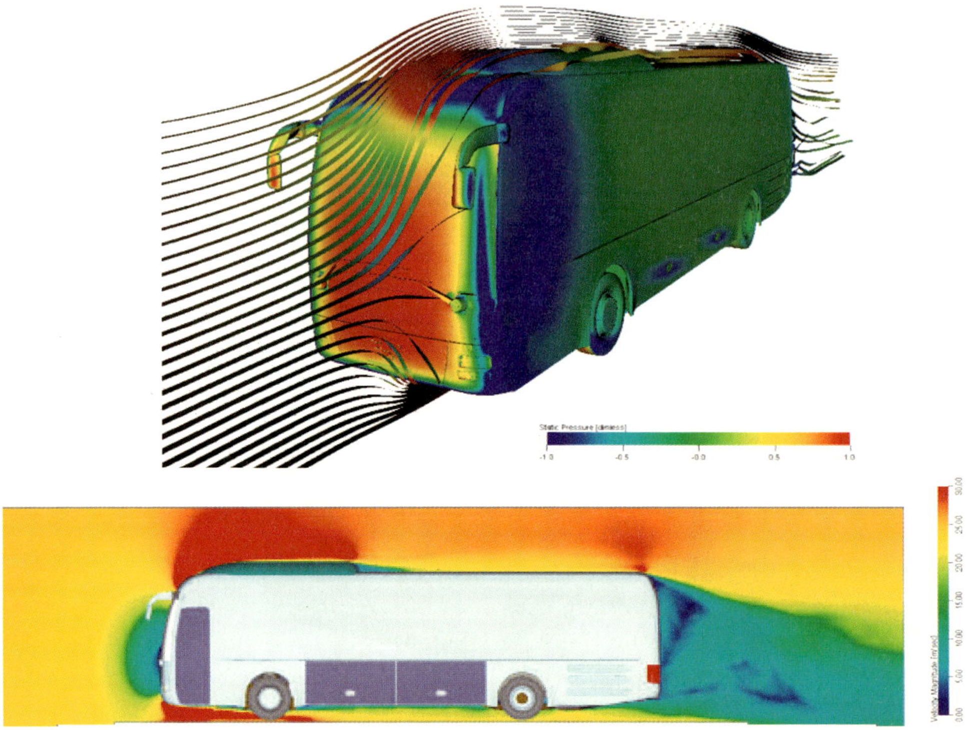

**Bild 2-40** Strömungs- und Druckvisualisierung an einem konventionellen Reisebus

Die Addition der Luftwiderstandsanteile entlang der Fahrzeuglängsachse ist in Bild 2-41 dargestellt. Deutlich ist der Luftwiderstandsanstieg mit dem Staudruckgebiet an der Fahrzeugfront zu erkennen. Der Anteil beträgt ca. 70 % am Gesamtluftwiderstand. Die anliegende Strömung im Dachbereich und der damit verbundene Unterdruck an der Fahrzeugfront wirkt sich luftwiderstandreduzierend aus, so dass der Bugbereich „A" in etwa die Hälfte des Gesamtwiderstandes ausmacht. Der mittlere Bereich „B" ist geprägt durch die Widerstandanteile des Fahrwerks und Unterbodenanbauteile und hat damit ca. 20 % Anteil am Gesamtluftwiderstandes. Das Unterdruckgebiet auf der Heckfläche schlägt mit ca. 30 % zu Buche.

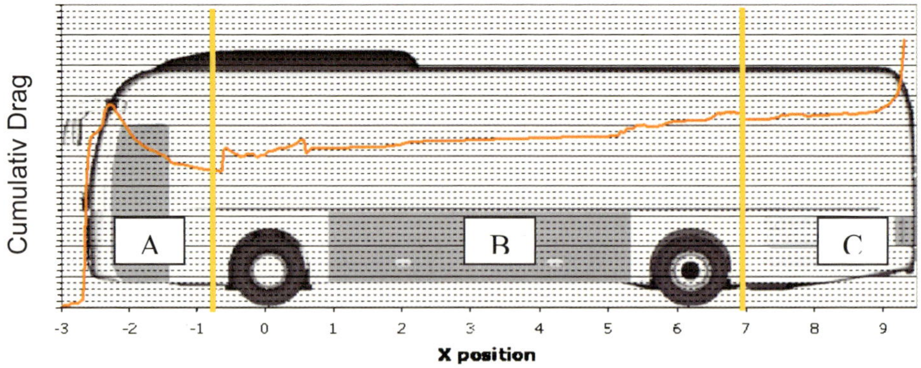


**Bild 2-41** Entwicklung des Luftwiderstandes entlang der Fahrzeuglängsachse eines Reisebusses

Betrachtet man die Entwicklung des Luftwiderstandes entlang eines Sattelzuges (Bild 2-42), so ist vor allem der Übergang zwischen Sattelzugmaschine und Auflieger sehr signifikant. Zu Beginn steigt der Luftwiderstand mit dem Staudruckgebiet an der Front des Fahrzeuges an. Durch die anliegende Strömung am Dach reduziert sich der Luftwiderstand wieder. Im Gegensatz zum Bus hat der Sattelzug einen sehr zerklüfteten Unterbau und damit steigt der Luftwiderstand kontinuierlich an. Der Unterdruck an der Fahrerhausrückwand lässt den Luftwiderstand drastisch ansteigen. Jedoch wirkt dieser Unterdruck auch auf der Vorderseite des Aufliegers, so dass der Widerstandsanstieg wieder kompensiert wird. Je besser die Spoiler und Sideflaps ausgeführt und eingestellt sind, desto geringer ist der Luftwiderstandsanstieg in diesem Bereich. Das Heck des Fahrzeuges hat durch seinen rechteckigen Abschluss einen größeren Anteil am Gesamtwiderstand als dies beim Bus der Fall ist.

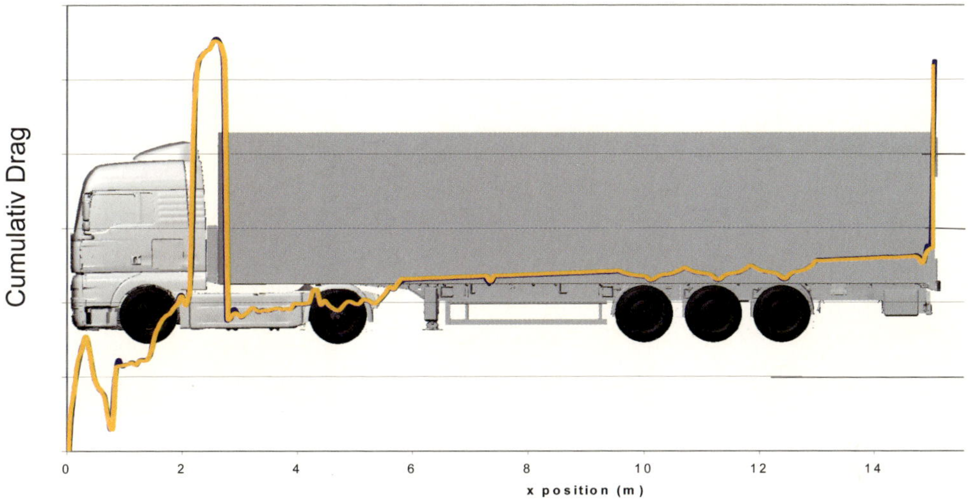


**Bild 2-42** Entwicklung des Luftwiderstandes entlang der Fahrzeuglängsachse eines Sattelzuges

## Gestaltung der Fahrzeugfront

Die Gestaltung der Fahrzeugfront hat einen ganz wesentlichen Einfluss auf den Luftwiderstand des Nutzfahrzeuges.

Je geringer das Staudruckgebiet gehalten werden kann, desto geringer ist der Luftwiderstand des Fahrzeuges. Dies wird ersichtlich wenn man die unterschiedlichen Fahrerhäuser der MAN Baureihe TGA im direkten Vergleich gegeneinander stellt. Die Fahrerhäuser unterscheiden sich im wesentlichen in Breite und Höhe. Die Eckradien und Windleitblenden sind gleich. Der Übergang zum Sattelauflieger wurde bei jedem Fahrerhaus in der bestmögliche Position eingestellt.

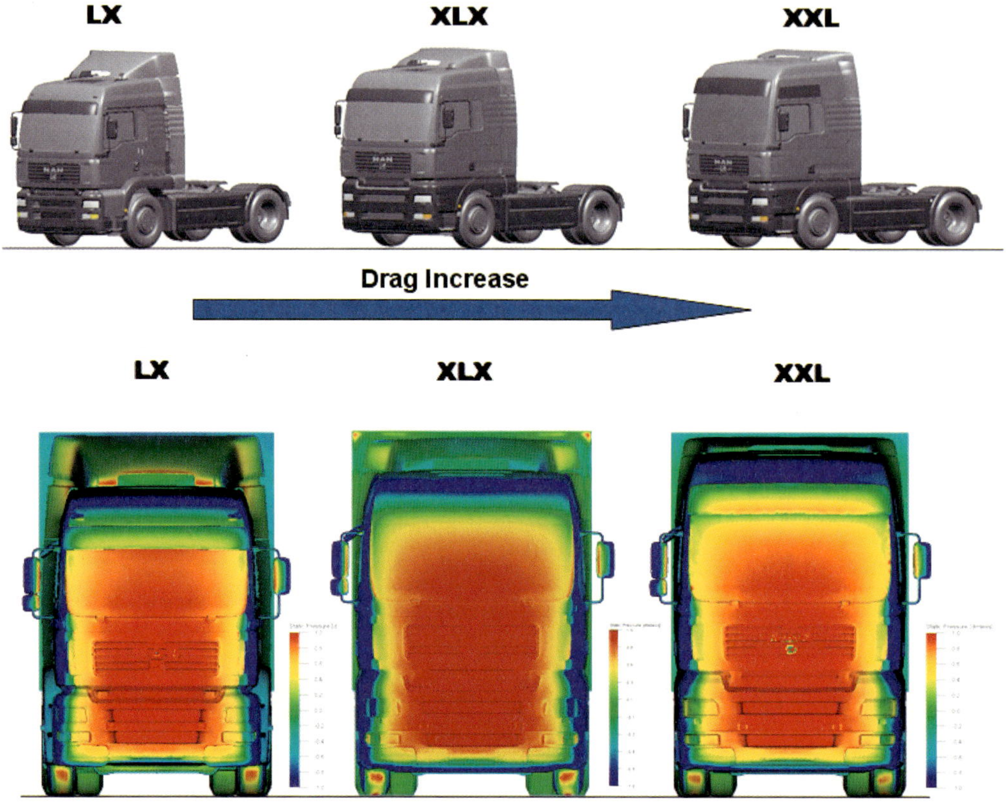


**Bild 2-43** Abhängigkeit des Luftwiderstandes von der Größe des Staudruckgebietes (rot)

Das Fahrerhaus LX mit dem kleinsten Staudruckgebiet hat auch den kleinsten Luftwiderstand. Doch nicht nur die Frontfläche sondern auch die Übergänge zu den Seitenflächen sind von großer Bedeutung.

Vergleicht man hier die konventionellen MAN Reisebusse Lions Coach und Star mit den modernen Reisebuskonzept des NEOPLAN Starliners, so wird der Einfluss der Eckradien und der positive Einfluss der Dachschräge deutlich.

**Bild 2-44** Neoplan Starliner und MAN Lions Coach

Der Starliner hat wesentlich größere Eckradien und verhindert so weitestgehend Strömungsablösungen im Bereich der Front. Die Strömung liegt lange an und verringert so entscheidend den Luftwiderstand. Beim Lions Star hingegen sind die Ablösegebiete und somit auch die Verluste in der Strömung größer.

**Bild 2-45** NEOPLAN Starliner und MAN Lions Star (Isotrope Fläche pt = 0)

Der Luftwiderstand des Neoplan Starliners liegt mit 0,36 auf dem Niveau von modernen SUVs (Sport Utility Vehicles).

Der Neoplan Cityliner, der das gleiche Frontendkonzept wie der Starliner aufweist, liegt ebenfalls mit einem Wert von 0,35 weit unter den konventionellen Buskonzepten, welche $c_W$-Werte im Bereich von 0,45 bis 0,55 aufweisen.

### Einfluss der Rückspiegel auf den Luftwiderstand

Moderne Reise und Überlandbusse werden überwiegend mit den vorverlagerten Integralspiegel ausgerüstet. Diese Spiegel bieten hinsichtlich der Aerodynamik und der Spiegelglasverschmutzung große Vorteile gegenüber den konventionellen, direkt an der A-Säule angebrachten Spiegelkonzepten. Wie aus Bild 2-46 ersichtlich weisen diese Spiegel ein wesentlich geringeres Nachlaufgebiet auf. Der Verbrauchsvorteil von den Integralspiegeln liegen bei ca. 2 % (Konstantfahrt in der Ebene bei 100 km/h) gegenüber den konventionellen Spiegelkonzepten.

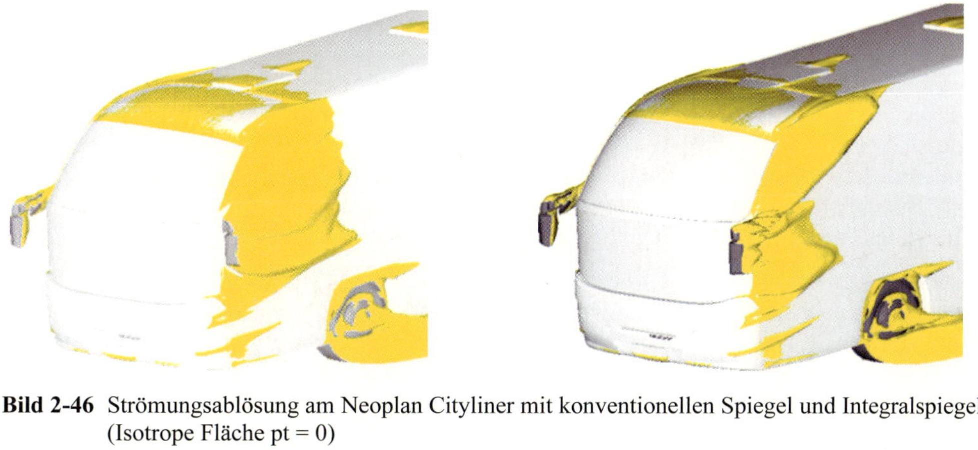

**Bild 2-46** Strömungsablösung am Neoplan Cityliner mit konventionellen Spiegel und Integralspiegel. (Isotrope Fläche pt = 0)

Doch häufig ist es aufgrund von gesetzlichen Sichtfeldbestimmungen den Busherstellern nicht möglich die Integralspiegel bei allen Bussen auch auf der Fahrerseite einzusetzen. Die Außenspiegel müssen nach dem Gesetz durch die Seitenfenster oder durch die vom Scheibenwischer überstrichene Fläche der Windschutzscheibe sichtbar sein. Konstruktionsbedingt gilt letztgenannte Vorschrift jedoch nicht für die Außenspiegel auf der Beifahrerseite von Bussen.

Die Integralspiegel konnten sich beim Lkw bisher nicht durchsetzen. Aufgrund der strömungsungünstigen rechtwinkligen Grundform des Lkws, werden die Spiegel unter anderem genutzt die Strömung entlang der Fahrzeugseitenwand zu führen. Diese Leitfunktion wirkt sich positiv auf den Luftwiderstand des Fahrzeuges aus. Dem entgegen wirkt das durch den Spiegel verursachte Staudruckgebiet und das spiegeleigene Nachlaufgebiet. Je kleiner dieses Nachlaufgebiet, umso geringer ist der Luftwiderstand des Fahrzeuges.

Entgegen der Pkw und Bus Spiegel welche grundsätzlich eine Erhöhung des Luftwiderstandes verursachen, können somit Lkw Spiegel aufgrund deren Leitfunktion den Luftwiderstand des Fahrzeuges sogar verbessern. So reduzieren die Spiegel des MAN TGA (MJ 2001) den Verbrauch des Fahrzeuges um 2 % (Konstantfahrt in der Ebene bei 85 km/h) gegenüber einem vergleichbaren TGA, wenn dieser ohne Spiegel fahren würde.

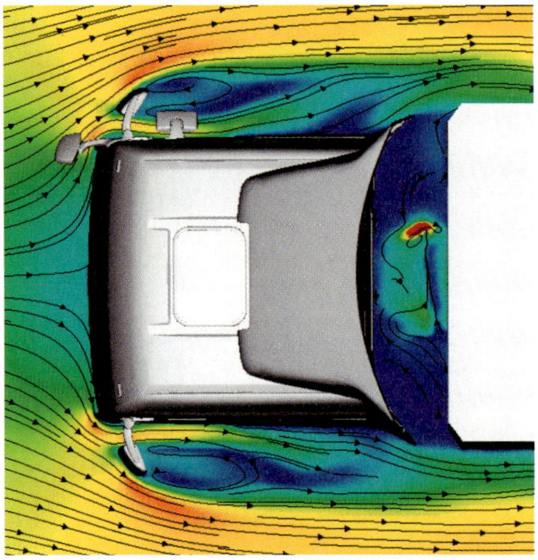

**Bild 2-47**
Leitfunktion der Rückspiegel beim Lkw

### Einfluss der Frontspiegel auf den Luftwiderstand

Mit Beginn des Jahres 2007 wird vom Gesetz gefordert, dass Fahrzeuge zur Güterbeförderung einen Frontspiegel aufweisen, welcher dem Fahrer ermöglicht Fußgänger direkt vor oder seitlich vom Fahrzeug zu erkennen. Da dieser Spiegel in der direkten Anströmung des Fahrzeuges liegt, beeinflusst er ganz wesentlich die Umströmung der A-Säule. Durch Detailoptimierung kann der Spiegel allerdings so gestaltet werden, dass er keinen negativen Effekt auf den Luftwiderstand des Fahrzeuges mehr hat.

So verursacht der im Bild 2-48 dargestellte Frontspiegel A bei einem Sattelzug einen Mehrverbrauch , während Spiegel B nahezu verbrauchsneutral angebaut werden kann.

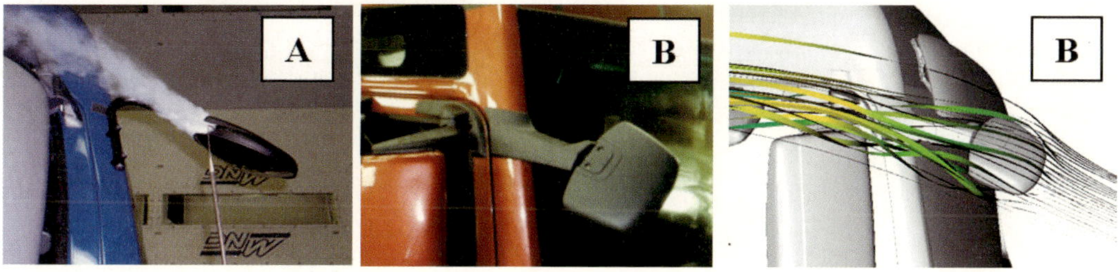


**Bild 2-48** Strömungsvisualisierung eines Frontspiegels ohne und mit aerodynamischer Optimierung

### Interferenzen zwischen Zugfahrzeug und Auflieger beim Sattelzug

Der Übergang zwischen Zugfahrzeug und Auflieger gehört zu den größten Problemstellen des Sattelzuges. Die Dachkonturen der aktuellen Fahrerhäuser sind weitestgehend aerodynamisch gestaltet, so dass die Strömung an dessen Vorderkanten nicht ablöst. Wird nun kein Spoiler bzw. Aeropaket verwendet trifft die Strömung direkt auf den Vorderfläche des Aufliegers. Wie in Bild 2-49 ersichtlich entsteht ein Staudruckgebiet an der das Fahrerhaus überragenden Aufliegervorderwand.

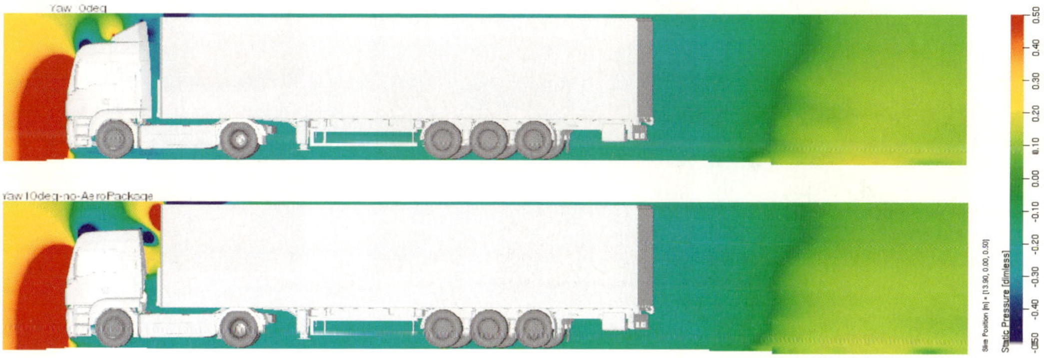


**Bild 2-49** Druckvisualisierung eines Sattelzugs mit und ohne Luftleiteinrichtung

Der Einfluss des Aeropakets auf den Kraftstoffverbrauch ist in Bild 2-27 bereits dargestellt worden. Bei häufiger Schräganströmung erhöht sich dieser Betrag, gemäß Bild 2-23 je nach Anströmwinkel und durchschnittliche Windstärke nochmals.

An den modernen Sattelzügen haben sich die Luftleiteinrichtungen zwischen Fahrerhaus und Auflieger bereits durchgesetzt. Die Spoiler sind meist einstellbar um diese auf die unterschiedlichen Fahrniveaus der Zugmaschine und den unterschiedlichen Höhen der Auflieger anzupassen. Das Ziel ist es, die Strömung mit möglichst geringen Verlusten über den Spalt zwischen Zugmaschine und Auflieger zu leiten. Staudruckgebiete an der Aufliegervorderseite sollten vermieden werden.

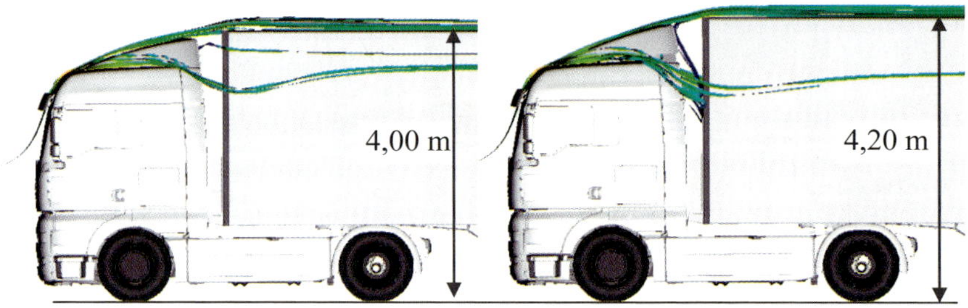


**Bild 2-50** Strömungsvisualisierung bei unterschiedlichen Aufliegerhöhen mit unterschiedlicher Spoilereinstellung

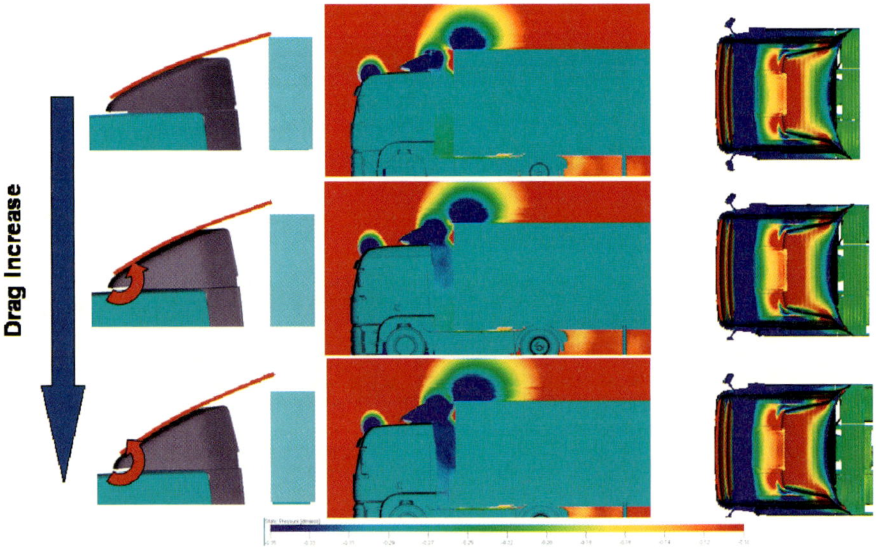


**Bild 2-51** Druckvisualisierung bei unterschiedlichen Dachspoilereinstellungen

Ein zu steil eingestellter Dachspoiler verschlechtert jedoch unnötig den Luftwiderstand des Sattelzuges. Wie aus Bild 2-51 ersichtlich, erhöht sich mit der Spoileranstellung dessen eigener Staudruck. Des weiteren wird der Unterdruck zwischen Fahrerhaus und Auflieger erhöht, so dass die seitliche Strömung verstärkt in den Zwischenraum zwischen Auflieger und Zugfahrzeug gesaugt wird und so die Strömungsverluste und damit der Luftwiderstand ansteigen. Zudem wird dadurch das Ablösegebiet (Bild 2-52) im vorderen Bereich des Aufliegers und somit auch der Luftwiderstand des Gesamtfahrzeuges vergrößert.

**Bild 2-52** Stromlinienverlauf bei unterschiedlichen Dachspoilereinstellungen

Ein falsch eingestellter Spoiler kann den Kraftstoffverbrauch gegenüber einem richtig eingestellten Spoiler um ca. 3 % verschlechtern. In Anbetracht der Tatsache, dass ein Fahrzeug mit Aeropaket (Spoiler & Side Flaps) einen Verbrauchsvorteil von ca 5 % gegenüber einem Fahrzeug ohne Aeropaket hat, wird somit dessen Amortisationszeit unnötig verlängert.

Reduziert man den Abstand zwischen Fahrerhaus und Auflieger, verringern sich die Strömungsverluste und somit auch der Luftwiderstand. Besonders Auflieger mit Kühlaufbauten und an der Front angebrachten Kühlaggregaten wirken sich sehr günstig auf den Luftwiderstand des Zuges aus. Zumal deren Festaufbau eine Abrundung der Vorderkanten erlaubt, welche weiter den Luftwiderstand des Zuges senken.

**Einfluss von Seiten- und Unterbodenverkleidungen**

Die Seitenverkleidungen am Zugfahrzeug und am Auflieger verbessern vor allem bei Seitenwind ganz entscheidend den Luftwiderstand des Sattelzuges. Verbrauchseinsparungen von ca. 3% sind bei einem Sattelzug mit kompletter Seitenverkleidung zu erwarten. Seitenverkleidungen verbessern nicht nur den Luftwiderstand, sondern auch die Sicherheit des Sattelzuges erheblich. Fußgänger und Radfahrer geraten bei Unfällen nicht mehr so leicht unter das Fahrzeug. Des weiteren verringern sie die Bildung von Spritzwasser und reduzieren die Fahrgeräusche des Zuges.

Unter und neben dem Fahrzeug bilden sich wesentlich weniger Turbulenzen und auch das Nachlaufgebiet ist deutlich kleiner (Bild 2-53).

**Bild 2-53** Ablösegebiete an einem Auflieger ohne und mit Seitenverkleidung (Isotrope Fläche pt = 0)

Unterbodenabdeckungen im Bereich des Motorraums, wie sie beim Pkw bereits zum Einsatzkommen, wirken sich beim Nutzfahrzeug ebenfalls positiv auf den Luftwiderstand aus. Jedoch sind die Einsparungen zu gering als dass deren Einsatz die damit verbundenen Nachteile wie z. B. die Montierbarkeit nur mit zusätzlichen Traggestell, Schmutz und Steinbeaufschlagung von oben und die negativen Auswirkungen auf die Motorkühlung aufwiegen würden.

**Bild 2-54** Unterbodenabdeckungen im Bereich des Motors

### Einfluss des Fahrzeughecks auf den Luftwiderstand

Während sich aerodynamische Maßnahmen bei dem Lkw Auflieger aufgrund wirtschaftlicher Betrachtungen noch nicht durchsetzen konnten, wird im Bereich der Bus Aerodynamik das Potential des Fahrzeughecks bereits intensiv genutzt (Bild 2-55). Durch den Einzug des Fahrzeughecks kann der Kraftstoffverbrauch deutlich gesenkt werden.

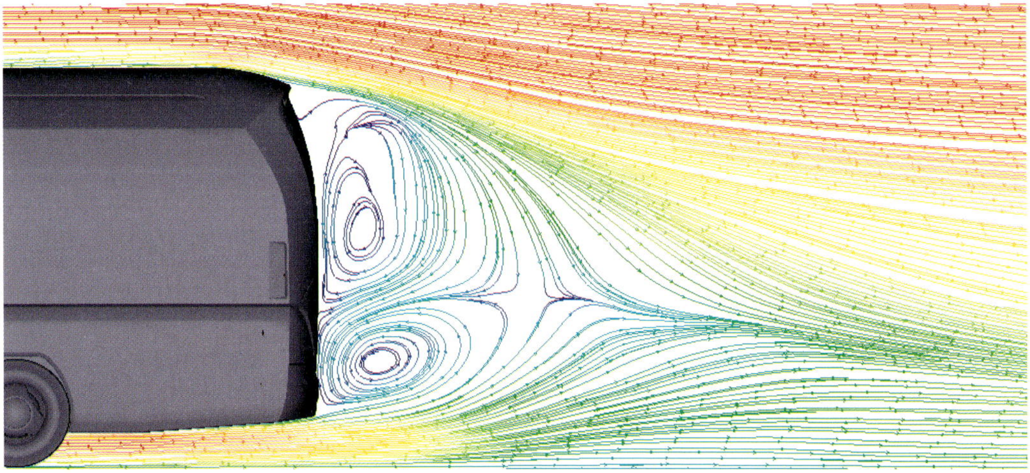

**Bild 2-55** Nachlaufgebiet eines Busses mit Heckeinzug

Welches Potential in einer einfachen Modifikation des Aufliegerhecks eines Sattelzuges steckt zeigt anschaulich Bild 2-56. Durch einen Einzug von nur 7° auf einer Länge von 1,60 m kann durch die Reduzierung des Nachlaufgebietes eine Kraftstoffreduzierung von ca. 1,5 L/100 km erzielt werden.

**Bild 2-56** Nachlaufgebiet eines Aufliegers mit und ohne Einzug

Durch den Einzug wird der Nachlauf des Fahrzeuges wesentlich verkleinert. Bild 2-57 zeigt den fast um die Hälfte reduzierten Luftwiderstandsanstieg an der Heckfläche. Dies bedeutet eine Reduzierung des Gesamtluftwiderstand des Sattelzuges um ca. 11 %.

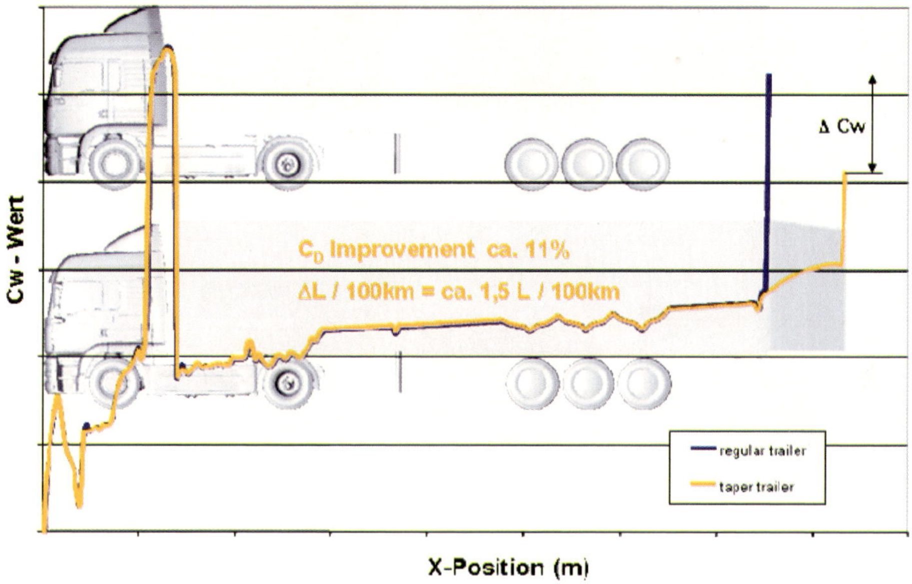


**Bild 2-57** Nachlaufgebiet eines Aufliegers mit und ohne Einzug

Dieser Einzug würde allerdings eine Laderaumreduzierung von 3 Europaletten oder eine Änderung der gesetzlich vorgeschriebenen Gesamtlänge bedeuten. Eine Einschränkung der Ladekapazität wird allerdings von den Spediteuren nicht akzeptiert. Eine Verlängerung der zulässigen Gesamtlänge ist gegenwärtig in Diskussion. So laufen in der EU bereits 25-m-Züge im Großversuch. Es soll herausgefunden werden, ob die langen und 60 t schweren Züge auf die europäischen Straßen passen oder ob sie die Infrastruktur aufgrund des hohen Gewichts schädigen. Ob jedoch die Vergrößerung der Zuglänge auch für aerodynamische Maßnahmen genutzt werden, bleibt fraglich.

### Wirkungsweise von Luftleiteinrichtungen

Schüttgut, wie z. B. Kunststoffgranulat oder heißes Bitumen, werden meist in Silosattelzügen transportiert. Aufgrund deren runden Aufbaus ist die Wirksamkeit von Luftleiteinrichtungen stark von der Fahrerhausgröße abhängig. Da die Aeropakete der unterschiedlichen Fahrerhäuser auf rechteckige Volumenauflieger ausgelegt sind, muss bei den Silofahrzeugen ein Kompromiss eingegangen werden. Die Luft wird zum Teil unnötig stark abgelenkt, das entstehende Ablösegebiet ist größer als notwendig und erhöht somit den Luftwiderstand. Wird jedoch ein Zugfahrzeug mit einem kleinen Fahrerhaus verwendet und steht die Umrandung des Silos weit über dessen Stirnfläche hinaus, so sind Aeropakete durchaus sinnvoll. Eine Verallgemeinerung kann hier nicht getroffen werden, da es von der Grundform des Fahrerhauses abhängt, ob der Einsatz eines Aeropaketes den Luftwiderstand reduziert oder erhöht.

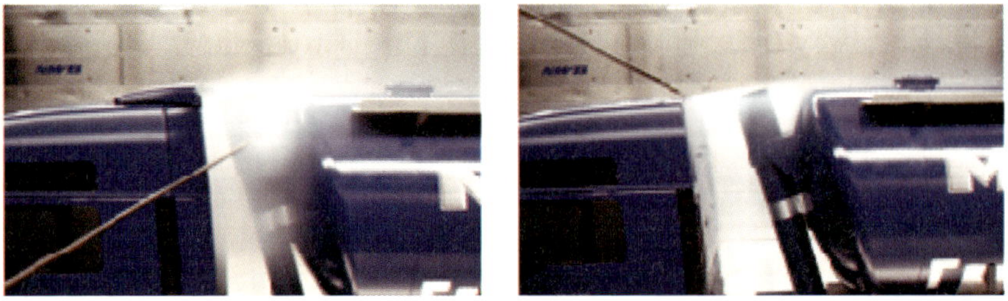

**Bild 2-58** Fahrerhaus annähernd gleich hoch oder höher wie Silo-Oberkante, Aeropaket verschlechtert den Luftwiderstand des Silo- Sattelzuges

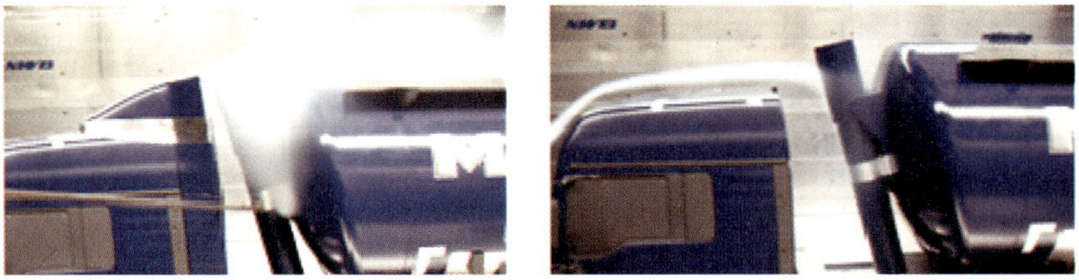

**Bild 2-59** Fahrerhaus niedriger als Silo-Oberkante, Aeropaket verbessert den Luftwiderstand des Silo-Sattelzuges

Bild 2-58 und 2-59 zeigen die Strömung zweier Silosattelzüge jeweils mit einem großen und einem kleinen Fahrerhaus. Beide Fahrerhäuser haben strömungsgünstige Dachkonturen, so dass die Strömung erst an der Hinterkante des Fahrerhauses ablöst. Das Fahrerhaus in Bild 2-58 ist annähernd gleich groß wie der Siloauflieger. Der Anbau des Aeropaketes vergrößert zum einen die Stirnfläche A und damit auch die Luftwiderstandsfläche $c_W \cdot A$ und zum anderen wird die Strömung unnötig stark abgelenkt, welches ebenfalls zu einer Erhöhung des Luftwiderstandes führt.

Beim kleinen Fahrerhaus hingegen kann der Einsatz eines Aeropaketes durchaus den Luftwiderstand reduzieren. Vor allem wenn der Siloaufbau weit über das Fahrerhaus hinausragt und sich ein deutliches Staudruckgebiet bilden kann. Hierbei ist der Einsatz eines Aeropaketes sinnvoll, auch wenn er nicht den optimalen Luftwiderstand realisiert. In der Situation von Bild 2-59 würde ein niedrigerer Dachspoiler noch bessere Luftwiderstandbeiwerte realisieren. Doch aufgrund der geringen Stückzahlen der Silosattelzüge im Vergleich zu den Volumen-Sattelzügen wird für diese Typen kein eigenes Aeropaket entwickelt. Die Betreiber der Silo-Sattelzüge müssen daher auf die vorhandenen Baukästen, der für den Volumenauflieger entwickelten Aeropakete zurückgreifen.

### Wirkungsweise von Luftleiteinrichtungen bei Container-Sattelzügen

Sattelzüge für den Transport von Schiffscontainer verwenden Auflieger mit der Aufnahmemöglichkeit unterschiedlichster Containergrößen. Je nachdem wie weit die Containervorderseite vom Fahrerhaus entfernt ist stellt sich ein anderer Luftwiderstandsbeiwert ein. Je weiter weg der Auflieger bzw. Container vom Fahrerhaus entfernt ist, desto größer wird der Luftwiderstand. Ist kein Aeropaket an der Zugmaschine verbaut kann je nach Position des Containers, der Sattelzug gegenüber der vordersten Position bis zu 8 % Mehrverbrauch aufweisen. Ein Aeropaket reduziert die Turbulenzen zwischen Fahrerhausrückwand und Containervorderfront beträchtlich. Der Einfluss der Containerposition auf den Verbrauch wird deutlich geringer und der zu erwartende Mehrverbrauch, bei hinterster Position im Vergleich zur vordersten reduziert sich bis auf ca. 2 %.

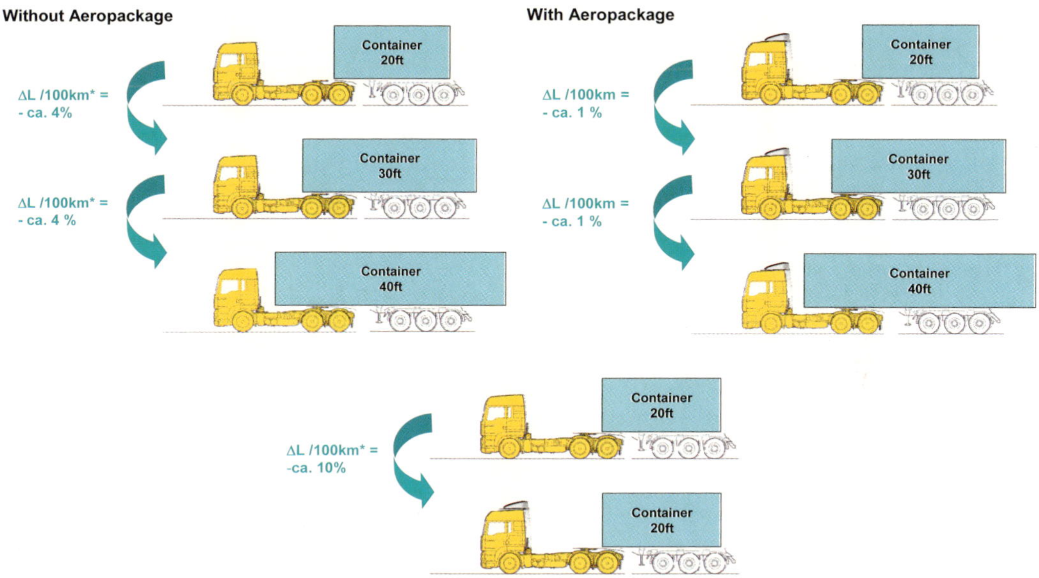


**Bild 2-60** Einfluss von Position des Containers und des Aeropakets auf den Kraftstoffverbrauch

Aus Bild 2-60 ist zu entnehmen, dass ein Aeropaket den größten Effekt erzielt, je größer der Abstand zwischen Fahrerhaus und Containervorderfläche ist. So ist bei einem 20-ft-Container auf einem 12 m Chassis mit Einsatz eines Aeropaketes ein Kraftstoffminderverbrauch von ca. 10 % zu erwarten. Mit dem Aeropaket wird die Strömung über den großen Abstand hinweg gelenkt. Ohne Aeropaket trifft die Strömung direkt auf den Container und führt zu starken Verwirbelungen (Bild 2-61).

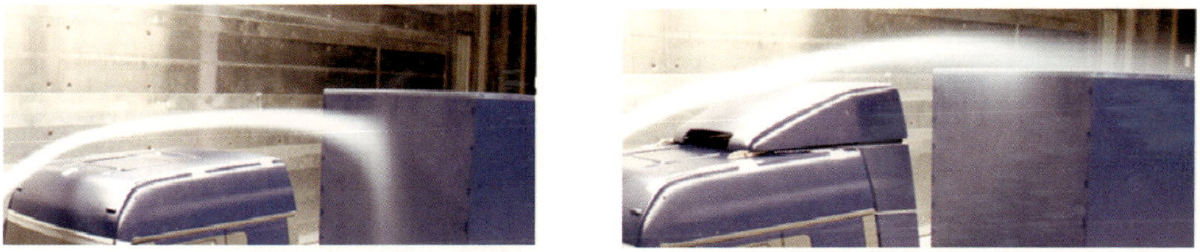

**Bild 2-61** Strömungsvisualisierung bei einem Container in hinterster Position mit und ohne Aeropaket

Somit ist den Betreibern von Containertransporten generell die Investition in ein Aeropaket anzuraten.

**Einfluss von Sonderausstattungen auf den Luftwiderstand**

Im Fernverkehr ist eine Verschönerung der Sattelzüge durch Anbauteile keine Seltenheit. Vor allem wenn der Fahrer auch Besitzer des Sattelzuges ist, wird das Fahrzeuge oft mit Anbauteilen aus dem Zubehörregal ausgerüstet. So finden z. B. Zusatzscheinwerfer und Signalhörner, vor allem wenn der Sattelzug in Skandinavien eingesetzt wird, viele Fürsprecher. Diese werten nicht nur die Optik des Sattelzuges auf, sondern sind darüber hinaus auch aus funktioneller Sicht durchaus vertretbar. Werden diese jedoch, wie im Bild 2-62 im Übermaße eingesetzt, so verschlechtern sie die Wirtschaftlichkeit der Fahrzeuges beträchtlich. Der so genannte „Kuhfänger“ mit einer Reihe von Zusatzscheinwerfern direkt vor den Kühllufteinlässen reduziert den Kühlluftvolumenstrom fast um die Hälfte. Als Resultat wird der Lüfter häufiger zugeschaltet und durch dessen Energiebedarf steigt wiederum der Kraftstoffverbrauch des Fahrzeuges.

Zusatzscheinwerfer auf dem Dach eines Fahrzeuges wie in Bild 2-62, liegen in der direkten Dachüberströmung und erhöhen den Kraftstoffverbrauch um ca. 2 %. Einen ähnlichen Effekt bewirken die Signalhörner, welche ebenso im Bereich der direkten Anströmung liegen. Werden die Signalhörner hingegen an der Seitenwand des Fahrzeuges befestigt, ist deren Einfluss auf den Luftwiderstand fast zu vernachlässigen, da hier wesentlich geringe Strömungsgeschwindigkeiten herrschen.

**Bild 2-62**
Fahrzeug mit Sonderausstattungen

## *2.1.4.8 Motorkühlung*

In Zeiten, in denen die Anforderungen an die Motorkühlung aufgrund der Abgasnormen EURO-4 und EURO-5 stetig steigen, wird mit Hilfe von CFD bereits in der Konzeptphase der Kühlluftvolumenstrom ermittelt und mit Hilfe von Wärmeübergangsrechnungen die zu erwartende Kühlleistung ermittelt.

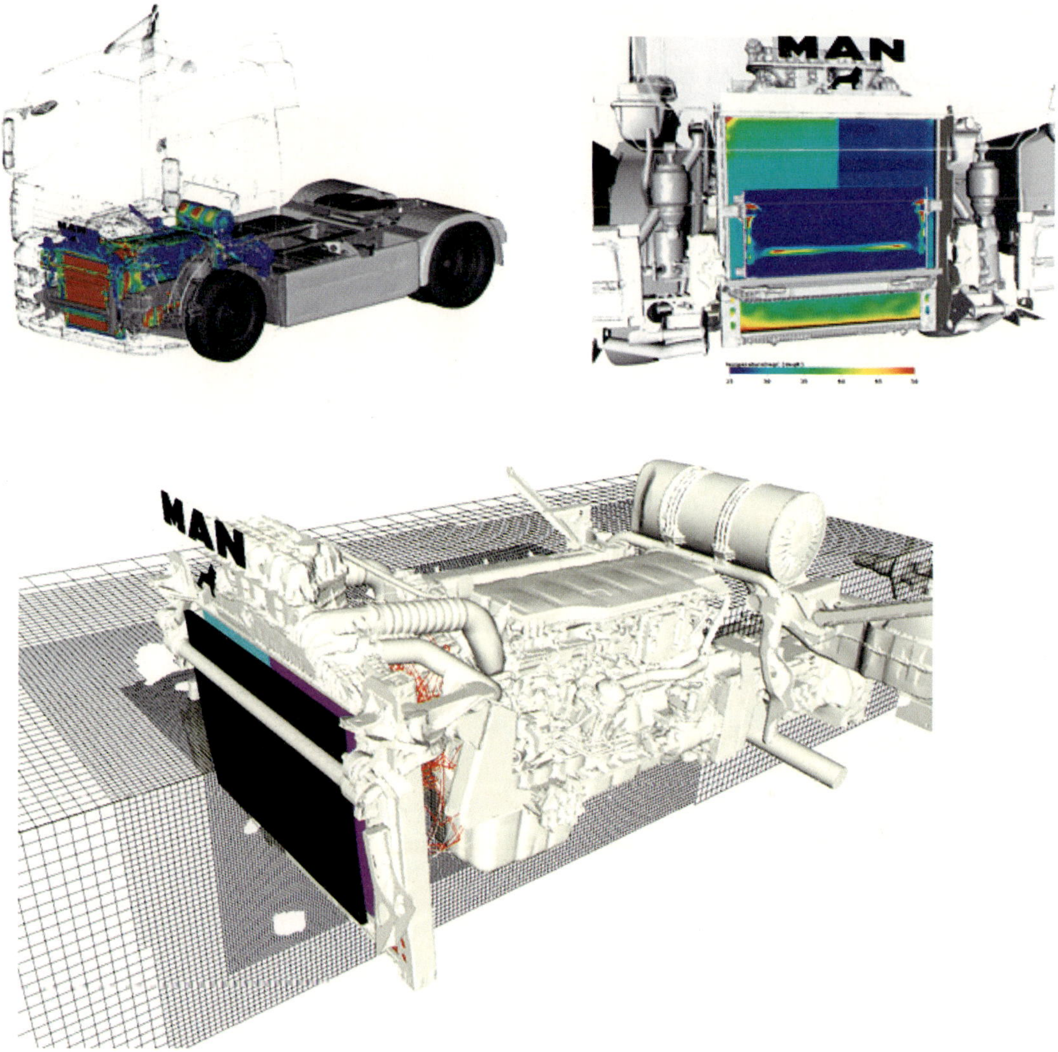

**Bild 2-63** Motor Modell inkl. Voxels, zur Simulation der Motorraumdurchströmung per CFD

Die Rechenmodelle für die Motorraumdurchströmung stellen höchste Ansprüche an die CFD-Berechnung. Es ist hierbei nicht nur wichtig, die Strömung im sehr komplexen Motorraum hinreichend genau darzustellen, sondern es müssen auch die Wärmeübergänge, Druckverluste in den Kühlernetzen und Kühlmittelmassenströme der Ladeluft- und Wasserkühler in die Rechnung mit einbezogen werden.

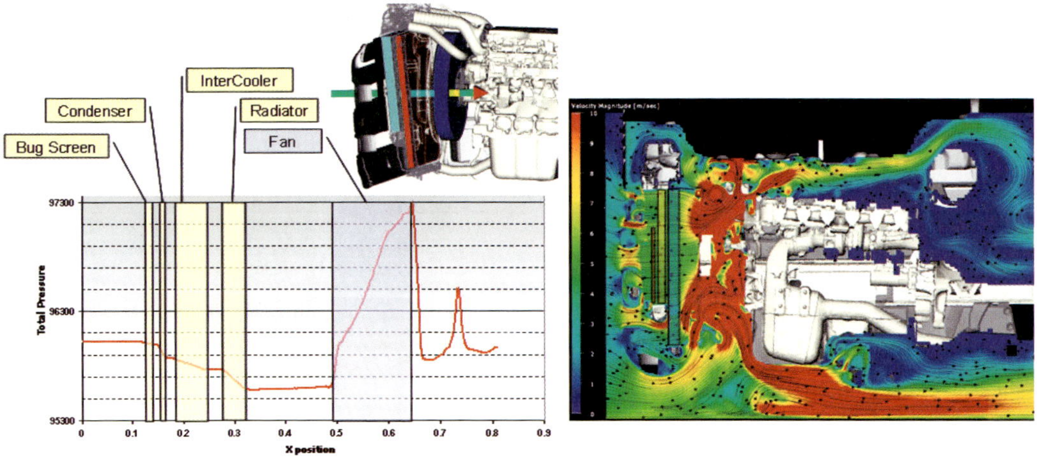


**Bild 2-64** Totaldruckverlauf durch das Kühlerpaket eines Nutzfahrzeuges

Damit die Simulation möglichst realitätsnahe Ergebnisse liefern kann, ist es eine Grundvoraussetzung, dass der Motorraum sehr detailgetreu dargestellt wird. Der durchströmte Motorraum wird durch kleine Volumenelemente gefüllt in welchen die strömungs- und thermischen Eigenschaften der Motorraumdurchströmung berechnet werden (siehe Bild 2-63). Die Größe dieser Volumenelemente liegt bei 1 bis 5 mm. Das Rechenmodell einer Lkw-Motorraumdurchströmung enthält ca. 77 Millionen würfelförmige Zellen so genannte „Voxels". Dort, wo die Voxels mit der Kontur des Körpers schneiden, werden auf dieser Oberfläche „Surfels" gebildet, deren Zahl bei ca. 12 Millionen Zellen liegt.

Die 3D-Simulation wird heute weitestgehend eingesetzt, um einen ausreichen großen Kühlluftvolumenstrom bereits in der Konzeptphase sicherzustellen. Rückströmungen sollten vermeiden werden und der Kühlluftmassenstrom durch Kühlluftführungen möglich verlustarm durch die Kühler und den Motorraum geführt werden.

Die Besonderheit beim Nutzfahrzeug besteht in der Variantenvielfalt der möglichen Motor/Kühler/Stossfänger-Konfigurationen. Für jede Motorenvariante müssen unterschiedlich große Kühlluftöffnungen berücksichtigt werden. Zum einen unterscheiden sich die Kühler und Kühlluftöffnungen je nach Fahrerhaus. Darüber hinaus kann der Fuhrparkbesitzer je nach Einsatzzweck wählen, ob er seine Fahrzeuge mit Kunststoff- oder Stahlstoßfänger ausrüsten möchte.

Der Stahlstoßfänger hat aufgrund seiner Festigkeitsanforderungen wesentlich kleinere Kühlluftöffnungen und ist somit als der kritischere Fall für die Kühlung zu betrachten. Er ist jedoch im Fernverkehr wenig verbreitet, so dass nur beim Kunststoffstoßfänger Kühlluftführungen zum Einsatz kommen, welche zum einen den Luftwiderstand des Fahrzeuges senken und gleichzeitig den Kühlluftvolumenstrom durch die Kühler erhöhen.

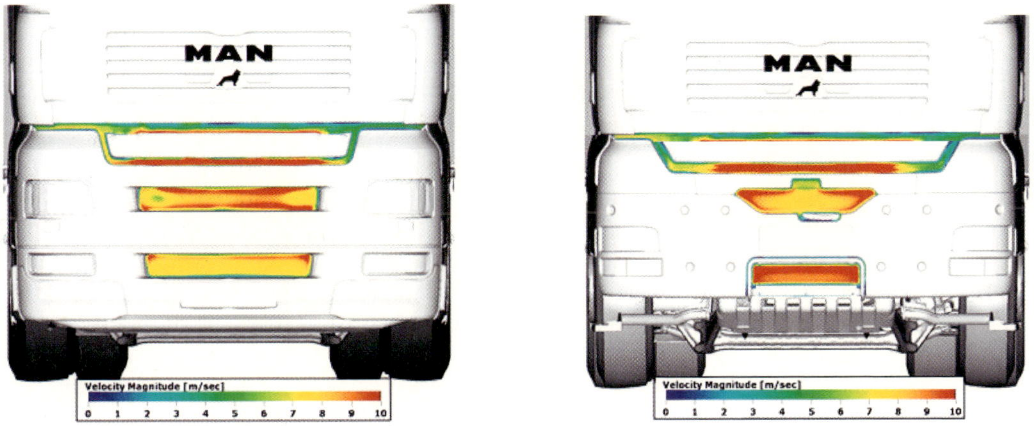


**Bild 2-65** Kühlluftöffnungen bei einem Kunststoff- und Stahlstossfänger

Im 1:1-Windkanal erfolgt lediglich die Validierung die Kühleranströmung durch Strömungsvisualisierung und Volumenstrommessungen. Dabei wird vor allem die Wirkungsweise von Umluftabdeckungen und Kühlluftführungen näher betrachtet. Für die Volumenstrommessungen werden NTC-Widerstandsnetze bzw. Flügelrad-Anemometer verwendet.

Ziel der Entwicklung ist es, bei minimalem Luftwiderstand die Kühlung aller funktionsrelevanten Komponenten sicherzustellen.

Die letztendliche Aussage über die Wirkungsweise der im Aerodynamikwindkanal entwickelten Maßnahmen wird jedoch im Klimawindkanal getroffen. Hier werden die Kühlleistung und die Bauteiltemperaturen unter Motorlast und realistischen Umweltbedingungen gemessen. Vor allem der für Nutzfahrzeuge kritische Lastfall bei niedriger Geschwindigkeit und maximalem Motordrehmoment wird hier bewertet und optimierende Maßnahmen entwickelt.

Neben der Motorkühlung steht bei diesen Tests vor allem die Entwicklung der Innenraumklimatisierung unter Sommer- und Winterbedingungen im Vordergrund.

**Bild 2-66** Neoplan Starliner und TGX im Klimawindkanal

### *2.1.4.9 Innenraumklimatisierung*

Da das Fahrerhaus eines Fernverkehrsattelzug dem Fahrer nicht nur als Arbeitsplatz, sondern auch als Wohnraum dient, ist es hier besonders wichtig, im Fahrgastraum ein angenehmes Innenraumklima sicherzustellen. Die meisten Fernverkehrssattelzüge sind mit Klimaanlage und Standheizung ausgerüstet. Auch Standklimaanlagen erfreuen sich immer höheren Absatzzahlen.

Die Neuentwicklung einer Fahrerhausinnausstattung stellt höchste Ansprüche an den Projektingenieur der Instrumententafel. Er hat auf kleinstem Bauraum die Unterbringung verschiedenster Komponenten wie z. B. Instrumentierung, Infotainmentsysteme, Schubladen und sämtliche Steuergeräte des Fahrzeuges sicherzustellen. Zusätzlich ist noch das Klimagerät und die entsprechenden Luftführungen unterzubringen. Bild 2-67 zeigt die Komplexität der Luftführungen, welche in den verbleibenden Bauraum unter der I-Tafelverkleidung verlegt werden.

**Bild 2-67**
Komplexität der Luftführungen für Fußraum- und Seitenscheibenbelüftung

Die gezielte Führung der Luft durch diese Kanäle zählt zur Standardanwendung von CFD. Die Strömung in den Kanälen wird berechnet und die Druckverluste und Verwirbelungen durch Geometrieänderungen der Kanäle minimiert. So wird bei möglichst geringer Leistung des Klimagerätes eine ausreichende Luftzufuhr zum Innenraum sichergestellt.

Mit Hilfe der Strömungsvisualisierung werden die Kanäle und Austrittsöffnungen so gestaltet, dass Ihre Strömungstopologie für den Fahrer und Beifahrer als möglichst angenehm empfunden wird.

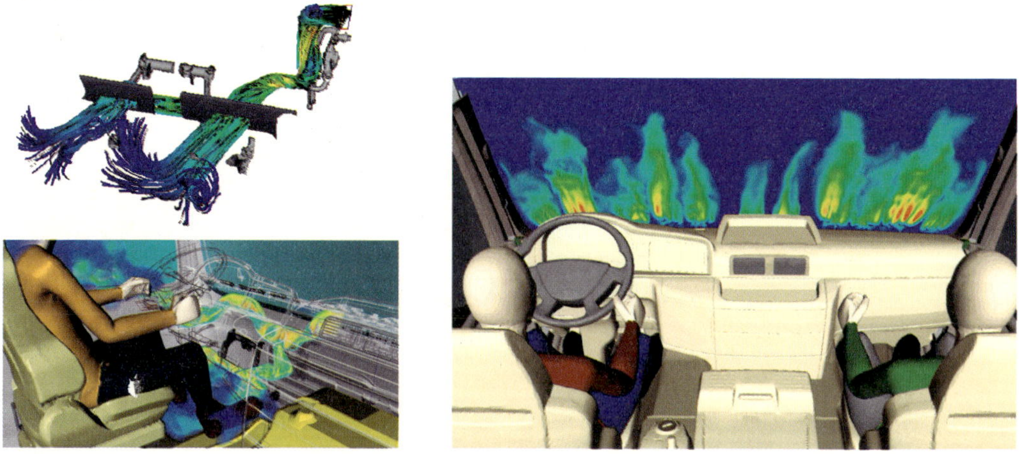

**Bild 2-68** Strömungsvisualisierung eines Fußraumkanals und der Scheibendefrostung

Trotz der umfassenden Unterstützung durch die Simulation wird die Bewertung des Insassenkomforts immer noch durch subjektive Beurteilungen auf Sommer- und Wintertestfahrten durchgeführt. Hier werden vor allem die Regelungsparamter der Heizung bzw. Klimaanlage fein justiert, um den maximalen Komfort im Innenraum sicherzustellen.

Eine weitere zentrale Aufgabe der Innenraumklimatisierung, die zur Erhöhung der Fahrsicherheit beiträgt, ist die Frontscheiben- und Seitenscheibenenteisung. Diese kann ebenso durch 3D-Simulationen berechnet werden. Im Prototypenstadium wird jedoch häufig die Wärmebildkamera zur Temperaturvisualisierung eingesetzt. So können bei den Versuchen im Klimakanal die unterschiedlichen Konfigurationen gemessen und subjektiv bewertet werden.

### *2.1.4.10 Aeroakustik*

Die Aeroakustik nimmt in der Aerodynamikentwicklung einen immer höheren Stellenwert ein. Da die Motorgeräusche von Generation zu Generation leiser werden, treten Windgeräusche noch deutlicher hervor. So werden vor allem die A-Säulen, die Windleitblenden, die Sonnenblende und die Spiegel hinsichtlich der Aeroakustik optimiert. Hierbei muss ein guter Kompromiss zwischen Akustik, Aerodynamik, Verschmutzung und dem Styling des Fahrzeugs gefunden werden [2-8].

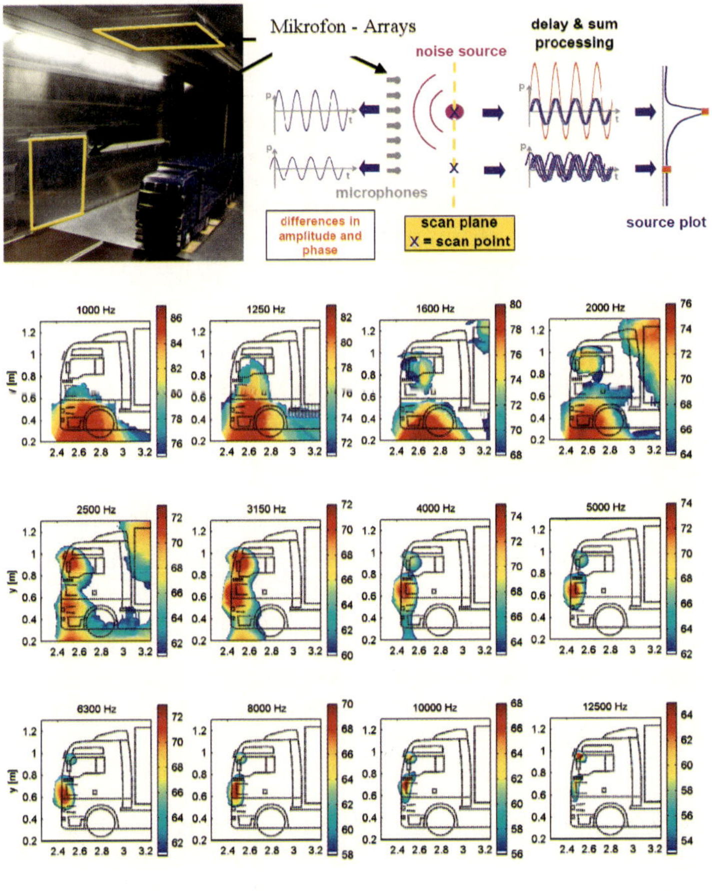


**Bild 2-69**
Mikrofon-Array-Messung im Modellwindkanal

In den Windkanälen stehen mittlerweile modernste Messmethoden zur Verfügung, um die störenden Schallquellen von außen orten zu können.

Bereits im Modellwindkanal wird hierfür das Mikrofon-Array-Verfahren angewandt. Es besteht aus einer Anzahl von Mikrofonen, die auf einer ebenen Fläche an der Windkanalwand angeordnet sind. Durch eine entsprechende Auswertung der zeitkorrigierten Signale aller Mikrofone kann dem jeweiligen Messpunkt der abgestrahlte Schall zugeordnet werden. So können bereits in der Konzeptphase störende Geräuschquellen von außen geortet und entsprechende Maßnahmen ergriffen werden [2-69].

Im 1:1-Windkanal dominiert jedoch die Schallpegelmessung mit Kunstköpfen im Fahrzeuginnenraum. Bei der Kunstkopftechnik handelt es sich im eigentlichen Sinne um einen speziellen Einsatz von Mikrofonmessungen. Ein Kunstkopf besteht aus der Nachbildung eines menschlichen Kopfes. In den Ohrmuscheln sind dabei Mikrofone eingebaut. Diese Technik ermöglicht beim Abhören der aufgenommenen Schallsignale mit einem Kopfhörer eine binaurale gehörrichtige 1:1-Wiedergabe. Die aeroakustische Optimierung erfolgt durch den Vergleich der Messergebnisse vor und nach der Modifikation am Bauteil.

**Bild 2-70** Mikrofon-Array Messung & Akustikmessung mit Kunstkopf im 1:1-Maßstab

Zur Optimierung einer bestimmten Schallquelle sollte diese isoliert erfasst werden können. Daher werden z. B. bei der aeroakustischen Entwicklung des Außenspiegels sämtliche anderen Geräuschquellen entfernt (z. B. Sonnenblende) bzw. mit Stoff oder Aluminiumklebeband abgeklebt. Um Undichtigkeiten zu vermeiden, werden Fenster und Türdichtungen ebenfalls abgeklebt. Die Ortung von Leckagen in den Türdichtungen erfolgt durch schrittweises Öffnen der Dichtungsabklebung. Die jeweiligen Messergebnisse werden mit den Ergebnissen bei vollständig abgeklebten Fugen verglichen. Auf diese Weise lassen sich mit der Kunstkopftechnik zum einen die Leckagen am Fahrzeug orten und zum anderen neben der aerodynamischen Wirksamkeit gleichzeitig die aeroakustische Güte jeder Modifikation am Fahrzeug messen.

### *2.1.4.11 Seitenscheiben- und Eigenverschmutzung*

Eine wesentliche Aufgabe der Nutzfahrzeugaerodynamiker besteht in der Minimierung der störenden Verschmutzungseffekte am Fahrzeug. Hierzu gehören insbesondere die sicherheitsrelevante Spiegel- und Seitenscheibenverschmutzung sowie die Verschmutzung werbewirksamer Flächen und die komfortrelevanten Bereiche der Einstiege und Türgriffe. Beim Bus kommt neben der Minimierung der Heckverschmutzung auch die Freihaltung der in der Oberklasse häufig eingesetzten Rückfahrkameras als erklärtes Entwicklungsziel hinzu.

Um bereits in der Konzeptphase Einfluss auf die Seitenscheibenverschmutzung zu nehmen, wird mittels CFD die Umströmung des Spiegel und der A-Säule visualisiert und die Bauteile entsprechend gestaltet. Ziel ist es eine Spiegelgeometrie zu finden, die einen möglichst geringen Nachlauf aufweist und an der das Wasser gezielt abtropfen kann, ohne dass es durch die Strömung auf die Seitenscheibe transportiert wird (Bild 2-71).

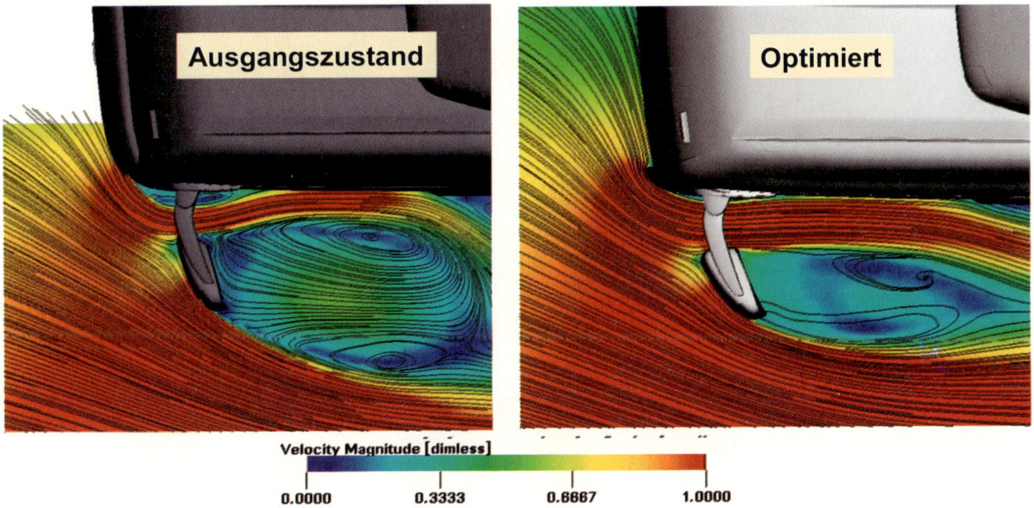


**Bild 2-71** Spiegeloptimierung mittels CFD

Stehen die ersten GFK Aerodynamikprototypen zur Verfügung wird die Eigen- und Seitenscheibenverschmutzung im Windkanal und in Fahrversuchen optimiert.

Im Fahrversuch wird mittels eines Sprühgestells eine Mischung aus Wasser und Kreide auf bzw. vor das Fahrzeug gesprüht. Durch die Kreide wird die Verschmutzung am Fahrzeug sichtbar. Anstatt der Kreide kommt immer häufiger ein fluoreszierendes Wassergemisch zum Einsatz, welches unter Schwarzlicht die Verschmutzung des Fahrzeuges sichtbar macht (Bild 2-72). Vor allem in Windkanälen wird heutzutage fast überwiegend die Fluoreszenz eingesetzt. Hintergrund ist die geringere Verschmutzung der Teststrecke bzw. des Windkanals, und damit auch eine Reduzierung des Reinigungsaufwands.

**Bild 2-72** Verschmutzungsuntersuchungen im Windkanal mit Hilfe von Fluoreszenz

Um die Eigenverschmutzung des Fahrzeuges zu reduzieren setzen die meisten Nutzfahrzeughersteller Windleitblenden ein, welche die Strömung unterhalb der Scheibe um das Fahrzeug leiten und eine abwärtsgerichtete Strömung induzieren, die der Sprühwirkung der Vorderräder entgegen wirkt (Bild 2-73).

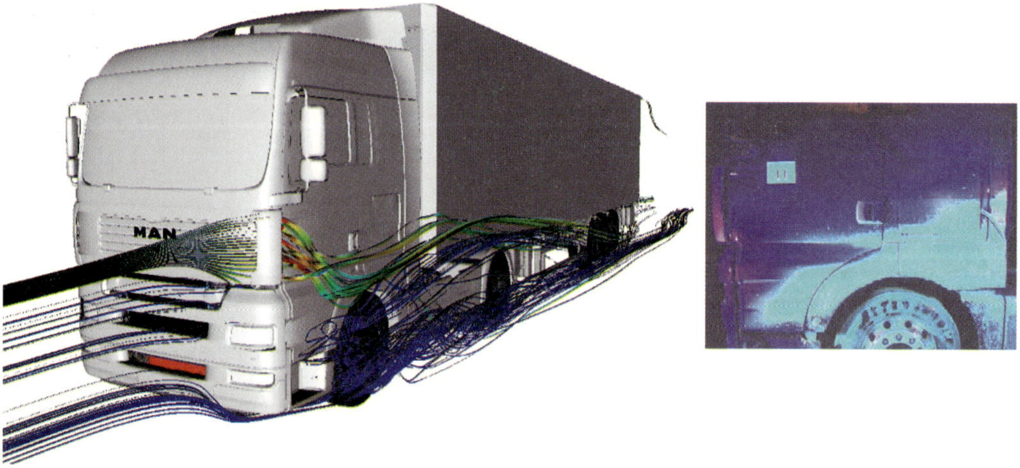


**Bild 2-73** Wirkungsweise von Windleitblenden & Experimentelle Verschmutzung mit Fluoreszenz

Diese nach unten weisende Windleitblenden haben jedoch den Nachteil, dass sie meist sowohl den Luftwiderstand als auch die Aeroakustik des Fahrzeuges verschlechtern. Die Aufgabe des Aerodynamikers besteht nun darin, den besten Kompromiss zwischen Wirkungsgrad des Fahrzeuges und dem optischen Erscheinungsbild zu finden.

Ein ganz wesentlicher Entwicklungspunkt der Bus Aerodynamik besteht in der Freihaltung der Heckscheibe und der Rückfahrkameras. Die Heckscheibe sollte frei von Schmutz bleiben um den Komfort der Passagiere zu erhöhen. Eine saubere Rückfahrkamera hingegen ist ein sicherheitsrelevantes Bauteil, welches dem Fahrer ermöglicht, beim Rückwärtsfahren den Raum hinter seinem Fahrzeug einsehen zu können. So kann der Kunde z. B. beim MAN Lions Star einen Umlenkspoiler bestellen, welcher die Heckscheibe und Rückfahrkamera bei jeder Witterung frei von Schmutz und Schnee hält. Dies erkauft er sich allerdings durch einen nicht zu verachtenden Mehrverbrauch des Busses.

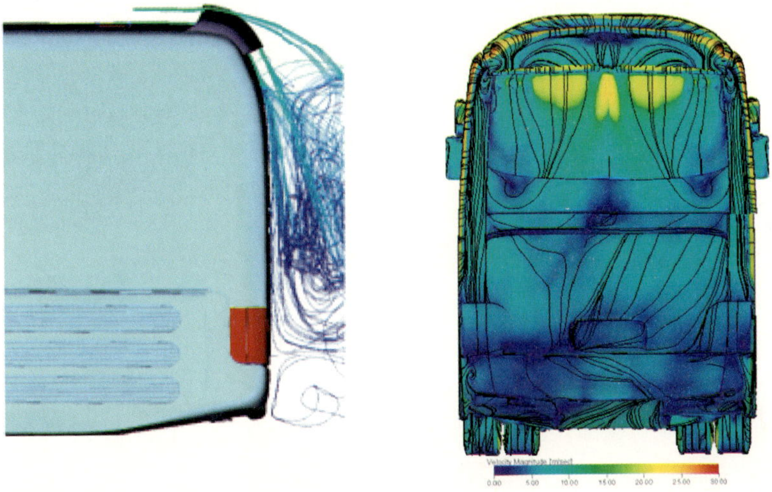

**Bild 2-74** Umlenkspoilern am Heck eines Busses

### *2.1.4.12 Berücksichtigung von aerodynamischen Lastfällen bei der Festigkeitsauslegung von Komponenten*

Bei der Festigkeitsauslegung von diversen Nutzfahrzeugkomponenten muss aufgrund der Komponentengröße neben der Belastung beim Crash auch die aerodynamische Last auf diese Bauteile berücksichtigt werden. So ist z. B bei der Entwicklung eines Dachspoilers oder den Windleitblenden nicht nur die Windlast von vorne, sondern auch eine Windlast von hinten bei der Festigkeitsauslegung zu berücksichtigen. Diese Windlasten werden mittels CFD-Berechnung ermittelt und direkt als Eingangsgrößen in der Festigkeitsberechnung verarbeitet.

So wird sichergestellt, dass der Spoiler nicht nur beim Crash, sondern auch bei rückwärtsgerichteten Zugtransporten oder bei Sturm nicht beschädigt wird.

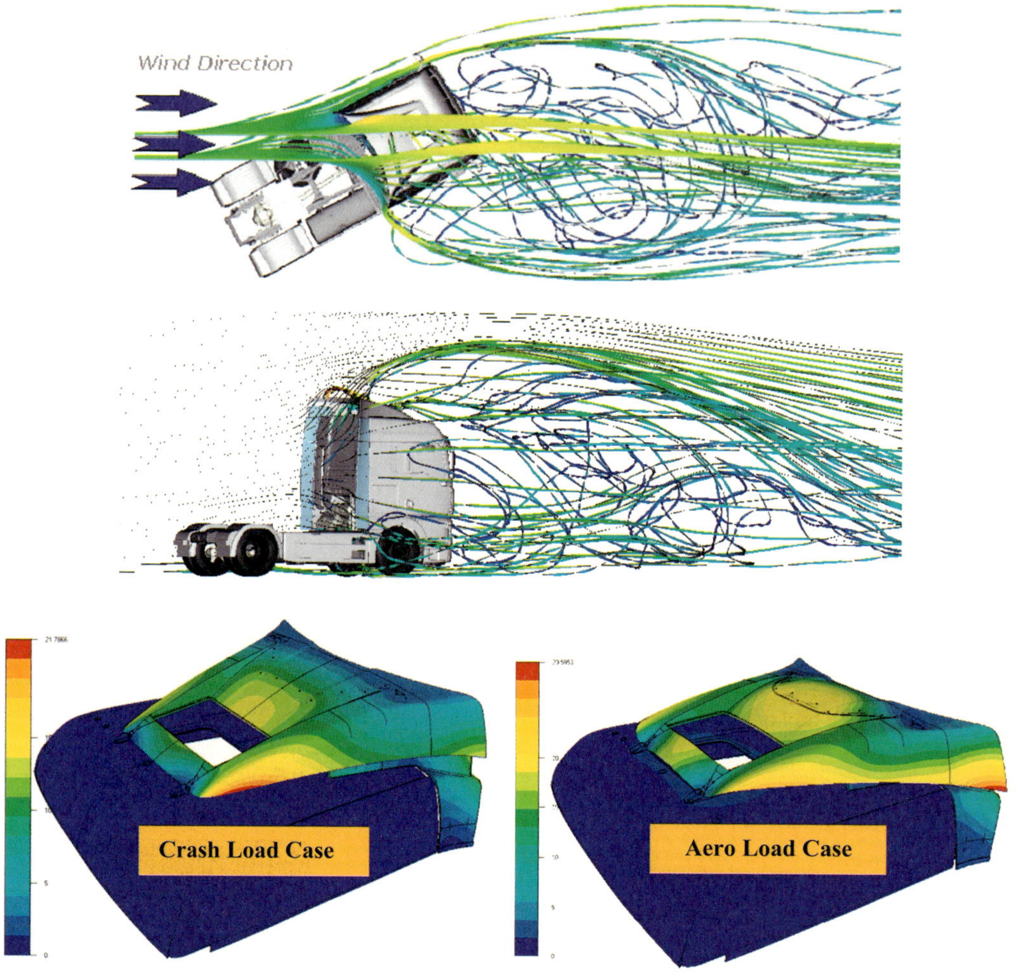


**Bild 2-75** Deformation eines Nutzfahrzeugspoilers bei den zwei Lastfällen
a) Crash; b) Rückwärtsgerichtete Anströmung

### *2.1.4.13 Funktionsaerodynamik*

Bei der Auslegung von funktionsrelevanten Bauteilen muss neben deren eigentlicher Funktion auch deren Auswirkung auf die Aerodynamik, Aeroakustik und evtl. der Einfluss auf die Kühlung in Betracht gezogen werden.

So wird bei der Entwicklung von Bauteilen, welche einen direkten Einfluss auf die Kühlung haben, vorwiegend auf die Simulation und Prüfstandsversuche zurückgegriffen. So können z. B. gezielt Maßnahmen gegen die störende Staubaufwirbelung bei Baustellenfahrzeugen entwickelt und gleichzeitig deren Einfluss auf die Kühlung bewertet werden.

Bild 2-76 zeigt die Wirkungsweise eines Abschirmblechs zur Reduzierung der Staubaufwirbelung und dessen Einfluss auf den Kühlluftvolumenstrom.

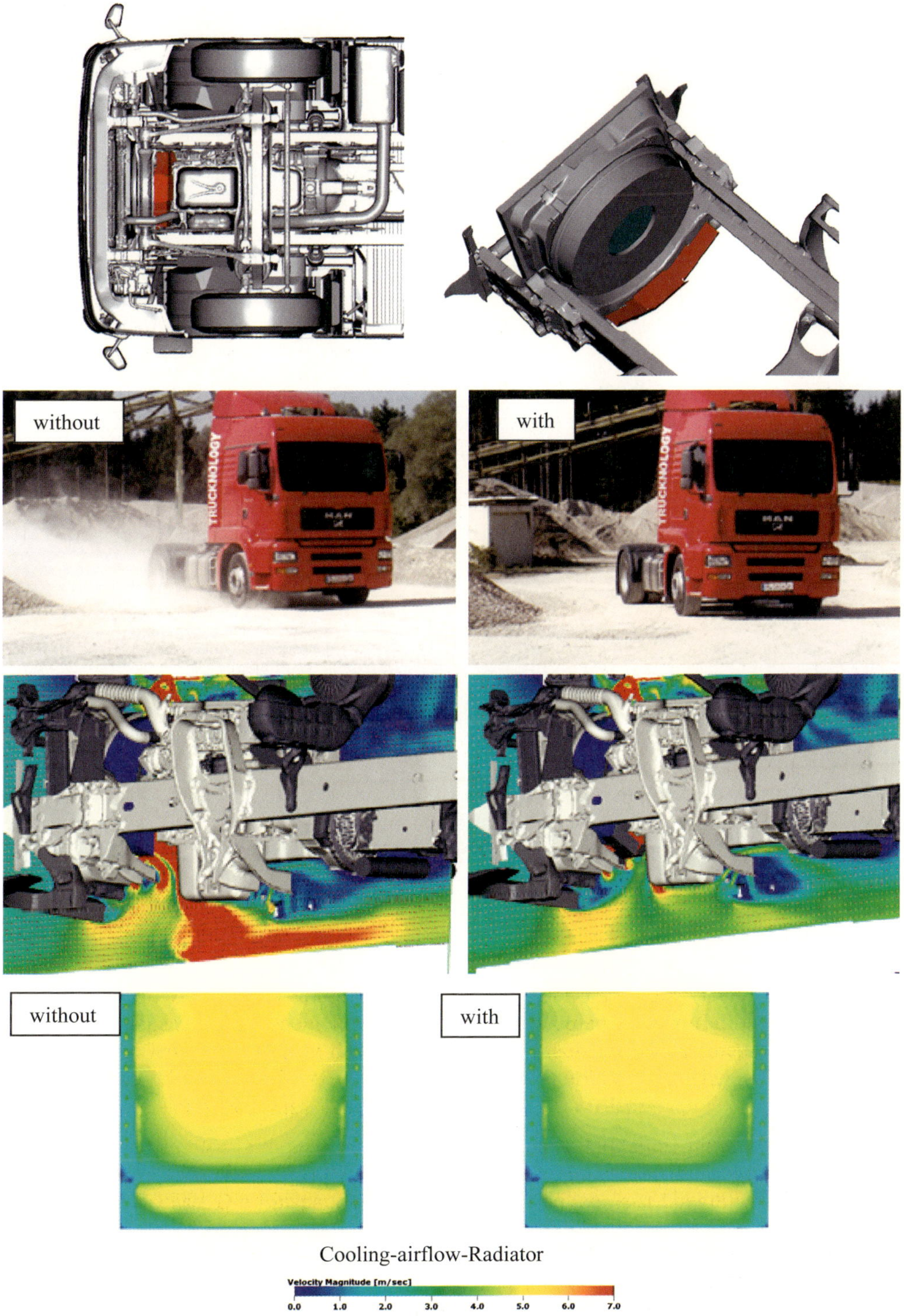


**Bild 2-76** Einfluss eines Abschirmblechs auf die a) Staubaufwirbelung; b) Kühlluftvolumenstrom

## 2.2 Leistungsbedarf

Aus den nunmehr bekannten Fahrwiderständen und der Geschwindigkeit kann man den Leistungsbedarf ermitteln. Kraft mal Weg ist die verrichtete Arbeit, also der Energiebedarf, Arbeit pro Zeit ist die Leistung. Das heißt, Kraft mal Weg pro Zeiteinheit definiert die Leistung. Da Weg pro Zeit der Geschwindigkeit entspricht, kann man die Bedarfsleistung aus Kraft mal Geschwindigkeit berechnen.

$$P = F_{An} \cdot v \tag{2.19}$$

Ergänzend sei hier bemerkt, dass der Kraftvektor in die gleiche Richtung weisen muss wie der Weg- bzw. Geschwindigkeitsvektor. Dieses ist beim Fahrzeug hinreichend genau der Fall, die Widerstandskräfte liegen parallel zur Fahrbahnoberfläche und damit parallel zu Weg und Geschwindigkeit.

Die Leistungsangabe hat sich als qualifizierende Größe für Antriebe durchgesetzt, am eindrucksvollsten lässt sich das am Beispiel eines Motors mit einem Getriebe demonstrieren: Mittels einer entsprechenden Übersetzung lässt sich jedes beliebige Drehmoment und damit auch jede Antriebskraft realisieren. Doch je größer die Übersetzung ist, desto niedriger wird die Drehzahl. Das heißt, je mehr Drehmoment, desto geringer wird die Drehzahl, weniger Drehmoment bedeutet höhere Drehzahl. Das Produkt aus Drehmoment und Drehzahl bleibt konstant und definiert die Leistung für eine rotatorische Bewegung:

$$P = M_{An} \cdot \omega \tag{2.20}$$

Aus der Leistungsangabe für einen Antrieb kann man zurückrechnen, welches Moment bzw. Kraft der Antrieb bei welcher Geschwindigkeit zur Verfügung stellen kann.

$$F = \frac{P}{v} \tag{2.21}$$

Diese Gleichung beschreibt eine Hyperbel, bei konstanter Leistung wird die zur Verfügung stehende Antriebskraft immer größer, je langsamer das Fahrzeug fährt, also je geringer die Geschwindigkeit $v$ ist. Nähert sich die Geschwindigkeit des Fahrzeugs dem Stillstand, wächst die theoretisch verfügbare Antriebskraft ins Unendliche. Praktisch wird die Antriebskraft aber von der Traktionsgrenze der Antriebsräder begrenzt. Eine zweite Idealisierung steckt in der Aussage, dass die Leistung konstant ist und damit bei jeder Geschwindigkeit gleich ist. Dieses ist in den normalerweise nicht der Fall, ein Verbrennungsmotor erreicht seine Nennleistung meist nur bei einer bestimmten Drehzahl. Da die Drehzahl des Motors über den Antriebstrang in Geschwindigkeit gewandelt wird, ist die Leistung abhängig von der Geschwindigkeit bzw. das zur Verfügung stehende Moment bzw. die Antriebskraft abhängig von der Geschwindigkeit. Die unterschiedlichen Getriebeübersetzungen wandeln das Moment und die Drehzahl gleichzeitig. Mit Kenntnis der Übersetzungen im Antriebsstrang und der Größe der Antriebsräder lässt sich aus dem Leistungskennfeld des Motors ein Fahrzustandsdiagramm entwickeln.

In diesem Diagramm begrenzt die ideale Zugkrafthyperbel und die Traktionsgrenze das Kraftangebot. Der Schnittpunkt der Fahrwiderstände mit der vom Motor gelieferten Zugkraft definiert die Höchstgeschwindigkeit des Fahrzeugs. Die Zugkraft im 4. Gang ist größer als jene im 5. Gang, steht dabei aber nur bei einer geringeren Fahrgeschwindigkeit zur Verfügung.

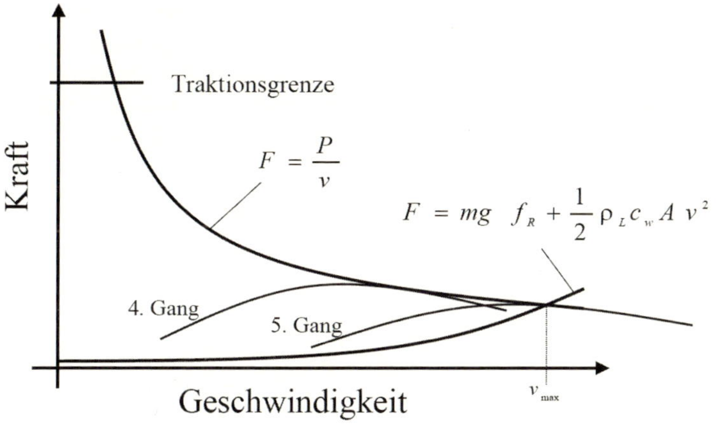


**Bild 2-77**
Fahrzustandsdiagramm

## 2.3 Fahrgrenzen

Die Fahrgrenzen eines Kraftfahrzeuges werden zum einen durch seine Motorleistung beschrieben, zum anderen durch die über die Reifen übertragbaren Kräfte. Als messbare Größe für die Fahrgrenze durch Motorleistung hat sich die Höchstgeschwindigkeit und die Bescheunigung etabliert. Beides Größen, die beim Nutzfahrzeug vernachlässigbar sind, da die Höchstgeschwindigkeit begrenzt ist und Beschleunigungen stark vom Beladungszustand abhängen. Interessanter ist die Frage nach möglichen Höchstgeschwindigkeiten in Steigungen.

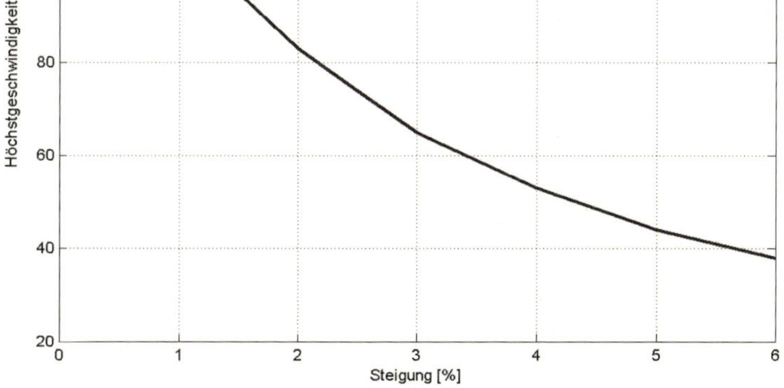


**Bild 2-78**

$f_R = 0{,}007$,

$_L \quad 1{,}25 \frac{kg}{m^3}$,

$c_W = 0{,}6$,

$A = 8 \; m^2$

Theoretische Höchstgeschwindigkeit eines 40-t-Zuges mit 450 PS (331 kW) in Steigungen

Mit Hilfe der Fahrwiderstandsgleichung (2.0) lässt sich für ein Fahrzeug die erreichbare Höchstgeschwindigkeit in Steigungen berechnen. Bild 2-78 zeigt die entsprechenden Höchstgeschwindigkeiten eines 40-t-Zuges mit 450 PS (331 kW) für Steigungen bis 6 %. Dieses ist etwa die größte Steigung auf Bundesdeutschen Autobahnen. Für die Berechnungen wurde ein Wirkungsgrad von 85 % des Antriebsstranges bis zu den Hinterrädern angenommen. Die Höchstgeschwindigkeiten für 0 und 1 % Steigung dürften eher theoretisch sein, da man einen Antriebstrang bei einem auf 80 km/h limitierten Fahrzeug hier natürlich verbrauchsoptimiert auslegen wird und nicht auf Höchstgeschwindigkeit.

In der Praxis sehr wichtig ist die Frage nach den an den Rädern übertragbaren Kräften. Die an den Reifen übertragbaren Kräfte sind proportional zu den Vertikalkräften, also den Achslasten. Den Proportionalfaktor zwischen Vertikal- und Umfangskraft nennt man Kraftschlussbeiwert.

### 2.3.1 Achslasten

Die Kenntnis über die Achslasten ist wichtig, um fahrdynamische Aussagen treffen zu können. Anders als beim Pkw wird ein Lkw häufig an den Grenzen der zulässigen Achslast betrieben. Die gesetzlichen Vorgaben lassen bei einem 5-Achs-Sattelzug mit 40 t zulässigem Gesamtgewicht einen gewissen Spielraum frei, da beispielweise die Lenkachse der Sattelzugmaschine 10 t, die angetriebene Achse 11,5 t und ein Dreiachsaggregat 24 t Achslast haben darf. Also in der Summe 45,5 t. Durch die Positionierung der Nutzlast kann man die Achslastverteilung beeinflussen, man wird aber immer bestrebt sein die Antriebsachse mit der maximal möglichen Achslast zu belasten, da, wie oben erläutert, man damit die zur übertragbare Antriebskraft definiert.

Bestimmt werden die Achslasten, indem man das Fahrzeug durch ein einfaches mechanisches Ersatzmodell ersetzt und an diesem die so genannten Auflagerkräfte ermittelt. Die Lage des Schwerpunktes muss bekannt sein.

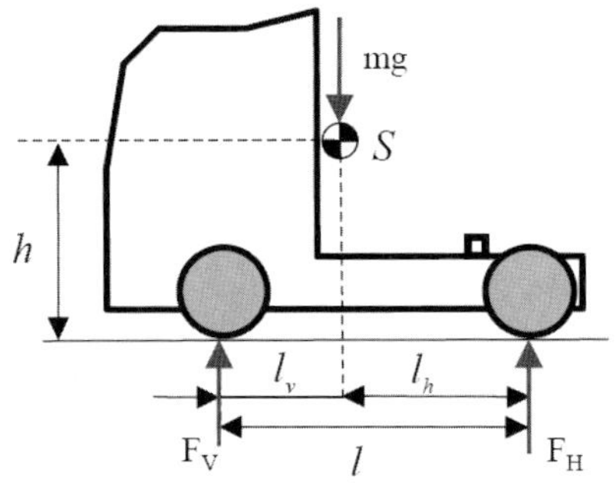


**Bild 2-79**
Mechanisches Ersatzmodell zur Bestimmung der Achslasten

Bild 2-79 zeigt einen Lkw als Einspurmodell. Darunter versteht man ein Fahrzeug in zweidimensionaler Darstellung. Das rechte und das linke Rad einer Achse wurden zu einem Rad zusammengezogen. Somit wird das Fahrzeug wie einen Träger auf zwei Stützen betrachten.

Durch bilden des Momentengleichgewichtes um die Vorder- und Hinterachse erhält man :

$$F_V = \frac{l_h}{l} mg$$
$$F_H = \frac{l_v}{l} mg \tag{2.22}$$

Die dimensionslosen Faktoren $l_h / l$ und $l_v / l$ geben dabei den Anteil der Gesamtfahrzeuggewichtskraft an, der von der Vorder- bzw. Hinterachse getragen wird. In der Summe müssen beide Faktoren den Wert 1 ergeben. Man sieht, dass man durch Verlagern des Schwerpunktes nach hinten die Vorderachse entlasten und die Hinterachse stärker belasten kann, da $l_h$ dann kleiner und $l_v$ größer wird.

Betrachtet man ein Fahrzeug mit Anhänger oder Auflieger, stellt man dieses wieder in der zweidimensionalen Ansicht dar. In diesem Fall muss das Gespann geeignet auseinander geschnitten werden. An jedem der Teilkörper kann man dann wieder die Gleichgewichtsbedingungen bzw. das Momentengleichgewicht aufstellen.

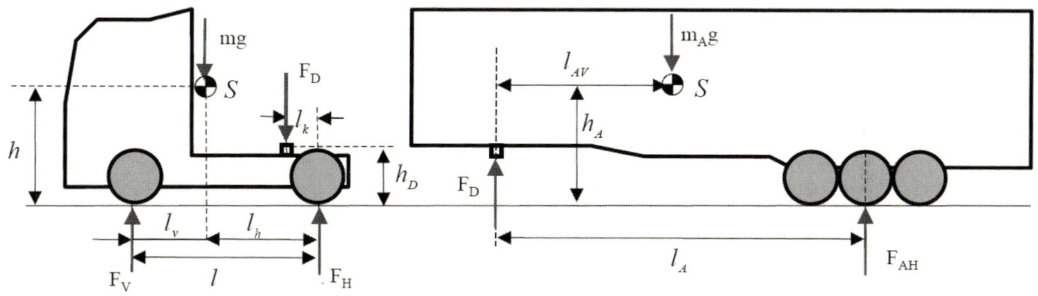


**Bild 2-80** Bestimmung der statischen Achslasten am Sattelzug

Die statischen Achslasten ergeben sich zu:

$$F_{AH} = \frac{l_{AV}}{l_A} m_A g\,; \quad F_D = \frac{l_A - l_{AV}}{l_A} m_A g$$
$$F_V = \frac{l_h}{l} mg + \frac{l_k}{l} F_D \tag{2.23}$$
$$F_H = \frac{l_v}{l} mg + \frac{l - l_k}{l} F_D$$

Wird das Fahrzeug beschleunigt oder verzögert, ändern sich die Radlasten, man spricht dann von dynamischen Radlasten. Dieses ist ein weiter Begriff, der im allgemeinen Fall die Auswirkung aller aus der Bewegung resultierenden Kräfte auf die Radlasten berücksichtigt, wie z. B. der Luftwiderstand. Er greift im Druckmittelpunkt der Luftangriffskräfte an, dieser Punkt muss aber nicht mit der Schwerpunktshöhe übereinstimmen und bildet somit ein Moment bezüglich des Schwerpunktes, was eine Änderung der Achslasten bewirkt. Bei Kurvenfahrt bewirkt die Beschleunigung in Querrichtung eine Änderung der Radlasten. Das kurvenäußere Rad wird stärker, das innere Rad wenigen belastet.

In diesem Abschnitt werden nur die Achslaständerungen verursacht durch Beschleunigung betrachtet, da sie für die Traktion und den Bremsvorgang von großem Interesse sind. Um die Behandlung mechanisch zu vereinfachen, geht man von einem Bremsvorgang aus, bei dem die Räder blockieren. Dann kann man das Fahrzeug wieder als starren Körper betrachten. Während der Beschleunigung ( $\ddot{x}$ ) greifen Trägheitskräfte im Schwerpunkt auf, welche der Beschleunigung entgegengerichtet sind. Der Betrag dieser Trägheitskräfte ist das Produkt aus Masse mal Beschleunigung.

Betrachtet man nun den Bremsvorgang ( $-\ddot{x}$ ) für einen Solo-Lkw, Bild 2-81 (linker Teil), so wirkt die Trägheitskraft im Schwerpunkt, parallel zur Fahrbahnoberfläche in Fahrtrichtung. Bildet man nun das Momentengleichgewicht, z. B. um die Hinterachse, verändert die Trägheitskraft die vordere Achslast, da sie zusätzlich mit dem Hebelarm h ein Moment bildet. Beim Momentengleichgewicht um die Hinterachse hat dieses Moment den gleichen Betrag, wirkt aber entgegengesetzt:

$$\begin{aligned} F_V &= \frac{l_h}{l}\, mg - \frac{h}{l}\, m\ddot{x} \\ F_H &= \frac{l_v}{l}\, mg + \frac{h}{l}\, m\ddot{x} \end{aligned} \tag{2.24}$$

Berücksicht man, dass ein Bremsvorgang eine negative Beschleunigung ist, sieht man an den Gleichungen, dass beim Bremsen die Vorderachse stärker belastet und die Hinterachse entlastet wird. Beim Beschleunigungsvorgang ist dieses genau umgekehrt, die Vorderachse wird entlastet, die Hinterachse belastet.

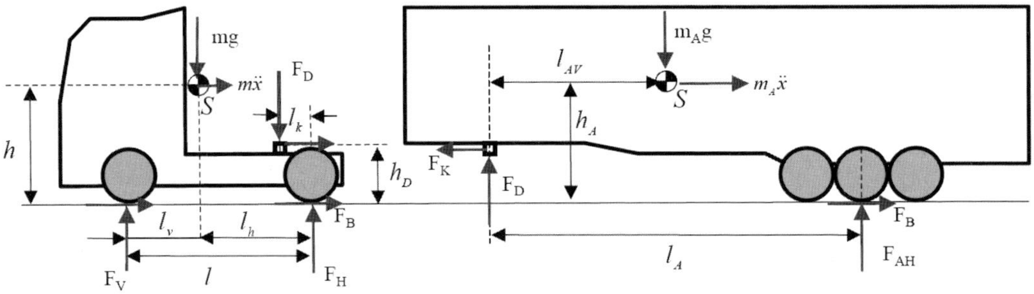


**Bild 2-81** Bestimmen der Statischen Achslasten eines Sattelzuges beim Bremsen

Beim Sattelzug ist es etwas aufwändiger und besonders interessant für den Bremsvorgang. Man geht von einer idealen Bremskraftverteilung aus, d. h., die Bremskraft verteilt sich in gleichem Maß auf die Achsen, wie sich das Gesamtgewicht auf die Achsen verteilt. Beim Sattelzug bedeutet das, dass ein Teil der Aufliegermasse ( $F_D / g$ ) von der Zugmaschine abgebremst werden muss, dass heißt ein Teil der Bremskraft muss über den Königszapfen übertragen werden und beeinflusst die Achslastverteilung. Hier betrachtet man zunächst den Auflieger und erhält:

$$\begin{aligned} F_D &= \frac{(l_A - l_{AV})\, m_A g - h_A m_A \ddot{x}}{l_A - \frac{\ddot{x}}{g} h_D} \\ F_{AH} &= \frac{l_{AV}\, m_A g + m_A \ddot{x}\,(h_A - h_D)}{l_A - \frac{\ddot{x}}{g} h_D} \end{aligned} \tag{2.25}$$

Am Sattelzugfahrzeug gilt dann:

$$\begin{aligned} F_V &= \frac{l_h}{l} mg + \frac{l_k}{l} F_D - \frac{h}{l} m\ddot{x} - \frac{h_D}{l} \frac{F_D\, \ddot{x}}{g} \\ F_H &= \frac{l_v}{l} mg + \frac{l - l_k}{l} F_D + \frac{h}{l} m\ddot{x} + \frac{h_D}{l} \frac{F_D\, \ddot{x}}{g} \end{aligned} \tag{2.26}$$

Nimmt man für ein Rechenbeispiel folgende Zahlenwerte eines Sattelzugs an:

$$m = 8\ t;\ m_A = 32\ t$$
$$l = 3{,}6\ m;\ l_v = 1{,}35\ m;\ l_A = 7{,}9\ m;\ l_{Av} = 5{,}4\ m;\ l_k = 0{,}56\ m$$
$$h = 1\ m;\ h_A = 1{,}5\ m,\ h_D = 1{,}1\ m$$

erhält man die in Bild 2-82 dargestellten dynamischen Achslasten. Die Abhängigkeit der Achslasten ist für die Verzögerungen von –5 bis 0 m/s² und die Beschleunigungen von 0 bis 3 m/s² zu sehen.

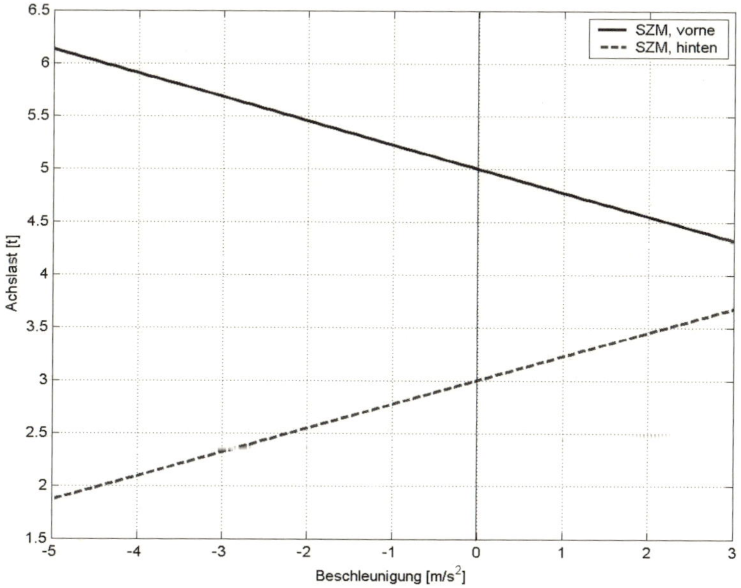


**Bild 2-82** Dynamische Achslasten eines leeren Sattelzugfahrzeuges

Bild 2-82 zeigt die dynamischen Achslasten einer leeren Sattelzugmaschine. Wie erwartet, steigt die Vorderachslast beim Bremsen und verringert sich beim Beschleunigen. An der Hinterachse findet man den Sachverhalt genau umgekehrt. Dieses Diagramm macht auf eine Gefahr beim Bremsen aufmerksam. Bedingt durch die ungünstige Gewichtsverteilung einer leeren Sattelzugmaschine, verbunden mit immer leistungsfähigeren Vorderradbremsen, kann es dazu kommen, dass die Hinterachse bei sehr starken Bremsungen den Bodenkontakt verliert. Gegebenenfalls würde das Fahrzeug umkippen. Dem tragen die Fahrzeug- und Bremsenhersteller Rechnung durch entsprechende Bremselektronik, die diesen Zustand sensiert und entsprechend Bremskraft an der Vorderradbremse wegnimmt (Tilt Prevention).

Anders sieht das Bild aus, wenn man einen beladenen Sattelzug betrachtet, siehe Bild 2-83. Durch die Trägheit der Aufliegermasse kommt es auch hier zu einer Änderung der Aufliegerradlast und zu einer Änderung der Stützlast ( $F_D$ ). Die Änderung der Stützlast wirkt sich auf das Zugfahrzeug aus. Da die Aufliegermasse bis um den Faktor 4 größer ist als die Masse der Zugmaschine und der Schwerpunkt recht hoch liegt, muss die Zugmaschine einen beachtlichen Anteil an Stützlastschwankung aufnehmen.

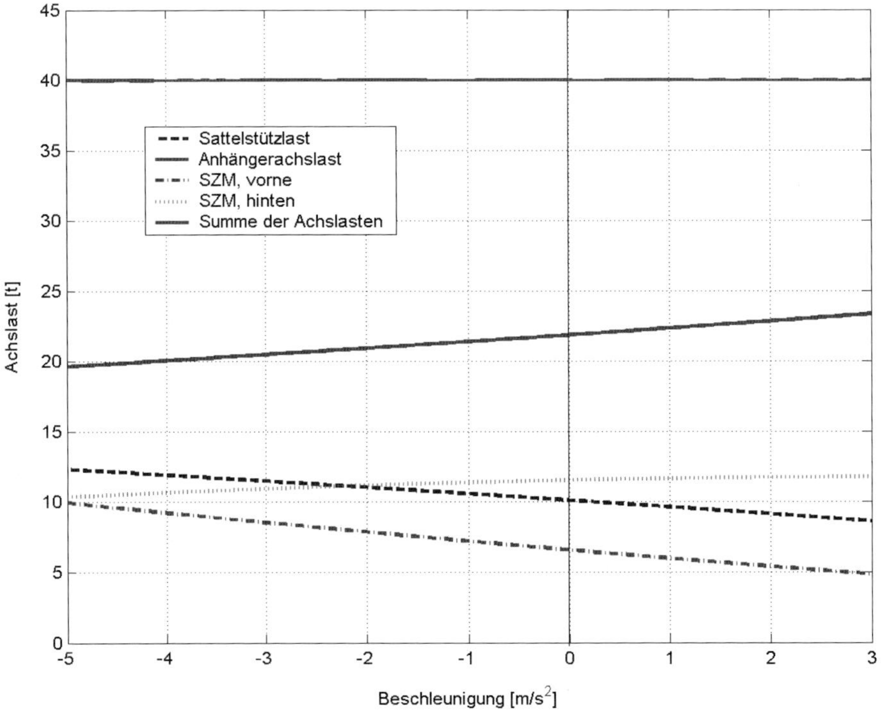


**Bild 2-83** Dynamische Achslasten eines 40-t-Sattelzuges

Von großem Interesse beim Nutzfahrzeug ist weiterhin die Änderung der Achslasten beim Befahren von Steigungen. Wie vorangehend beschrieben muss die Hangabtriebskraft durch die Antriebskraft kompensiert werden. Die Antriebskraft muss als Tangentialkraft an den Reifen übertragen werden. Die Grenze für die Übertragung dieser Tangentialkräfte ist zum einen abhängig von Kraftschlussbeiwert des Reifens auf dem Untergrund, zum anderen proportional zur Radnormalkraft und damit zur Achslast. Da man beim Nutzfahrzeug in der Regel nicht mindestens die Hälfte der Gesamtgewichtskraft auf der Antriebsachse hat, z. B. beim dargestellten 5 Achssattelzug nur max. 28,8 %, kann es an Steigungen schnell zu Traktionsproblemen kommen, insbesondere, wenn der Kraftschlussbeiwert sinkt.

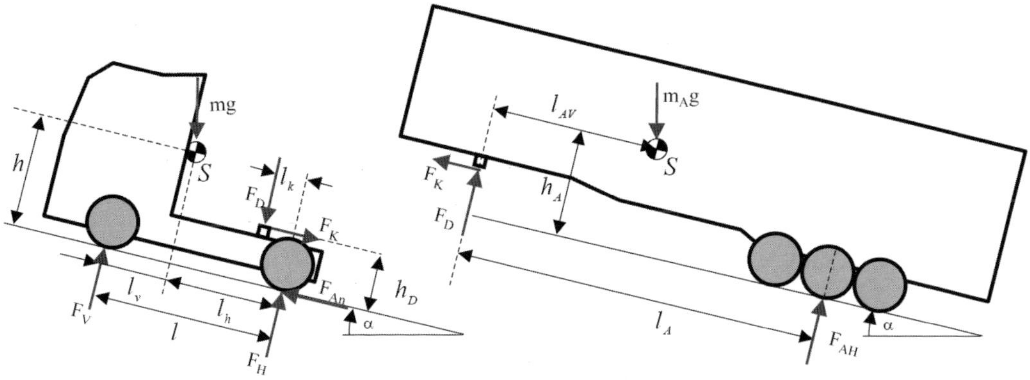


**Bild 2-84** Achslasten eines Sattelzugfahrzeuges in der Steigung

Durch Anwenden der Gleichgewichtsbedingungen der Mechanik erhält man bei gegebener Geometrie und Massen die sechs unbekannten Kräfte:

$$
\begin{aligned}
F_K &= m_A g \sin(\alpha) \\
F_{AH} &= \frac{m_A g}{l_A}\left[\cos(\alpha)\, l_{AV} + \sin(\alpha)\left(h_A - h_D\right)\right] \\
F_D &= \frac{m_A g}{l_A}\left[\cos(\alpha)\left(l_A - l_{AV}\right) - \sin(\alpha)\left(h_A - h_D\right)\right] \\
F_{An} &= (m + m_A)\, g \sin(\alpha) \\
F_V &= \frac{m\ g}{l}\left[\cos(\alpha)\, l_h - \sin(\alpha)\, h\right] + \frac{l_k}{l} F_D - \frac{h_D}{l} F_K \\
F_H &= \frac{m\ g}{l}\left[\cos(\alpha)\, l_v + \sin(\alpha)\, h\right] + \frac{(l - l_k)}{l} F_D + \frac{h_D}{l} F_K
\end{aligned}
\tag{2.27}
$$

Aus diesem Formelsatz ist das Verhältnis von $F_{An}$ zu $F_H$, also der Antriebskraft zu Achslast von besonderem Interesse. Es definiert den benötigten Kraftschlussbeiwert, um eine Steigung befahren zu können bzw. kann man aus diesem Verhältnis die Grenzsteigung bei einem gegebenen Kraftschlussbeiwert berechnen. Für das bereits weiter oben im Text definierte Zahlenbeispiel sieht die Abhängigkeit wie in Bild 2-85 beschrieben aus.

Die gestrichelte Line beschreibt den Kraftschlussbeiwert ohne Berücksichtigung der Achslaständerungen in der Steigung. Die durchgezogene Line berücksichtig dieses. Man erkennt, dass für dieses Fahrzeug, in diesem Beladungszustand für 6 % Steigung ein Kraftschlussbeiwert von 0,2 benötigt wird. Dieses ist im Allgemeinen kein Problem, wohl aber z. B. bei Schnee auf der Fahrbahn. Bei größeren Steigungen sieht man den günstigen Einfluss der Achslaständerungen durch die Steigung, bei gleicher Steigung braucht man weniger Kraftschluss.

Alle Formeln sind hier für einen Sattelzug hergeleitet worden, können aber bei entsprechender Modellbildung auch für den Gleiderzug oder Zentralachsanhänger analog hergeleitet werden.

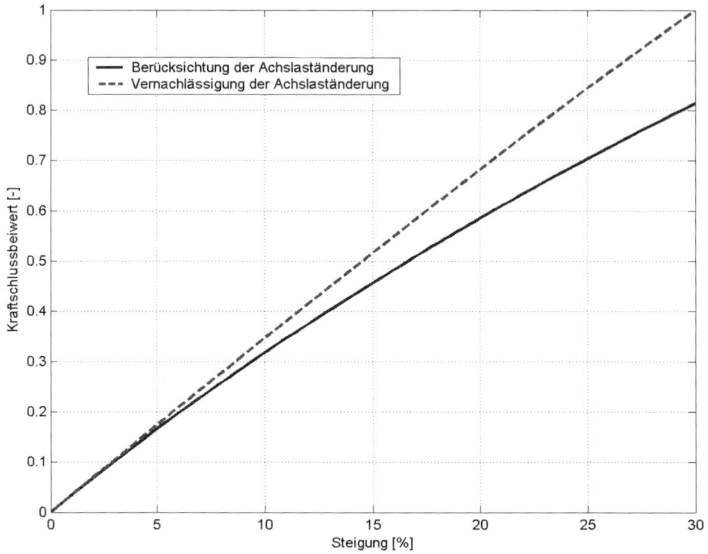


**Bild 2-85** Kraftschlussbeiwert eines Sattelzugfahrzeuges in der Steigung

## 2.3.2 Freie Zugkraft

Als Größe zur Beschreibung der Fahrgrenzen eines Nutzfahrzeugs hat sich vor allem für geländegängige Fahrzeuge der Begriff der Faktor der Freien Zugkraft etabliert. Er beschreibt die auf die Gesamtmasse eines Fahrzeugs bezogene Antriebskraft. Diese kann auf zwei Arten restringiert sein, zum einen durch die Haftgrenze der Reifen auf der Fahrbahn, zu anderen durch die Motorleistung bzw. das Antriebsmoment. Diese beiden Faktoren werden durch unterschiedliche Indizes beschrieben, dabei steht „Bo" für die Begrenzung durch die Traktion, „Mo" für die Begrenzung durch den Motor. Diese Faktoren beschreiben die Anfahr- bzw. Steigungsfähigkeit von Nutzfahrzeugen, daher wird der Einfluss des Luftwiderstandes vernachlässigt. Ausgehend von der Fahrwiderstandsgleichung bleibt bei Vernachlässigung des Luftwiderstandes nur noch der Rollwiderstand und der Beschleunigungs- sowie der Steigungswiderstand übrig:

$$\begin{aligned} F_{An} &= mg\, f_R + mg\sin(\alpha) + m\ddot{x} \\ &= mg\, f_R + mg(\sin(\alpha) + \frac{\ddot{x}}{g}) \end{aligned} \tag{2.28}$$

Betrachtet man nun die mögliche Antriebskraft, so findet man zum einen die durch Traktion begrenzte Kraft. Hier gilt:

$$F_{An,max}^{Bo} = m_{AA} g\, \mu \tag{2.29}$$

Die maximal übertragbare Antriebskraft ist die Gewichtskraft auf der oder den Antriebsachsen $m_{AA} g$ mal den maximalen Kraftschlussbeiwert.

Wie oben beschrieben, ist eine zweite Grenze das vom Motor gelieferte Antriebsdrehmoment bzw. die daraus resultierende Antriebskraft:

$$F_{An,max}^{Mo} = \frac{M_{Mo} i_{ges}}{r_{stat}} \tag{2.30}$$

Hierbei ist $i_{ges}$ die gesamte Übersetzung zwischen Motor und Antriebsrad. Setzt man die Fahrwiderstandsgleichung mit den zur Verfügung stehenden Antriebskräften gleich, so erhält man den Faktor für die Freie Zugkraft, Boden:

$$\begin{aligned} m_{AA} g\, \mu &= mg\, f_R + mg(\sin(\alpha) + \frac{\ddot{x}}{g}) \\ \sin(\alpha) + \frac{\ddot{x}}{g} &= \mu \frac{m_{AA}}{m} - f_R \\ k_{Z,Bo} &= \mu \frac{m_{AA}}{m} - f_R \end{aligned} \tag{2.31}$$

Hierin bedeutet $m_{AA}$ die auf den Antriebsachsen liegende anteilige Masse. Analog verfährt man bei dem Faktor der Freien Zugkraft, Motor:

$$\begin{aligned} \frac{M_{Mo} i_{ges}}{r_{stat}} &= mg\, f_R + mg(\sin(\alpha) + \frac{\ddot{x}}{g}) \\ \sin(\alpha) + \frac{\ddot{x}}{g} &= \frac{M_{Mo} i_{ges}}{r_{stat}\, m\, g} - f_R \\ k_{Z,Mo} &= \frac{M_{Mo} i_{ges}}{r_{stat}\, m\, g} - f_R \end{aligned} \tag{2.32}$$

Wie man sieht, sind diese Faktoren ein Maß für die Bergsteig- bzw. Beschleunigungsfähigkeit bei niedrigen Geschwindigkeiten eines Fahrzeugs.

Recht aussagekräftig ist dieser Faktor in der Diskussion um die 60-t-Züge, die in der ersten Idee aus normalen Sattelzügen durch Anhängen eines Zentralachsanhängers gebildet werden sollten. Der Faktor der Freien Zugkraft für einen Standard 4x2 40-t-Zug bei regennasse Fahrbahn mit $\mu = 0{,}6$ beträgt:

$$\begin{aligned} k_{Z,Bo} &= \mu \frac{m_{AA}}{m} - f_R \\ &= 0{,}6 \frac{11{,}5}{40} - 0{,}01 \\ &= 0{,}163 \end{aligned} \tag{2.33}$$

Ein 60-t-Zug hätte bei gleicher Zugmaschine:

$$\begin{aligned} k_{Z,Bo} &= \mu \frac{m_{AA}}{m} - f_R \\ &= 0{,}6 \frac{11{,}5}{60} - 0{,}01 \\ &= 0{,}105 \end{aligned} \tag{2.34}$$

Das heißt bei einem Kraftschlussbeiwert von 0,6 hat der 40-Tonner eine Bergsteigfähigkeit von 16,3 %, der 60-Tonner nur noch von 10,5 %. Ein weiteres Sinken des Kraftschlussbeiwertes, z. B. durch abgefahrenes Profil, könnte den 60-Tonner schon auf Bundesautobahnen zum Hindernis machen, da hier Steigungen von 6 % vorkommen. Zur Zeit werden 60-Tonner nur noch in Verbindung mit einem 19-t-Doppelachsaggregat diskutiert.

### 2.3.3 Bremsdynamik

Die Konzeption der Bremsanlage eines Nutzfahrzeuges unterscheidet sich deutlich von der eines Pkws. Aufgrund der großen Massen reicht die Fußkraft des Fahrers nicht mehr aus und man benötigt eine Fremdkraft, welche das Fahrzeug abbremst. Üblicherweise verwendet man Druckluft als Fremdkraft. Dieses wird an anderer Stelle beschrieben.

Um die große Masse eines Nutzfahrzeugs abzubremsen braucht man eine sehr große Bremsleistung. Genau wie bei der Antriebsleistung ist die Bremsleistung Kraft mal Geschwindigkeit. Betrachtet man eine Fahrt im Gefälle, wobei der Fahrer die Geschwindigkeit von 80 km/h fahren möchte, so muss er eine Bremskraft von

$$F_B = mg \sin(\alpha) - mg\, f_R \tag{2.35}$$

generieren. Bei einem 40-t-Zug liegt der Rollwiderstand etwa bei 3 bis 4 kN, die Hangabtriebskraft in einem 4%igem Gefälle bei etwa 27 kN, so dass man ungefähr 23 kN Bremskraft benötigt. Diese Kraft mal der Geschwindigkeit 80 km/n (= 22,2 m/s) ergibt eine Bremsleistung von ca. 520 kW. Beim Einsatz der Betriebsbremse wird diese Leistung in Wärme umgewandelt, bei einem 5-Achs-Lkw bedeutet das 52 kW pro Bremse. Eine herkömmliche 22,5-Zoll-Scheibenbremse kann aber nur ca. 15 kW Wärme durch Luftumströmung und Strahlung abgeben, d. h. die verbleibende Differenz an Bremsleistung heizt den Bremskörper auf. Für eine kurze Bremsdauer ist dieses möglich, z. B. bei einer Stoppbremsung. Bei einer Beharrungsbremsung im Gefälle würde die eingetragene Bremsleistung die Bremse durch Überhitzung zerstören. Daher müssen Nutzfahrzeuge über 7,5 t über eine verschleißfreie Dauerbremseinrichtung verfügen. Die Reibungsbremse dient nur der Anpassungs- oder Stoppbremsung.

Beim Bremsvorgang muss man die Dynamik der Achslasten berücksichtigen, diese beeinflussen die Güte der Abbremsung. Wie man an den Gleichungen 2.25, 2.26 bzw. Bild 2-83 erkennen kann, verändern sich beim Bremsen die Achslasten. Beim Zweiachsfahrzeug wird die Vorderachse stärker belastet, während die Hinterachse entlastet wird. Das bedeutet, dass man bei gleichem Kraftschlussbeiwert an der Vorderachse mehr, an der Hinterachse weniger Bremskraft übertragen kann. Dieses Ändern der Achslast ist vom Bremsvorgang abhängig, je stärker man bremst, desto stärker wird die Vorderachse be- und die Hinterachse entlastet. Dieser Sachverhalt wird üblicherweise in einem Bremskraftverteilungsdiagramm dargestellt, welches die auf die Gewichtskraft bezogene hintere Bremskraft über der auf die Gewichtskraft bezogene vordere Bremskraft darstellt. Durch den Bezug auf die Gewichtskraft wird die Gleichung der idealen Bremskraftverteilung nur noch von der Schwerpunktlage und dem Radstand abhängig. Ohne Herleitung sei hier zitiert:

$$\frac{F_{Bh}}{G} = \sqrt{\frac{\frac{F_{Bv}}{G}}{\frac{z_S}{l}} + \left(\frac{l_h\, l}{2l\, z_S}\right)^2} - \frac{l_h\, l}{2l\, z_S} - \frac{F_{Bv}}{G} \tag{2.36}$$

Eine besondere Herausforderung für die Bremsabstimmung stellt dabei eine leere Sattelzugmaschine dar. Durch den weit vorne und hoch liegenden Schwerpunkt kann man bei entsprechend leistungsfähigen Bremsen die Hinterachse nahezu ganz entlasten. Dies ist aus Sicht der Fahrdynamik nicht ratsam, da die Hinterachse dann auch keine Querkräfte mehr übertragen kann.

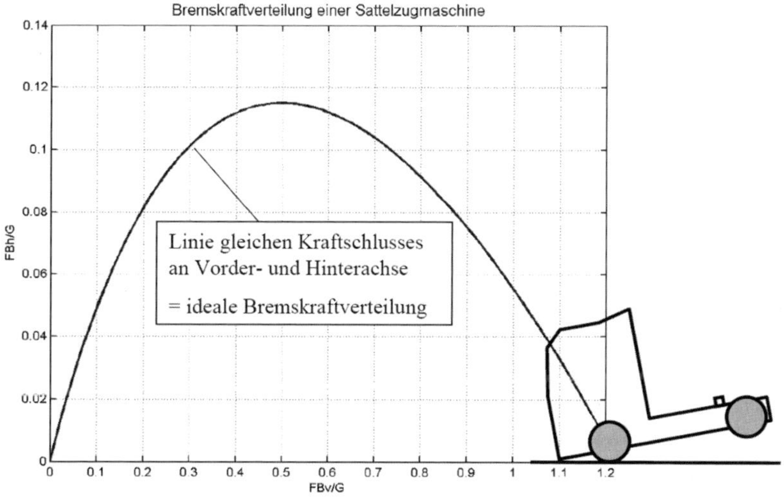


**Bild 2-86**
Bremskraftverteilungsdiagramm einer Sattelzugmaschine mit $l_h = 2,25$ m, $l = 3,6$ m, $z_S = 1,1$ m

Bild 2-86 zeigt die ideale Bremskraftverteilung einer Sattelzugmaschine. Eine konstante Bremskraftverteilung wäre eine Linie durch den Koordinatenursprung. Aus Stabilitätsgründen möchte man immer unterhalb der idealen Bremskraftverteilung bleiben, damit die Vorderachse zuerst blockiert. Damit ist das Fahrzeug zwar nicht mehr lenkbar, aber es schleudert auch nicht. Die Kurve der idealen Bremskraftverteilung zeigt wie stark man die Bremskraft variieren muss, um immer ideal zu bremsen. Bei $F_{Bv} / G = 0,1$ braucht man $F_{Bh} / G = 0,05$, also das Verhältnis 2:1. Bei $F_{Bv} / G = 0,3$ braucht man $F_{Bh} / G = 0,1$, also das Verhältnis 3:1. Bei einem Wert von $F_{Bv} / G = 1,2$ kann die Hinterachse keine Kraft mehr übertragen, es besteht die Gefahr eines Überschlages. Die Bremsenhersteller sensieren dieses und schaffen mit Fahrdynamikhilfen, wie „Tilt-Prevention"-Abhilfe. Mit angekuppeltem, voll beladenen Auflieger sieht die Situation anders aus, siehe Bild 2-83, jetzt wird die Hinterachse stärker belastet und man kann an dieser Achse deutlich mehr Bremskraft einspeisen.

Wichtig ist bei Not- oder Stoppbremsungen die Länge des Anhalteweges. Er wird durch den Fahrer und durch die Leistungsfähigkeit der Bremse beeinflusst. Bild 2-87 zeigt in schematisierter Darstellung den Ablauf einer Stoppbremsung aus 80 km/h. Die Verzögerung des Fahrzeugs, die Geschwindigkeit desselben und der in den einzelnen zeitlichen Phasen zurückgelegte Weg wurden untereinander aufgetragen. $t_R$ umfasst den Zeitraum vom Erkennen einer Gefahr bis zum Einleiten des Bremsvorgangs. In dieser Zeit entscheidet der Fahrer darüber, ob er bremst oder ausweicht, er setzt den Fuß auf das Bremspedal. Es folgt ein die Ansprechzeit $t_A$, d. h. die Zeit die vergeht, bis die Bremsanlage anspricht und den Fahrerwillen in Verzögerung umsetzt. Während der Schwellzeit $t_s$ steigt die Verzögerung auf den Wert der Vollverzögerung a an (hier 5 m/s$^2$). Daran schließt sich die Vollverzögerung an, Dauer: $t_B$. Es wird vereinfachend angenommen, dass sie während des gesamten Bremsvorganges bis zum Stillstand des Fahrzeugs konstant ist, obwohl sie bei realen Bremsvorgängen auf der Straße in ihrem Verlauf davon abweichen kann. Die Berechnung des Bremsweges erfolgt zweckmäßigerweise durch Integration über die Beschleunigung und anschließend über die Geschwindigkeit, wobei man die Teilwege ermittelt und diese addiert. Die Reaktionszeit wird in die Bestimmung des Bremsweges nicht mit augbenommen, da sie stark vom Fahrer und dessen Konditionierung abhängt. Nimmt man, wie hier, einen linearen Anstieg der Verzögerung während der Schwellzeit an, kann man den Anhalteweg vereinfacht aus einer Verlustzeit, nämlich der Ansprechzeit und der halben Schwellzeit, und einer Vollbremsphase (die Vollverzögerungszeit und die halbe Schwellzeit) bestimmen:

$$s = v_0\,(t_a + \frac{1}{2}t_s) + v_0(t_B + \frac{1}{2}t_s) - \frac{1}{2}a(t_B + \frac{1}{2}t_s)^2 \tag{2.37}$$

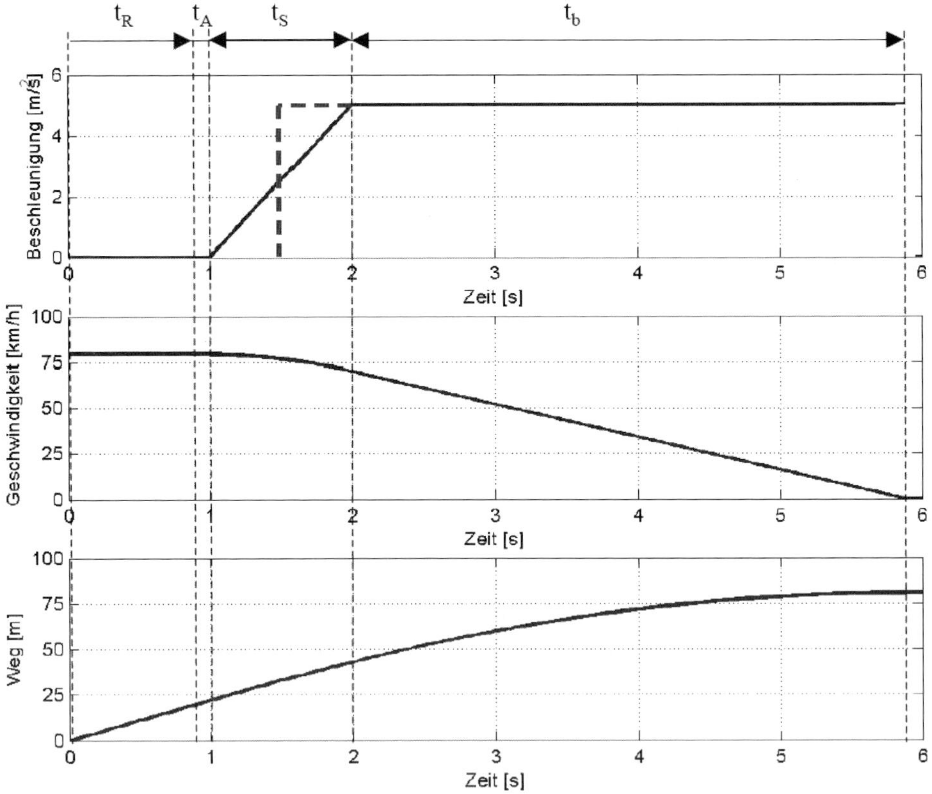


**Bild 2-87** Prinzipieller Verlauf der Kurven für Verzögerung, Geschwindigkeit und Anhalteweg für eine Stoppbremsung eines Nutzfahrzeuges aus 80 km/h

Die Bremszeit bestimmt man aus der Bedingung, dass ausgehend von einer Anfangsgeschwindigkeit $v_0$ die Geschwindigkeit am Ende des Bremsvorganges Null sein muss:

$$\begin{aligned} & v \overset{!}{=} 0 = v_0 - a\,t^* \\ \Rightarrow \quad & t^* = \frac{v_0}{a} \end{aligned} \tag{2.38}$$

Mit diesen zwei Gleichungen kann man sich entweder den Bremsweg bei gegebener Verzögerung oder die benötigte Verzögerung bei gegebenen Bremsweg berechnen. Ansprech- und Schwellzeit sind vom System abhängig, hier hat der Gesetzgeber eine Höchstdauer für die Ansprechzeit und halbe Schwellzeit für Nutzfahrzeuge von 0,54 s vorgegeben. Weiterhin hat er einen Höchstbremsweg von 36,7 m für einen Bremsweg aus 60 km/h vorgegeben. Rechnet man zurück und subtrahiert den Verlustweg während der Ansprech- und Schwellzeit (9 m), bleiben noch 27,7 m für die Vollverzögerung, daraus folgt eine Mindestverzögerung von ca. 5 m/s$^2$ für ein Nutzfahrzeug.

## 2.3.4 Allradantrieb

Wie im Abschnitt 2.3.2 beschrieben, lässt sich die Freie Zugkraft hinsichtlich der Traktion deutlich steigern, wenn man mehr als eine Achse antreibt. Den Extremfall stellt ein 8x8-Fahrzeug dar, bei dem alle 4 Achsen angetrieben sind. Allradfahrzeuge haben den Vorteil, dass die gesamte Gewichtskraft auf den Antriebsrädern lastet und somit hohe Antriebskräfte generiert werden können. Doch auch hier stellt sich, wie bei der Bremskraftverteilung, die Frage wie viel Antriebsmoment welche Achse übertragen soll. Durch entsprechende Verteilergetriebe wird den Achsen das vorbestimmte Drehmoment zugeführt. Hier gibt es unterschiedliche Auslegungskriterien.

Die Vielfalt der Anwendungsmöglichkeiten des Allradantriebs für Baustofftransporter, Service- und Werkstattwagen, Feuerwehr- und Rettungsfahrzeuge, ferner für Verteiler- und Sammelfahrzeuge in Gebieten mit wechselnder Topographie und sehr unterschiedlichen Wegeverhältnissen macht Überlegungen verschiedener Art notwendig. Am Beispiel eines Transporters für 7,5 t Gesamtgewicht, wurden von der Daimler AG anwendungsrelevante Kriterien ermittelt. Generell kann bei Hinterachsantrieb die Traktion schon durch ein Sperrdifferential und die Antriebsschlupfregelung (ASR) verbessert werden. Das fahrdynamische Verhalten und die Wirtschaftlichkeit sollen bei Transportern und auch bei Lastwagen bis 15 t Gesamtgewicht erhalten bleiben, ohne die auf hohe aktive Sicherheit bei hohen Geschwindigkeiten ausgelegten Modelle zu verändern. Deshalb wird ein permanenter Allradantrieb unter Beibehaltung des Fahrwerks gewählt.

Was kann nun mit dem Allradantrieb erreicht werden? Das Eigenlenkverhalten als charakteristische Größe zur Beschreibung des Fahrverhaltens wird durch den Allradantrieb nicht verändert. Es bleibt bei dem leicht untersteuernden bis neutralen Fahrverhalten, bei dem der Fahrer mit zunehmender Kurvengeschwindigkeit den Lenkwinkel eher vergrößern muss (Bild 2-88). Die Gestaltung des Fahrwerks und die entsprechende Lenkkinematik bewirken eine hohe Konstanz der Eigenlenkcharakteristik über den in der Praxis erzielbaren Geschwindigkeitsbereich. Auf topographisch oder witterungsmäßig schwierigen Strecken wird die Fahrdynamik insgesamt durch den Allradantrieb derart beeinflusst, das eine Antriebsübersteuerung eintritt, wenn der Kraftschlussbedarf an der Hinterachse größer wird als an der Vorderachse (Bild 2-89).

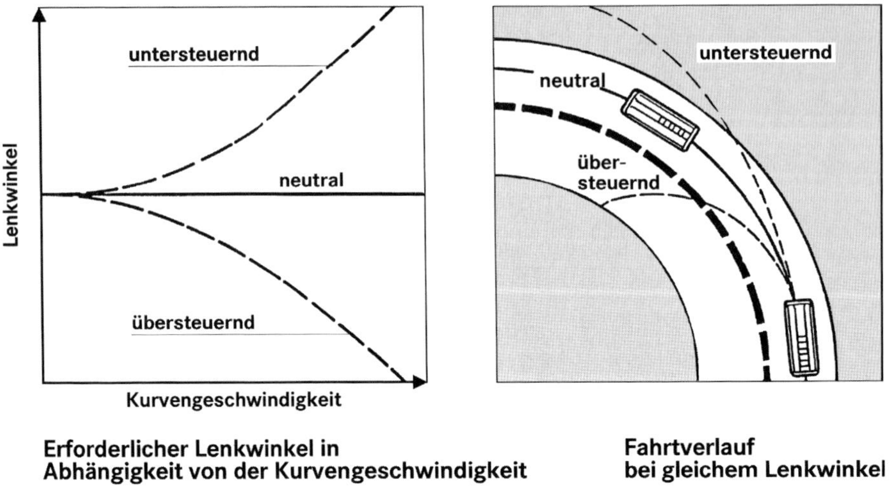


**Bild 2-88** Eigenlenkverhalten: Untersteuern und Übersteuern
(Alle Bilder: Daimler, Entwicklung NFZ)

Umgekehrt tritt eine Antriebsuntersteuerung ein, wenn der Kraftschlussbedarf durch zu hohes anstehendes Drehmoment höher wird als an der Hinterachse. Also kommt die auf die Achslasten abgestimmte Drehmomentverteilung von 28:72 der Ideallinie für neutrales Fahrverhalten sehr nahe. Eine Momentverteilung 50:50 hätte bei stärkerem Beschleunigen nicht nur auf das Eigenlenkverhalten einen nachhaltigen Einfluss (Bild 2-89).

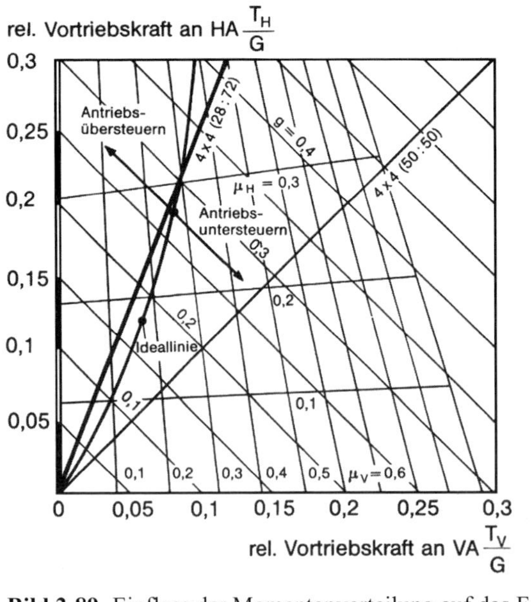


| | | |
|---|---|---|
| **HA** | **Hinterachse** | *rear axle* |
| $T_H$ | **Vortriebskraft HA** | *motive power at the HA* |
| **VA** | **Vorderachse** | *front axle* |
| $T_V$ | **Vortriebskraft VA** | *motive power at the VA* |
| g | **Beschleunigung** | *acceleration* |
| $\mu_H$ | **μ-Bedarf HA** | *μ-demand for the HA* |
| $\mu_V$ | **μ-Bedarf VA** | *μ-demand for the VA* |

**Bild 2-89** Einfluss der Momentenverteilung auf das Fahrverhalten

Durch den Allradantrieb wird in den relevanten Fällen bewusst keine volle Geländetauglichkeit erzielt. Die Verteilung der Vortriebskraft, die unterschiedlicher Beladungs- und Achslastverteilung gerecht werden muss, spielt eine entscheidende Rolle. Das Produkt aus Normalkraft und dem vorhandenen Kraftschlussbeiwert bildet die maximal mögliche Vortriebskraft eines Rades. Demnach kann die maximale Traktion nur mit Allradantrieb und sperrbaren Differenzialen erreicht werden. Auf homogener Fahrbahn verändert sich der Kraftschlussbedarf des beladenen Fahrzeugs abhängig von der Steigung (Bild 2-90). Für die 4x4-Version und die übersetzungs- und abmessungsgleiche 4x2-Version ergibt sich das erwähnte Achslastverhältnis von 28:72, da die Nutzlast üblicherweise von der Hinterachse übernommen wird. In jedem Fall zeigt der Kraftschlussbeiwert eine relativ große Bandbreite. Große Auswirkung zeigt die Momentenverteilung auf die beiden Achsen. Die reale Aufteilung 28:72 erhöht gegenüber z. B. 50:50 nicht nur die Steigfähigkeit, sondern im Vergleich zur 4x2-Version entsteht bis zu einer 45%igen Steigung und Kraftschlussbeiwerten bis 0,6 ein Gewinn, also ein geringerer Kraftschlussbedarf. Durch Sperren des Längsdifferenzials wird die Traktion bis zur Steigfähigkeitsgrenze des Fahrzeugs nutzbar.

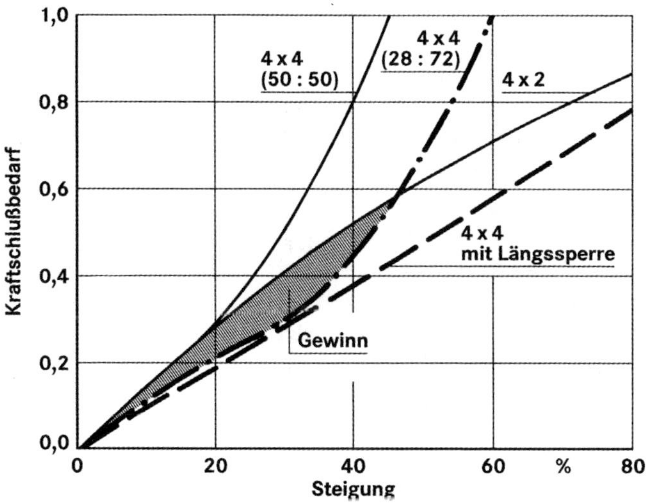


**Bild 2-90**
Traktion des beladenen Fahrzeugs mit Allradantrieb auf homogener Fahrbahn

Höhere Anforderungen an die Traktionsfähigkeit werden vor allem bei unterschiedlichen Kraftschlussbeiwerten an den einzelnen Rädern, also bei µ-Split, gestellt. (Bild 2-91). Bei konstantem Beiwert auf der low-Seite von $\mu = 0{,}2$ bewältigt ein beladenes 4x2-Fahrzeug ohne Quersperre eine Steigung von höchstens 12 %, mit Quersperre dagegen mit $\mu = 0{,}8$ auf der high-Seite ca. 36 %. Mit 4x4-Antrieb ist die Steigfähigkeit bereits deutlich höher. Mit eingelegter Längs- und Quersperre zeigt der Allradantrieb seine wahre Stärke, auch ohne Quersperre der Vorderachse. Der Kraftschlussbedarf liegt um ca. 15 % unter dem des quergesperrten 4x2.

Die Ausgangskriterien für schwere Fahrzeuge im Baustellenbetrieb sind von vorneherein andere. Zum Erzielen hoher Traktion auf rolligen und schmierigen Böden ist ein Allradantrieb notwendig. Er dient bei einer Achslastverteilung eines dreiachsigen Kippers von beispielsweise 33:67 maximalen Anforderungen an die Traktion bei Langsamfahrt, auch im Anhängerbetrieb, zum Verbessern der Lenkfähigkeit. Bei Straßenfahrt bleibt der Allradantrieb ohne Bedeutung. Für vierachsige Baustellenkipper und Schwerlastzugmaschinen genügt in der Regel die 8x4-Ausführung, da zwei gelenkte Vorderachsen zumindest die Lenkfähigkeit deutlich verbessern.

Dreiachsige Baustellenkipper unterliegen durch das starre Hinterachsaggregat einem starken Geradeausschub, weshalb hier eine angetriebene Vorderachse eher Vorteile bringt.

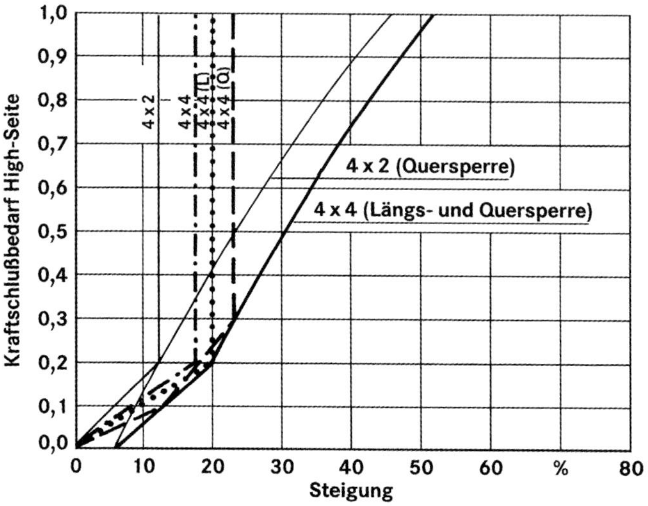


**Bild 2-91**
Traktionsdiagramm für Achslastverteilung 28:72 bei μ-Split-Oberfläche ($\mu_{low=0,2}$) und beladenem Fahrzeug.
L = Längssperrung
Q = Quersperrung

Der Unimog von Mercedes-Benz stellt durch seine extreme Kletterfähigkeit und hohe Traktionsleistung einen Sonderfall dar. Er hat unbeladen eine Achslastverteilung vom 60:40 und verfügt grundsätzlich über Allradantrieb. Diese ungewöhnliche Achslastverteilung verhindert bei hohen Anhänglasten oder beim Klettern eine zu starke Entlastung der Vorderachse.

Zusammenfassend wird dargelegt, dass der permanente Allradantriebs nur dann zu einem optimalen Ergebnis führt, wenn die Momentenverteilung im Verteilergetriebe der Achslastverteilung des beladenen Fahrzeugs entspricht. Bei einem leichten Nutzfahrzeug bleiben, wie geschildert, alle positiven Eigenschaften der normalen 4x2-Version erhalten, aber der Anwendungsbereich wird deutlich erweitert, verbunden mit einem Sicherheitsgewinn.

# Literaturverzeichnis
# 2 Fahrmechanik

[2-1] MAN Nutzfahrzeuge: Grundlagen der Nutzfahrzeugtechnik, Kirschbaum-Verlag, 2006

[2-2] Hucho, W.-H.: Aerodynamik des Automobils. VDI-Verlag GmbH Düsseldorf, 1994, 3. Auflage

[2-3] Mitschke, M.: Dynamik der Kraftfahrzeuge, Bd. A: Antrieb und Bremsung. Springer-Verlag, Berlin, Heidelberg, New York, 3. Auflage 1995

[2-4] Orgeldinger, S: Neue Entwicklungen bei Nutzfahrzeugreifen. ATZ 109(2007) Heft 11, S. 1040 ff.

[2-5] Michelin: Reifen – Rollwiderstand und Kraftsstoffersparnis, ISBN 2-06-711658-4, 2005

[2-6] McCallen, R., Browand, F., Ross, J.: The Aerodynamics of Heavy Vehicles, Springer Verlag 2004

[2-7] Merker, E.: A blockage correction for automotive testing in a wind tunnel with closed test section. J. Wind Engng and Ind. Aerodynamics, 1986

[2-8] Holthusen, H.: The phased microphone array measurement systems of the German Dutch wind tunnels, 3rd SWING Aeroacoustics Workshop 26-27 Sept. 2002 IAG Stuttgart, Germany

# 3 Konzeption von Nutzfahrzeugen

## 3.1 Zulässige Abmessungen und Gewichte

Unter den vielen gesetzlichen Bestimmungen, Vorschriften und Normen setzen die im Hinblick auf einen möglichst ungehinderten Verkehrsfluss und mit Rücksicht auf die Schonung der Straßenverkehrswege festgeschriebenen Grenzen für Abmessungen (§ 32 StVZO) sowie Gewichte und Achslasten (§ 36 StVZO) die wesentlichen Rahmenbedingungen für das Fahrzeugkonzept dar.

Während bis in die 1980er Jahre hinein in den europäischen Staaten bisweilen sehr unterschiedlich Vorschriften bestanden, wurde im Zuge der Harmonisierungsbestrebungen innerhalb der Europäischen Union deren Richtlinie 96/53/EWG [3-1] bis September 1977 verbindlich in nationales Recht (StVZO) [3-2] umgesetzt. Jedoch gibt es in einzelnen Mitgliedsstaaten auch abweichende Bestimmungen. Hier stellen die Werte der EU-Richtlinie nur erlaubte Werte dar [3-3].

### 3.1.1 Höchstzulässige Abmessungen

Die in der Richtlinie 96/53/EWG angegebenen höchstzulässigen Fahrzeugabmessungen sind auf Bild 3-1 dargestellt. Für Fahrzeugkombinationen gelten die gemessenen Längen in der Geradeausfahrtstellung. Bei längenverstellbaren Zugeinrichtungen, die sich automatisch bei Kurvenfahrt den Gegebenheiten anpassen, ist die Länge des Zuges im (verkürzten) Zustand zu messen, welcher sich bei einer Geradeausfahrt selbsttätig einstellt. Bezüglich der zulässigen Messwert-Abweichung bei Fahrzeugprüfungen sind erlaubte Toleranzen [3-4] zu berücksichtigen. Sie betragen für die Hauptabmessungen von Nutzfahrzeugen und deren Anhängern:

| | |
|---|---|
| $\pm(0{,}005 \cdot L + 30\ \text{mm})$ | für Längenabmessungen L (mm) |
| $\pm(0{,}005 \cdot B + 20\ \text{mm})$ | für Breitenabmessungen B (mm) |
| $\pm 50$ mm | für Höhenabmessungen |

Für die im Jahr 1994 von 2,50 m auf 2,55 m angehobene höchstzulässige Fahrzeugbreite sowie die höchstzulässigen Gesamtlängen von Fahrzeugkombinationen gibt es allerdings keinen Toleranzzuschlag (§ 32 Abs. 8 StVZO). Unberücksichtigt bleiben bei den höchstzulässigen Grenzen für Längen und Teillängen von Fahrzeugen und Fahrzeugkombinationen Luftansaugleitungen, Anschläge für austauschbare Ladungsträger, Aufstiegshilfen, lichttechnische Einrichtungen, Spiegel, Rammgummis, Hubladebühnen und Auffahrrampen in Fahrtstellung sowie Kühl- und andere Nebenaggregate an der Stirnseite des Aufbaus (§ 32 Abs. 6 StVZO).

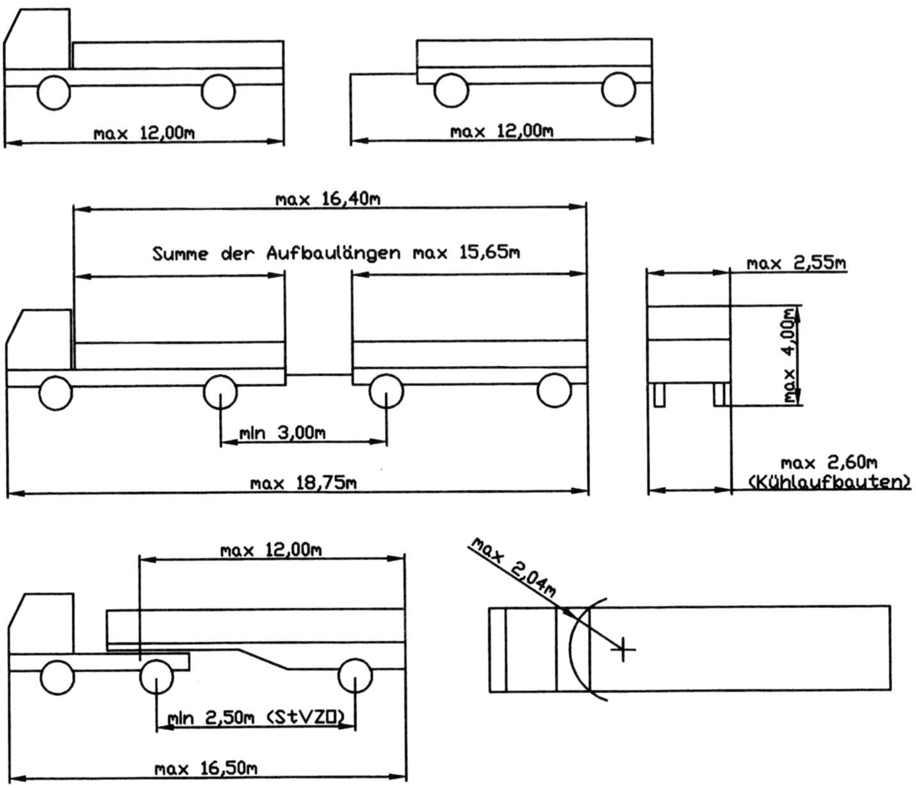


**Bild 3-1** Höchstzulässige Abmessungen nach Richtlinie 96/53/EWG

Neben der Begrenzung der Gesamtlänge für Lastkraftwagenzüge (Gliederzüge) auf 18,75 m sieht die StVZO auch Grenzen für Teillängen vor. Diese sind die so genannte Systemlänge (Abstand zwischen vorderster Begrenzung des Motorwagenaufbaus und hinterster Begrenzung des Anhängeraufbaus) und der Aufbaulänge (Systemlänge abzüglich Abstand zwischen hinterster Begrenzung des Motorwagenaufbaus und vorderster Begrenzung des Anhängeraufbaus). Daraus lassen sich bei Ausschöpfung dieser Abmessungen die Fahrerhauslänge und der Abstand zwischen den Aufbauten von Motorwagen und Anhänger ableiten (Bild 3-2). Extrem kurzgekuppelte Lastkraftwagenzüge, insbesondere solche mit 0,35 m Abstand zwischen den Aufbauten von Motorwagen und Zentralachsanhänger (aus 16 m Systemlänge und 15,65 m Aufbaulänge bei 18,35 m Gesamtlänge abgeleitet), gehören damit seit der Anhebung der Gesamtlänge auf 18,75 m der Vergangenheit an. Lastkraftwagenzüge entsprechend der alten 18-m-Regelung für die Gesamtlänge, für die es keine Beschränkung der Teillängen gab, dürfen seit Januar 1999 nicht mehr für den Straßenverkehr in Betrieb genommen werden. Damit wird den Fahrern von Lastkraftwagenzügen quasi gesetzlich ein 2,35 m langes Fahrerhaus garantiert.

Für Sattelkraftfahrzeuge lassen sich aus 16,50 m Gesamtlänge, dem Abstand von Mitte Königszapfen bis Aufliegerende von 12,00 m und dem vorderen Überhangradius von 2,04 m bei 2,55 m Aufliegerbreite der vordere Überhang und damit die Aufbaulänge sowie der Abstand der Sattelkupplung von der Vorderkante der Zugmaschine ableiten (Bild 3-2).

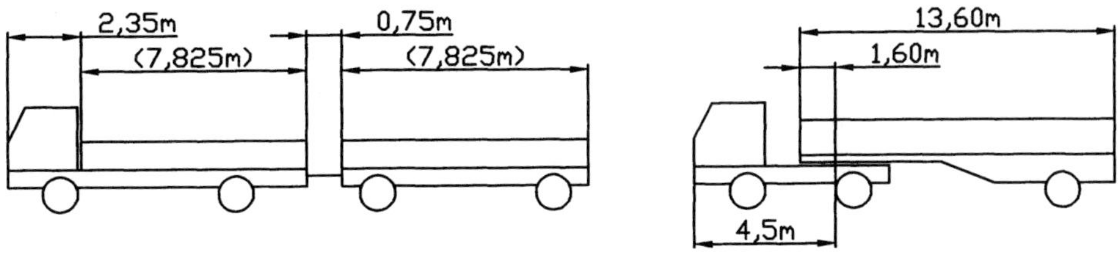


**Bild 3-2** Ableitbare Längenmaße für Lastkraftwagenzug und Sattelkraftfahrzeug

Für Busse wurde 1996 durch eine Ausnahmeverordnung zur StVZO die höchstzulässige Fahrzeuglänge von 12 m auf 15 m erhöht. Für eine einheitliche Höchstlänge innerhalb der EU ist ein entsprechender Richtlinienvorschlag in Vorbereitung.

## 3.1.2 Höchstzulässige Achslasten

Für alle Straßenfahrzeuge, die mit Luftreifen oder den in § 36 Abs. 3 StVZO für zulässig erklärten Gummireifen ausgerüstet sind, gelten Achslastgrenzen nach Richtlinie 96/53/EWG bzw. § 34 StVZO (Bild 3-3). Unter Achslast wird hier die Gesamtlast verstanden, die von den Rädern einer Achse oder einer Achsgruppe auf die Fahrbahn übertragen wird. Doppelachsen mit einem Radstand von weniger als 1,0 m (Tandemachsen) werden hierbei wie eine einzelne Achse betrachtet, Achsen mit mehr als 2,0 m Radstand als zwei Einzelachsen.

Die technisch zulässige Achslast hingegen ist diejenige Achslast, die unter Berücksichtigung der Funktion und Werkstoffbeanspruchung nicht überschritten werden darf. Sie kann je nach Bemessung von Achskörper und Radlagerung sowie der Auslegung der Bremsen von der gesetzlich festgelegten höchstzulässigen Achslast abweichen.

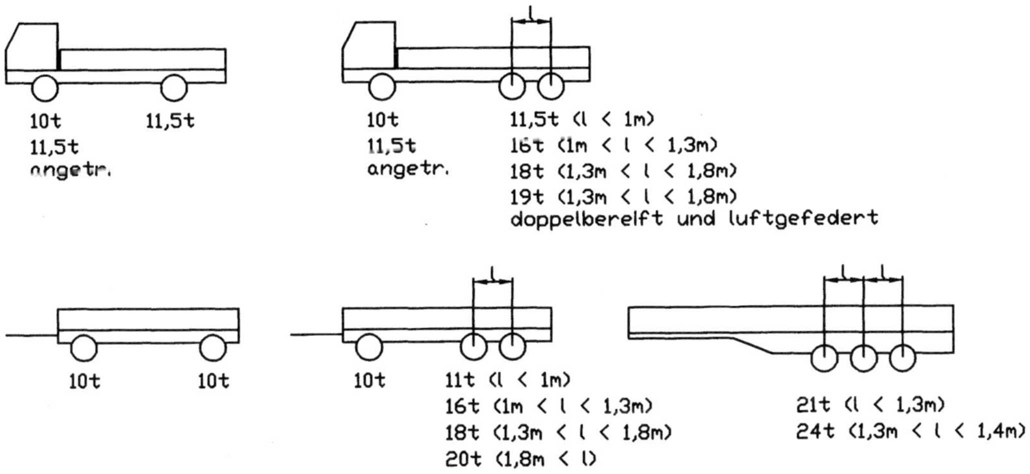


**Bild 3-3** Höchstzulässige Achslasten nach Richtlinie 96/53/EWG

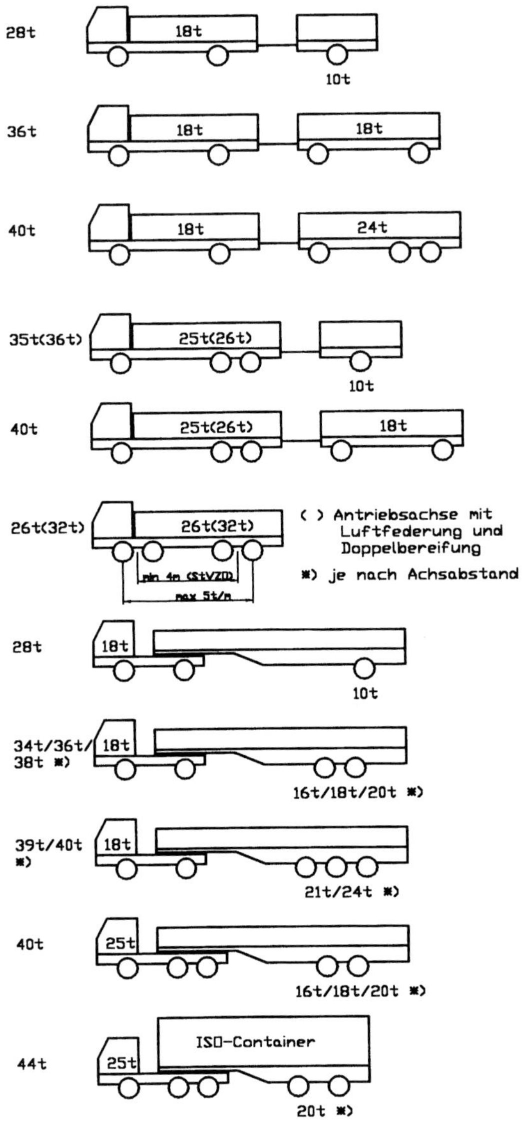


**Bild 3-4**
Höchstzulässige Gesamtgewichte nach Richtlinie 96/53/EWG

### 3.1.3 Höchstzulässige Gesamtgewichte

Die höchstzulässigen Gesamtgewichte nach Richtlinie 96/53/EWG bzw. § 34 StVZO stehen in direktem Zusammenhang mit den höchstzulässigen Achslasten. Die Grenzen sind jeweils so festgelegt, dass die im Wesentlichen von der Anzahl der Achsen und ihrer Abstände (Radstände) abhängigen höchstzulässigen Gesamtgewichte stets deutlich unter der Summe der zulässigen Achslasten für das betreffende Fahrzeug oder der Fahrzeugkombination liegen. Im grenzüberschreitenden Verkehr müssen mindestens 25 % des Fahrzeuggesamtgewichtes auf den angetriebenen Achsen lasten (Richtlinie 97/27/EWG). Bei Fahrzeugkombinationen mit mehr als vier Achsen ist zu beachten, dass das höchstzulässige Gesamtgewicht (40 t) kleiner als die Summe der zulässigen Gesamtgewichte von Motorwagen und Anhänger ist. Auf Bild 3-4 sind die von der Anzahl der Achsen wie auch der Radstände abhängigen zulässigen Gesamtgewichte für Einzelfahrzeuge wie auch deren Kombinationen zusammengestellt.

Starrdeichselanhänger (Zentralachsanhänger) und Sattelanhänger üben über die Anhängekupplung bzw. Sattelkupplung Stützlasten auf das Zugfahrzeug (Motorwagen bzw. Sattelzugmaschine) aus. Damit trägt ein Teil des Anhängergesamtgewichtes $GG_{An}$ zum Gesamtgewicht des Zugfahrzeuges $GG_Z = G_v + G_h$ (siehe Bild 3-5) bei; die bloße Addition der Gesamtgewichte wäre also falsch.

Unter Berücksichtigung der statischen Stützlasten $G_{S,stat}$ zwischen Anhänger und Zugfahrzeug berechnet sich das höchstzulässige Gesamtgewicht für die Fahrzeugkombination $GG_{K,zul}$ aus den zulässigen Gesamtgewichten Zugfahrzeug $GG_{Z,zul}$ und Anhänger $GG_{An,zul}$ zu:

$$GG_{K,zul} = GG_{Z,zul} + GG_{An,zul} - G_{S,stat} \qquad (3\text{-}1)$$

Für die statische Stützlast $G_{S,stat}$ ist entsprechend § 34 Abs. 7 Satz 2 und 3 StVZO für die Lastkraftwagen mit Starrdeichselanhänger der höhere Wert der zulässigen Stützlast des Motorwagens oder der zulässigen Stützlast des Starrdeichselanhängers in Gl. 3-1 einzusetzen, für Sattelkraftfahrzeuge der höhere Wert der zulässigen Sattellast der Sattelzugmaschine oder der zulässigen Aufliegelast des Sattelanhängers.

### 3.1.4 Anhänge- und Stützlasten

Welche Anhängelast bei einzelnen Fahrzeugen zulässig ist, ergibt sich aus Nr. 28 des Fahrzeugbriefes. Für Nutzfahrzeuge wird die zulässige Anhängelast im technischen Datenblatt des Fahrgestells angegeben und ergibt zusammen mit dem zulässigen Gesamtgewicht des Motorwagens das zulässige Zug-Gesamtgewicht. Die Größe der hier angegebenen Anhängelast ist dabei allein von der Bemessung des Tragrahmens und der Anhängekupplung des Motorwagens abhängig und gilt unabhängig von den gesetzlichen Grenzwerten. Bei der Berechnung der Anhängelasten für Starrdeichselanhänger ist zu beachten, dass sich die Anhängelast aus der Differenz von tatsächlichem Gesamtgewicht des Anhängers und der dem Motorwagen zuzurechnenden Stützlast ergibt. Bild 3-5 zeigt ein entsprechendes mechanisches Ersatzmodell.

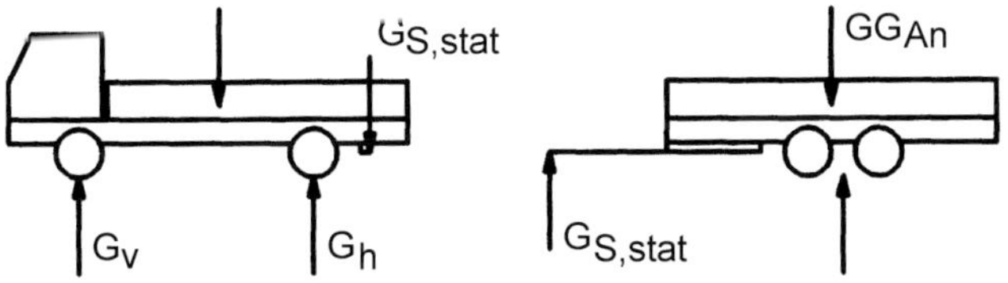


**Bild 3-5**
Mechanisches Ersatzmodell für Lastkraftwagen mit Zentralachsanhänger

Nach § 42 StVZO dürfen Personenkraftwagen einachsige Anhänger ohne eigene Bremse nachführen. In diesem Fall benötigt das ziehende Fahrzeug Allradbremse und die Anhängelast darf höchstens die Hälfte des um 75 kg erhöhten Leergewichtes des ziehenden Fahrzeuges, jedoch nicht mehr als 750 kg betragen. Alle anderen Pkw-Anhänger benötigen eine Auflaufbremse. Die Anhängelast darf in diesem Fall das zulässige Gesamtgewicht des ziehenden Fahrzeuges nicht überschreiten. Ist der ziehende Personenkraftwagen gemäß Richtlinie 70/156/EG ein Geländefahrzeug, gilt der 1,5-fache Wert. In jedem Fall ist das zulässige Gesamtgewicht aber auf 3500 kg begrenzt.

Lastkraftwagenanhänger verfügen üblicherweise über eine vom Motorwagen aus gesteuerte durchgehende Druckluftbremsanlage. Auch hier darf die Anhängelast bis zum 1,5-fachen Wert des zulässigen Gesamtgewichts des Zugfahrzeuges betragen. Für einen Gliederzug mit 40 t zulässigem Gesamtgewicht dürfte demnach als Grenzfall ein 16 t schwerer Motorwagen einen 24 t schweren Gelenkdeichselanhänger ziehen.

Starrdeichselanhänger (einschließlich Zentralachsanhänger) werden stets so konzipiert, dass durch die Lage des Schwerpunktes vor der Achse (Schwerpunktvormaß) auf das Zugfahrzeug eine stets nach unten gerichtete (statische) Stützlast entsteht. Bei Anhängern mit einem zulässigen Gesamtgewicht von nicht mehr als 3,5 t darf diese nach § 44 StVZO vom ziehenden Fahrzeug aufzunehmende Mindeststützlast nicht weniger als 4 % des tatsächlichen Gesamtgewichts des Anhängers betragen, sie braucht jedoch nicht höher als 25 kg sein. Beträgt die Stützlast bei gleichmäßiger Lastverteilung mehr als 50 kg, so müssen der Höhe nach verstellbare Stützeinrichtungen vorhanden sein.

Für Stützlasten von Starrdeichselanhängern mit einem zulässigen Gesamtgewicht von mehr als 3,5 t gilt ebenfalls ein Mindeststützlastanteil von 4 %, wobei 500 kg nicht überschritten werden müssen; der Höchststützlastanteil beträgt 15 %, maximal aber nicht mehr als 200 kg. Die von Zulieferern angebotenen Zugösen und Anhängekupplungen für Zentralachsanhängerbetrieb geben für ihre Produkte als zulässige Grenze der statischen Stützlast 10 % der jeweiligen Anhängelast (bis 10000 kg Anhängelast), maximal jedoch 1000 kg an.

## 3.2 Fahrzeug- und Aufbaukonzept

Die Variantenvielfalt der am Straßenverkehr teilnehmenden Nutzfahrzeuge ist groß, da unterschiedlichste Transportaufgaben oft individuelle Fahrzeugkonzepte erfordern. Andererseits zwingen gesetzliche Rahmenbedingungen wie auch Anforderungen bezüglich des Austauschs von Ladung und Ladungsbehältern zu Standardisierungen, wobei nur eine perfekte Abstimmung von Fahrgestell und Aufbau ein wirtschaftliches Transportkonzept garantiert.

Dabei wird die langfristig angelegte Planung immer zwingender, insbesondere dann, wenn es um Sonderlösungen für spezielle Anforderungen geht. Und heute gilt mehr denn je, dass leistungsgerechte Transportkonzepte überwiegend branchenbezogene Individuallösungen sind. Aufgabengerechte Fahrzeugkonzepte setzen daher neben dem Wissen um die technischen Möglichkeiten und Neuerungen für Fahrgestell und Aufbau die Kenntnis der Branchen und ihrer Märkte voraus. Um ein Fahrzeugkonzept technisch, logistisch und betriebswirtschaftlich optimal auf den Kunden und seine Anforderungen abzustimmen, kann zur Unterstützung bei der Konzeptfindung die Systemberatung (Bild 3-6) des Fahrgestellherstellers in Anspruch genommen werden.

Da die ein Fahrzeugkonzept bestimmenden Eingangsgrößen ein komplexes Netzwerk mit vielfältigen, voneinander abhängigen Faktoren darstellen, müssen deren Veränderungen immer mit Blick auf Auswirkungen für das gesamte Netzwerk betrachtet werden. Konzepte müssen daher gegebenenfalls in Frage gestellt und neu überdacht werden. Nur so ist sichergestellt, dass ein Fuhrpark auch bei neuen Entwicklungen dem Stand der Technik entspricht.

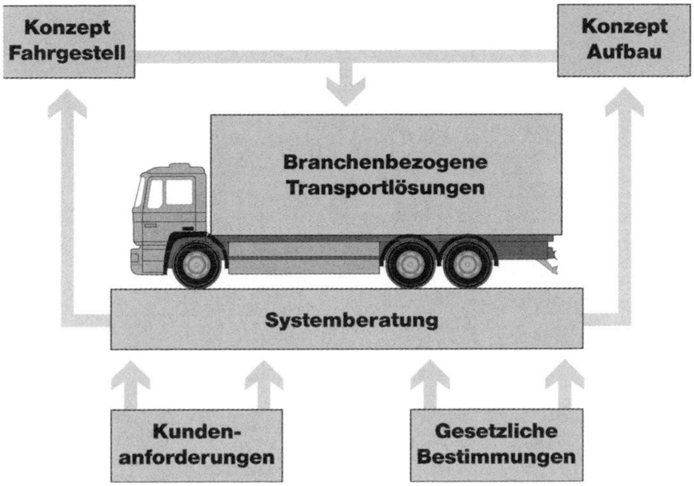


**Bild 3-6**
Fahrzeugkonzeptfindung durch MAN-Systemberatung (MAN, aus [3-5])

## 3.2.1 Fahrzeugkonzept

Das Finden einer auf die individuellen Anforderungen des Kunden bezogenen Transportlösung setzt eine Analyse der kundenspezifischen Anforderungen bezüglich der Transportaufgabe voraus (siehe Bild 3-6). Mögliche Fahrzeugkonzepte ergeben sich dabei aus dem, was einerseits unter den gesetzlichen Randbedingungen erlaubt und andererseits technisch realisierbar ist bzw. auf dem Markt angeboten [3-6, 3-7] wird.

Zur Erleichterung der Zusammenstellung eines für eine konkrete Transportaufgabe geeigneten Lastkraftwagenfahrgestells bietet Mercedes-Benz potentiellen Kunden bzw. Aufbauherstellern online über das Internet das Auswahlsystem „Konfigurator" an. Dieses ermittelt über gezielte Fragen zur Transportaufgabe, Fahrzeugtechnik oder konkreter Einsatzbranche geeignete Fahrzeuge und zeigt diese mit ihren besonderen Merkmalen und detaillierten technischen Daten in einer Ergebnisliste an. Die konkret zu beantwortenden Fragen zur Transportaufgabe beziehen sich auf das Transportgut (genormte Ladungsträger, Stückgüter, schwere sperrige Güter, Schüttgüter, Beton, Flüssigkeiten, Tiere), Fahrzeugart (Komplettfahrzeug mit Pritsche, Fahrgestell für Pritsche/Koffer, Fahrgestell für Wechselaufbau, Sattelzugmaschine), Solo-Gesamtgewicht, Kombination mit/ohne Anhänger, erforderliche lichte Laderaumhöhe, Einsatzbedingungen (Jahreslaufleistung, Streckenprofil), Gewichtsauslastung bei voller Beladung, Fahrerhaus (Breite, Anzahl der Liegen, Stehhöhe) und Radstand. Im Fragenkatalog zur Fahrzeugtechnik werden Anforderungen zur Modellreihe, Antriebsart, Motorleistung, Federung und Getriebe erfasst.

### *3.2.1.1 Konzeptvarianten*

Nutzfahrzeuge können alternativ als Solofahrzeug oder in einer Fahrzeugkombination betrieben werden. Solofahrzeuge der Gewichtsklasse bis 7,5 t sind meist Kastenwagen, bei denen der Aufbau integraler Bestandteil des Gesamtfahrzeuges ist. Sie werden entsprechend den Kundenanforderungen für die konkrete Transportaufgabe ausgebaut. Für Gesamtgewichte über 7,5 t werden die Motorwagen als Fahrgestelle bei wenigen großen Fahrgestellherstellern in Serie gefertigt und in handwerklich strukturierten kleinen oder mittelständischen Aufbaubetrieben mit individuellen Aufbauten ausgestattet.

**Tabelle 3-1** Solofahrzeuge/Motorwagen

| | | |
|---|---|---|
| Kastenwagen | 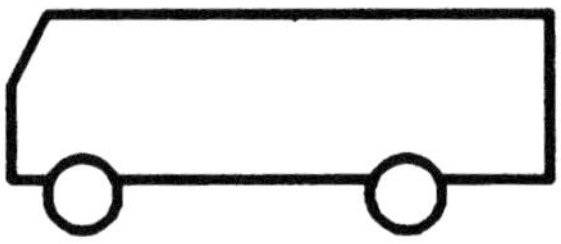 | |
| Lastkraftwagen | 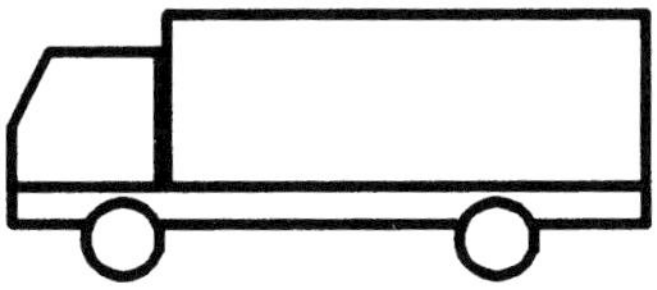 | 4 × 2, 4 × 4 |
| | 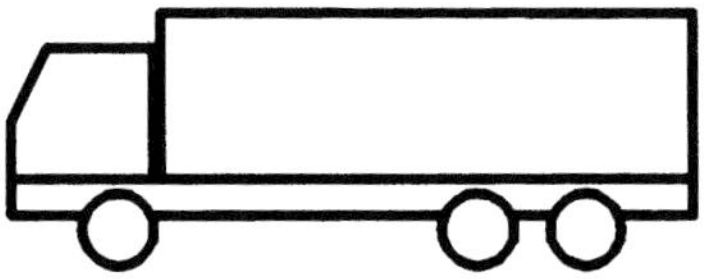 | 6 × 2, 6 × 4, 6 × 6,<br>6 × 2/4, 6 × 4/4 |
| |  | 8 × 4/4, 8 × 6/4, 8 × 8/4 |

**Tabelle 3-2** Gelenk- und Zentralachsanhänger

| | | |
|---|---|---|
| Gelenkdeichsel-anhänger | 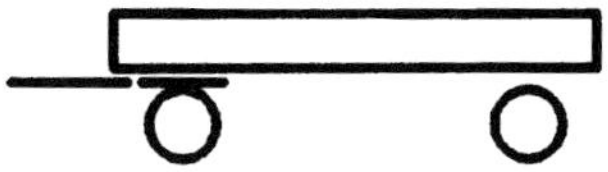 | Plattformanhänger |
| |  | Plateau-Tiefladeanhänger |
| |  | Tiefladeanhänger mit einfacher Kröpfung (Bild 3-7) |
| |  | Tiefbett-Tiefladeanhänger |
| Zentralachs-anhänger | 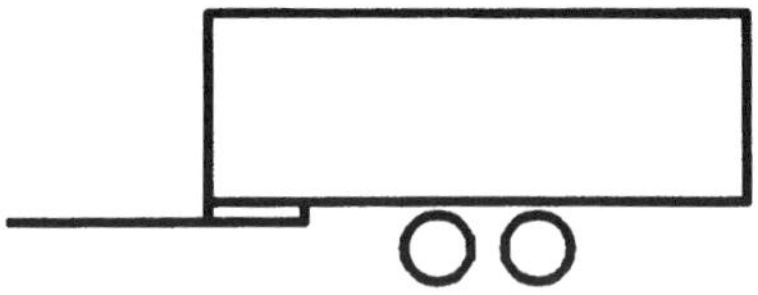 | Zentralachs-Plattformanhänger |
| |  | Zentralachs-Tiefbettanhänger |

Der Bau von Anhängefahrzeugen einschließlich ihrer Aufbauten erfolgt zum Teil (insbesondere bei Sattelaufliegern) in Großunternehmen (Krone, Schmitz, ...), zum Teil auch in mittelständischen Unternehmen. Motorwagen und Anhängefahrzeug lassen sich alternativ zu einem Lastkraftwagenzug, Sattelkraftfahrzeug oder Brückenzug kombinieren.

Das Angebot an Solofahrzeugen/Motorwagen (siehe Abschnitt 1.4.3) lässt sich im Wesentlichen durch die Merkmale Kastenwagen/Lastkraftwagen, Anzahl und Lenkbarkeit der Achsen, Radstand/Radstände, Gesamtgewicht und Motorleistung beschreiben (Tabelle 3-1).

Merkmalprägende Eigenschaften von Anhängefahrzeugen sind die Lenkverbindung zum Motorwagen/Zugmaschine sowie die Anordnung der Achsen. Der zwei- oder mehrachsige Gelenkdeichselanhänger ist durch relativ kleine Überhänge und entsprechend großem Radstand, eine über den Drehschemel lenkbare Vorderachse und die Verbindung zum Motorwagen über eine vertikal bewegliche Zuggabel gekennzeichnet. Beim Zentralachsanhänger ist die so genannte Starrdeichsel nicht beweglich. Da die Achsen bei einem geringen Schwerpunktvormaß etwa aufbaumittig angeordnet sind, stützt der Anhänger einen Teil seines Gesamtgewichts auf den Motorwagen ab (Tabelle 3-2).

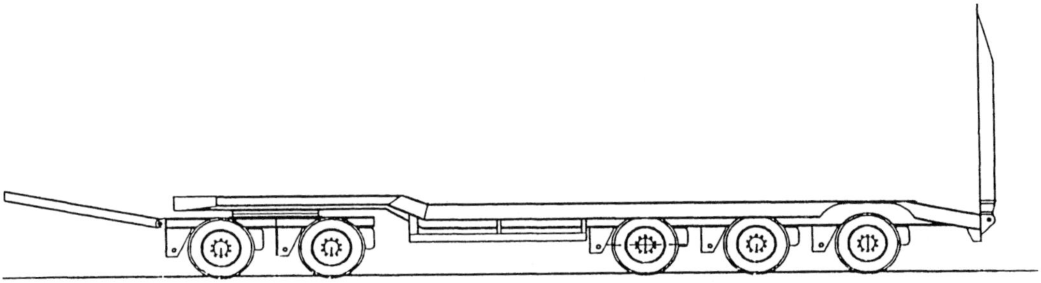

**Bild 3-7** Tiefladeanhänger mit Laderampe (Langendorf)

Sattelkraftfahrzeuge sind durch einen Anhänger (Auflieger) gekennzeichnet, bei dem die Vorderachse mit Drehgestell durch eine Aufliegerplatte mit angeschraubtem Zugsattelzapfen ersetzt ist, welche einen erheblichen Anteil des Aufliegergewichtes über die Sattelkupplung auf die Zugmaschine abstützt (Tabelle 3-3).

Standard-Sattelzugmaschinen besitzen eine Aufsattelhöhe von etwa 1350 mm bzw. 1100 mm. Dies ergibt bei 13,6 m Länge und 2,55 m Breite des Aufliegers sowie 4 m Fahrzeughöhe etwa 90 m$^3$ Ladevolumen. Da weitere Volumensteigerung nur über die lichte Ladehöhe erzielbar ist, zeigt sich ein Trend zu immer niedrigeren Satteloberkanten. Als unterster Grenzwert werden momentan 935 mm Aufsattelhöhe realisiert. Dies erfordert bei der (Lowliner-) Sattelzugmaschine eine veränderte Rahmenkonstruktion, 285/60 R 22.5-Bereifung und eine extrem flach bauende Sattelkupplung. Bei einem im Bereich der Sattelplatte bauhöhenoptimierten Auflieger mit Hubdach sind dann eine lichte Ladehöhen von 3000 mm und 100 m$^3$ Ladevolumen möglich (Bild 3-8). Durch die niedrige Satteloberkante reduzieren sich aber die Abstände zwischen Aufliegerunterkante und Rahmen- bzw. Reifenoberkante drastisch, sodass die in ISO 1726 geforderten Neigungswinkel nicht mehr erfüllt werden können (Bild 3-9) und das Überfahren von Kuppen, Rampen und Senken besondere Vorsicht erfordert. Um für ausreichende Fahrsicherheit die Fahrhöhe immer optimal einstellen zu können, sind daher für die Sattelzugmaschine Vollluftfederung in Verbindung mit einer elektronischen Niveauregulierung (z. B. MAN-System ECAS = Electronically – Controlled – Air – Suspension) eine zwingend notwendige Ausstattung.

**Bild 3-8**
Sattelkraftfahrzeug mit Lowliner-Zugmaschine (aus: ATZ 95(1993) Nr. 12)

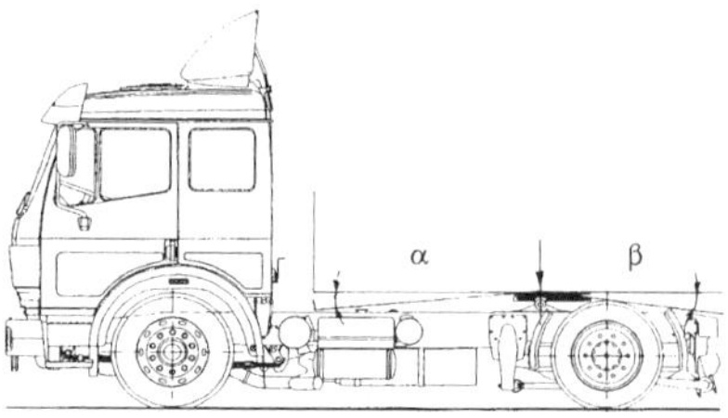


| Winkel | α | β |
|---|---|---|
| Lowliner | ca. 4° | 3,5° -12° |
| ISO | 6° | 7° |

**Bild 3-9**
Neigungswinkel Lowliner/ISO im Vergleich (aus: ATZ 95(1993) Nr. 12)

**Tabelle 3-3** Sattelkraftfahrzeuge

| | | |
|---|---|---|
| Standard-Sattelzug-maschine |  | Plattform-Sattelauflieger |
| | 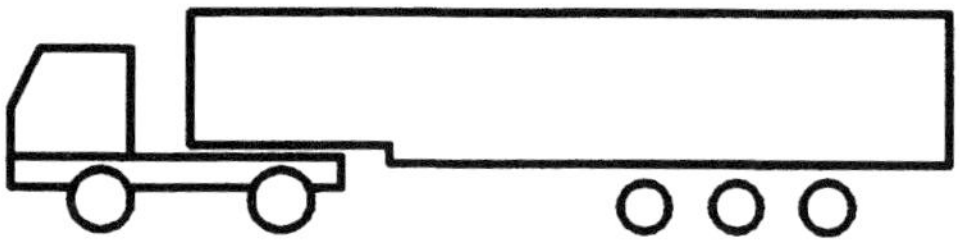 | Semi-Sattelauflieger |
| | 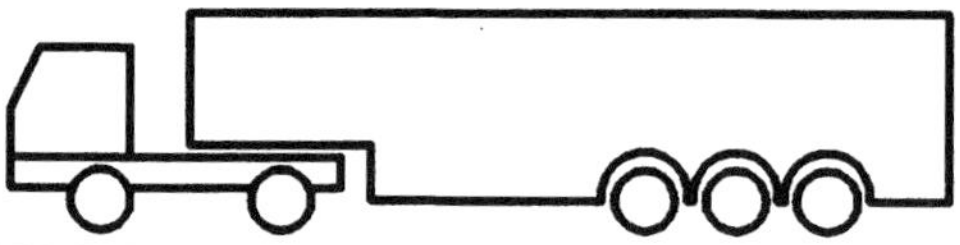 | Innenlader (Bild 3-10) |
| Standard-Sattelzug-maschine | 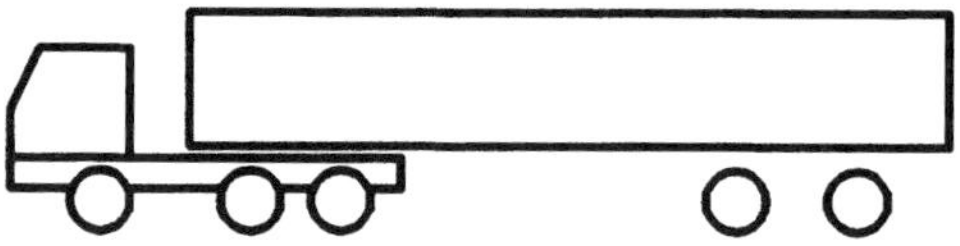 | Plattform-Sattelauflieger |
| |  | Tiefbett-Sattelauflieger |
| Lowliner-Sattelzug-maschine |  | Low-Deck-Plattform-Sattelauflieger (Bild 3-8) |

Brückenfahrzeuge unterscheiden sich von Sattelkraftfahrzeugen dadurch, dass die Verbindung zwischen Zugmaschine und Anhänger (Nachläufer) durch die Ladung (Holz, Stahlträger, Betonfertigteile, ...) hergestellt wird. Bedingt durch die notwendige Variabilität der Abstände des Nachläufers zur Zugmaschine wird dieser üblicherweise als Selbstlenker (siehe Abschnitt 4.2.2.3, Bild 4-71) konzipiert.

**Bild 3-10** Innenlader (Orthaus)

### *3.2.1.2 Einsatzspezifische Anforderungen*

Straßenfahrzeuge sollten auf den Verkehrswegen, auf denen sie üblicherweise eingesetzt werden, effektiv und sicher betrieben werden können. Die aus den unterschiedlichsten Verkehrswegebedingungen ableitbaren Anforderungen an ein Nutzfahrzeug können so verschieden sein, dass sich daraus entsprechend angepasste Fahrzeugkonzepte ableiten lassen.

Je nach Kategorie der Verkehrswege (Autobahn, Bundesstraße, Landstraße, Feld- und Waldwege) können Fahrbahnen unterschiedliche Breiten und auch Kurvenradien aufweisen. Daher sollte der Breitenanspruch eines Fahrzeugkonzeptes bei Kurvenfahrt auf die Fahrbahnverhältnisse des erwarteten späteren Einsatzes abgestimmt sein. Bild 3-11 zeigt exemplarisch verschiedene Lastkraftwagenkonzepte in Maximallängen für die stationäre Kurvenfahrt im BO-Kraft-Kreis. Für jedes konkrete Fahrzeugkonzept ist der Breitenanspruch jedoch individuell zu bestimmen, da dieser von der Lage der Achsen und Kupplungspunkte abhängig ist. Im Bedarfsfall können zur Reduzierung des Breitenanspruchs Achsen an Zugfahrzeugen und Anhängern zwangsgelenkt werden. Für mehrachsige Fahrzeuge, die im Verteilerverkehr eingesetzt werden und daher häufig eng kurven und rangieren müssen, tragen darüber hinaus zwangsgelenkte Achsen durch Reduzierung der Schräglaufkräfte zu deutlich erhöhten Reifenlaufleistungen bei.

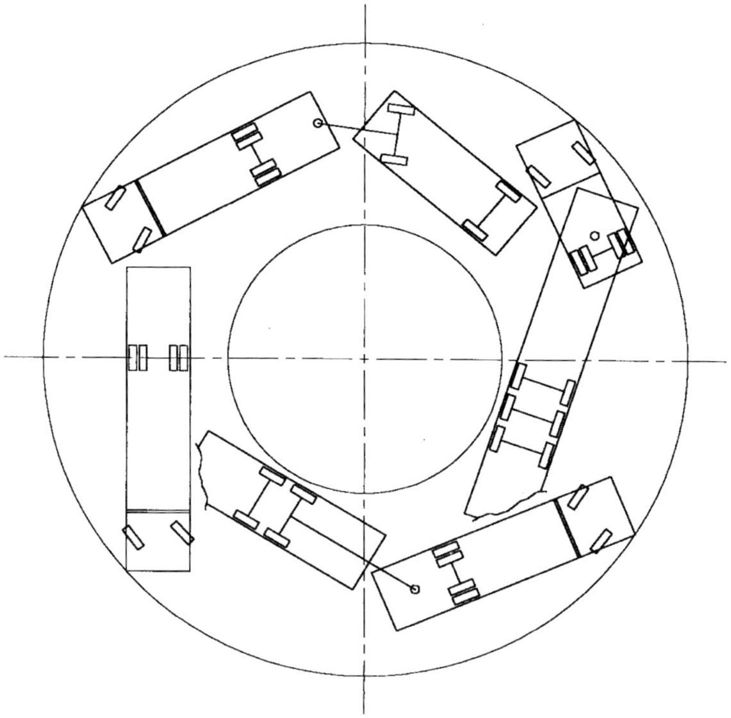

**Bild 3-11** Solo-Lkw (12 m), Lkw mit Gelenkdeichselanhänger (18,75 m), Sattelkraftfahrzeug (16,50 m) und Lkw mit Zentralachsanhänger (18,75 m) im BO-Kraft-Kreis

Neben dem Breitenanspruch sollte für Fahrzeuge im Verteilerverkehr (Rangieraufgaben auf engen Höfen) auch der Wendekreisdurchmesser zur Beurteilung der Kurvenläufigkeitseigenschaften herangezogen werden. Hier zeigen sich sowohl Gliederzüge als auch Sattelkraftfahrzeuge wegen der kürzeren Radstände von Motorwagens bzw. Sattelzugmaschine dem Solofahrzeug deutlich überlegen. Tabelle 3-4 zeigt für das Lastkraftwagenfahrgestell Iveco Eurocargo 65 E 14 die Wendekreisdurchmesser in Abhängigkeit alternativer Radstände.

**Tabelle 3-4** Radstände und Wendekreisdurchmesser (Iveco Eurocargo 65 E 14)

| | | | | | |
|---|---|---|---|---|---|
| Radstand (mm) | 2700 | 3105 | 3690 | 4185 | 4815 |
| Wendekreisdurchmesser (mm) | 11100 | 12400 | 14100 | 15600 | 17500 |

Geländetaugliche Fahrzeuge zeichnen sich durch eine große Bodenfreiheit sowie große Werte für vorderen wie hinteren Überhangwinkel als auch Rampenwinkel aus. Ideal sind hier kurz bauende Solofahrzeuge mit kleinen Radständen und Überhängen, großer Bereifung und infolge von Radnabengetrieben klein bauenden Ausgleichsgetrieben. Ein als Jumbo-Fahrzeug konzipierter Lastkraftwagenzug mit kleiner Bereifung am tiefgekuppeltem Starrdeichselanhänger stellt dagegen auf unebener Fahrbahn oder Rampen eine höchst problematische Fahrzeugkombination dar (Bild 3-12).

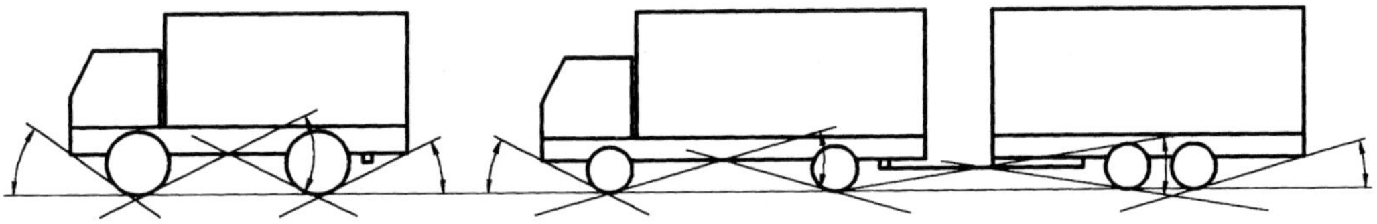

**Bild 3-12** Überhang- und Rampenwinkel für unterschiedliche Fahrzeugkonzepte

Geländetaugliche Fahrzeuge fordern idealerweise ständigen Bodenkontakt aller Räder bei gleichzeitig geringen Radlastschwankungen. Dies setzt bei Fahrbahnverwindung in Fahrtrichtung entweder großzügig bemessene Federwege des Fahrwerks oder einen um seine Längsachse verwindungsweichen Fahrgestellrahmen voraus. Bei mehrachsigen Fahrzeugen muss die Längswelligkeit der Fahrbahn zusätzlich über einen Achslastausgleich (blattgefederte Doppelachsaggregate mit Pendellagerung für Lastkraftwagen bzw. mit Ausgleichswiege für Anhänger) ausgeglichen werden.

Zum Erzielen angemessener Fahrleistungen sollte das Leistungsgewicht des Fahrzeuges auf die häufig zu bewältigenden Steigungsstrecken abgestimmt sein. Die Bandbreite der für Lastkraftwagen mit 40 t zulässigem Gesamt-Zuggewicht angebotenen Motorleistungen reicht von 270 PS (200 kW) bis 600 PS (440 kW). Dies entspricht einem Leistungsgewicht von 5 bis 11 kW/t. Für den Einsatz auf langen Gefällstrecken empfiehlt sich aus Sicherheitsgründen und zur Schonung der Radbremsen eine verschleißlose Dauerbremse.

Wird ein Lastkraftwagen ausschließlich im Straßenverkehr eingesetzt, reicht ein 6-fach oder 8-fach abgestuftes Schaltgetriebe aus. Fahrzeuge für den Baustellenverkehr benötigen zusätzlich einen so genannten Kriechgang. Für den wirtschaftlichen Betrieb von Nutzfahrzeugen im Fernverkehr haben sich 16-fach abgestufte Getriebe (Splitgetriebe) bewährt.

Die Traktionsbedingungen der Fahrbahnoberfläche (Asphalt, Beton, Pflaster, Erdreich, Geröll, Nässe, Schnee, Eis) und die zu bewältigenden Steigungen bestimmen das erforderliche Antriebskonzept. Im ungüstigen Fall lasten für ein 40-t-Fahrzeug nur etwa ein Viertel des Gesamtgewichtes auf einer einzigen angetriebenen Achse ($4 \times 2$-Motorwagen oder $4 \times 2$-Sattelzugmaschine mit dreiachsigem Anhänger bzw. Auflieger). Optimale Traktionsbedingungen dagegen bieten allradgetriebene $4 \times 4/2$-, $6 \times 6/2$- oder $8 \times 8/4$-Solofahrzeuge.

Weitere Anforderungen an das Fahrzeugkonzept leiten sich aus der Art der Transportaufträge ab. Fahrzeuge für den Fernverkehr erfordern für den möglichst wirtschaftlichen Transport von

Lasten und Volumina verbrauchsoptimierte, leistungsstarke Motoren, cin eng abgestuftes Schaltgetriebe, aerodynamische Verkleidungen, eine rollwiderstandsarme Bereifung und für den Fahrer ein komfortables Großraumfahrerhaus. Für den Dauereinsatzes auf großen Strecken mit bis zu 300000 km Jahreslaufleistung sollte das Fahrzeugkonzept wartungsfreundlich und wenig reparaturanfällig sein. Je nach Dichte des Transportgutes führen gewichts- oder volumenoptimierte Konzepte zur Senkung der spezifischen Transportkosten (Euro je Tonne und Kilometer bzw. Euro je Kubikmeter und Kilometer).

Abgesehen von wenigen Sonderfällen ist ein Sattelkraftfahrzeug oder ein Lastkraftwagenzug vorteilhafter als ein Solofahrzeug gleicher Ladekapazität. Ein wesentliches Argument für eine Lkw-Anhänger-Kombination ist der wesentlich flexiblere Einsatz. Denn in umsatzschwachen Zeiten kann der Lkw alleine betrieben werden. Im Verteilerverkehr ist das Sattelkraftfahrzeug mit einachsigem Auflieger durch etwa zwei Tonnen Nutzlastvorteil die wirtschaftlichere Alternative zum dreiachsigen Solo-Lkw. Dazu kommt unter Kostengesichtspunkten der Vorteil einer zwei- bis dreifach höheren Lebensdauer des Aufliegers und die Standardisierung der Sattelzugmaschine, die sich auf dem Gebrauchtfahrzeugmarkt erheblich leichter verkaufen lässt als ein spezielles Dreiachser-Chassis. Im Fernverkehr werden üblicherweise Fahrzeugkonzepte der 40-Tonnen-Klasse eingesetzt. Wo immer es der Einsatz zulässt, werden zweiachsige Zugfahrzeuge mit dreiachsigen Anhängern kombiniert. Die klare Trennung von Zugkraft und Tragkraft wirkt sich positiv auf das Nutzlastverhältnis (siehe Abschnitt 3.4) aus und bringt Kostenersparnis sowohl bei den Anschaffungs- als auch Betriebskosten.

Aufgrund von Nutzlastvorteilen und der Möglichkeit einer durchgängigen Be- und Entladung (keine zusätzliche Rangieraufgabe) haben sich für spezifisch schwere Nutzlasten im Speditions-Fernverkehr Sattelkraftfahrzeuge aus zweiachsiger Zugmaschine und ungelenktem dreiachsigen Auflieger gegenüber dem Lastkraftwagenzug durchgesetzt. Ist dagegen die Anzahl möglicher Palettenstellplätze und damit die Ladelänge entscheidend, ist der Gliederzug mit maximal 15,65 m möglicher Aufbaulänge gegenüber dem 13,6 m messenden Sattelauflieger in deutlichem Vorteil. Für Volumentransporte werden bevorzugt so genannte „Jumbo-Fahrzeuge“ (Bild 3-13) eingesetzt, mit denen bis zu 120 m$^3$ Ladevolumen realisierbar sind. Bei den Fahrern sind diese Lastkraftwagen mit Zentralachsanhänger wegen des unproblematischeren Rangierens wesentlich beliebter als Fahrzeuge mit Gelenkdeichselanhänger.

**Bild 3-13** „Jumbo“-Zug (Kögel)

Dreiachsige Motorwagen mit zweiachsigen Gelenkdeichselanhängern eignen sich für die paarweise Beförderung von Wechselaufbauten.

Eine gelenkte Vorlaufachse ist vor allem für dreiachsige Lastkraftwagen mit hoher Stützlast auf der Hinterachse (z. B. bei Ladebordwand oder Starrdeichselanhänger) von Vorteil, während die gelenkte Nachlaufachse extreme Wendigkeit im Stadtverkehr ermöglicht. In jedem Fall vermeiden 6×2/4-Fahrzeuge (siehe Bild 1-17) durch die Zwangslenkung erhöhten Reifenverschleiß bei Kurvenfahrt. 8×8/4-Fahrzeuge sind primär für den Baustelleneinsatz konzipiert.

Bei mehrachsigen Sattelanhängern können Lenkachsen alternativ über einen in das Maul der Sattelkupplung eingreifenden Lenkkeil zwangsgelenkt werden oder sie sind als eine auf die Schräglaufkräfte reagierende selbstlenkende Nachlaufachse ausgebildet. Neben der Reduzierung des Reifenverschleißes vermindern die in hinterster Position angeordneten Lenkachsen den Breitenanspruch bei der Kurvenfahrt. Nachteilig bei der konstruktiv einfachen Nachlauf-Lenkachse ist, dass sie bei Rückwärtsfahrt wegen der sonst auftretenden unkontrollierten Lenkbewegungen blockiert werden muss.

Für Lastkraftwagen und Anhänger, die häufig unbeladen oder nur teilbeladen am Straßenverkehr teilnehmen, reduzieren liftbare Achsen Rollwiderstand und Reifenverschleiß. Dreiachsige Lastkraftwagen für den Verteilerverkehr werden häufig mit liftbarer ungelenkter Nachlaufachse ausgerüstet. Bei dreiachsigen Sattelanhängern wird, auch zur Reduzierung des Breitenanspruchs bei der Kurvenfahrt, die letzte Achse angehoben.

Da bei sukzessiver Entladung im Verteilerverkehr wegen des hohen Arbeitsaufwandes die verbleibende Nutzlast üblicherweise nicht umverteilt wird, entstehen bisweilen ungünstige Achslastverteilungen. Dies ist insbesondere bei Zentralachsanhängern höchst problematisch, weil die dann auftretenden hohen statischen Stützlasten die Zugeinrichtung und Hinterachse des Zugfahrzeuges überlasten und gleichzeitig durch Entlastung der Vorderachse deren Lenkbarkeit beeinträchtigen.

Sowohl die Art der Ladung als auch der Ablauf von Be- und Entladung bestimmen, ob ein Nutzfahrzeug mit entsprechenden Hilfseinrichtungen (Ladekran, Ladebordwand, Rampe) ausgerüstet werden muss. Wird die Ladefläche von Flurförderzeugen (Hubwagen, Gabelstapler) befahren, sind die durch deren Räder verursachten hohen Einzellasten bei der Auslegung zu berücksichtigen. Luftgefederte Fahrgestelle bieten für die Beladung an Rampen die Möglichkeit, die Ladebodenhöhe in Grenzen der Rampe anzupassen. Für das Aufnehmen und Absetzen von Wechselaufbauten kann die Luftfederung des Fahrgestells die Hubbewegung der sonst notwendigen Hubschwinge ersetzen.

## 3.2.2 Aufbaukonzept

### *3.2.2.1 Transportgut*

Die primären Anforderungen an Nutzfahrzeuge gehen stets von den zu transportierenden Gütern aus. Diese können in den Aggregatzuständen fest, flüssig oder gasförmig vorliegen und bestimmen damit Art und Ausführung des Aufbaus, welcher das Transportgefäß darstellt.

Stückgüter fordern in Abhängigkeit ihrer Hauptabmessungen bzw. denen ihrer Transportbehälter Mindestmaße der Fahrzeugaufbauten. Stückgüter kürzerer Längenabmessungen lassen sich auf Solofahrzeugen oder deren Anhängern transportieren, lange Stückgüter erfordern ein Sattelkraftfahrzeug oder einen Brückenzug. Bei entsprechender Kenntlichmachung darf stückige Ladung bis zu 1,5 m nach hinten über das Fahrzeug hinausragen, für Fahrten mit einer Wegstrecke bis 100 km sogar bis zu 3 m. In jedem Fall dürfen jedoch weder Fahrzeug noch Zug nicht länger als 20 m sein (§ 22 Abs.4 StVZO).

Konventionelle Fahrzeugaufbauten der schweren Klasse sind für etwa 1000 mm Reifendurchmesser auf Ladehöhen von etwa 2,6 m begrenzt. Höhere Ladungen können, falls sie geringe Breite ausweisen, diagonal im Aufbau untergebracht werden. Alternativ kann eine Ladehöhensteigerung entweder durch einen Semi-Sattelauflieger, einen Gelenk- oder Starrdeichselanhänger mit kleiner Zwillingsbereifung, einen Innenlader mit Einzelradaufhängung oder einen Tiefladeanhänger erzielt werden (Bild 3-14).

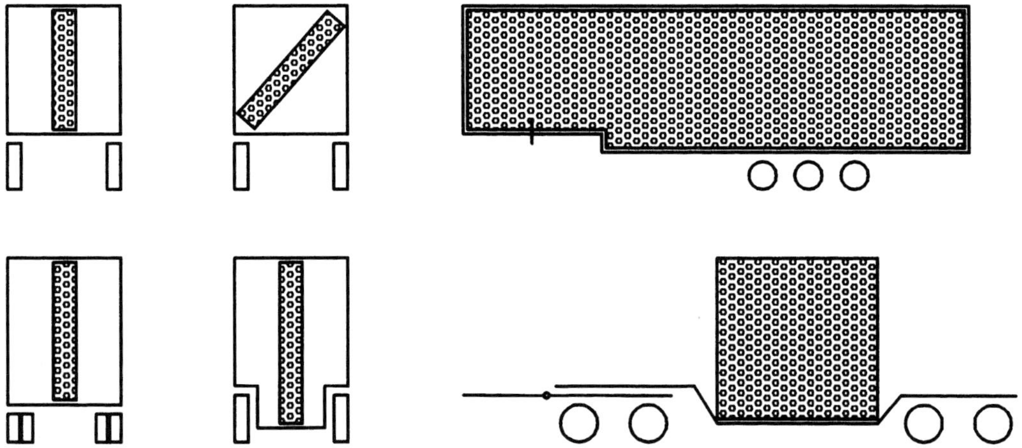

**Bild 3-14** Konzepte zur Ladehöhensteigerung

Kleinere Stückgüter werden oft zu Verpackungseinheiten mit standardisierten Außenabmessungen zusammengefasst. Basierend auf dem Flächenmodul $400 \times 600$ mm lassen sich daraus die Grundflächenmaße $600 \times 800$ mm, $800 \times 1200$ mm und $1000 \times 1200$ mm ableiten. Diese Grundflächen lassen sich so anordnen, dass stets ein theoretischer Breitenbedarf von 2400 mm auf der Ladefläche entsteht (Bild 3-15).

Europaletten nach DIN 15146 Teil 2 (Bild 3-16) mit den Grundflächenmaßen $800 \times 1200$ mm stellen heute den Standard dar, auf den Abmessungen von Verpackungen abgestellt werden. Sie dienen durch Bildung von Lade-, Transport- und Lagereinheiten dem Zweck, die Wirtschaftlichkeit des inner- und außerbetrieblichen Handhabens von Handelsgütern zu verbessern. In Verbindung mit Flurförderzeugen rationalisieren sie den Materialfluss und verringern die Lohn-, Zeit- und Raumkosten. Da der Eigentumsübergang zu einheitlichen Tauschbedingungen erfolgt, können sie freizügig auf Schiene, Straße, dem Wasser oder der Luft befördert werden. Ihr wirtschaftlicher Einsatz wird vom Europäischen Palettenpool gesteuert.

Schüttgüter lassen sich je nach den spezifischen Eigenschaften (Dichte, Korngröße, Rieselfähigkeit, Witterungsempfindlichkeit, ...) offen auf Pritschen oder Kippern oder in geschlossenen Siloaufbauten transportieren.

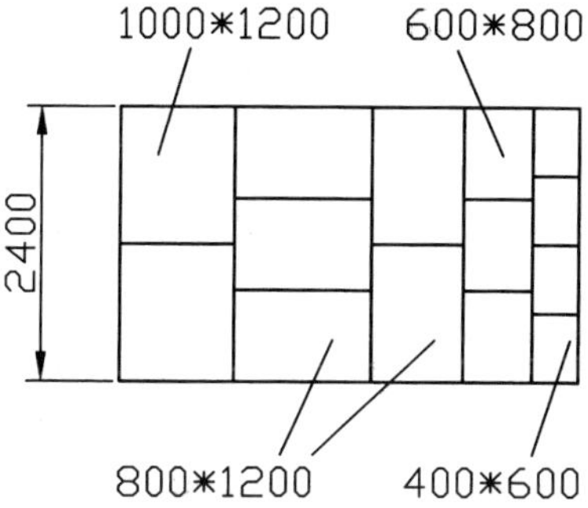


**Bild 3-15** Standardisierte Ladeeinheiten

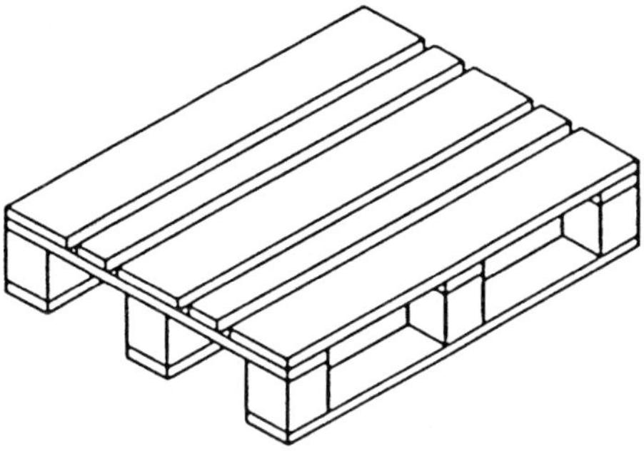

**Bild 3-16** Europalette

Flüssigkeiten und Gase wie auch rieselfähige Schüttgüter ermöglichen aufgrund der Anpassungsfähigkeit an das Transportvolumen die Gestaltung von zylindischen oder kugeligen Transportgefäßen, für die zum Be- und Entladen kleine Rohrstutzen ausreichend sind. Gegenüber den quaderförmigen Aufbauten für stückige Ladegüter, die über große Öffnungsquerschnitte be- und entladen werden, ergibt sich dadurch ein erheblicher Vorteil bei der Bemessung des Tragwerks, sodass die im Wesentlichen zylindrischen Transportgefäße selbsttragend konzipiert werden können (Bild 3-17).

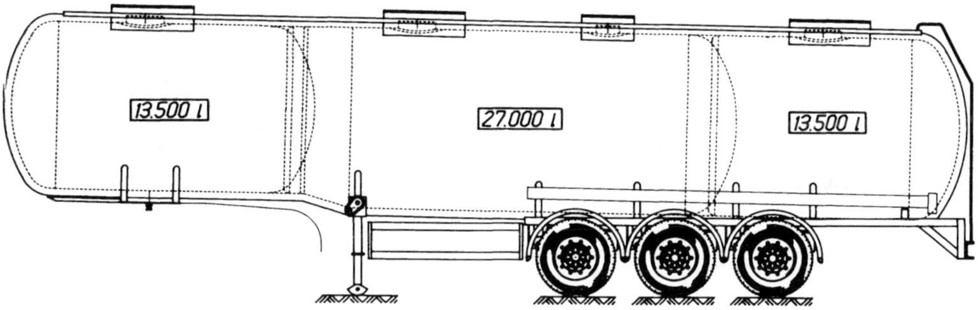


**Bild 3-17** Selbsttragender Tanksattelaufbau (Feldbinder)

Neben maßlichen Anforderungen gehen von den Eigenschaften der Transportgüter spezielle Anforderungen an das Fahrzeug- und Aufbaukonzept aus, die entweder einen besonderen Schutz des Transportgutes und/oder der Umwelt erfordern:

Schutz des Transportgutes

- vor Fahrtwind und Spritzwasser (Pritsche mit Plangestell und Plane)
- Staub, Feuchtigkeit und Licht (Kofferaufbau)
- Wärme (isolierter Kofferaufbau mit Kühlaggregat und entsprechenden Kühlbedingungen für verpackte Lebensmittel)
- Bakterien (gekühlter Kofferaufbau für den Transport nicht verpackter Lebensmittel oder Kastenwagen als Verkaufsfahrzeug mit besonderen Abdichtungs-, Hygiene- und Werkstoffbedingungen oder Tankaufbau aus lebensmittelverträglichen korrosionsbeständigen Werkstoffen)

- Erschütterungen (Fahrgestell mit Luftfederung)
- Verletzungen (geschlossene Aufbauten mit verletzungsarmer Gestaltung des Innenraumes und adäquaten klimatischen Bedingungen für den Tiertransport)
- Diebstahl (Sparkassenfahrzeuge und Geldtransporter mit Aufbauten aus hochfesten Werkstoffen und besonderen Sicherheitseinrichtungen)

Schutz der Umwelt

- vor korrosiven Flüssigkeiten (Tankaufbauten aus korrosionsbeständigen Werkstoffen)
- explosionsgefährdeten und/oder giftigen Flüssigkeiten und Gasen (Tankaufbauten mit besonderen aktiven und passiven Sicherheitseinrichtungen)
- die Fahrdynamik negativ beeinflussender Eigenbeweglichkeit der Ladung (Schwallbleche in Tankaufbauten, verstärkte Stabilisatoren für den Transport von hängenden Schweinehälften)

### *3.2.2.2 Aufbauvarianten*

Während Lastkraftwagenfahrgestelle in Serie produziert werden, sind die Anforderungen an Aufbauten so vielfältig und individuell, dass sich meist handwerklich konzeptionierte mittelständische Unternehmen mit einem vielfältigen Angebot den Markt [3-6, 3-7] teilen.

*Plattformaufbauten* (Bilder 3-18 und 3-19) bieten eine ebene oder in der Höhe abgestufte Ladefläche ohne Bordwände. Sie dienen dem Transport von großen Stückgütern, Maschinen oder Fahrzeugen. Die Ladungssicherung erfolgt durch Verzurren über Gurte oder Ketten.

**Bild 3-18** Plattform-Gelenkdeichselanhänger (Goldhofer)

**Bild 3-19** Tiefladeanhänger mit einfacher Kröpfung (Langendorf)

*Pritschenaufbauten* (Bilder 3-20 bis 3-25) verfügen im Gegensatz zu Plattformaufbauten über eine allseitige Begrenzung der Ladefläche durch Bordwände, Rungen, Spriegelstützen oder eine mit dem Bodenrahmen fest verspannte Plane. Für spezifisch schwere und witterungsunempfindliche Güter genügen offene Pritschen. Dagegen bieten Planenaufbauten Schutz vor Nässe. Heute werden die sehr preiswerten Aufbauten mit Hamburger Verdeck (Bordwände, Planengestell, Plane) aufgrund der Forderung nach immer kürzeren Umschlagszeiten verstärkt durch Schiebeplanen- (Curtain-Sider), Schiebe- oder Schiebebügelverdecke verdrängt. Diese ermöglichen durch Wegfall der seitlichen Bordwände und Rungen bei seitlicher Beladung ein zügigeres und rationelleres Arbeiten. Diesem Vorteil steht aber für Stückgut und insbesondere Sammelladung ein zusätzlicher Aufwand für die Ladungssicherung gegenüber.

**Bild 3-20** Offene Pritsche (Lampferhoff)

**Bild 3-21** Hamburger Verdeck

**Bild 3-22** Schiebeplanenverdeck (Kögel)

**Bild 3-23** Schiebeplanenverdeck mit Hubdach

**Bild 3-24** Schiebeverdeck

**Bild 3-25** Schiebebügelverdeck (Knapen Trailers)

*Kofferaufbauten* (Bilder 3-26 und 3-27) bieten für so genannte „Trockenfracht“ gegenüber Pritschenaufbauten mit Plane einen wesentlich weitergehenden Schutz der Ladung. Insbesondere lassen sie sich bei Verwendung wärmedämmender Sandwichplatten als Isolier- oder bei zusätzlichem Anbau von Kühlaggregaten als Kühlkoffer ausführen. Zollsicherheit entsprechend dem TIR-Übereinkommen wird durch die Verwendung geeigneter Scharniere und Verschlüsse erreicht. Kofferaufbauten werden heute fast ausschließlich im Baukastenprinzip konstruiert (siehe Abschnitt 5.4.6).

**Bild 3-26** Kofferaufbau mit Hecktür

**Bild 3-27** Kofferaufbau mit Falttür (Schmitz)

*Kippaufbauten* (Bilder 3-28 bis 3-33) setzen durch deren Neigung Schüttgüter durch Schwerkraftantrieb ab oder bestehen aus Vorrichtungen, welche Behälter (Mulden, Container, Silos) aufnehmen, zur Entleerung kippen und absetzen können. Der Antrieb der Kippeinrichtungen erfolgt dabei ausschließlich durch hydraulische Arbeitszylinder.

**Bild 3-28** Hinterkipper

**Bild 3-29** Muldenkipper (Meiller Kipper)

**Bild 3-30** Dreiseitenkipper (Mitsubishi)

**Bild 3-31** Absetzkipper (Atlas Weyhausen)

**Bild 3-32** Abrollkipper (Ellermann)

**Bild 3-33** Silo-Absetzer (Gergen)

*Tankaufbauten* (Bilder 3-34 und 3-35) sind Behälter in zylindrischer oder Kofferbauweise zum Transport von Gasen und Flüssigkeiten (Lebensmittel, Benzin, Öl, Bitumen, Chemikalien). Je nach Erfordernis wird der Aufbau ein- oder mehrkammerig ausgeführt. Für niedrigviskose Flüssigkeiten sind in der einkammerigen Ausführung Schwallbleche zur Dämpfung der Eigenbewegung bei Teilbefüllung erforderlich.

**Bild 3-34** Tankaufbau in Kofferbauweise (Willig)

**Bild 3-35** Kippbarer Tankaufbau (Magyar)

*Siloaufbauten* (Bilder 3-36 und 3-37) nehmen rieselfähige Schüttgüter auf. Die Entladung erfolgt bei liegenden Silos über entsprechend gestaltete Trichter am Boden oder durch Kippen des gesamten Aufbaus. Dabei verbessern pneumatische Auflockerungsdüsen (Blubber) oder Auflockerungsmatten die Rieselfähigkeit. Stehende Silos werden über einen Absetzaufbau (siehe Bild 3-33) am Bestimmungsort abgesetzt.

**Bild 3-36** Liegendes Silo (Feldbinder)

**Bild 3-37** Kippbares Silo (Kässbohrer)

*Getränkeaufbauten* (Bilder 3-38 bis 3-40) transportieren auf Europaletten (800 × 1200 mm), Bierpaletten (1000 × 1200 mm) oder Wasserpaletten (1070 × 1100 mm) palettierte Getränkekästen. Ganz vorrangig steht die Forderung nach voller Zugänglichkeit für Staplerbeladung von der Seite sowie möglichst geringen Rüstzeiten zum Be- und Entladen. Für Fernverkehr- und Verteilerfahrzeuge dominieren Schwenkwandaufbauten, die sich dank robuster Mechanik und Gewichtsausgleich von Hand betätigen lassen. Im innerstädtischen Betrieb sind wegen des geringeren Verkehrsflächenbedarfs Aufbauten mit elektrisch betätigter Liftplane vorteilhafter. Für die Vorort-Komissionierung beim Kunden bewähren sich so genannte Gefach-Tieflader, die durch ein Fahrgestell mit Mittelrahmen, Gefachabtrennungen sowie einen beidseitig um 3° nach innen geneigten Ladeboden gekennzeichnet sind.

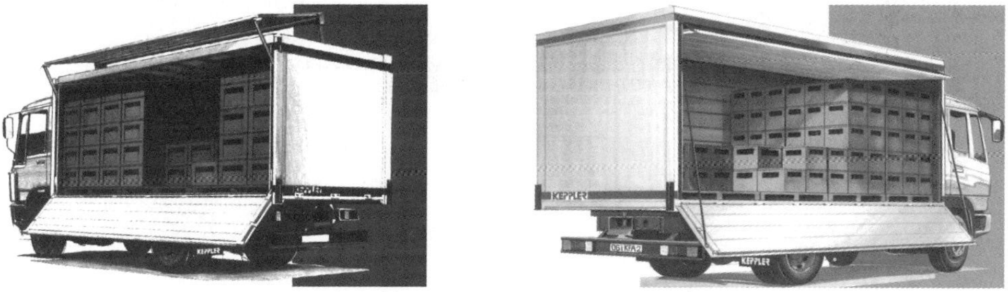

**Bild 3-38** Schwenkwandaufbau in Überdach- und Unterdach-Version (Keppler)

**Bild 3-39** Rollplanen-Aufbau (Keppler)

**Bild 3-40** Gefach-Tieflader (Keppler)

*Fahrgestellaufbauten für Wechselbehälter* (Wechselbrücke, Container) bestehen aus vier an Tragauslegern befestigten Drehzapfen (twist-locks), die in Fahrzeuglängsrichtung 5853 mm und in Querrichtung 2259 mm voneinander entfernt angeordnet sind. Sie verriegeln den auf einem Hilfsrahmen oder Fahrgestellrahmen direkt aufliegenden Wechselbehälter mit dem Fahrgestell. Alle für die Kompatibilität von Fahrgestellaufbau und Wechselbehälter wesentlichen Abmessungen sind in DIN 70013 und DIN 70018 genormt (Bild 3-41). Neben der genormten Abstellhöhe von 1320 mm sind aufgrund des Angebots von Fahrgestellen mit deutlich niedrigen Rahmenoberkanten auch Wechselbehälter mit Abstellhöhen von 1220, 1120 und 1020 mm im Einsatz.

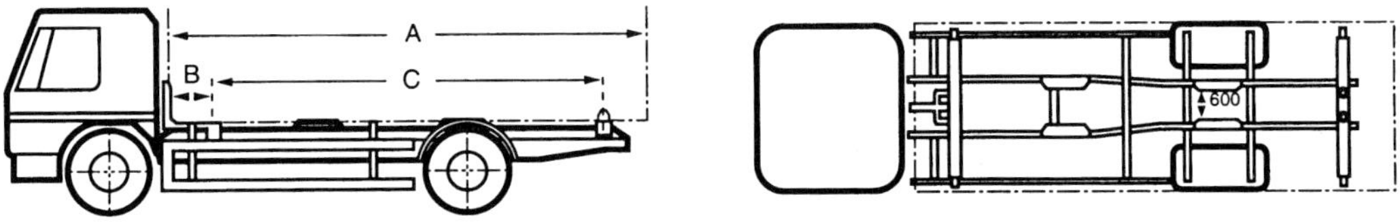


| | | | | | |
|---|---|---|---|---|---|
| | Behältergröße nach DIN EN 284 | | C 715 | C 745 | C 782 |
| | Gewicht * | ca. kg | 510 | 520 | 530 |
| A | Gesamtlänge der Wechselbehälter | ca. mm | 7.150 | 7.450 | 7.820 |
| B | Anschlag bis Mitte Verriegelung | ca. mm | 650 | 800 | 985 |
| C | Abstand Verriegelungspunkte | ca. mm | 5.853 | 5.853 | 5.853 |
| D | Höhe bis Oberkante Fahrgestellausrüstung | ca. mm | 1.280 | 1.280 | 1.280 |

**Bild 3-41** Wechselbehälteraufbau für voll-luftgefederte 2-Achs-Lkw-Fahrgestelle (Kögel)

Die Aufnahme der auf Stützen abgestellten Wechselbehälter erfolgt bei den üblicherweise eingesetzten luftgefederten Fahrgestellen durch Absenken des Fahrgestellrahmens, Unterfahren des Wechselbehälters mit Zwangführung durch Keile oder Rollen bis zum vorderen Anschlag hinter dem Fahrerhaus, Anheben des Fahrgestellrahmens, Verriegeln der Drehzapfen und Einklappen und Verriegeln der Stützen. Der Absetzvorgang erfolgt in umgekehrter Reihenfolge (Bild 3-42).

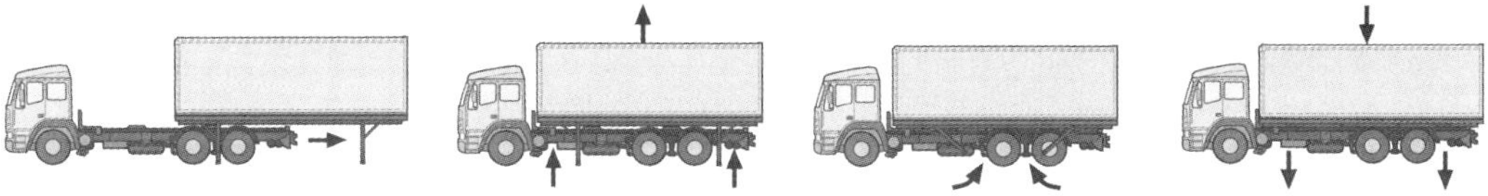

**Bild 3-42** Aufnahme eines Wechselbehälters (Kögel)

Neben den hier aufgeführten Aufbauten gibt es zahlreiche *Spezialaufbauten*. Beispielhaft seien hier genannt: Fahrmischer, Mülltransportfahrzeuge, Winterdienstfahrzeuge, Abschleppwagen, Pkw- und Lkw-Transporter, Verkaufsfahrzeuge, Viehtransporter.

### *3.2.2.3 Be- und Entladehilfen*

Zum Be- und Entladen ohne Fremdhilfe sind viele Lastkraftwagen mit einer speziellen Ausrüstung versehen, die es dem Fahrer ermöglicht, seine Ladung selbst aufzunehmen oder abzuladen bzw. zu löschen.

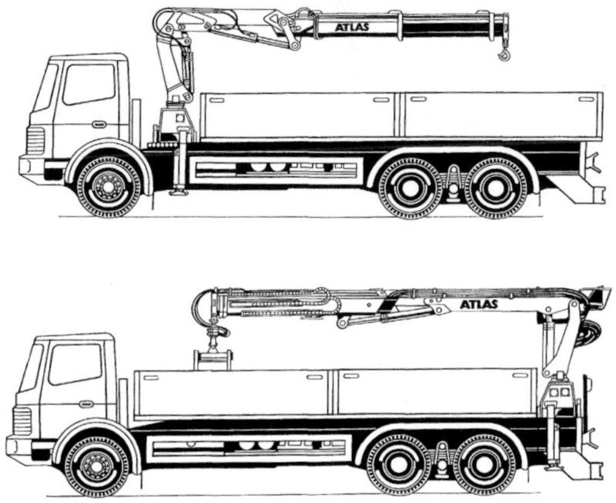


**Bild 3-43** Frontladekran und Heckladekran Typ 140.1 (Atlas Weyhausen)

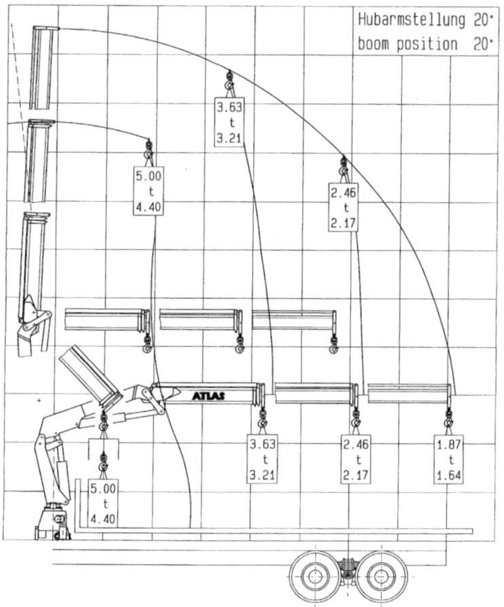


**Bild 3-44** Traglastdiagramm Typ 140.1 (Atlas Weyhausen)

*Ladekrane* (Bild 3-43) sind alternativ zwischen Fahrerhaus und Aufbau (Frontladekran) oder hinter dem Aufbau (Heckladekran) über einen speziellen Hilfsrahmen auf dem Fahrgestell montiert. Je nach Ausrüstung des Lastaufnahmemittels (Haken, Gabel, Greifer, Zange) sind sie zur Aufnahme der verschiedensten stückigen Güter in der Lage. Haupteinsatzgebiete sind der Baustofftransport und die Entsorgungswirtschaft. Die Leistungsfähigkeit der Krane ist durch die Tragfähigkeit in Abhängigkeit von der Ausladung gekennzeichnet und wird im so genannten Traglastdiagramm (Bild 3-44) dargestellt. Zur Abwendung der Kippgefahr für das Fahrgestell benötigen Ladekrane seitliche Abstützungen auf der Fahrbahn.

*Ladebordwände* stellen Verladeplattformen dar, die gleichzeitig als Hubeinrichtungen genutzt werden. Mit ihrer Hilfe kann Ladegut am Heck oder seitlich von der Ladefläche auf Laderampen unterschiedlicher Höhe oder auf den Boden und umgekehrt befördert werden (Bild 3-45). Bei Kofferaufbauten kann eine Ladebordwand am Heck gleichzeitig als Heckklappe des Aufbaus dienen. Je nach Funktion kommen drei unterschiedliche Ausführungen (Bild 3-46) zum Einsatz.

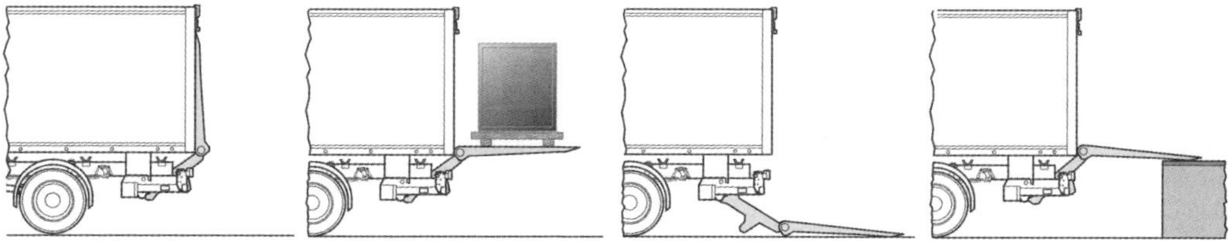

**Bild 3-45** Ladebordwandstellungen (MAN)

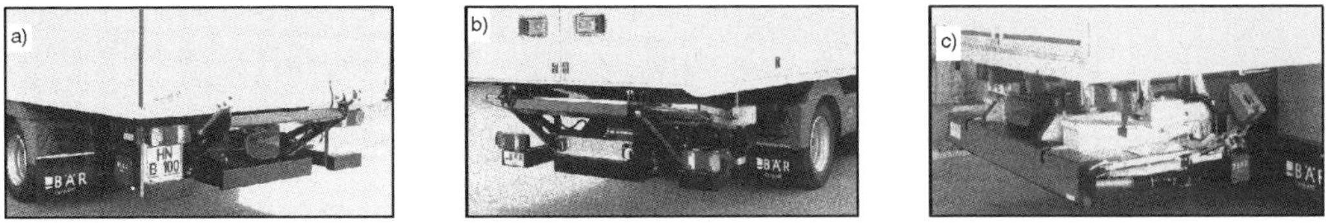


**Bild 3-46** Standard- (a), Falt- (b) und Unterfalt-Ladebordwand (c) (Bär)

Zum Absetzen bzw. Aufnehmen ganzer Transportgefäße (Mulden, Container, Silos) dienen die Abschnitt 3.2.2.2 (Bilder 3-31 bis 3-33) dargestellten *Kippaufbauten*.

Für das Aufnehmen und Absetzen von Wechselbehältern mit blattgefederten oder teil-luftgefederten Lastkraftwagenfahrgestellen sind druckluftbetriebene, mittig auf dem Fahrgestellrahmen angeordnete *Hubschwingen* (Bild 3-47) erforderlich. Diese heben nach dem Entriegeln der Drehzapfen den Wechselaufbau soweit an, dass die Stützfüße ausgeklappt und verriegelt werden können.

Schüttgut wird üblicherweise bei gekippter Ladefläche (siehe Bilder 3-28 bis 3-30) durch die Schwerkraft entladen. Alternativ dazu kann spezifisch relativ leichtes Schüttgut (Holzspäne, Baumrinde, Kartoffeln, Rüben, Torf, Altpapier, Hausmüll, ...) über einen *Schiebeboden* entladen werden. Dieser besteht aus üblicherweise 24 in Längsrichtung des Aufbaus angeordneten Aluminium-Bodenprofilen, welche derart im Wechsel zyklisch intermittierende Hubbewegungen ausführen, dass daraus eine Schiebebewegung des Ladegutes in einer Vorzugsrichtung resultiert. Je nach Hubfolge der Bodenprofile erfolgt wahlweise eine Schiebebewegung für den Be- oder Entladevorgang (Bild 3-48).

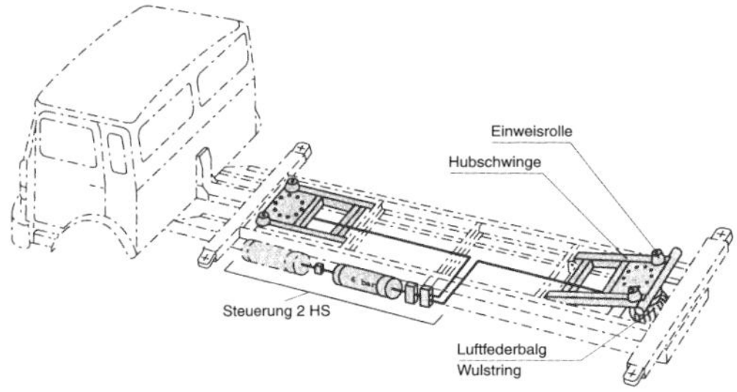


**Bild 3-47** Hubschwingen auf voll-blattgefedertem Fahrgestell (Jost)

**Bild 3-48** Schiebeboden-Auflieger beim Entladen (Doll)

Selbstfahrende Maschinen, Arbeitsgeräte sowie Personen- und Lastkraftwagen können mit eigener Kraft über *Rampen* (Bilder 3-49) auf die Ladefläche ihrer Transportfahrzeuge fahren. Die erforderliche Rampenlänge ist dabei sowohl von der zu überwindenden Höhe als auch dem maximal zulässigen Rampenwinkel abhängig. Selbstfahrende Maschinen oder Arbeitsgeräte mit geringen Bodenfreiheiten erfordern entweder eine zusätzlich nach hinten *abkippbare Ladefläche* (Bild 3-50) oder einen *vollflächig absenkbaren Ladeboden* (Bild 3-51).

**Bild 3-49** Semi-Sattelauflieger mit Laderampen (Goldhofer)

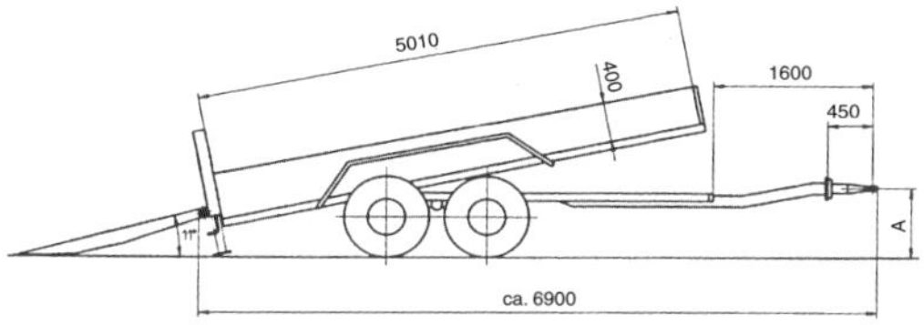


**Bild 3-50** Lkw-Tieflader Typ LTK (Barthau)

**Bild 3-51** Flachlader (Expresso)

### 3.2.3 Wechselaufbauten und Container

Wechselaufbauten als Koffer oder Pritschen gewinnen im Zuge der härteren Konkurrenzsituation auf dem Europäischen Binnenmarkt immer stärker an Bedeutung, da sie unabhängig vom Fahrzeug be- und entladen, als Zwischenlager genutzt oder über die Schiene weitertransportiert werden können. Weil in den Güterverteilzentren die Lastkraftwagenzüge nur noch ihre Aufbauten wechseln, lassen sich so die Standzeiten für die Lastkraftwagen auf ein Minimum reduzieren.

Am Markt haben sich Wechselsysteme nach der Norm des Bundesverbandes des deutschen Güterfernverkehrs (BDF) beziehungsweise DIN 70013 oder der entsprechenden europäischen Norm DIN EN 284 (Bild 3-53) durchgesetzt. Standardisierte Außenabmessungen (6250 mm, 7150 mm, 7420 mm und 7820 mm Länge, 2500 mm Breite, 2670 mm Höhe) sowie Anschlussmaße für Eckbeschläge (5853 mm in der Länge, 2259 mm in der Breite), Zentriertunnel, Greifkanten und Stützbeine wie auch 1320 mm Abstellhöhe ermöglichen den problemlosen Austausch der Wechselaufbauten (Bild 3-52). Für das Fahrzeug legt DIN 70014 die Anschlussmaße der Drehzapfen (twist-locks), die Lage des Längsanschlages (für unterschiedlich lange Wechselaufbauten verstellbar) sowie die maximale Unterfahrhöhe von 1270 mm fest. Im kombinierten Verkehr Straße-Schiene sind das Bahn-Verladeprofil C22 und das internationale Übereinkommen über sichere Container (C.S.C) einzuhalten.

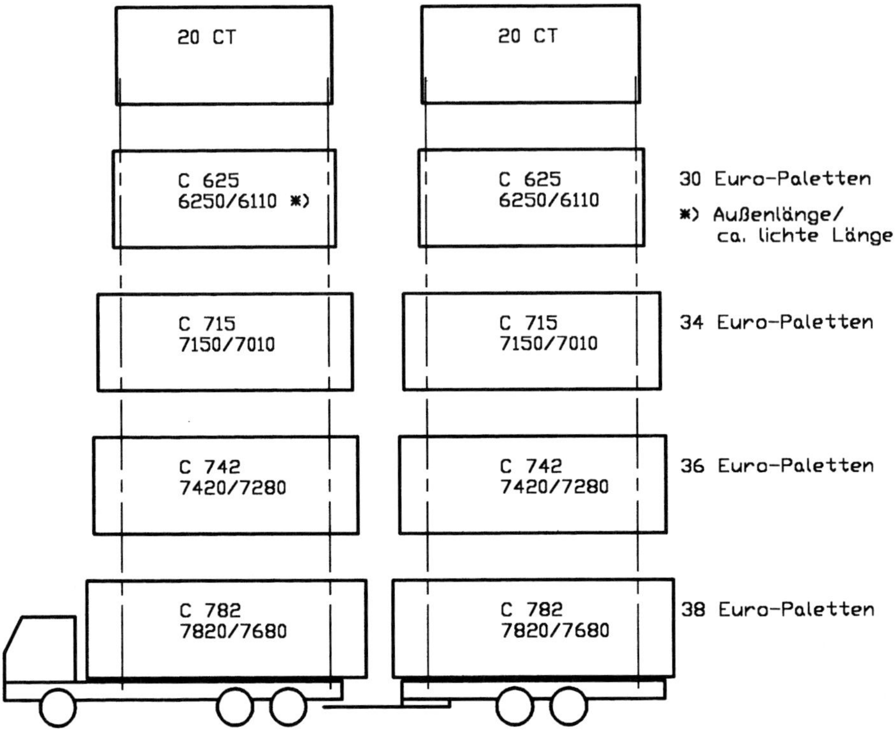


**Bild 3-52** Wechselaufbauten nach DIN 70013 bzw. DIN EN 284

**Bild 3-53** Lastkraftwagenzug mit Wechselaufbauten (Göbel)

Für 18,35 m Gliederzuglänge entwickelte sich der C 715-Wechselaufbau (BDF-Standardbrücke) mit jeweils 15000 kg zulässigem Gesamtgewicht zur Standardversion (Bild 3-53). Längere Wechselaufbauten erforderten bereits ein Kurzkoppelsystem oder einen Starrdeichselanhänger. Dank der Gesamtlänge von jetzt 18,75 m können heute zwei C 745-Wechselbrücken ohne wartungsaufwändige und zugleich teure Kuppeltechnik transportiert werden.

Der interkontinentale (insbesondere zu Wasser) und der nationale wie internationale Verkehr (insbesondere auf Straße und Schiene) erfordern Transportbehälter, die von dauerhafter Beschaffenheit und daher widerstandsfähig für den wiederholten Gebrauch und besonders dazu geeignet sind, den Transport von Gütern mit einem oder mehreren Transportmitteln ohne Umpacken der Ladung zu ermöglichen. Diesen Anforderungen entsprechen ISO-Container nach DIN ISO 668 (Bild 3-54). Ihre verschiedenen Längen (10 ft = 2991 mm, 20 ft = 6058 mm, 30 ft = 9125 mm, 40 ft = 12192 mm) und Höhen (< 8 ft, 8 ft = 2438 mm, 8 ft 6 in = 2591 mm) sowie die einheitliche Breite (8 ft = 2438 mm) orientieren sich in an den anglo-amerikanischen Zollmaßen. Die zulässigen Gesamtgewichte betragen je nach Größe 10160 kg, 24000 kg, 25400 kg und 30480 kg, die Abstände der Eckbeschläge in der Breite einheitlich 2259 mm und in der Länge 2787 mm, 5853 mm, 8918 mm und 11985 mm.

Weil sich, bedingt durch die Zollmaße, die Bodenflächen der ISO-Container in der Breite für Europaletten nicht optimal nutzen lassen, entwickelte die Deutsche Bundesbahn für den Verkehr auf Straße und Schiene die in DIN 15190 genormten Binnencontainer. Bei 2500 mm Breite und 2600 mm Höhe sind die äußeren Merkmale und Längen der Baugrößen B6, B7, B9 und B12 (6058 mm, 7150 mm, 9150 mm, 12192 mm) weitestgehend den ISO-Containern angeglichen; Lage und Ausführung der Eckbeschläge sind identisch. Die zulässigen Gesamtgewichte für die Baugrößen B6, B9 und B12 entsprechen DIN ISO 668, für die Baugröße B7 dem Wechselbehälter C 715.

Sowohl der 20-ft-ISO-Container als auch die Binnencontainer B6 und B7 (optional) haben identische Anschlussmaße wie Wechselbehälter nach DIN EN 284 und können daher über die gleichen Aufnahmen auf Lastkraftwagen bzw. deren Anhängern transportiert werden, allerdings sind mit Rücksicht auf das Transportfahrzeug die zulässigen Gesamtgewichte nicht voll ausschöpfbar. Größere Container erfordern in jedem Fall ein Sattelkraftfahrzeug mit auf die Container abgestimmten Drehzapfenabständen.

**Bild 3-54**
ISO-Container (Göbel)

### 3.2.4 Gewichtskonzept

Der vorherrschende Zweck von Nutzfahrzeugen ist das Befördern von Lasten. In Abhängigkeit der zu erwartenden Transportaufträge werden aus wirtschaftlichen Überlegungen heraus Größenordnungen der Anforderungen bezüglich Nutzlast und Nutzlastvolumen für das zu beschaffende Nutzfahrzeug festgelegt. Für die konkrete Kaufentscheidung muss sowohl beim Motorwagen bzw. Anhänger als auch einer Fahrzeugkombination über die Gewichtsklasse (siehe Abschnitt 1.4.3) und damit über die Mindestanzahl der erforderlichen Achsen (siehe Abschnitt 3.1.3) entschieden werden. Dazu müssen Werte über die bei einem vorgegebenen zulässigen Gesamtgewicht $GG_{zul}$ etwa erreichbaren zulässigen Nutzlasten $G_{N,zul}$ vorliegen. Hierbei kann man mit hinreichender Genauigkeit auf Erfahrungswerte der Leergewichte bereits ausgeführter betriebsfähiger Fahrzeuge $G_{bFZ}$ zurückgreifen. Als aussagefähige Kenngröße kann hier das so genannte Nutzlastverhältnis $G_N{}^*$ definiert werden:

$$G_N{}^* = \frac{G_{N,zul}}{G_{bFZ}} = \frac{GG_{zul} - G_{bFZ}}{G_{bFZ}} \tag{3-2}$$

Hohe Nutzlastverhältnisse sind gleichbedeutend mit einer gelungenen gewichtsoptimierten Bauweise und ein wichtiges Kriterium zur Beurteilung der Wirtschaftlichkeit eines Nutzfahrzeuges. Die mit ausgeführten Fahrzeugen erzielten Nutzlastverhältnisse sind je nach Fahrzeugkonzept, Gewichtsklasse und Art des Aufbaus sehr unterschiedlich und liegen etwa zwischen $G_N{}^* = 0{,}65$ für einen Kastenwagen mit 2,8 t zulässigem Gesamtgewicht und $G_N{}^* = 2{,}3$ für ein gewichtsoptimiertes Sattelkraftfahrzeug der 40 t-Klasse mit Schiebeplanenaufbau. Bild 3-55 zeigt die Nutzlastverhältnisse von MAN-Fahrgestellen der Baureihen L 2000 (bis 10 t Gesamtgewicht) und M 2000 L (ab 12 t Gesamtgewicht) mit Blattfederung und Kompaktfahrerhaus.

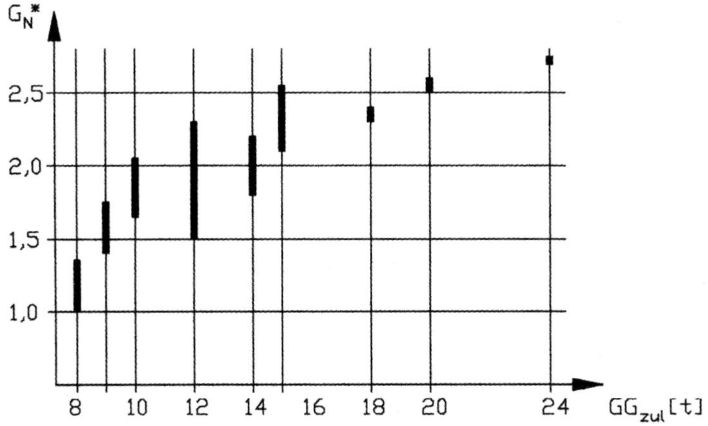


**Bild 3-55**
Nutzlastverhältnisse von MAN-Fahrgestellen

Bei der Analyse des Bildes 3-55 fällt auf, dass tendenziell die Nutzlastverhältnisse mit der Baugröße (zulässiges Gesamtgewicht) steigen. Für Tragwerksteile lässt sich diese Tendenz dadurch begründen, dass bei biegebeanspruchten Querschnitten das Widerstandsmoment bei geometrisch ähnlichen Querschnittsformen überproportional zur Querschnittsfläche wächst. Weiterhin ist zu berücksichtigen, dass Fahrzeuge einer Baureihe aus ökonomischen Gründen mit Gleichteilen ausgerüstet sind, deren Bemessung sich an der schwersten und leistungsstärksten Variante orientiert. Diese Gleichteile sind dann für die leichteren und leistungsschwächeren Varianten konsequenterweise überdimensioniert.

Mit Nutzlastverhältnissen zwischen 0,65 und 2,3 haben die Lagen der Schwerpunkte von Aufbau und Nutzlast einen erheblichen Einfluss auf die Achslastverteilung eines Fahrzeuges. Daher ist bei der Konzeptionierung des Aufbaues insbesondere darauf zu achten, dass der Gesamtschwerpunkt von Fahrgestell, Aufbauten, zusätzlichen Aggregaten sowie der Nutzlast so bezüglich der Fahrzeugachsen positioniert wird, dass bei Erreichen des zulässigen Gesamtgewichtes die zulässigen Achslasten nicht überschritten sind. Dies ist eine wesentliche Aufgabe der Achslastberechnung (siehe Abschnitt 3.3.1).

Bedingt durch die Art des Aufbaus, fest auf dem Aufbau installierte Nutzlasten oder eine nicht gleichmäßig beladene Ladefläche, kann der Nutzlastschwerpunkt deutlich außerhalb der geometrischen Mitte des Aufbaus liegen (Bild 3-56). In solchen Fällen ist dieser gesondert zu berechnen und bei der Zulassung in die Fahrzeugpapiere einzutragen.

Die zur Achslastberechnung erforderlichen Angaben über Abmessungen und Gewichte des Fahrgestells sowie den zulässigen Achslasten und dem zulässigen Gesamtgewicht sind für ein konkretes Fahrzeug den jeweils gültigen technischen Angebotsbeschreibungen (Datenblättern) und Fahrgestellzeichnungen zu entnehmen. Durch Sonderausrüstungen können sich diese Angaben allerdings verändern.

Im Fahrzeugbau ist es nach wie vor üblich, Gewichtskräfte als Massen aufzufassen und diese entsprechend in den Einheiten Kilogramm (kg) bzw. Tonnen (t) anzugeben. Auch der Gesetzgeber macht in der Straßenverkehrszulassungsordnung (StVZO) von dieser im physikalischen Sinne unsauberen Begrifflichkeit Gebrauch und spricht von „Gewichten“ und „Lasten“ mit der physikalischen Einheit „kg“. DIN 70020 Blatt 2 definiert unter „Gewicht“ oder „Last“ die Masse des Fahrzeuges oder dessen Teile im statischen Zustand, wobei diese bei Geradeauslaufstellung der Räder bei stehendem Fahrzeug zu messen sind.

**Bild 3-56** Beispiele gleichmäßiger und ungleichmäßiger Lastverteilung (IVECO, aus [3-8])

Für Berechnungen im Nutzfahrzeugbau ist die Umrechnung in die sonst in der Technik übliche Krafteinheit Newton (N) bzw. Kilonewton (kN) dann erforderlich, wenn Schnittgrößen (Querkraft, Längskraft, Biegemoment, Torsionsmoment) in beanspruchten Querschnitten und die daraus resultierenden Spannungen für den Festigkeitsnachweis (siehe Abschnitt 5.3.5) zu ermitteln sind.

Die in Fahrgestell-Datenblättern üblicherweise verwendeten Begriffe sind nachstehend in Anlehnung an DIN 70020 Blatt 2 in ihrem Zusammenhang (Tabelle 3-5) dargestellt:

**Tabelle 3-5** Gewichtsangaben in Anlehnung an DIN 70020 Blatt 2

| | |
|---|---|
| | Fahrgestellgewicht (Achslast) vorne $G_{FG,v}$ |
| + | Fahrgestellgewicht (Achslast) hinten $G_{FG,h}$ |
| = | Fahrgestellgewicht (mit Fahrerhaus) $G_{FG}$ |
| + | Gewichte von Betriebsstoffen, Fahrer, Werkzeug, Reserverad, Anhängekupplung |
| = | Gewicht des betriebsfähigen Fahrgestells $G_{bFG} = G_{bFG,v} + G_{bFG,h}$ |
| + | Aufbaugewicht $G_A$ |
| = | Leergewicht des betriebsfähigen Fahrzeuges $G_{bFZ} = G_{bFZ,v} + G_{bFZ,h}$ |
| + | Zulässige Nutzlast $G_{N,zul}$ |
| = | Zulässiges Gesamtgewicht $GG_{zul}$ |
| | Gesamtgewicht (Achslast) vorne $GG_v <$ zulässige Achslast vorne $G_{v,zul}$ |
| + | Gesamtgewicht (Achslast) hinten $GG_h <$ zulässige Achslast hinten $G_{h,zul}$ |
| = | Gesamtgewicht $GG <$ Zulässiges Gesamtgewicht $GG_{zul}$ |

Die Summe der zulässigen Achslasten $G_{v,zul}$ und $G_{h,zul}$ ist vom Fahrgestellhersteller stets so ausgelegt, dass sie größer als das zulässige Gesamtgewicht $GG_{zul}$ ist. Damit ergibt sich für den Fahrzeugbetreiber bei Ausnutzung des zulässigen Gesamtgewichtes immer ein gewisser Spielraum für die Lage des Schwerpunktes aus Aufbau und Nutzlast (siehe Abschnitt 3.3.2).

Da an jedem Lastkraftwagenfahrgestell Gewichtstoleranzen auftreten können – DIN 70020 lässt eine Abweichung von ± 5 % zu – ist die Ermittlung des entgültigen Fahrgestellgewichtes und dessen Verteilung auf die Fahrzeugachsen vor der Montage des Aufbaues ratsam. In jedem Fall ist für den aufgebauten Lastkraftwagen zur Abnahme des Fahrzeuges beim amtlich anerkannten Sachverständigen der Nachweis einer Wägung erforderlich.

Um in allen Beladungszuständen eine ausreichende Lenkbarkeit des Fahrzeuges zu gewährleisten, geben die Fahrgestellhersteller Mindestwerte für die Vorderachslasten an. Diese betragen für gleichmäßig verteilte Nutzlast 20 % und bei schweren Hecklasten (z. B. Kran, Ladebordwand) 25 % des jeweiligen Gesamtgewichtes (Angaben IVECO) bzw. 25 und 30 % (Angaben Mercedes-Benz). Die EU-Richtlinie 97/27/EWG nennt Mindestwerte von 20 bzw. 25 %.

Besonders zu beachten ist die Einhaltung einer ausreichenden Vorderachslast bei Fahrzeugen mit hohen Stützlasten an der Anhängekupplung (Zentralachsanhängerbetrieb) und solchen mit kurzem Radstand und hohem Nutzlastschwerpunkt (z. B. Betonmischer- und Tankaufbau).

Für Fahrzeuge mit drei oder mehr Achsen werden die beiden Hinterachslasten $G_{h1}$ und $G_{h2}$ oft zu einer Resultierenden $G_{h,res}$ zusammengefasst (Doppelachslast), deren Wirklinie im Falle gleicher Lastverteilung genau durch die geometrische Mitte zwischen beiden Achse geht und sich bei ungleichen Hinterachslasten (z. B. bei einfachbereiften Vor- oder Nachlaufachsen) zur jeweils höher belasteten Achse hin verschiebt. Der Abstand zwischen der Vorderachse und der Wirklinie der Hinterachslastresultierenden wird als technischer Radstand $l_{tech}$ bezeichnet und ist sowohl von den beiden Hinterachslasten als auch den Radständen $l_1$ und $l_2$ abhängig (Bild 3-57):

$$l_{tech} = l_1 + l_2 \cdot \frac{G_{h2}}{G_{h1} + G_{h2}} = l_1 + l_2 \cdot \frac{G_{h2}}{G_{h,res}} \qquad (3\text{-}3)$$

Für die Auslegung der Bremskraftverteilung auf Vorder- und Hinterachse ist neben den statischen auch das Ausmaß der dynamische Achslasten bei Fahrzeugverzögerung von Bedeutung. Deshalb muss laut Vorgabe der EU-Richtlinie 71/320/EWG der Aufbauhersteller die Schwerpunkthöhen von Aufbau $h_{S,A}$ und Nutzlast $h_{S,N}$ bestimmen und mit der Höhe des Schwerpunktes des betriebsfähigen Fahrgestells $h_{S,bFG}$ (in der Fahrgestellzeichnung angegeben) die Schwerpunkthöhe für das Gesamtfahrzeuges $h_{S,ges}$ (Bild 3-58) berechnen:

$$h_{S,ges} = \frac{G_{bFG} \cdot h_{S,bFG} + G_A \cdot h_{S,A} + G_{N,zul} \cdot h_{S,N}}{G_{bFG} + G_A + G_{N,zul}} \tag{3-4}$$

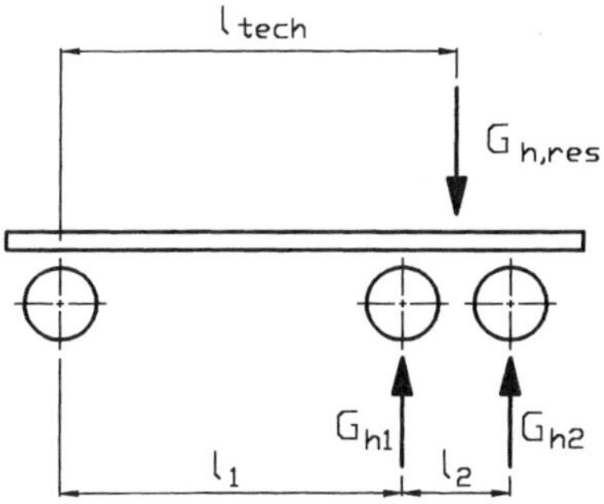


**Bild 3-57** Technischer Radstand für Dreiachsfahrzeuge

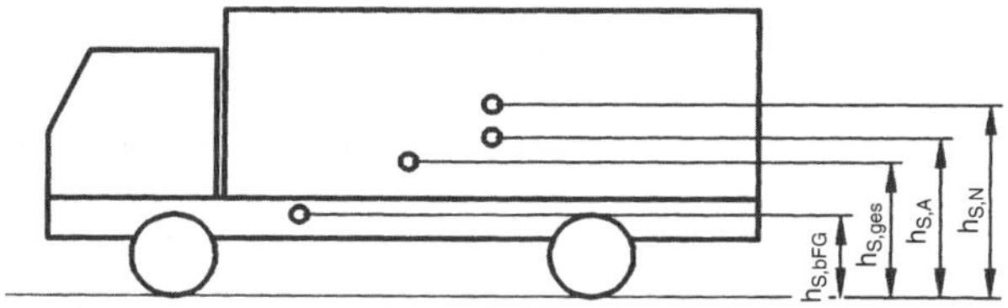


**Bild 3-58** Bestimmung der Schwerpunkthöhe für das beladene Fahrzeug

In die Berechnung der dynamischen Achslasten gehen dann neben der Schwerpunkthöhe $h_{S,ges}$ noch der Radstand des Fahrzeuges sowie die Verzögerung ein (siehe Abschnitt 2.3.1).

Um die Fahrsicherheit in Kurven und auf seitlich geneigter Fahrbahn zu gewährleisten, geben die Fahrgestellhersteller Richtwerte für die maximal zulässigen Gesamt-Schwerpunkthöhen an. Diese Werte schwanken je nach Fahrzeugtyp und Stabilisatorausführung zwischen 1700 und 2500 mm über der Fahrbahn (Angaben Iveco) und beziehen sich auf Aufbauten mit fester Ladung. Falls sich der Nutzlastschwerpunkt durch pendelnde (z. B. hängende Schweinehälften) oder schwappende Ladung (z. B. Milch) seitlich verlagern kann, muss dies beim Einsatz des Fahrzeuges durch eine entsprechend angepasste Fahrweise oder durch die Reduzierung des Nutzlastschwerpunktes berücksichtigt werden.

Durch den Einbau zusätzlicher oder verstärkter Stabilisatoren können eventuell höhere maximale Schwerpunkthöhen als empfohlen zugelassen werden. Diese Veränderung muss jedoch unter Berücksichtigung der Aufbaumerkmale, des Radstandes und der Verteilung der dynamischen Zusatzkräfte auf die Vorder- und Hinterachsaufhängung erfolgen. In vielen Fällen (z. B. bei verwindungsweichen Pritschenaufbauten) empfiehlt sich nur die Stabilisatorveränderung an der Hinterachse, um dem Fahrer nicht den falschen Eindruck einer größeren Kurvenstabilität zu vermitteln.

Werden insbesondere Zusatzaggregate nicht paarweise beidseitig des Fahrgestellrahmens angebracht, kann es zu einer ungleichen Lastverteilung in Querrichtung kommen. Falls ungleiche Radlasten an einer Achse unvermeidbar sind, darf der Gewichtsunterschied zwischen rechter und linker Seite höchstens 4 % der vorhandenen Achslast betragen.

Die wesentlichen Kenngrößen für Transportaufgaben stellen Gewicht und Volumen der zu transportierenden Güter dar. Um die Transportkosten niedrig zu halten, kommen im Fernlastverkehr hauptsächlich Lastkraftwagenzüge und Sattelkraftfahrzeuge der 40-t-Klasse zum Einsatz. Aus der Kenntnis von Abmessungs- und Gewichtsdaten (lichte Ladelänge $l_N$, lichte Ladebreite $b_N$, lichte Ladehöhe $h_N$, zulässige Nutzlast $G_{N,zul}$) ausgeführter Fahrzeuge seien hier hilfreiche Projektierungskenngrößen (Ladefläche $A_N$, Ladevolumen $V_N$, Grenz-Nutzlastdichte $\rho_{N,g}$, Streckennutzlast $G_N'$, Flächennutzlast $G_N''$) abgeleitet und für Durchschnittswerte üblicher Abmessungen und Gewichte für einen kurzgekuppelten Gliederzug und ein Sattelkraftfahrzeug berechnet (Tabelle 3-6):

$$A_N = l_N \cdot b_N \quad (3\text{-}5) \qquad V_N = A_N \cdot h_N \quad (3\text{-}6) \qquad \rho_{N,g} = \frac{G_{N,zul}}{V_N} \quad (3\text{-}7)$$

$$G_N' = \frac{G_{N,zul}}{l_N} \quad (3\text{-}8) \qquad G_N'' = \frac{G_{N,zul}}{A_N} \quad (3\text{-}9)$$

**Tabelle 3-6** Projektierungskenngrößen berechnet nach Gln. 3-5 bis 3-9

| | $l_N$ [m] | $b_N$ [m] | $h_N$ [m] | $G_{N,zul}$ [t] | $A_N$ [m$^2$] | $V_N$ [m$^3$] | $\rho_{N,g}$ [t/m$^3$] | $G_N'$ [t/m] | $G_N''$ [t/m$^2$] |
|---|---|---|---|---|---|---|---|---|---|
| Gliederzug | 15,5 | 2,5 | 2,5 | 26 | 39 | 98 | 0,26 | 1,7 | 0,67 |
| Sattelkraftfahrzeug | 13,5 | 2,5 | 2,7 | 26 | 34 | 92 | 0,28 | 1.9 | 0,77 |

## 3.2.5 Maßkonzept

### *3.2.5.1 Hauptabmessungen und Teillängen*

Die kennzeichnendste Hauptabmessung eines Lastkraftwagenfahrgestells ist der Radstand. Dieser bestimmt zusammen mit der Lage des Aufbau- bzw. Nutzlastschwerpunktes (Berechnung des Aufbauschwerpunktbereiches siehe Abschnitt 3.3.1) die Aufbaulänge.

Bei vorgegebenem Volumenbedarf (geschlossene Aufbauten) ergibt sich bei vorgegebener Aufbaubreite die erforderliche Aufbaulänge aus der angestrebten Aufbauhöhe (Bild 3-59).

Die Entscheidung über die Abmessungsvariablen (Aufbaulänge und Aufbauhöhe) kann durch mehrere Faktoren bestimmt werden:

- Kosten (Oberfläche des Aufbaus, Fahrgestellpreis in Abhängigkeit vom Radstand)
- dynamische Achslastverlagerung (Relation von Schwerpunkthöhe zu Radstand)
- Kurvenläufigkeit (Radstand, Länge der Anhängerdeichsel)
- Luftwiderstand ($c_w$-Wert, Stirnfläche)
- Betriebskosten (Relation Oberfläche/Volumen bei Kühlaufbauten)
- Begrenzung örtlicher Durchfahrthöhen
- standardisierte Ladeeinheiten (Europaletten)
- Kippsicherheit (Relation Schwerpunkthöhe/Spurweite)
- Begrenzung der Schütthöhe für landwirtschaftliche Erntegüter (Druckempfindlichkeit des Transportgutes)

Liegt nur Ladeflächenbedarf vor (Pritsche), bestimmt allein der Grundflächenbedarf der zu transportierenden Lasten die erforderliche Aufbaulänge (Bild 3-60).

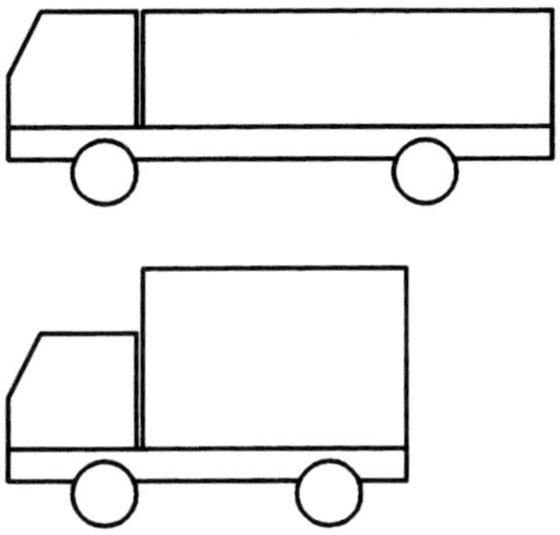

**Bild 3-59** Alternative Aufbauten für gleichen Volumenbedarf

**Bild 3-60** Aufbauten für unterschiedlichen Ladeflächenbedarf

Unabhängig von der durch die Nutzlast bewirkten Achslastverteilung geben die Fahrgestellhersteller maximale hintere Überhanglängen $ü_{Z,h}$ (Bild 3-61) an. Diese betragen für zweiachsige Fahrzeuge 60 %, und für drei- und vierachsige Fahrzeuge 70 % des technischen Radstandes $l_{tech}$.

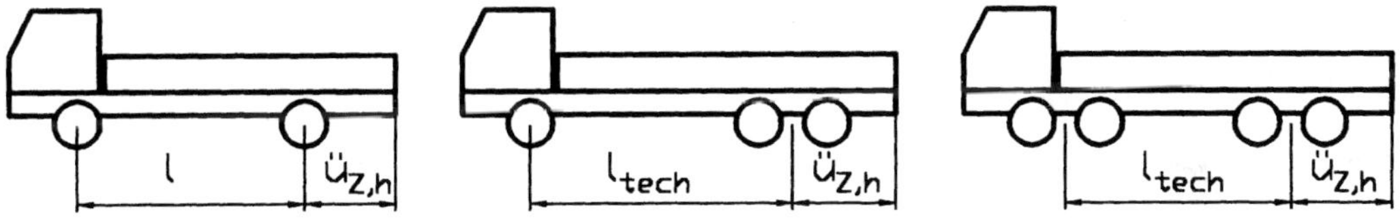


**Bild 3-61** Maximale hintere Fahrzeugüberhanglängen

Bei der Festlegung der Teillängen einer Fahrzeugkombination (Gliederzug) kann man von der Achskonfiguration (siehe Bild 3-4) ausgehen, da diese in etwa die Aufteilung des Gesamtgewichtes auf Motorwagen und Anhänger bestimmt. Liegen Erfahrungswerte für Leergewichte von Motorwagen und Anhänger vor, können deren Nutzlastanteile bestimmt werden. Mit der Annahme etwa gleicher durchschnittlicher Dichte des Ladegutes für Motorwagen und Anhänger sollte dann die zur Verfügung stehende Aufbaulänge etwa im Verhältnis dieser Nutzlastanteile aufgeteilt werden. Dabei darf die Summe bei der Aufbaulänge günstigstenfalls 15,65 m (siehe Bild 3-1) erreichen. Ob diese bei einer maximalen Systemlänge von 16,40 m realisiert werden kann, muss eine Durchlenkungsuntersuchung (Abschnitt 3.2.5.3) zwischen Motorwagen und Anhänger zeigen. Die exakte Festlegung der Aufbaulängen sollte erst nach Erstellen der Beladepläne (Abschnitt 3.2.5.2) erfolgen.

Eine Übersicht der heute gebräuchlichen Zugkombinationen mit Angabe der Europaletten-Stellplätze zeigt Bild 3-62.

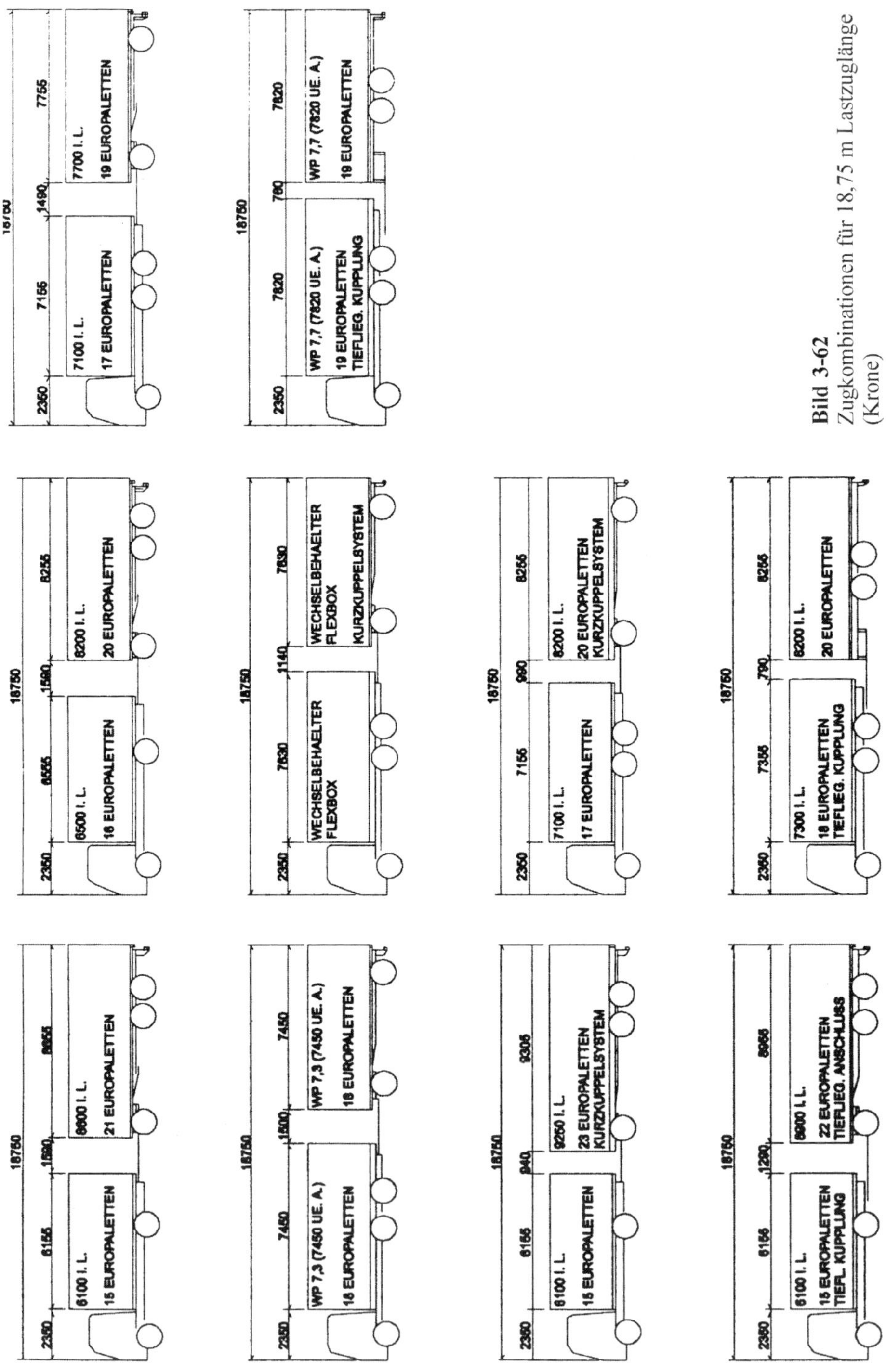


**Bild 3-62**
Zugkombinationen für 18,75 m Lastzuglänge (Krone)

### *3.2.5.2 Beladeplan*

Ein ökonomisches Transportkonzept setzt eine möglichst optimale Nutzung des zur Verfügung stehenden Aufbauvolumens bzw. der vorhandenen Ladefläche voraus. Da heute üblicherweise in ihren Abmessungen standardisierte Ladungsträger (Paletten) und Ladungsbehältnisse (Container) eingesetzt werden, ist es ratsam, deren Abmessungen bereits in der Planung der Aufbauabmessungen einzubeziehen.

Für die sehr häufig eingesetzte *Europalette* (800 × 1200 mm) gelten für die Hauptabmessungen +3 mm Toleranzzuschlag. Geht man weiter davon aus, dass Packstücke auf den Paletten teilweise seitlich überstehen, reichen die theoretischen Kantenlängenmaße für die Planung des Ladeflächenbedarfs nicht aus. Mit einem rechnerischen Spaltmaß von 10 mm zwischen den einzelnen Paletten wie auch zur Bordwand (Stautoleranz) besteht somit bei Queranordnung der Paletten ein Breitenbedarf von 2430 mm (10+1200+10+1200+10), bei Längsanordnung einer von 2440 mm (10+800+10+800+10+800+10). Damit wäre im Prinzip eine zulässige Fahrzeugbreite von 2,5 m bei maximal 30 mm Bordwandstärke ausreichend gewesen. Allerdings nur unter der Bedingung, unvermeidbare Toleranzen der Aufbauabmessungen nach außen zu verlegen und auf den nachträglichen Einbau von Zurrschienen oder ähnlichen Mitteln zur Ladungssicherung zu verzichten. Mit der Anhebung der maximal zulässigen Fahrzeugbreite auf 2,55 m wurde diese Problematik deutlich entschärft.

Bild 3-63 zeigt, dass sich unter der Bedingung von sowohl längs- als auch quer angeordneten Europaletten jede ganzzahlige Anordnung optimieren lässt. Für ausschließliche Längsanordnung muss die Anzahl der Paletten $n_P$ durch drei, bei Queranordnung durch zwei teilbar sein. Das Mindestmaß für die erforderliche Ladelänge $l_{N,min}$ beträgt dann unter Berücksichtigung der Stautoleranz $d_S$ für längs angeordnete Paletten mit $l_P = 1200$ mm:

$$l_{N,min} = \frac{n_P}{3} \cdot l_P + \left( \frac{n_P}{3} + 1 \right) \cdot d_S \tag{3-10}$$

Für quer angeordnete Paletten mit $b_P = 800$ mm ergibt sich entsprechend:

$$l_{N,min} = \frac{n_P}{2} \cdot b_P + \left( \frac{n_P}{2} + 1 \right) \cdot d_S \tag{3-11}$$

Bei wahlweiser Anordnung der Europaletten ergibt sich ein Mindestmaß, welches zwischen den nach Gl.3-10 und Gl.3-11 ermittelten Werten liegt.

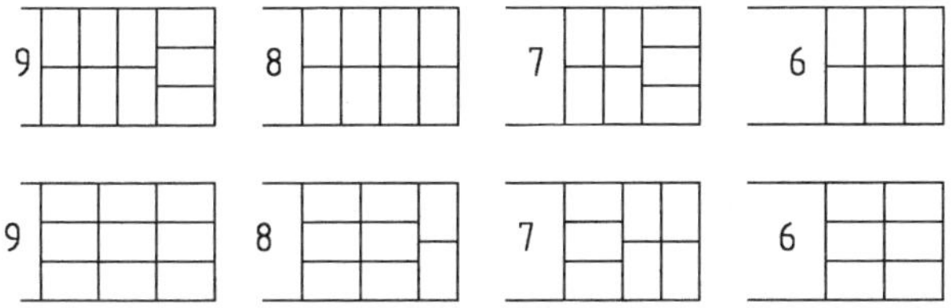


**Bild 3-63**
Alternative Beladepläne für Europaletten

In der Getränkebranche sind neben der Europalette die *Bierpalette* (1000 × 1200 mm ) und die *Wasserpalette* (1070 × 1100 mm) gebräuchlich. Bild 3-64 zeigt die Wasserkastenanordnung auf einer Wasserpalette mit der dazugehörigen Gewichtstabelle, Bild 3-65 den dazugehörigen Beladeplan, der für 1491 mm Stapelhöhe (4 Lagen) bereits die berechneten Nutzlasten in Abhängigkeit der Aufbaulänge angibt.

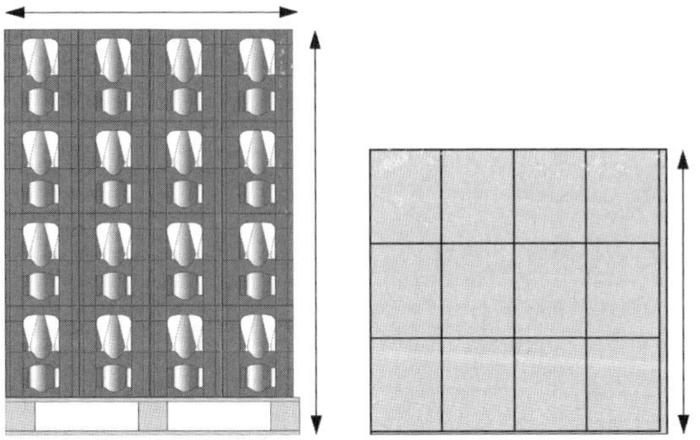

| Kasten | | |
|---|---|---|
| L*B*H [mm] | | 355*270*345 |
| Stapelmass [mm] | | 332 |
| Gewicht [kg] | voll | 16,5 |
| | leer | 8 |

| Wasserpalette GDB (0,7l) | | | | |
|---|---|---|---|---|
| Lage | Stück | Gewicht [kg] | | Stapelhöhe |
| | | voll | leer | [mm] |
| 7 | 84 | 1417 | 703 | 2487 |
| 6 | 72 | 1219 | 607 | 2155 |
| 5 | 60 | 1021 | 511 | 1823 |
| 4 | 48 | 823 | 415 | 1491 |
| 3 | 36 | 625 | 319 | 1159 |
| 2 | 24 | 427 | 223 | 827 |
| 1 | 12 | 229 | 127 | 495 |
| Palette | | 31 | 31 | 150 |

**Bild 3-64** Kastenanordnung auf einer Wasserpalette mit dazugehöriger Gewichtstabelle (MAN, aus [3-9])

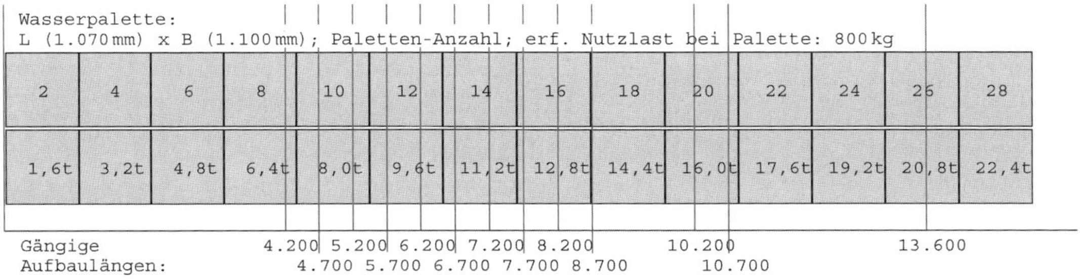


**Bild 3-65** Beladeplan für Wasserpaletten (MAN, aus [3-9])

In der Lebensmittelbranche werden im Verteilerverkehr neben Europaletten bevorzugt *Rollbehälter* (720 × 810 mm) eingesetzt. Auf Bild 3-66 ist analog zu Bild 3-65 ein Beladeplan dargestellt, in den für 350 kg Rollbehältergewicht die Nutzlastgewichte in Abhängigkeit der Aufbaulänge bereits eingearbeitet sind.

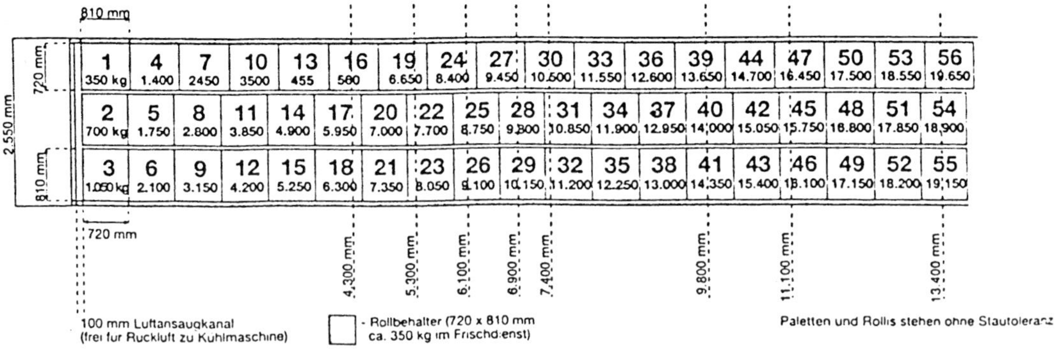


**Bild 3-66** Beladeplan für Rollbehälter (MAN, aus [3-10])

### *3.2.5.3 Untersuchung der Durchlenkung zwischen Motorwagen und Anhänger*

Fahrzeugkombinationen bestehen aus mindestens zwei Einzelfahrzeugen (z. B. Motorwagen und Anhänger), welche über eine Verbindungseinrichtung (siehe Abschnitt 2.5) gelenkig miteinander verbunden sind. Da sich bei Kurvenfahrt ein Winkel um die Hochachse (Knickwinkel) zwischen den Längsmittellinien der Aufbauten einstellt, nähern sich diese (bei Verbindungseinrichtungen ohne Ausschubsystem) unweigerlich einander an. Dazu addiert sich eine weitere Annäherung der Aufbauten beim Durchfahren von Senken (Bild 3-67); für ein 4,0 m hohes Fahrzeug bei einem Knickwinkel von 4° zur Querachse [3-11] etwa 250 mm.

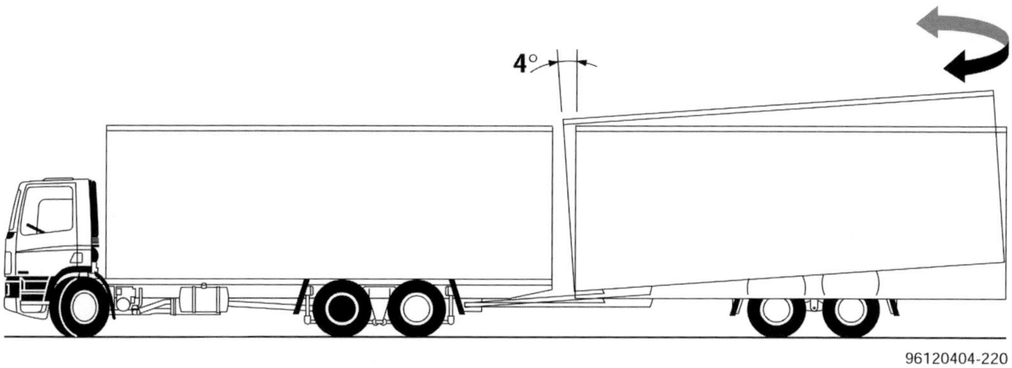


**Bild 3-67** Annäherung der Aufbauten beim Durchfahren einer Senke (DAF, aus [3-11])

Die geometrische Zusammenhänge zur Untersuchung der Durchlenkung zwischen Motorwagen und Gelenkdeichselanhänger zeigt Bild 3-68a. Wenn für alle im üblichen Fahr- und Rangierbetrieb denkbaren Stellungen zwischen Motorwagen und Anhänger eine Kollision der Aufbauten ausgeschlossen werden soll, dann ergibt sich der Minimalabstand beider Aufbauten für die Geradeausfahrtstellung $a_{A,g}$ zu (Herleitung über Satz des Pythagoras):

$$a_{A,g} = \sqrt{\left(\frac{B}{2}\right)^2 + l_{AK}^2} + \sqrt{\left(\frac{B}{2}\right)^2 + ü_{An,v}^2} + a_{A,min} - l_{AK} - ü_{An,v} \qquad (3\text{-}12)$$

Für den Sicherheitsabstand $a_{A,min}$ ist das oben ermittelte Maß von etwa 250 mm für die zusätzlich mögliche Annäherung der Aufbauten beim Durchfahren von Senken einzusetzen.

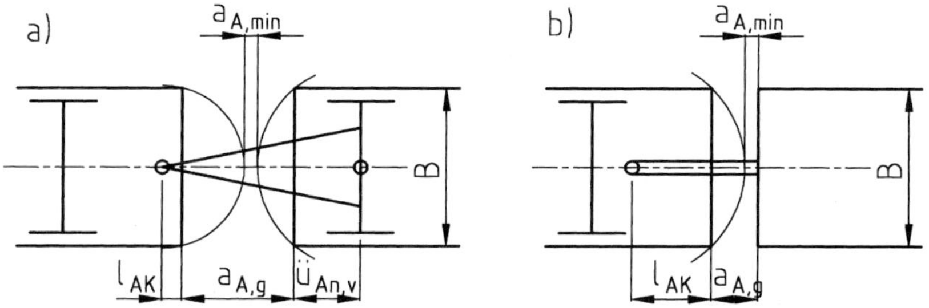


**Bild 3-68** Durchlenkungsuntersuchungen für Motorwagen mit Gelenkdeichselanhänger (a) und Motorwagen mit Starrdeichselanhänger (b), geometrische Zusammenhänge

Setzt man in Gl. 3-12 übliche Abmessungen ($B$ = 2550 mm, $l_{AK}$ = 300 mm, $l_{Ü,v}$ = 1200 mm) ein, dann müsste mit $a_{A,min}$ = 250 mm der Abstand der Aufbauten in der Geradeausfahrtstellung $a_{A,g}$ = 1810 mm betragen. Diese Bedingung wird von keiner in Bild 3-62 gezeigten Fahrzeugkombinationen erfüllt. Bei Einhaltung der Maße für die Austauschbarkeit im grenzüberschreitenden Verkehr nach DIN 74050 (Bild 3-69) reduziert sich das Maß $a_{A,g}$ sogar auf 1200 mm. Damit können allein die Umsicht und das Können das Fahrers die Kollision der Aufbauten vermeiden.

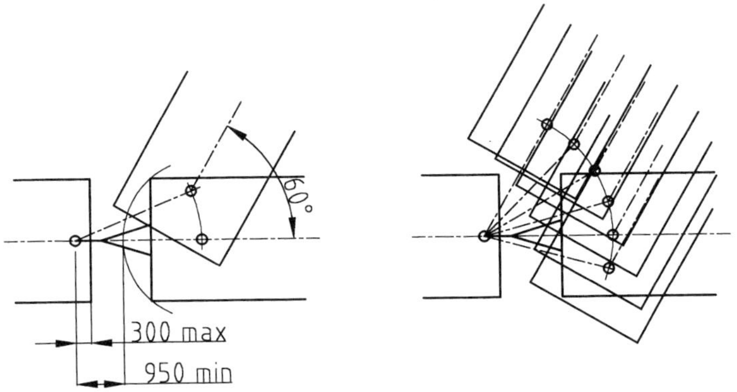


**Bild 3-69** Grenzmaße für die Austauschbarkeit im grenzüberschreitenden Verkehr nach DIN 74050 und entsprechende Durchlenkungsuntersuchung

Die Durchlenkungsuntersuchung für den Starrdeichselanhänger (Zentralachsanhänger) erfolgt analog zum Gelenkdeichselanhänger. Mit Berücksichtigung der in Bild 3-68b gezeigten geometrischen Zusammenhänge ergibt sich das erforderliche Unterkuppelmaß (Heckabstand der Anhängekupplung) $l_{AK}$ zu (Herleitung über Satz des Pythagoras):

$$l_{AK} = \frac{\left(\frac{B}{2}\right)^2 - \left(a_{A,g} - a_{A,min}\right)^2}{2 \cdot \left(a_{A,g} - a_{A,min}\right)} \tag{3-13}$$

Mit üblichen Abmessungen ($B$ = 2550 mm, $a_{A,g}$ = 750 mm) und $a_{A,min}$ = 250 mm ergibt sich dann nach Gl. 3-13 ein minimal erforderliches Unterkuppelmaß von $l_{AK}$ = 1375 mm.

Bei der Abwicklung internationaler Transporte ist es üblich, dass Sattelzugmaschinen und ihre Auflieger gegeneinander ausgetauscht werden. Dies setzt sowohl einheitliche Anschlussmaße der Sattelkupplung als auch ausreichend Freiräume zur ungehinderten Durchlenkung voraus. Konkrete Anforderungen an Abmessungen und Winkel im Bereich der Aufbauten von Zugmaschine und Auflieger sind in der internationalen Norm ISO 1726 festgelegt:

- Oberkante der Sattelkupplung im beladenen Zustand zwischen 1150 und 1300 mm, im unbeladenen Zustand maximal 1400 mm über der Fahrbahn (Bild 3-70).
- Freiraum für 6° Vorwärts- und 7° Rückwärtsneigung sowie 3° Seitenneigung des Aufliegers bei Geradeausfahrt (Bild 3-70). Zwischen 25 und 90° Knickwinkel zwischen den Längsachsen von Zugmaschine und Auflieger wird der Winkel der Rückwärtsneigung zwischen 7 und 3° linear interpoliert.
- Maximaler vorderer Überhangradius des Aufliegers 2040 mm (Bild 3-71).

- Differenz zwischen Schwanenhalsfreiradius des Aufliegers und Heckradius der Zugmaschine mindestens 100 mm (Bild 3-71).
- Schwanenhals-Kontur in Form einer Rotationsfläche um die senkrechte Achse des Zugsattelzapfens entsprechend Bild 3-73.
- Minimaler Abstand zwischen Fahrerhaus und Auflieger 80 mm. Wird 250 mm oberhalb der Sattelkupplung beim Durchschwenken des Aufliegers (Zylindermantelfläche) gemessen. Nach oben hin muss dieser Abstand mit 6° Neigung (Kegelmantelfläche) wachsen (Bild 3-72).

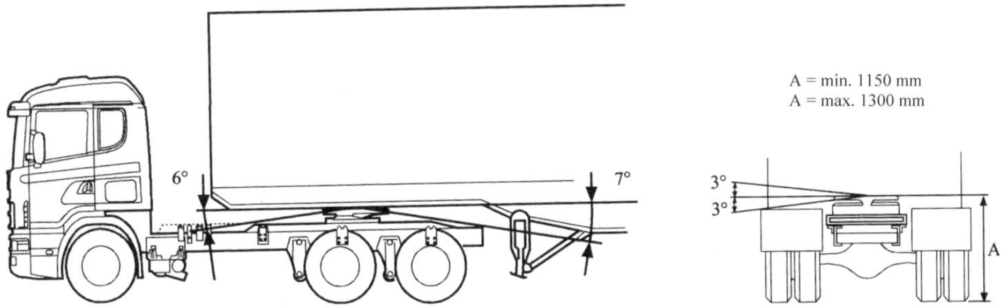


**Bild 3-70** Minimale Freiräume für Vorwärts-, Rückwärts- und Seitenneigung sowie Oberkante der belasteten Sattelkupplung nach ISO 1726 (SCANIA, aus [3-12])

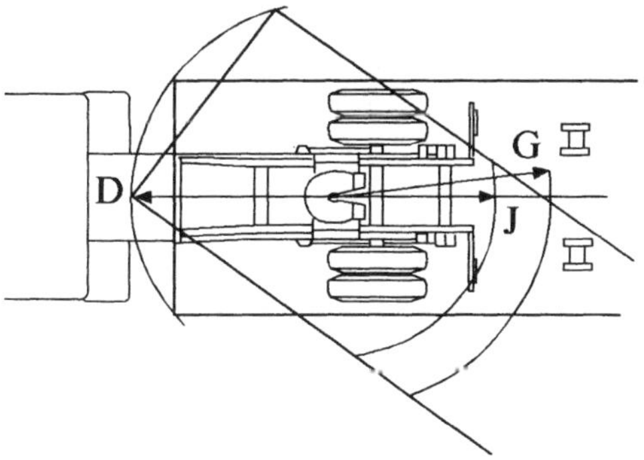


**Bild 3-71**
Maximaler vorderer Überhangradius D = 2040 mm, minimaler Schwanenhalsfreiradius G = 2300 mm und maximaler Heckradius J = 1940 mm (SCANIA, aus [3-12])

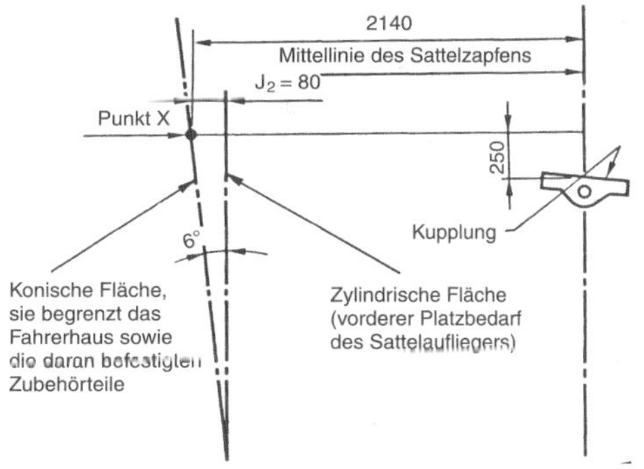


**Bild 3-72**
Vordere Auflieger-Freigängigkeit nach ISO 1726 (Renault, aus [3-13])

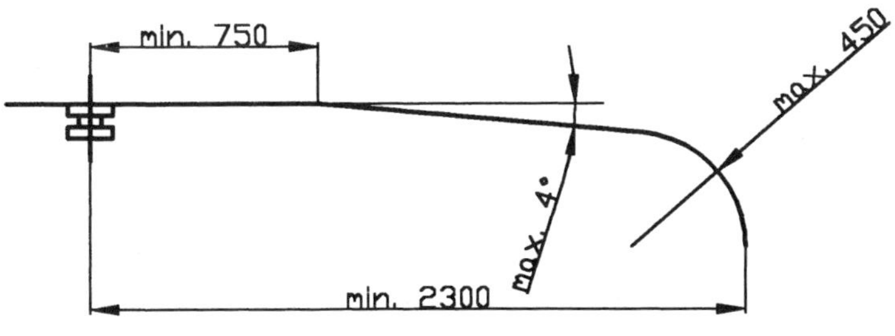


**Bild 3-73**
Schwanenhals-Kontur nach ISO 1726 (SCANIA, aus [3-12])

## 3.3 Achslasten, Aufbaulänge und Nutzlastverteilung

Jeder Fahrzeughalter möchte sein Fahrzeug optimal ausnutzen können. Dies ist nur möglich, wenn Aufbau und Nutzlast so bezüglich der Achsen positioniert werden, dass bei Erreichen des zulässigen Gesamtgewichts weder Vorder- noch die Hinterachse überlastet sind. Dazu werden durch Anwendung der Grundregeln der Technischen Mechanik (Gleichgewichtsbedingungen) aus der Kenntnis von Betrag, Richtung und Angriffspunkt einer beliebigen Anzahl von Einzel- oder Streckenlasten die resultierenden Achslasten ermittelt und mit den zulässigen Werten verglichen. Alternativ dazu kann bei vorgegebener Achslastverteilung die Lage von Aufbau- bzw. Nutzlastschwerpunkt ermittelt und somit (für gleichmäßige Lastverteilung) die optimale Aufbaulänge bestimmt werden.

### 3.3.1 Achslastberechnung

Die meisten statischen Berechnungen im Nutzfahrzeugbau lassen sich in einem allgemeinen ebenen Kräftesystem durchführen. Bei der Achslastberechnung werden im speziellen achslastverursachende Gewichtskraftanteile aus Fahrgestell, Aufbau und Nutzlast vereinfachend als in einer Ebene wirkend angenommen.

In einem solchen allgemeinen ebenen Kräftesystem schneiden sich im Gegensatz zum zentralen Kräftesystem die Wirklinien der Kräfte nicht in einem gemeinsamen Punkt. Ihre Lage wird durch deren senkrechten Abstand von einem frei wählbaren Bezugspunkt, dem Wirkabstand bestimmt. Um die Wirkung einer Kraft auf einen Punkt außerhalb ihrer Wirklinie erfassen zu können, führte man den Begriff „Moment einer Kraft" ein, unter dem man das Produkt aus Kraft und dem senkrechten Abstand ihrer Wirklinie (Wirkabstand) zu diesem Bezugspunkt versteht (Bild 3-74).

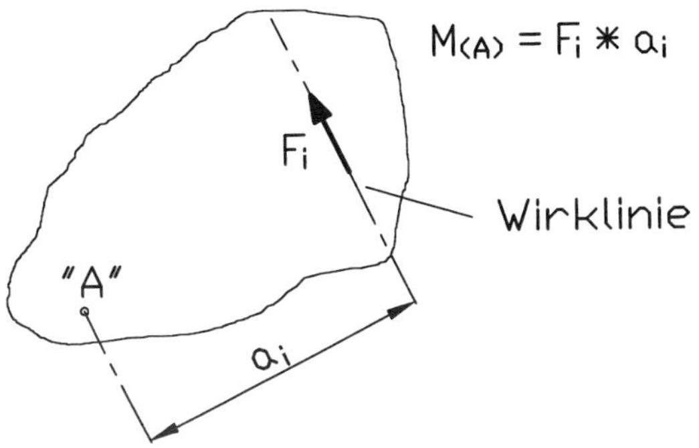


**Bild 3-74**
Moment einer Kraft F bezüglich des Bezugspunktes „A"

Zum Errechnen unbekannter Kräfte (z. B. Achslasten) geht man vom statischen Gleichgewicht aller angreifenden Kräfte aus, für das sich weder eine resultierende Kraft noch ein resultierendes Moment ergeben darf [3-14].

Somit lassen sich für das ebene Kräftesystem im kartesischen Koordinatensystem die Gleichgewichtsbedingungen formulieren:

Ein allgemeines ebenes Kräftesystem befindet sich im Gleichgewicht, wenn die Summe der X-Komponenten und die Summe der Y-Komponenten der angreifenden Kräfte und die Summe aller Momente dieser Kräfte um einen beliebigen Bezugspunkt gleich Null sind.

Mathematisch formuliert:

$$\overset{\rightarrow}{\sum} F_x = 0 \qquad \uparrow \sum F_y = 0 \qquad \overset{\leftarrow}{\sum} M_{(A)} = 0 \tag{3-14}$$

In diese drei Gleichungen sind die Komponenten der Kräfte mit den ihrer Wirkrichtung entsprechenden Vorzeichen (+X nach rechts, +Y nach oben) und die Momente mit ihrem Drehsinn (+M linksdrehend) einzusetzen.

Bei der Berechnung der Achslasten infolge statisch wirkender Gewichtskräfte (Lasten $G_1$, $G_2$, $G_3$, ...) wird das betrachtete System „Lastkraftwagen“ vereinfachend auf ein Balkenmodell (Träger auf zwei Stützen) reduziert, freigemacht und die noch unbekannten Achslasten $G_v$ und $G_h$ angetragen (Bild 3-75). Lasten, die flächig (Flächenlast $G''$ auf die Fläche $A_{G''}$) oder linear (Gleichstreckenlast $G'$ auf die Strecke $l_{G'}$) verteilt sind, dürfen durch deren Resultierende ersetzt werden.

$$G_{res} = G'' \cdot A_{G''} \tag{3-15}$$

$$G_{res} = G' \cdot l_{G'} \tag{3-16}$$

Während für Gleichstreckenlasten die Resultierende in der geometrischen Mitte des Belastungsbereiches anzusetzen ist, greift diese bei beliebiger Lastverteilung im gesondert zu berechnenden Lastschwerpunkt an.

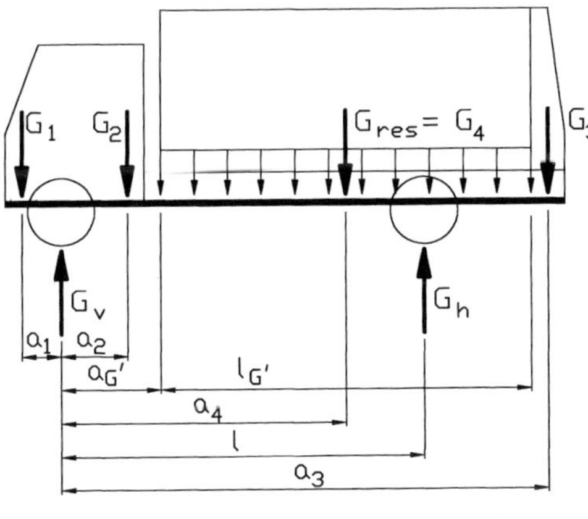


**Bild 3-75**
Achslastberechnung bei Einzel- und Streckenlasten

Da für die Achslastermittlung nach StVZO dynamische Achslastanteile unberücksichtigt bleiben und eine ebene, nicht geneigte Fahrbahn vorausgesetzt wird, sind nur Vertikalkräfte zu berücksichtigen. Damit reduziert sich die Zahl der Gleichgewichtsbedingungen im allgemeinen ebenen Kräftesystem auf zwei.

Für das Beispiel (Bild 3-75) ergeben sich mit $G_4 = G_{res} = G' \cdot l_{G'}$ und $a_4 = a_{G'} + l_{G'}/2$ die Gleichgewichtsbedingungen zu:

$$\uparrow \sum F_y : G_v + G_h - G_1 - G_2 - G_3 - G_4 = 0 \tag{3-17}$$

$$\overset{\leftarrow}{\sum} M_{(v)} : G_h \cdot l + G_1 \cdot a_1 - G_2 \cdot a_2 - G_3 \cdot a_3 - G_4 \cdot a_4 = 0 \tag{3-18}$$

Die konkrete Bestimmung der Achslasten erfolgt zunächst durch Umstellen der Gl. 3-18 nach $G_h$ und Ermittlung dieses Zahlenwertes. $G_v$ erhält man durch entsprechende Umstellung von Gl. 3-17 und Einsetzen von $G_h$.

Alternativ zum Gesamtsystem (Erfassungen aller Lasten) lassen sich die Gleichgewichtsbedingungen auch für jeden der n einzelnen Lastanteile $G_i$ formulieren und die daraus resultierenden Achslastanteile $G_{v,i}$ und $G_{h,i}$ berechnen (Bild 3-76):

$$G_{h,i} = G_i \cdot \frac{a_i}{l} \qquad (3\text{-}19) \qquad\qquad G_{v,i} = G_i \cdot \frac{l - a_i}{l} \qquad (3\text{-}20)$$

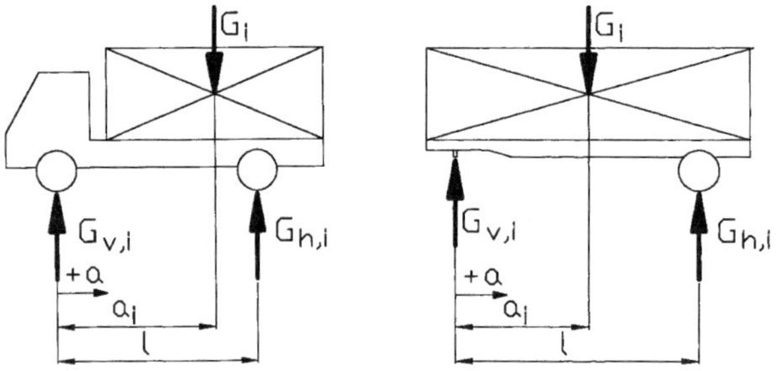


**Bild 3-76**
Achslastanteile aus einzelner Last

Zur Ermittlung der Achslasten $G_v$ und $G_h$ dürfen diese Anteile dann superponiert (überlagert, hier: addiert) werden [3-14]. Dabei ist für die Lastanteile auf den vorderen und hinteren Überhängen unbedingt auf entsprechende Vorzeichen zu achten:

$$G_h = \sum_{i=1}^{n}\left(G_i \cdot \frac{a_i}{l}\right) = \frac{1}{l} \cdot \sum_{i=1}^{n}\left(G_i \cdot a_i\right) \qquad (3\text{-}21)$$

$$G_v = \sum_{i=1}^{n}\left(G_i \cdot \frac{l - a_i}{l}\right) = \frac{1}{l} \cdot \sum_{i=1}^{n}\left(G_i \cdot \left(l - a_i\right)\right) \text{ oder } \qquad G_v = \sum_{i=1}^{n} G_i - G_h \qquad (3\text{-}22)$$

Tabelle 3-7 zeigt die Berechnung der Achslasten entsprechend der Gln. 3-19 bis 3-22 für konkrete Lasten ($G_1$ = 500 kg, $G_2$ = 2000 kg, $G_3$ = 500 kg, $G'$ = 600 kg/m) und Abmessungen ($l$ = 5,0 m, $a_1$ = –0,5 m, $a_2$ = 1,0 m, $a_3$ = 7,1 m, $a_{G'}$ = 1,5 m, $l_{G'}$ = 5 m) entsprechend obigem Beispiel (Bild 3-76). Sind weitere Lasten (z. B. zusätzlicher Kraftstoffbehälter) hinzuzufügen ($G_5$ = 200 kg, $a_5$ = 2,0 m) oder Anteile bereits erfasster Lasten (z. B. Ersatzrad) zu versetzen ($G_6$ = 100 kg von $a_6$ = 2 m nach $a_6$ = 4 m), können entsprechende Lastanteile beliebig ergänzt und die Achslasten neu ermittelt werden.

Sollte es sich aufgrund obiger Berechnung herausstellen, dass unter Berücksichtigung der zulässigen Nutzlast $G_{N,zul}$ (dann ist $G_v + G_h = GG_{zul}$) eine der beiden Bedingungen $G_v < G_{v,zul}$ oder $G_h < G_{h,zul}$ nicht erfüllt ist, sind entweder einige Lastschwerpunkte zu versetzen (z. B. der Aufbauschwerpunkt, siehe Abschnitt 3.3.2), oder es ist ein anderer Radstand $l$ zu wählen. Die Umstellung der Gl. 3-21 in eine Bestimmungsgleichung für den erforderlichen Radstand mit $G_h = G_{h,zul}$ ist insofern problematisch, als einige Lastanteile radstandsabhängig sind (z. B. Fahrgestellgewicht des Motorwagens) oder direkt mit der Lage der Achse zusammenfallen (z. B. Fahrwerk des Sattelanhängers).

**Tabelle 3-7** Achslastberechnung aus Achslastanteilen durch Superposition

| i | $G_i$ [kg] | $a_i$ [m] | $G_{v,i}$ [kg] | $G_{h,i}$ [kg] |
|---|---|---|---|---|
| 1 | 500 | –0,5 | 550 | –50 |
| 2 | 2000 | 1,0 | 1600 | 400 |
| 3 | 500 | 7,1 | –210 | 710 |
| 4 | 3000 | 4,0 | 600 | 2400 |
| $\sum$ | 6000 | | 2540 | 3460 |
| 5 | 200 | 2,0 | 120 | 80 |
| 6<br>6 | –100<br>+100 | 2,0<br>4,0 | –60<br>+20 | –40<br>+80 |
| $\sum$ | 6200 | | 2620 | 3580 |

Die hier am konkreten Beispiel gezeigte Möglichkeit der Achslastberechnung über Achslastanteile eignet sich hervorragend zur Programmierung durch Tabellenkalkulationsprogramme (z. B. EXCEL). Der Programmieraufwand ist verhältnismäßig gering.

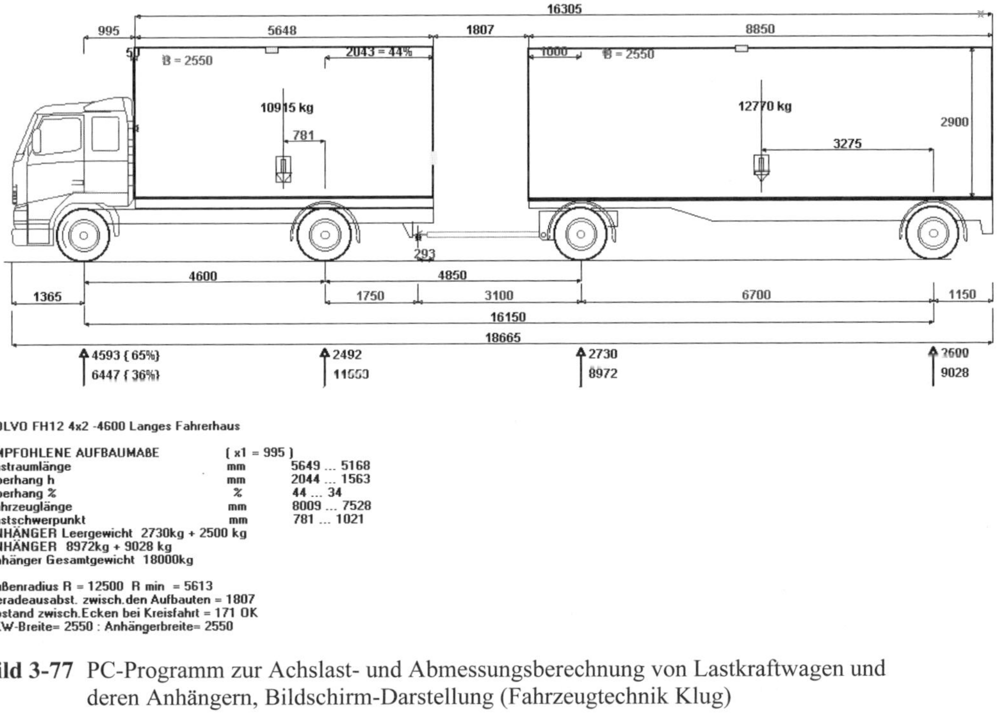


**Bild 3-77** PC-Programm zur Achslast- und Abmessungsberechnung von Lastkraftwagen und deren Anhängern, Bildschirm-Darstellung (Fahrzeugtechnik Klug)

Wesentlich komfortabler sind allerdings professionelle Programme, welche in einer integrierten Datenbank Abmessungen und Gewichte der Fahrgestelle und Fahrerhäuser sowie üblicher Aufbauten (Pritsche, Koffer) und Zubehörteile (Ladekräne, Ladebordwände, Kälteanlagen, Anhängekupplungen, ...) der meisten Hersteller gespeichert haben. Zusätzlich zur Achslastberechnung erfolgt hier eine bildliche Darstellung der Fahrzeuge samt ihrer Aufbauten (Bild 3 77). Auch kann die Kurvenläufigkeit entsprechend § 32d StVZO (siehe Abschnitt 3.4.4) untersucht sowie das Nutzlastverteilungsdiagramm (siehe Abschnitt 3.3.2) erstellt werden.

## 3.3.2 Aufbaulänge und Nutzlastverteilung

In üblichen Fällen werden Fahrzeugaufbauten (Pritsche, Koffer, ...) mit ihrer Vorderkante möglichst nahe an die Hinterkante des Fahrerhauses gesetzt. Geht man von einer gleichmäßigen Verteilung der Nutzlast über die gesamte Aufbaulänge aus, so bestimmt bei gegebenem Radstand l und Aufbaubeginn ab Vorderachse $a_{A,v}$ die Aufbaulänge $l_A$ über die Lage des Aufbau- und Nutzlastschwerpunktes (Abstand $a_{S,A+N}$ vor der Hinterachse) die Lastanteile auf Vorder- und Hinterachse (Bild 3-78).

$$a_{S,A+N} = l - \left(a_{A,v} + \frac{l_A}{2}\right) \tag{3-23}$$

Dies hat zur Folge, dass bei relativ kurzem Aufbau bei Erreichen des zulässigen Gesamtgewichtes die Vorderachse, bei relativ langem Aufbau die Hinterachse überlastet sein wird.

Da bei Serienfahrgestelle die Summe der zulässigen Achslasten stets etwas größer als das zulässige Gesamtgewicht ist, ergibt sich bei gegebenen Achslastanteilen des betriebsfähigen Fahrgestells $G_{bFG,v}$ und $G_{bFG,h}$ (siehe Tabelle 3-5) ein Bereich, in dem die Resultierende aus Aufbaugewicht $G_A$ und zulässiger Nutzlast $G_{N,zul}$ angreifen darf, sodass bei zulässigem Gesamtgewicht $GG_{zul}$ weder die zulässige Achslast vorne $G_{v,zul}$ noch die zulässige Achslast hinten $G_{h,zul}$ überschritten werden.

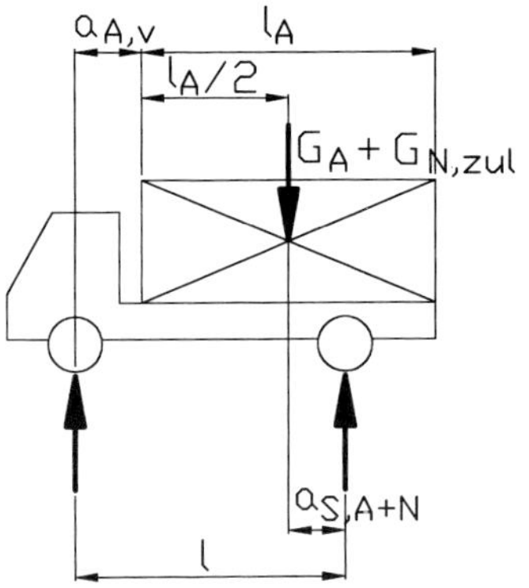


**Bild 3-78**
Lage des Aufbau- und Nutzlastschwerpunktes bei gleichmäßiger Beladung des Aufbaus

Mit $G_{bFG,v} + G_{bFG,h} + G_A + G_{N,zul} = GG_{zul}$ und den maximal erlaubten Zusatzbelastungen aus Aufbau- und Nutzlastgewicht für Vorder- $(G_{v,zul} - G_{bFG,v})$ und Hinterachse $(G_{h,zul} - G_{bFG,h})$ ergeben sich die Grenzen $a_{S,A+N,max}$ und $a_{S,A+N,min}$ für die Abstände des Aufbau- und Nutzlastschwerpunktes vor der Hinterachse (Bild 3-78) zu:

$$a_{S,A+N,max} = l \cdot \frac{\left(G_{v,zul} - G_{bFG,v}\right)}{G_A + G_{N,zul}} \tag{3-24}$$

$$a_{S,A+N,min} = l \cdot \frac{G_A + G_{N,zul} - \left(G_{h,zul} - G_{bFG,h}\right)}{G_A + G_{N,zul}} \tag{3-25}$$

Mit Gl. 3-23 folgt dann für die Grenzen möglicher Aufbaulängen $l_{A,min}$ und $l_{A,max}$:

$$l_{A,min} = \left(a_{S,A+N,max} - a_{A,v}\right) \cdot 2 \tag{3-26}$$

$$l_{A,max} = \left(a_{S,A+N,min} - a_{A,v}\right) \cdot 2 \tag{3-27}$$

Können bei vorausgesetzter gleichmäßiger Lastverteilung die durch die Gln. 3-26 und 3-27 beschriebenen Grenzen für die Aufbaulänge nicht eingehalten werden, muss das Fahrzeug soweit abgelastet (Reduzierung des zulässigen Gesamtgewichtes) werden, bis eine Überschreitung der zulässigen Achslasten nicht mehr möglich ist.

Die oben getroffene Annahme einer gleichmäßigen Lastverteilung trifft in der Praxis häufig nicht zu. Sie ist insbesondere bei der bevorzugten Teilbeladung direkt hinter der Stirnwand des Aufbaues wie auch im Stückgutverkehr mit sukzessiver Abladung nicht mehr erfüllt. Dabei lassen Fahrzeugbetreiber oft außer Acht, dass selbst bei Einhaltung des zulässigen Gesamtgewichtes bereits geringe Abweichungen des Nutzlastschwerpunktes von den Auslegungsdaten zu einer ungünstigen Lastverteilung oder gar unzulässigen Überschreitung der zulässigen Achslasten und damit zu einer Verschlechterung des Fahr-, Brems- und Lenkverhaltens führen.

Um gravierenden Fehlbeladungen vorzubeugen, sollte daher bereits in der Konzeptionsphase eines Nutzfahrzeuges untersucht und dem Kunden offenbart werden, wie sich die Lage des Nutzlastschwerpunktes vor der Hinterachse $a_{S,N}$ auf die Achslastverteilung auswirkt bzw. wie sich Nutzlastgrenzen dadurch reduzieren, dass ein Fahrzeug noch vor Erreichen seines zulässigen Gesamtgewichtes an seine Achslastgrenzen stößt, weil der berechnete Nutzlastschwerpunktsbereich nicht eingehalten wird. Letzteres wird im so genannten Nutzlastverteilungsdiagramm dargestellt.

Für bereits ausgeführte Fahrzeuge ermöglicht ein erstelltes Nutzlastverteilungsdiagramm das einfache Ablesen der maximal möglichen Nutzlast $G_{N,max}$ in Abhängigkeit des Abstandes des Nutzlastschwerpunktes von der Hinterachse $a_{S,N}$. Durch die Beachtung der dargestellten Zusammenhänge und eine entsprechende Schulung können Lastkraftwagenfahrer für diese Problematik sensibilisiert werden und damit zur Steigerung der Verkehrssicherheit beitragen.

Das hier vorgestellte Nutzlastverteilungsdiagramm (Bild 3-79) geht vom Leergewicht des betriebsfertigen Fahrzeuges $G_{bFZ} = G_{bFG} + G_A$ mit dem Schwerpunktabstand von der Hinterachse $a_{S,bFZ}$ aus und berücksichtigt für die maximal mögliche Nutzlast $G_{N,max}$ folgende Restriktionen:

Begrenzung durch das zulässige Gesamtgewicht $GG_{zul}$ (Gerade „a“):

$$G_{N,max} = GG_{zul} - G_{bFZ} \tag{3-28}$$

Begrenzung durch die zulässige Achslast vorne $G_{v,zul}$ (Kurve „b“):

$$G_{N,max} = \frac{G_{v,zul} \cdot l - G_{bFZ} \cdot a_{S,bFZ}}{a_{S,N}} \tag{3-29}$$

Begrenzung durch die zulässige Achslast hinten $G_{h,zul}$ (Kurve „c“):

$$G_{N,max} = \frac{G_{h,zul} \cdot l - G_{bFZ} \cdot \left(l - a_{S,bFZ}\right)}{l - a_{S,N}} \tag{3-30}$$

Berücksichtigung eines Mindestvorderachslastanteils $\%G_{v,min}$ als Verhältnis der Achslast vorne $G_v$ zum jeweiligen Gesamtgewicht GG (Kurve „d"):

$$G_{N,max} = G_{bFZ} \cdot \frac{\frac{a_{S,bFZ}}{l} - \frac{\%G_{v,min}}{100\%}}{\frac{\%G_{v,min}}{100\%} - \frac{a_{S,N}}{l}} \tag{3-31}$$

Daneben kann für unterschiedliche Beladungszustände (Nutzlasten) $G_N$ die optimale Lage des Nutzlastschwerpunktes $a_{S,N,opt}$ für einen bestimmten Anteil der Achslast hinten $\%G_h$ vom jeweiligen Gesamtgewicht GG in das Nutzlastdiagramm eingearbeitet werden (Kurve „e"):

$$a_{S,N,opt} = l \cdot \left(1 - \frac{\%G_h}{100\%}\right) + \frac{1}{G_N} \cdot G_{bFZ} \cdot l \cdot \left(1 - \frac{a_{S,bFZ}}{l} - \frac{\%G_h}{100\%}\right) \tag{3-32}$$

Wie das Beispiel (Bild 3-79) deutlich zeigt, besteht durch die übliche Praxis, Ladeflächen von der Stirnwand her zu beladen, stets die Gefahr einer ungünstigen oder gar unzulässigen Lage des Nutzlastschwerpunktes. Denn bei einer im vorderen Bereich der Ladefläche angeordneten Teillast wird nicht selten die zulässige Achslast vorne $G_{v,zul}$ überschritten und gleichzeitig durch einen vergleichsweise sehr geringen Anteil der Achslast hinten $\%G_h$ die Traktion der angetriebenen Hinterachse verschlechtert.

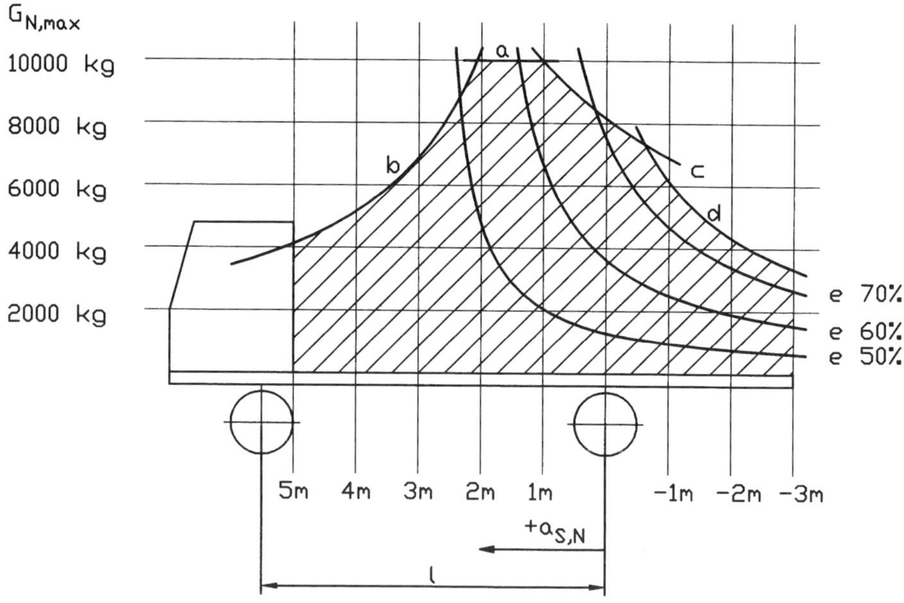


**Bild 3-79** Nutzlastverteilungsdiagramm für Lastkraftwagen mit Pritschenaufbau
$GG_{zul}$ = 18000 kg, $G_{bFZ}$ = 8000 kg, $G_{v,zul}$ = 7100 kg, $G_{h,zul}$ = 11500 kg
l = 5500 mm, $a_{S,bFZ}$ = 3200 mm, $\%G_{v,min}$ = 25, $\%G_h$ = 50 %, 60 %, 70 %

## 3.4 Kurvenläufigkeit von Fahrzeugen und Fahrzeugkombinationen

Damit zwei- und mehrachsige Fahrzeuge Fahrtrichtungsänderungen vornehmen können, müssen sie mit einer Lenkung ausgestattet sein, welche die Ausrichtung der Räder mindestens einer Achse gegenüber der Fahrzeuglängsachse veränderbar macht.

Bei Personenkraftwagen, Lastkraftwagen, Bussen und auch Zweirädern werden die in Vorwärtsfahrtrichtung vorauslaufenden Räder gelenkt, bei Flurförderzeugen die nachlaufenden Räder. Die Lenkung von Triebfahrzeugen geht dabei von dem das Verkehrsgeschehen beobachtenden und darauf reagierenden Fahrer aus, während die Lenkung von Anhängern üblicherweise durch die Verbindungseinrichtung zum Triebfahrzeug erfolgt. Je nach Art der Lenkung an den Achsen nachlaufender Räder unterscheidet man Schlepplenkung und Zwangslenkung. Die Darstellung erfolgt üblicherweise in Fahrtrichtung nach links bzw. für eine Kreisfahrt einer Linkskurve (gegen den Uhrzeigersinn) entsprechend.

### 3.4.1 Schlepplenkung

Wird das gelenkte Vorderrad eines Fahrzeuges (für zweispurige Fahrzeuge werden die Räder der Achse hier ersatzweise durch ein mittiges Einzelrad ersetzt) auf einer beliebigen Kurve (Führungskurve) geführt, dann folgt ein nicht gelenktes nachlaufendes Hinterrad auf einer dazu um den Spurversatz $\Delta y$ zur Kurveninnenseite hin seitlich versetzten Kurve (Schleppkurve, Tractrix).

Unter der vereinfachenden Annahme, dass die Räder frei von Schräglaufkräften sind, stellen sich die Räder aller Achsen für die stationäre Kreisfahrt radial zu einem gemeinsamen Punkt, dem Bewegungszentrum ein (Ackermann-Bedingung). Ist die Führungskurve ein Kreis, so ist für die stationäre Kreisfahrt die Schleppkurve ein dazu konzentrischer Kreis mit dem Kreismittelpunkt als Bewegungszentrum (Momentanpol „M") (Bild 3-80).

Der Spurversatz $\Delta y$ ist für die stationäre Kreisfahrt vom Führungskurvenhalbmesser $r_{K,v}$ und von Radstand l abhängig. Der Schleppkurvenhalbmesser $r_{K,h}$ ergibt sich nach Bild 3-80 zu:

$$r_{K,h} = \sqrt{r_{K,v}^2 - l^2} \tag{3-33}$$

Daraus folgt der Spurversatz:

$$\Delta y = r_{K,v} - r_{K,h} = r_{K,v} - \sqrt{r_{K,v}^2 - l^2} \tag{3-34}$$

Für den häufigen Übergang zwischen Geraden und Kreisbogen ist zu beachten, dass im praktischen Fahrbetrieb die Ursprungskurve niemals unvermittelt in einen Kreisbogen übergeht, da neuzeitliche Straßen stets mit Übergangsbögen (veränderliche Krümmungsradien) ausgeführt werden. Für den rein theoretischen Fall des plötzlichen Überganges von der Geraden in den Kreisbogen wird sich der volle Spurversatz $\Delta y$ erst nach einem bestimmten durchfahrenen Bogenwinkel $\varphi$ asymptotisch einstellen (Bild 3-81). Dabei ändert der Momentanpol ständig seine Lage und geht erst nach unendlich langer Kreisfahrt in den Kreismittelpunkt über.

Die Relation des Spurversatzes in der Übergangskurve $\Delta y'$ zum vollen Spurversatz $\Delta y$ ist vom Verhältnis $l/r_{K,h}$ und dem durchfahrenen Bogenwinkel $\varphi$ abhängig (Bild 3-82):

$$\Delta y'(\varphi) = k(\varphi) \cdot \Delta y \tag{3-35}$$

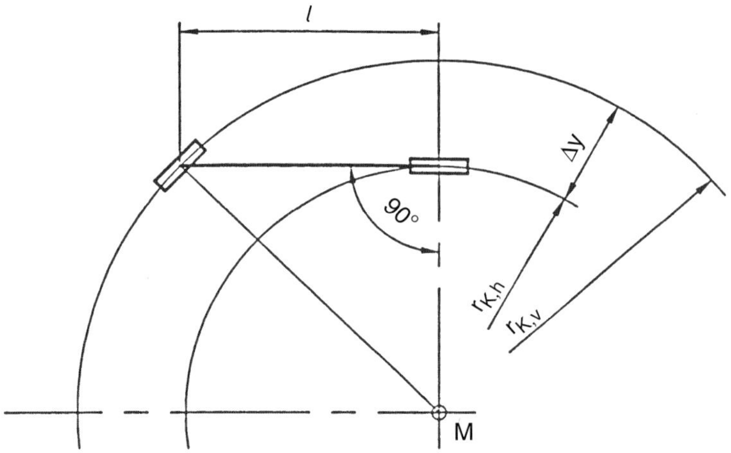


**Bild 3-80**
Spurversatz bei stationärer Kreisfahrt

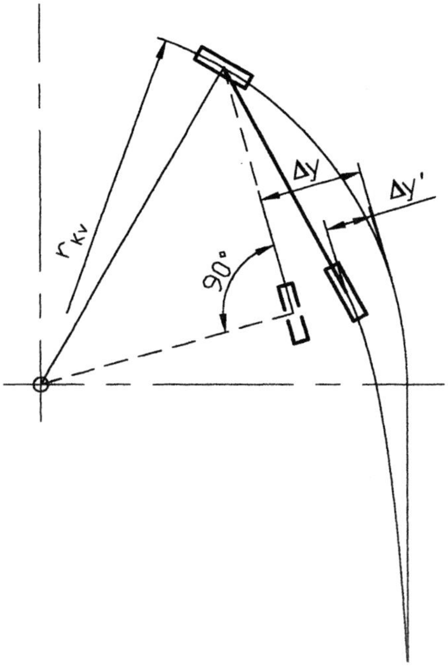


**Bild 3-81** Spurversatz beim Einlauf in den Vollkreis

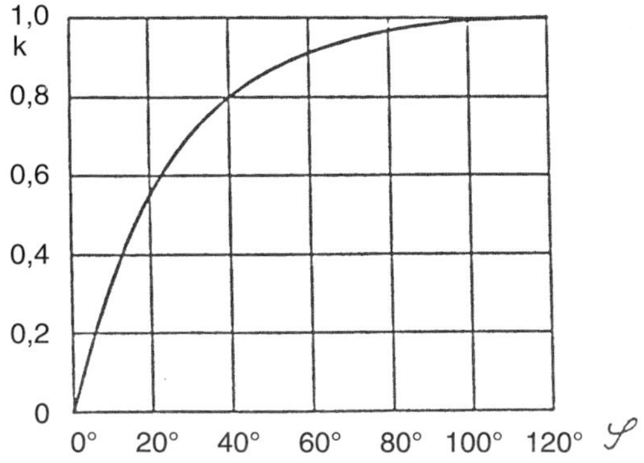


**Bild 3-82** Korrekturfaktor k für $l/r_{K,v} = 0{,}4$ (nach [3-15])

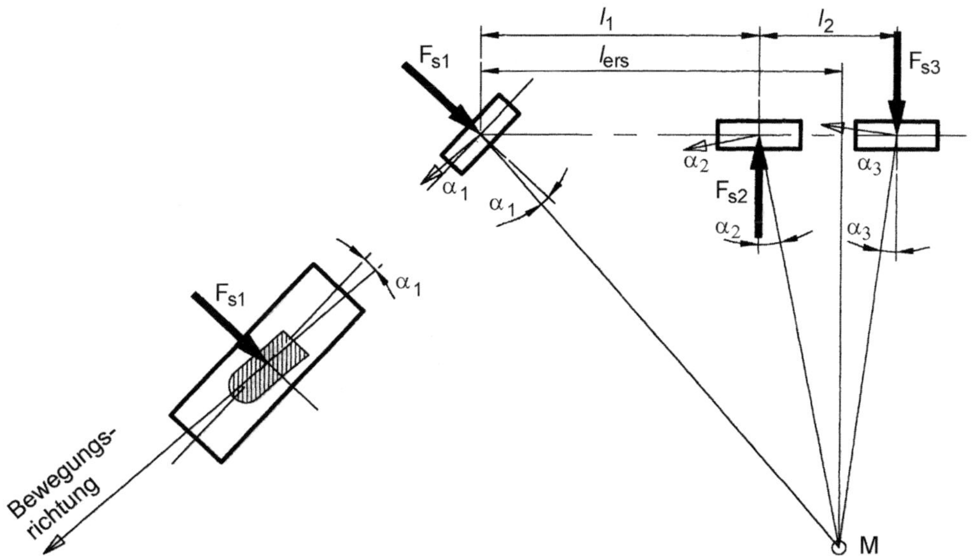


**Bild 3-83** Schräglauf und Bewegungszentrum beim Dreiachsfahrzeug

Bei dreiachsigen Fahrzeugen mit allein gelenkter Vorderachse entstehen bei Kurvenfahrt durch die Geradeauslaufstabilisierung der beiden nichtgelenkten Hinterachsen Seitenführungskräfte (Schräglaufkräfte $F_{S1}$, $F_{S2}$, $F_{S3}$) auf die Räder, die der Geradeauslaufstabilisierung entgegenwirken und die Kurvenfahrt erzwingen. Der auf der Fahrbahn haftende Latsch steht dabei in Bewegungsrichtung des Rades (normal zum Bewegungszentrum), aber um den Schräglaufwinkel $\alpha$ schräg zur Radebene.

Bild 3-83 zeigt, dass die Wirklinien der Schäglaufkräfte aller Räder nicht durch das Bewegungszentrum gehen und somit Fahrwiderstände entgegen der Bewegungsrichtung erzeugen. Darüber hinaus werden die Radlagerungen axial belastet und durch den seitlichen Schlupf zusätzlicher Reifenverschleiß verursacht.

Zur Ermittlung des Ersatzradstandes $l_{ers}$ müssen neben den Radständen $l_1$ und $l_2$ die Anzahl der Reifen $n_{R,2}$ und $n_{R,3}$ an den ungelenkten Hinterachsen sowie deren Schräglaufseitensteifigkeiten berücksichtigt werden. Sind letztere für die Räder an den Hinterachsen gleich, dann kann nach [3-16] der Ersatzradstand bestimmt werden:

$$l_{ers} = l_1 + \frac{\frac{n_{R,3}}{n_{R,2}} \cdot \frac{l_1 + l_2}{l_1} \cdot l_2}{1 + \frac{n_{R,3}}{n_{R,2}} \cdot \frac{l_1 + l_2}{l_1}} \tag{3-36}$$

Anhänger (Starrdeichselanhänger, Gelenkdeichselanhänger, Sattelanhänger) werden meist in einfachster Weise über eine am Zugfahrzeug angekuppelte Deichsel bzw. über eine Sattelkupplung geschleppt; besondere Lenkeinrichtungen entfallen. Für die schräglauffreie stationäre Kreisfahrt lässt sich der Spurversatz $\Delta y$ zwischen den Kurvenhalbmessern $r_{K,v}$ und $r_{K,h}$ der ersten und letzten Achse aus einfachen geometrischen Zusammenhängen (Satz des Pythagoras) ableiten (Bild 3-84).

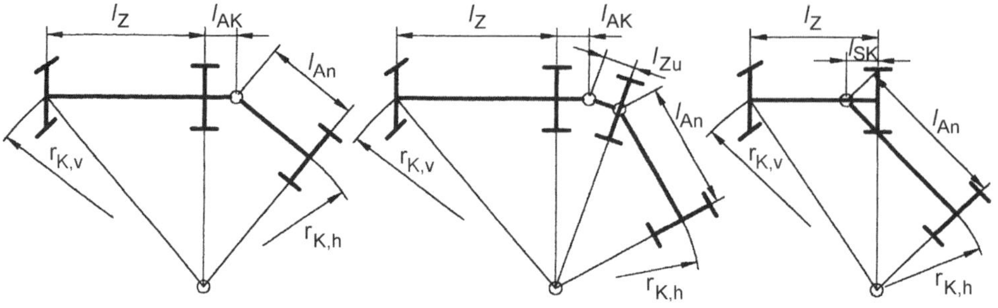


**Bild 3-84** Zur Berechnung des Spurversatzes $\Delta y = r_{K,v} - r_{K,h}$ für Triebfahrzeuge mit Starrdeichsel-, Gelenkdeichsel- und Sattelanhänger

Starrdeichselanhänger (Zentralachsanhänger) bestehen aus einer starr mit der Deichsel verbundenen Achse, welche sich bei Kurvenfahrt radial zum Bewegungszentrum einstellt. Der Spurversatz $\Delta y$ für den Lastkraftwagenzug wird durch den Radstand des Zugfahrzeuges $l_Z$, die Ausladung der Anhängekupplung $l_{AK}$ und den Radstand des Anhängers $l_{An}$ bestimmt:

$$\Delta y = r_{K,v} - r_{K,h} = r_{K,v} - \sqrt{r_{K,v}^2 - l_Z^2 + l_{AK}^2 - l_{An}^2} \tag{3-37}$$

Gelenkdeichselanhänger mit drehschemelgelenkter Vorderachse verhalten sich bezüglich der Ermittlung des Spurversatzes wie zwei aneinandergehängte Starrdeichselanhänger. Radstand $l_Z$ und Ausladung der Anhängekupplung $l_{AK}$ des Zugfahrzeuges sowie Ausladung der Zuggabel $l_{Zu}$ und Radstand des Anhängers $L_{An}$ bestimmen hier den Spurversatz:

$$\Delta y = r_{K,v} - r_{K,h} = r_{K,v} - \sqrt{r_{K,v}^2 - l_Z^2 + l_{AK}^2 - l_{Zu}^2 - l_{An}^2} \tag{3-38}$$

Sattelkraftfahrzeuge unterscheiden sich vom Lastkraftwagen mit Starrdeichselanhänger lenkkinematisch nur dadurch, dass der Anlenkpunkt (Sattelzapfen) für den schleppgelenkten Anhänger nicht hinter, sondern um das Sattelvormaß $l_{SK}$ vor der Hinterachse des Zugfahrzeuges (Sattelzugmaschine) angeordnet ist. Der Spurversatz ergibt sich hier zu:

$$\Delta y = r_{K,v} - r_{K,h} = r_{K,v} - \sqrt{r_{K,v}^2 - l_Z^2 + l_{SK}^2 - l_{An}^2} \tag{3-39}$$

### 3.4.2 Zwangslenkung

Werden an Fahrzeugen Lenkeinschläge von Rädern verschiedener Achsen voneinander abhängig gemacht bzw. bei Fahrzeugkombinationen Lenkeinschläge der Anhängerachsen von der gegenseitigen Lage der Längsachsen (Längsmittellinien) von Zugfahrzeug und Anhänger, spricht man von Zwangslenkung.

Beim dreiachsigen Lastkraftwagen mit zwangsgelenkter Vorlaufachse (Bild 3-85) sind die erste und zweite Fahrzeugachse mit hydraulisch gekoppelten Achsschenkellenkungen ausgestattet. Der auf Bild 3-86 dargestellte dreiachsige Gelenkdeichselanhänger nimmt über eine Seilscheibe am Drehschemel der Vorderachse deren Lenkeinschlag auf und überträgt diese Bewegung über sich kreuzende Seile auf die ebenfalls mit Seilscheibe und Drehschemellenkung ausgestattete hinterste Achse. Damit in diesem Fall die Räder aller drei Achsen schräglaufffrei spuren können, ist das Übersetzungsverhältnis der Lenkeinschläge über die Wahl der Seilscheibendurchmesser auf das Verhältnis der beiden Radstände abzustimmen.

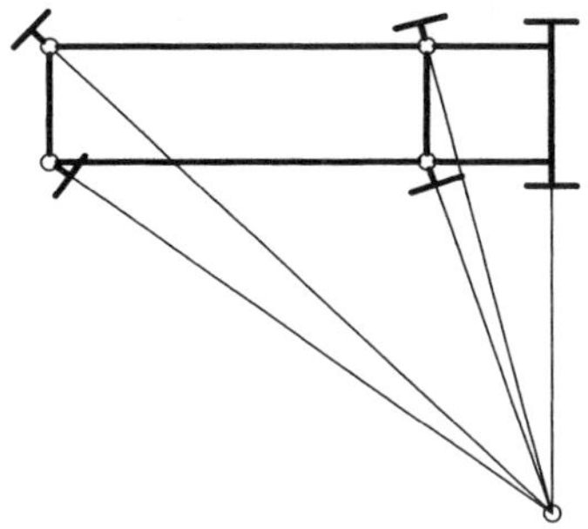

**Bild 3-85** Dreiachsiger Lastkraftwagen mit zwangsgelenkter Vorlaufachse

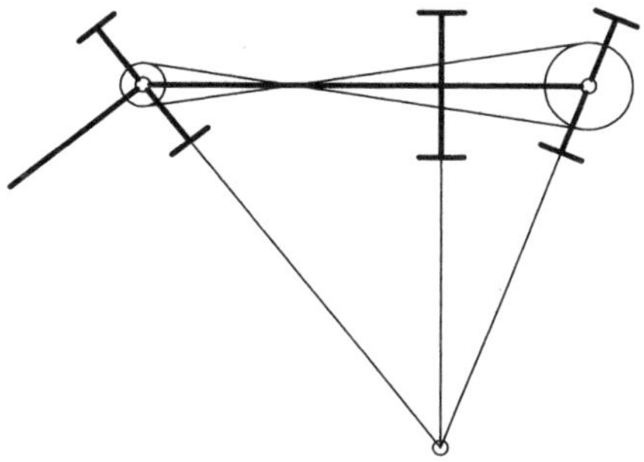

**Bild 3-86** Dreiachsiger Gelenkdeichselanhänger mit zwangsgelenkter zweiter Hinterachse

Spurtreue Fahrzeuge (üblicherweise Anhänger) sind dadurch gekennzeichnet, dass durch Allradlenkung und die entgegengesetzt gleich großen Lenkwinkel $\delta_v$ und $\delta_h$ von Vorder- und Hinterachse (Bild 3-87) kein Spurversatz entstehen kann. Beim Übergang von der Geradeaus- in die Kurvenfahrt schert das Fahrzeugheck allerdings erheblich aus (Bild 3-88).

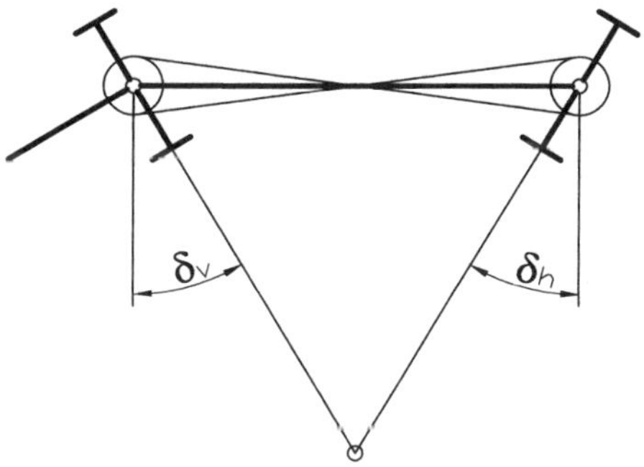


**Bild 3-87** Spurtreuer Gelenkdeichselanhänger

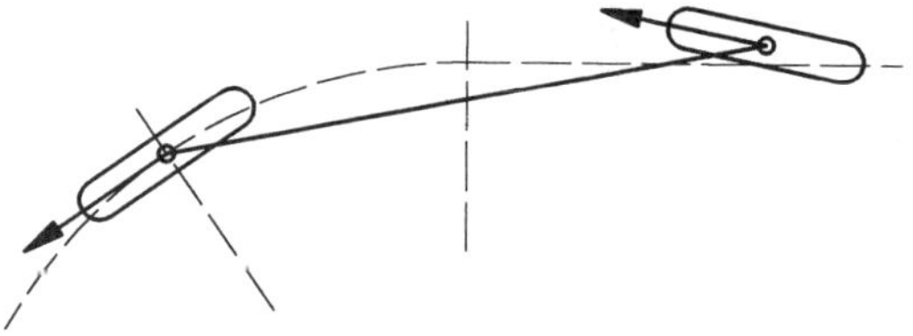

**Bild 3-88** Einfahrt in eine Kurve bei Allradlenkung

Sattelkraftfahrzeuge mit zwangsgelenktem Auflieger (Bild 3-89) nehmen über einen Lenkkeil, der drehbar um den Sattelzapfen des Sattelanhängers gelagert ist und in das Maul der Sattelkupplung eingreift (siehe Abschnitt 2.2.2.3) den Knickwinkel $\beta_{K,S}$ zwischen den Längsachsen von Sattelzugmaschine und Auflieger ab und übertragen diese Bewegung an den Drehschemel der dadurch gelenkten Aufliegerachse. Durch Wahl des Übersetzungsverhältnisses von Knickwinkel $\beta_{K,S}$ zum Lenkwinkel $\delta_A$ der Aufliegerachse ist das Kurvenfahrverhalten in Richtung eines deutlich geringeren Spurversatzes und damit auch kleineren Breitenanspruchs gezielt beeinflussbar.

Brückenzüge mit selbstlenkendem 2-achsigen Nachläufer (z. B. Langholztransporter, siehe Bild 4-71) nehmen über dessen drehbar gelagerten und die Ladung aufnehmenden Schemel den

Knickwinkel $\beta_{K,N}$ zwischen den Längsachsen von Landung und Nachläufer auf und übersetzen diesen mit konstruktiv frei wählbarer Übersetzung auf den Lenkwinkel $\delta_N$ der Nachläufer-Vorderachse (Bild 3-90).

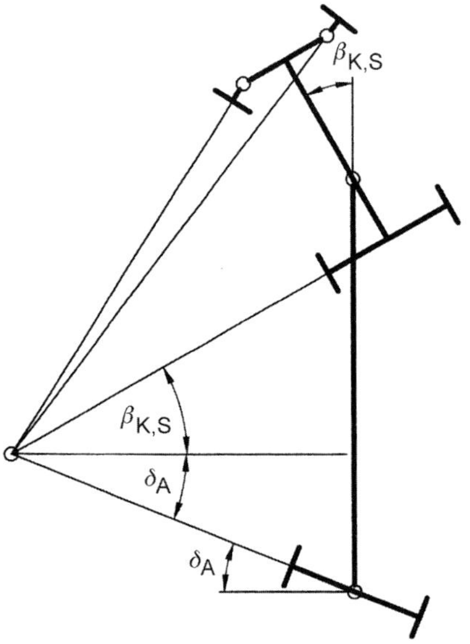


**Bild 3-89** Sattelkraftfahrzeug mit zwangsgelenktem Auflieger

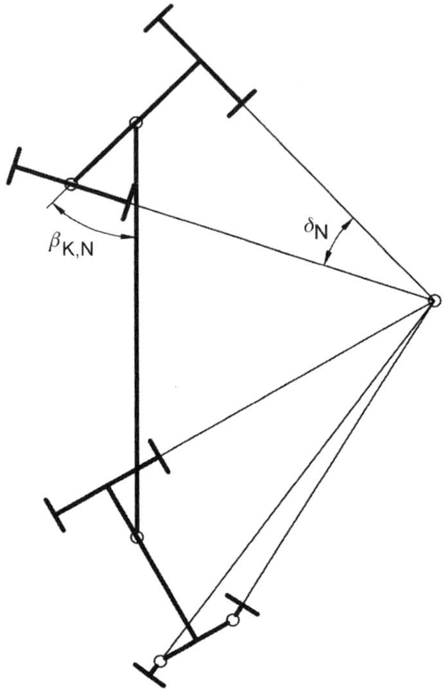


**Bild 3-90** Brückenzug mit zwangsgelenktem Nachläufer

## 3.4.3 Verfahren zur Untersuchung der Kurvenläufigkeit

Sattelkraftfahrzeuge und lange Einzelfahrzeuge stellen auf engen und kurvenreichen Straßen oft verkehrstechnische Probleme dar, weil der große Spurversatz zwischen erster und letzter Achse entweder den Verkehr auf der Gegenfahrbahn extrem behindert oder gar das Passieren einzelner Straßen gänzlich unmöglich macht. Um diese Problematik zu begrenzen, beschränken sowohl § 32d StVZO als auch Richtlinie 85/3/EWG den zulässigen Breitenanspruch von Fahrzeugen und Fahrzeugkombinationen für die stationäre Kreisfahrt auf einen 7,2 m breiten Kreisring (BO-Kraft-Kreis) mit $R_a = 12{,}5$ m. Weiterhin darf bei der Einfahrt aus der tangierenden Geraden in diesen Kreisring kein Fahrzeugteil weiter als 0,8 m über die tangierende Gerade nach außen hin ausscheren (Bild 3-91).

Die Einhaltung dieser Vorschriften wird am ausgeführten Fahrzeug mit Hilfe von auf den Boden aufgezeichneten, konzentrischen Kreisen mit $R_a = 12{,}5$ m und $R_i = 5{,}3$ m ermittelt, welche die geforderte Kreisringfläche begrenzen. Beim Befahren der Kreisringfläche wird zweckmäßigerweise der äußerste vordere Teil des Zugfahrzeuges entlang des äußeren Kreises geführt. Um diesen Anforderungen zu genügen, werden insbesondere Sattelkraftfahrzeuge mit großen Radständen (Abstand zwischen Sattelzapfen und Achse) des Aufliegers sowie Brückenfahrzeuge häufig zwangsgelenkt.

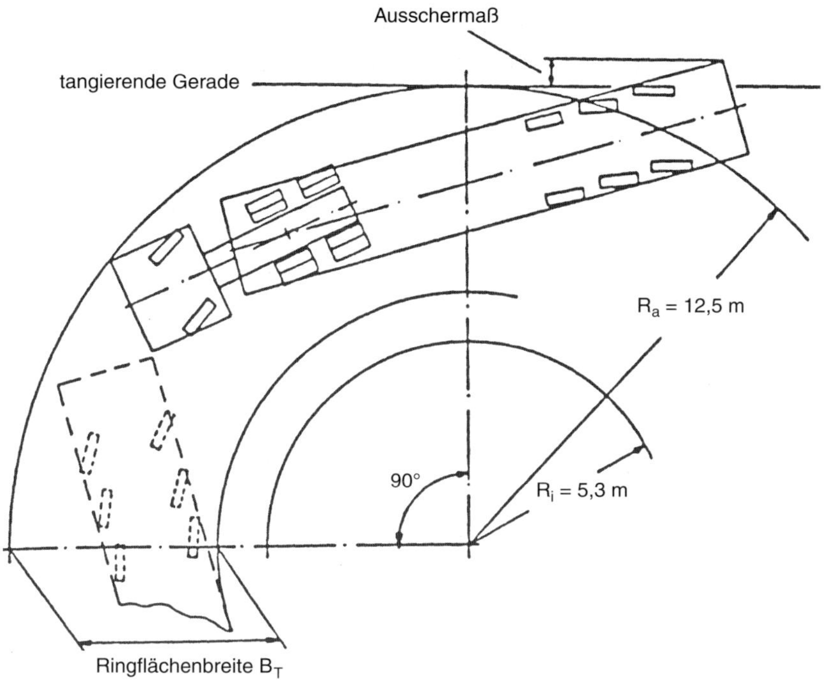


**Bild 3-91** BO-Kraft-Kreis nach § 32d StVZO und Richtlinie 85/3/EWG (aus [3-2])

Auch Einzelfahrzeuge stoßen im BO-Kraft-Kreis an die Grenzen des zulässigen Breitenanspruchs. Für den auf Bild 3-92 dargestellten 15-m-Bus legte der zulässige Breitenanspruch von 7,2 m die Lage der ungelenkten Antriebsachse fest. Mit Rücksicht auf die Achslastverteilung wurde die zweite, zwangsgelenkte Hinterachse hinter der Antriebsachse angeordnet.

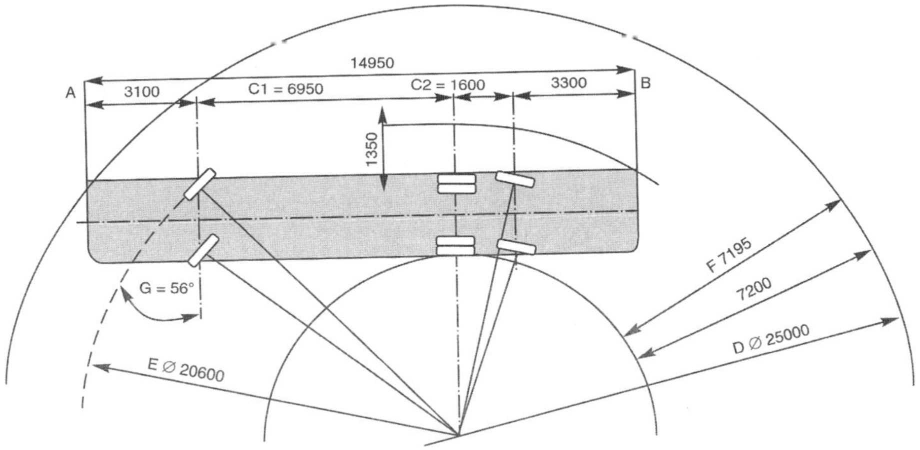


**Bild 3-92** 15-m-Bus im BO-Kraft-Kreis (aus: ATZ 99 (1997) Nr. 1)

Die Untersuchung des Kurvenfahrverhaltens sowie die Überprüfung der diesbezüglichen gesetzlichen Anforderungen kann graphisch, rechnerisch oder durch Einsatz entsprechender Rechnerprogramme erfolgen.

Bei der graphischen Untersuchung verfährt man zweckmäßigerweise so, dass in den maßstäblich gezeichneten Kreisring mit $R_a$ = 12,5 m und $R_i$ = 5,3 m die nichtgelenkte Hinterachse (bei Doppelachsen die Ersatzachse mit Ersatzradstand $l_{ers}$, siehe Abschnitt 3.4.1) des Zugfahrzeuges auf die vertikale Mittellinie des Kreisringes und die rechte vordere Fahrzeugecke auf $R_a$ gelegt wird. Unter der Bedingung, dass alle nachlaufenden Achsen schleppgelenkt sind und für schräglauffreies Spuren radial zum Bewegungszentrum „M" ausgerichtet sein müssen, lässt sich das Gesamtfahrzeug mit Hilfe einfacher geometrischer Grundkonstruktionen (Thaleskreis zur Konstruktion der rechtwinkligen Dreiecke) darstellen (Bild 3-93).

Sollte sich bei der Kurvenläufigkeitsuntersuchung eines konzipierten Fahrzeuges ein zu großer Breitenanspruch ergeben, können zeichnerisch die notwendigen konstruktiven Veränderungen ermittelt werden. Bild 3-94 zeigt für ein Sattelkraftfahrzeug mit zu großem Breitenanspruch (I) zwei alternative Abhilfemaßnahmen auf. Durch eine Reduzierung des Radstandes $a_{An}$ (II) könnte man zwar den Breitenanspruch reduzieren, würde allerdings die Aufteilung des Aufliegergewichtes auf Sattelkupplung und Achse gravierend verändern. Damit könnte eine erhöhte Achslast womöglich eine zweite Aufliegerachse erforderlich machen bzw. die in gleichem Zuge reduzierte Sattellast die Traktion an der Antriebsachse der Sattelzugmaschine deutlich verschlechtern. Die Alternative wäre eine bei unverändertem Radstand zwangsgelenkte Aufliegerachse (III), deren Kurvenlaufverhalten individuell ausgelegt werden könnte.

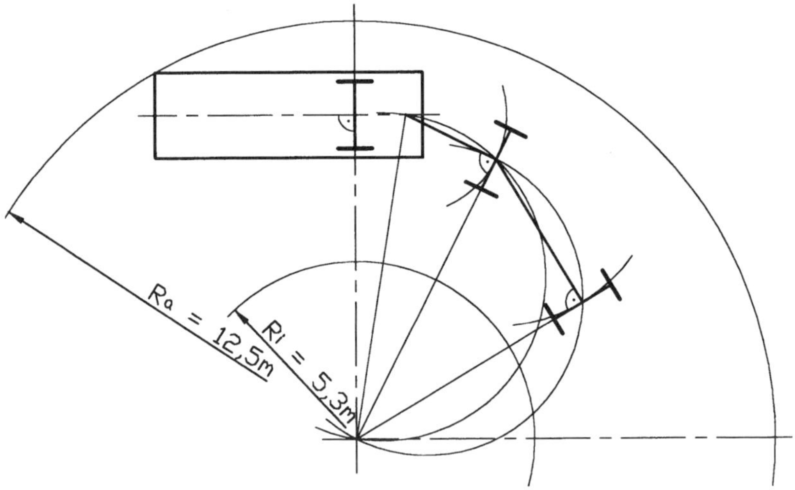


**Bild 3-93** Zeichnerischer Nachweis der Kurvenläufigkeit im BO-Kraft-Kreis

Alternativ zur zeichnerischen Untersuchung der Kurvenläufigkeit können die geometrischen Zusammenhänge auch mathematisch formuliert werden. Dadurch besteht die Möglichkeit einer universelleren Anwendung für die Fahrzeugauslegung. Der Aufwand für die Herleitung der Zusammenhänge, insbesondere derer für Zwangslenkungen, ist erheblich.

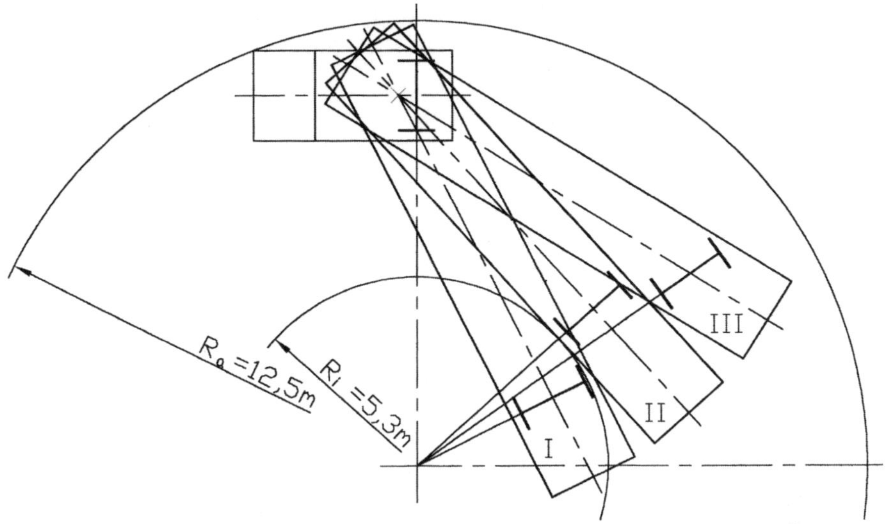


**Bild 3-94** Sattelkraftfahrzeug mit großem Radstand des Aufliegers (I), mit angepasstem reduzierten Radstand (II) und mit Zwangslenkung bei unverändertem Radstand (III) im BO-Kraft-Kreis

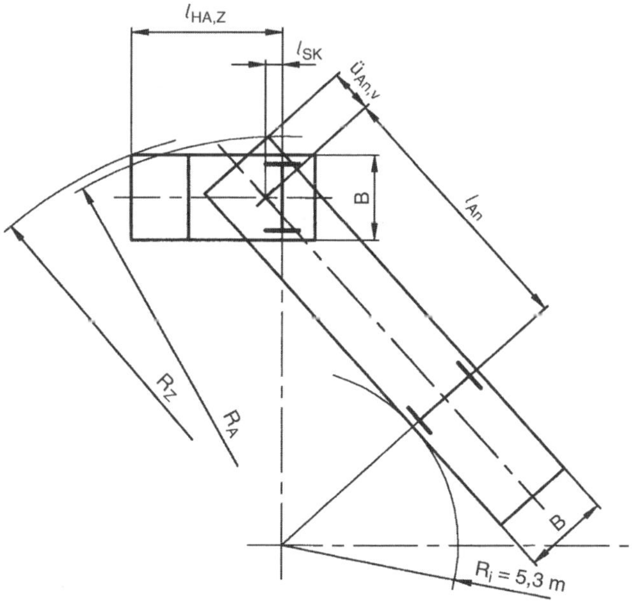


**Bild 3-95** Zum rechnerischen Kurvenläufigkeitsnachweis eines Sattelkraftfahrzeugs

Das Beispiel auf Bild 3-95 zeigt ein Sattelkraftfahrzeug mit schleppgelenkter Aufliegerachse. Die Überprüfung der gesetzlichen Kurvenläufigkeitsanforderungen geht davon aus, dass der Auflieger an $R_i$ = 5,3 m tangiert und kontrolliert die vorderen Ecken von Sattelanhänger (Gl. 3-40) und Sattelzugmaschine (Gl. 3-41) bezüglich der Einhaltung von $R_a$ = 12,5 m. Als

Bestimmungsgrößen gehen der Frontabstand der Hinterachse der Sattelzugmaschine $l_{HA,Z}$, das Sattelvormaß $l_{SK}$ sowie der Radstand des Aufliegers $l_{An}$ und dessen vorderer Überhang $ü_{An,v}$ ein:

$$\left(R_i + B\right)^2 + \left(l_{An} + ü_{An,v}\right)^2 = R_A{}^2 \le R_a{}^2 \tag{3-40}$$

$$\left(\sqrt{\left(R_i + \frac{B}{2}\right)^2 + l_{An}{}^2 - l_{SK}{}^2} + \frac{B}{2}\right)^2 + l_{HA,Z}{}^2 = R_Z{}^2 \le R_a{}^2 \tag{3-41}$$

Untersuchungen zur Kurvenläufigkeit sind im Besonderen für Sattelkraftfahrzeuge bereits im Projektierungsstadium unerlässlich, da bei dieser Fahrzeugkombination bei Ausnutzung der gesetzlich erlaubten maximalen Fahrzeuglänge leicht die Gefahr besteht, dass durch einen zu großen Radstand des Aufliegers die Anforderungen des Gesetzgebers nicht mehr erfüllt werden. Außerdem dienen die ermittelten geometrischen Zusammenhänge der Auslegung von Zwangslenkungen. Bild 3-96 zeigt ein Sattelkraftfahrzeug, welches zwar den gesetzlichen Ansprüchen bezüglich der Kurvenläufigkeit genügt, dessen Zwangslenkung jedoch falsch ausgelegt ist und daher erheblichen Reifenverschleiß verursacht.

Alle Untersuchungen, die sich allein auf die Ackermann-Bedingung stützen und sich nur auf die stationäre Kreisfahrt beziehen, haben den entscheidenden Nachteil, dass sie weder die geschwindigkeitsabhängigen Schräglaufkräfte aus Radialbeschleunigung des Fahrzeugs berücksichtigen können noch in der Lage sind, das Ausschermaß bei der Einfahrt in den Kreisring zu bestimmen. Das rein zeichnerisch ausführbare Schleppkurvenverfahren nach Halter [3-17] (Bild 3-97) kann zwar die Einfahrt in den Kreisring simulieren, ist aber höchst aufwändig.

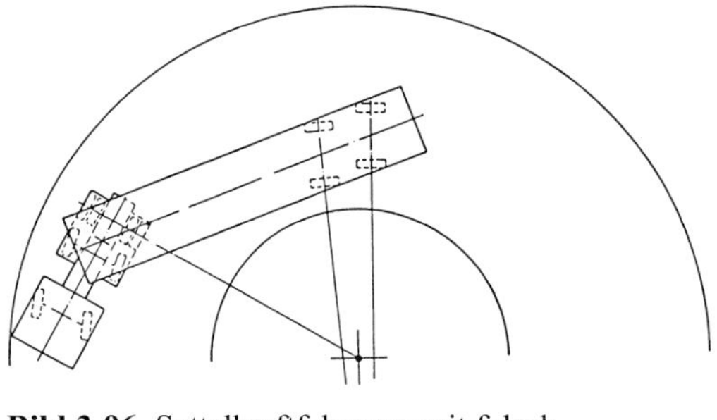

**Bild 3-96** Sattelkraftfahrzeug mit falsch ausgelegter Zwangslenkung

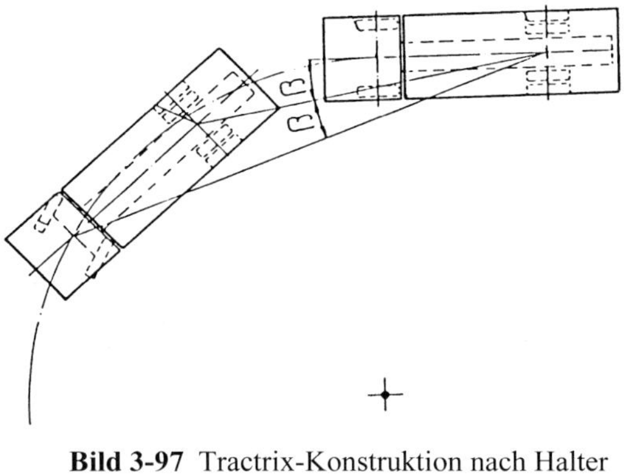

**Bild 3-97** Tractrix-Konstruktion nach Halter

Genauere und weitreichendere Aussagen gewinnt man durch die Anwendung so genannter Mehrkörper-Simulationsprogramme. Diese berücksichtigen nicht nur den Schräglauf der Reifen (Eingabe der Schräglaufsteifigkeiten erforderlich), sondern sind auch in der Lage, neben der stationären Kreisfahrt beliebige Fahrten entlang eines vorgegebenen Pfades zu simulieren und den erforderlichen Verkehrsflächenbedarf zu ermitteln (Bild 3-98).

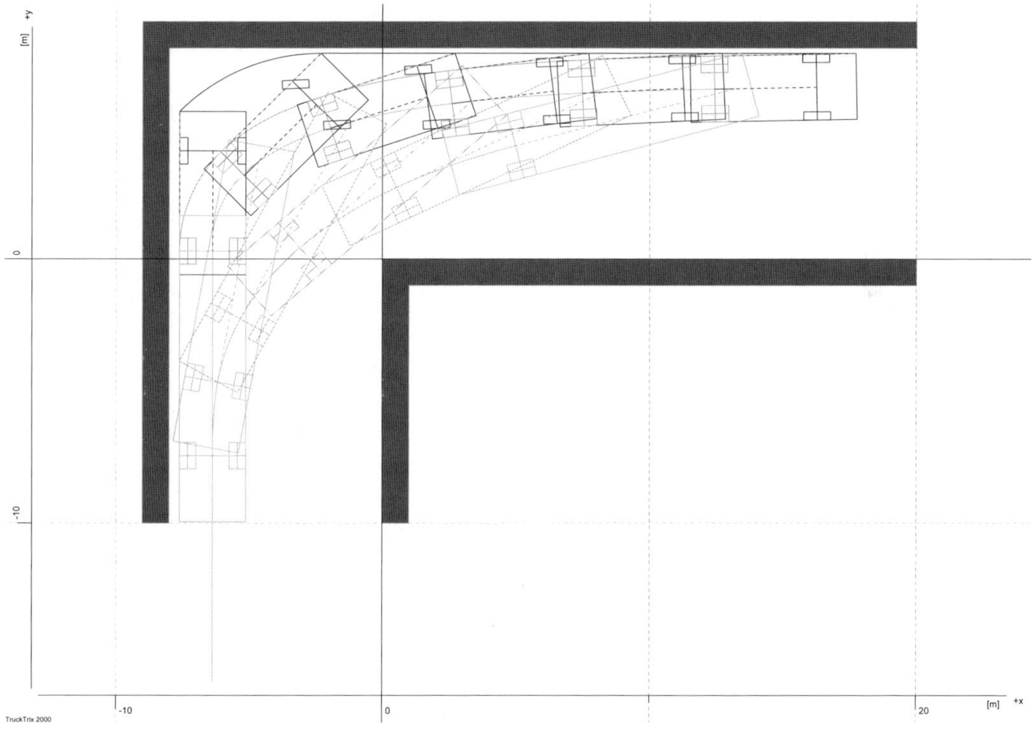


**Bild 3-98** Fahrtsimulation mit dem Rechnerprogramm „Truck Trix“ (Thorsten Mühlhoff)

# Literaturverzeichnis

## 3 Konzeption von Nutzfahrzeugen

[3-1] FEE Fahrzeugtechnik EWG/ECE, Richtlinien der Europäischen Wirtschaftsgemeinschaft für Straßenfahrzeuge und Regelungen der Economic Commission for Europe für Kraftfahrzeuge und Anhänger, Loseblatt-Textsammlung. Kirschbaum-Verlag, Bonn

[3-2] StVZO Straßenverkehrs-Zulassungs-Ordnung, Loseblatt-Ausgabe. Kirschbaum-Verlag, Bonn

[3-3] Zentralverband Karosserie- und Fahrzeugtechnik (Hrsg.): Gewichte und Abmessungen von Straßenfahrzeugen innerhalb der EU, ZKF-Schriftenreihe Band 12. ZKF, Bad Vilbel, 1997

[3-4] Bundesverkehrsministerium (Hrsg.): Zulässige Meßwertabweichungen bei Fahrzeug-Prüfungen (Toleranzkatalog), BMV/StV 13/362300-02, 1984. In: [3-3]

[3-5] MAN Nutzfahrzeuge AG: MAN-Systemberatung für branchenbezogene Transportlösungen, Dienstleistungsinformation

[3-6] Nutzfahrzeug Katalog 1999/2000, Verlag Heinrich Vogel, München

[3-7] lastauto omnibus-Katalog 2000, EuroTransportMedia Verlags- und Veranstaltungs-GmbH, Stuttgart

[3-8] Iveco SpA: Richtlinien für Aufbauten und Fahrzeugveränderungen. Turin, 1997

[3-9] MAN Nutzfahrzeuge AG: MAN-Brancheninformation, Systemlösungen in der Getränkebranche

[3-10] MAN Nutzfahrzeuge AG: MAN-Brancheninformation, Fahrzeugkonzepte für den Lebensmitteltransport

[3-11] DAF Trucks N.V.: Aufbaurichtlinien. 1998

[3-12] Saab-Scania AB: Aufbau-Handbuch. 1991

[3-13] Renault V.I.: Aufbaurichtlinien. 1993

[3-14] Kabus, K.: Mechanik und Festigkeitslehre. Carl Hanser Verlag, München, 1988

[3-15] Buschmann/Koessler: Handbuch der Kraftfahrzeugtechnik. Wilhelm Heyne Verlag, München, 1976

[3-16] Robert Bosch GmbH (Hrsg.): Kraftfahrtechnisches Taschenbuch. 25. Aufl., Vieweg Verlag, Wiesbaden, 2004

[3-17] Halter, G.: Die Ausgestaltung scharfer Bogen in Landstraßen. In: Verkehrstechnik 13 (1932)

# 4 Lastkraftwagen- und Anhängerfahrgestell

## 4.1 Lastkraftwagenfahrgestell

Nahezu 80 % aller Lastkraftwagen verlassen das Herstellerwerk als Fahrgestell. Dies ist ein industriell produziertes, fahrbereites Fahrzeug, welches anschließend in üblicherweise handwerklich strukturierten Aufbaubetrieben mit einem der späteren Nutzung angepasstem Aufbau ausgerüstet wird. Primäre Kriterien zur Auswahl eines Fahrgestells sind das Gesamtgewicht, die Motorisierung und der die mögliche Aufbaulänge bestimmende Radstand. Individuelle Ausrüstungs- und Ausstattungswünsche betreffen das Fahrerhaus in Ausführung und Ausstattung, Nebenabtriebe sowie alternative Bereifungen und Getriebeabstufungen.

### 4.1.1 Datenblatt und Fahrgestellzeichnung

Grundlage jeder Verkaufsentscheidung für ein Lastkraftwagenfahrgestell ist das Vorliegen entsprechender Angebotsunterlagen, welche das Fahrgestell hinreichend beschreiben. Diese müssen detaillierte Angaben über die technische Ausstattung sowie die Leistungsfähigkeit des Fahrzeugs enthalten. Um den Aufbau planen und ausführen zu können, benötigt der Aufbaubetrieb technische Zeichnungen, welche insbesondere die Baugruppen Fahrgestellrahmen und Fahrwerk in ihren Abmessungen beschreiben sowie Angaben zur Achslastverteilung.

Basis der Angebotsunterlagen ist ein technisches Datenblatt. Es besteht aus einer stark vereinfachten Darstellung des Fahrgestells (Angebotszeichnung) in zwei oder drei Ansichten mit angefügter Maß- und Gewichtstabelle (Bild 4-1) und einer Fahrzeugbeschreibung. Letztere enthält üblicherweise Angaben zu Motor (Arbeitsverfahren, Anzahl der Zylinder, Bohrung, Hub, Hubraum, Verdichtung, maximale Leistung, maximales Drehmoment, Kühlung), Motorkennlinien (Leistung [kW], Drehmoment [Nm] und spezifischer Kraftstoffverbrauch [g/kWh] in Abhängigkeit von der Drehzahl [1/min]), Kupplungsbauart, Schaltgetriebe (Übersetzungen, Steigfähigkeiten und maximale Geschwindigkeiten in den einzelnen Gängen), Rahmenbauart, Fahrerhausvarianten, Vorderachse und Lenkung, Hinterachse mit Achsübersetzung, Federung, Bremsanlage (Betriebs-, Hilfs-, Feststell- und Dauerbremse, Antiblockiersystem), Scheibenräder und Reifen, Volumen des Kraftstoffbehälters sowie Leistung von Lichtmaschine und Batterien.

Die Fahrgestellzeichnung (Bild 4-3) ist eine maßstäbliche Darstellung des Fahrgestells in zwei, drei oder auch vier Ansichten, wobei Lastkraftwagen (im Gegensatz zu Kraftomnibussen) stets mit Fahrtrichtung nach links dargestellt werden. Für den Aufbauhersteller ist diese Zeichnung unerlässlich, da hier alle den Aufbau betreffenden Anschluss- und Störkonturen dargestellt und bemaßt sind. Der Maßaufbau orientiert sich dabei an dem in DIN ISO 4130 definierten 3-dimensionalen Bezugssystems für Straßenfahrzeuge (Bild 4-2) mit Null-X-Ebene durch die Vorderachse, Null-Y-Ebene durch die Längsmitte des Fahrzeugs und der Null-Z-Ebene in der Radaufstandsfläche oder in Höhe der Oberkante des Fahrgestellrahmens.

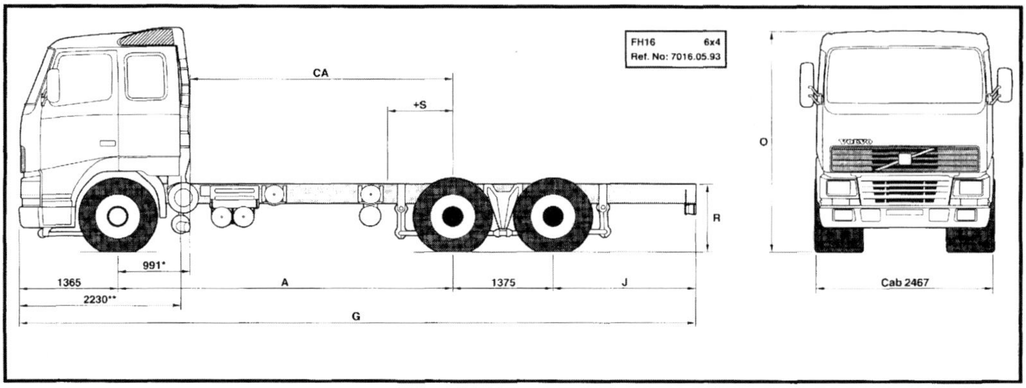


* Mit Luftansaugung vorne –126 mm. ** Mit Luftansaugung hoch +126 mm.

| Maße, mm | Radstand: | 4300 | 4600 | 4900 |
|---|---|---|---|---|
| | Theoretischer Radstand | 4988 | 5288 | 5588 |
| CA | Hinterachsmitte - Hinterkante Fahrerhaus** | 3309 | 3609 | 3909 |
| G | Größte Länge | 9405 | 9870 | 10335 |
| J | Hinterer Überhang | 2365 | 2365 | 2365 |
| O | Fahrerhausdach - Standfläche unbelastet, L2H2 +397 mm | 3190 | 3190 | 3190 |
| P | Lufteinlaß-Standfläche unbelastet, bei Luftansaugung hoch | 3235 | 3235 | 3235 |
| R | Rahmen über HA - Standfläche unbelastet | 1050 | 1050 | 1050 |
| S | Schwerpunktkalkulation der jeweiligen Spezifikation: | | | |
| | S = (Verbleibende Nutzlast Vorderachse x Theoretischer Radstand : Gesamtnutzlast) -688 | | | |
| | Spurkreis | 16612 | 17498 | 18384 |
| | Wendekreis | 18162 | 19050 | 19940 |

** Mit Luftansaugung vorne +126 mm

| Gewichte, kg — Radstand: | 4300 | 4600 | 4900 |
|---|---|---|---|
| Fahrgestellgewicht, vorne | 5080 | 5095 | 5105 |
| Fahrgestellgewicht, hinten | 4110 | 4155 | 4170 |
| Fahrgestellgewicht, insgesamt | 9190 | 9250 | 9275 |
| Zul. Vorderachslast | 8000 | 8000 | 8000 |
| Zul. Hinterachslast (technisch 21000 kg) | 19000 | 19000 | 19000 |
| Zul. Gesamtgewicht | 26000 | 26000 | 26000 |
| Nutzlast einschließlich Aufbauten ca. (bei Ges.gew. 26000 kg) | 16810 | 16750 | 16725 |

Gesamtzuggewicht (technisch) max. 100000 kg (44000 kg mit Getriebe SR2400 und Hinterachse CTEV87)
**Die Fahrgestellgewichte** verstehen sich einschließlich Fahrerhaus L2H1, Motor D16A, Luftansaugung vorne AIRIN-FR, Getriebe SRO2400, Hinterachse CTN372, Luftfederung vorne und hinten, Rahmen FRAME77P, Stoßdämpfer und Stabilisator vorne und hinten, 10 Felgen 22.5x9.00", Bereifung 315/80R22.5", RFUEL315 (315 L Tank) vollgetankt, Anhängerausrüstung sowie Öl, Kühlwasser und Werkzeug, aber ausschließlich Reserverad und Reserveradhalterung.

**Bild 4-1**
Datenblatt FH16 6 × 4 (VOLVO)

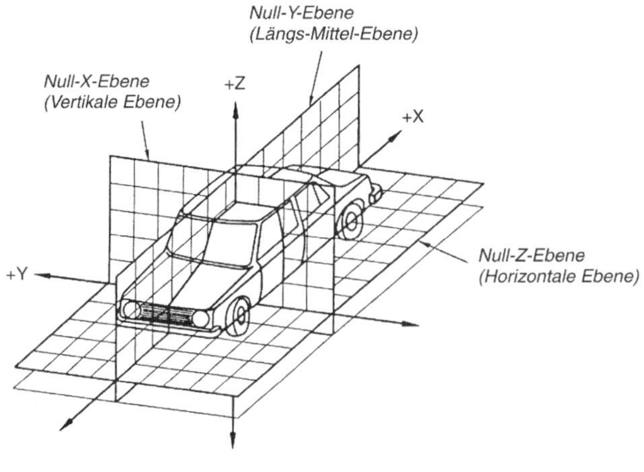


**Bild 4-2**
Definition des 3-dimensionalen Bezugssystems für Straßenfahrzeuge nach DIN ISO 4130

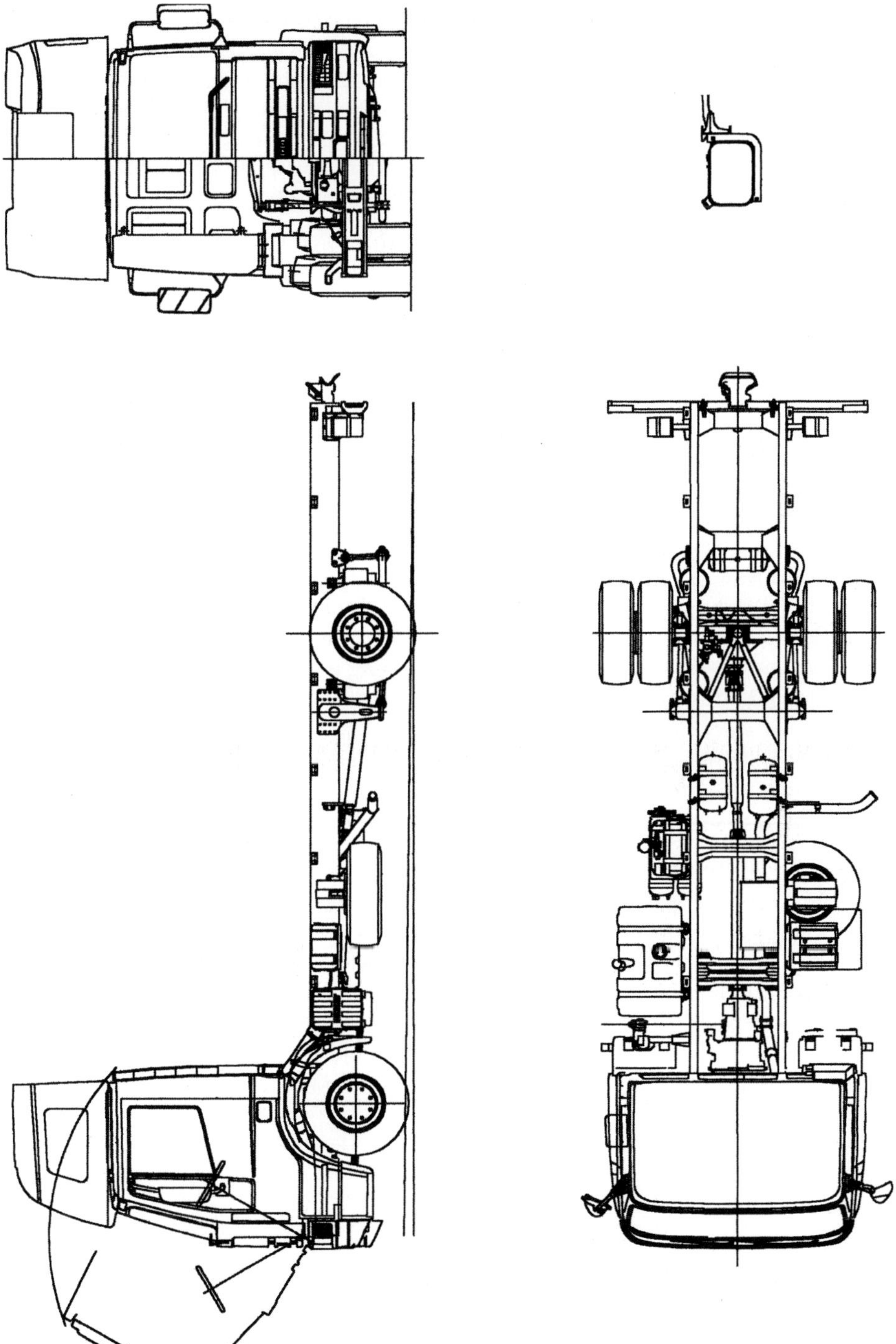

**Bild 4-3** Fahrgestellzeichnung IVECO Eurocargo ML150E15/RP (IVECO)

Aufbaubetriebe erhalten Fahrgestelldatenblätter, Fahrgestellzeichnungen sowie die Aufbauherstellerinformationen vom Fahrgestellhersteller kostenfrei zur Verfügung gestellt. Bis in die Mitte der 1990er Jahre wurden Fahrgestellzeichnungen auf Anfrage dem Kunden als Lichtpausen oder Großkopien im Maßstab 1:10 oder 1:20 auf postalischem Weg zugesandt. Mit Einzug des CAD in die Konstruktion und Möglichkeit der Nutzung digitaler Datenträger wurden später Disketten verschickt. IVECO stellte ab 1995 die CAD-Daten sämtlicher Fahrgestelle auf drei CDs zusammen.

Heute bieten nahezu alle Fahrgestellhersteller über den Internetauftritt den Aufbauherstellern einen umfassenden Service zur Verfügung, zu dem allerdings eine Anmeldung erforderlich ist. Nach dem Erhalt von Passwort und User-ID erschließt sich dem Nutzer eine umfassende Informationsquelle.

Volvo z. B. bietet alle erdenklichen Informationen wie Datenblätter, Fahrgestellzeichnungen, Schaltpläne und Zubehör in zwölf Sprachen an. Im Kapitel „Technische Spezifikationen und generelle Zeichnungen“ wird automatisch die Fahrzeugspezifikation im Ordersystem mit Links zu der (am nächsten passenden) generellen Fahrgestellzeichnung versehen. Ein weiteres Informationspaket umfasst die Auslegung, Dimension und Aufhängung bestimmter Gelenkwellen, deren Berechnung bei geändertem Radstand samt der Teilnummer für die neue Gelenkwelle. Zur Ladebordwand-Berechnung bietet das System die Möglichkeit, mit Ladung zu rechnen und Rahmenverstärkungen zu dimensionieren. Sogar eine Kippstabilitätsberechnung für Tankfahrzeuge gemäß EU-Richtlinien wird offeriert. Mit dieser Funktion kann gleich auch ein Zertifikat erstellt werden. Auch Informationen zu früheren Baureihen sind aufrufbar. Damit die CAD-Daten der Fahrgestellzeichnungen zur Weiterbearbeitung genutzt werden können, sind diese in unterschiedlichen Formaten über den Internetzugang herunterladbar.

### 4.1.2 Fahrgestellstruktur

Lastkraftwagenfahrgestelle lassen sich nach Anordnung und Funktion in die vier wesentlichen Baugruppen *Fahrgestellrahmen*, *Fahrerhaus*, *Fahrwerk* und *Antriebsstrang* gliedern:

Der *Fahrgestellrahmen* ist die zentrale tragende Baugruppe des Fahrgestells, an der sowohl die anderen Baugruppen als auch der Aufbau befestigt sind. Der Raum oberhalb der Rahmenoberkante bleibt im Bereich hinter dem Fahrerhaus dem Aufbau vorbehalten, unterhalb befinden sich Antriebsstrang und Fahrwerk. Diese strenge Gliederung und die Montage von an jedem Fahrzeug vorhandenen Grundkomponenten unabhängig vom Fahrzeugtyp und der Gewichtsklasse immer an der gleichen Stelle am Fahrgestell ermöglicht eine große Typenvielfalt in Abmessungen, Tragfähigkeit und Antriebsleistung sowie eine größtmögliche Freiheit zur Gestaltung der Aufbauten. Zu den an jedem Fahrgestellrahmen im Bereich unterhalb seiner Oberkante anzubringenden Grundkomponenten zählen Kraftstoffbehälter, Batterie, Druckluftbehälter, Werkzeugkasten, Ersatzrad, Abgasanlage, Unterfahrschutz, Anhängekupplung sowie bei Fahrzeugen für Wechselaufbauten die seitliche Schutzvorrichtung.

Das *Fahrerhaus* ist bei der heute üblichen Frontlenkerbauart im vorderen Bereich über zwei Lagerpunkte mit dem Fahrgestellrahmen verbunden, um welche es zu Wartungs- und Reparaturarbeiten am Motor nach vorne geschwenkt werden kann. Die hinteren Lagerpunkte sind gefedert und gedämpft.

Das *Fahrwerk*, bestehend aus Achsen mit Radlagerung und Bremsen, Lenkung, Reifen und Rädern, Federn, Schwingungsdämpfern, Achsführungselementen und Stabilisatoren dient dem Zweck der Fahrtrichtungsbestimmung und Spurführung, der Übertragung von Gewichts-, Spurführungs-, Beschleunigungs- und Verzögerungskräften sowie dem Ausgleich von während des Fahrbetriebs veränderlichen Abständen, Kräften und Bewegungen zwischen Fahrgestellrahmen und Fahrbahn.

Motor, Schaltkupplung, Schaltgetriebe, Gelenkwellen, Verteilergetriebe (bei Allradantrieb) und Ausgleichsgetriebe bilden den *Antriebsstrang* (siehe Abschnitt 5). Dieser bringt die Motorleistung in allen Fahrzuständen über die Räder auf die Fahrbahn. Zusätzlich können an der Motor-Schaltgetriebe-Einheit so genannte Nebenabtriebe zum Antrieb zu Zusatzaggregaten (Hydraulikpumpe, Kreiselpumpe, Fahrmischer, ...) angebaut werden. Hydrodynamische oder elektrodynamische Dauerbremsen (Retarder) werden optional im Gelenkwellenstrang zwischen Schaltgetriebe und Ausgleichsgetriebe angeordnet. Bild 4-4 zeigt die Anordnung und Ausrichtung des Antriebsstrangs im Fahrgestell. Um eine möglichst geradlinige Verbindung zwischen Motor und Hinterachse herzustellen, ist dieser in einer nach hinten abfallenden Schräglage eingebaut.

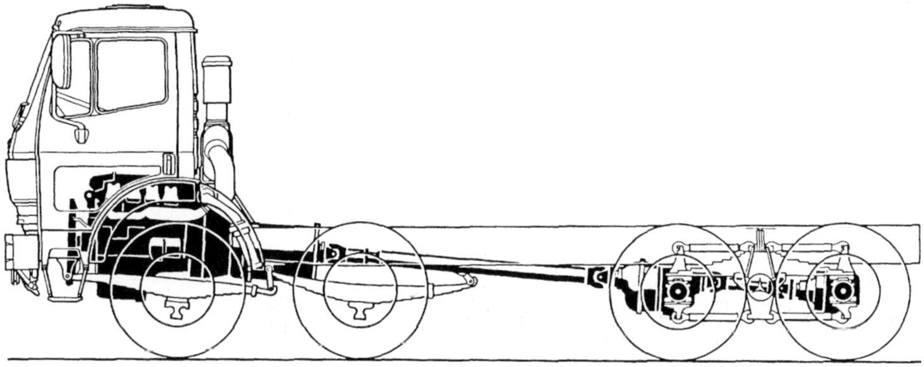

**Bild 4-4** Anordnung des Antriebsstrangs in einem 4-Achs-Fahrzeug (Mercedes-Benz, aus [4-1])

### 4.1.3 Fahrgestellrahmen

Je nachdem, ob oder in welchem Umfang der Aufbau an der Tragfunktion eines Fahrzeug-Tragsystems beteiligt ist, unterscheidet man die Fahrzeugtragsysteme Chassis-Bauweise (Lastkraftwagen mit Leiterrahmen), mittragende Bauweise (gemischte Gerippebauweise mit Längsträgern und Fachwerkstäben beim Kraftomnibus) und selbsttragende Bauweise (Gitterrohrrahmen beim Kraftomnibus oder Wohnwagen, Schalenbauweise beim Pkw). Beim Lastkraftwagen hat sich die Chassis-Bauweise mit einem volltragenden Fahrgestellrahmen bewährt. Sie schafft größtmögliche Freiheit für die Gestaltung und Fertigung der verschiedensten Aufbauten und hält deren mechanische Beanspruchungen aus dem Fahrbetrieb gering.

Bezüglich seiner Struktur ist der Lkw-Fahrgestellrahmen ein Leiterrahmen, der aus zwei Längsträgern und mehreren Querträgern besteht. Dabei werden die Rahmengeometrien und Rahmenquerschnitte auf den jeweiligen Einsatzzweck des Fahrzeuges abgestimmt. Während der Rahmen für den Fahrbetrieb auf gut ausgebauten Straßen im Verteiler- und Fernverkehr eine hohe Verwindungssteifigkeit für bessere Fahrstabilität aufweisen sollte, wird für den Einsatz im Gelände ein verdrehweicher Rahmen mit hoher Verwindungselastizität gefordert, um die erforderlichen Federwege des Fahrwerks in Grenzen zu halten (Bild 4-5).

Die Längsträger werden bevorzugt aus Feinkornbaustählen (z. B. S500MC (QStE 500 TM)) kaltgepresst. Die U-Form des Querschnitts ergibt eine hohe Biegesteifigkeit bei gleichzeitiger Torsionsweichheit. Mit dem stehend angeordneten Steg, an welchem Fahrwerk, Aufbau und verschiedenste Anbauten problemlos angeschraubt werden können, wird der Querschnitt in seiner höchsten Biegesteifigkeit um die Querachse genutzt. Um insbesondere die Fahrwerkskräfte in der Nähe des Schubmittelpunktes einleiten zu können, zeigt die Profilöffnung nach innen. Die beiden Längsträger sind im Abschnitt hinter dem Fahrerhaus üblicherweise parallel geführt (siehe Bild 4-2). Während die Profiloberkanten mit Rücksicht auf den später zu montierenden Hilfsrahmen ein einheitliches Höhenniveau aufweisen, werden zur Bauraumoptimierung im Bereich von Fahrerhaus, Motor und Schaltgetriebe die Längsträger bei fast allen Fahrgestellherstellern in der Horizontalebene zur Vergrößerung der Rahmenbreite nach außen gekröpft. Die bei einigen Mercedes-Fahrgestellen realisierte „Fischbauchform“ des Fahrgestellrahmens entsteht dadurch, dass zur Anpassung an die örtlichen Belastungen die Querschnittshöhen variieren (Bild 4-7). Mercedes-Benz hat für den in großer Typenvielfalt eingesetzten Atego einen zweigeteilten Fahrgestellrahmen entwickelt. Diese „Z plus U-Bauweise“ besteht im Bereich des Fahrerhauses aus zwei nach außen und unten geneigten Z-Profil-Längsträgern, die mit den nach hinten anschließenden U-Längsträgern verschraubt sind (Bild 4-8). So ist der Rahmen vorne weit und tief genug, um Aggregate sowie Fahrerhauskabine tief ein- bzw. aufsetzen zu können, und hinten so hoch, wie es für Fahrwerk und die Aufbauten notwendig ist.

Zur optimalen Anpassung an die sehr unterschiedlichen Belastungen im späteren Einsatz können für Fahrgestellrahmen aus ein und derselben Baureihe bei gleichbleibenden Hauptabmessungen die Materialstärken variiert werden. Zusätzlich erhalten Kipperfahrzeuge häufig örtliche Verstärkungen durch geschachtelte U-Profile. Bei den auf Bild 4-6 dargestellten Längsträgerprofilen liegen die Werte für die axialen Flächenmomente 2. Ordnung $I_{ax}$ um die Querachse zwischen 2976 und 6321 $cm^4$.

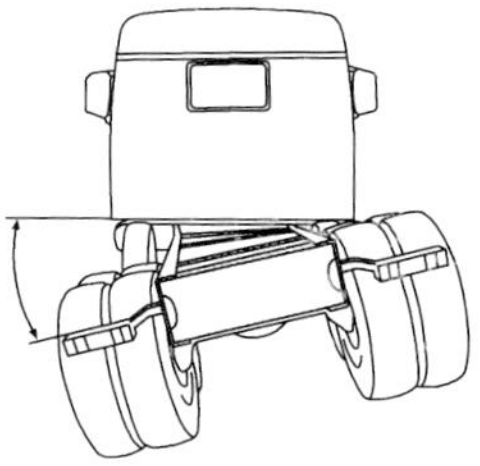

**Bild 4-5**
Verwindung des Fahrgestellrahmens (SCANIA, aus [4-2])

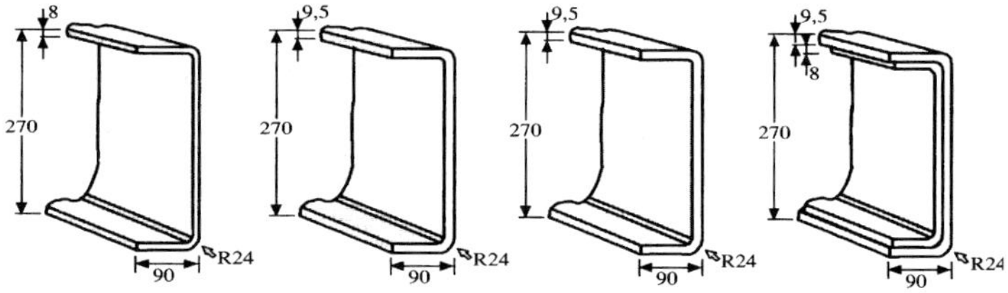


**Bild 4-6**
Rahmenprogramm mit variablen Materialstärken (SCANIA, aus [4-2])

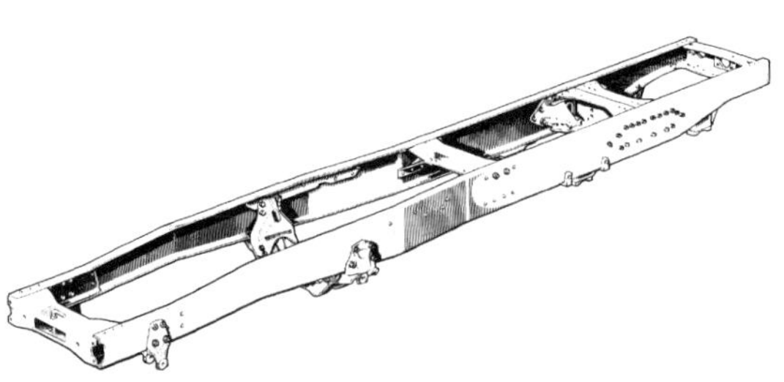

**Bild 4-7** Fahrgestellrahmen in „Fischbauchform“ (Mercedes-Benz, aus [4-1])

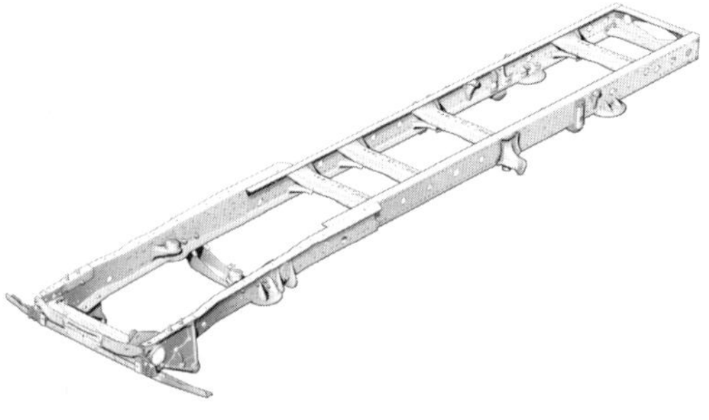

**Bild 4-8** Fahrgestellrahmen in „Z plus U-Bauweise“ (Mercedes Benz)

Über die Geometrie des Leiterrahmens sind die Torsionsverformungen von Rahmenquerträgern und Rahmenlängsträgern gekoppelt. Damit wird durch die Querträgergestaltung die Gesamt-Verdrehsteifigkeit des Fahrgestellrahmens entscheidend mitbestimmt. Je nach erforderlicher Verwindungssteifigkeit werden daher sowohl offene (Hut- oder U-Profile) als auch geschlossene Profile (Rohre) eingesetzt.

Als Verbindungselemente zwischen Quer- und Längsträgern dienen Niet- oder Schraubverbindungen. Alternativ eingesetzte Schließringbolzen kombinieren die Unlösbarkeit von Nietverbindungen mit der hohen Vorspannung einer HV-Verschraubung. Schweißverbindungen zum Anschluss der Querträger haben sich nicht bewährt. Es stellte sich nach einigen Misserfolgen (Rahmendauerbrüche) Anfang der 1950er Jahre heraus, dass geschweißte Rahmenkonstruktionen bei dynamischer Beanspruchung nicht ausreichend dauerfest sind.

Neben Vertikallasten können Fahrgestellrahmen auch großen Seitenkräften ausgesetzt sein, die in den Längsträgern Querbiegung erzeugen und die Leiterstruktur parallelogrammartig verschieben möchten. Das ist besonders bei Fahrzeugen mit extrem langen Radständen, Fahrzeugen mit Doppelachsaggregat bei der Kurvenfahrt auf befestigter oder zerfahrener Fahrbahn (Bild 4-9) sowie bei Fahrzeugen mit langem hinteren Überhang im Anhängerbetrieb spürbar. Um Schlingerbewegungen im Fahrbetrieb auszuschließen, werden bei Fahrzeugen mit Doppelachsaggregat die Querträgeranbindungen um die Hochachse versteift, bei Fahrzeugen für Anhängerbetrieb die Anbindung der Zugtraverse (Bild 4-10).

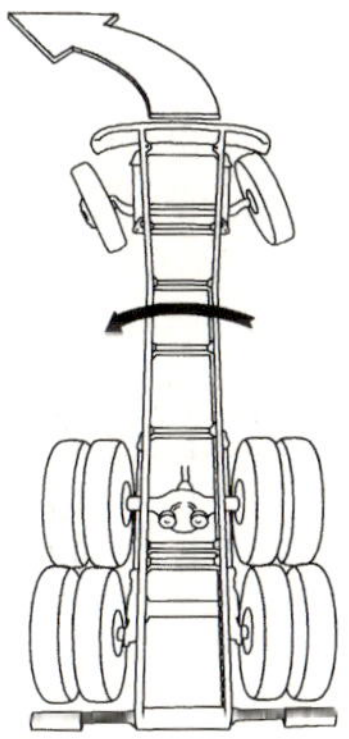

**Bild 4-9** Fahrgestell mit Doppelachse bei Kurvenfahrt (SCANIA, aus [4-2])

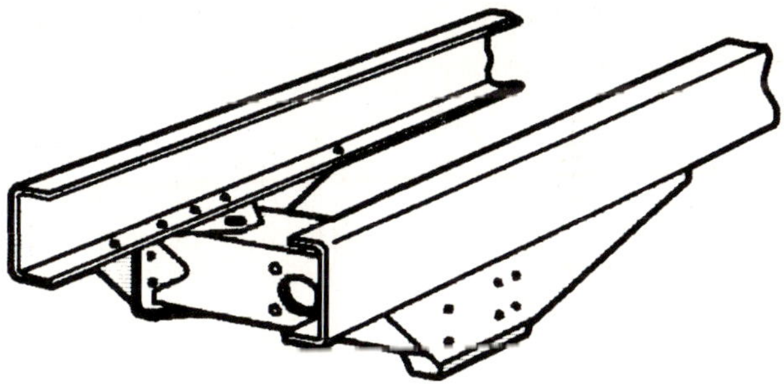

**Bild 4-10** Biegeversteifte Anbindung der Zugtraverse (SCANIA, aus [4-2])

## 4.1.4 Fahrwerk

### *4.1.4.1 Achsen*

Die Achse bildet die zentrale tragende Baugruppe eines jeden Fahrwerks. Zusammen mit den Achsführungselementen stellt sie die Verbindung zwischen Rädern und Fahrgestellrahmen her und bringt das Fahrzeug in die gewünschte Fahrtrichtung. Zusätzlich zu den vertikal wirkenden statischen und dynamischen Achslasten überträgt sie auch die horizontal wirkenden Antriebs-, Brems- und Spurführungskräfte und bestimmt im Zusammenwirken mit Federungs- und Dämpfungselementen sowie den Stabilisatoren wesentlich die Fahreigenschaften des Fahrzeuges.

Während sich bei Personenkraftwagen und Kraftomnibussen die Einzelradaufhängung durchgesetzt hat, werden Lastkraftwagenräder fast ausnahmslos durch Starrachsen geführt, deren kennzeichnendes Merkmal die starre Verbindung zwischen dem linken und rechten Rad ist. Der Achskörper aus gesenkgeschmiedetem Vergütungsstahl stellt insbesondere bei angetriebenen Achsen zusammen mit der Federung eine im Vergleich zur Einzelradaufhängung deutlich höhere ungefederte Masse dar, die den Fahrkomfort durch Vertikal- und Trampelschwingungen nachteilig beeinflusst. Die starre Verbindung der Räder ist weiterhin dafür verantwortlich, dass diese nicht unabhängig voneinander ein- und ausfedern können. So führt die Sturzänderung durch Einfedern des einen Rades automatisch zur gleichsinnigen Sturzänderung des anderen und damit zu einem Querversetzen der gesamten Achse. Sind Starrachsen angetrieben, zeigen sie zudem beim Beschleunigen spontane Hochkraftänderungen an den Rädern, weil sich das Eingangsmoment des Ausgleichsgetriebes an den Radaufstandspunkten abstützt. Da der Platzbedarf einer Starrachse größer als bei anderen Achskonstruktionen ist, führt dies bei Lastkraftwagen zu großen Radhäusern und auch zu einer relativ hohen Lage des Motors bei Frontlenker- und Haubenfahrzeugen.

Trotz der genannten Nachteile hat sich die Starrachse bei Lastkraftwagen behauptet, da sie vom Aufbau her einfach und damit wirtschaftlich herstellbar sowie äußerst robust ist. Sie benötigt außer den Blattfedern (Mechanische Federung) oder den Führungslenkern (Luftfederung) keine weiteren Führungselemente; ihre fahrdynamischen Schwächen gegenüber der bei Personenkraftwagen üblichen Einzelradaufhängung sind wegen der deutlich niedrigeren Fahrgeschwindigkeiten nicht signifikant.

Starre, *lenkbare Vorderachsen* werden sowohl als nicht angetriebene als auch angetriebene Achsen im Nutzfahrzeug eingebaut. Bei der vorherrschenden Bauform der Faustachse umschließt der gabelförmige Achsschenkel das faustartig verdickte Ende der Achse, welches den um die Spreizung zur Vertikalen schräg stehenden Achsschenkelbolzen aufnimmt. Bild 4-11 zeigt die 5-Lenker-Vorderachse des IVECO-Stralis mit klassischer Parallelogrammführung, Querlenker und Stabilisator, Bild 4-12 die Verbundachse des TGA von MAN, bei dem der Achskörper die Stabilisatorfunktion mit übernimmt. Starre Vorderachsen werden in Bereich der Fahrzeugmitte nach unten gekröpft, um einen größeren Bauraum für den Motor zu erhalten oder um den Fahrgestellrahmen niedriger zu legen. Achsschenkel mit Radlagerung, Radnabe und Bremse bilden stets zusammen mit der Achse eine bauliche und funktionelle Einheit.

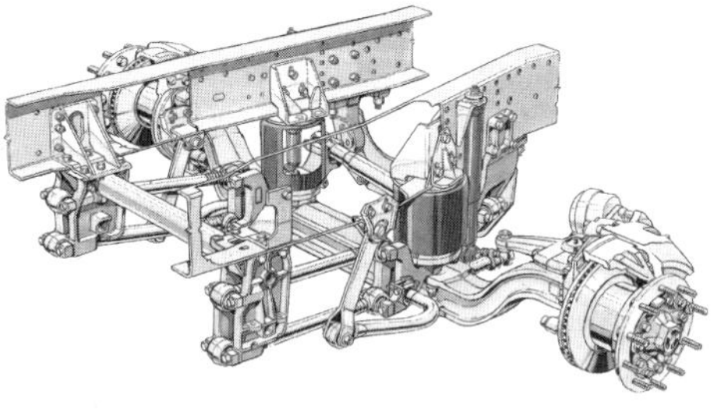

**Bild 4-11** Vorderachse des IVECO-Stralis (IVECO)

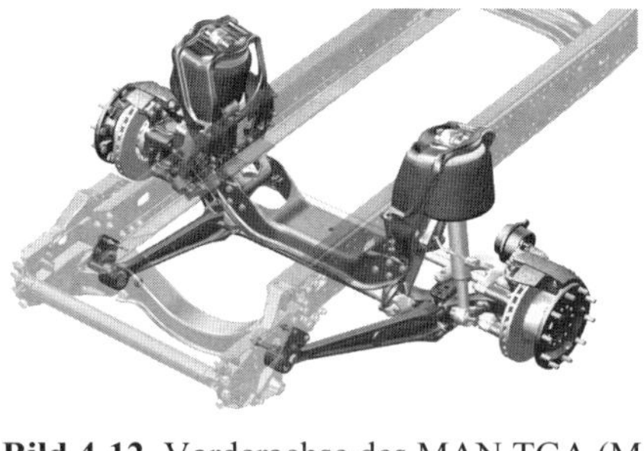

**Bild 4-12** Vorderachse des MAN TGA (MAN)

Bei der heute in allen modernen zweispurigen Fahrzeugen verwendeten Achsschenkellenkung werden lediglich die Räder mit ihren Achsschenkeln um die Achsschenkelbolzen geschwenkt. Da sich bei Kurvenfahrt die kurveninneren Räder auf kleineren Rollkreisen als die kurvenäußeren bewegen, müssen diese bei schräglauffreiem Spuren stärker einschlagen. Dazu bilden Achse, beide Spurstangenhebel und die Spurstange bei Geradeausfahrt ein Trapez, welches bei Kurvenfahrt den Spurdifferenzwinkel realisiert (Bild 4-13).

Die Einleitung der Lenkbewegung in das Lenktrapez erfolgt einseitig über den Lenkhebel, der seinerseits über die vom Lenkgetriebe kommende Lenkstange angetrieben wird. Wegen der hohen Achslasten sind Nutzfahrzeuge auf eine hydraulische Lenkkraftunterstützung angewiesen, die zur Schonung von Achs- und Lenkungsbauteilen über eine Lenkbegrenzungseinrichtung verfügt. Eine vom Lenkeinschlagwinkel abhängige hydraulische Rückwirkung sorgt dafür, dass der Fahrer „das Gefühl für die Lenkung“ nicht verliert.

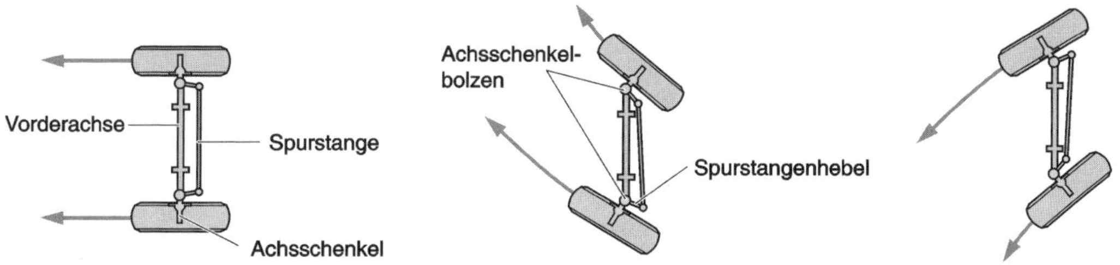


**Bild 4-13** Prinzip der Achsschenkellenkung (MAN)

Nutzfahrzeuge verfügen meist über angetriebene starre *Hinterachsen* mit Ausgleichsgetriebe. Bild 4-14 zeigt die üblichen Bauformen Banjoachse und Trichter- oder Trompetenachse. Banjoachsen bieten den Vorteil, dass der gesamte Achskopf (mit Ausgleichsgetriebe) als Baugruppe außerhalb des Achsgehäuses montiert und eingestellt werden kann. Bei der in Transportern eingesetzten Trichter- oder Trompetenachse ist der Achskopf im Bereich des Ausgleichsgetriebes quer in zwei Hälften geteilt. Sie bietet in der Herstellung gegenüber der Banjoachse Kostenvorteile, nachträgliche Montage- und Justierarbeiten sind allerdings sehr aufwändig.

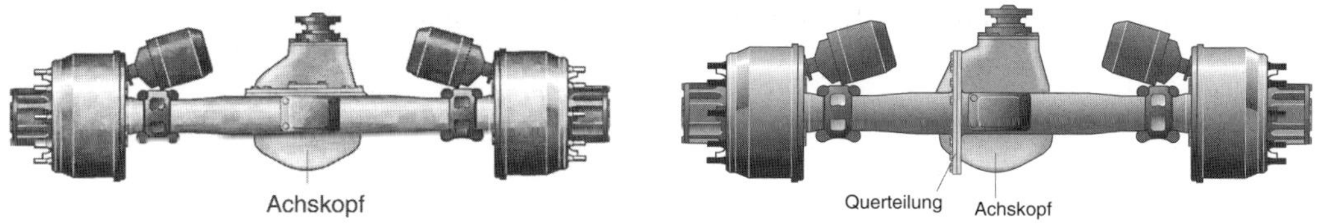


**Bild 4-14** Banjoachse und Trichter- oder Trompetenachse (MAN)

Bei der direkt untersetzten Hinterachse (Hypoidachse) erfolgt die Drehzahlreduzierung zwischen Kegel- und Tellerrad im Ausgleichsgetriebe. Durch die Hypoidverzahnung mit sphärisch gekrümmten Zahnflanken ergibt sich ein großer Überdeckungsgrad beim Zahneingriff und somit hohe Laufruhe auch bei stoßartiger Belastung oder trampelnder Achse. Nachteilig ist der durch die üblichen Untersetzungen zwischen i = 3,5 und 5 verursachte große Durchmesser des Tellerrades und das deshalb großvolumige Hinterachsgehäuse. Daher ist der Anwendungsbereich dieser Achsen auf Fahrzeuge begrenzt, die im Fahrbetrieb mit geringen Bodenfreiheiten auskommen.

Um das Tellerrad im Durchmesser und damit die Abmessungen des Hinterachsgehäuses zu reduzieren, werden bei geländegängigen Fahrzeugen Außenplanetenachsen eingesetzt, die in der Radnabe eine zusätzliche Übersetzungsstufe in Form eines Planetensatzes besitzen. Dadurch können sowohl die Antriebswellen zu den Rädern als auch das Ausgleichsgetriebe kleiner dimensioniert werden und die Bodenfreiheit unter der Achse nimmt zu (Bild 4-15).

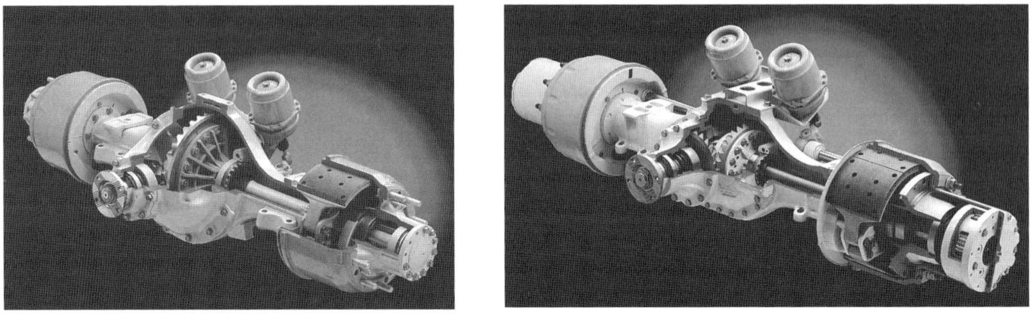

**Bild 4-15** Hypoidachse und Außenplanetenachse (MAN)

Bei mehreren hintereinander liegenden Antriebsachsen sind Durchtriebsachsen (Bild 4-16) notwendig. Bei der Radlagerungen kann man zwischen den Bauformen „halbfliegend", „3/4-fliegend" und „vollfliegend" unterscheiden. In Nutzfahrzeugen wird wegen der großen Radlasten überwiegend die vollfliegende Lagerung eingesetzt, bei welcher der Radträger (Radnabe) mit zwei gegeneinander angestellten Kegelrollenlagern gelagert und über einen verzahnten Deckel mit der Antriebswelle verbunden ist (Bild 4-17). Die Antriebswelle lässt sich dadurch aus- und einbauen, ohne dass das Rad abgenommen werden muss. Sie wird nur durch das Antriebsmoment belastet.

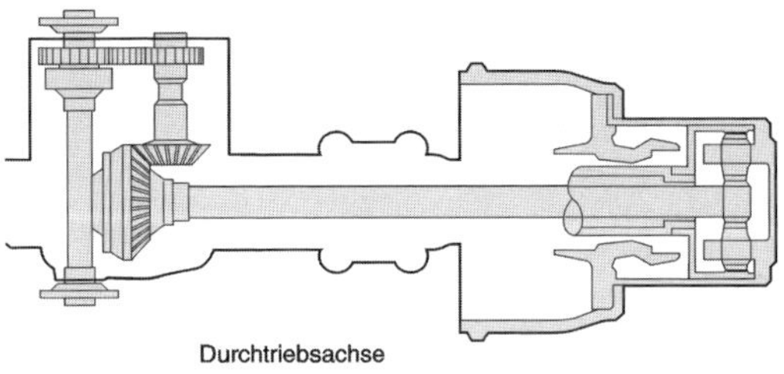


**Bild 4-16** Durchtriebsachse mit Planetensatz (MAN)

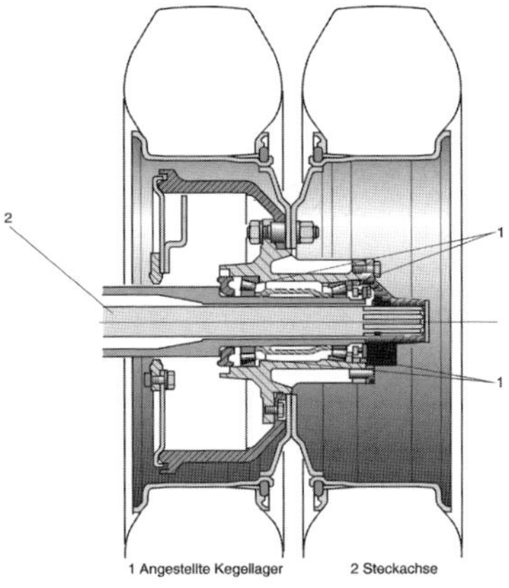


**Bild 4-17** Vollfliegende Radlagerung (MAN)

Um bei Nutzfahrzeugen hohe Zuladungen zu ermöglichen, werden 2-achsige Fahrzeuge um eine zusätzliche, meist einfachbereifte nicht angetriebene Achse erweitert. Diese wird als so genannte *Vorlaufachse* in Fahrtrichtung vor der Antriebsachse, als *Nachlaufachse* hinter der Antriebsachse angeordnet und kann wahlweise lenk- oder liftbar sein. Übliche Ausführungen sind die hydraulisch angelenkte, nicht liftbare Vorlaufachse (Bild 4-18) für Fahrzeuge mit großen Hecklasten, die selbstlenkende Nachlaufachse und die nicht gelenkte, liftbare Nachlaufachse (Bild 4-19). Während gelenkte Vor- oder Nachlaufachsen infolge Schräglaufvermeidung den Reifenverschleiß deutlich verringern, verbessert die gelenkte Nachlaufachse zusätzlich entscheidend die Kurvenläufigkeit (Bild 4-20). Liftachsen dürfen immer dann im Fahrbetrieb angehoben werden, wenn es der Beladungszustand erlaubt und die zulässigen Achslasten nicht überschritten werden. Ein ausnahmsweise kurzfristiges Entlasten – selbst bei voller Beladung – ist bei schwierigen Straßenverhältnissen zulässig, um durch eine Zusatzbelastung der Antriebsachse deren Traktionsvermögen zu verbessern (Anfahrhilfe gemäß § 34 StVZO).

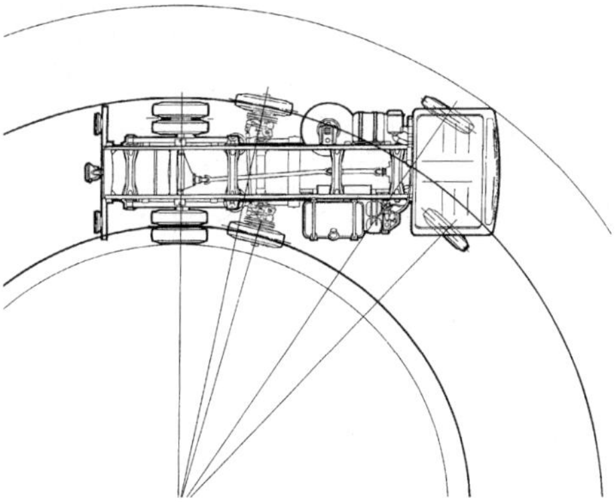

**Bild 4-18** Lkw mit gelenkter Vorlaufachse (SAF)

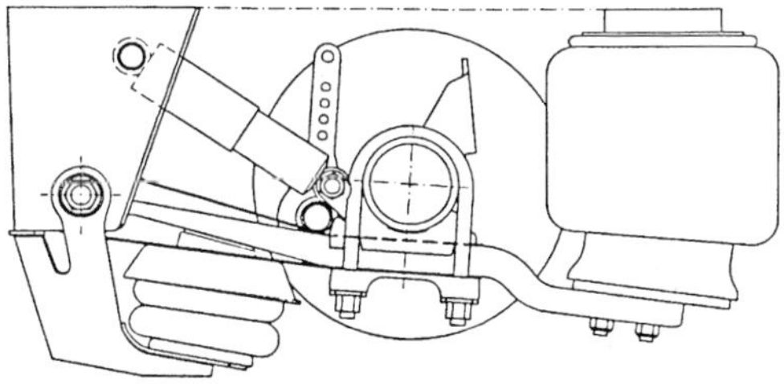

**Bild 4-19** Luftgefederte Schleppachse mit Lifteinrichtung(SAF)

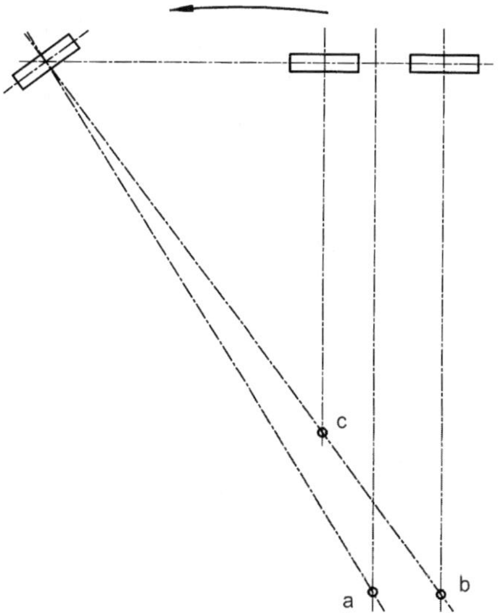


**Bild 4-20**
Lage des Bewegungszentrums für (einspuriges) Dreiachsfahrzeug mit nicht gelenkter Nachlaufachse (a), gelenkter Vorlaufachse (b) und gelenkter bzw. gelifteter Nachlaufachse (c)

## *4.1.4.2 Federung und Achsführung*

Für das sichere Fahrverhalten (Spurführung, Traktion, Bremsvorgang) eines Nutzfahrzeuges ist Bedingung, dass alle Räder in jeder Fahrsituation weitgehend gleichmäßigen Kontakt zur Fahrbahn haben und die Radlasten nur wenig schwanken. Da es vollkommen ebene Fahrbahnen nicht gibt, müssen Federn nicht nur das gesamte Fahrzeuggewicht auf die Achsen und Räder übertragen, sondern gleichzeitig dafür sorgen, dass die Räder den örtlichen Fahrbahnunebenheiten folgen können, wobei diese Ausgleichsbewegungen möglichst keine gravierenden Auswirkungen (Stöße, Schwingungen) auf den Aufbau haben sollten. Etwaige Schwingungen sollten weitestgehend gedämpft, Wank- und Nickbewegungen begrenzt werden. In der Praxis lässt sich die Summe dieser Forderungen dadurch verwirklichen, dass die Federwege bei angemessener Federweichheit ausreichend groß, die ungefederten Massen gering und schwingungsdämpfende Elemente vorhanden sind. Die Begrenzung der Wankbewegung wird durch den von der Federung kinematisch entkoppelten Stabilisator realisiert.

Vereinfachend lässt sich ein Straßenfahrzeug als ein gedämpfter Zweimassenschwinger entsprechend Bild 4-21 abbilden, wobei Reifen, Räder, Starrachse mit Ausgleichsgetriebe sowie anteilig Federn und Antriebswellen der „ungefederten Masse" $m_u$, alle übrigen der gefederten Masse $m_g$ zuzurechnen sind.

Beim Überfahren von Fahrbahnunebenheiten reagieren die Federn zunächst mit einem Federweg $\Delta x$ und aufgrund der elastischen Formänderung entsprechend der Federkennlinie mit einer Kraftänderung $\Delta F$. Das Verhältnis $\Delta F / \Delta x$ wird als Federsteifigkeit (Federrate) c bezeichnet:

$$c = \frac{\Delta F}{\Delta x} \tag{4-1}$$

Je nach Form und Werkstoff werden Federn zusammengedrückt, gelängt, gebogen oder verdreht. Federn mit linearer Kennlinie geben immer proportional der Belastung nach. Günstiger für die Fahrwerksabstimmung erweisen sich jedoch Federn mit progressiver Kennlinie, die bei geringer Belastung weich sind und bei höherer Belastung immer härter werden (Bild 4-22). Denn dadurch bleiben die Federwege beim Überrollen von Fahrbahnunebenheiten sowohl im gering- als auch vollbeladenen Zustand etwa gleich und die von der Federsteifigkeit c und der zu federnden Masse $m_g$ abhängige Eigenfrequenz f möglicher Schwingungen konstant. Darüber hinaus ergibt sich eine ausreichende Reserve des Federweges bei voller Beladung.

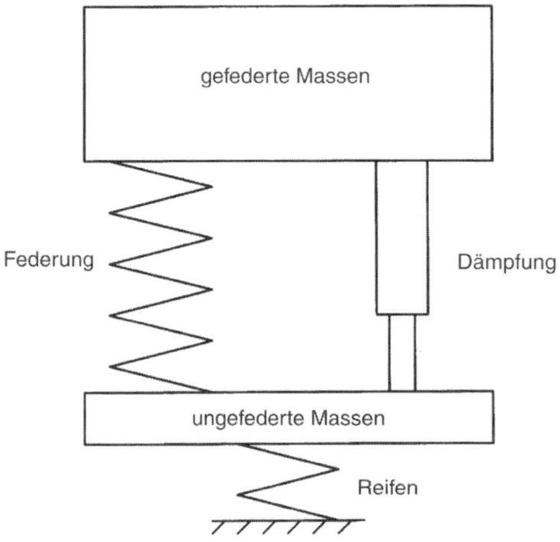


**Bild 4-21** Modell des gedämpften Zweimassenschwingers

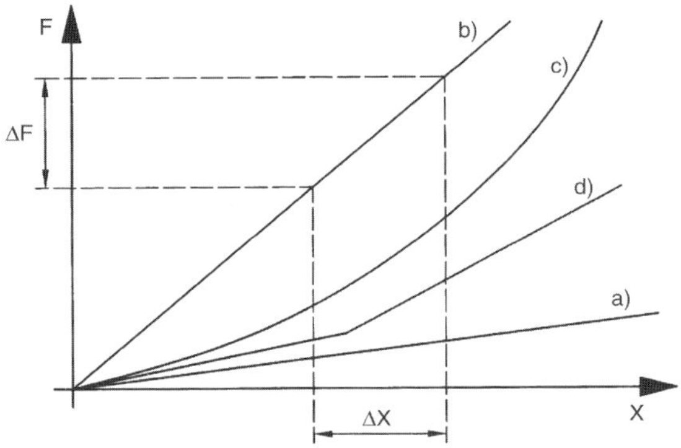


**Bild 4-22** Federkennlinien: weich (a), hart (b), progressiv (c) und zweistufig (d)

Für den hier modellhaft angenommenen Zweimassenschwinger ergeben sich nach [4-3] mit den Federsteifigkeiten $c_F$ für die Fahrwerksfedern und $c_R$ für die Reifen zwei Eigenfrequenzen, die Aufbaueigenfrequenz $f_A$ und Achseigenfrequenz $f_{Ac}$:

$$f_A = \frac{1}{2 \cdot \pi} \cdot \sqrt{\frac{c_F}{m_g}} \tag{4-2}$$

$$f_{Ac} = \frac{1}{2 \cdot \pi} \cdot \sqrt{\frac{c_F + c_R}{m_u}} \tag{4-3}$$

Im Fahrzeugbau unterscheidet man die Federbauarten Drehstabfeder, Schraubenfeder, Blattfeder, Gasfeder (Luftfeder) und hydropneumatische Feder. Schraubenfedern sind in der Regel in Personenkraftwagen, aber auch in leichten Lastkraftwagen und Transporten sowie hochgeländegängigen Nutzfahrzeugen zu finden. Sie benötigen wenig Bauraum und erlauben große Federwege, können aber keine Radführung übernehmen. Drehstabfedern werden hauptsächlich in Kettenfahrzeugen oder auch bei Pkw-Anhängern eingesetzt, schwere Mobilkranfahrgestelle sind fast ausschließlich hydropneumatisch gefedert. In konventionellen Nutzfahrzeugen finden hauptsächlich Blattfedern und Luftfedern Anwendung.

In Nutzfahrzeugen dominiert die *Blattfederung*, weil sie in Verbindung mit der gebräuchlichen Starrachse die Radführungsaufgaben vollständig übernehmen kann und zusätzliche Radführungsteile (Lenker) gänzlich entfallen können. An der Hinterachse werden Blattfedern zwischen Rahmenlängsträgern und Reifeninnenkanten angeordnet, an der Vorderachse mit Rücksicht auf einen möglichst großen Lenkeinschlagwinkel der Räder unter den Längsträgern. Blattfedern sind Biegefedern, deren Federsteifigkeit c von der Stützweite (Abstand der Federlager) sowie der Anzahl, den Längen und Querschnittsflächen der einzelnen Federblätter bestimmt wird. Diese Federblätter sind durch den Herzbolzen auf der Achse zentriert und mit dieser durch Federbügel (Federbriden) verspannt. Zusätzliche Federklammern verhindern einen gegenseitiges seitliches Verdrehen. Zur Befestigung am Längsträger des Fahrgestellrahmens ist das oberste Federblatt am vorderen Ende zu einem Federauge gerollt. Der Federbolzen sorgt für die gelenkige Anbindung an das vordere Federlager. Das hintere Ende kann, um Längenausgleich des Federpaketes beim Einfedern zu ermöglichen, gleitend in einem Gleitfederschuh geführt oder verschleißarm über ein hinteres Auge und eine Federlasche beweglich im hinteren Federlager gelagert werden. Die zweite Federlage wird häufig als so genannte Sicherheitsumrollung zusätzlich um das Federauge gerollt. Nach der Art der Blattfedern unterscheidet man Trapez- und Parabelfedern.

*Trapezfedern* werden aus geschichteten, sich gegenseitig stützenden Federstahlblättern mit halbelliptischer Form (Halbelliptikfeder) bei gleichen Querschnittsabmessungen und unterschiedlichen Längen zusammengesetzt. Dies ergibt ein dem Biegemomentenverlauf in etwa angepasstes axiales Widerstandsmoment und somit eine nahezu gleichmäßige Spannungsverteilung über die gesamte Federlänge. Durch die unterschiedlichen Blattlängen entsteht in der Seitenansicht die namensgebende Trapezform. Die Relativbewegung zwischen den einzelnen Federblättern beim Ein- und Ausfedern verursacht Eigendämpfung. Diese entlastet zwar die Schwingungsdämpfer, beschädigt aber die Oberflächen durch Reibungsverschleiß. Der originäre Kennlinienverlauf einer Trapezfeder ist linear. Durch die unterschiedliche Sprengung (vorgeformte Biegung) einzelner Blätter oder durch Zusatzfedern (Zweistufenfeder, Dreistufenfeder) lassen sich progressive Kennlinien für die Gesamtfeder erzielen. Bei dem in Bild 4-23 gezeigten Fahrwerk arbeitet bei Leerfahrt und bei geringer Belastung das untere Federpaket (Hauptfeder) zunächst mit linearer Kennlinie allein. Erst mit zunehmender Belastung bekommt durch die stärkere Einfederung das obere Federpaket (Zusatzfeder) zu den am Längsträgersteg befestigten Gleitfederschuhen Kontakt und kann mittragen (Parallelschaltung). Die Kennlinie wird dadurch steiler, die Gesamtwirkung der Feder härter (siehe auch Bild 4-22).

Um die hohen Gewichte der Trapezfedern zu reduzieren, gelangt man über weniger und dafür dickere Federblätter zur Bauform der *Parabelfeder* (Bild 4-24). Diese besteht aus vergleichsweise wenigen (2 bis 4) Blättern. Durch die über die Länge in etwa parabolische Auswalzung der Materialdicke kann die Materialfestigkeit optimal genutzt werden (Träger gleicher Festigkeit). Dies bringt gegenüber konventionellen Blattfedern in Trapezform rund 50 % Gewichtsersparnis. Die geringe Anzahl der Berührstellen zwischen den Parabellagen und zusätzliche Kunststoffzwischenlagen reduzieren Eigendämpfung und Reibungsverschleiß.

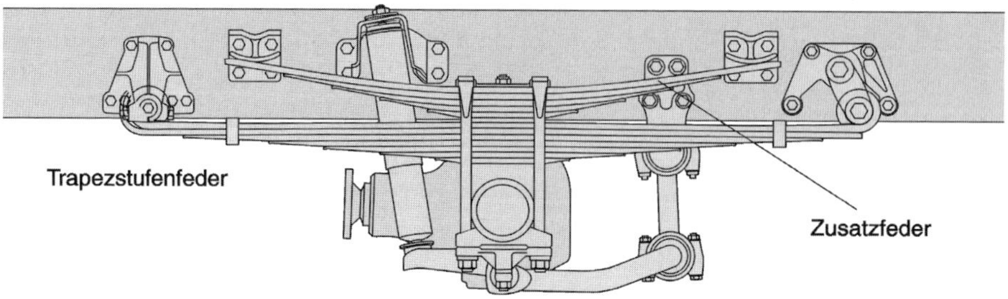


**Bild 4-23** Hinterachsfahrwerk mit Trapezstufenfeder (MAN)

**Bild 4-24** Vorderachsfahrwerk und Hinterachsfahrwerk mit Parabelfedern (Mercedes-Benz)

Speziell in der Bauwirtschaft werden 3- oder 4-achsige Lastkraftwagen eingesetzt. Bedingt durch den Einsatz in unebenem Gelände sind hier Radaufhängungen mit Achslastausgleich zum Schutz einzelner Achsteile vor Überlastung von Vorteil. Der Actros 8x4/4 für den Bausektor hat einen mechanischen Achslastausgleich an den Vorderachsen, die hinteren Augen der Parabelfedern sind zum Längenausgleich beim Einfedern je an einem Winkelhebel befestigt. Auf jeder Fahrzeugseite sind diese Winkelhebel gegenläufig durch eine Zugstange verbunden (Bild 4-25).

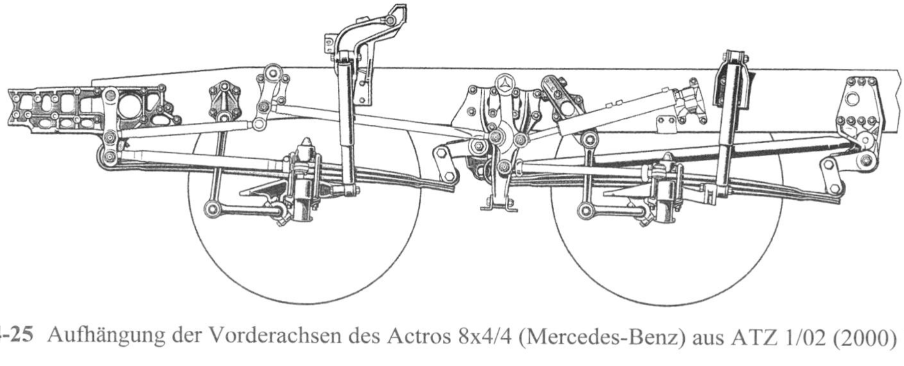

**Bild 4-25** Aufhängung der Vorderachsen des Actros 8x4/4 (Mercedes-Benz) aus ATZ 1/02 (2000) 11

Die als Doppelachse konzipierte Hinterachse des *Doppelachsaggregates* stützt bei Geländefahrt zum Achslastausgleich die Gewichtskräfte über ein schwenkbares Mittellager auf die als Wippe ausgeführten Blattfedern ab. Die Federenden liegen auf den beiden Achsen auf. Für den schweren Einsatz übernehmen die Trapezfedern sowohl die Federungsfunktion als auch die seitliche Achsführung. Die Längsführung wird über insgesamt vier untere und zwei obere Längslenker realisiert (Bild 4-26). Das *Komfort-Doppelachsaggregat* ist dagegen durch eine vollkommene Trennung von Federungs- und Achsführungsfunktion gekennzeichnet. Parabelfedern stützen sich hier über zusätzliche Gummipakete an den Federenden auf den Achsen ab; zur seitlichen Achsführung müssen die beiden oberen Längslenker durch Dreieckslenker ersetzt werden (Bild 4-27).

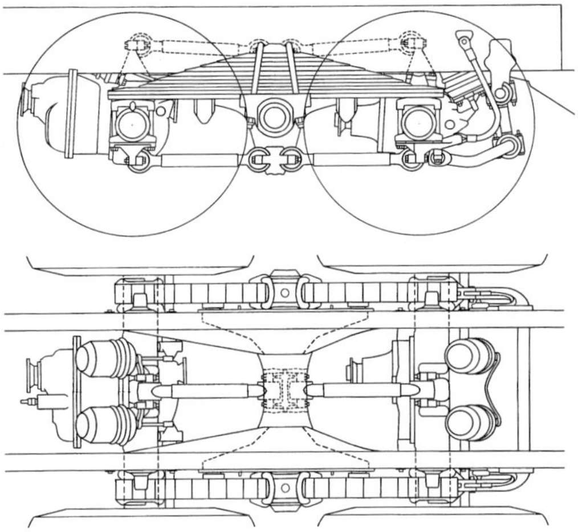

**Bild 4-26** Doppelachsaggregat für den schweren Einsatz (MAN)

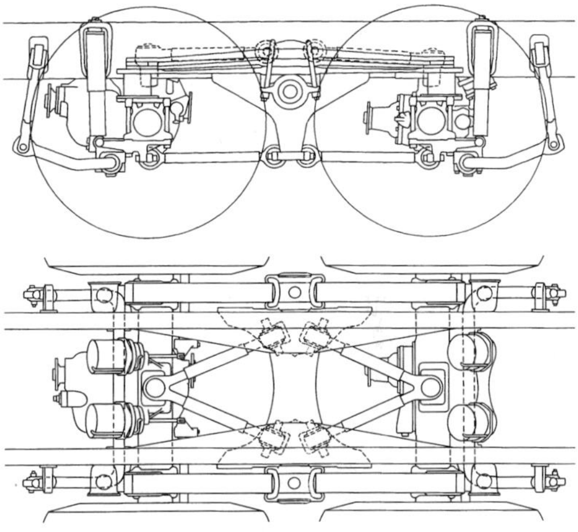

**Bild 4-27** Komfort-Doppelachsaggregat (MAN)

Jedes mechanische Federungssystem kann nur ein Kompromiss sein. Zum Einen besteht die Forderung nach Fahrkomfort und großen Federwegen zum Ausgleich von Fahrbahnunebenheiten bei möglichst gleichbleibenden Radlasten – also weichen Federn. Zum Anderen bewirkt aber eine zu große Federweichheit, dass der Aufbau beim Beschleunigen und Bremsen stark nickt, sich in den Kurven zur Seite neigt (wankt), vor allem aber der zur Verfügung stehende Federweg bei höherer Zuladung wesentlich verkürzt wird. Da man bei Nutzfahrzeugen mit stark unterschiedlichen Belastungen rechnen muss, erwuchs der Wunsch nach einem einstell- und regelbaren Federungssystem.

Infolge ihrer Kompressibilität in einem geschlossenen System bietet sich das Gas Luft als federndes Medium an. So wie das Volumen der eingeschlossenen Luft verringert wird, vergrößert sich der Druck. Diese adiabatische Zustandsänderung (ohne Wärmeenergieaustausch) erfolgt ungedämpft mit progressivem Druckanstieg in Abhängigkeit vom Federweg. Mit zunehmendem Druck reagiert also das komprimierte Luftvolumen härter auf Federwege – die Federkennlinie wird steiler. Damit ergibt sich als vorteilhafte Eigenschaften eine sowohl nahezu gleichbleibende Federungseigenschaft unabhängig vom Beladungszustand als auch eine konstant niedrige Eigenschwingungszahl. Eine mechanische Feder mit linearer Kennlinie schwingt dagegen bei geringer Belastung (kleine gefederte Masse $m_g$) mit hoher, bei hoher Belastung mit niedriger Frequenz (siehe Gl. 4-2).

Die Hauptbaugruppen einer *Luftfederungsanlage* sind die Drucklufterzeugung (Luftpresser, Vorratsbehälter, Frostschutzeinrichtung), das Regelsystem (Luftfederventil, Luftleitungen) und die Federungskörper. Letztere sind Rollbälge (Bild 4-28) aus gummiertem Cordgewebe. Ein innerer Gummipuffer dient als mechanischer Anschlag. Er macht eine Weiterfahrt bei Ausfall der Druckluftversorgung unter Einschränkungen noch möglich.

Die Niveauregulierung erfolgt automatisch. Dazu ist ein unter dem Aufbau angeordnetes Luftfederventil (Bild 4-29) über einen Hebel mit der Achse bzw. der Achse einer Achsgruppe verbunden. Je nach momentaner Stellung des Aufbaus gegenüber der Achse vergrößert oder verringert dieses Ventil die Luftmenge in den Kammern der Federkörper so, dass stets ein vorgegebener Sollabstand (Fahrhöhe) zwischen Achse und Fahrgestellrahmen eingestellt wird. Das ergibt eine vom Beladungszustand unabhängige, immer gleiche Ladehöhe und richtige Scheinwerfereinstellung. Damit das Ventil nicht auf kurzzeitige Abstandsänderungen (z. B. durch Einfedern infolge des Überfahrens einer Fahrbahnunebenheit) anspricht, wird der Luftstrom durch das Ventil gezielt gedrosselt.

**Bild 4-28** Luftfederung mit Rollbalg (Mercedes-Benz)

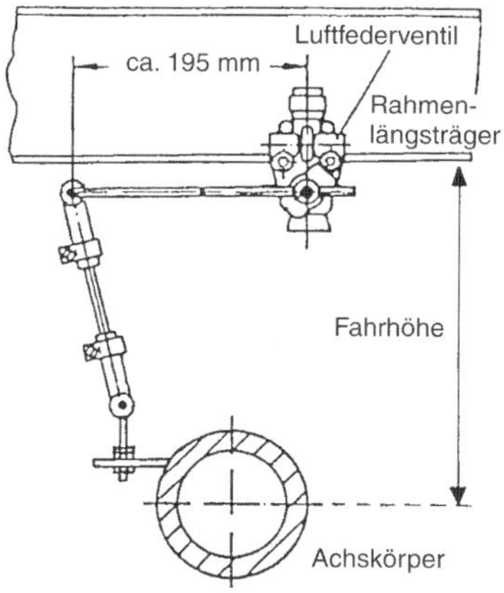


**Bild 4-29** Luftfederventil (SAF)

Als Alternative zur Blattfederung setzt sich die Luftfederung immer mehr durch. Entscheidende Vorteile gegenüber der Blattfederung wiegen ihr Mehrgewicht deutlich auf:

- Stoß- und rüttelempfindliche Güter werden schonender transportiert.
- Geringere vertikale Aufbaubeschleunigungen, auch bei harten Fahrbahnstößen, ermöglichen gleichbleibende Bodenhaftung.
- Alle Luftfederbälge einer Achsgruppe sind druckausgleichend untereinander verbunden. Daraus resultiert ein sowohl statischer als auch dynamischer Achs- und Radlastausgleich.
- Der Luftdruck in den Bälgen einer Achse bzw. Achsgruppe ist immer der momentanen Achslast proportional. Damit ist die durch diese Drücke gesteuerte Bremskraftverteilung für jede Fahrsituation immer optimal.
- Bei Bedarf kann der Fahrer in die automatische Höhenregulierung mittels eines Schaltventils manuell eingreifen und damit den Aufbau gezielt anheben oder absenken. Dies wird genutzt, um beim Be- und Entladen die Ladeflächenoberkante der Laderampehöhe anzupassen oder die auf Stützen stehenden Wechselaufbauten ohne zusätzliche Hubeinrichtung aufzunehmen oder wieder abzusetzen.

- Die Luftfederung ist fahrzeug- und fahrbahnschonend, wartungsfrei und geräuscharm.
- Bei Leerfahrten oder bei geringer Zuladung können einzelne Achsen geliftet werden. So werden Reifen und Bremsen geschont und darüber hinaus Treibstoff eingespart.

Bild 4-30 zeigt eine luftgefederte angetriebene Hinterachse, bei der die vier Federbälge wegen der breiten Doppelbereifung unter den Rahmenlängsträgern angeordnet sind. Die Führung der Achse erfolgt durch zwei untenliegende Längslenker und den obenliegenden Dreieckslenker, welche zusammen mit dieser ein räumliches Parallelogramm mit Freiheitsgraden in vertikaler Richtung und um die Fahrzeuglängsachse ergeben. Der die Wankbewegung begrenzende Stabilisator ist hinter der Achse angeordnet, die zwei Schwingungsdämpfer mit möglichst großem Wirkabstand dicht an den Rädern.

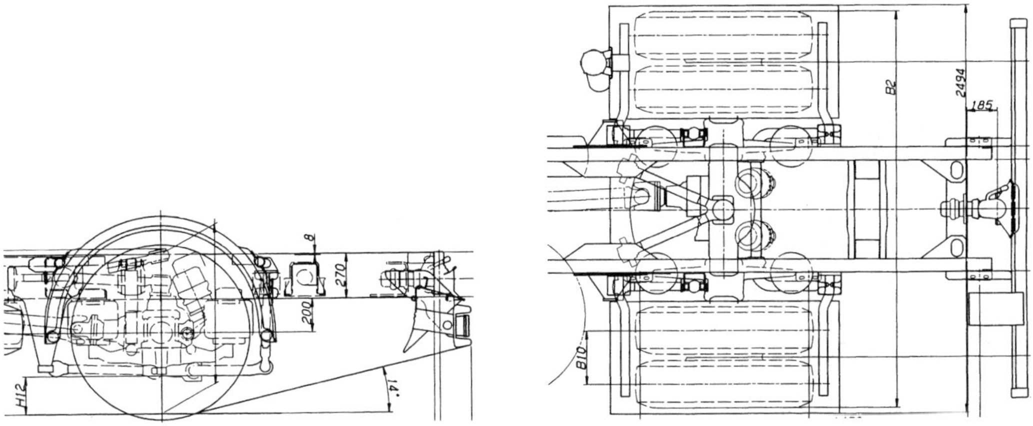


**Bild 4-30** Luftgefederte Hinterachse eines Lastkraftwagenfahrgestells (MAN)

Der oberhalb der Antriebsachse der MAN-Sattelzugmaschinen der TGA-Baureihe angeordnete Vierpunktlenker (Bild 4-31) von ZF ist ein Bauteil, das die bisher von Dreieckslenker und Stabilisator erfüllten Funktionen in sich vereinigt. Vorteile dieser Lösung sind 30 kg Gewichtsersparnis, vergrößerte Bodenfreiheit und eine leichtere Montage.

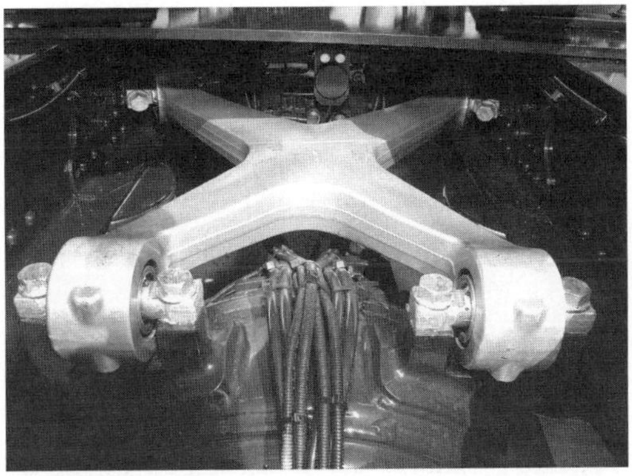

**Bild 4-31**
TGA-Sattelzugmaschine mit Vierpunktlenker (MAN)

### *4.1.4.3 Wankbegrenzung und Schwingungsdämpfung*

Straßenfahrzeuge sind bei der Kurvenfahrt einer Querbeschleunigung ausgesetzt. Diese verursacht zur Kurvenaußenseite hin gerichtete Trägheitskräfte, die zu einer seitlichen Aufbauneigung (Wankbewegung) und damit verbundenen Wankschwingungen führen und zudem durch Schwerpunktverlagerung die Kippgefahr erhöhen. Harte Blattfederungen können infolge von Federkraftunterschieden der Wankbewegung entgegenwirken. Daher wird bei leichteren Fahrgestellen bisweilen auf einen Stabilisator an der Hinterachse verzichtet. Luftgefederte Fahrwerke dagegen bedürfen in jedem Fall einer Wankabstützung durch Stabilisatoren.

Stabilisatoren sind meist Torsionsfederelemente, die aus einem quer zur Fahrtrichtung angeordneten Torsionsstab und zwei an der Achse angelenkten Schenkeln (siehe Bild 4-30) bestehen. Beim Anheben eines Rades bzw. bei seitlicher Neigung des Aufbaus aus seiner Normallage wird das über zwei Stäbe mit den Rahmenlängsträgern verbundene Mittelteil verdreht und somit auf Torsion beansprucht. Das dabei entstehende Reaktionsmoment wirkt der Wankbewegung entgegen. Die vertikale Federung wird durch den Stabilisator nicht beeinflusst, da sich bei Einfederung beide Stabilisatorschenkel gleichsinnig mitdrehen.

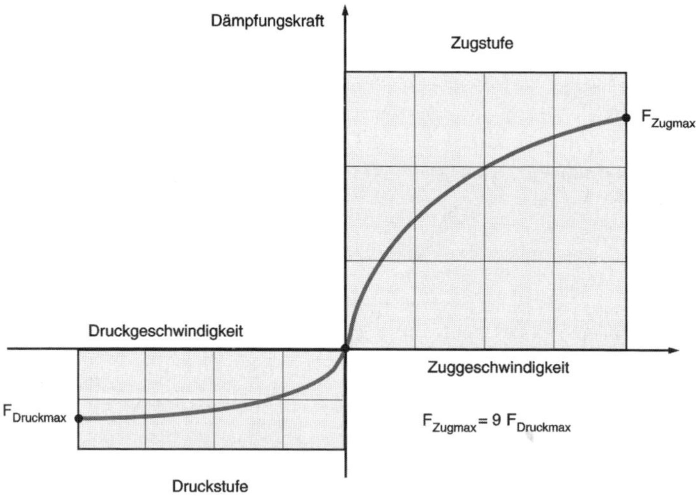


**Bild 4-32** Schwingungsdämpferkennlinie bei degressiver Dämpferkennung (MAN)

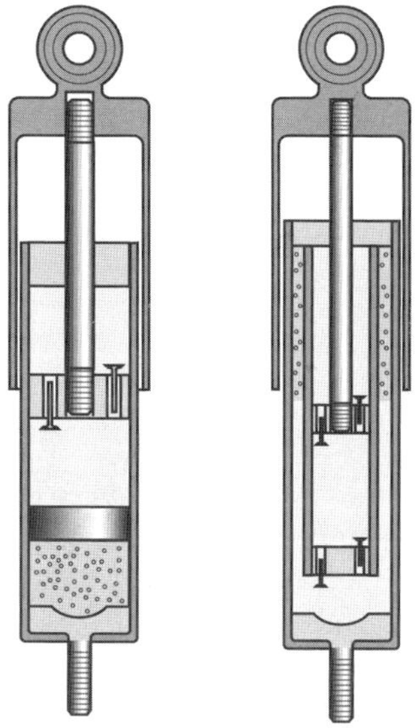

**Bild 4-33** Einrohr und Zweirohr-Teleskopdämpfer (MAN)

Zur Dämpfung von Vertikal-, Wank- und Nickschwingungen werden Schwingungsdämpfer eingesetzt. Sie reduzieren die Schwingungsamplituden von ungefederten wie gefederten Massen und dienen damit sowohl der Fahrsicherheit als auch der Schonung des Ladegutes. Weiterhin verhindern sie ein Aufschaukeln von Schwingungen im Resonanzfall sowie ein langwelliges Nachschwingen. Schwingungsdämpfer wandeln Schwingungsenergie durch Flüssigkeitsreibung in Wärme um. Der exponentielle Zusammenhang zwischen Dämpferkraft und Geschwindigkeit der Federbewegung (Bild 4-32) kann dabei individuell auf das Schwingungssystem abgestimmt werden. Eine degressive Dämpferkennung bewirkt bereits relativ hohe Dämpfungskräfte bei niedrigen Federgeschwindigkeiten. Dadurch kommt es zu geringen Wank- und

Nickbewegungen, aber schlechter Schluckfähigkeit der Federung bei Fahrbahnstößen sowie verringerter Bodenhaftung bei hohen Fahrgeschwindigkeiten. Eine progressive Dämpferkennung dagegen erhöht die Wank- und Nickneigung, ermöglicht aber eine bessere Bodenhaftung. Die bei der Ausfederbewegung wirksame Zugstufe des Schwingungsdämpfers wird üblicherweise stärker als die Druckstufe bedämpft. Das verschlechtert zwar die Bodenhaftung durch größere Entlastung der Reifen, erhöht aber durch die schwach bedämpfte Einfederung den Fahrkomfort.

Die in Nutzfahrzeugen bevorzugt verwendete Schwingungsdämpfer-Bauart ist der Zweirohr-Teleskopdämpfer (Bild 4-33). Gegenüber dem Einrohr-Teleskopdämpfer zeichnet er sich durch eine exaktere Dämpferfunktion, kostengünstigere Fertigung und höhere Lebensdauer aus; allerdings muss er stets in vertikaler oder leicht schräger Lage eingebaut werden.

### 4.1.5 Fahrerhaus

Nutzfahrzeug-Fahrerhäuser werden je nach Motoranordnung und Einsatzzweck des Fahrzeuges unterschiedlich konzipiert. Während beim Haubenfahrzeug durch den vor dem Fahrerhaus angeordneten Motor der Fahrerhausboden relativ niedrig über dem Fahrgestellrahmen gehalten werden kann, ist das Fahrerhaus beim Frontlenker-Fahrerhaus oberhalb des Motors angeordnet und weist einen mittigen Tunnel auf.

Frontlenker-Fahrerhäuser stellen bis auf Baustellenfahrzeuge und wenige Sonderfahrzeuge die heutige Standardbauart dar, weil sie eine nur geringe Baulänge beanspruchen, die der Aufbaulänge und damit dem Nutzlastvolumen zu Gute kommt. Sie werden in den unterschiedlichsten Varianten in Abmessungen und Ausstattung eingesetzt (Bild 4-34).

**Bild 4-34** Fahrerhausvarianten F 2000 und TGA (MAN)

Im Nah- und Verteilerverkehr sind kurze Fahrerhäuser ohne Liegemöglichkeit üblich, im Fernverkehr dominieren lange Fahrerhäuser mit einer oder zwei Liegen für die gesetzlich vorgeschriebenen Ruhepausen. Daneben variieren Breite und Stehhöhe (Tabelle 4-1). Hochdach-Fahrerhäuser ergeben beim Fernverkehrsfahrerhaus Stehhöhen von etwa 2,1 m. Eine Variante stellt das kurze Nahverkehrsfahrerhaus mit aufgesetzter Dachschlafkabine (Top-Sleeper) dar, die einer oder zwei Personen eine Liegemöglichkeit bietet.

**Tabelle 4-1** MAN-Fahrerhausvarianten

| | Breite (mm) | Länge (mm) | Stehhöhe (mm) |
|---|---|---|---|
| Kompaktfahrerhaus L 2000, M 2000 | 2200 | 1536 | |
| Mittellanges Fahrerhaus L 2000, M 2000 | 2200 | 1836 | |
| Nahverkehrsfahrerhaus M 2000, F 2000 | 2280 | 1765 | |
| Fernverkehrsfahrerhaus M 2000, F 2000 | 2280 | 2205 | |
| Großraumfahrerhaus F 2000 | 2440 | 2205 | |
| Großraumfahrerhaus F 2000, mit Hochdach | 2440 | 2205 | 2170 |
| Großraumfahrerhaus TGA XL | 2440 | 2280 | 1940 |
| Großraumfahrerhaus TGA XXL | 2440 | 2280 | 2460 |

Moderne Fahrerhauskabinen sind vom Rohbau her selbsttragend ausgeführt. Es überwiegt die Einschalenbauweise, einem Verbund aus einem Pressstahlgerippe und den schalenförmig ausgebildeten Außenflächen aus beidseitig verzinktem Stahlblech (Bild 4-35) mit Verkleidungsteilen (z. B. Bugschürze mit integriertem Stoßfänger) aus Kunststoff. Am Fahrerhausboden verlaufen zwei Längsträger, die sich über eine Vierpunkt-Lagerung auf dem Fahrgestellrahmen abstützen. Üblicherweise werden für die beiden vorderen Aufhängungspunkte, die gleichzeitig Kippgelenke sind, Gummi-Metall-Elemente – teilweise zusätzlich mit Federung und Stabilisator – verwendet, hinten zwei Federbeine (Bild 4-36). Auf Wunsch gibt es beim Fernverkehrsfahrerhaus auch eine komfortable Luftfederung.

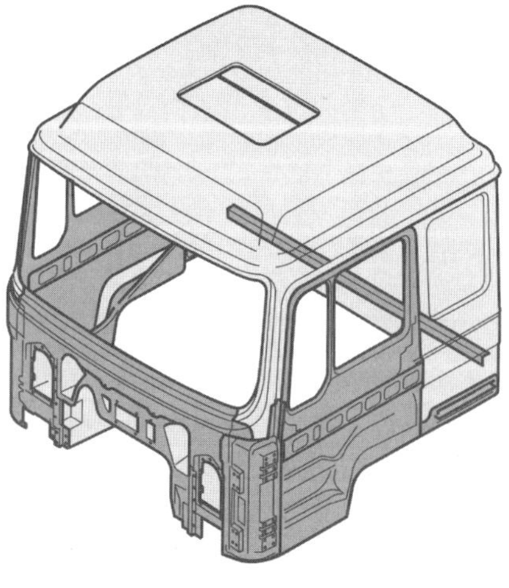

**Bild 4-35** Fahrerhaus-Rohbau (MAN)

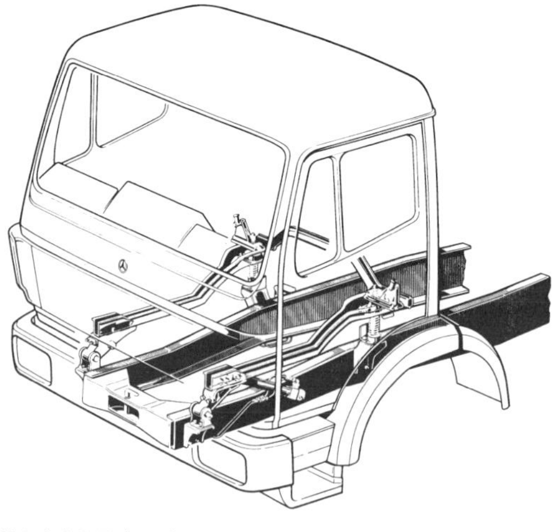

**Bild 4-36** Fahrerhaus mit Vierpunkt-Lagerung (Mercedes-Benz, aus [4-1])

Durch Kippen des Fahrerhauses über die beiden vorderen Aufhängungspunkte werden Motor und alle Nebenaggregate für Wartungs- und Reparaturarbeiten zugänglich (Bild 4-37). Dabei wird der Kippvorgang durch eine von Hand betriebene Pumpe bewirkt, welche einen hydraulischen Arbeitszylinder antreibt.

Die Gestaltung und Ausstattung des Fahrer-Arbeitsplatzes erfolgt nach den Kriterien Ergonomie, Sicherheit und Komfort. So fordert der oftmals hohe Einstieg bei Nutzfahrzeugen bequem erreichbare Türgriffe, einen ausreichend großen Türöffnungswinkel, rutschfeste und beleuchtete Trittstufen mit ausreichend niedriger Stufenhöhe und handlaufartige Griffe an möglichst beiden Seiten. Alle den Fahrbetrieb betreffenden Kontrollinstrumente müssen blendfrei einsehbar, die Bedienelemente (Lenkrad, Pedalerie, Schalter) vom Fahrersitz aus ohne bzw. mit geringer Körperverlagerung erreichbar sein und sich mit nicht zu großem Kraftaufwand bedienen lassen. Dabei sind Servo-Unterstützungen so auszulegen, dass sie eine möglichst feinfühlige Rückmeldung an den Fahrer ergeben. Zur guten Sicht auf das Verkehrsgeschehen tragen großzügig bemessene Scheibenflächen, eine geringe Sichtverdeckung durch die A-Säulen (Bild 4-38), beheizbare Außenspiegel sowie Belüftungsschlitze direkt unterhalb von Windschutzscheibe und Seitenscheiben bei.

Moderne, luftgefederte und individuell in Höhe und Neigung einstellbare Fahrersitze sowie eine im Neigungswinkel verstellbare Lenksäule erlauben die Anpassung an nahezu jede Fahrerstatur, damit bei der überwiegend statischen Körperhaltung die Komfortwinkelgrenzen für Rumpf und Gliedmaßen eingehalten werden können. Für das klimatische Wohlbefinden sorgt ein regelbares Heizungs- und Lüftungssystem oder als Sonderausstattung eine Klimaanlage mit Feinstaubfilter.

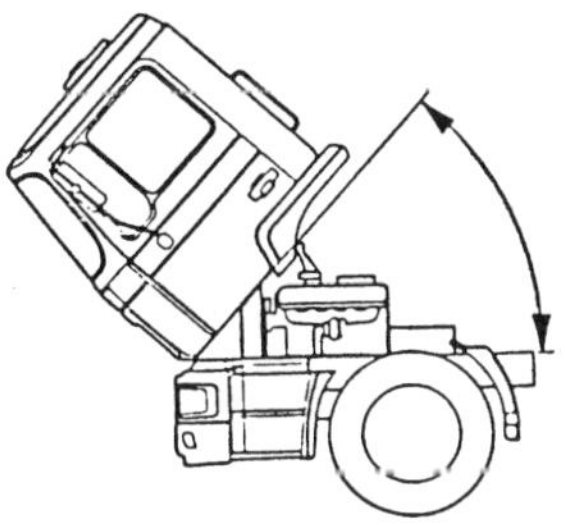

**Bild 4-37** Frontlenker-Fahrerhaus in Kippstellung (MAN)

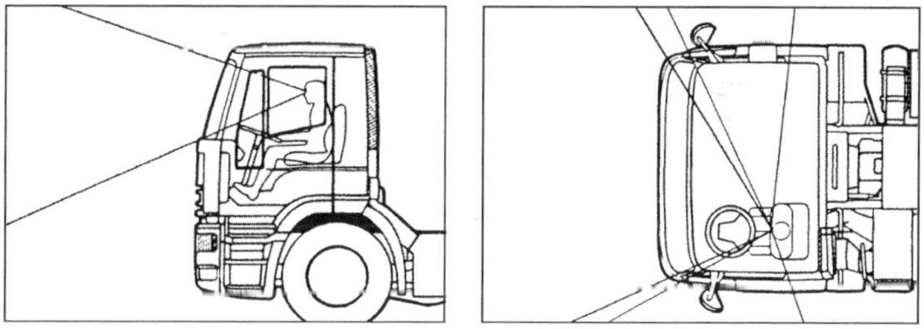

**Bild 4-38** Sichtverhältnisse aus dem Frontlenker-Fahrerhaus (IVECO)

Fernverkehrsfahrerhäuser sind mit einer oder auch zwei Liegen sowie großen Staufächern hinter den Sitzen bzw. unter den Liegen und im Dachbereich über dem Fahrer ausgestattet. Damit der Fahrer Konzentrations- und Leistungsfähigkeit erhalten kann, ist die Geräuschisolation gegen Lärm von Motor, Antriebsstrang, Luftansaugung und Abgasanlage wie auch gegen die Abrollgeräusche der Reifen besonders wichtig. Zur Geräuschreduktion müssen daher besonders die Körper- und Luftschallwege vom Motorraum und Antriebsstrang zum Fahrerhaus unterbrochen werden. Großvolumige Gummi-Metall-Elemente (Motorlager, Fahrerhauslager) sind hierfür besonders geeignet. Dämmmatten reduzieren darüber hinaus die Körperschallabstrahlung in die Luft und absorbieren auch den Luftschall. Besondere Sorgfalt bei der Dämmung erfordert hier der Bereich über dem Motortunnel, in welchem direkte Durchbrüche möglichst ganz vermieden werden sollen.

## 4.2 Anhängerfahrgestell

Das Anhängerfahrgestell bildet, vergleichbar zum Lastkraftwagenfahrgestell, ein fahrbereites Fahrzeug ohne Aufbau. Es besteht üblicherweise aus einem die Tragfunktion übernehmenden Fahrgestellrahmen, einem Fahrwerk aus Achsen, Rädern, Reifen und Federung sowie gegebenenfalls einer Lenkungseinrichtung. Die Verbindung zum Motorwagen wird durch eine so genannte Verbindungseinrichtung hergestellt.

### 4.2.1 Fahrgestellrahmen

Aufgrund ähnlicher Belastungsverhältnisse und Anforderungen aus dem Fahrbetrieb sind die Fahrgestellrahmen von Nutzfahrzeuganhängern von der Struktur her den Rahmen eines Lastkraftwagenfahrgestells ähnlich, also ebenfalls Leiterrahmen. Da im Gegensatz zum Motorwagen die Fertigung von Fahrgestell und Aufbau üblicherweise in der Hand ein und desselben Unternehmens bleibt, wird von einer Hilfsrahmenbauweise ganz abgesehen, sodass die den Aufbauboden tragenden Querträger direkt mit den Längsträgern des Fahrgestells verbunden sind.

Die geometrische Abmessungen des Fahrgestellrahmens und die Bemessung der Querschnitte (statische Werte, Steghöhen) der Längsträger hängen wesentlich von der Bauart des Anhängers, den Belastungen und dem Platzbedarf der Lenkvorrichtungen ab.

Zweiachsige Gelenkdeichselanhänger weisen einen langen Radstand mit kleinen Überhängen auf. Die statische Grundbelastung ergibt die für die Querschnittsbemessung ausschlaggebenden größten Biegemomente in Längsträgermitte (Bild 4-39a). Im Bereich der Vorderachse kann deshalb mit Rücksicht auf die Bauhöhe des Drehschemels die Steghöhe der Längsträger deutlich reduziert werden. Die Lage der Kröpfung ergibt sich dabei aus der Durchlenkungsuntersuchung für den Drehschemel. Für dreiachsige Gelenkdeichselanhänger gelten ähnliche Überlegungen, wobei allerdings aufgrund der Achslastverteilung der hintere Überhang deutlich größer ist.

Die im Fernverkehr häufig eingesetzten Sattelkraftfahrzeuge bestehen meist aus 2-achsigen Zugmaschinen mit 3-achsigen Sattelanhängern. Durch den von Gesetzgeber begrenzten vorderen Überhang und die Lastverteilung auf Sattelkupplung und Achsen ergibt sich mit einem großen hinteren Überhang ein Biegemomentenverlauf nach Bild 4-39b. Vergleichbar zum Gelenkdeichselanhänger wird auch hier im vorderen Längsträgerabschnitt die Steghöhe deutlich reduziert, um für den Aufbau eine möglichst große Ladehöhe zu realisieren. Bei der Durchlenkungsuntersuchung ist der Heckradius der Sattelzugmaschine zu berücksichtigen. Eine Sonderform stellen tiefgekröpfte Sattelanhänger dar. Da durch die Umlenkung des Kraftflusses in Ober- und Untergurten im Bereich der Kröpfung Querbiegung entsteht, sind hier zusätzliche Aussteifungen erforderlich.

Für eine beanspruchungsgerechte Bemessung der Fahrgestellrahmen von Starrdeichselanhängern müssen zwei Lastfälle betrachtet werden. Die statische Belastung ergibt bei kleinen Stützlasten an der Zugöse den auf Bild 4-39c gezeigten Biegemomentenverlauf. Zusätzlich ist der Lastfall dynamischer Vertikallasten an der Zugöse bzw. der Lastfall einer Vollbremsung zu untersuchen, für den sich dynamische Stützlasten ergeben, die ein Mehrfaches der statischen Stützlast betragen. Der dann dem statischen Lastfall zu überlagernde Biegemomentenverlauf ist auf Bild 4-39d dargestellt.

Die zur Herstellung des Tragwerks von Anhängerfahrgestellen verfügbaren Halbzeuge sind warmgewalzte I-Profile mit Steghöhen von 80 bis zu 500 mm nach DIN 1025 in der Werkstoffqualität S235JR (St 37-2), seltener S355JR (St 52-3), Kaltprofile (U, L, Z, Hut-, ...) mit Hauptabmessungen bis zu 200 mm aus S235JR sowie Bleche aus hochfesten Feinkornbaustählen. Gepresste Längsträger, wie sie für die Fahrgestellrahmen der Lastkraftwagenfahrgestelle Verwendung finden, werden nicht angeboten.

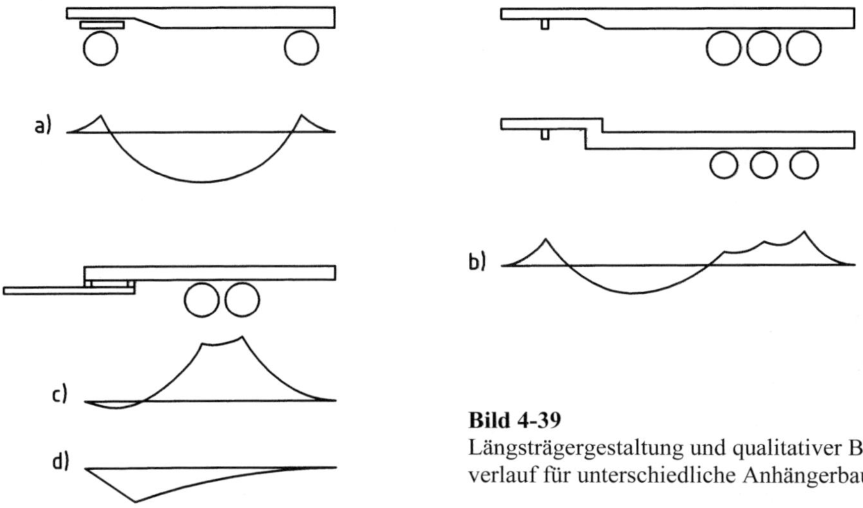


**Bild 4-39**
Längsträgergestaltung und qualitativer Biegemomentenverlauf für unterschiedliche Anhängerbauarten

Unter diesen Bedingungen fertigen kleinere und mittlere Unternehmen der Fahrzeugbaubranche Längsträger bevorzugt aus I-Profilen nach DIN 1025. Kröpfungen zur Steghöhenreduzierung im vorderen Abschnitt von Gelenkdeichsel- und Sattelanhängerfahrgestellrahmen werden durch örtliches Abtrennen des Untergurtes vom Steg, Reduzieren der Steghöhe und Anrichten des Untergurtes mit anschließendem Verschweißen realisiert. Alternativ dazu können zwei handelsübliche Profile unterschiedlicher Steghöhe nach entsprechendem Anrichten stumpf miteinander verschweißt werden (Bild 4-40).

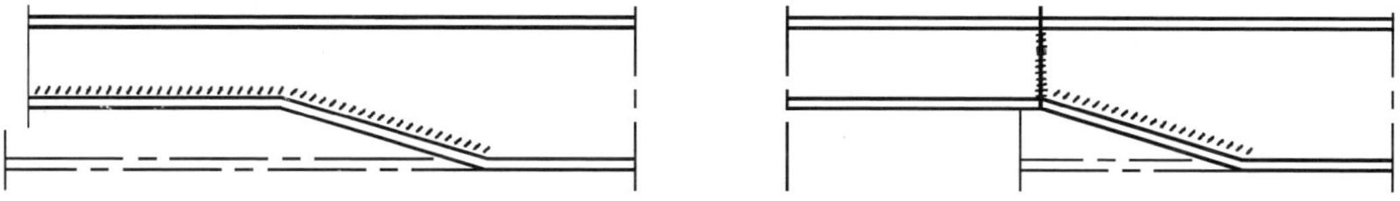

**Bild 4-40** Alternative Kröpfungsausführungen mit Längsträgern aus I-Profil-Halbzeugen

Die Möglichkeit, Feinkornbaustähle einzusetzen, bleibt denjenigen Unternehmen vorbehalten, die über geeignete Fertigungseinrichtungen (Plasmaschneidanlage, Unterpulverschweißanlage) verfügen, Längsträger in I-Form mit variablen Flansch- und Stegabmessungen individuell zu fertigen (Bild 4-41).

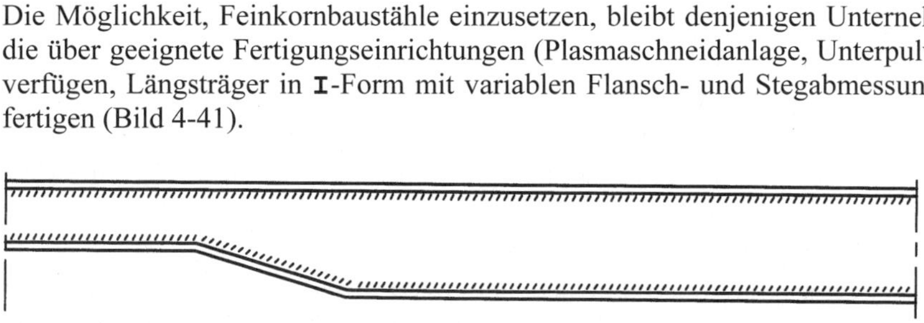

**Bild 4-41** Längsträger aus Blech-Halbzeug, längsnahtgeschweißt

Die Wahl der geeigneten Baureihe der bevorzugt eingesetzten I-Träger hängt im Wesentlichen davon ab, ob der Anhänger primär bezüglich eines niedrigen Leergewichtes oder einer möglichst großen Ladehöhe optimiert werden soll. Tabelle 4-2 zeigt gegenüberstellend alternative I-Profile nach DIN 1025 mit etwa gleicher Biegefestigkeit (gleiches axiales Widerstandsmoment $W_{ax}$).

**Tabelle 4-2** Statische Werte und Gewichte von I-Profilen gleicher Biegefestigkeit

| Profil | Höhe (mm) | Breite (mm) | $I_{ax}$ (cm$^4$) | $W_{ax}$ (cm$^3$) | Metergewicht (kg/m) |
|---|---|---|---|---|---|
| IPE 200 | 202 | 102 | 2211 | 219 | 25,8 |
| IPBL 160 | 160 | 152 | 1670 | 220 | 31,2 |
| IPB 140 | 140 | 140 | 1510 | 216 | 34,5 |
| $IPB_v$ 100 | 120 | 106 | 1140 | 190 | 42,8 |

Als Fügetechnologie hat sich Schweißen bewährt. Dabei ist sowohl beim Anschluss von Querträgern an das Bodenrahmenprofil als auch an die Fahrgestellrahmenlängsträger auf größtmögliche Verdrehweichheit zu achten (siehe Abschnitt 5.2). Um Bauhöhe einzusparen, werden die Querträger üblicherweise durch die Stege der Längsträger hindurchgesteckt. Die Schweißverbindung zwischen beiden Profilen muss hierbei auf eine Vertikalnaht zwischen den beiden Stegen beschränkt bleiben (Bild 4-42).

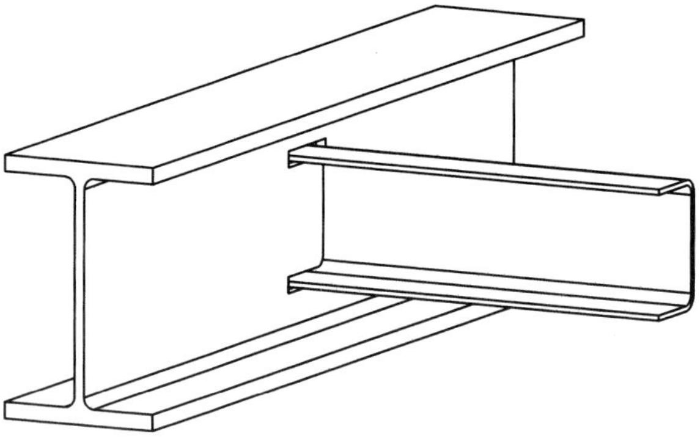

**Bild 4-42**
Durchgesteckter Querträger am Anhängerfahrgestellrahmen

## 4.2.2 Fahrwerk

Anhängerfahrwerke unterscheiden sich deutlich von denen der Zugmaschinen. Das liegt bei Nutzfahrzeuganhängern daran, dass ihr hauptsächlicher Zweck der Nutzlasterhöhung des Lastzuges dient. Im Falle des Sattelzuges wird das Transportgut sogar ausschließlich vom Auflieger befördert. Von der Antriebstechnik ist der Anhänger oder Auflieger dagegen vollständig befreit, so dass keine Triebachsen benötigt werden. Vielmehr liegt der Fokus bei den Anhängerfahrwerken besonders auf folgenden Merkmalen:

- hohe Achslast bei niedrigem Eigengewicht
- Achslastausgleich bei mehreren Achsen
- hohe Wankstabilisierung aufgrund großer Schwerpunkthöhen

- Resistenz gegen erhebliche Querkräfte während des Rangiervorganges bei Mehrachsfahrwerken
- Robustheit gegen Überladung und andere Missbrauchs-Lastfälle
- minimale Wartungs- und Reparaturkosten bei hoher Lebensdauer

Auch wenn es nicht bei jedem Anhänger so aussieht, besteht die im Fahrzeugbau übliche Problematik, mit den zur Verfügung stehenden Bauräumen auszukommen. Bei Standard-Sattelaufliegern äußert sich dies z. B. in der Aufgabe, eine besonders niedrige Fahrhöhe – der vertikale Abstand zwischen Unterkante Längsträger und Mitte Rad – bei akzeptablen Federwegen zu realisieren. Bei Schwerlast-Tiefladern besteht zusätzlich die konstruktive Forderung nach großen Lenkeinschlägen der zwillingsbereiften Lenkachsen. Und bei Innenladern sind die Längslenkerschwingen der Einzelradaufhängungen nicht miteinander verbunden, da der gesamte Mittelbereich des Aufliegers vom Ladungsträger bis zum Dach der Nutzlast vorbehalten ist. Diese Fahrwerke müssen sich mit dem hohen, jedoch schmalen seitlichen Bauraum begnügen.

Schließlich besteht eine weitere Besonderheit der Anhängerfahrwerke in der industriellen Arbeitsteilung. So werden die Fahrwerke als vorgefertigte Module vom Achsproduzenten an den Anhängerbauer geliefert. Hieraus ergibt sich, dass ein solches Fahrwerksmodul über wenige, definierte Schnittstellen zur Verbindung mit dem Fahrgestell verfügen muss. Aufgrund der enormen Vielfalt der Anhängerbauarten und der konstruktiven Ausführungen existieren auch zahlreiche Lösungen im Fahrwerksbereich. Nur die konsequente Anwendung des Baukastenprinzips ermöglicht die gewünschte Variabilität bei geforderter hoher Wirtschaftlichkeit.

#### *4.2.2.1 Achsen*

Anhängerfahrwerke, seien sie mechanisch oder pneumatisch gefedert, enthalten als zentrale Baugruppe typischerweise die Starrachse. Bild 4-43 zeigt die starre Radaufhängung mit Scheibenbremse, hier mit angebauter Luftfederung. Auf Bild 4-44 ist die trommelgebremste Ausführung als Schnittmodell dargestellt.

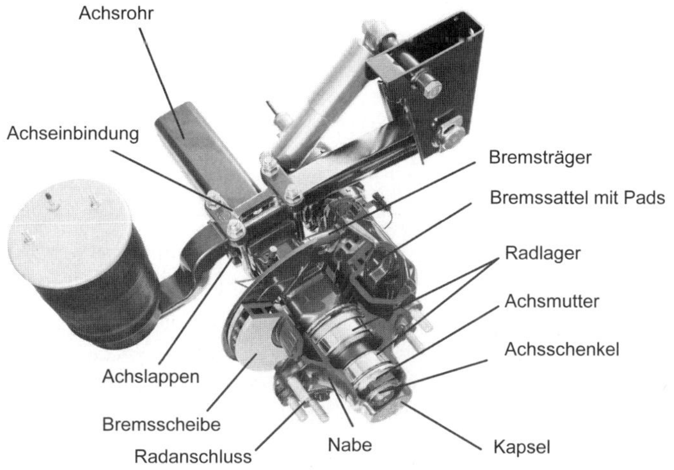


**Bild 4-43** Starrachse mit Scheibenbremse (BPW)

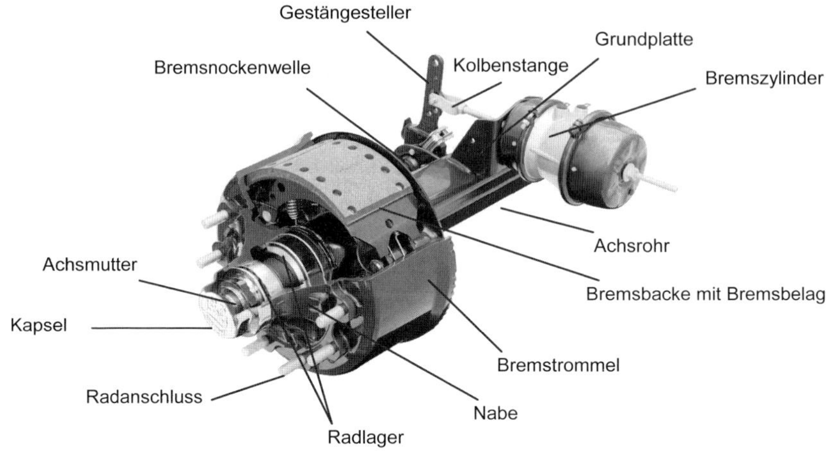


**Bild 4-44** Starrachse mit Trommelbremse (BPW)

Das wichtigste Tragelement der Starrachse ist der Achskörper, bestehend aus dem meist hohlen Achsrohr und den angeschweißten Achsschenkeln. Auf diesen wird mittels Radlagern die rotierende Nabe gelagert. Eine Achsmutter hält diese Einheit zusammen, die Kapsel schließt den Lagerbereich nach außen hin ab. In Abhängigkeit der Radbremsenbauart ist entweder die Bremsscheibe oder die Bremstrommel mit der Nabe verbunden. Bei der Bremstrommel ist die Verbindungsstelle stets der Radanschluss. Im gezeigten Beispiel der Scheibenbremsausführung wird auch die Bremsscheibe über diesen Radanschluss verbunden, der damit eine Doppelfunktion übernimmt: Befestigung von Rad und rotierendem Bremselement an der Nabe. Die mit dem Achskörper verschweißten Bremsträger lagern entweder den Bremssattel bei der Scheibenbremse oder die Bremsbacken bei der Trommelbremse. Ebenfalls achskörperseitig verschweißt sind die Lagerung der Bremsnockenwelle, die durch Rotation die Spreizung der Bremsbacken mit den Bremsbelägen bewirkt, sowie die Grundplatte, welche als Aufnahme für den Druckluft-Bremszylinder dient. Die von diesem ausgehende Bremswirkung wird über die Kolbenstange auf den Gestängesteller übertragen, der mit der Bremsnockenwelle verbunden ist. Bei der Scheibenbremse geht die Bremswirkung vom direkt mit dem Bremssattel verbundenen Druckluft-Bremszylinder aus, der seine Kraft über ein im Bremssattel integriertes Hebelwerk auf die Bremsklötze überträgt, die bei Nutzfahrzeugen Pads genannt werden. Längslenker luftgefederter Fahrwerke bzw. mechanische Federn sind über die Achseinbindung mit dem Achskörper verbunden. Das direkte Kontaktelement ist ein Achslappen genanntes Schmiedeteil, welches entweder durch Klemmung (Form- und Kraftschluss) oder durch Schweißung (Stoffschluss) mit dem Achskörper verbunden ist. Luftfeder-Längslenker werden auch als geschweißte Blechkästen angeboten, welche dann mittels Zwischenblechen auf das Achsrohr geschweißt werden.

Anhängerachsen werden je nach zulässiger Achslast sowohl für Einzel- wie auch für Zwillingsbereifung angeboten. Bei den Druckluft-Trommelbremsen hat sich die S-Nocken-Simplexbauart aufgrund der hohen Belag-Standzeiten durchgesetzt. Für Standardanhänger findet der Bremstrommeldurchmesser 420 mm Verwendung, für Tieflader 360 oder sogar 300 mm mit dann entsprechend kleineren Rädern. Eine große Bandbreite wird auch mit der Scheibenbremse abgedeckt. Übliche Bremsscheibendurchmesser betragen 370 mm oder 430 mm, gängige Bauart ist die pneumatisch betätigte Schwimmsattel-Scheibenbremse mit fest an der Nabe montierter Scheibe. Maßgeblichen Einfluss auf die Gestaltung des gesamten Fahrwerks hat der Einpresstiefe genannte horizontale Versatz zwischen der Radanschlussebene und der Radmittelebene. Während Trommelbremsachsen bei Einfachbereifung für Räder ohne Einpresstiefe geliefert werden, gibt es für Scheibenbremsachsen auch die Einpresstiefe 120 mm. Zusätzlich zu diesen Varianten sind Lenkachsausführungen verfügbar.

Bild 4-45 zeigt die wichtigsten Abmessungen zur Definition einer einfachbereiften Scheibenbremsachse, hier mit Einpresstiefe, und Bild 4-46 die Situation bei einer zwillingsbereiften Trommelbremsachse. Auf Bild 4-47 ist eine gelenkte Scheibenbremsachse ohne Einpresstiefe dargestellt.

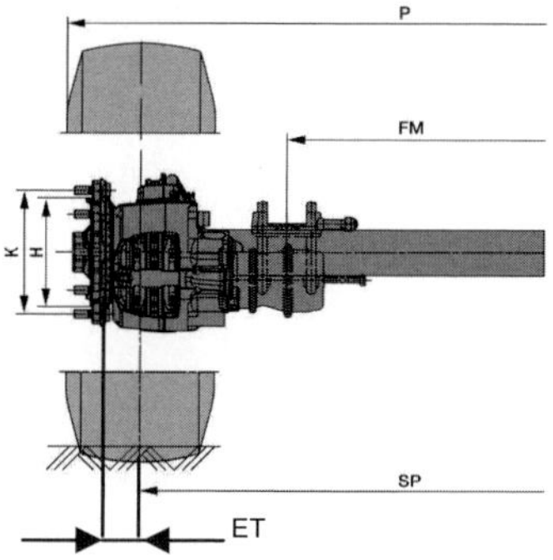


**Bild 4-45** Scheibenbremsachse mit Einpresstiefe

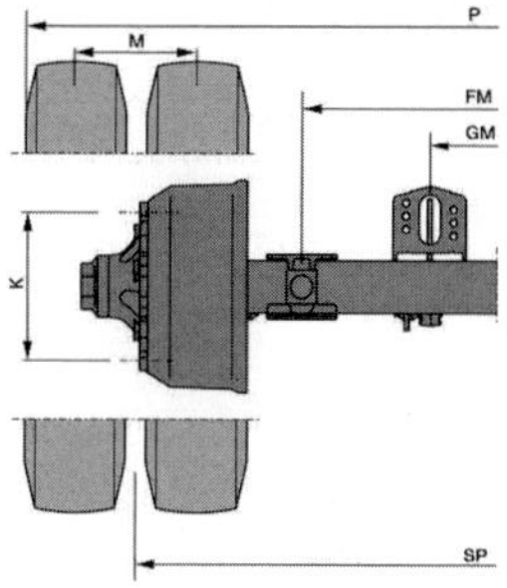


**Bild 4-46** Zwillingsbereifte Trommelbremsachse

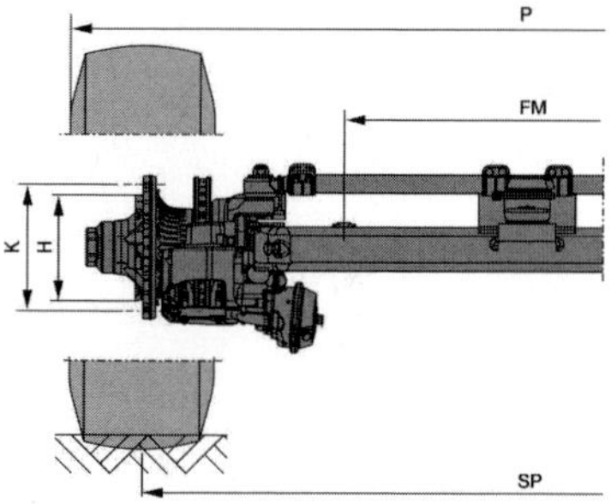


**Bild 4-47** Scheibenbrems-Lenkachse

Neben der Festlegung von Achstyp nach Achslast, Bremsenbauart und Dimension, Bereifung und gegebenenfalls Lenkbarkeit sind die Abmessungen aus den Bildern 4-45 und 4-46 bei der Bestellung zu definieren: Einpresstiefe (ET), Spurweite oder Spur (SP), Federmitte (FM), Gesamtbreite (P), Radanschluss mit Radbolzenanzahl und -abmessung (K, H) sowie bei trommelgebremster Ausführung die Grundplattenmitte (GM). Bei schweren Nutzfahrzeugachsen ist eine mit Mittenzentrierung bezeichnete Radzentrierung über Absätze in der Nabe üblich.

Bild 4-48 zeigt den Achskörper einer Scheibenbremsachse mit den angeschweißten Bremsträgern. Auf ihn wirken Kräfte und Momente in allen drei Raumebenen:

- Die Vertikalkraft aus statischer und dynamischer Radlast erzeugt ein hohes Biegemoment, die von der Radmitte bis zur Einbindung linear zunimmt und dann konstant über der Federmitte verläuft.
- Die Querkraft am Rad erzeugt ein Biegemoment in der gleichen Ebene, dass sich mit dem Biegemoment aus der Radlast überlagert und dieses je nach Richtung der Querkraft verstärkt oder reduziert. Die Querkraft maximiert sich bei einem mehrachsigen Auflieger, der auf der Stelle dreht.
- Auch Längskräfte am rollenden Rad bewirken zusätzlich Biegung in der Horizontalebene. Sie entstehen durch Radwiderstände, z. B. bei einer Schlaglochdurchfahrt.
- Bremskräfte äußern sich in einem konstanten Biegemoment zwischen Bremsträger und Einbindung.

Bei der Luftfederung erfährt der starre Achskörper weitere hohe Torsionsbelastung zwischen den beiden Einbindungen, da der Achskörper zusammen mit den beiden Längslenkern als Stabilisator wirkt. Ursache hierfür sind wechselseitiges Einfedern beider Räder oder Wanken des Fahrzeugs, z. B. bei Kurvenfahrt.

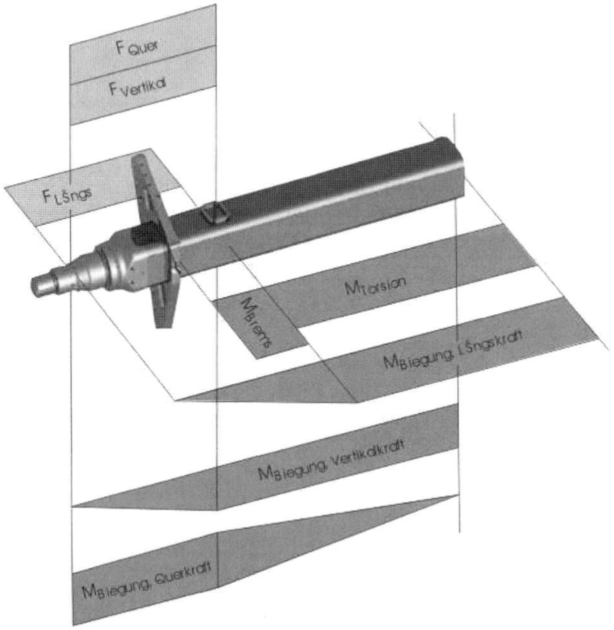


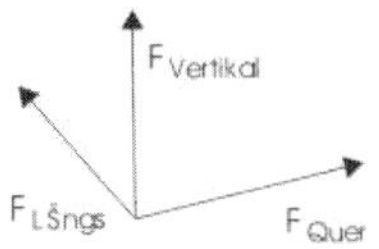


**Bild 4-48**
Kräfte und Momente am Achskörper

Die Federmitte ist eines der wichtigsten Maße im Anhänger-Fahrgestell, da sie bei gerade geformten Lenkern bzw. Federn die Rahmenmitte der beiden Längsträger festlegt. Bei gegebener Spur der Achse ist die Reduzierung des Federmittenabstandes durch das Widerstandsmoment des Achskörpers begrenzt, da das Biegemoment aus der Radlast bei kleinem Federmittenabstand zu groß werden kann. Zwillingsbereifte Anhänger benötigen bei entsprechender Achslast daher größere oder sogar massive Achskörper.

Unter den Achsrohrprofilformen haben sich das Rundrohr und der Vierkantquerschnitt mit spezieller Innengeometrie behauptet. Bei letzterem sind die Ecken durch Materialaufdickung verstärkt, während die Flansche und Stege zur Gewichtsreduzierung dünner ausgeführt sind. Diese Profilform wird der Belastung aus überlagerter Biegung und Torsion besonders gerecht, und die verstärkten Ecken können die hohen Kräfte bei geklemmter Einbindung übernehmen. Aus Gründen der Maßhaltigkeit wird der Vierkantachskörper meist aus zwei warmgewalzten U-Profilen verschweißt, während das Rundrohrkonzept ein einstückig gezogenes Rohr ermöglicht. In diesem Fall ist jedoch die Schweißverbindung zu Achslappen oder Kastenlenkern unumgänglich, da der für eine geklemmte Einbindung nötige Formschluss fehlt (Torsionsbelastung). Achsschenkel können vom Achsrohr ausgehend angestaucht werden. Meist jedoch werden die geschmiedeten Schenkel stumpf an das Achsrohr geschweißt. Achskörperwerkstoff ist Stahl, wobei die Achsschenkel meist vergütet werden.

Die hohe Lebenserwartung aller Komponenten steht bei den Anhängerfahrwerken im Mittelpunkt. Für maximale Reifenlebensdauer wird dazu der Achskörper um den Sturzwinkel leicht gekrümmt, damit bei Volllast die Räder genau vertikal ablaufen können (Bild 4-49). Mittelalterliche Kutschenachsen hatten aus einem anderen Grund bereits diesen positiven Sturz, nämlich zur Anpassung an mittig überhöhte Wege. In der Draufsicht zeigt sich der Spurwinkel mit leichter Vorspur. Hierbei stehen die Innenkanten der Räder vorn enger zusammen als hinten. Auftretende Längskräfte am Rad bewirken dann die Kompensation dieses Spurwinkels und damit querschlupffreies Abrollen des Rades.

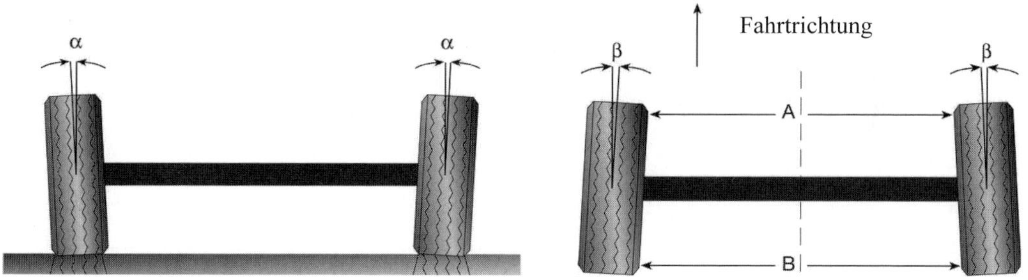


**Bild 4-49** Sturzwinkel (links) und Spurwinkel (rechts)

Die Hauptaufgabe der mit dem Rad rotierenden Nabe, die aus Gusseisen mit Kugelgraphitguss (GGG) gegossen, als Stahlschmiedeteil oder vereinzelt aus Gewichtsgründen auch in Aluminium ausgeführt wird, ist die Übertragung der Radkräfte über die Radlager in den feststehenden Achsschenkel. Auch die Bremskräfte werden über die Verbindung mit der Bremsscheibe bzw. Bremstrommel in die Nabe eingeleitet (Bild 4-50).

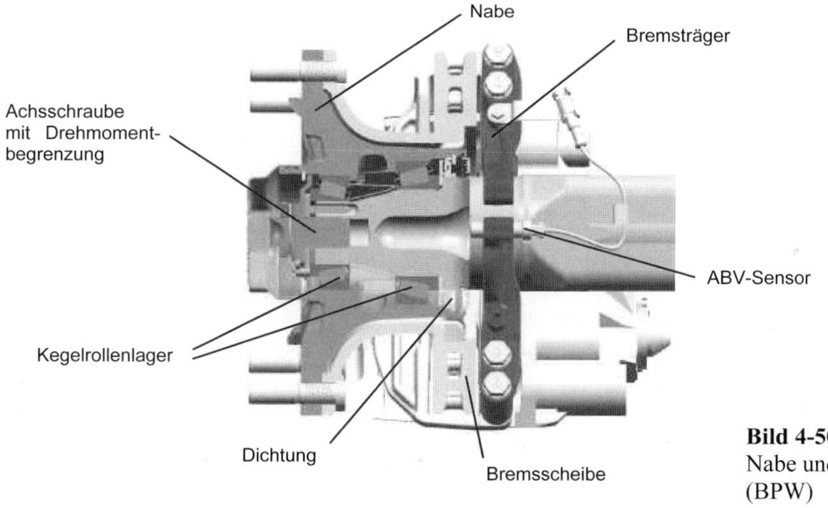


**Bild 4-50** Nabe und Radlagerung (BPW)

Zum Schutz der Radlagerung bedarf es einer leistungsfähigen Abdichtung zwischen der Nabe und dem Achskörper. Eine weitere Aufgabe erfüllt die Nabe über das mit ihr verbundene Polrad: Der automatische Blockierverhinderer (ABV) der Bremsanlage sowie, falls installiert, das elektronische Stabilitätsprogramm der Fahrdynamikregelung erhalten das erforderliche Signal der Raddrehzahl über einen achskörperfesten induktiven Sensor am Polrad (Bild 4-51). Für die Radlagerung stehen zwei unterschiedliche Lösungen zur Verfügung: zwei einzelne, meist genormte Kegelrollenlager mit separatem Dichtsystem, oder eine kompakte Einheit, die zwei gleich große Radlager mit Schmierung und Dichtungen integriert und als Kompaktlager oder Hub-Unit bezeichnet wird (Bild 4-52).

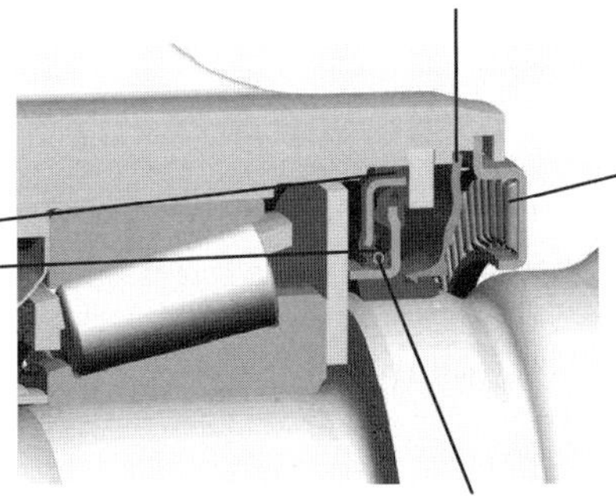


**Bild 4-51** Naben-Dichtsystem (BPW)

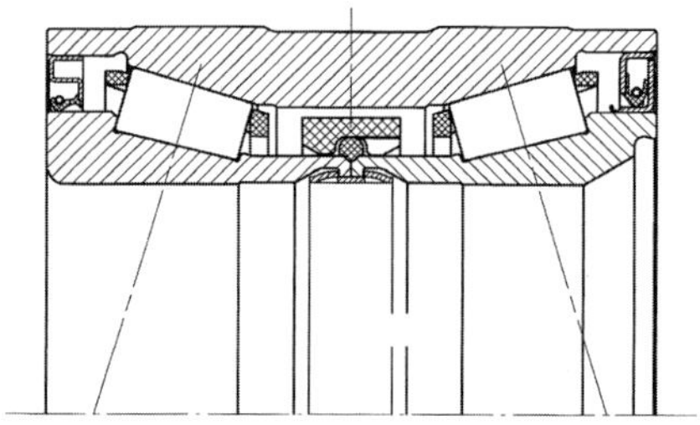

**Bild 4-52** Kompaktlager oder Hub-Unit

Merkmal der teilweise auch mit Verschraubungsflansch gelieferten Hub-Unit ist die integrierende Bauweise. Die geringe Baulänge muss mit hoher spezifischer Lagerbelastung erkauft werden, wodurch die Anforderungen im Hinblick auf Werkstoff und Fertigungstechnik speziell der Rollen, des Außen- und des Innenrings steigen. Größere konstruktive Freiheit besonders in axialer Richtung ermöglicht die Anordnung zweier einzelner Kegelrollenlager. Aufgrund der Forderung nach höchster Lebensdauer aller Bauteile wie Achsschenkel, Radlager, Bremsscheibe und Pads unter Einhaltung der geforderten Radanschlussmaße handelt es sich hier um einen äußerst umkämpften Bauraum, wo nur wenige Millimeter über die Verwendbarkeit eines bestimmten Rades, eines Bremssattels oder eben eines speziellen Radlagers entscheiden.

Einzellager können, anders als Hub-Units, demontiert und begutachtet werden. Durch Neubefettung kann die Lebenserwartung der Lager erweitert werden. Die hohe Lebensdauer moderner Anhängerfahrwerke und die damit verbundenen Garantieaussagen der Achshersteller bis zu einer Million Kilometer oder acht Jahren ist allerdings im Falle der Radlagerung neben optimaler Auslegung der Lagerkomponenten und der dazu passenden Fettschmierung nur durch wirkungsvolles Fernhalten von Staub, Schmutz und Feuchtigkeit zu erreichen. Ein Beispiel für eine entsprechende konstruktive Lösung zeigt Bild 4-51 mit Grobschmutzdichtung, Mehrfach-Staublippen und der federunterstützten Radialwellendichtung.

Die Lebensdauer von Kegelrollenlagern hängt aber auch entscheidend von der axialen Vorspannkraft zwischen Außen- und Innenring, der so genannten Lagereinstellung, ab, wobei eine leichte Vorspannung anzustreben ist. Dies kann durch hochpräzise Fertigung und ausgewählte Paarung der zu verspannenden Teile erreicht werden, so dass ein Anziehen der Achsmutter mit hohem Drehmoment die Lagerinnenringe auf Block anlegt. Bei der Hub-Unit ist dieser Aufwand zwingend erforderlich. Bei Einzellagern dagegen ist es ebenso gängig, die Lagervorspannung mittels Achsmutter und Verdrehsicherung zu dosieren. Zur Vereinfachung im oft rauen Werkstattalltag gibt es Lösungen mit Achsmuttern oder auch Achsschrauben mit Drehmomentbegrenzung, so dass Montagefehler ausgeschlossen sind und die korrekte Lagereinstellung automatisch sichergestellt ist, siehe Bild 4-53.

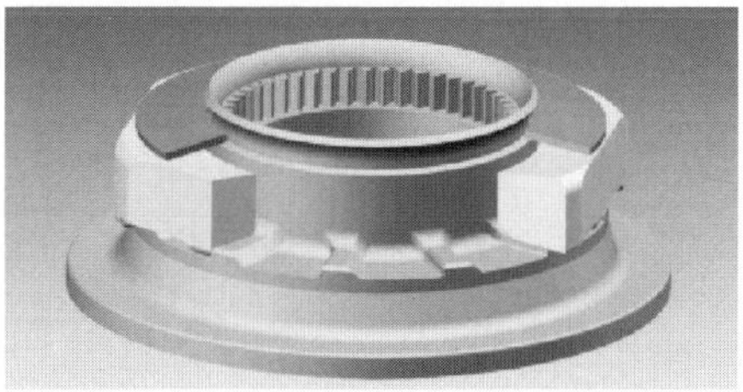

**Bild 4-53**
Achsmutter mit Drehmomentbegrenzung (BPW)

Viele Weiterentwicklungen an Achsen verfolgen das Ziel, den Wartungs- und Reparaturaufwand und damit teure Stillstandszeiten insbesondere gewerblich genutzter Fahrzeuge zu reduzieren. So ist es für die Bremssatteldemontage zum Scheibenwechsel vorteilhaft, wenn die Sattelverschraubung gut zugänglich ist. Eine Schraubenanordnung tangential zum Nabenumfang, auf Bild 4-54 dargestellt, erfüllt diese Forderung, da hierbei Schraubenschlüssel oder Schlagschrauber nicht mit dem Fahrzeugrahmen oder der Luftfederung kollidieren.

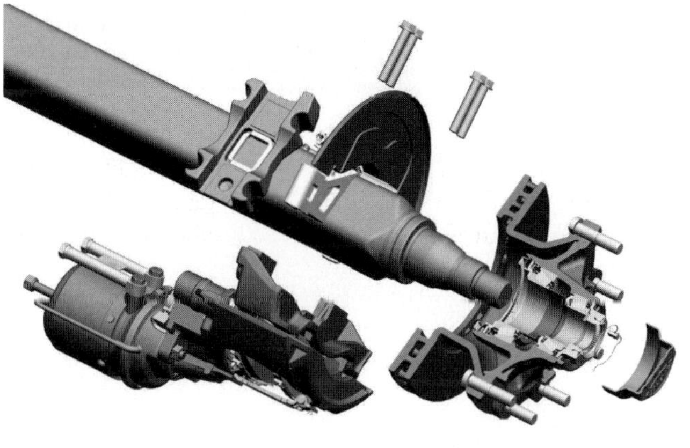

**Bild 4-54**
Sattel- und Nabenmontage (BPW)

Eine unter dem Namen ECO-Prinzip bekannte Lösung ermöglicht das einfache Abziehen der Nabeneinheit mitsamt Lagerungen und Dichtungen vom Achsschenkel: Ein Mitnehmerring ist zwischen der Nabe und dem Innenring des großen Lagers angeordnet, ein weiterer Mitnehmerring befindet sich vor dem Bund der modifizierten Achsmutter oder Achsschraube. Wird diese gelöst, wirkt sie als Abziehwerkzeug für die gesamte Nabenbaugruppe wie in Bild 4-54 gezeigt, wobei die Radlager mit ihren Innenringen verbunden bleiben. Besonders vorteilhaft ist dieses Prinzip beim Wechsel der Bremsscheibe bzw. –trommel oder beim Ersatz von Bremsbelägen. Bei Trommelbremsen kann sogar das Rad mit der Nabe verschraubt bleiben, wenn die Bremse freigelegt wird.

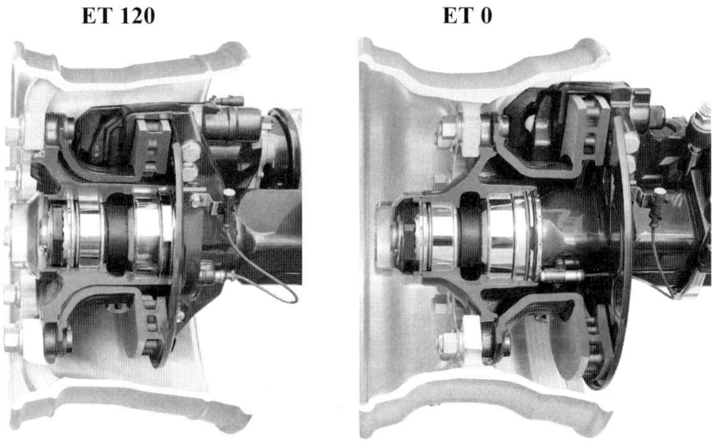


**Bild 4-55**
Einpresstiefe bei der Scheibenbremse (BPW)

Bild 4-55 zeigt am Beispiel der einzelbereiften Scheibenbremsachse den Unterschied zwischen Einpresstiefe Null (ET 0) und 120 mm (ET 120). Bei ET 0 werden die Radkräfte ohne Umwege in die Nabe geleitet, so dass Rad und Nabe gewichtsminimierend dimensioniert werden können. Der mäanderförmige Kraftfluss bei der ET-120-Lösung von der Radmitte über den Radanschluss zu den Radlagern bewirkt eine um ca. 10 % schwerere Konstruktion. Dafür wird ein Bauraumgewinn z. B. zugunsten der Federmitte erreicht, da die Scheibenbremse eine Position im Inneren des Rades einnimmt, wodurch sie zusätzlich gut gegen Schmutz geschützt ist. Nachteilig hierbei ist allerdings die schlechtere Kühlung der Bremse. Bei ET 120 wird die Bremsscheibe, die bei längeren Gefällefahrten durchaus eine Temperatur von 800° Celsius erreichen kann, vom äußeren Kühlluftstrom schlechter erreicht als bei ET 0. Dieser Effekt hat zwei verschiedene Auswirkungen: Zum Einen beeinflusst die Kühlung der Bremse wesentlich deren Standzeit. Schlechter gekühlte Scheiben oder Pads verschleißen schneller. Zum Anderen ist bei der ET-120-Lösung zu beachten, dass die Bremsscheibe in unmittelbare Radlagernähe rückt. Auch hier gilt es im Sinne der Lebensdauer zu beachten, dass die Temperaturbelastung für Radlager, Fett und Dichtung begrenzt bleibt. Aus diesem Grunde wird die Scheibenanbindung am Radanschluss wie bei der ET-0-Lösung häufig beibehalten. Im Gegensatz zu einer direkten Anbindung der Bremsscheibe an der Nabe nahe am großen Radlager kann die Bremsscheibenwärme so nur über einen Umweg das Lager erreichen. Diese Temperaturproblematik ist bei der Scheibenbremse schärfer als bei der Trommelbremse. Der temperaturstabilere Reibwert bei der Scheibenbremse führt zu geringerer Fadingneigung, also dem Nachlassen der Bremswirkung bei hoher thermischer Beanspruchung. Auf Überforderung reagiert die Trommelbremse allerdings weniger sensibel, da sie durch beginnendes Fading ihre Grenzen signalisiert und sich somit selber schützt.

#### *4.2.2.2 Federung*

Die Fahrzeugfederung nahm ihren Anfang bei Kutschen mit Blattfedern zwischen Wagenkasten und Fahrgestell im 17. Jahrhundert. Erst 1805 wurden erstmals Achsen vom Fahrgestell durch Federn getrennt, die nach ihrer Form Elliptikfedern genannt wurden. Ende des 19. Jahrhunderts kamen die Luftreifen hinzu. Noch heute gibt es Schwertransport-Anhänger, die auf eine Achsfederung durch elastische Elemente verzichten und somit nur über die Reifenfeder verfügen. Bild 4-56 zeigt ein Tieflader-Pendelachsaggregat mit einem Quergelenk zum Achs-

Geschwindigkeiten sind derartige Lösungen natürlich ungeeignet. Neben dem begrenzten Federweg bei der Reifenfeder ist der Dämpfungseffekt durch den Reifenwerkstoff zu gering. Selbst bei gefederten Fahrwerken übernimmt der zwischen gefederter und ungefederter Masse angeordnete Schwingungsdämpfer auch den Hauptteil der Reifenschwingungsdämpfung.

**Bild 4-56**
Tieflader-Pendelachsaggregat (BPW)

Bild 4-57 zeigt ein typisches Luftfeder-Achsaggregat. Mit dem Begriff Aggregat wird üblicherweise der Verbund einer oder mehrerer Einzelachsen mit ihren Feder- bzw. Aufhängungsbauteilen bezeichnet. Das im Anhängerbau dominierende Prinzip ist die Starrachse mit fest eingespannten Längslenkern ähnlich der bei vielen Pkw verwendeten Verbundlenker-Hinterachse.

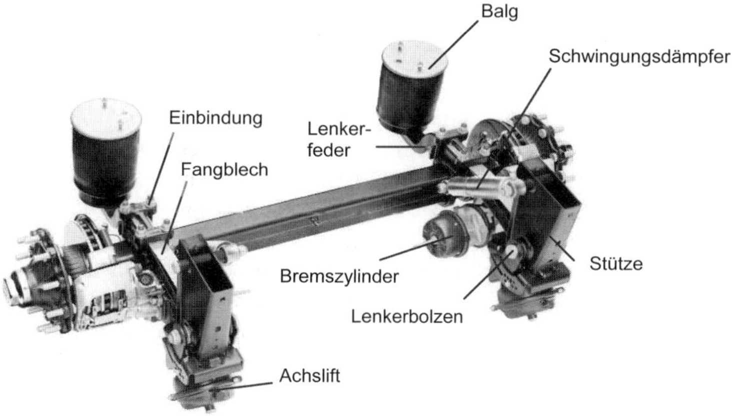


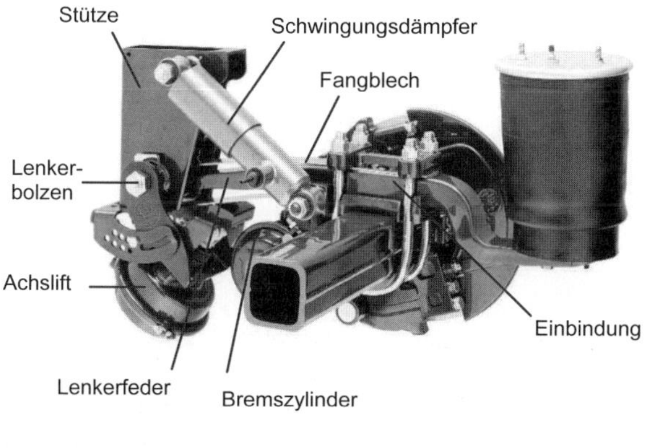


**Bild 4-57**
Luftfeder-Achsaggregat (BPW)

Die Achse ist über die Einbindung mittels Achslappen, Federplatte und Briden mit den beiden Lenkerfedern verbunden. Diese sind über die Lenkerbolzen drehbar in der Stütze gelagert, welche an den Fahrzeugrahmen geschweißt, gebolzt oder geschraubt ist. Die Verlängerungen der Lenkerfedern hinter der Achse nehmen die Bälge auf, die sich nach oben hin ebenfalls über den Rahmen abstützen. Die Schwingungsdämpfer sind zwischen der Achseinbindung und den Stützen angeordnet. Fangbleche, die einlagige, meist parabelförmige Lenkerfedern umschließen, können im Falle eines Lenkerbruchs die Achsführung übernehmen. In vielen Fällen lässt sich der Spurwinkel der beiden Räder über eine Längsverschiebung der Lenkerlagerung in der Stütze einstellen.

Bei gleichseitigem Einfedern beider Räder wirkt nur die Luftfeder. Erst bei wechselseitiger Belastung bzw. beim Wanken des Aufbaus wird die Federeigenschaft der Lenkerfedern benötigt, die sich dann gegenläufig verbiegen. Diese Funktion entspricht der eines U-Stabilisators, bestehend aus den Lenkerfedern und dem auf Torsion beanspruchten Achskörper. Diese mechanische Stabilisierung ist bei der Luftfederung so bedeutend, weil aus Gründen des Rad- bzw. Achslastausgleichs meist alle Bälge eines Achsaggregats pneumatisch miteinander verbunden sind und somit den gleichen Druck haben. Eine derart geschaltete Luftfederung kann keine Kräfte aufbauen, die dem Wankmoment des Fahrzeugs dauerhaft die Waage halten. Hinzu kommt, dass die Federrate bei langsamer Federbewegung (Wanken) kleiner ist als bei dynamischer Einfederung, nach der die Luftfeder aus Komfortgründen ausgelegt wird. Der an allen Bälgen gleiche Luftdruck ermöglicht die genaue lastabhängige Ansteuerung der Radbremsen.

Eine konstruktive Alternative zur Lenkerfeder stellt der Kastenlenker dar. An die Stelle der mit dem Achskörper verschraubten Lenkerfeder tritt ein über Bleche mit dem Achsrohr verschweißter hohler Kasten. Alternativ können auch Kastenlenker und Achskörper eine ohne Überlappungen ausgeführte Hohlkörperkonstruktion bilden, siehe Bild 4-58. Da das kastenförmige Längsführungselement über eine wesentlich höhere Steifigkeit verfügt als die Lenkerfeder, wird es mit einer großvolumigen Gummibuchse zur Lenkerlagerung in der Stütze kombiniert. Diese setzt den beim Wanken auftretenden vertikalen Bewegungen nur wenig, den für die Radführung wichtigeren Längskräften jedoch mehr Widerstand entgegen. Dem Vorteil des niedrigen Eigengewichts stehen allerdings die Nachteile gegenüber, dass die große Gummibuchse die Exaktheit der Radführung begrenzt und im Reparaturfall beide Kastenlenker zusammen mit dem Achskörper getauscht werden müssen.

**Bild 4-58** Kastenlenker [4-6] (Daimler)

Das wichtigste vertikale Konstruktionsmaß im Fahrwerksbereich ist die Fahrhöhe, der Abstand zwischen Radmitte und Unterkante Längsträger. Nachdem der Konstrukteur die Reifendimension – großer Durchmesser für lange Lebensdauer, kleiner Durchmesser für niedrige Bodenhöhe des Fahrzeugs – und die Rahmenhöhe aufgrund der statischen Berechnung festgelegt hat, muss eine geeignete Fahrhöhe gefunden werden, um zwischen dem eingefederten Rad und der Ladebodenunterkante keine Bauhöhe zu verschenken. Deshalb werden diverse Kombinationen aus Stützenhöhen, Lenkerformen, Bälgen und Einbindungen angeboten. Große Fahrhöhen werden durch über dem Achskörper angeordnete Lenkerfedern, kleine durch untenliegende Lenkerfedern erreicht, siehe Bild 4-59.

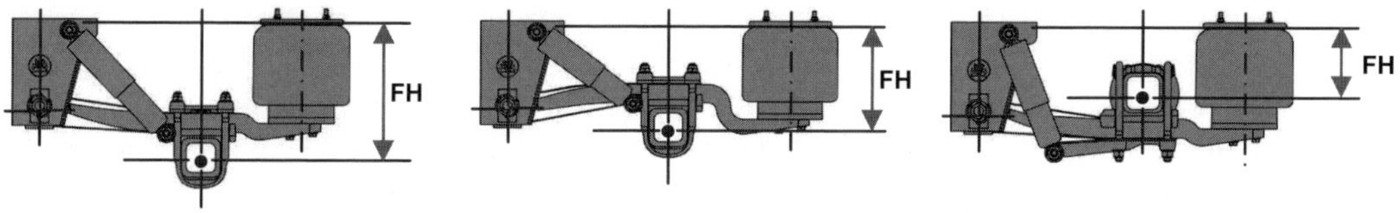


**Bild 4-59** Luftfederaggregate für verschiedene Fahrhöhen (BPW)

An dieser Stelle sei der Begriff des Wankpols erklärt: Reduziert auf eine Anhängerachse beschreibt seine Lage, um welchen momentan wirksamen Punkt bzw. entlang welcher Bahn der Aufbau quer zur Fahrtrichtung pendelt, wenn man die Achse gedanklich festhält. Die Höhenlage des Wankpols in der vertikalen Fahrzeugmittelebene hängt von der Achskonstruktion ab. Bei den beschriebenen Starrachsen mit fest verbundenen Längslenkern liegt er auf Höhe der Lenkerlagerung in den Stützen. Dabei ist es im Sinne geringer seitlicher Aufbaubewegung vorteilhaft, wenn der Wankpol möglichst hoch und damit nahe am Fahrzeugschwerpunkt liegt. Denn in diesem Fall ist der Hebelarm der am Schwerpunkt angreifenden Zentrifugalkraft bei Kurvenfahrt zum Wankpol gering und damit minimiert sich das den Aufbau nach außen bewegende Wankmoment. Auf die Fahrdynamik wirkt es sich aber günstig aus, wenn das Lenkergelenk etwa auf Höhe der Radmitte liegt. Andernfalls bewirken Vertikalstöße am Rad auch Längskraftkomponenten in den Stützen, die den Fahrkomfort beeinträchtigen. Dies kann dazu führen, dass der Fahrer des Zugfahrzeugs diese sogar über Stöße in den Rücken wahrnimmt.

Für die Straßenverkehrszulassung von Gefahrgutfahrzeugen wird in Europa eine Kippstabilitätsberechnung gefordert. Neben dem grundsätzlichen Einfluss der Spurweite und der Schwerpunkthöhe auf die Kippneigung gehen in diese genauere Betrachtung auch die Wanksteifigkeiten von Lenkern, Achskörper, Bälgen und Reifen ein. Neben der Lenkerlänge und der Federmitte muss auch der Wankpol der Fahrwerkskonstruktion bekannt sein. Ein Ergebnis der Berechnung ist die Beschleunigung an der Kippgrenze, d. h. die Kombination aus zulässiger Fahrgeschwindigkeit und gefahrenem Kurvenradius. Zusätzlich wird der sich dann einstellende Aufbauneigungswinkel berechnet, der nicht zu klein ausfallen darf. Ein Winkel zwischen 3° und 5° wird angestrebt, um dem Fahrer noch vor dem Erreichen einer kritischen Situation über den Rückspiegel ein Warnsignal zu geben.

Luftfederaggregate werden auch in Form so genannter Direktluftfederungen angeboten (Bild 4-60). Hierbei werden die Bälge, die in der Ausführung als Rollbälge große Federwege bei niedriger Bauhöhe möglich machen, unmittelbar über dem Achskörper angeordnet. Neben der Gewichtsreduzierung durch die entfallenen Lenkerenden wird auch der Fahrkomfort maximiert, da die Radlast ausschließlich von der Luftfeder übernommen wird.

**Bild 4-60**
Direktluftfederung (BPW)

Bild 4-61 zeigt eine Luftfederausführung mit einem zweigeteilten Tauchkolben. Diese Sonderausführung hat im Gegensatz zur üblichen festen Verbindung von Kolben und Luftfederbalg folgenden Zweck: Im kombinierten Straße-Schiene-Verkehr werden Sattelauflieger meist mittels Kran von der Straße auf den Waggon geladen. Da die Bälge des Aufliegers beim Schienentransport drucklos sind, entsteht beim Verladen das Problem der Faltenbildung, denn durch das Eigengewicht der Achse rollen die drucklosen Bälge komplett ab. Ein selbsttätiges Wieder-Aufrollen scheitert oft und führt meist zur Beschädigung der Bälge. Das gängigste System zur Vermeidung dieses Problems ist der zweigeteilte Tauchkolben. Er ermöglicht den Verbleib des drucklosen Rollbalgs am Fahrzeugrahmen, während sich der mit der Achse verbundene untere Teil des Kolbens vom oberen Teil trennt. Der Balg wird beim Verladen nicht gestreckt und bleibt unbeschädigt.

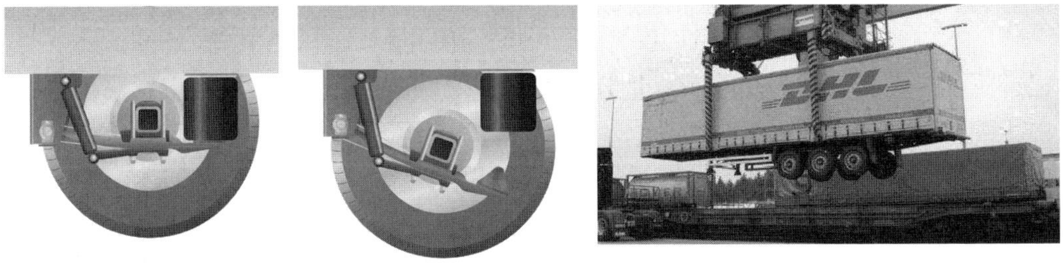

**Bild 4-61** Bahnverladung mit zweigeteiltem Tauchkolben (BPW)

Mehrachsaggregate werden häufig mit Liftachsen ausgestattet, um im teilbeladenen oder leeren Zustand sowohl den Reifenverschleiß als auch den Kraftstoffverbrauch zu senken. Mit der Luftfederung lässt sich diese Funktionalität einfach realisieren: An den Stützen einer oder zweier Achsen werden Achslifte angebaut, deren Balg oder Pneumatikzylinder auf die Lenkerunterseite wirkt (Bild 4-57). Bei zeitgleicher Entlüftung der Tragbälge kann die Achse pneumatisch angehoben werden. Da beim Sattelzug auf diese Weise über die Erhöhung des Satteldrucks auch die Achslast der Motorwagen-Antriebsachse erhöht wird, bewirkt der aktivierte Achslift der Aufliegervorderachse eine verbesserte Traktion des Zugfahrzeugs, die auf winterlichen Straßen als Anfahrhilfe sehr nützlich ist.

Eine Sonderform des Anhängerfahrwerks ist die Einzelradaufhängung, die bei Innenladern zum Einsatz kommt. Bild 4-62 zeigt eine solche Längslenkerschwinge mit Achsstummel. Bälge und Dämpfer sind so angeordnet, dass eine maximale Ladebreite zwischen den Rädern erreicht wird. Da der Einbau eines Stabilisators bei diesem Fahrzeugkonzept nicht möglich ist, muss die Kurvenfahrt vorsichtiger angegangen werden.

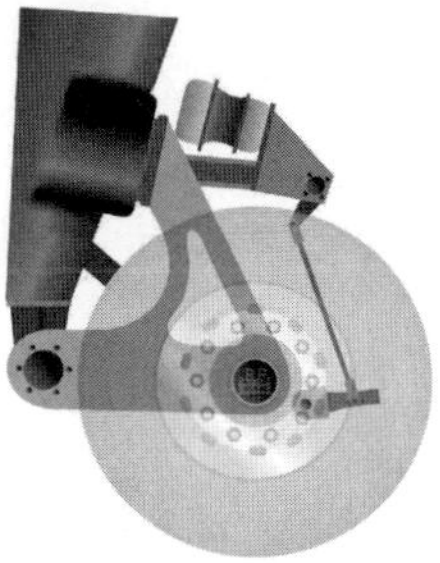

**Bild 4-62**
Einzelradaufhängung für Innenlader

Beim Rangieren von Sattelzügen tritt eine Querkraftbelastung auf, die für viele Anhängerfahrwerksbauteile höher ist als bei dynamischen Lateralstößen. Luftfederstützen müssen daher über geeignete seitliche Abstützungen verfügen. Bei torsionsweichen Pritschen-Sattelaufliegern wird ein Verbindungsprofil mit C-Querschnitt oder die Verwendung von Knotenblechen empfohlen, die in Verbindung mit gebolzten oder geschraubten Stützen ebenfalls mittels Schrauben oder Bolzen kaltgefügt sind. Der Fahrzeugbauer hat damit die Möglichkeit, kompakte Rahmen vorzufertigen, zu beschichten und günstig zu transportieren. Er kann die Stütze erst später im Fertigungsablauf fügen – im Gegensatz zu der Situation bei angeschweißten Stützen und Knotenblechen, bei der das Fahrgestell ungünstigere Abmessungen annimmt.

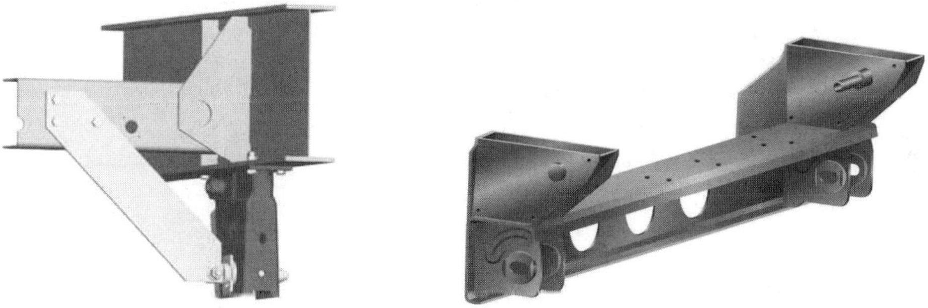

**Bild 4-63** Anschraubbare Stütze und C-Träger (BPW)

Bei verwindungssteifen Aufbauten wie bei Koffer- oder Tankfahrzeugen wird auch die Stützenverstrebung mit Knotenblech und Querträger steifer ausgeführt, siehe Bild 4-64.

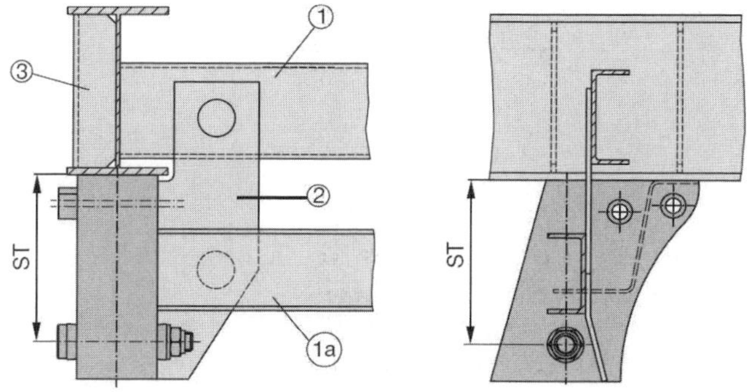


**Bild 4-64**
Verstrebung für steife Aufbauten (BPW)

Die bestimmungsgemäß hohe Zuladung bei Anhängern und Aufliegern stellt besondere Anforderungen an das Federungssystem. So bringt ein Dreiachs-Pritschensattelauflieger im leeren Zustand z. B. 6 t auf die Waage, während er beladen im 40-t-Zug – bei einem Gewicht der Sattelzugmaschine von 7 t – auf 33 t kommt. Noch extremer ist das Gewichtsverhältnis bei einem Wechselbrücken- oder Containeranhänger, der in der Lage ist, sich seines gesamten Aufbaus zu entledigen und damit die Belastung für das gleiche Fahrwerk auf ein Sechstel zu reduzieren. Da wegen der stets vorrangigen Fahrsicherheit das beladene Fahrzeug bei der Dämpferabstimmung zugrunde gelegt wird, ist die Dämpfung im leeren bzw. teilbeladenen Zustand deutlich zu hoch, so dass die Federung nicht mehr optimal anspricht. Aus diesem Grund werden lastabhängige Dämpfer in Verbindung mit der per se lastabhängigen Luftfederung angeboten. Als Steuergröße für die im Dämpfer integrierte Kraftverstellung dient ein rein pneumatisches Signal, nämlich der beladungsabhängige Druck in den Luftfederbälgen. Bei geringem Zusatzaufwand kann die Dämpferwirkung für jeden Beladungszustand auf nahezu konstantem Niveau gehalten werden.

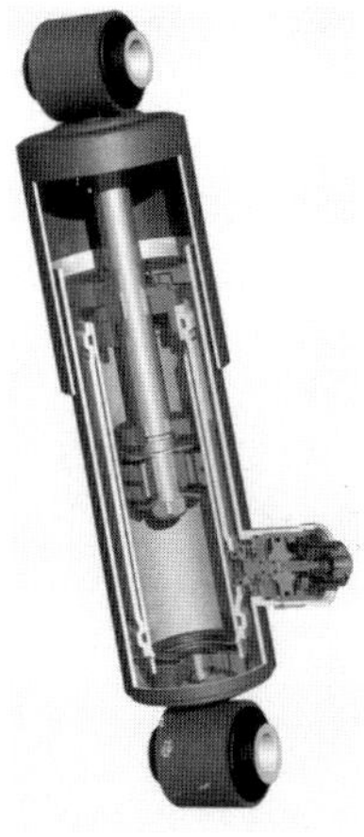

**Bild 4-65**
Lastabhängiger Zweirohr-Schwingungsdämpfer (ZF Sachs)

Neben der geeigneten Dämpferabstimmung wird im Rahmen einer professionellen Fahrwerksauslegung besonderes Augenmerk auf die Lage der beiden Vertikal-Eigenfrequenzen von Achse und Aufbau gelegt. Die Eigenfrequenzen sind auf das Spektrum der zu erwartenden Anregungen durch die Fahrbahn im Rahmen üblicher Fahrgeschwindigkeiten abzustimmen. Resonanzfälle durch stark schwingende Fahrwerks- oder Aufbauelemente sind zu vermeiden. Dies fällt naturgemäß umso leichter, je weniger die Eigenfrequenzen vom Beladungszustand abhängen. Die allgemeine Definition der Eigenfrequenz

$$f = \left(\frac{1}{2\Pi}\right)\sqrt{\frac{c}{m}}$$

zeigt, dass konstante f-Werte nur bei gleichzeitiger Veränderung von Masse m und Federsteifigkeit c möglich sind. Ebendies wird durch die Balgdruckvariation bei Beladungsänderung erreicht. Denn die vom Federweg x abhängige Tragkraft des Balgs $F_{Balg}$ (x) ergibt sich aus dem Produkt des Überdrucks $p_{Ü}$ (x) und der wirksamen Fläche senkrecht zur Bewegungsrichtung des Kolbens $A_W$ (x):

$$F_{Balg}(x) = p_{Ü}(x) \cdot A_W(x)$$

Mit der Federrate der Luftfeder gilt dann:

$$c_F(x) = \frac{dF_{Balg}(x)}{dx}$$

$$c_F(x) = A_W(x) \cdot \frac{dp_Ü(x)}{dx} + p_Ü(x) \cdot \frac{dA_W(x)}{dx}$$

Anhand der Ableitung ist erkennbar, dass die Federrate einerseits vom Verlauf des Überdrucks über dem Federweg und andererseits von der wirksamen Fläche abhängt, die ebenfalls nicht über dem gesamten Federweg konstant sein muss. Je nach Ausformung der Abrollfläche des Tauchkolbens kann die wirksame Fläche und damit die Federhärte konstruktiv beeinflusst werden. Entscheidender ist jedoch die Druckabhängigkeit der Federrate, die sich konstruktiv durch die geeignete Wahl des Luftvolumens im Balg bzw. durch ein mit dem Balg verbundenes Zusatzvolumen verändern lässt: Mit steigender Belastung erhöht sich zwangsläufig der Druck und damit auch die Federrate, wie in Bild 4-66 erkennbar.

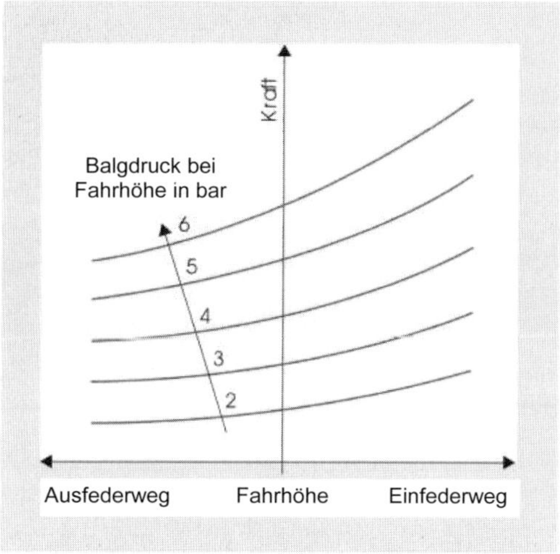


**Bild 4-66**
Federkennlinienfeld der Luftfederung

Die aus der Anhänger-Beladungsänderung folgende Druckänderung bewirkt zunächst ein Absenken bzw. Anheben des Fahrzeugs. Um die maximale Fahrzeuggesamthöhe so effektiv wie möglich zu nutzen und gleichzeitig den erforderlichen Freiraum für das einfedernde Rad sicherzustellen, wird die korrekte Fahrhöhe durch das Luftfederventil geregelt. Über einen Hebel zwischen Achse und Rahmen angelenkt, registriert es dauerhafte Abweichungen von der Sollfahrhöhe und lässt entweder Druckluft vom Balg ab oder regelt das Nachströmen vom Luftkessel in die Bälge. Bei konstanter Fahrhöhe ergeben sich für verschiedene Balgdrücke die Isobaren als Federkennlinien für das dynamische Ein- bzw. Ausfedern.

Mechanische Anhängerfederungen werden mit Blatt- oder Parabelfedern angeboten. Parabelfedern mit geringerem Eigengewicht werden bei niedrigeren Achslasten eingesetzt. Kommt es auf dagegen auf einfache, kostengünstige Lösungen für harte Einsätze an, wo das Eigengewicht eine untergeordnete Rolle spielt, werden Blattfedern in Trapezform eingebaut. Beide Varianten können so ausgeführt sein, dass die vordere Federumrollung das Gelenk in der rahmenfesten Stütze bildet. In diesem Fall übernimmt die Feder zusätzlich zur Federungsfunktion auch die gesamte Radführung. Bei einem Mehrachsaggregat werden die Federenden häufig ausschließlich gleitgelagert, die Längsführung übernehmen separate Längslenker. Im Falle des gezeigten Dreiachsaggregatprinzips (Bild 4-67) nehmen die beiden mittleren Stützen einen gelenkig gelagerten Pendelarm auf, der jeweils ein vorderes und ein hinteres Federende lagert und als Achslastausgleich wirkt. Im Gegensatz zum Luftfederachsaggregat, wo sich gleiche Bremsmomente an den Achsen durch die pneumatisch verbundenen Bälge nicht gegenseitig beeinflussen, besteht bei dem in Bild 4-67 gezeigten Fall allerdings die Problematik des fehlenden Bremskraftausgleichs. Durch unterschiedliche Bremszylinderbestückung an den drei Achsen wird versucht, dies zu kompensieren. Bei besonderen Anforderungen an die Wankstabilität werden derartige Aggregate zusätzlich mit mechanischen Stabilisatoren ausgerüstet.

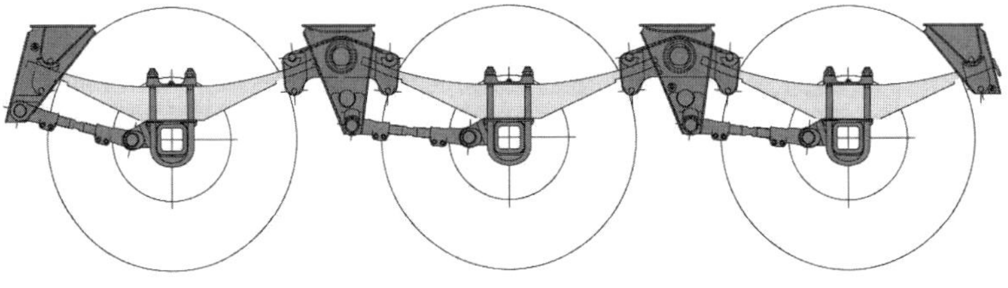

**Bild 4-67**
Dreiachsaggregat mit mechanischer Federung (BPW)

Die Luftfederung ist heute das dominierende Federungsprinzip europäischer Anhänger und Auflieger. Im Vergleich zur mechanischen Federung werden Ladegut, Fahrzeug, Fahrer und Fahrbahn durch hohen Fahrkomfort bei allen Beladungszuständen besser geschont. Angepasste dynamische Radlasten kommen der Fahrsicherheit zugute, die Fahrzeughöhe wird optimal genutzt und der Verladevorgang von Transportgut oder Aufbau durch die Höhenverstellbarkeit vereinfacht. Achs- und Bremslastausgleich, Achslift sowie die lastabhängige Bremskrafteinstellung werden mit einfachen Mitteln sehr wirkungsvoll realisiert. All diese nützlichen Funktionen werden mit geringem technischen Mehraufwand erkauft, da schwere Anhänger und Auflieger ohnehin über eine Druckluftanlage für die Bremse verfügen müssen. Für den Einbau der Luftfederung bedarf es einer nur geringen Erweiterung.

Letztlich auch eine Luftfederung, jedoch mit zusätzlicher hydraulischer Kraftübertragung, stellt die bei Schwerlastanhängern verbreitete so genannte Hydropneumatische Federung dar. Als Tieflader mit Lenkachsen und Zwillingsbereifung ausgelegt, ist der Bauraum für die Federung in Achsnähe stark eingeschränkt. Dazu kommt bei Plattformanhängern, die für Spezialtransporte z. B. von Baumaschinen, Transformatoren oder Teilen von Industrieanlagen modular zusammengesetzt werden und nahezu beliebige Breiten und Längen annehmen können, dass sehr große Federwege benötigt werden. Langwellige Bodenunebenheiten müssen ausgeglichen und die Ebenheit der Ladefläche sichergestellt werden, siehe Bild 4-68. Zusätzlich wird die variable Fahrhöhe zum Aufnehmen bzw. Absetzen der Lasten genutzt.

Eine mit einer Pendelachse verbundene Achsschwinge wird durch einen Hydraulikzylinder abgestützt. Die Einheit ist drehbar im Fahrzeugrahmen aufgehängt, so dass sich eine Lenkachse mit großen Lenkeinschlägen bis zu 45° ergibt. Im Fahrbetrieb solcher Schwertransporter sind hinsichtlich der Federung zwei Fälle grundsätzlich zu unterscheiden: Beim beladenen Fahrzeug kommt es auf die optimale Achslastverteilung in Längs- und Querrichtung an, häufig jedoch nicht auf hohe Geschwindigkeit. Die Hydraulik wird dazu als reine Ausgleichsfunktion genutzt und entsprechend geschaltet. Bei schnellerer Leer- oder Teillastfahrt ist hingegen eine Federung erforderlich, die die Hydraulik aufgrund der minimalen Ölkompressibilität nicht bieten kann. Die Anlage wird dazu so geschaltet, dass die Ölsäule gegen die Membran eines gasbefüllten Federspeichers wirkt, der in Hydraulikzylindernähe angeordnet ist und die erforderlichen Federwege ermöglicht.

**Bild 4-68**
Plattformanhänger

### *4.2.2.3 Lenkung*

Durch Lenkeinrichtungen werden mehrachsige Fahrzeugkombinationen in die Lage versetzt, die gewünschte Fahrtrichtung möglichst schräglauffrei zu erreichen. Dazu gehören Gelenke an der Verbindung zwischen Motorwagen und Anhänger sowie Gelenke an den Achsen. Wird eine Achse durch ein einzelnes zentrales Drehgelenk zur Lenkachse, spricht man von einer Drehschemellenkung. Bei zwei Gelenken, je eines in Radnähe, ist die Achsschenkellenkung gemeint. Bild 4-69 zeigt qualitativ vergleichend diese beiden Prinzipien.

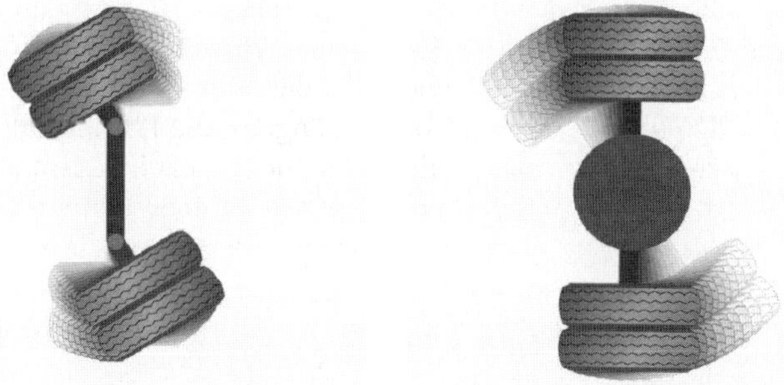

**Bild 4-69**
Achsschenkellenkung (links) und Drehschemellenkung (rechts) im Vergleich

Bei gleichem Lenkeinschlag ist der Platzbedarf für die schwenkenden Räder bei der Drehschemellenkung größer, aber die Standsicherheit des Fahrzeugs reduziert sich. Dafür können bei dem einfachen und robusten Prinzip Drehschemellenkung größere Lenkwinkel erreicht werden, wenn die Fahrgestellkonstruktion es zulässt. Diese Lösung war bereits in der Römerzeit bekannt. Die Achsschenkellenkung hingegen wurde 1816 vom Münchner Hofwagenbauer Lankensperger so optimiert, dass das Innenrad einen größeren Lenkeinschlag als das Außenrad erfährt. Die Verlängerungen der Radachsen beider Räder schneiden sich demnach im Kurvenmittelpunkt, so dass die Räder schlupffrei abrollen können. Die Bezeichnung Ackermann-Bedingung für diesen Sachverhalt rührt daher, dass Lankensperger sich seine Idee durch den Verleger Ackermann in England patentieren ließ (Ackermann-Lenkung).

Ein Motorwagen mit einachsigem Anhänger bildet aufgrund der gelenkigen Deichselankopplung einen Eingelenkzug mit Schlepplenkung. Dieser Gedanke setzt sich beim zweiachsigen Anhänger mit Drehschemellenkung fort, der aufgesattelte Teil des Anhängers folgt der Richtung des Vorderachsfahrgestells. Aufgrund dieser Zweigelenkigkeit sind solche Kombinationen rückwärts nicht einfach zu rangieren. Das Drehgelenk wird durch einen Drehkranz gebildet, der aus einem am Fahrzeugrahmen angeschraubten Oberring und einem mit dem Drehgestell befestigten Unterring besteht. Einfache Ausführungen haben einreihige, während robustere und langlebige Ausführungen zweireihige Kugellager zwischen Ober- und Unterring haben. Bild 4-70 zeigt ein solches Drehgestell mit Drehkranz und Achse. Der Fahrstabilität kommt es dabei zugute, wenn die Achse gegenüber der Drehkranzmitte um den Nachlauf leicht nach hinten versetzt ist.

**Bild 4-70** Drehgestell mit zweireihigem Drehkranz und Achse (BPW)

Bei Nachläufern von Brückenzügen, bei denen das Zugfahrzeug und der Anhänger nur durch die Ladung miteinander verbunden sind, wird die Lenkbewegung über das Transportgut in den Ladungsdrehschemel des Anhängers geleitet (Bild 4-71).

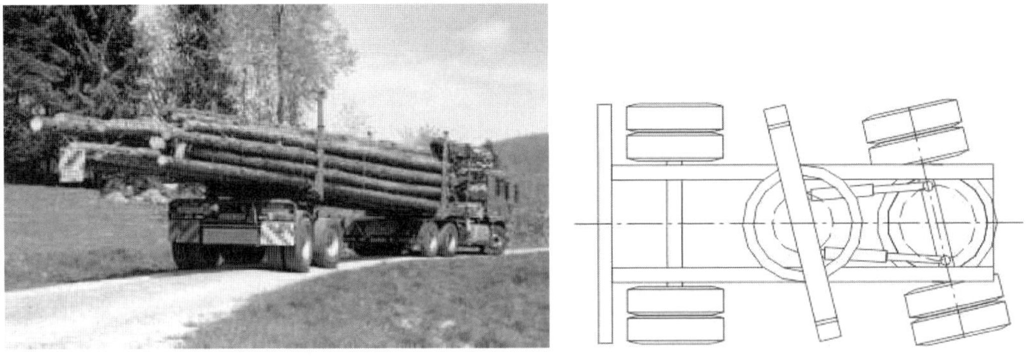

**Bild 4-71** Holztransport mit selbstlenkendem Nachläufer

Hierbei handelt es sich typischerweise um Langholz oder lange Fertigbauteile. Damit der meist zweiachsige Nachläufer der aufgezwungenen Bewegung folgen kann, wird eine Achse über einen Drehschemel gelenkt. Ladungs- und Achsdrehschemel sind in hydraulischer oder mechanischer Wirkverbindung. Dieses Lenkprinzip wird Selbstlenkung genannt.

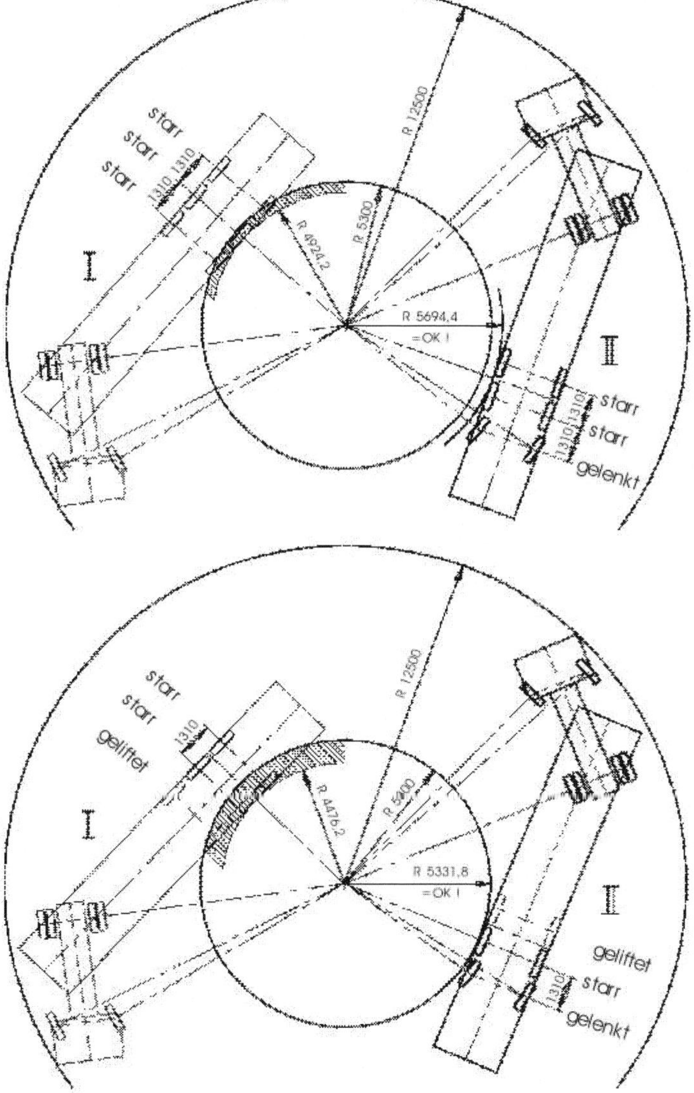


**Bild 4-72**
Kreisfahrt im BO-Kraftkreis mit bzw. ohne Nachlauflenkachse (oben ohne Liftachse, unten mit Liftachse)

Die meisten Sattelauflieger in Europa sind mit ungelenktem Dreiachsaggregat unterwegs. Dem Vorteil der einfachen und vordergründig kostengünstigen Bauweise stehen deutliche Nachteile gegenüber: Jede Kurvenfahrt und jedes Wendemanöver zwingen den Aufliegerreifen einen Schräglauf auf, der höchste mechanische Belastungen der Tragstrukturen und entsprechenden Reifenverschleiß nach sich zieht. Im Extremfall des Wendens auf der Stelle beträgt der Schräglaufwinkel 90°, so dass sich die Reifen rechtwinklig zu ihrer Laufrichtung bewegen. Solche

Wendemanöver hinterlassen im Fahrbahnasphalt unter Umständen tiefe Spuren. Pflastersteine können gelockert und sogar völlig aus dem Verbund gelöst werden. Wer eine solche Situation einmal bewusst beobachtet hat, muss sich fragen, ob nicht die alten Römer mit ihrer frühen Drehschemellenkung bereits weiter waren. Wird zumindest die dritte Aufliegerachse gelenkt, lässt sich nicht nur die Verschleißproblematik wirkungsvoll entschärfen, sondern auch der Straßenbreitenbedarf bei der Kurvenfahrt um ca. 10 % reduzieren, wie auf Bild 4-72 gezeigt.

In vielen Fällen ist die Wirkung der Lenkachse auch für die Fahrzeugzulassung entscheidend. So fordert die europäische Gesetzgebung, dass die von Fahrzeugzügen bei einer 360°-Kreisfahrt überstrichene Ringfläche bei einem äußeren Radius von 12,5 m einen Innenradius von mindestens 5,3 m aufweist (BO-Kraftkreis). Demnach benötigen bereits Sattelzüge mit europaweit typischen Abmessungen und Liftachse eine gelenkte dritte Achse, um die Kreisfahrtvorschrift mit gelifteter erster Aggregatachse zu erfüllen (Bild 4-72 unten). In diesem Fall vergrößert sich nämlich der Flächenbedarf bei der Kreisfahrt, da der Radstand durch die Aktivierung der Liftachse zunimmt. Alternativ könnte die Liftachse bei enger Kurvenfahrt automatisch abgesenkt werden.

Der einfachste Weg, eine Lenkachse im Auflieger zu installieren, ist der Einbau einer selbstlenkenden Nachlauflenkachse. Bild 4-73 zeigt ein solches Aggregat, dass vorzugsweise als dritte Achse vorgesehen wird. Aufgrund des Drehgelenkversatzes um den so genannten Nachlauf leiten die am Rad angreifenden Querkräfte die Lenkbewegung ohne Fremdkraft wie Hydraulik oder Pneumatik ein. Dieses auch als Reibungslenkung bekannte Prinzip findet sich z. B. unter jedem Bürostuhl.

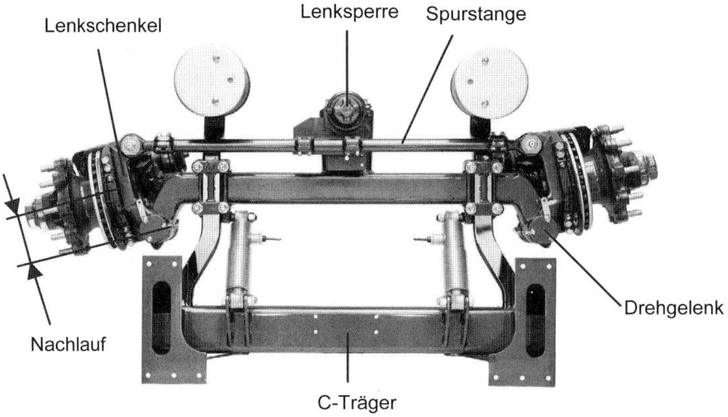


**Bild 4-73**
Nachlauflenkachsaggregat (BPW)

Um die Lenkung am Kurvenende wieder sicher in die Mittelstellung zu bringen und das System bei schnellerer Geradeausfahrt zu stabilisieren, können Druckluftzylinder auf die schwenkenden Teile wirken und Rückstellkräfte erzeugen. Über direkte Verbindungen zu den Luftfederbälgen, d. h. über einen Druckausgleich, erreicht man die Abhängigkeit der Rückstellkräfte von der Fahrzeugbeladung, was sich vorteilhaft auf das Ansprechen und Zurückstellen der Nachlauflenkung auswirkt. Eine elegantere Lösung ist das Lenkschenkeldrucklager in Wellenform: Beim Einlenken wird der Achskörper leicht angehoben, wodurch ebenfalls eine lastabhängige Lenkstabilisierung erzielt wird, siehe Bild 4-74.

**Bild 4-74** Nachlauflenkachse mit wellenförmigem Drucklager (BPW) (links: Geradeausstellung, rechts: eingelenkt)

Um unerwünschte Lenkschwingungen zu unterdrücken, wird teilweise zusätzlich ein Lenkungsdämpfer eingesetzt. Vereinzelt wird auf die beladungsabhängige Stabilisierung verzichtet und dafür nur ein Lenkungsdämpfer mit spezieller Kennlinie eingesetzt. Da ein Dämpfer jedoch ausschließlich unter Bewegung Kraft aufbaut, ist die Geradeausstellung schwieriger zu erreichen. Ein Manko der Nachlauflenkung lässt sich anhand des Bürostuhls veranschaulichen: Schiebt man den Stuhl erst in eine Richtung und dann in die Gegenrichtung, so schlagen die Räder durch geringe Störkräfte unkontrolliert um, damit sie wieder ihrer Lenkdrehachse hinterherlaufen können. In ihrer gängigen Ausführung funktioniert somit die Nachlauflenkung eines Aufliegers bei der Rückwärtsfahrt nicht. Um den Reifenverschleiß und den Fahrwiderstand beim Zurücksetzen gering zu halten, arretiert man die Lenkung in der Geradeausstellung über einen Sperrriegel zwischen dem Achskörper und der die Lenkschenkel verbindenden Spurstange. Die Sperre wird mittels Druckluft betätigt und üblicherweise über das Rückfahrlicht bei eingelegtem Rückwärtsgang geschaltet. Auf befestigtem Untergrund bewegt sich auch eine eingeschlagene Nachlauflenkachse nach wenigen Metern Rückwärtsfahrt durch die Nulllage, so dass die Sperre einrasten kann.

Nachlauflenkachsen im Anhänger bzw. Auflieger wirken sich in vieler Hinsicht positiv aus: Langzeitbeobachtungen im Nah- und Zustellverkehr haben ergeben, dass die Lebensdauer der Reifen an der ersten der drei Aufliegerachsen bei dritter Achse als Lenkachse im Vergleich zu einem ungelenkten Achsaggregat verdoppelt werden kann. Bei den Reifen der dritten Achse kann die Lenkung sogar eine Verdreifachung der Lebensdauer bewirken. Natürlich ist diese Bilanz von der Anzahl der Wendemanöver, dem Kurvenanteil der Fahrstrecke und der Anzahl der durchfahrenen Kreisverkehre abhängig. Auf jeden Fall aber werden die Seitenkräfte und damit der Verschleiß an allen Achsen gleichmäßiger – bis hin zu den Achsen des Zugfahrzeugs. In engen Kurven reduziert sich die Antriebskraft der Zugmaschine bei gelenkter letzter Aufliegerachse um bis zu 50 %. Dies und natürlich die drastisch reduzierten Seitenkräfte bewirken eine deutliche Schonung der Fahrbahnbeläge. Durch den reduzierten Zugkraftbedarf können im Verteilerverkehr bei 1 Million km Laufleistung bis zu 10.000 Liter Kraftstoff eingespart werden.

Im Gegensatz zur Nachlauflenkung zwingt eine Zwangslenkung den Rädern den gewünschten Lenkwinkel mechanisch oder hydraulisch unmittelbar auf. Erforderlich ist dies, wenn viele oder sogar alle Anhängerachsen zu lenken sind, um die gewünschte Manövrierbarkeit zu erzielen. Dann nämlich scheidet die Nachlauflenkachse aus, die fahrstabilitätsbedingt stets mit mindestens einer ungelenkten Achse kombiniert werden muss. Ein anderer Grund, von der Nachlauflenkung abzusehen, kann die Forderung nach einer Rückfahrlenkung sein. Typischerweise ist eine solche Lenkung z. B. im Lebensmittel-Verteilerverkehr erforderlich, weil die Lieferfahrzeuge häufig bei engen Platzverhältnissen rückwärts rangiert werden müssen. Die eingesetzten Sattelauflieger verfügen über eine Drehschemelhinterachse. Der Lenkwinkel wird direkt aus der relativen Winkellage von Zugfahrzeug und Auflieger bestimmt. Bild 4-75 zeigt eine solche mechanische Drehschemel-Zwangslenkung. Stellt sich bei Kurvenfahrt zwischen den Längsmittelachsen des Zugfahrzeugs und des Aufliegers ein Knickwinkel ein, so verdreht sich der durch die Sattelplatte des Motorwagens geführte Lenkkeil und überträgt die Rotation über mindestens eine lange Stange auf das Drehgestell der Lenkachse , so dass diese mitlenkt. Anstelle der Stange können auch zwei Seile überkreuzend verlegt sein.

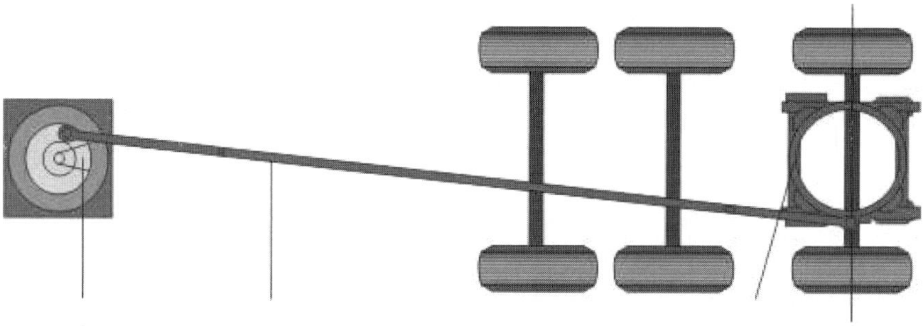


**Bild 4-75** Mechanische Drehschemel-Zwangslenkung

Der Nachteil der kostengünstigen Drehschemellenkung, einerseits für das Drehgestell selbst und andererseits wegen des großen Schwenkbereichs der Räder viel Bauraum im Aufliegerchassis zu beanspruchen, kann bei Tiefladern und Schwertransportern nicht akzeptiert werden. Daher bilden diese Fahrzeuge das klassische Anwendungsfeld für achsschenkelgelenkte Zwangslenkungen. Zudem hat die höhere Flexibilität bei der Verlegung von Hydraulikleitungen im Vergleich zu mechanischen Lenkstangen bei solchen Fahrzeugen mit oftmals gekröpften oder teleskopierbaren Rahmen zur Dominanz der hydraulischen Lenkkraftübertragung geführt. Der bauliche Aufwand für eine solche Hydraulikanlage ist allerdings hoch. Die Anlage muss redundant ausgelegt werden, damit ein Störfall keine Havarie nach sich zieht. Daher sind derartige Zwangslenkanlagen ähnlich wie bei Pkw-Bremsanlagen als hydraulisches Zweikreissystem ausgelegt. Die Lenkachse selbst unterscheidet sich in drei Punkten wesentlich von der Nachlauflenkachse: Die Mitten des Lenkbolzens und des Rades liegen in der Draufsicht auf gleicher Höhe und eine Lenkstabilisierung sowie eine Rückfahrsperre sind nicht erforderlich. Auf Bild 4-76 ist ein solches System dargestellt.

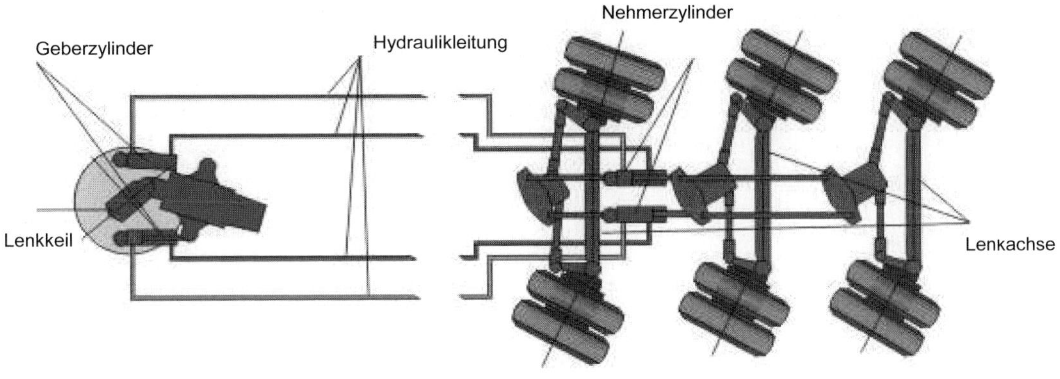


**Bild 4-76** Hydraulische Achsschenkel-Zwangslenkung

Wiederum bewirkt eine Lenkkeildrehung den Solleinschlag. Über einen Hebel werden dazu in der Nähe der Sattelplatte Zylinder beaufschlagt, die hydraulisch mit den Lenkzylindern an den Achsen verbunden sind. Dieses Prinzip wird Verdrängerlenkung genannt. Wie im Fall der rein mechanischen Lenkkraftübertragung entsteht zwischen dem Motorwagen und dem Auflieger keine hydraulische Schnittstelle. Eine solche könnte von einer Standard-Zugmaschine sowieso nicht bedient werden. Man erkennt, dass für jedes Radpaar ein anderer Lenkwinkel eingestellt werden muss, damit eine Kurve nach der Ackermann-Bedingung möglichst schlupffrei durchfahren werden kann.

## 4.3 Reifen und Räder

Reifen und Räder sind die Verbindungsglieder zwischen Achsen und Fahrbahn. Sie übertragen alle zwischen Fahrzeug und Fahrbahn wirkenden Kräfte aus Fahrzeuggewicht, Radwiderstand (Rollwiderstand), Spurführung, Antrieb und Abbremsung.

### 4.3.1 Reifen

Reifen gehören zu den am stärksten beanspruchten Bauteilen am Nutzfahrzeug. Die im Fahrbetrieb geforderten Eigenschaften an die nach § 36 StVZO einzusetzenden Luftreifen betreffen vor allem Wirtschaftlichkeit und Fahrsicherheit:

- hohe Laufleistung bei gleichmäßigem Abnutzungsbild und geringem Seitenwandabrieb
- geringer Rollwiderstand
- hohes Traktionsvermögen (guter Kraftschluss zwischen Reifen und Fahrbahn)
- hohe Tragfähigkeit bei geringem Eigengewicht
- hohe Pannensicherheit (Durchschlagsfestigkeit, Dauerhaltbarkeit, Platzdruck, Geschwindigkeitstüchtigkeit, sicherer Reifensitz auf der Felge)
- hoher Fahrkomfort (Eigenfederung, Schluckvermögen, Laufruhe, Geräuschentwicklung)
- Fahr- und Lenkstabilität (Geradeauslaufstabilität, Kurvenstabilität, Lenkpräzision)

Wie alle Luftreifen sind auch Nutzfahrzeugreifen aus einer Karkasse, zwei Kernen mit Wulst, den Seitenwänden (Seitengummi), einem umlaufenden Gürtel (nur bei Radialreifen) sowie der profilierten Lauffläche aufgebaut. Die Karkasse ist der Unterbau des Reifens und besteht bei Radialreifen (Gürtelreifen) aus ein oder zwei radial verlaufenden Lagen aus gummiertem Stahlcord, welche um die aus Stahldrahtkernen bestehende Wulste herumgelegt sind. Auf der Innenseite der Karkasse befindet bei den heute hauptsächlich eingesetzten schlauchlosen Reifen (TL = Tubeless, TT = Tube Type) eine luftdichte Gummischicht. Der die Karkasse umschließende Gürtel aus zwei bis fünf Lagen Stahlcord sorgt für die nötige axiale Steifigkeit (Bilder 4-77 und 4-78). Diagonalreifen, bei denen der Unterbau aus diagonal gekreuzten Stahlcordeinlagen besteht, werden aufgrund des deutlich höheren Rollwiderstandes und der geringeren Durchschlagsfestigkeit kaum noch verwendet.

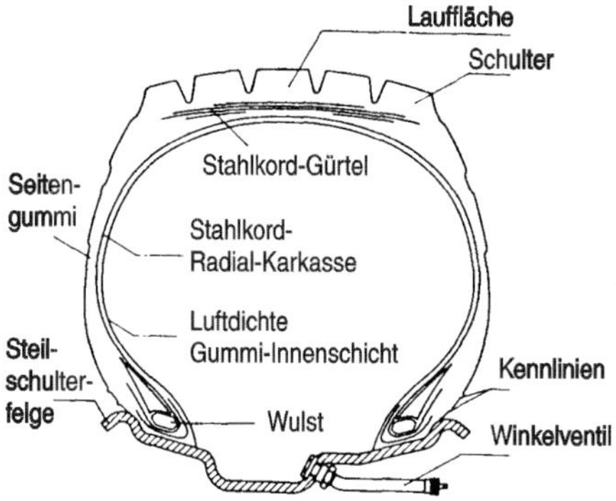


**Bild 4-77** Radialreifen (Gummiwerke Fulda)

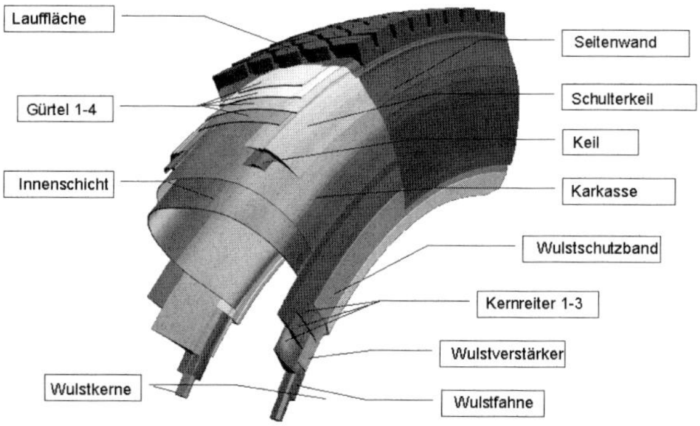


**Bild 4-78** Aufbau Radialreifen

Da Profilierung und verwendete Gummimischung die Haftung (Traktionsfähigkeit) des Reifens auf der Fahrbahn entscheidend beeinflussen, orientiert sich die diesbezügliche Entscheidung immer nach dem Einsatzzweck. Für die Fahrt auf gut befestigten Straßen und Autobahnen werden für nicht angetriebene Reifen bevorzugt Längsprofile mit Feinschnitten (Lamellen zum Durchtrennen der Schmierschichten) verwendet. Die umlaufenden Rillen müssen dabei so bemessen sein, dass zur Vermeidung von Aquaplaning Wasser schnell aus der Reifenaufstandsfläche abfließen kann. Profile mit schräg verlaufenden, an den Schultern quer orientierten größeren Einzelelementen werden für den ganzjährigen Straßeneinsatz angetriebener Räder verwendet. Für schweren Straßen- und Geländeeinsatz besteht das Reifenprofil aus schräg oder quer zur Laufrichtung angeordneten großen Stollen (Bild 4-79).

a) b) c)

**Bild 4-79** Reifenprofile für nicht angetriebene (a) und angetriebene (b) Räder im Straßeneinsatz sowie für Geländeeinsatz (c) (Michelin)

Reifen kleinerer Dimensionen, die überwiegend auf Fahrzeugen im Stadtverkehr eingesetzt sind, weisen teilweise einen besonderen Flankenschutz auf [4-7]. Die Profile neuer Reifen sind etwa 14 mm tief und üblicherweise bis zu 4 mm Tiefe nachschneidbar (regroovable). Durch Runderneuerung (Aufbringen einer neuen Lauffläche) erhalten Reifen wieder Originalqualität einschließlich der Nachschneidefähigkeit. Zur Kontrolle der nach § 36 StVZO geforderten Mindestprofiltiefe von 1,6 mm befinden sich im Rillengrund Erhebungen (Verschleißanzeiger), welche die Hauptrille unterbrechen. Achsweise unterschiedliche Reifenbauarten (Gemischtbereifung) ist zwar für Fahrzeuge > 2,8 t zulässigem Gesamtgewicht erlaubt, zu empfehlen ist jedoch die Verwendung nur einer Bauart an allen Radpositionen.

Die Angabe der Reifengrößen erfolgt durch zwei Maße: Reifennennbreite und Felgendurchmesser. Nach der für Nutzfahrzeugreifen verbindlichen europäischen Regelung ECE-R 54 wird bei Reifen mit einer Höchstgeschwindigkeit von 80 km/h und darüber die Angabe der Reifengröße durch eine Betriebskennung ergänzt. Sie besteht aus den Tragfähigkeitskennzahlen für Einzel- und Zwillingsbereifung sowie dem Geschwindigkeitssymbol. Die früher übliche Angabe der Karkassenfestigkeit durch die PR-Zahl (Ply Rating), welche die Anzahl der verwendeten Baumwollcordeinlagen angab, ist heute nicht mehr üblich (Bild 4-80).

Alle weiteren technischen Daten und Tragfähigkeiten sowie Tragfähigkeitsschlüssel für die Tragfähigkeitskennzahlen (Load Indices) und Geschwindigkeitsschlüssel für die Geschwindigkeitssymbole (Speed Symbols) gehen aus den Handbüchern der Reifenhersteller hervor. Am Reifen selbst sind alle wesentlichen Kenndaten und Bezeichnungen in den Reifenflanken eingeprägt. Für die Kompatibilität zu den Felgen der Scheibenräder sind die zugeordnete Felgenmaulweite, der Felgendurchmesser sowie der Schulterwinkel maßgebend. Reifen für ganzzahlige Felgendurchmesser sind für einen Schulterwinkel von 5° (Schrägschulterfelge) konzipiert, solche mit .5-Durchmesserangabe für Schulterwinkel von 15° (Steilschulterfelge).

Den vertikalen Abstand der Radmitte zur Fahrbahn bezeichnet man für den belasteten Reifen als statischen Halbmesser $r_{stat}$. Der dynamische Halbmesser $r_{dyn}$ ist ein rein fiktives, nicht kontrollierbares Maß, das sich aus dem Abrollumfang U – der bei einer Umdrehung und einer Geschwindigkeit von 60 km/h (nach DIN 70020) zurückgelegten Wegstrecke – berechnet:

$$r_{dyn} = \frac{U}{2 \cdot \pi} \tag{4-4}$$

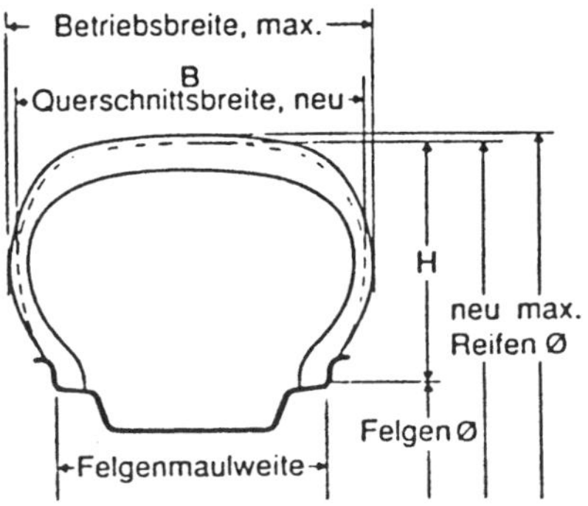


| Reifengruppe für Fahrzeug | Kennzeichnungs-Beispiel | | | Beispiel enthält die Angabe für | | |
|---|---|---|---|---|---|---|
| | Reifengröße 1) | PR-Zahl 2) | Betriebskennung 3) | Reifenbreite B | H:B % | Felgen-Ø d |
| Leicht-Lkw | 185 R 14 C | 8 | 102/100 N | mm | – | Code |
| | 195/75 R 16 C | – | 107/105 N | mm | 75 | Code |
| Lkw | 12 R 22.5 | – | 152/148 L | Code | – | Code |
| | 315/80 R 22.5 | – | 156/150 L (154/150 M) | mm | 80 | Code |
| | 20–20 Sand Service | – | 164 D | Code | – | Code |
| Anhänger | 365/80 R 20 | 20 | 160 K | mm | 80 | Code |
| | 385/65 R 22.5 | – | 160 K | mm | 65 | Code |
| Bus | 275/70 R 22.5 | – | 148/145 J | mm | 70 | Code |
| | 295/80 R 22.5 | – | 152/148 M | mm | 80 | Code |

1) R = Radialbauweise
„–" = Diagonalbauweise
C = Leicht-Lkw-(Transporter-)Reifen mit LI für Einzelbereifung = 121 und kleiner, s. auch S. 26

2) PR-Zahl = Tragfähigkeitsklasse

3) Betriebskennung = Last-Index für Einzel/Zwillingsreifen und Geschwindigkeitssymbol (siehe auch nachfolgende Tabellen)

**Bild 4-80** Reifenhauptabmessungen und Bezeichnungsbeispiele (Continental)

Unter der Zielsetzung einer hohen Tragfähigkeit bei kleinem Durchmesser (große Ladehöhe), geringem Gewicht (kleine ungefederte Masse) und kleinem Rollwiderstand (Wirtschaftlichkeit) zeichnet sich der Entwicklungstrend moderner Reifenkonzepte ab:

- Beibehaltung der Radialbauart
- Trend zu Niederquerschnittsreifen mit kleinen H/B-Verhältnissen
- Rollwiderstandsoptimierung durch verstärkten Gürtel und laufrichtungsgebundene Profile
- Substitution der Zwillingsbereifung durch Supersingle-Reifen

Supersingle-Bereifung wird inzwischen optional beim MAN TGA sowie beim Mercedes-Benz Actros als Alternative zur Zwillingsbereifung für die Antriebsachse angeboten. Für den TGA brachte die Substitution der Zwillingsbereifung 315/70 R 22.5 durch den Breitreifen 495/45 R 22.5 konkret 130 kg Gewichtsersparnis. Da Breitreifen im Gegensatz zu Zwillingsreifen nur an zwei statt an vier Flanken walken, reduziert sich der Kraftstoffverbrauch um 2 %. Zur Vermeidung der Gefahren, die von einem schleichenden Druckverlust in den Breitreifen ausgehen, werden diese standardmäßig mit einem Luftdrucküberwachungssystem ausgerüstet. Für Stadtbusse bringt die Einzelbereifung an der Antriebsachse eine Vergrößerung des Abstandes im Bereich zwischen den Radkästen von etwa 270 mm und damit einen Gewinn für den Innenraum.

### 4.3.2 Räder

Moderne Fahrzeugräder sind meist zweiteilige Scheibenräder aus Stahl, die aus Felge und Radschüssel bestehen. Die Felge dient der Aufnahme des Reifens und ist den Reifengrößen über Maulweite und Durchmesser unmittelbar zugeordnet. Sie muss die über den Reifen eingeleiteten Kräfte aufnehmen und auf die Radschüssel übertragen sowie die heute meist üblichen schlauchlosen Reifen abdichten. Die Radschüssel verbindet die Felge mit der Radnabe. Ihre Form wird von der Felgenform, dem Nabenanschluss, der Bremsenkontur, der erforderlichen Einpresstiefe ET sowie den zur Bremswärmeabfuhr benötigten Belüftungsöffnungen bestimmt. Felge und Radschüssel sind üblicherweise miteinander verschweißt. Die seltener verwendeten Scheibenräder aus Sphäroguss sind einteilig, etwas leichter als Stahlräder, jedoch wegen der erforderlichen mechanischen Bearbeitung des Felgenbettes deutlich teurer.

Mit Rücksicht auf den Lenkrollhalbmesser und der Forderung nach Zwillingsanordnung entsprechend ist die nabenseitige Auflagefläche der Radschüssel (Spiegel) üblicherweise gegenüber der Felgen- bzw. Reifenmitte um die Einpresstiefe ET axial verschoben. Diese wird als positiv bezeichnet, wenn die innere Auflagefläche – bezogen auf die Felgenmitte – zur Radaußenseite hin verschoben ist (Bild 4-81). Der sich bei Zwillingsbereifung ergebende Felgenmittenabstand $a_F$ (Gl. 4-5) ist neben der Einpresstiefe ET von der Schüsseldicke s abhängig. Zur Vermeidung gegenseitiger Reifenberührung im Fahrbetrieb darf dieser – abhängig von der jeweiligen Bereifung – ein in DIN 7805 vorgegebenes Mindestmaß nicht unterschreiten.

$$a_F = 2 \cdot (ET + s) \qquad (4\text{-}5)$$

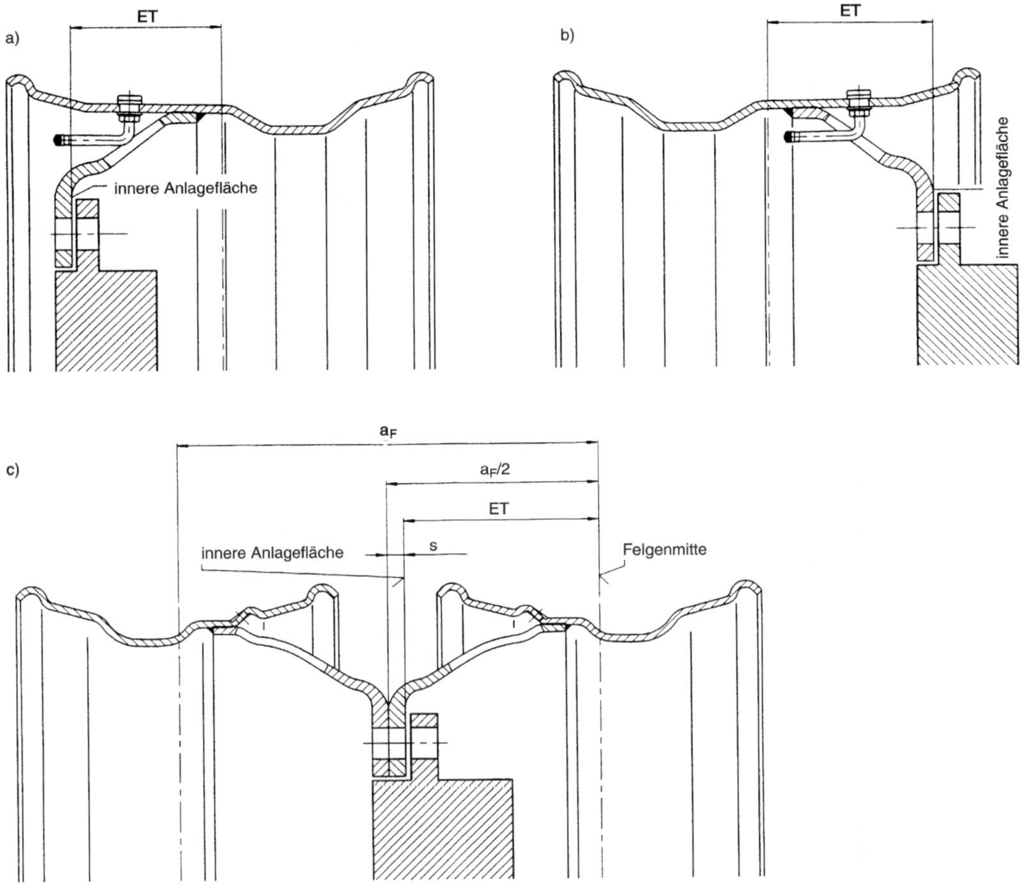


**Bild 4-81** Räder mit positiver (a) und negativer (b) Einpresstiefe sowie in Zwillingsanordnung (c) (Lemmerz)

Felgen bestehen aus Felgenhorn, -schulter und -bett. Wesentliche Unterscheidungsmerkmale betreffen die Ein- oder Mehrteiligkeit sowie die Querschnittsform. Die Kennzeichnung beinhaltet die Abmessungen Maulweite und Durchmesser sowie weitere Kennzeichen zu Hornausführung und Sicherheitsschulter (Tiefbettfelge) sowie Ein- oder Mehrteiligkeit (Bild 4-82, Bild 4-83). Alle Felgen mit ganzzahligen Felgendurchmessern zwischen 10 und 20 Zoll haben eine Schulterneigung von 5°, solche mit .5-Durchmesserangabe 15° Schulterneigung.

*Einteilige Tiefbettfelgen nach DIN 7817* besitzen um 5° geneigte Schultern (Schrägschultern) und relativ hohe Felgenhörner. Daher erfordert die Montage ein entsprechend tiefes Felgenbett. Die ringsumlaufende geringe Erhöhung der Felgenschulter (Sicherheitsschulter, Hump) gibt dem Reifenfuß zusätzlichen Halt und verhindert ein schlagartiges Entweichen der Luft bei extremer Kurvenfahrt, vor allem beim Fahren mit zu geringem Luftdruck. Aufgrund der Bauform sind sie nicht für die Montage größerer Reifen mit hohen Tragfähigkeiten und entsprechend steifen Reifenfüßen geeignet und kommen deshalb hauptsächlich bei Transportern und Kleinbussen zum Einsatz.

Um die Vorteile schlauchloser Reifen auch an schweren Lastkraftwagen ausnutzen zu können, wurden *Steilschulterfelgen nach DIN 78022* entwickelt. Durch die um 15° geneigten Schultern wird eine besonders gute Zentrierung und Abdichtung für Reifen hoher Tragfähigkeiten erreicht. Die relativ niedrigen Felgenhörner erleichtern die Montage.

**Tiefbettfelgen nach DIN 7817**

Die üblichen Felgen für Leicht-Lkw-Reifen (C-Reifen)
Bei der Bezeichnung 5 J x 14 H 1 bedeutet:
5 = Maulweite in Zoll
J = Kennbuchstaben für die Hornhöhe, Felgen mit gleichen Kennbuchstaben haben gleiche Hornausbildung
x = einteilige Felge
14 = Felgendurchmesser in Zoll
H1 = einseitiger Hump oder
H2 = zweiseitiger Hump

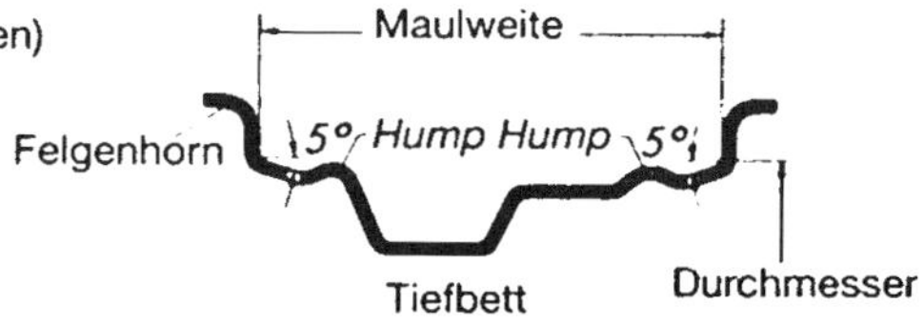


**15°-Steilschulterfelgen nach DIN 78 022**
Die üblichen Felgen für Lastkraftwagenreifen ohne Schlauch. Bei der Bezeichnung 8.25 x 22.5 bedeutet:
8.25 = Maulweite in Zoll
x = einteilige Felge
22.5 = Felgendurchmesser in Zoll

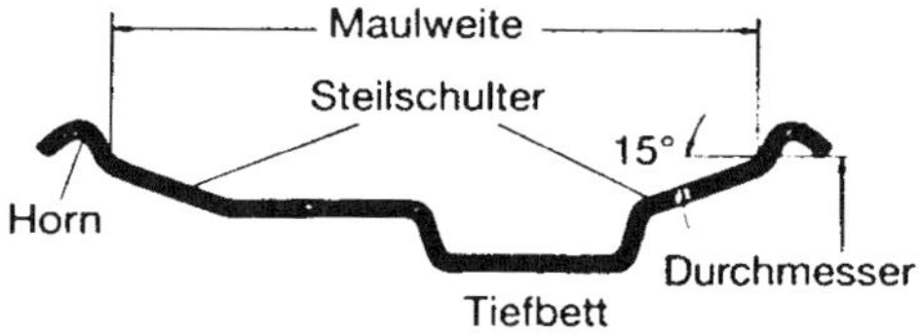


**Schrägschulterfelgen nach DIN 7820**

Die üblichen Felgen für Lastkraftwagenreifen mit Schlauch. Bei der Bezeichnung 10.0-20 bedeutet:
10.0 = Maulweite in Zoll
– = mehrteilige Felge
20 = Felgendurchmesser in Zoll

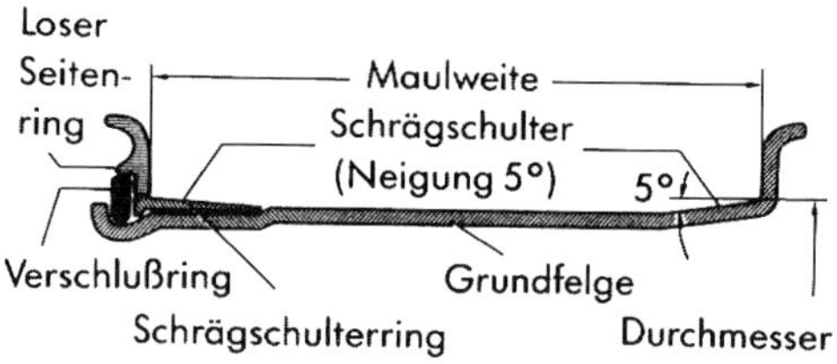


**Bild 4-82** Einteilige Felgenbauarten: Tiefbettfelge, Steilschulterfelge, geteilte Schrägschulterfelge (Gummiwerke Fulda)

*Geteilte Schrägschulterfelgen nach DIN 7820* sind übliche Felgen für Lastkraftwagenreifen mit Schlauch. Während das Felgenhorn auf der einen Seite fester Bestandteil der Grundfelge ist, wird der Reifen auf der anderen Seite durch einen demontierbaren Kombinations- bzw. Seiten- und Verschlussring (VT-Ring mit zusätzlichem Gummidichtring bei schlauchloser Auslegung) gehalten.

Die dreiteiligen *Trilex-Felgen* für Reifen mit Schlauch finden für extremen Einsatz im außereuropäischen Ausland Verwendung. Sie sind über Schrauben einfach auf dem so genannten Radstern zu montieren und ermöglichen eine gute Belüftung der Bremstrommeln.

DIN 74361 legt die Anschlussmaße der Radnabe bezüglich Aufnahme und Befestigung der Scheibenräder festgelegt. Zur Festlegung der Innenkontur der Radschüssel müssen die maximal zulässigen Außenkonturen der Bremstrommeln (DIN 74362) berücksichtigt werden. Damit das Rad im Fahrbetrieb ohne Höhenschlag läuft, muss es auf der Radnabe zentriert werden. Dies kann auf drei verschiedene Arten erfolgen (Bild 4-84):

- Bolzenzentrierung über kugelige oder kegelige Bolzenlochansenkungen und entsprechend gestaltete Radbolzen; Kennzeichen „BZ“
- Mittenzentrierung über die Aufnahme des Mittenloches der Radschüssel auf dem Zentrieransatz der Radnabe, Radmutter mit planer Auflage; Kennzeichen „MZ“
- Mischzentrierung als Kombination von Bolzen- und Mittenzentrierung; Kennzeichen „(MZ)“

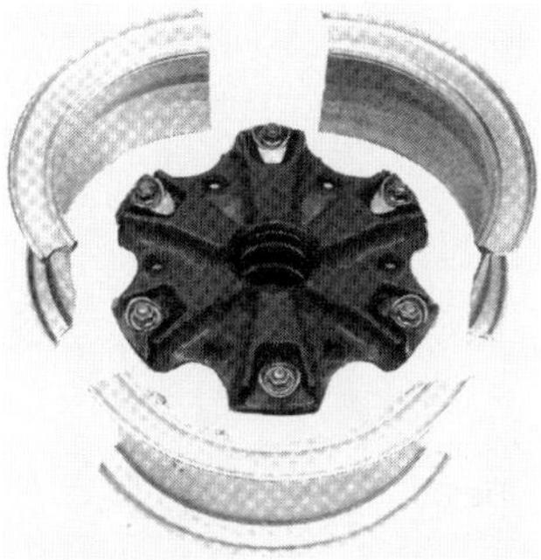

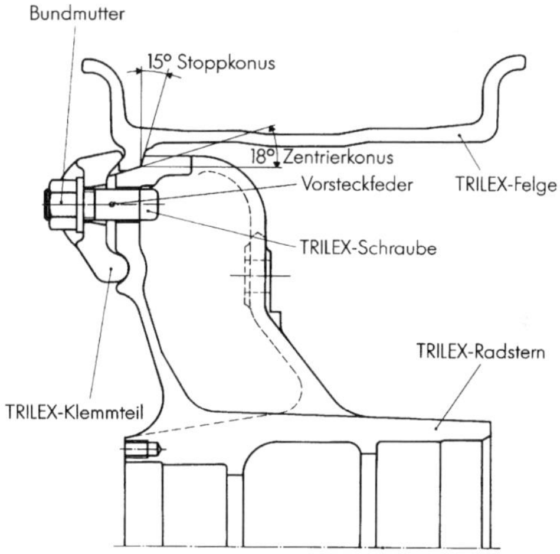


**Bild 4-83** Trilex-Rad mit dreiteiliger Felge (Georg Fischer)

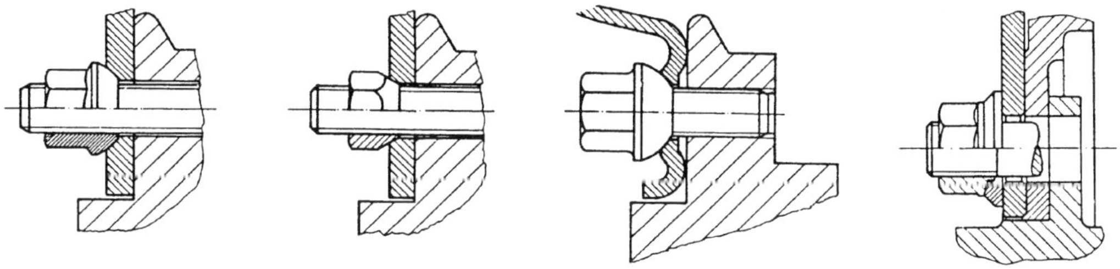

**Bild 4-84** Befestigung des Scheibenrades auf der Radnabe: Kugelbundmutter (a), Kegelmutter (b), Kugelbundschraube (c), Flachbundmutter mit Druckteller (d) (Lemmerz)

# 4.4 Bremsen

Als Bremsen bezeichnet man alle Einrichtungen, in denen sich der Bewegung eines Fahrzeuges entgegensetzende Kräfte erzeugt werden. Der Zweck kann das Verhindern unerwünschter Beschleunigung bei Talfahrt (Beharrungsbremse, Dauerbremse), Verringern der Geschwindigkeit, gegebenenfalls bis zum Anhalten an bestimmter Stelle (Verzögerungsbremse, Betriebs- bzw. Hilfsbremse) und Verhüten von unerwünschter Bewegung des ruhenden Fahrzeuges (Feststellbremse) sein. Jede Bremswirkung setzt eine Bremskraft zwischen Fahrzeug und Fahrbahn voraus, welche bei Straßenfahrzeugen kraftschlüssig am Umfang der Reifen wirkt. Der

Ort der Erzeugung der Bremswirkung kann dabei in den Radnaben (Radbremse), im Antriebsstrang (meist Retarder) oder auch im Verbrennungsmotor (Motorbremse) liegen. Dabei wird in Nutzfahrzeugen bei Beharrungs- und Verzögerungsbremsung die Lage- bzw. Bewegungsenergie des Fahrzeuges üblicherweise durch Reibung in Wärme umgewandelt, deren Speicherung und Abgabe von besonderer Bedeutung ist.

### 4.4.1 Bremsvorgang und Bremswirkung

Physikalisch betrachtet bedingen Bremsvorgänge eine Umwandlung von Lageenergie (Beharrungsbremsung) bzw. kinetischer Energie (Verzögerungsbremsung) eines Fahrzeuges durch Bremsarbeit $W_{Br}$ in eine andere Energieform (üblicherweise Wärmeenergie). Diese ist von der Fahrzeugmasse (= Gesamtgewicht GG) und der Ausgangsgeschwindigkeit $v_0$ abhängig und beträgt für die ebene Fahrbahn bei Abbremsung bis zum Stillstand:

$$W_{Br} = \frac{1}{2} \cdot GG \cdot v_0^2 \tag{4-6}$$

Wird das Fahrzeug von $v_0$ auf eine niedrigere Endgeschwindigkeit $v_1$ verzögert, dann beträgt die Bremsarbeit:

$$W_{Br} = \frac{1}{2} \cdot GG \cdot \left(v_0^2 - v_1^2\right) \tag{4-7}$$

Dabei bestimmt die zu erzielende Verzögerung a die am Umfang der Räder erforderliche Bremskraft $F_{Br}$:

$$F_{Br} = GG \cdot a \tag{4-8}$$

Die momentane Bremsleistung $P_{Br}$ ist bei konstanter Bremskraft geschwindigkeitsabhängig:

$$P_{Br} = F_{Br} \cdot v \tag{4-9}$$

Im Fahrzeugbau ist es üblich, die Bremswirkung über die in DIN ISO 611 definierte Abbremsung z, dem Verhältnis der Bremskraft $F_{Br}$ an den Radumfängen aller Räder zur Gewichtskraft $F_G$ zu beschreiben:

$$z = \frac{F_{Br}}{F_G} = \frac{GG \cdot a}{GG \cdot g} = \frac{a}{g} \quad \text{oder} \quad z = \frac{F_{Br}}{F_G} \cdot 100\,\% \tag{4-10}$$

Ob eine gewünschte Verzögerung erzielt werden kann, hängt sowohl von der Leistungsfähigkeit der Bremsanlage als auch von den Haftungsbedingungen zwischen Reifen und Fahrbahn und einer optimalen Bremskraftverteilung ab, die dann gegeben ist, wenn alle Räder gebremst sind und bei zunehmender Abbremsung z gleichzeitig an die Kraftschlussgrenze stoßen. Die Kraftschlussgrenze ist über den Haftbeiwert $\mu_H$, dem Verhältnis von maximal übertragbarer Haftungskraft (Bremskraft) $F_{Br,max}$ zur Gewichtskraft $F_G$ beschrieben. Unter dieser Bedingung gilt für die maximal erzielbare Abbremsung $z_{max}$ an der Kraftschlussgrenze:

$$z_{max} = \frac{F_{Br,max}}{F_G} = \frac{\mu_H \cdot F_G}{F_G} = \mu_H \tag{4-11}$$

Grundsätzlich wird bei jedem Bremsvorgang Haftung zwischen Rädern und Fahrbahn angestrebt. Dabei ist zu beachten, daß die Haftbeiwerte sowohl von der Werkstoffpaarung Reifen/Fahrbahn, der Profilgestaltung und Profiltiefe als auch ganz entscheidend vom Oberflächenzustand der Fahrbahn (trocken, nass, verschneit, vereist) abhängig sind und zwischen $\mu_H = 0{,}1$ (Eis, nass) und $\mu_H = 1{,}2$ (Asphaltbeton, trocken) liegen können. An der Kraftschlussgrenze geht die Haftreibung bei kontinuierlich zunehmendem Radschlupf in die Gleitreibung über, bei der die Räder völlig blockieren.

Da bei gleichen Reifen- und Fahrbahnbedingungen die Reibbeiwerte $\mu_R$ deutlich niedriger als die Haftbeiwerte $\mu_H$ sind und bei Gleitreibung die Lenkungsfähigkeit der Räder verloren geht, müssen neu zuzulassende Nutzfahrzeuge mit einem zulässigen Gesamtgewicht von über 3,5 t mit einem automatischen Blockierverhinderer ausgerüstet sein (§ 41b StVZO).

### 4.4.2 Gesetzliche Rahmenbedingungen

Im Rahmen der Erteilung der Allgemeinen Betriebserlaubnis für Typen (§ 20 StVZO) oder der Betriebserlaubnis für Einzelfahrzeuge (§ 21 StVZO) müssen die Bremsanlagen von Fahrzeugen auf die Einhaltung der nationalen Bau- und Betriebsvorschriften (§ 41 StVZO) hin geprüft werden. Für Fahrzeuge, die nach dem 1. Januar 1991 erstmalig in Verkehr gekommen sind, gelten die meist weiterreichenden Anforderungen der EU-Richtlinie 71/320/EWG bzw. der Regelung ECE R-13 [4-8]. Die Anforderungen an eine diesen Richtlinien entsprechende so genannte EG-Bremsanlage sind von der jeweiligen Fahrzeugklasse (Tabelle 4-3) abhängig und betreffen die folgenden, in ihrer Funktionsweise knapp beschriebenen Bremsanlagen (exakte Begriffsdefinitionen in DIN ISO 611):

Die *Betriebsbremsanlage* dient zur Verringerung der Geschwindigkeit des Fahrzeugs. Sie wird vom Fahrer mit dem Fuß betätigt und muss abstufbar sein.

Die *Hilfsbremsanlage* muss bei Ausfall der Betriebsbremse deren Funktion mit verminderter Wirkung erfüllen. Sie braucht keine unabhängige Bremsanlage zu sein; der zweite Kreis einer zweikreisigen Bremsanlage oder eine abstufbare Feststellbremse genügt.

Die *Feststellbremsanlage* sichert ein stehendes Fahrzeug gegen Wegrollen. Sie muss bei Ausfall der Energieversorgung (Druckluft) voll wirken können. Deshalb ist eine mechanische Wirkung auf die Radbremse (Seilzug, Gestänge, Federspeicher) vorgeschrieben.

Die *Dauerbremsanlage* wandelt Lage- oder Bewegungsenergie des Fahrzeuges verschleißlos in Wärme um. Sie ist als Zusatzbremsanlage zu betrachten.

Die *selbsttätige Bremsanlage* bremst Anhängefahrzeuge beim Abreißen der Verbindungseinrichtung bzw. bei Druckverlust in der Vorratsleitung (bei Druckluft-Bremsanlagen).

Kraftfahrzeuge der Klasse N müssen die für Betriebsbremsung, Hilfsbremsung und Feststellbremsung geltenden Bedingungen erfüllen. Die drei Bremsanlagen können gemeinsame Teile aufweisen. Es müssen allerdings mindestens zwei voneinander unabhängige Betätigungseinrichtungen vorhanden sein. Anhängefahrzeuge der Klasse $O_1$ brauchen keine Bremsanlage, ab Klasse $O_2$ müssen Betriebs- und Feststellbremsanlage vorhanden sein. Letztere muss auch von einer Person neben dem Fahrzeug betätigt werden können. Auflauf-Bremsanlagen sind für Anhängefahrzeuge bis Klasse $O_2$ zulässig. Beim Abreißen der Verbindungseinrichtung während der Fahrt muss das Anhängefahrzeug selbsttätig gebremst werden. Dies erfolgt durch das Abreißsicherungsseil, welches am Handbremshebel eingehängt ist und die Anhängekupplung des Zugfahrzeuges umschlingt.

**Tabelle 4-3** Fahrzeugklassen für Nutzfahrzeuge nach EU-Richtlinie 71/320/EWG

| Klasse | N (Lastkraftwagen) | | | O (Lastanhänger) | | | |
|---|---|---|---|---|---|---|---|
| Stufung | $N_1$ | $N_2$ | $N_3$ | $O_1$ | $O_2$ | $O_3$ | $O_4$ |
| Gesamtgewicht | ≤ 3,5 t | > 3,5 t<br>≤ 12 t | > 12 t | ≤ 0,75 t | ≤ 3,5 t | > 3,5 t<br>≤ 10 t | > 10 t |

Die Bremsenprüfung nach EU-Richtlinie 71/320/EWG umfasst Prüfungen von Bremswegen bei vorgegebener Prüfgeschwindigkeit, mittleren Vollverzögerungen $a_m$ bzw. Abbremsungen z sowie Betätigungskräften am Fußpedal $F_F$ oder am Handhebel $F_H$. Dabei ist zu beachten, dass sich die zu erbringenden Verzögerungen bzw. Abbremsungen immer auf das Fahrzeug bei zulässigem Gesamtgewicht (vollbeladen) beziehen. Da im praktischen Bremsversuch am Rollenprüfstand Fahrzeuge üblicherweise unbeladen geprüft werden, müssen die dort gemessenen Bremskräfte auf den beladenen Zustand hochgerechnet werden:

- Prüfung Typ O: Normale Prüfung der Wirkung bei kalter Bremse
- Prüfung Typ I: Prüfung des Absinkens der Bremswirkung nach einem vorgeschriebenem Zyklus sich wiederholender Bremsungen beim Lastkraftwagen bzw. Schleppen eines Anhängers bei 7 % Abbremsung und 40 km/h über eine Entfernung von 1700 m
- Prüfung Typ II: Prüfung des Fahrzeugverhaltens auf langen Gefällstrecken. Die Energieaufnahme muss dabei derjenigen entsprechen, die dem Befahren eines 6%igen Gefälles mit 60 km/h auf einer Strecke von 6 km entspricht.

Tabelle 4-4 gibt die wichtigsten Prüfungsanforderungen nach EU-Richtlinie 71/320/EWG an.

Um die Kraftschlussbedingungen der Fahrbahn beim Bremsvorgang voll ausnutzen zu können, müssen im Idealfall alle Räder gleichzeitig die Kraftschlussgrenze erreichen bzw. an dieser gehalten werden (siehe Gl. 4-11). Fahrzeuge, welche diese Bedingung nicht durch einen automatischen Blockierverhinderer erwirken, benötigen zwingend eine automatische lastabhängige Bremskraftregelung (ALB). Die Anforderungen an die Güte dieser Bremskraftregelung wird in der Richtlinie 71/320/EWG präzisiert. Danach muss die Bremskraftaufteilung so optimiert sein, dass in Abhängigkeit von der Kraftschlussbedingung zwischen Reifen und Fahrbahn (Haftbeiwerte $\mu_H$ von 0,2 bis 0,8) immer eine Mindestabbremsung $z_{min}$ erreicht werden kann:

$$z \geq z_{min} = 0{,}1 + 0{,}85 \cdot (\mu_H - 0{,}2) \tag{4-12}$$

Der Gütegrad einer Bremsanlage $\varepsilon = z / z_{max}$ muss daher mit $z_{max} = \mu_H$ (Gl. 4-11) Mindestwerte zwischen 50 % ( $\mu_H = 0{,}2$ ) und 76 % ( $\mu_H = 0{,}8$ ) erreichen.

Vom 01.12.1999 an hat eine neue Sicherheitsprüfung (SP) die bislang vorgeschriebene Bremsen-Sonderuntersuchung (BSU) und Zwischenuntersuchung (ZU) abgelöst. Sie gilt für Lastkraftwagen mit zulässigen Gesamtgewichten > 7,5 t und Anhängern > 10 t und darf entsprechend der Neuordnung der Technischen Fahrzeugüberwachung gemäß § 29 StVZO zukünftig nur noch durch anerkannte Werkstätten erfolgen. Für Lastkraftwagen mit einem zulässigen Gesamtgewicht von 7,5 bis 12 t und Anhänger ist die erste Sicherheitsprüfung nach 3,5 Jahren, für alle größeren Lastkraftwagen nach 2,5 Jahren fällig. Danach findet die Sicherheitsprüfung jährlich im Wechsel mit der ebenfalls jährlichen Hauptuntersuchung (HU) statt.

**Tabelle 4-4** Prüfungsanforderungen entsprechend EU-Richtlinie 71/320/EWG (nach [4-9])

| Bremsanlage | Test-Typ | | Fahrzeugklasse | | | | | | |
|---|---|---|---|---|---|---|---|---|---|
| | | | N1 | N2 | N3 | O1 | O2 | O3 | O4 |
| Betriebs-Bremsanlage | ABS erford. | | – | + | + | – | – | + | + |
| | O-Test, Motor ausgekuppelt | $a_m$ [m/s²] | ≥ 5 | | | – | z ≥ 0,50 (0,45) bei p ≤ 6,5 bar | | |
| | | $F_F$ [N] | ≤ 700 | | | – | | | |
| | O-Test, Motor eingekuppelt | $a_m$ [m/s²] | ≥ 4 | | | – | – | – | – |
| | | $F_F$ [N] | ≤ 700 | | | – | – | – | – |
| | I-Test, Motor ausgekuppelt | $a_m$ [m/s²] | ≥ 80 % von O-Test, Motor ausgekuppelt | | | – | z ≥ 0,36 | | – |
| | II-Test | $a_m$ [m/s²] | – | – | ≥ 3,3 | – | – | – | z ≥ 0,33 |
| Hilfs-Bremsanlage | O-Test, Motor ausgekuppelt | $a_m$ [m/s²] | ≥ 2,2 | | | – | Bremsen abstufbar zu betätigen | | |
| | | $F_F$ [N] | ≤ 700 | | | – | | | |
| Feststell-Bremsanlage | Haltewirkung bei Gefälle | | > 18 % | | | – | > 18 % | | |
| | | $F_H/F_F$ [N] | ≤ 600 / ≤ 700 | | | – | ≤ 600 / – | | |
| | O-Test | $a_m$ [m/s²] | ≥ 1,5 | | | – | | | |
| Selbsttätige Bremsanlage | | | | | | – | z ≥ 40 % | | |

## 4.4.3 Radbremsen

Radbremsen sind ausschließlich Reibungsbremsen, welche die kinetische Energie des Fahrzeugs in Wärme umsetzen. Daher sollte ihre Funktion möglichst temperaturunempfindlich sein. Hohe momentane Spitzenbremsleistungen bei 80 km/h ergeben mit 5,5 t Radlast und einer Abbremsung von z = 50 % eine momentane Bremsleistung von 600 kW und fordern große Massen mit entsprechender Wärmekapazität. Für eine wirkungsvolle Abgabe der Wärmeleistung zur Vermeidung von Reibwertverringerung (Fading) infolge zu hoher Temperaturen sind große, gut belüftete Oberflächen nötig. Aus fahrdynamischer Sichtweise besteht andererseits die Forderung nach möglichst geringen ungefederten Massen.

In Nutzfahrzeugen kommen neben Trommelbremsen unterschiedlichster Bauart und Betätigung auch Scheibenbremsen zum Einsatz. Die Umsetzung der Zuspannkraft an den Bremsbelägen in die Umfangskraft an Trommel bzw. Scheibe erfolgt nach ganz unterschiedlichen mechanischen Prinzipien und wird durch den bauarttypischen Bremsenkennwert $C^*$, dem Verhältnis der Umfangskraft $F_U$ zur Spannkraft $F_{Sp}$ beschrieben (Bild 4-85):

$$C^* = \frac{F_U}{F_{Sp}} \tag{4-13}$$

Der $C^*$-Wert ist also nichts anderes als das innere Übersetzungsverhältnis der Bremse und neben der Bauart vom Reibwert $\mu_R$ zwischen Bremsbelag und Trommel bzw. Scheibe abhängig. Ein durchschnittlicher Reibwert kann mit $\mu_R$ = 0,38 angenommen werden. Er wird bei

Berechnungen von Trommel- und Scheibenbremsen zugrunde gelegt. Je größer der $C^*$-Wert ist, desto geringer kann für eine geforderte Bremswirkung (Umfangskraft $F_U$) die Spannkraft $F_{Sp}$ sein. Die feinfühlige Abstufbarkeit der Radbremse wird dann allerdings schwieriger. Außerdem führt die hohe Selbstverstärkung zu oft erheblichen Bremskraftschwankungen zwischen den Rädern einer Achse und damit zum Schiefziehen des Fahrzeugs beim Bremsen. Bild 4-85 verdeutlicht dies anschaulich. Hier verursacht eine Reibwertstreuung von ± 10 % bei $\mu_R = 0{,}4$ für die Servo-Bremse eine $C^*$-Änderungen von etwa 80 %.

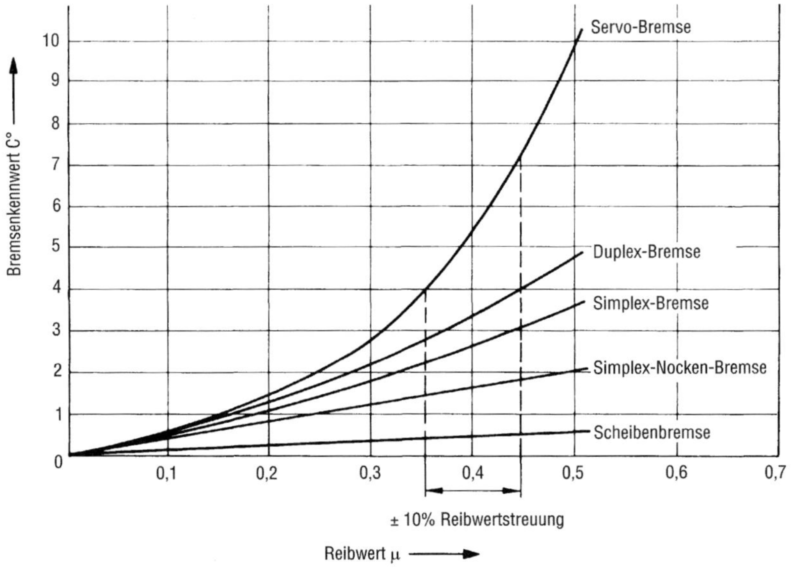


**Bild 4-85** Bremsenkennwerte verschiedener Bremsenbauformen in Abhängigkeit vom Reibwert (aus [4-10])

### *4.4.3.1 Trommelbremsen*

Gemeinsames Merkmal aller Trommelbremsen ist die Bremskraftentstehung durch Relativbewegung zwischen der inneren Umfangsfläche einer mit dem Rad drehenden Bremstrommel und zwei mit dem Achskörper verbundenen Bremsbacken, die durch eine Betätigungseinrichtung von innen zugespannt werden. Die unterschiedlichen Bauarten ergeben sich über die Lage der Abstütz-Drehpunkte in Relation zur Bremstrommeldrehrichtung und die Art der Bremsbackenzustellung (fest, schwimmend).

Trommelbremsen galten lange Zeit als optimale Radbremsen für Nutzfahrzeuge. Durch die geschlossene Bauweise sind sie gegen äußere Einwirkungen wie Nässe und Schmutz geschützt. Sie besitzen außerdem gute Bremsenkennwerte. Neben dem hohen Wartungsaufwand und der schlechten Wärmeableitung sind jedoch vor allem die bei thermischer Belastung auftretenden $C^*$-Schwankungen der Hauptgrund dafür, dass die Trommelbremse immer mehr von der Scheibenbremse verdrängt wird.

Bei der *Spreizkeil-Simplexbremse* werden die beiden Bremsbacken einseitig durch einen schwimmend gelagerten Spreizkeil, der direkt über einen Druckluft-Bremszylinder betätigt wird, auseinander gedrückt (Bild 4-86). Bedingt durch die Drehrichtung der Bremstrommel in Relation zum Abstütz-Drehpunkt wird bei einer Bremsbacke (auflaufende Bremsbacke) die Spannkraft von der Reibungskraft unterstützt (Selbstverstärkung), bei der anderen (ablaufende Bremsbacke) erfolgt eine entsprechende Schwächung (Bild 4-87). Das führt zu stark unterschiedlicher Bremswirkung an den Bremsbacken mit entsprechend unterschiedlichem Verschleiß. Diese Bremse hat sich bei leichten und mittelschweren Lastkraftwagen durchgesetzt. Sie zeichnet sich gegenüber der S-Nocken-Simplex-Bremse durch kompakteren und einfacheren Aufbau (weder Bremshebel noch Bremswelle), kleinere Bremszylinder (größerer $C^*$-Wert) und eine integrierte automatische Verschleißnachstellung aus.

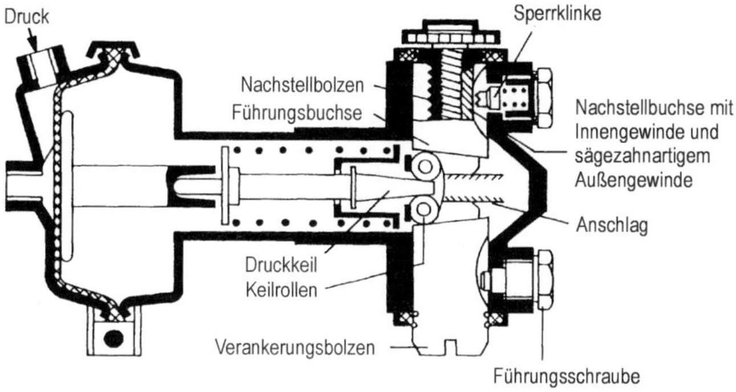


**Bild 4-86** Spreizkeilbetätigung einer Simplexbremse (aus [4-10])

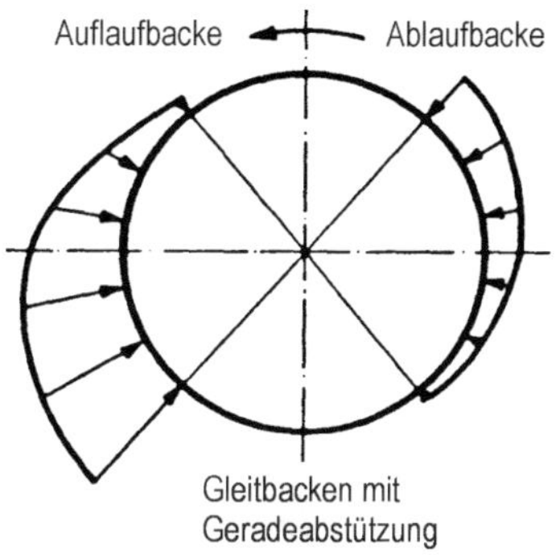


**Bild 4-87** Flächenpressungsverteilung an den Bremsbacken einer Spreizkeil-Simplexbremse (aus [4-10])

An schwere Nutzfahrzeugachsen, insbesondere an solchen für Anhängefahrzeuge (siehe Abschnitt 4.2.2.1), wird heute meist noch die *S-Nocken-Simplex-Bremse* angebaut. Durch die besondere Gestalt des Betätigungs-Nockens (Evolvente) ergibt sich ein verdrehwinkel- und damit verschleißunabhängiger Wirkabstand (Bremsnockenradius) der Spannkraft zur Bremswelle (Bild 4-88).

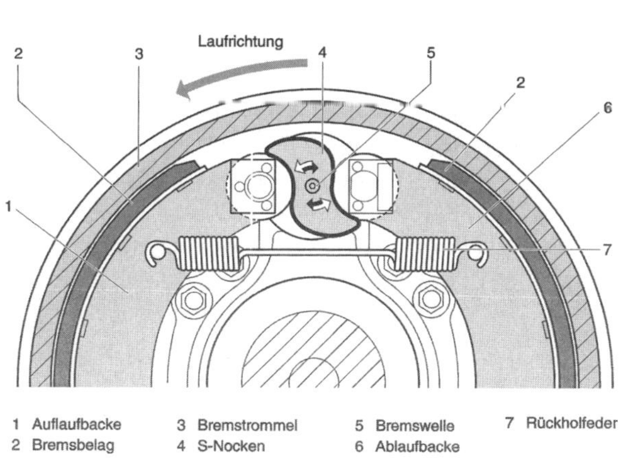


**Bild 4-88** S-Nocken-Simplex-Trommelbremse (MAN)

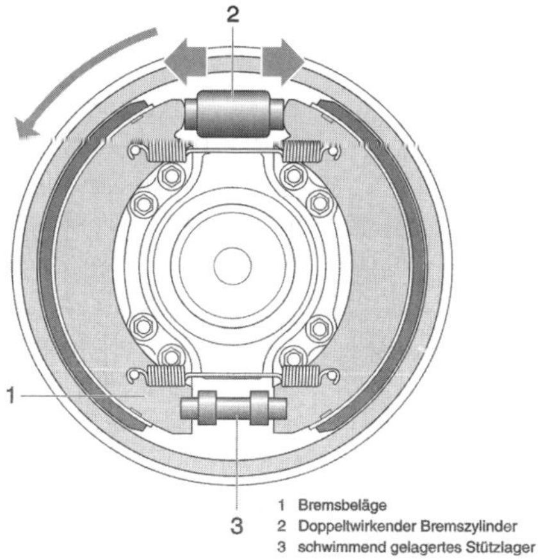


**Bild 4-89** Duo-Servo-Trommelbremse (MAN)

Dies ermöglicht eine zuverlässig gleichbleibende Bremswirkung über die gesamte Betriebszeit. Die Betätigung erfolgt über den auf dem Achskörper befestigten Druckluft-Bremszylinder, den Bremshebel bzw. automatischen Gestängesteller und die Bremswelle, die an ihrem Ende den S-

Nocken trägt. Bedingt durch die feste Lagerung des S-Nockens ergibt sich eine feste Zuspannung beider Bremsbacken mit annähernd gleichem Belagverschleiß an auflaufender und ablaufender Bremsbacke. Diesem Vorteil hoher Belagstandzeiten steht infolge des niedrigen $C^*$-Wertes der Nachteil großer, an beiden Bremsbacken unterschiedlicher Betätigungskräfte entgegen, welche eine insgesamt massive und schwergewichtige Konstruktion erfordern.

*Duo-Servo-Trommelbremsen* haben in der Vergangenheit in leichten Nutzfahrzeugen (insbesondere an den Hinterachsen) weite Verbreitung gefunden. Wesentliches Merkmal dieser Bremse ist, dass die Abstützkraft der auflaufenden Primärbacke als Spannkraft für die ebenfalls auflaufende Sekundärbacke dient (Bild 4-89). Infolge des hohen Bremsenkennwertes von $C^* \approx 5{,}0$ kommen diese Bremsen bei hydraulischer Betätigung für Nutzfahrzeuge mit bis zu 7,5 t Gesamtgewicht noch mit einer Unterdruck-Hilfskraft-Bremsanlage aus.

### *4.4.3.2 Scheibenbremsen*

Die Einführung von Scheibenbremsen bei Nutzfahrzeug begann in den 1980er Jahren. Moderne Reisebusse mit großen spezifischen Motorleistungen und entsprechend hohen Beförderungsgeschwindigkeiten sowie die zunehmende Verkehrsdichte verlangten Bremsanlagen mit größeren Bremsleistungen, welche durch eine Scheibenbremse weitaus besser verwirklicht werden können als durch eine Trommelbremse. Inzwischen gehört die Ausrüstung moderner Lastkraftwagenfahrgestelle mit Scheibenbremsen an der Vorderachse zum unerlässlichen Standard. Auch die Hinterachsen werden immer häufiger mit Scheibenbremsen ausgestattet.

Mit einem besseren Fadingverhalten, einer höheren thermischen Belastbarkeit, effizienterer Wärmeabfuhr durch die offene Bauweise und einem besseren Thermoschockverhalten wird der Bremsvorgang eines Nutzfahrzeugs aus höheren Geschwindigkeiten erheblich sicherer. Das Ansprechverhalten ist aufgrund eines hohen Betätigungswirkungsgrades feinfühliger, wobei gleichzeitig die bei der Trommelbremse üblichen Backenrückzugskräfte wegfallen. Dadurch wird die Betätigungshysterese sehr gering. Dies wirkt sich auch positiv auf die lastabhängige Bremskraftregelung sowie die Bremskraftregelung durch Blockierverhinderer aus, da sich wegen der reduzierten Betätigungshysterese und der gesteigerten Empfindlichkeit die erforderlichen Regelvorgänge wesentlich besser beherrschen lassen [4-11].

Aus wirtschaftlicher Hinsicht bietet die Scheibenbremse dem Fahrzeughalter letztlich den Vorteil einer preiswerteren Wartung, vor allem durch den im Vergleich zur Trommelbremse sehr vereinfachten Belagwechsel. Die etwas höheren Anschaffungskosten und das geringfügig höhere Gewicht sind im Gegenzug dazu nicht so sehr bedeutsam. Da bei mittelschweren und schweren Nutzfahrzeugen die Bremsbetätigung ohnehin mit Fremdkraftunterstützung (Druckluft) erfolgt, sind die wegen fehlender Selbstverstärkung erforderlichen hohen Zuspannkräfte ($C^* = 2 \cdot \mu_R = 0{,}76$) nicht von Belang. Die Standzeiten der Bremsklötze liegen im Fernverkehr mit etwa 300.000 km in der gleichen Größenordnung wie die Beläge der Trommelbremsen, neue Graugussscheiben erreichen Standzeiten von gut 600.000 km.

Anstelle der anfangs verwendeten Festsattel-Scheibenbremse mit hydraulischer Zuspannung kommen heute Schwimmsattel-Scheibenbremsen (Bilder 4-90 und 4-91) mit rein pneumatischer Betätigung zum Einsatz. Gegenüber der Festsattel-Scheibenbremse zeichnen sie sich durch einen geringeren Platzbedarf zwischen Bremsscheibe und Radschüssel, geringeres Gewicht und dem Wegfall thermisch stark belasteter Hydraulikleitungen in der Zone über der Bremsscheibe aus.

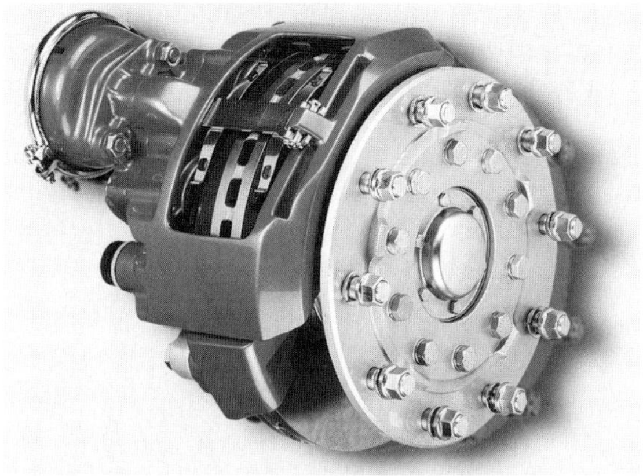

**Bild 4-90** Schiebesattel-Scheibenbremse mit innenbelüfteter Bremsscheibe (Knorr)

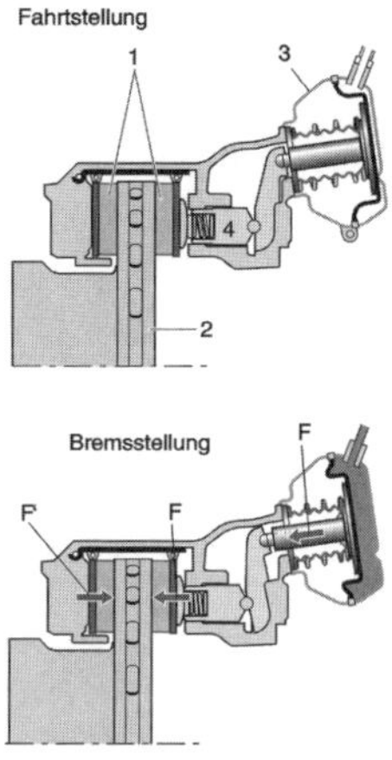


**Bild 4-91** Schwimmsattel-Scheibenbremse mit pneumatischer Zuspannung in Fahr- (a) und Bremsstellung (b) (MAN)

### 4.4.4 Zweileitungs-Zweikreis-Druckluft-Bremsanlage

Schwere Kraftfahrzeuge wie Lastkraftwagen und Omnibusse über 7,5 t Gesamtgewicht lassen sich mit einer hydraulischen Bremsanlage, selbst wenn sie mit Bremskraftverstärkern ausgerüstet sind, nicht mehr verkehrssicher abbremsen. Dazu sind die abzubremsenden Massen einfach zu groß. In Nutzfahrzeugen verwendet man daher zur Erzeugung der erforderlichen Spannkräfte an den Radbremsen die Fremdenergie Druckluft (Fremdkraft-Bremsanlage).

Grundsätzlich besteht die Möglichkeit, Druckluft-Bremsanlagen ein- oder zweikreisig und die Übertragung vom Motorwagen zum Anhänger mit einer oder zwei Leitungen aufzubauen. Die seit 1. Januar 1991 für alle neu in Verkehr gekommenen Nutzfahrzeuge und deren Anhänger verbindlich vorgeschriebene so genannte EG-Bremsanlage nach EU-Richtlinie 71/320/EWG ist eine zweikreisige Zweileitungs-Druckluft-Bremsanlage mit Anhängerbremsanschluss. Durch die Zuordnung der Radbremsen eines Fahrzeuges auf zwei getrennte Bremskreise wird gewährleistet, dass bei Ausfall des Hauptbremskreises das Fahrzeug noch über den Nebenbremskreis abgebremst werden kann. Die mindestens zwei Räder des Nebenbremskreises dürfen dabei nicht auf einer Fahrzeugseite liegen. Zwei-Leitungs-Bremsanlage bedeutet zwei Verbindungsleitungen zwischen Motorwagen und Anhänger: Über die Vorratsleitung wird ständig Druckluft zum Anhänger gefördert; die zweite Leitung dient speziell zum Steuern des Abbremsvorgangs.

Die EG-Bremsanlage besteht aus vier voneinander unabhängigen Kreisen, die durch das Vierkreisschutzventil abgesichert sind:

- Kreis I und II: Vorder- und Hinterachsbremse des Motorwagens
- Kreis III: Feststell-Bremsanlage und Anhängerbremse
- Kreis IV: Nebenverbraucher (Dauerbremse)

Die Funktion der EG-Bremsanlage wird im Folgenden kurz erläutert [4-12], ausführlichere Geräte- und Funktionsbeschreibungen z. B. in [4-10]:

Die vom Kompressor geförderte Druckluft gelangt über den Druckregler, der den Druck in der Anlage automatisch in engem Bereich (z. B. 7,2 bis 8,1 bar) regelt, zum Lufttrockner. Hier wird die in der Druckluft enthaltene Feuchtigkeit entzogen und über eine Entlüftung ins Freie geleitet. Das nachfolgende Vierkreisschutzventil sichert bei Defekten eines oder mehrerer Kreise die intakten Kreise gegen Druckabfall ab. Innerhalb der Betriebsbremskreise I und II strömt die Luft über Luftbehälter zum Motorwagen-Bremsventil. Im Kreis III gelangt die Luft vom Vierkreis-Schutzventil über das im Anhänger-Steuerventil integrierte 2/2-Wegeventil zum automatischen Kupplungskopf sowie über das Rückschlagventil, Handbremsventil und Relaisventil in den Federspeicherteil der Tristop-Zylinder, die dann vollbelüftet sind und die eingebaute Druckfeder auf Spannung halten. Über den Kreis IV werden eventuelle Nebenverbraucher, wie z. B. die Motorstaudruckbremsanlage, mit Luft versorgt.

Die Bremsanlage des Anhängers wird bei angekuppeltem roten Verbindungsschlauch „Vorrat“ über den Kupplungskopf mit Druckluft versorgt, die dann über Leitungsfilter und Anhänger-Bremsventil in einen Luftbehälter gelangt.

Die *Betriebs-Bremsung* erfolgt über die Betätigung des Motorwagen-Bremsventils, das Luft von den Luftbehältern in die Membranzylinder der Vorderachse sowie über den automatischen Bremskraftregler in den Betriebsbremsteil der Tristop-Zylinder der Hinterachse strömen lässt. Der Druck in den Bremszylindern, welche die in den Radbremsen notwendigen Zuspannkräfte erzeugen, ist sowohl von der auf das Motorwagen-Bremsventil wirkenden Fußkraft des Fahrers als auch vom Beladungszustand des Fahrzeuges abhängig. Der vom Beladungszustand abhängige Druck wird vom automatischen Bremskraftregler gesteuert, der (bei Blattfederung) über eine Anlenkung mit der Hinterachse verbunden ist. Dadurch bewirkt der sich beim Be- und Entladen des Fahrzeugs ändernde Abstand zwischen Fahrgestellrahmen und Achse die stufenlose Regelung des Bremsdruckes. Gleichzeitig wird über eine Steuerleitung das im Motorwagen-Bremsventil integrierte Last/Leer-Ventil derart vom automatischen Bremskraftregler beeinflusst, dass auch der Bremsdruck an der Vorderachse dem Beladungszustand angepasst ist.

Das von beiden Betriebsbremskreisen angesteuerte Anhänger-Steuerventil belüftet über den Kupplungskopf und den gelben Verbindungsschlauch „Bremse“ den Steueranschluss des Anhänger-Bremsventils. Damit wird der Weg der Druckluft aus dem Luftbehälter über das Anhänger-Bremsventil, Löseventil, Anpassungsventil und automatischen Bremskraftregler sowie ABS-Relaisventil zum Membranzylinder freigegeben. Gleichzeitig gelangt Druckluft über den ALB-Regler zu den ABS-Relaisventilen, diese steuern um und Vorratsluft gelangt zu den Membranzylindern. Der dem ausgesteuerten Druck des Motorwagens entsprechende Bremsdruck im Anhänger wird durch automatische Bremskraftregler dem Beladungszustand des Anhängers angepasst. Um eine Überbremsung der Radbremse der Vorderachse in Teilbremsbereichen zu vermeiden, wird der Bremsdruck vom Anpassungsventil reduziert. Sollten die Räder dabei zum Blockieren neigen, wird der Bremsdruck von den ABS-Relaisventilen entsprechend angepasst.

Die *Feststell-Bremsanlage* wird über den Handbremshebel betätigt. Dabei werden die Federspeicher der Tristop-Zylinder vollständig entlüftet, sodass deren stark vorgespannte Federn die für die Radbremsen notwendigen Zuspannkräfte bereitstellen können. Gleichzeitig wird auch die Leitung vom Handbremsventil zum Anhänger-Steuerventil entlüftet. Die Abbremsung des Anhängers wir durch Belüften des Verbindungsschlauches „Bremse“ eingeleitet.

Die Funktion der *Hilfs-Bremsanlage* bei Ausfall der beiden Betriebsbremskreise wird durch die feinfühlige Abstufbarkeit des Handbremsventils erfüllt. Dazu wird der Federspeicherteil der Tristop-Tylinder allerdings nicht vollständig, sondern nur entsprechend der benötigten Bremswirkung entlüftet.

Die *automatische Bremsung des Anhängers* bei Bruch der Verbindungsleitung „Vorrat“ erfolgt durch den schlagartigen Druckabbau am Anhänger-Bremsventil, welches eine Vollbremsung des Anhängers einleitet. Bei Bruch der Verbindungsleitung „Bremse“ drosselt beim Betätigen der Betriebsbremsanlage das im Anhängersteuerventil integrierte 2/2-Wegeventil den Durchgang zum Kupplungskopf der Vorratsleitung soweit, dass ein schneller Druckabfall in der Vorratsleitung bewirkt wird und innerhalb der gesetzlich vorgeschriebenen Zeit von maximal 2 Sekunden das Anhänger-Bremsventil eine automatische Bremsung des Anhängers auslöst. Ein Rückschlagventil sichert dabei die Feststellbremsanlage des Motorwagens vor unbeabsichtigter Betätigung bei einem Druckabfall innerhalb der Vorratsleitung zum Anhänger.

### 4.4.5 Dauerbremsen

Die durch Druckluft betätigten Radbremsen sind als Verzögerungsbremsen und nicht für den Dauerbetrieb ausgelegt. Wenn keine zusätzliche Bremsleistung zur Verfügung steht, kommt es daher bei längerer Betätigung (Bergabfahrten) zur thermischen Überlastung, die ein Nachlassen der Bremswirkung (Fading) zur Folge hat.

Unter Vernachlässigung voll Roll- und Luftwiderstand ist der Bremsleistungsbedarf $P_{Br}$ vom Gesamtgewicht des Fahrzeuges GG, dem Gefälle der Fahrstrecke p [ %] sowie der Fahrgeschwindigkeit v abhängig:

$$P_{Br} \approx GG \cdot g \cdot \frac{p}{100\%} \cdot v \qquad (4\text{-}14)$$

Um folgenschweren Unfällen aus Bremsenversagen vorzubeugen, schreibt der Gesetzgeber für Kraftomnibusse ab 5,5 t sowie für alle anderen Kraftfahrzeuge ab 9 t zulässigem Gesamtgewicht außer den Betriebsbremsen zusätzliche Dauerbremsen vor, die mindestens eine Leistung ausweisen müssen, welche der Bremsbeanspruchung beim Befahren eines Gefälles von 7 % und 6 km Länge durch das vollbeladene Fahrzeug mit einer Geschwindigkeit von 30 km/h entspricht (§ 41 Abs. 15 StVZO).

Die serienmäßig in Nutzfahrzeugen eingebaute Dauerbremse ist die *Motorbremse*. Die Bremswirkung entsteht hierbei durch Drosselung der Abgasströmung (Ausschiebearbeit der Kolben im 4. Takt) durch eine im Auspuffkrümmer angeordnete Auspuffklappe. Die Bremsleistung ist durch die Höhe des möglichen Gegendruckes auf die Tellerrücken der Auslassventile begrenzt, die durch unkontrolliertes Schließen nach einem kurzzeitigen Öffnen Schaden nehmen können. Um die Motorbremswirkung nicht allein auf die Gaswechselschleife des 4. Arbeitstaktes zu begrenzen, ermöglicht der zusätzliche Einbau einer Konstantdrossel (Mercedes-Benz), auch einen Teil der Kompressionsarbeit für die Motorbremsleistung zu nutzen. Das hierzu erforderliche Konstantdrosselventil ist in den Zylinderkopf integriert und als Bypass zum Auslassventil geschaltet (Bild 4-92). Weitere Verfahren zur Steigerung der Bremsleistung in Kombination mit einer Auspuffklappenbremse sind die Systeme Jake Brake (Renault), Volvo engine brake (Volvo) und Exhaust-Valve-Brake (MAN). Motorbremsen sind dadurch nachteilig gekennzeichnet, dass nennenswerte Bremsleistungen nur bei hohen Motordrehzahlen zu erzielen sind (Bild 4-93), die Bremswirkung nicht dosierbar ist und der Drosselvorgang erhebliche Geräusche verursacht.

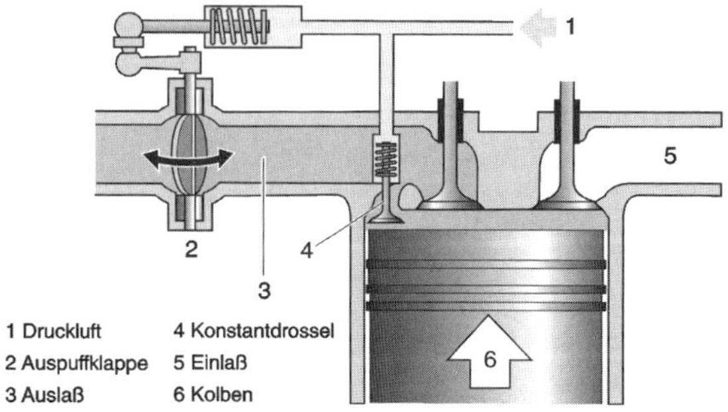


**Bild 4-92** Motorbremse mit Auspuffklappe und Konstantdrossel (MAN)

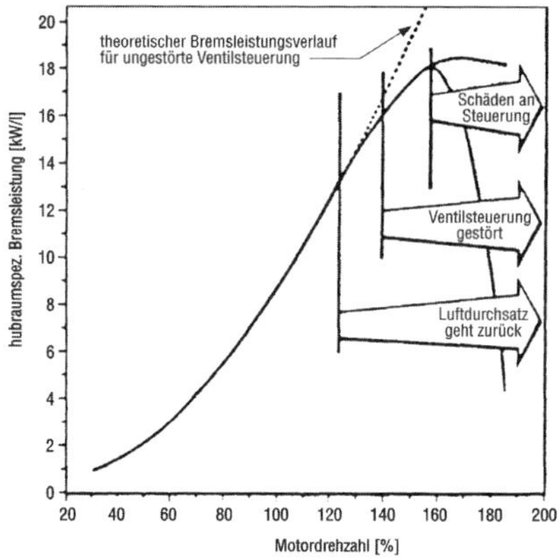


**Bild 4-93** Hubraumspezifische Bremsleistung mit Serienabgasklappe (aus [4-13])

Um die Dauerbremsleistung weiter zu verbessern, werden so genannte Retarder (Bremsmaschinen) in den Antriebsstrang des Fahrzeuges eingebaut. Sie sind wie die Motorbremse verschleißlose Dauerbremsen, welche die geleistete Bremsarbeit in Wärme umwandeln. Je nach Einbaulage unterscheidet man den zwischen Motor und Schaltgetriebe eingebauten Primärretarder und den zwischen Schaltgetriebe und Antriebsachse angeordneten Sekundärretarder. Das Bremsmoment kann alternativ hydrodynamisch oder elektrodynamisch bewirkt werden.

Der *hydrodynamische Retarder* besteht aus zwei rotationssymmetrischen Schaufelrädern, von denen das eine (Rotor) mit der sich drehenden Gelenkwelle (hier Sekundärretarder), das andere (Stator) fest mit dem Retardergehäuse verbunden ist (Bild 4-94). Da sich während der Fahrt der Rotor ständig dreht, sind zur Vermeidung von Luftverwirbelungen Blenden zwischen die Schaufelräder eingeschoben. Zum Bremsen werden durch Bedienung vom Fahrerhaus aus diese Blenden zurückgezogen und dem Schaufelraum eine dosierbare Ölmenge zugeführt. Diese wird vom Rotor in Bewegung gesetzt, strömt in die Kammern das Stators ein und möchte diesen durch Reaktionskräfte (Drehmoment) in die Bewegung einbeziehen (Prinzip der hydrodynamischen Kupplung). Weil der Stator aber feststeht, wird die kinetische Energie des Öls durch Flüssigkeitsreibung in Wärme umgewandelt. Dabei hängt die erzielte Bremswirkung sowohl von der Drehzahl der Gelenkwelle (entspricht Fahrgeschwindigkeit) als auch von der zugeführten Ölmenge ab.

Beim *elektrodynamischen Retarder* sind zwei nicht magnetisierbare Stahlscheiben (Rotoren) mit der Antriebswelle verbunden. Dazwischen ist ein Stator mit 8 bzw. 16 Spulen angeordnet, welcher mit dem Fahrgestellrahmen verbunden ist (Bild 4-95). Sobald durch die Spulen des Stators elektrischer Strom fließt, werden Magnetfelder erzeugt, die über die Rotoren geschlossen werden. Diese Magnetfelder induzieren in den sich drehenden Rotoren Wirbelströme, deren Magnetfelder den Erregermagnetfeldern entgegenwirken und somit für die Bremswirkung verantwortlich sind. Das Bremsmoment ist hierbei sowohl von der Stärke der Erregerfelder als auch von der Drehzahl abhängig. Durch Schalten der Erregerspulen in vier unabhängigen Stromkreisen ergeben sich vier Schaltstufen mit unterschiedlicher Bremswirkung. Die entstehende Wärme wird über die innenbelüfteten Rotorscheiben durch Konvektion und Strahlung an die Umgebung abgegeben.

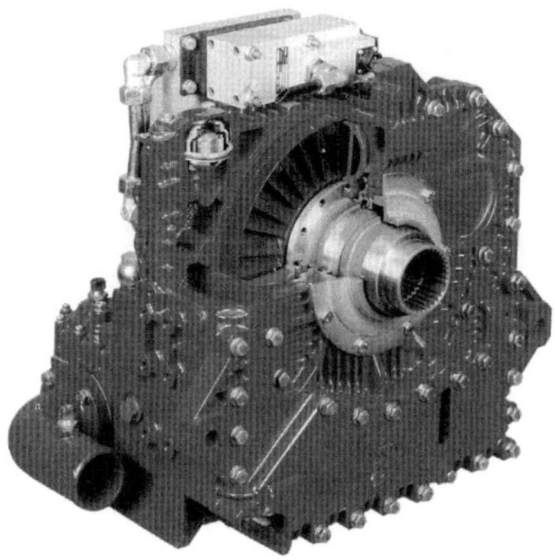

**Bild 4-94** Hydrodynamischer Retarder (Voith)

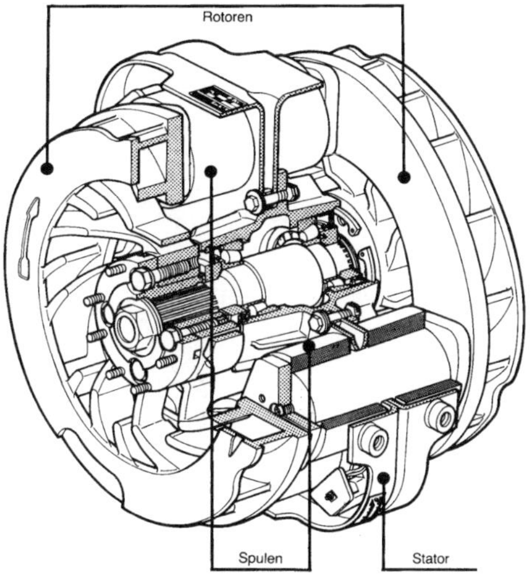


**Bild 4-95** Elektrodynamischer Retarder (Telma)

Wesentliche Merkmale hydrodynamischer Retarder:

- Wärmeabfuhr über den Kühlkreislauf des Motors
- je nach Baugröße bis 150 kg Gewicht (Sekundärretarder)
- hohe Bremsleistung im mittleren Drehzahlbereich, starker Abfall zu kleinen Drehzahlen hin
- stufenlose regelbare Bremsleistung

Wesentliche Merkmale elektrodynamischer Retarder:

- Wärmeabfuhr direkt an die Umgebung
- je nach Baugröße bis 350 kg Gewicht
- hohe Bremsleistung bereits bei niedrigen Drehzahlen, sinkt bei höheren Drehzahlen nur langsam ab
- deutliche Abnahme der Bremsleistung bei Rotorerwärmung

Der *Pritarder* von MAN oder *Aquatarder*, wie ihn der Hersteller Voith vermarktet, ist eine hydrodynamische Bremse, die im Gegensatz zu herkömmlichen Retardern direkt mit der Wasserpumpe in den Kühlkreislauf des Motors integriert ist und mit der Kurbelwelle des Fahrzeugmotors verbunden ist. Die anfallende Bremswärme wird über das Motorkühlsystem abgeführt. Vorteilhaft sind die völlige Wartungsfreiheit sowie das niedrige Gewicht von 32 kg. Der sich für den TGA von MAN ergebende Gewichtsvorteil von etwa 60 kg kommt der Nutzlast zu Gute.

Entscheidendes Argument für den Einsatz von Retardern ist neben dem Sicherheitsaspekt insbesondere die Schonung der Betriebsbremsen. Da bei Fahrzeugen mit Retarder nur noch zirka 10 % des Energieinhalts aller Bremsungen von der Betriebsbremse übernommen werden müssen, können Fuhrunternehmer mit einer Verlängerung der Bremsbelagstandzeiten um den Faktor 2 bis 5 kalkulieren [4-14].

## 4.5 Verbindungseinrichtungen

Verbindungseinrichtungen zwischen Fahrzeugen sind Bauteile, die es ermöglichen, bei Bedarf an einen Motorwagen ein Anhängefahrzeug anzuhängen, welches diesem in der Regel schleppgelenkt folgt. Fahrbahnunebenheiten sowie Nick- und Wankbewegungen der Aufbauten erfordern neben einer gelenkigen Anbindung um die Hochachse zusätzlich eingeschränkte Beweglichkeiten um Quer- und Längsachse. Dabei ist es nicht zwingend notwendig, dass sich diese Achsen in einem Punkt schneiden. Allerdings sollte der Kupplungspunkt (auch bei Sattelkraftfahrzeugen) möglichst tief liegen, damit die Schwankungen der in der Horizontalebene zu übertragenden Zug- und Druckkräfte kein oder ein nur geringes Nicken bzw. Wanken des Zugfahrzeuges zur Folge haben.

Nach Art der zu übertragenden Kräfte unterscheidet man:

- *Zuggabeln* als Verbindungseinrichtungen für mehrachsige Anhänger mit drehschemelgelenkter Vorderachse. Sie haben hauptsächlich Längskräfte (Zug- und Druckkräfte) zu übertragen.
- *Starre Zugeinrichtungen* für Zentralachsanhänger. Sie übertragen zusätzlich Vertikalkräfte (Stützlasten), die bei unverzögerter Fahrt – bedingt durch die Auslegung des Schwerpunktvormaßes – relativ gering, beim Abbremsen allerdings erheblich sind.
- *Sattelkupplungen* zwischen Sattelzugmaschinen und Sattelanhänger (Auflieger). Sie übertragen auch bei unverzögerter Fahrt erhebliche Vertikalkräfte, da sie einen Teil das Anhängergewichtes auf der Zugmaschine abstützen.

Gesetzliche Grundlagen bzw. normative Vorgaben für die Ausführung von Verbindungseinrichtungen sind § 43 StVZO (Sicherheitsstandard), § 22a StVZO (Bauartgenehmigung), die Unfallverhütungsvorschriften für Fahrzeuge (BGV D29) sowie die Berechnung des D-Wertes.

Für die Festlegung der Abstände zwischen den Aufbauten und damit der Lage und Abmessungen von Verbindungseinrichtungen ist das Bewegungsverhalten von Zugfahrzeug und Anhängefahrzeug sowohl bei üblicher Kurvenfahrt als auch im Rangierbetrieb von Bedeutung. Da für jede Fahrsituation sichergestellt werden muss, dass sich die Aufbauten von Motorwagen und Anhänger nicht berühren, ist eine entsprechende Untersuchung der Durchlenkbarkeit (siehe Abschnitt 3.2.5.3) anzustellen.

### 4.5.1 D-Wert-Berechnung

Die Auslegung der Einrichtungen zum Verbinden von Fahrzeugen erfolgt durch Abschätzen der zwischen beiden im Fahrbetrieb wirkenden Kräfte. Die DIN-Normen 74051 bis 74054 (Bolzenkupplungen, Zugösen) und 74080 bis 74084 (Zugsattelzapfen, Sattelkupplungen) geben konkrete Formeln zur Berechnung des so genannten D-Wertes (Deichselkraft) an, nach dem Verbindungseinrichtungen ausgelegt werden können bzw. sich nach Herstellerunterlagen auswählen lassen. Physikalisch verbirgt sich hinter diesen Formeln die Berechnung eines Zweimassenschwingers, der neben einem Fahrbahnunebenheitsfaktor (größte Steigung einer Bodenwelle) noch einen Stoßfaktor berücksichtigt.

In die Berechnung des D-Wertes D [kN] für Anhänge- und Sattelkupplungen gehen die Masse (zulässiges Gesamtgewicht) des Zugfahrzeugs $m_Z$ [t], die Masse (zulässiges Gesamtgewicht) des Anhängers/Aufliegers $m_{An}$ [t] sowie die Erdbeschleunigung $g = 9{,}81\ m/s^2$ ein; für Sattelkupplungen zusätzlich die Sattelmasse (Sattellast) $m_S$ [t].

Für die Anhängekupplung (mit üblicherweise Kupplung am Zugfahrzeug) gilt:

$$D = \frac{g \cdot m_Z \cdot m_{An}}{m_Z + m_{An}} \tag{4-15}$$

Ist der D-Wert der Anhängekupplung vorgegeben, folgt für das zulässige Gesamtgewicht des Anhängers:

$$m_{An} = \frac{D \cdot m_Z}{g \cdot m_Z - D} \tag{4-16}$$

Für die Sattelkupplung gilt:

$$D = \frac{0{,}6 \cdot g \cdot m_Z \cdot m_{An}}{m_Z + m_{An} - m_S} \tag{4-17}$$

Bei bekanntem D-Wert der Sattelkupplung folgt für das zulässige Gesamtgewicht des Aufliegers:

$$m_{An} = \frac{D \cdot (m_Z - m_S)}{0{,}6 \cdot g \cdot m_Z - D} \tag{4-18}$$

## 4.5.2 Zuggabeln

Zuggabeln dienen zum Anhängen von mehrachsigen Gelenkdeichselanhängern an die Anhängekupplung eines Zugfahrzeuges. Sie bestehen aus einer Zugöse, zwei Zuggabellängsstreben mit Lageraugen sowie ein oder zwei Querstreben. Die Anbindung an den Drehschemel erfolgt über die vorderen Federschuhe (Zuggabelfederschuhe). Da die Höhen von Anhängekupplung am Zugfahrzeug und Zuggabelbolzen am Drehschemel oft nicht identisch, die Lage der Kupplungspunkte in Fahrzeuglängsrichtung unterschiedlich und darüber hinaus zwei verschiedene Zugösendurchmesser (40 und 50 mm) üblich sind, resultiert daraus ein recht vielfältiges Angebot an Zuggabelbauformen (Bild 4-96).

Um für den Fall einer groben Beschädigung Zuggabeln austauschbar zu machen, sind deren Hauptabmessungen in DIN 74040 festgelegt. Dies sind die Zuggabellänge (1800, 2100, 2200 und 2400 mm), der Lagermittenabstand (900, 980, 1100 und 1200 mm), die Lageraugenbreite sowie der zugeordnete Lagerbohrungsdurchmesser (70/26, 80/28 und 100 mm/30 mm). Die erforderliche Zuggabellänge richtet sich nach dem vorderen Überhang des Anhängers und nach der Ausladung der Anhängekupplung am Zugfahrzeug und wird durch eine Durchlenkungsuntersuchung (siehe Abschnitt 3.2.5.3) ermittelt. Der Lagermittenabstand und Lageraugenbreite entsprechen (wegen Zuggabelfederschuh) dem Federmittenabstand bzw. der Federbreite. Der Lagerbohrungsdurchmesser und die Bohrung des Blattfederauges sind identisch, um gleiche Bolzen (Federbolzen) verwenden zu können.

Zugösen nach DIN 74053 (50 mm Durchmesser) und DIN 74054 (40 mm Durchmesser) werden im Gesenk geschmiedet. Die in die Ösen eingepressten Federstahlbuchsen sind bei Verschleiß auswechselbar.

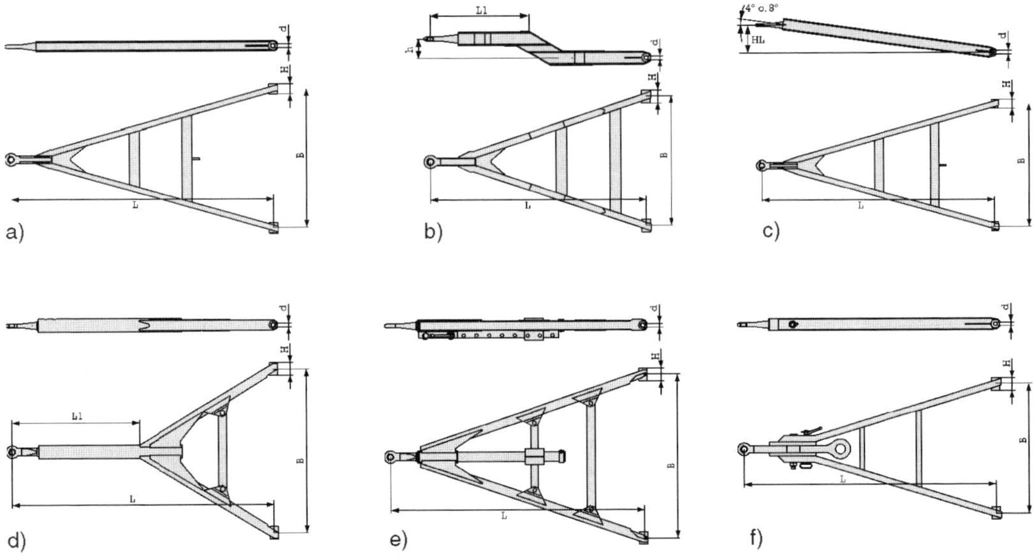


**Bild 4-96** Zuggabelbauformen: gerade (a), gekröpft (b), mit geneigter Öse (c), mit feststehendem Mittelrohr (d), längenverstellbar (e) und mit Schwenköse (f) (BPW)

Nach § 43 StVZO müssen Zuggabeln von Mehrachsanhängern bodenfrei sein. Damit soll verhindert werden, dass im Fall des Abreißens der Anhängerzuggabel und dem schlagartigen Ansprechen der Druckluftbremse der Bremsvorgang durch eine sich in den Boden grabende Zugöse beeinträchtigt wird. Zudem sollen Fußverletzungen durch herunterfallende Zuggabeln vermieden werden. Zur Anpassung der Zugöse auf die jeweilige Höhe des Kupplungsmauls eines Zugfahrzeuges werden Höheneinstelleinrichtungen (Bild 4-97) verwendet.

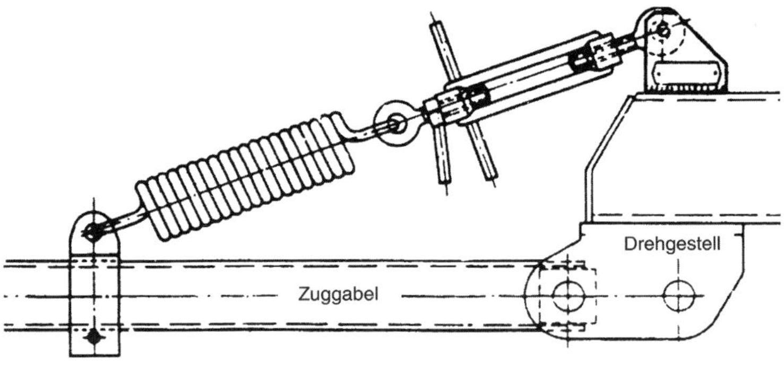


**Bild 4-97** Höheneinstelleinrichtung für Zuggabeln (Vollmer)

## 4.5.3 Starre Zugeinrichtungen

Gliederzüge (Lastkraftwagen mit Gelenkdeichselanhänger) benötigen zum vollen Durchlenken mit mindestens 1700 mm einen relativ großen Abstand zwischen Motorwagen und Anhänger. Eine Fahrzeugkombination mit Zentralachsanhänger kommt dagegen bei tiefgekuppelter (Anhängekupplung nahe an der Hinterachse des Motorwagens) starrer Deichsel mit einem Abstand von etwa 700 mm (in Geradeausfahrtstellung) zwischen den Aufbauten aus, sodass dieser Lastkraftwagenzug bei Ausnutzung der gesetzlich zulässigen Abmessungen drei Europaletten mehr als ein konventioneller Gliederzug transportieren kann (Bild 4-98).

**Bild 4-98** Lastkraftwagen mit Zentralachsanhänger im BO-Kraft-Kreis (trans aktuell)

Diesem Vorteil an Ladelänge stehen als Nachteile die hohen dynamischen Zusatzlasten auf der Anhängekupplung des Motorwagens und die Problematik einer statischen Überlastung der Anhängekupplung bei ungleicher Lastverteilung entgegen. Denn insbesondere im Sammelguttransport besteht regelmäßig die Gefahr eines zu weit vorne liegenden Anhängerschwerpunktes, weil in der Praxis Schwergut nach vorne, Sammelgut nach hinten verladen wird. Dies erklärt, warum nur etwa 5 bis 15 % aller neu zugelassenen Anhänger Zentralachser sind (Umfrage trans aktuell extra 4/93).

Fahrzeugbauer beziehen Starrdeichseln (mit bereits erteilter Bauartgenehmigung) entweder vom Zulieferer oder stellen diese als integralen Bestandteil des Anhängertragwerks individuell her. Im letzteren Fall muss ein amtlich anerkannter Sachverständiger eine „Bauartgenehmigung im Einzelfall" erteilen.

Die von den Zulieferern angebotenen Bauvarianten sind:

- Zugeinrichtungen als Schmiedeteile mit integrierter Flanschplatte zum Anschrauben an ein Zugrohr mit Gegenflansch (Bild 4-99)
- Zugeinrichtungen als Schweißkonstruktion variabler Länge unter Verwendung genormter Zugösen mit integrierter Flanschplatte zum Vorschrauben am Anhänger (Bild 4-100)
- Zugdeichseln als Schweißkonstruktion, die sich an zwei mindestens 1000 mm voneinander entfernten Punkten des Anhängers abstützen und alternativ anschraubbar (Bild 4-101), anschweißbar (Bild 4-102), höhen- (Bild 4-103) oder längenverstellbar (Bild 4-104) sind

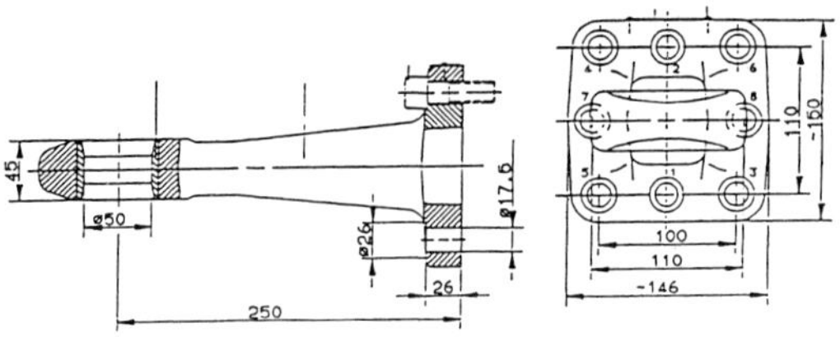


**Bild 4-99** Geschmiedete Zugeinrichtung (Jellinghaus)

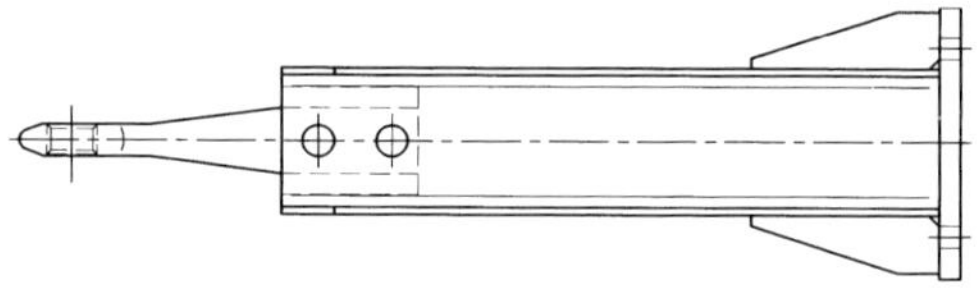

**Bild 4-100** Geschweißte Zugeinrichtung (WAP Fahrzeugtechnik)

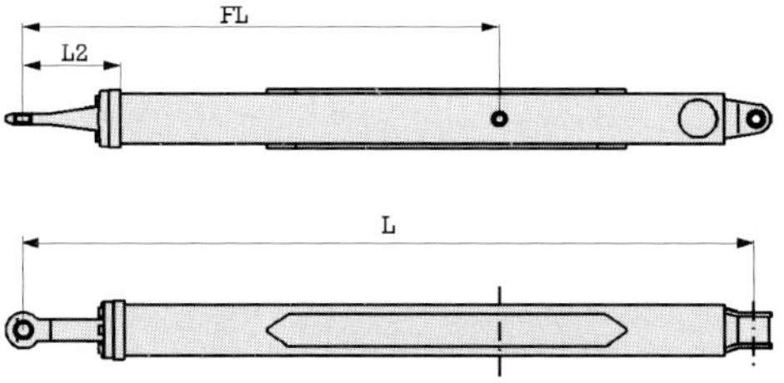


**Bild 4-101** Anschraubbare Zugdeichsel (BPW)

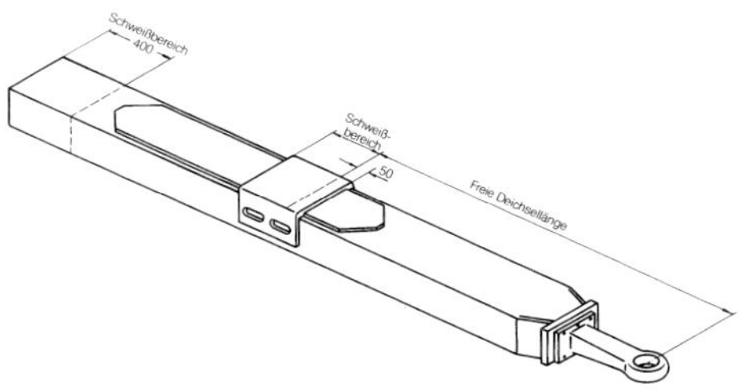


**Bild 4-102** Anschweißbare Zugdeichsel (BPW)

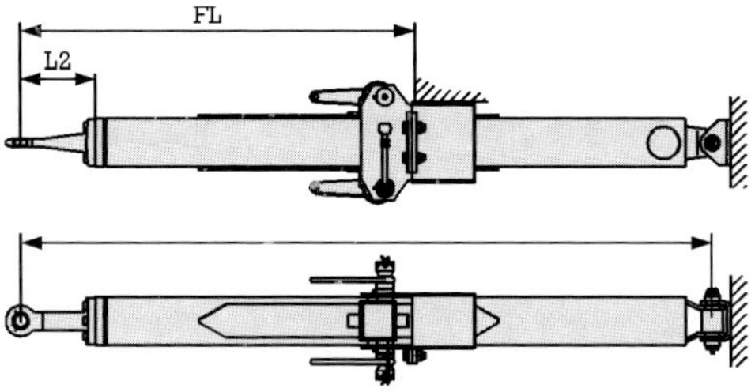


**Bild 4-103** Höhenverstellbare Zugdeichsel (BPW)

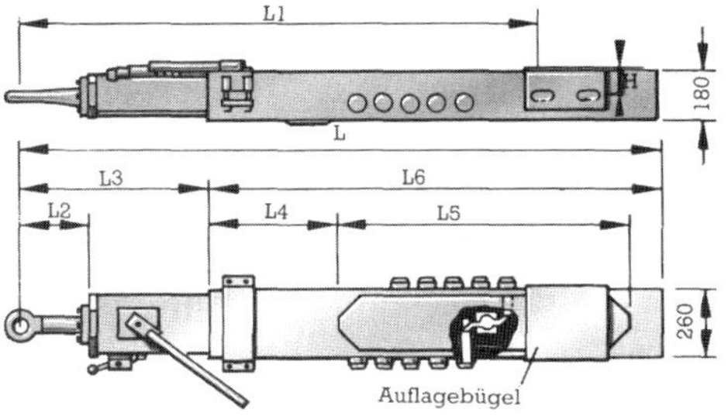


**Bild 4-104** Längenverstellbare Zugdeichsel (BPW)

Zur Auswahl der geeigneten Baugröße von käuflichen Starrdeichseln wird – genau wie bei Zuggabeln – der D-Wert herangezogen. Dabei ist zu berücksichtigen, dass die Anbieter von einem Verhältnis $h_S/l_{D,w} < 0,4$ ausgehen (Bild 4-105). Müssen Starrdeichseln selbst ausgelegt werden, so ist gemäß ISO-Vorschlag ISO/TC22/SC15/WG4 bzw. Richtlinie 94/20/EWG ein so genannter V-Wert zu ermitteln, der die maximale vertikale Zugösenbelastung (statischer und dynamischer Anteil) im Fahrbetrieb darstellt. Dieser V-Wert ist neben dem Anhängergewicht von der Aufbaulänge, der wirksamen Deichsellänge $l_{D,w}$ und der vertikalen Beschleunigung im Kupplungspunkt (1,8 m/s$^2$ bei Luftfederung, 2,4 m/s$^2$ bei anderer Federung) beim Überfahren von Fahrbahnunebenheiten abhängig.

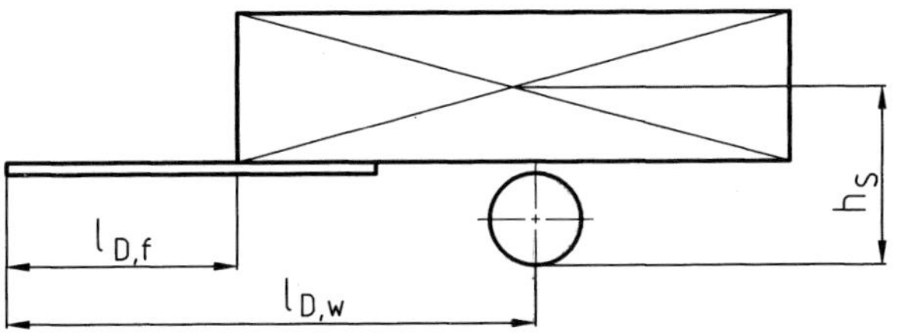


**Bild 4-105**
Schwerpunkthöhe $h_S$, wirksame Deichsellänge $l_{D,w}$ und freie Deichsellänge $l_{D,f}$

Der hier vorgestellten Ermittlung der vertikalen Zugösenbelastung im Fahrbetrieb wird der Entwurf der Prüfstelle für Einrichtungen zur Verbindung von Fahrzeugen [4-15] des Kraftfahrt-Bundesamtes zugrunde gelegt. Danach berechnen sich für Fahrgeschwindigkeiten von über 25 km/h mit dem Gesamtgewicht des Anhängers $GG_{An}$ und der statischen Stützlast $G_{S,stat}$ die Mittellast $F_{sm}$ und die Lastamplitude $F_{sa}$ an der Zugöse zu:

$$F_{sm} = g \cdot \left( 0{,}3 \cdot \frac{h_S}{l_{D,w}} \cdot GG_{An} + G_{S,stat} \right) \tag{4-19}$$

$$F_{sa} = \pm g \cdot 0{,}18 \cdot f^* \cdot \frac{h_S}{l_{D,w}} \cdot GG_{An} \tag{4-20}$$

mit $f^* = 2{,}2$ für $GG_{An} \leq 3500$ kg, $f^* = 1$ für $GG_{An} \geq 13000$ kg, dazwischen interpoliert.

Der Festigkeitsnachweis muss dann mit den statischen und dynamischen Anteilen des Biegemomentes aus $F_{sm}$ und $F_{sa}$ an der Einspannstelle (freie Deichsellänge $l_{D,f}$) erfolgen. Anhand konkreter Berechnungsbeispiele ließe sich beweisen, dass der hier beschriebene, gegen die Dauerfestigkeitsgrenze abzusichernde Lastfall für das Bauteilversagen kritischer ist als der quasistatische Lastfall einer Vollbremsung, bei dem sich die dynamische Stützlast $G_{S,dyn}$, die neben dem Gesamtgewicht des Anhängers $GG_{An}$ vom Verhältnis $h_S/l_{D,w}$ und der Abbremsung z bestimmt wird, der statischen Stützlast $G_{S,stat}$ überlagert.

$$G_S = G_{S,stat} + G_{S,dyn} = G_{S,stat} + GG_{An} \cdot z \cdot \frac{h_S}{l_{D,w}} \tag{4-21}$$

### 4.5.4 Kurzkuppelsysteme

Um für den Lastkraftwagenzug die in § 32 StVZO bzw. Richtlinie 85/3/EWG genannten maximal mögliche Aufbaulänge von 15,65 m bei maximal 16,40 m Systemlänge ausnutzen zu können, darf der minimale Abstand der Aufbauten in Geradeausfahrtstellung nicht mehr als 0,75 m betragen (siehe Abschnitt 3.1.1). Da unter diesen Bedingungen für einen Motorwagen mit Gelenkdeichselanhänger insbesondere beim Rangieren die Aufbauten kollidieren würden, sind Kurzkuppelsysteme entwickelt worden, welche die Zuggabel beim Einschlagen automatisch verlängern. Bei dem hier vorgestellten PAL-Kurzkuppelsystem (Peitz) ist die Zugöse über eine horizontal verschiebbare Schubstange mit einer im Drehgestellrahmen drehbar gelagerten kurbelartigen Steuerstange verbunden. Die Welle der Steuerstange trägt ein Ritzel, welches in das im fahrgestellseitigen Lagerring des Lenkkranzes integrierte innenverzahnte Hohlrad eingreift (Bild 4-106). Verdreht sich nun das Drehgestell relativ zum Fahrgestellrahmen, dann wälzt das mit der Steuerstange verbundene Ritzel im Hohlrad ab und schiebt über die Schubstange die Zugöse aus. Bei etwa 39° Zuggabeleinschlag wird mit 600 mm der maximale Ausschub erreicht (Bild 4-107). Für spezielle Rangieraufgaben kann die Zuggabel zusätzlich von

Hand um bis zu 500 mm verlängert werden. Der automatische Ausschub wird hiervon nicht beeinflusst.

Besonders das Zurücksetzen erfordert vom Fahrer eine gewisse Übung. Dabei sollte sich die kurveninnere Ecke des Anhängers nicht im Blickfeld (Spiegel) des Fahrers befinden, da sonst die Zuggabel nicht einschwenkt und somit auch kein Ausschub erfolgen kann.

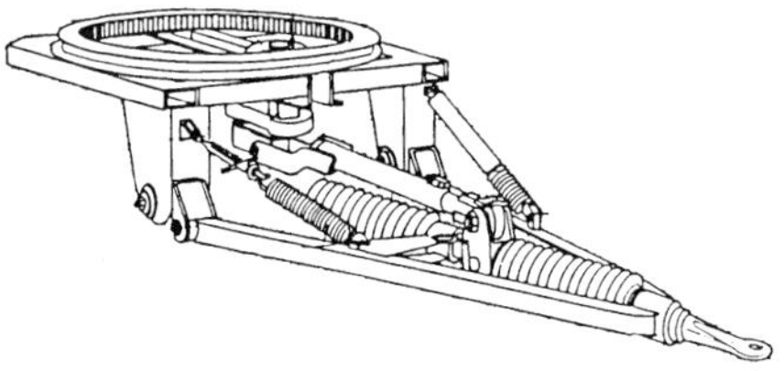

**Bild 4-106** PAL-Kurzkuppelsystem (Peitz)

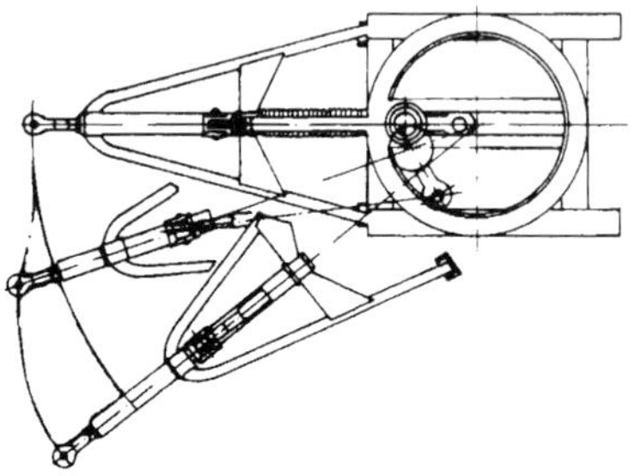

**Bild 4-107** Ausschubweg in Abhängigkeit vom Zuggabeleinschlag (Peitz)

Ultra-Kurzkuppelsysteme für Zentralachsanhänger, die den Abstand zwischen den Aufbauten in der Geradeausfahrtstellung auf 350 mm reduzierten, haben seit der Anhebung der Systemlänge von 16,00 m auf 16,40 m keine praktische Bedeutung mehr.

### 4.5.5 Anhängekupplungen

Anhängekupplungen haben die Aufgabe, eine Zug- und Lenkverbindung zwischen dem Motorwagen und der Zuggabel eines Gelenkdeichsel- bzw. der Zugdeichsel eines Zentralachsanhängers herzustellen. Sie werden über eine Flanschplatte am hinteren Querträger (Zugtraverse) des Zugfahrzeuges befestigt. Da die Anhängelast bei Lastkraftwagenzügen mit durchgehender Bremsanlage bis zu 60 % des Gesamt-Zuggewichtes betragen kann, stellt die Anhängekupplung aufgrund der hohen Belastungen eine stark gefährdete Stelle im Gespann dar. Dabei sind weniger die gleichmäßigen Zugbelastungen ausschlaggebend, sondern vielmehr die durch Fahrbahnunebenheiten oder Brems- und Beschleunigungsvorgänge verursachten Zug- und Schubstöße, die in ihrer Größenordnung ein Vielfaches der konstanten Zugbelastung ausmachen können.

Für Lastkraftwagen werden üblicherweise selbsttätige Bolzenkupplungen eingesetzt, deren wesentlichen Hauptabmessungen sowie die Anschlussmaße an die Zugtraverse des Motorwagens in DIN 74051 (für Zugöse 40) und DIN 74052 (für Zugöse 50) festgelegt sind. Als Mindestbeweglichkeit werden ±25° um die Fahrzeuglängsachse (Querneigungswinkel), ±20° um die Fahrzeugquerachse (Längsneigungswinkel) und ±90° um die Fahrzeughochachse (Lenkeinschlag) gefordert. Nach Richtlinie ECE-R 55 sollte der Öffnungswinkel des Kupplungsmauls in der Horizontalebene mindestens 75° betragen.

Bei der in Bild 4-108 gezeigten Anhängekupplung wird durch Betätigen des Handhebels der Kupplungsbolzen so weit angehoben, bis ein Sperrmechanismus (Sperrhebel, Sperrhebelstift) eine definierte Raststellung einnimmt. Beim Einführen der Anhängerzugöse wird der Kupplungsbolzen noch etwas weiter angehoben. Dadurch rastet der Sperrmechanismus automatisch aus und der Kupplungsbolzen wird federbelastet in die Schließstellung gedrückt.

Um Kantenpressungen zu vermeiden, wir bei zylindrischer Kupplungsöse der Kupplungsbolzen ballig ausgeführt. Für die Dämpfung von Schwingungen in Richtung der Fahrzeuglängsachse sorgen ringförmige, um die Zugstange angeordnete Gummifedern.

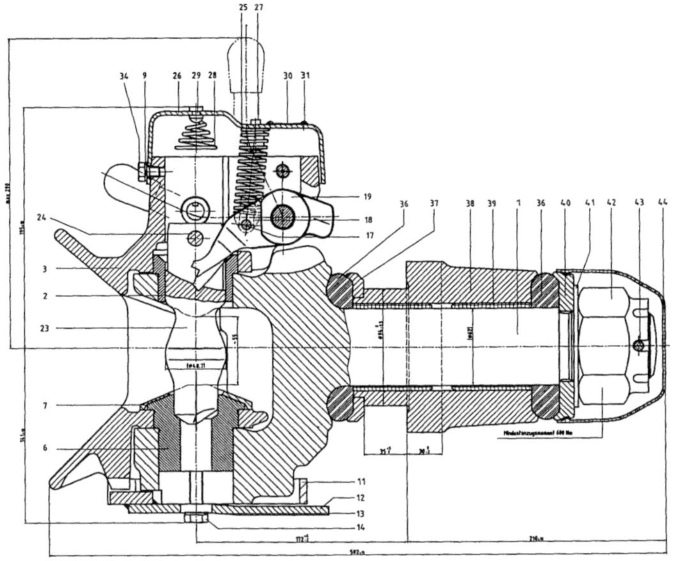

**Bild 4-108**
Automatische Anhängekupplung (Ringfeder)

Mit Rücksicht auf die Gefahren, denen ein Bediener während des Kuppelvorgangs durch den Aufenthalt im Bereich zwischen Motorwagen und Anhänger ausgesetzt wäre, verlangt § 34 Abs. 4 StVZO selbsttätig wirkende Anhängekupplungen. Daneben spielt auch die Bedienerfreundlichkeit eine entscheidende Rolle, da der Lkw-Einsatz heute zum großem Teil im Einmann-Betrieb abgewickelt wird. Bei Anhängekupplungen für tiefgekuppelte Zentralachsanhänger sind aus Sicherheitsgründen und zur Bedienungserleichterung zusätzliche Fernbedienung und Fernanzeige unerlässlicher Standard.

Die Auswahl einer Anhängekupplung richtet sich – genau wie bei den Zugeinrichtungen – nach dem D-Wert, wobei die Hersteller für die Anwendung im Zentralachsanhängerbetrieb für $h_S/l_{D,w} = 0{,}4$ zusätzlich die zulässigen statischen Stützlasten sowie die zulässige Anhängelast angeben.

## 4.5.6 Sattelkupplungen

Bedingt durch die Konzeption des Sattelanhängers hat die Kupplung zur Zugmaschine einen beträchtlichen Anteil des Anhängergewichtes zu tragen und weicht daher in ihrer Gestaltung von der Art der üblichen Anhängekupplung völlig ab. Zur Funktionseinheit gehören der mit der Sattelplatte des Aufliegers verbundene Zugsattelzapfen (Königszapfen) und die eigentliche Sattelkupplung auf der Zugmaschine.

Beim Einkuppelvorgang (Aufsatteln) wird durch Rückwärtsfahren der Zugmaschine der Zugsattelzapfen des Aufliegers in den Einfahrschlitz der geöffneten Sattelkupplung (in „Einfahrstellung“) so weit eingeführt, bis jener an das Schlossstück anstößt und dieses so weit um seinen Zapfen dreht, bis der Zugsattelzapfen vollständig umschlossen ist. Diese „Fahrstellung“ wird dann automatisch durch den mit dem Entriegelungsgriff verbundenen Riegel formschlüssig gesichert. Der Entriegelungsgriff wird zusätzlich durch einen Karabinerhaken gesichert. Das Auskuppeln (Absatteln) erfolgt in umgekehrter Reihenfolge (Bild 4-109).

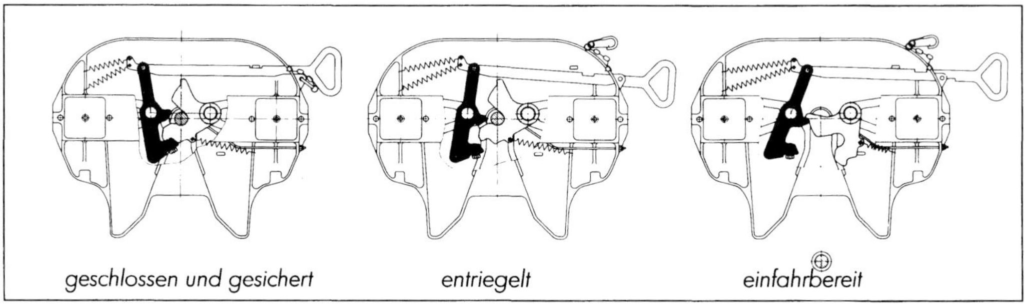


**Bild 4-109** Sattelkupplungsstellungen (Georg Fischer)

Die Baugröße von Sattelkupplung und zugeordnetem Zugsattelzapfen richtet sich nach dem erforderlichen D-Wert. Für die Zapfendurchmesser 50 und 90 mm legen DIN 74080 bzw. DIN 74083 die Zapfenabmessungen und DIN 74081 bzw. DIN 74084 die dazu kompatiblen Sattelkupplungsabmessungen einschließlich der Anschlussabmessungen an die Montageplatte (Bild 4-110) fest.

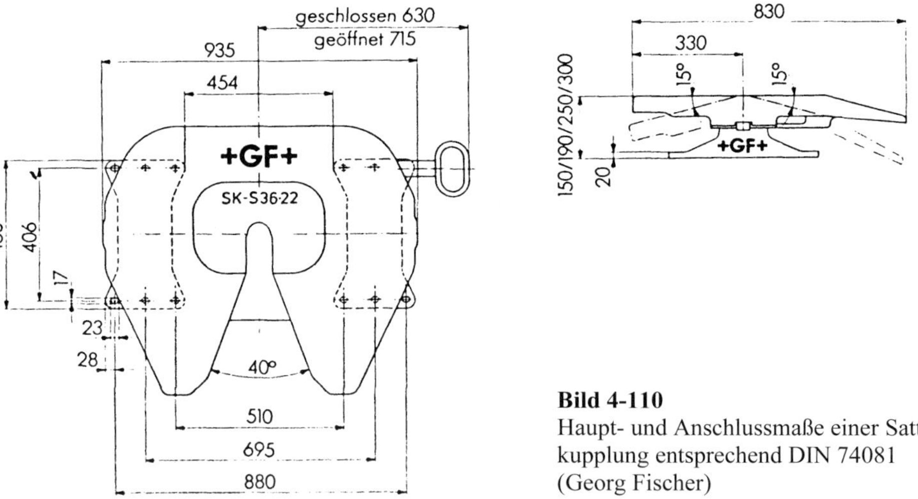


**Bild 4-110**
Haupt- und Anschlussmaße einer Sattelkupplung entsprechend DIN 74081 (Georg Fischer)

Zugsattelzapfen werden durch Gesenkschmieden hergestellt und sind zur Festigkeits- und Härtesteigerung vergütet. Sie übertragen sämtliche Horizontalkräfte zwischen Zugmaschine und Auflieger und sind zugleich Abhebesicherung. Da sie infolge dieser hohen Beanspruchungen dem Verschleiß unterliegen und nach Überschreitung eines bestimmten Verschleißmaßes ausgetauscht werden müssen, sind sie nicht direkt in die Aufliegerplatte eingeschweißt, sondern mit dieser verschraubt. Bild 4-111 zeigt alternative Befestigungsmöglichkeiten der Zugsattelzapfenbauformen A (Flansch) und B (Konus) einschließlich der erforderlichen Aussteifungen der Sattelplatte. Die Ausführung mit Flansch und Aufnahmeteller hat den Vorteil, dass sich der Zugsattelzapfen im Verschleißfall von unten her auswechseln lässt.

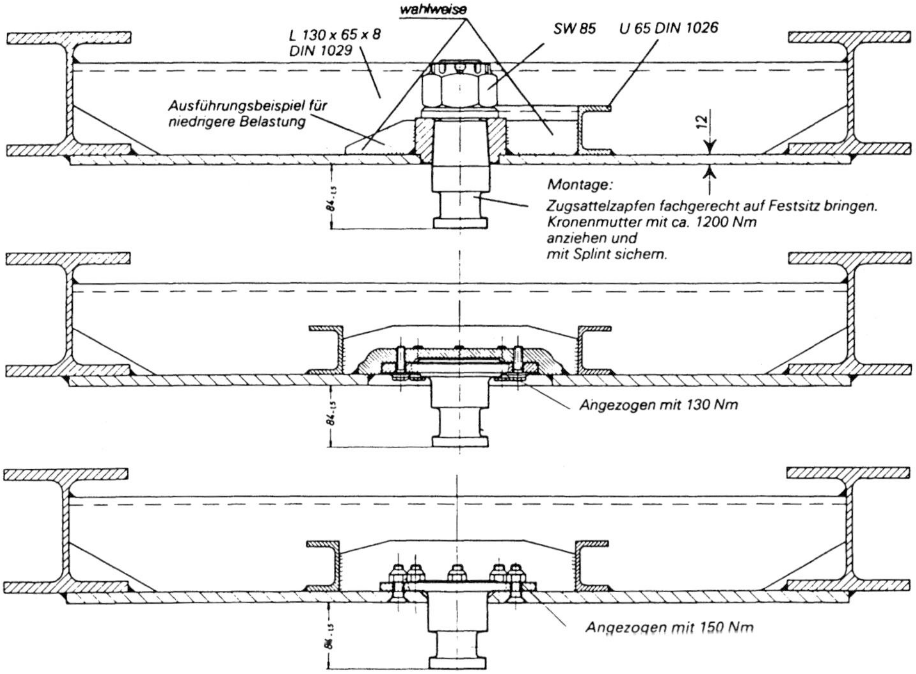


**Bild 4-111** Einbauvorschläge für Zugsattelzapfen der Bauformen. A (Flansch) und B (Konus) (Jost)

Die eigentliche Sattelkupplung besteht aus einer gelenkig um die Querachse zur Fahrtrichtung gelagerte Kupplungsplatte aus Sphäroguss, in welche die gesamte vertikale Sattellast über die Sattelplatte des Aufliegers eingeleitet wird. Dabei wird die erforderliche Gleitwirkung beim Einlenken der Sattelzugmaschine durch Einfetten (Anschluss an Zentralschmieranlage möglich) über großzügig bemessenen Schmiernuten in der Plattenoberfläche erreicht. Beidseitig der Kupplungsplatte angeordnete großvolumige stoßdämpfende Lagerungen aus Kunststoff gewährleisten die Schwenkmöglichkeit der Kupplungsplatte von mindestens ±15° um die Querachse.

Zur Montage auf dem Fahrgestellrahmen der Zugmaschine dient eine Montageplatte aus Trapezblech variabler Höhenabmessung, mit der sich die Bauhöhe im Bereich des Sattels optimieren lässt. Schubbleche in Längs- und Querrichtung entlasten die Befestigungsschrauben. Die Montageplatte liegt auf den Längsträgern des Fahrgestellrahmens auf. Die Übertragung der Schubkräfte erfolgt über Hilfsrahmenwinkel (Bild 4-112). Ob ein konkretes Zugmaschinenfahrgestell einen zusätzlichen Hilfsrahmen oder sonstige Verstärkungsprofile zur Aufnahme von Montageplatte und Sattelkupplung erfordert, ist den jeweiligen Aufbaurichtlinien des Fahrgestellherstellers zu entnehmen.

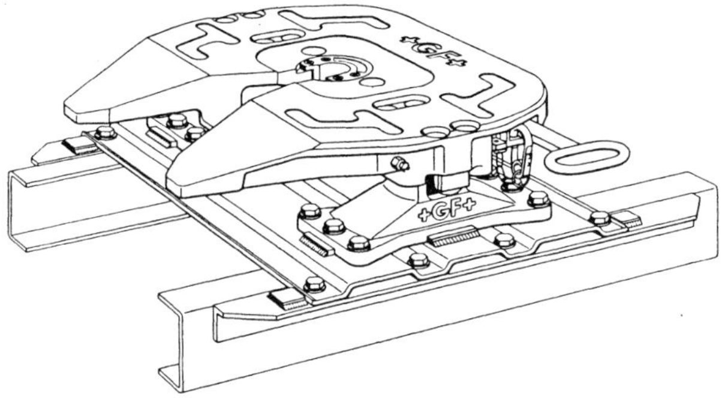


**Bild 4-112**
Montage der Sattelkupplung über Montageplatte und Hilfsrahmenwinkel (Georg Fischer)

Das Sattelvormaß (siehe Abschnitt 1.3.5) richtet sich entweder nach einer Empfehlung des Zugmaschinen-Fahrgestellherstellers oder ist das Ergebnis einer für das konkrete Fahrzeug durchgeführten Achslastberechnung (siehe Abschnitt 3.3), welche die Verteilung des Gesamtgewichtes auf die Achsen ermittelt bzw. bei vorgegebener Achslastverteilung die Lage der Sattelkupplung bestimmt.

Bei Bedarf kann über Verschiebeeinrichtungen (Bild 4-113) das Sattelvormaß einfach und schnell verändert werden. Dies ermöglicht dann das Aufsatteln von Sattelanhängern mit unterschiedlichem vorderen Überhang oder eine individuelle Achslastverteilung der Zugmaschine in Abhängigkeit von der jeweiligen Sattellast.

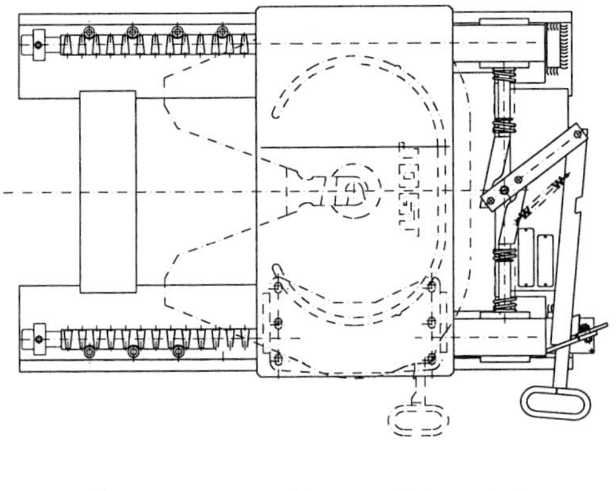

**Bild 4-113**
Verschiebeeinrichtung für Sattelkupplungen (Jost)

Um neben Mega-Trailern auf den dafür ausgelegten so genannten Low-Deck-Zugmaschinen (mit extrem niedriger Sattelhöhe) auch konventionelle Auflieger aufsatteln zu können, werden Sattelkupplungen mit Hubeinrichtungen ausgestattet. Sie lassen sich für alle Sattelkupplungen mit DIN-Anschlussmaßen verwenden. Die Verstellung erfolgt pneumatisch, die Verriegelung formschlüssig über Verriegelungsbolzen.

## 4.6 Aktive und passive Sicherheit

Im Zusammenhang mit der Verkehrssicherheit von Straßenfahrzeugen werden Maßnahmen unterschieden, die der Vermeidung von Unfällen (aktive Sicherheit) und der Verminderung von Unfallfolgen (passive Sicherheit) dienen. Die aktive Sicherheit umfasst die Bereiche Fahrsicherheit, Wahrnehmungssicherheit, Bedienungssicherheit und Konditionssicherheit. Bei der passiven Sicherheit ist zwischen Maßnahmen zu unterscheiden, die der Sicherheit der Fahrzeuginsassen (innere Sicherheit) und der Sicherheit der anderen Verkehrsteilnehmer (äußere Sicherheit) dient.

Zur Steigerung der *Fahrsicherheit* tragen bei:

- Automatischer Blockierverhinderer (ABV, ABS): Verhindert das Blockieren der Räder durch Regelung des Radschlupfes in Drehrichtung des Rades und erhält damit selbst bei Panikbremsung Fahrstabilität und Lenkfähigkeit aufrecht. Darüber hinaus wird stets für eine optimale Ausnutzung der zwischen Reifen und Fahrbahn übertragbaren Brems- und Seitenführungskräfte gesorgt. Pflichtausrüstung für alle Lastkraftwagen und deren Anhänger mit zulässigen Gesamtgewichten > 3,5 t (§ 41b StVZO).
- Antriebsschlupfregelung (ASR): Bremst bei einseitig durchdrehenden Rad/Rädern der Antriebsachse diese ab und ermöglicht dadurch den gegenüberliegenden Rad/Rädern das Antriebsmoment auf die Straße zu bringen. Drehen (z. B. bei Glatteis) beide Räder durch, wird zusätzlich die Motorleistung über die elektronische geregelte Dieseleinspritzung (EDS) gedrosselt. ASR benötigt zur Funktion Systemteile des ABS und wird daher nur in Verbindung damit angeboten.
- Elektronisch geregeltes Bremssystem (EBS, ELB): Steuert die konventionellen druckluftbetätigten Radbremsen nicht pneumatisch, sondern über Elektro-Pneumatikventile elektrisch an. Dadurch sprechen – im Gegensatz zur pneumatischen Ansteuerung – nach betätigen des Bremspedals alle Radbremsen sofort und zeitgleich an. Die Bremswege werden verkürzt.
- Telligent-Bremssystem (Daimler): Einbeziehung der Dauerbremse in das Betriebs-Bremssystem steigern Sicherheit und Wirtschaftlichkeit. Durch den so genannten Bremsassistenten wird neben dem Weg auch die Betätigungsgeschwindigkeit des Bremspedals ausgewertet, so dass die Bremsanlage auf eine Notbremssituation noch schneller reagieren kann.
- Substitution der Trommelbremsen durch Scheibenbremsen (siehe Abschnitt 4.4.3)
- Einsatz von Dauerbremsen (siehe Abschnitt 4.4.5)
- Fahrgeschwindigkeitsregler: Begrenzung der maximalen Fahrgeschwindigkeit mit der Möglichkeit, eine bestimmte Wunschgeschwindigkeit einzustellen (Tempomat). Eine Weiterentwicklung integriert die Abstandsregelung zum vorausfahrenden Fahrzeug.

Die *Konditionssicherheit* betrifft alle Maßnahmen, die geeignet sind, Leistungsfähigkeit und Wohlbefinden von Fahrer und Beifahrer auch bei langen Fahrten zu erhalten. Dazu tragen eine angenehme, individuell einstellbare Sitzposition, die Dämpfung von Schwingungen, Geräuschdämmung sowie thermische Behaglichkeit infolge guter Klimatisierung des Fahrerhauses bei.

*Wahrnehmungssicherheit* wird durch gute Sichtverhältnisse auf Fahrbahn und Cockpitinstrumentierung, Überschaubarkeit des gesamten Fahrzeuges (direkt bzw. indirekt über Spiegel), lichtstarke Beleuchtungssysteme, wirkungsvolle Reinigungssysteme für Windschutzscheibe und Scheinwerfer, akustische Warneinrichtungen sowie eine auffällige Lackierung (Sicherheitsfarben) erreicht.

Die *Bedienungssicherheit* betrifft die eindeutige und zuverlässige Funktion der Bedienelemente, von denen die für den sicheren Fahrbetrieb wesentlichen vom Fahrersitz aus gut erreichbar sein müssen.

Zur *äußeren Sicherheit* von Nutzfahrzeugen können alle Maßnahmen beitragen, welche die äußere Form des Fahrzeugs so gestalten, dass im Kollisionsfall die Verletzungen der am Unfall beteiligten anderen Verkehrsteilnehmer möglichst gering bleibt:

- Einhalten von Mindestradien und Maximalmaßen von vorstehenden Außenkanten am Fahrerhaus entsprechend Regelung ECE-R 61 [4-8]
- Hinterer Unterfahrschutz: Bietet Personenkraftwagen beim Aufprall auf das Heck eines Lastkraftwagens einen wirksamen Schutz gegen Unterfahren. Ausrüstungspflicht für alle Nutzfahrzeuge mit einem zulässigem Gesamtgewicht > 3,5 t (Klassen $N_2$, $N_3$, $O_2$ und $O_4$) für den Fall, dass der Abstand der hinteren Begrenzung bis zur letzten Hinterachse mehr als 1000 mm und das Fahrgestell in seinem hinteren Bereich in unbeladenem Zustand eine lichte Höhe von mehr als 700 mm über der Fahrbahn hat (§ 32 b StVZO und Regelung ECE-R 58).
- Seitliche Schutzvorrichtung: Soll verhindern, dass Fußgänger, Rad- oder Kraftradfahrer seitlich unter den Lastkraftwagen geraten und dann von den Rädern überrollt werden. Ausrüstungspflicht für alle Nutzfahrzeuge der Klassen $N_2$, $N_3$, $O_2$ und $O_4$, sofern die seitliche Aufbauunterkante in unbeladenem Zustand eine lichte Höhe von mehr als 550 mm über der Fahrbahn hat (§ 32c StVZO und Richtlinie 89/297/EWG). Sattelzugmaschinen, Anhänger für nicht teilbare lange Ladung (z. B. Langholz oder Stahlträger) sowie Fahrzeuge, deren praktischer Betrieb mit einer seitlichen Schutzvorrichtung unvereinbar ist (z. B. Dreiseitenkipper), sind von der Ausrüstungspflicht ausgenommen.
- Vorderer Unterfahrschutz: Soll das Unterfahren der Lkw-Front bei einem Frontalaufprall durch einen Personenkraftwagen verhindern, damit dieser seine Deformationsstrukturen effektiver einsetzen kann [4-16]. Die Einführung dieses Schutzsystemes ist insofern von großer Bedeutung, da bei frontaler Kollision zwischen Lkw und Pkw die Pkw-Insassen die größere Geschwindigkeitsänderung und damit die höhere körperschädigende Verzögerung erfahren (siehe Gln. 4-22 und 4-23). Die entsprechende Regelung ECE-R 93 ist bislang noch nicht in eine verbindliche EU-Richtlinie umgesetzt.
- Fahrzeuge mit so genanntem Plankenrahmen: Für den Lastkraftwagen bislang nur eine Studie, für Sattelanhänger bereits konstruktiv umgesetzt und im Einsatz (Bild 4-114). Der Plankenrahmen ersetzt die bisherige Leiterrahmenkonstruktion samt den mittig angeordneten Längsträgern. Das Bauprinzip beruht auf einem tragenden, hohen Außenrahmen, der unten durch eine Bodenplatte abgeschlossen wird. Bei Unfällen wirkt dieser Rahmen wie eine Leitplanke, gleichzeitig verbessert er die Aerodynamik und reduziert Geräusch- und Sprühnebelbildung.

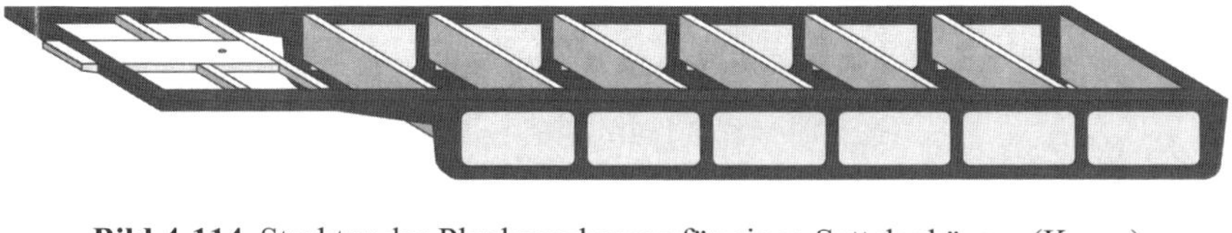

**Bild 4-114** Struktur des Plankenrahmens für einen Sattelanhänger (Krone)

Die *innere Sicherheit* dient dem Schutz der Fahrzeuginsassen. Für den Fall des Auffahrens auf ein Hindernis, des Umkippens oder Zusammenstoßes mit anderen Verkehrsteilnehmern sollten die auf die Insassen wirkenden Verzögerungskräfte minimiert werden und die Verletzungsgefahr durch scharfkantige und spitze Gegenstände im Innenraum ausgeschlossen werden. Das

Abheben vom Sitz wird – wie beim Pkw auch – durch Gurt- und/oder Airbagsysteme verhindert. Die Ausrüstungspflicht für Sicherheitsgurte besteht seit 1992; die Anlegepflicht für die Fahrt ist in § 21a StVZO vorgeschrieben.

Die Überprüfung der Steifigkeit des Fahrerhauses erfolgt bei den Fahrgestellherstellern sowohl nach dem in der ECE-Richtlinie Nr. 29 beschriebenen Pendelschlagversuch als auch einem gesonderten Pendelschlagversuch nach schwedischen Testvorschriften (Bild 4-115). Da inzwischen FE-Programme in der Lage sind, entsprechende Versuche rechnerisch zu simulieren [4-17], können Realtests mit enorm teuren handgefertigten Vorserienfahrzeugen auf einige wenige Tests zur Bestätigung der Berechnungsaussage und zum Nachweis der Vorschriftenerfüllung beschränkt werden.

Zur Abschätzung der Relation der körperschädigenden Verzögerungen für den Fall einer frontalen Kollision zwischen Pkw und Lkw seien hier für den vollplastischen Stoß die Geschwindigkeitsänderungen für beide Fahrzeuge angegeben (Berechnung nach [4-18]). Mit den Massen $m_L$ (Lkw) und $m_P$ (Pkw) beträgt für die Ausgangsgeschwindigkeiten $v_L$ und $v_P$ die Geschwindigkeitsänderung $\Delta v_L$ für den Lkw:

$$\Delta v_L = \frac{v_L + v_P}{1 + \frac{m_L}{m_P}} \tag{4-22}$$

Die Geschwindigkeitsänderung $\Delta v_P$ für den Pkw ist deutlich höher:

$$\Delta v_P = \frac{m_L}{m_P} \cdot \frac{v_L + v_P}{1 + \frac{m_L}{m_P}} \tag{4-23}$$

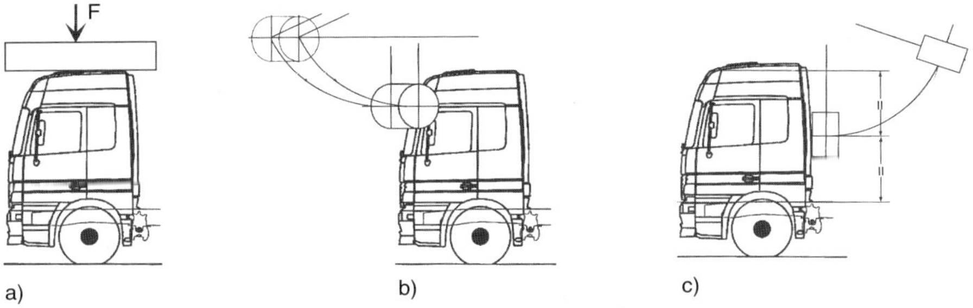


**Bild 4-115** Prüfanordnung für das Fahrerhaus nach schwedischen Prüfvorschriften: Statische Vertikalbelastung (a), Pendelschlag von vorn (b) und Pendelschlag von hinten (c) (aus [4-15])

# Literaturverzeichnis
# 4 Lastkraftwagen- und Anhängerfahrgestell


[4-1] Mercedes-Benz AG: Fahrerinformationen Nutzfahrzeuge MK/SK. Wörth, 1991

[4-2] Saab-Scania AB: Aufbau-Handbuch. 1991

[4-3] Lüger Lexikon der Technik: Fachband Fahrzeugtechnik. Rowohlt Taschenbuch Verlag, Hamburg, 1971

[4-4] BPW Bergische Achsen KG: Nfz-Programm Produktkatalog. Wiehl 2006

[4-5] Rhein, B.: Fahrwerksysteme gezogener Fahrzeuge. Verlag Moderne Industrie 2005

[4-6] Daimler: Trailer Axle Systems Produktkatalog. Kassel 2006

[4-7] Bachmann, T., Bielaczek, C., Breuer, B.: Der Reibwert zwischen Reifen und Fahrbahn und dessen Inanspruchnahme durch den Fahrer. In: ATZ 97 (1995) Nr. 10

[4-8] FEE Fahrzeugtechnik EWG/ECE, Richtlinien der Europäischen Wirtschaftsgemeinschaft für Straßenfahrzeuge und Regelungen der Economic Commission for Europe für Kraftfahrzeuge und Anhänger, Loseblatt-Textsammlung. Kirschbaum-Verlag, Bonn

[4-9] Robert Bosch GmbH (Hrsg.): Kraftfahrtechnisches Taschenbuch. Vieweg-Verlag, Braunschweig – Wiesbaden, 1999

[4-10] Klug, Hans-Peter: Nutzfahrzeug-Bremsanlagen. Vogel Buchverlag, Würzburg, 1993

[4-11] Schmidt, H., Weiler, R.: Scheibenbremsen für Omnibusse und Nutzfahrzeuge. In: ATZ 79 (1977) Nr. 9 und 12

[4-12] Wabco Standard GmbH: Systeme und Komponenten in Nutzfahrzeugen. Hannover, 1999

[4-13] Körner, W.-D., Bergmann, H., Weiß, E.: Die Motorbremse von Nutzfahrzeugen – Grenzen und Möglichkeiten zur Weiterentwicklung. In: ATZ 90 (1998) Nr. 12

[4-14] Schwab, M., Härdtle, W., Heinzelmann, K.-F.: Ein integrierter hydrodynamischer Retarder für die neue Ecosplit-Getriebereihe. In: ATZ 95 (1993) Nr. 5

[4-15] Kraftfahrt-Bundesamt (Hrsg.): Technische Anforderungen an Fahrzeugteile bei der Bauartprüfung nach § 22a StVZO, Nr. 31. Einrichtungen zur Verbindung von Fahrzeugen. 1986

[4-16] Appel, H., Middelhauve, V., Grüttert, S.: Frontschutzsysteme an Lastkraftwagen. In: ATZ 92 (1990) Nr. 3

[4-17] Alber, P., McKellip, S.: Actros – Optimierte passive Lkw-Sicherheit, Einsatz innovativer rechnerischer Simulationsmethoden. In: ATZ 98 (1996) Nr. 11

[4-18] Marguerre, K.: Technische Mechanik. Springer-Verlag, Berlin – Heidelberg – New York, 1967

# 5 Nutzfahrzeugtragwerke und deren Aufbauten

## 5.1 Werkstoffe und Halbzeuge

Traditionell werden im Nutzfahrzeugbau hauptsächlich die Werkstoffe Stahl und Holz eingesetzt. Forderungen nach gesteigerten Nutzlastverhältnissen und wirtschaftlicher Produktionsweise haben jedoch das Spektrum der eingesetzten Werkstoffe wesentlich erweitert. Neben die Baustähle S235JR (St 37-2) und S355JR (St 52-3) treten hochfeste Feinkornbaustähle und der Forderung nach Stoffleichtbau entsprechend zunehmend Aluminium-Knetlegierungen. Hölzer werden zu mehrschichtigen Sperrholzplatten veredelt, Kunststoffe eignen sich für Formteile mit sphärisch gekrümmten Flächen oder werden unter der Zielsetzung des Formleichtbaus zusammen mit Schaumstoffen zu Sandwich-Verbundplatten verarbeitet.

### 5.1.1 Eisenwerkstoffe

Schweißbare Stähle stellen nach wie vor aus primär wirtschaftlichen (Werkstoffkosten) und technologischen Gründen (Umformbarkeit, Schweißeignung) die vorherrschende Werkstoffgruppe im Nutzfahrzeugbau dar. Dabei lässt sich die Grenze der Umformbarkeit als Verhältnis $r_{i,min}/d$ des kleinsten zulässigen Biegeradius $r_{i,min}$ zur Blechdicke d beim Abkanten beschreiben, welches annähernd in direkter Abhängigkeit zur Bruchdehnung $A_5$ steht [5-1]:

$$r_{i,min}/d = \frac{1}{2}\left(\frac{100\%}{A_5} - 1\right) \tag{5-1}$$

Im direkten Vergleich zu Aluminium-Werkstoffen (Tabelle 5-1) zählen neben den Materialkostenvorteilen die höheren Festigkeitswerte (Streckgrenze $R_e$, Bruchfestigkeit $R_m$) und die größere Materialeigensteifigkeit (Elastizitätsmodul E, Gleitmodul G).

**Tabelle 5-1** Baustahl und Aluminium im Vergleich

| | S235JR | S355JR | S500MC | AlMgSi0,5 |
|---|---|---|---|---|
| Dichte ρ [kg/dm³] | 7,85 | 7,85 | 7,85 | 2,70 |
| Streckgrenze $R_e$ [N/mm²] | 235 | 355 | 500 | 160 |
| Elastizitätsmodul E [N/mm²] | 210000 | 210000 | 210000 | 70000 |
| Gleitmodul G [N/mm²] | 81000 | 81000 | 81000 | 27000 |
| Bruchdehnung $A_5$ [ %] | 26 | 22 | 16 | 10 |
| $r_{i,min}/d$ nach Gl. (5-1) | 1,4 | 1,8 | 2,6 | 4,5 |
| Schweißbarkeit | sehr gut | gut | gut | aufwändig |
| Werkstoffkosten [DM/kg] [1)] | 0,85 | 0,95 | 1,50 | 5,50 |

1) Stand April 2000

Aus Gründen des Stoffleichtbaus müsste den Aluminium-Werkstoffen eindeutig der Vorzug gegeben werden, da diese gegenüber dem Stahl eine um den Faktor drei geringere Dichte aufweisen. Nachteilig sind der deutlich höhere Materialpreis, größere Verformungen bei biegebeanspruchten Balkenstrukturen, die schlechtere Umformbarkeit, aufwändigere Schweißarbeiten und die Festigkeitseinbuße ausgehärteter Legierungen in der Wärmeeinflusszone der Schweißnähte. Vorteilhaft dagegen lassen sich Aluminium-Werkstoffe für geschlossene Aufbauten und Mulden für Kipperfahrzeuge verbauen, weil aufgrund der Bauart ein großes Flächenmoment 2. Grades vorhanden ist und somit die elastischen Verformungen gering bleiben. Für die Leiterrahmen der Fahrgestelle erweisen sich Stähle wegen ihres größeren Elastizitätsmoduls als die geeigneteren Werkstoffe. Gewichtseinsparungen werden hier durch den Einsatz hochfester Feinkornbaustähle (z. B. S500MC, S700MC) erzielt.

Für den Bau von in erster Linie auf Biegung beanspruchten Tragwerksteilen an Nutzfahrzeugen ist der nach dem Siemens-Martin-Verfahren erschmolzene unberuhigt vergossene *Baustahl S235JRG1 (USt 37-2)* ($R_m$ = 340 N/mm²; $R_e$ = 235 N/mm², $A_5$ = 26 %) der am häufigsten verwendete Werkstoff. Die Erschmelzungsart garantiert geringe Phosphor- und Schwefelgehalte, sodass das Schweißen unproblematisch ist. Da als Folge des unberuhigten Vergießens die Seigerungszone beim Walzen und Profilieren in der Blech- bzw. Profilmitte verbleibt, ergibt sich eine sehr reine Oberfläche sowie auch geringe Rissgefahr beim Umformen. Halbzeuge werden im Vergleich zu anderen Werkstoffen in großer Vielfalt (Bild 5-1) angeboten:

- warmgewalzter Flachstahl nach DIN 1017; 10 × 5 bis 150 × 60
- warmgewalzter Breitflachstahl nach DIN 59200; 150 × 5 bis 1200 × 100
- kaltgewalztes Stahlblech nach DIN EN 10131; Dicke 0,35 bis 3 mm
- warmgewalztes Stahlblech nach DIN EN 10029; Dicke > 3 mm
- warmgewalzte rundkantige L-Profile (DIN 1028 und DIN 1029), T-Profile (DIN 1024, U-Profile (DIN 1026), Z-Profile (DIN 1027) und I-Profile (DIN 1025)
- warmgewalzte rundkantige und schafkantige Spezialprofile (L, T, U, Z, ...)
- kaltprofilierte rundkantige Profile (L, U, C, Z, Hut, ...), für den Fahrzeugbau
- elektrisch geschweißte Präzisionsstahlrohre mit rechteckigen und quadratischen Querschnitten nach DIN 2395; 10 × 10 × 1 bis 100 × 100 × 5 bzw. 20 × 10 × 1 bis 120 × 80 × 5
- elektrisch geschweißte Sonderprofile (z. B. Anschlagrohre)
- kalt- oder warmgefertigte geschweißte quadratische und rechteckige Stahlbauhohlprofile nach DIN 49410 bzw. DIN 49411; 40 × 40 × 2,6 bis 400 × 400 × 16 bzw. 50 × 30 × 2,6 bis 450 × 250 × 16
- nahtlose oder geschweißte Stahlrohre nach DIN 2448 bzw. DIN 2458; 10,2 × 1,6 bis 2220 × 40
- nahtlose Präzisionsstahlrohre nach DIN 2391 oder geschweißte Präzisionsstahlrohre nach DIN 2393 und DIN 2394; 4 × 0,5 bis 260 × 25
- kaltgepresste Hilfsrahmenquerträger, rollenprofilierte Bordwandprofile

Einige warmgewalzte rundkantige Profile nach DIN sind für den Nutzfahrzeugbau nur bedingt geeignet, da sie für den Stahlhochbau konzipiert sind, eine nur sehr grobe Stufung der Querschnittsgrößen und meist geneigte Flanschinnenkanten aufweisen, was die Anbildung an andere Profile erschweren kann. Aufgrund konstanter Materialstärken eigenen sich daher insbesondere für Tragwerkskonstruktionen kaltprofilierte und kaltgepresste Profile wesentlich besser.

Durch die gegenüber den warmgewalzten Profilen deutlich geringeren Materialstärken erreichen sie bei vergleichsweise niedrigem Gewicht große axiale Widerstandsmomente $W_{ax}$. Zudem lassen sie sich problemlos schachteln. Ihr Nachteil sind die durch die Umformung verursachten Eigenspannungen. Daher sollte zur Vermeidung von Dauerbrüchen in den Umformzonen weder geschweißt noch gebohrt werden.

**Bild 5-1** Halbzeuge aus S235JRG1

Im Stahlhochbau wird alternativ zum S235JRG1 aus Gründen der Gewichtsersparnis gerne der ebenfalls gut schweißbare, doppelt beruhigt vergossene *Baustahl S355JR (St 52-3)* eingesetzt. Durch die höheren statischen Festigkeitswerte ($R_m$ = 490 N/mm²; $R_e$ = 355 N/mm², $A_5$ = 22 %) und die vermutete Chance des leichteren Bauens fand er auch Einzug in den Nutzfahrzeugbau.

Zu einer Verdrängung von S235JR kam es allerdings nicht, da sich herausstellte, dass S355JR bei dynamischer Beanspruchung wesentlich kerbempfindlicher reagiert und dadurch die Gestaltfestigkeitswerte, insbesondere bei walzrauer Oberfläche sowie konstruktiven (Bohrungen, Querschnittsübergänge) und technologisch bedingten Kerben (Einbranntkerben beim Schweißen) nur unwesentlich besser als bei S235JR sind. Daher hat der teurere S355JR nur dort eine Chance, den S235JR zu verdrängen, wo schwach gekerbte Bauteile überwiegend statisch beansprucht werden.

Da die Festigkeitssteigerung des S355JR durch Hinzulegieren von Mangan und Silizium und der damit einhergehenden Kornverfeinerung erzielt wird, liegt der Kohlenstoffgehalt mit etwa 0,2 % sehr niedrig. Dies ermöglicht Verschweißungen sowohl artgleich, mit S235JR als auch mit Feinkornbaustählen. Darüber hinaus ist durch den geringen Kohlenstoffgehalt die Gefahr der Aufhärtung an Schweißnähten und Brennkanten gebannt.

Beim Kaltumformen muss beachtet werden, dass aufgrund der geringeren Bruchdehnung beim Abkanten und Walzprofilieren größere Biegeradien vorzusehen sind. Dies kann bei geringen Höhen der Stahlleichtbauprofile konstruktive Nachteile bringen. Weil durch das doppelt beruhigte Vergießen die Verunreinigungen (Seigerungen) gleichmäßig über den gesamten Querschnitt verteilt sind (Bild 5-2), können im Bereich von Seigerungsdurchbrüchen beim Verformen leicht Risse in den Biegezonen entstehen.

Durch die genannten Nachteile hat S355JR gegenüber S235JR keinen entscheidenden Marktanteil gewinnen können. Die zur Auswahl stehende Halbzeugpalette ist entsprechend klein.

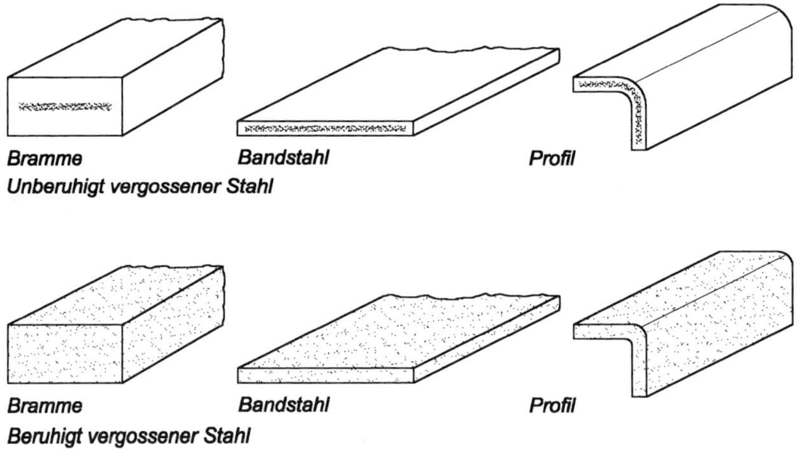


**Bild 5-2** Seigerungen in unberuhigt und beruhigt vergossenen Stählen

Prototyp der *Feinkornbaustähle* ist der S355JR, dessen höhere Streckgrenze nicht durch Steigerung des Kohlenstoffgehalts, sondern durch die kornverfeinernd wirkenden Legierungselemente Mangan und Silizium erreicht wird. Eine weitere Streckgrenzenerhöhung durch Vermehrung des Kohlenstoffgehalts scheidet aus, da die damit verbundene Perlitmehrung die Schweißeignung stark herabsetzt. Durch Hinzulegieren geringer Mengen von Vanadium, Niob und Titan wird jedoch sowohl der Perlitanteil vermindert als auch durch Kornverfeinerung die Streckgrenze erhöht (siehe Tabelle 5-2). Dies ist bei gleichzeitiger Senkung des Kohlenstoffgehalts auf etwa 0,1 % möglich. Eine gezielte thermomechanische Behandlung beim Auswalzen des Stahls führt zu weiterer gewünschter Kornverfeinerung. Dazu muss der Prozess des Erwärmens, Walzens und Abkühlens genau gesteuert werden.

**Tabelle 5-2** Mechanische Eigenschaften von Feinkornbaustählen

| Kurzbezeichnung | $R_m$ (N/mm²) | $R_e$ (N/mm²) | $A_5$ (%) |
|---|---|---|---|
| QStE 340TM | 420 | 340 | 25 |
| QStE 380TM | 450 | 380 | 23 |
| S420MC (QStE 420 TM) | 480 | 420 | 21 |
| S460MC (QStE 460 TM) | 520 | 460 | 19 |
| S500MC (QStE 500 TM) | 550 | 500 | 17 |
| S700MC (QStE 690 TM) | 790 | 690 | 16 |
| XABO 90 | keine Angaben | 890 | keine Angaben |

Die wichtigsten Verarbeitungseigenschaften sind die Kaltumformbarkeit und die Schweißeignung. Die Kaltumformbarkeit ist insbesondere für das Verpressen von Längs- und Querträgern von Lkw-Leiterrahmen (Bild 5-3) von Bedeutung. Feinkornbaustähle sind hier den konventionellen Baustählen vergleichbarer Festigkeit infolge des hohen Reinheitsgrades der Schmelze und des perlitarmen Gefüges überlegen.

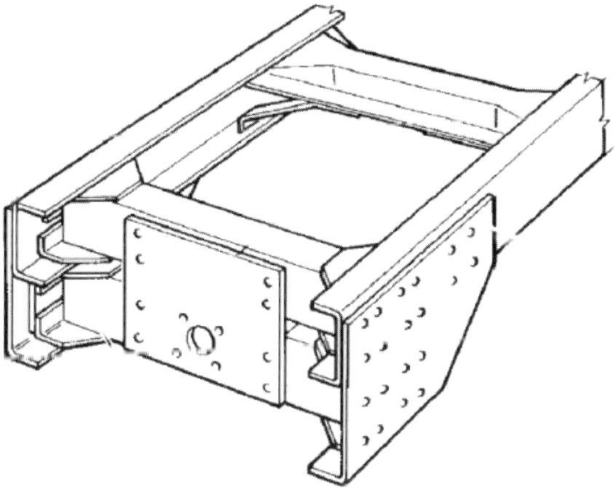

**Bild 5-3** Kaltgepresste Längs- und Querträger (IVECO)

Für die Nahtvorbereitung zum Schweißen empfehlen sich neben dem Scheren die Thermischen Trennverfahren Plasmaschneiden und Laserschneiden, die gegenüber dem Brennschneiden infolge der höheren Schneidgeschwindigkeit weniger Wärme einbringen und damit eine kleinere Wärmeeinflusszone mit deutlich geringerem Verzug ergeben. Vorwärmen der Schnittkanten ist in der Regel erst ab Blechdicken von über 30 mm erforderlich. Enthält der Plasmastrahl Luft, muss nach dem Schneiden eine 0,2 mm dicke Schicht, die Stickstoff absorbiert hat, abgetragen werden. Alle Feinkornbaustähle sind nach allen Verfahren sowohl von Hand als auch maschinell schweißbar. Die wichtigsten beim Schweißen zu berücksichtigenden und aufeinander abzustimmenden Parameter sind die Zusammensetzung des Grund- und Schweißzusatzwerkstoffes, die Art des Schweißverfahrens, Dicke und Nahtform der zu verschweißenden Bleche, die auf die geometrischen Abmessungen der Verbindung bezogene eingebrachte Wärmeenergie und die Wärmebehandlung vor und nach dem Schweißen. Um Kaltrisse zu vermeiden, kann es erforderlich sein, unter Vorwärmung zu schweißen. Inwieweit ein Stahl kaltrissempfindlich ist, lässt sich anhand des Kohlenstoffäquivalents abschätzen.

Zur Vermeidung unnötiger Eigenspannung sollten folgende Schweißregeln beachtet werden:

- Schweißbeginn an der unbeweglichsten Stelle, d. h. Schweißfortschritt zu den freien Enden hin
- Vermeidung von Nahtanfängen und -enden in hochbeanspruchten Zonen
- Verwendung von möglichst duktilen und eventuell niedrigfesteren Schweißzusatzwerkstoffen
- Anwendung des symmetrischen Schweißens
- Minimierung der Schweißnahtbreite

Bei hochbeanspruchten Konstruktionen muss die Abkühlzeit $\Delta t_{8/5}$ auf 10 bis 25 s begrenzt werden. Das ist die Zeit, die während des Abkühlens einer Schweißraupe und ihrer Wärmeeinflusszone benötigt wird, um den Temperaturbereich zwischen 800 und 500 °C zu durchlaufen.

Im schmelzgrenzennahen Bereich der Schweißnaht bildet sich infolge der hohen Temperaturen eine Zone mit etwas niedrigerer Härte als im Grundwerkstoff; eine Aufhärtung der Schweißzone ist aufgrund des geringen Kohlenstoffgehalts des Grundwerkstoffes gar nicht möglich. Zugversuche quer zur Schweißnaht zeigen die gleiche Zugfestigkeit wie im Grundwerkstoff. Spannungsarmglühen nach dem Schweißen (bei 530 bis 580 °C) reduziert Eigenspannungen, ist aber bei Beachtung der einschlägigen Schweißregeln nicht grundsätzlich erforderlich. Beim Flammrichten zur Beseitigung von Beulen, Winkelverzug und Verwerfungen sollte zur Vermeidung einer Werkstoffschädigung durch Austenitisierung eine Spitzentemperatur von 700 °C nicht überschritten werden.

Typische Anwendungsfälle für Feinkornbaustähle im Nutzfahrzeugbau sind Leiterrahmen für Fahrgestelle sowie Ladekrane, Ladebordwände, Achsrohre und Radschüsseln. Werkstoffqualitäten höchster Festigkeit werden insbesondere in Auto-Teleskopkranen verbaut. Für besonders dem abrasiven Verschleiß ausgesetzte Kippermulden, Müllsammelfahrzeugaufbauten und Trommeln von Betonmischern werden bevorzugt mit Mangan legierte Werkstoffe eingesetzt (z. B. Hardox 400, Fa. SSAB Tunnplat).

Das Halbzeugangebot beschränkt sich auf Bleche mit Materialstärken zwischen 2 und 16 mm.

Für Tankaufbauten zum Transport flüssiger Lebensmittel (z. B. Milch) und korrosiv wirkender Medien (Säuren, Laugen) werden *nichtrostende Stähle* nach DIN 17440 eingesetzt. Da aus technologischen Gründen meist sowohl gute Umformbarkeit als auch Schweißbarkeit gefordert werden, kommen hier austenitische Stähle mit etwa 18 % Chrom- und 10 % Nickelanteil zum Einsatz. Für die hygienisch anspruchsvollen Aufbauten zum Lebensmitteltransport wird der „V2A"-Stahl" X5 CrNi 18 10 ($R_m$ = 500 N/mm$^2$, $R_e$ = 195 N/mm$^2$, $A_5$ = 45 %) bevorzugt. Für korrosiv wirkende Chemikalien werden die zusätzlich mit etwa 3 % Molybdän legierten „V4A"-Stähle (z. B. X2 CrNiMo 18 14 3) eingesetzt.

„V2A“ und „V4A“ sind alte Werksbezeichnungen der Firma Krupp und zu einer präzisen Werkstoffkennzeichnung ungeeignet. Besser sollten die entsprechenden Norm-Bezeichnungen mit Angabe der Werkstoffnummer (z. B. 1.4301 für X5 CrNi 18 10) verwendet werden.

Als Halbzeuge für Tankaufbauten werden Bleche, für die Anschlussstutzen Rohre verwendet.

### 5.1.2 Aluminium-Knetlegierungen

Die Anwendung des Leichtbauwerkstoffes Aluminium im Nutzfahrzeugbau begann bereits kurz nach dem ersten Weltkrieg. Beispiele aus dieser Zeit sind aluminiumbeplankte, auf ein Stahlchassis gesetzte Aufbauten von Omnibussen. Heute hat Aluminium insbesondere bei Kofferaufbauten (Bild 5-4) die traditionellen Werkstoffe Stahl und Holz verdrängt. Ebenso werden Bordwände von Pritschen fast ausschließlich und vollständige Pritschenaufbauten schon teilweise ganz aus Aluminiumhalbzeugen gefertigt. Weitere Einsatzgebiete sind Tank- und Siloaufbauten, Kippermulden, Verladeschienen und Kraftstoffbehälter.

**Bild 5-4** Ganzaluminium-Klappwand-Kofferaufbau (GROSS Aluminium)

Als Halbzeuge werden kaltgewalzte Bleche und stranggepresste Profile (offen und geschlossen) mit nahezu unbegrenzten Gestaltungsmöglichkeiten (Bild 5-5) angeboten bzw. können mit kundeneigenen Werkzeugen im Aluminiumwerk gepresst werden. Sie zeichnen sich gegenüber den warmgewalzten oder kaltgezogenen bzw. -profilierten Stahlprofilen insbesondere durch eine ausgezeichnete Oberflächenbeschaffenheit und sehr gute Maßhaltigkeit aus.

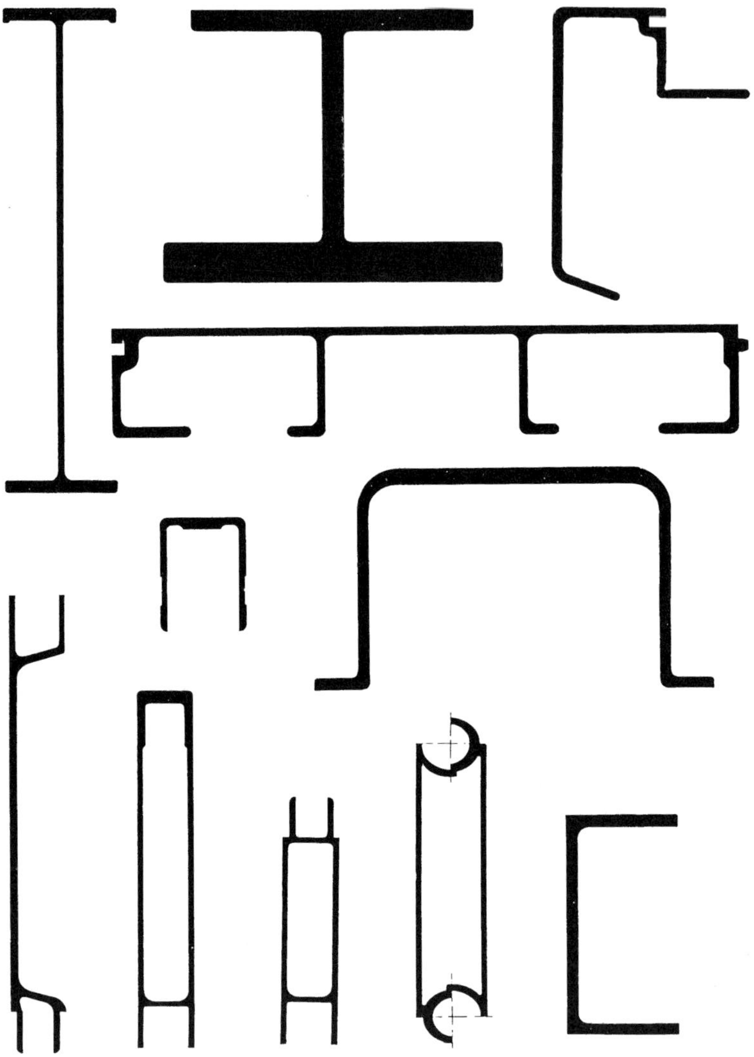

**Bild 5-5** Halbzeuge aus Aluminium-Knetlegierungen

In Tabelle 5-3 sind die im Nutzfahrzeugbau üblicherweise verwendeten Aluminium-Knetlegierungen mit ihren mechanischen Eigenschaften zusammengestellt. Die Werkstoffe des Typs AlMn, AlMg und AlMgMn sind nicht aushärtbar. Festigkeiten, die über dem Niveau des Zustandes „weich" liegen, ergeben sich allein durch Kaltverfestigung beim Kaltwalzen. Aushärtbare Legierungen sind vom Typ AlMgSi, AlZnMg, AlCuMg oder AlZnMgCu. Die Festigkeitssteigerung erfolgt hier durch eine Wärmebehandlung mit den Stufen Lösungsglühen, Abschrecken und Auslagern. Geschieht letzteres bei höheren Temperaturen, spricht man von Warmauslagern, im anderen Fall, d. h. bei Raumtemperatur, von Kaltauslagern.

**Tabelle 5-3** Mechanische Eigenschaften von Aluminium-Knetlegierungen

| Werkstoff-Kurzzeichen | | Halbzeugart | $R_m$ (N/mm²) | $R_e$ (N/mm²) | $A_5$ [ %] | Zustand |
|---|---|---|---|---|---|---|
| AlMg3 | W19 | Bleche | 190 | 80 | 20 | weich |
| | F22 | | 220 | 165 | 9 | kaltgewalzt |
| | G22 | | 220 | 130 | 14 | rückgeglüht |
| | F26 | | 290 | 250 | 3 | kaltgewalzt |
| | F18 | Profile | 180 | 80 | 14 | gepresst |
| AlMg2,7Mn | F22 | Bleche | 215 | 100 | 17 | warmgewalzt |
| | G25 | | 245 | 180 | 10 | rückgeglüht |
| | G27 | | 270 | 200 | 9 | rückgeglüht |
| AlMg4,5Mn | W28 | Bleche | 275 | 125 | 17 | weich |
| | G31 | | 310 | 205 | 10 | rückgeglüht |
| | G35 | | 345 | 270 | 6 | rückgeglüht |
| | F27 | Profile | 270 | 140 | 12 | gepresst |
| AlMgSi0,5 | F22 | Profile | 215 | 160 | 12 | warmausgehärtet |
| | F25 | | 245 | 195 | 10 | |
| AlMgSi0,7 | F26 | Profile | 260 | 215 | 8 | warmausgehärtet |
| | F27 | | 270 | 225 | 8 | |
| AlMgSi1 | F28 | Profile | 275 | 200 | 12 | warmausgehärtet |
| | F31 | | 310 | 260 | 10 | |
| | F28 | Bleche | 275 | 200 | 14 | |
| | F30 | | 295 | 245 | 9 | |
| | F32 | | 315 | 255 | 10 | |
| AlZn4,5Mg1 | F35 | Profile | 350 | 290 | 10 | warmausgehärtet |
| | F35 | Bleche | 350 | 275 | 10 | |

Die in Tabelle 5-3 aufgeführten Aluminiumlegierungen sind sämtlich unter Schutzgas sowohl WIG- als auch MIG-schweißbar. Zu beachten ist, dass in der Schweißzone die statischen Festigkeitswerte deutlich abfallen (beim Typ AlMgSi auf $R_e$ = 115 N/mm², bei AlZn4,5Mg1 auf $R_e$ = 205 N/mm² .

Zur Erzielung einwandfreier Schweißnähte sind die Kanten der zu verbindenden Teile gründlich zu säubern und mit Industriealkohol zu entfetten. Direkt vor Beginn der Schweißarbeiten empfiehlt sich eine mechanische Entfernung der Oxidschicht durch Schaben oder Feilen. Weiterhin ist der Kontakt von Schweißzone und Zusatzwerkstoff mit Handschweiß zu vermeiden.

Bei schwellender und wechselnder Beanspruchung wirken sich die Art der Schweißverbindung und die Geometrie der Fügestelle so gravierend auf die Gestaltfestigkeit $\sigma_G$ des Bauteils aus, dass die Schwellfestigkeit (etwa 70 N/mm²) und die Wechselfestigkeit (etwa 50 N/mm²) in den Schweißnähten nahezu unabhängig von der Festigkeit des Grundwerkstoffes sind. Eine höhere Grundwerkstofffestigkeit lässt sich daher konstruktiv nur dann ausnutzen, wenn die Schweißnähte in Zonen geringerer Beanspruchung gelegt werden. Alternativ können die Fügeverfahren Schrauben, Nieten oder Kleben angewendet werden, die keine Gefüge- bzw. Festigkeitsänderung im Grundwerkstoff bewirken.

Bild 5-6 zeigt einen Silo-Kippsattelrahmen mit Längsträgern, die aus zwei unterschiedlichen T-förmigen Profilen aus AlMgSi1 F31 hergestellt sind. Der kurze Steg des unteren Flanschprofils sorgt dafür, dass die beiden Längskehlnähte nicht im hoch beanspruchten Flansch, sondern in Richtung der neutralen Faser des im wesentlichen auf Biegung beanspruchten Querschnitts liegen, um der niedrigen Festigkeit der Schweißverbindung so weit wie möglich Rechnung zu tragen. Im vorderen Bereich des Längsträgers wird nur dieses niedrige Profil entsprechend der Schwanenhalskontur kalt gebogen. Das obere, hochstegige Profil läuft durch und wird lediglich im Stegbereich beschnitten, um die im vorderen Teil gewünschte niedrige Höhe des Trägerquerschnitts zu realisieren.

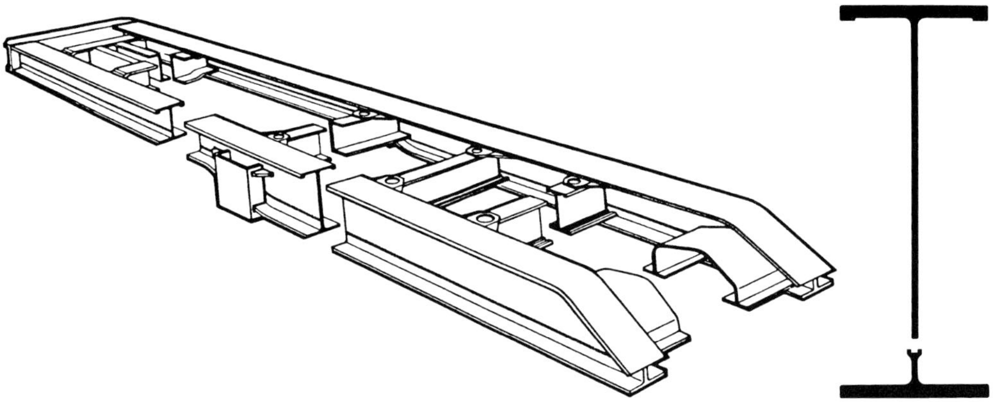

**Bild 5-6** Geschweißter Aluminium-Kippsattelrahmen (Alusuisse Road & Rail AG)

Aus Tabelle 5-1 ist zu entnehmen, dass die Umformeigenschaften von Aluminiumlegierungen deutlich schlechter als bei Stählen sind. Dies betrifft sowohl die Tiefziehfähigkeit als auch die minimal möglichen Radien beim Abkanten. Dementsprechend sind die gestalterischen Freiheiten von Aluminiumkonstruktionen eingeschränkt.

### 5.1.3 Holz

Heute wird Holz im Nutzfahrzeugbau kaum noch als Massivholz, sondern als technisches Sperrholz (Plywood) aus mehrlagig verleimten Buchefurnieren (Bild 5-7) verwendet. Haupteinsatzgebiete sind Innenverkleidungen, Stirnwände, Trennwände, Verschleißböden, Kompaktböden und Schalldämmplatten. Letztere besitzen zur Körperschalldämmung eine Mittelschicht aus einer biegeweichen Schwerfolie. Buchenholz zeichnet sich sowohl durch eine gleichmäßige und dichte Faserstruktur als auch eine hohe Härte (HB = 34 kp/mm$^2$) aus. Zu Fahrzeugbauplatten verarbeitet beträgt die Rohdichte $\rho$ etwa 0,74 kg/dm$^3$. Bedingt durch die Faserstruktur und die Ausrichtung der einzelnen Furnierschichten sind die mechanischen Eigenschaften anisotrop. Elastizitätsmodul und Biegefestigkeit sind zudem von der Plattendicke abhängig (Tabelle 5-4). Die konkrete Auslegung (siehe Abschnitt 5.4.5) von Fahrzeugböden wird dadurch erleichtert, dass die Anbieter für die Lastfälle Flächenlast und Punktlast die Grenzen der Belastbarkeit in kN bzw. kN/m² in Abhängigkeit von Plattendicke, Stützweite und Faserverlauf angeben.

**Tabelle 5-4** Mechanische Eigenschaften von Sperrholz-Fahrzeugbauplatten (Glunz AG)

| Dicke (mm) | Lagenzahl | Biege-Elastizitätsmodul (N/mm²) | | Biegefestigkeit (N/mm²) | |
|---|---|---|---|---|---|
| | | längs | quer | längs | quer |
| 9 | 5 | 11000 | 4500 | 110 | 50 |
| 15 | 9 | 9000 | 5500 | 80 | 70 |
| 21 | 11 | 9000 | 6500 | 85 | 65 |
| 35 | 17 | 8500 | 6500 | 75 | 60 |
| 50 | 21 | 8500 | 6500 | 75 | 60 |

**Bild 5-7**
Kompaktboden mit gesiebter Oberfläche (Blomberger Holzindustrie)

Tabelle 5-5 gibt einen Überblick über das Angebot an verschiedenen Bauarten der Sperrholz-Fahrzeugbauplatten. Je nach Verwendungszweck und Belastung unterscheiden sich Dicken, Oberflächen und Halbzeugformate.

**Tabelle 5-5** Bauarten von Sperrholz-Fahrzeugbauplatten (Glunz AG)

| Art der Platte | Dicken (mm) | Oberflächen | Formate |
|---|---|---|---|
| Innenverkleidung | 6, 8 | beidseitig geschliffen, unbehandelt | 2500 × 1500<br>2500 × 1850 |
| Stirnwand | 18, 21 | beidseitig kunstharzfilmbeschichtet (lackierfähig), dunkelbraun | 2500 × 1800 |
| Trennwand | 14, 15, 16, 18 | Folien in diversen Oberflächenstrukturen und Farbtönen | 2500 × 1650 |
| Verschleißboden (Doppelboden) | 9, 11, 12, 15 | beidseitig phenolharzfilmbeschichtet, einseitig gesiebt, einseitig glatt, dunkelbraun | 2440 × 1500<br>max. 5500 × 2440 |
| Kompaktboden (selbsttragend) | 18, 21, 24, 27, 28, 30, 35 | beidseitig phenolharzfilmbeschichtet, einseitig gesiebt, einseitig glatt, dunkelbraun | 2440 × 1500 für Längsträgerunterzüge<br>1500 × 2440 für Querträgerunterzüge<br>max. 5500 × 2440 |
| Schalldämmplatte | 10, 12, 15 | geschliffen bzw. beschichtet in diversen Ausführungen | 2440 × 1250 |

### 5.1.4 Kunststoffe

Dem allgemeinen Tendenz im Fahrzeugbau folgend, werden auch bei Nutzfahrzeugen zunehmend Kunststoffe verbaut, die aufgrund ihrer niedrigen Dichte, großer konstruktiver Gestaltungsfreiheit, Korrosionsbeständigkeit, ansprechender Oberfläche und auch aus Kostengründen Stahl als Werkstoff ersetzen. Während thermoplastische Kunststoffe insbesondere im Innenbereich der Fahrerhäuser zu finden sind, kommen glasfaserverstärkte Duroplaste sowohl in tragender als auch verkleidender Funktion im Außenbereich der Fahrgestelle und Aufbauten zum Einsatz.

Glasfaserverstärkte Kunststoffe (GFK) in Form von Flachbahnen haben ein weites Anwendungsgebiet. Sie werden als Außen- und Innenhaut von Lkw-Aufbauten, Omnibus- und Tankwagenverkleidungen, Wohn- und Verkaufswagen sowie für Container und Kühlraumeinrichtungen verwendet. Der überwiegende Produktionsanteil wird allerdings zu Verbundplatten mit Kernen aus Hartschaum verarbeitet. GFK-Flachbahnen haben gute Festigkeits- und Steifigkeitswerte ($R_m$ = 140 – 160 N/mm$^2$; E = 8000 – 9000 N/mm$^2$) bei niedriger Dichte ($\rho$ = 1,3 – 1,5 kg/dm$^3$), sie lassen sich verkleben und lackieren. Flachbahn-Halbzeuge werden bei 1 bis 3 mm Materialdicke und 2000 bis 3200 mm Breite endlos produziert und zu Rollen mit etwa 60 m Länge konfektioniert. Standardfarben sind farblos (80 bis 90 % Lichtdurchlässigkeit) und weiß (Angaben PECOLIT).

GFK-Profile finden als Eck-, Türkanten- und Dachkantenprofile von Kofferaufbauten Verwendung. Aus laminierten GFK-Formteilen bestehen Dachspoiler (Bild 5-8), Endkantenklappen an Sattelzugmaschinenfahrerhäusern (Sideflaps), seitliche Fahrgestellverkleidungen sowie Dachschlafkabinen (Topsleeper).

Innenausbauten von Kastenwagen, die dem Frischfleischtransport dienen, erfordern aus hygienischen Gründen leicht zu reinigende und zu desinfizierende Innenwände (Deutsche Fleischhygieneverordnung und Richtlinie 91/497/EWG). Um diesen Anforderungen zu genügen, bestehen die entsprechenden Innenausbauten der Fahrzeuge im unteren Bereich aus einteiligen GFK-Wannen (Bild 5-9).

**Bild 5-8** Dachspoiler aus GFK (Evels)

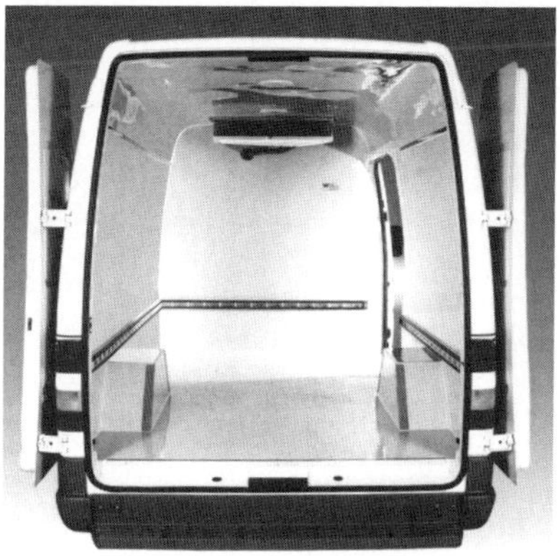

**Bild 5-9** Frischdienst-Ausbau mit GFK-Wanne (Winter Fahrzeugtechnik)

### 5.1.5 Sandwichwerkstoffe

Sandwichwerkstoffe für Nutzfahrzeugbau sind ausschließlich Verbund-Plattenmaterialien, die bevorzugt für im Baukastensystem erstellte Kofferaufbauten (siehe Abschnitt 5.4.6), Verkaufsfahrzeuge, Pkw-Anhänger und Wohnmobile verwendet werden. Sie bestehen aus zwei mechanisch hochbeanspruchbaren Deckschichten von geringer Materialstärke, die durch einen spezifisch leichten Kern aus Kunststoffhartschaum oder einer Waben- bzw. Wellenkonstruktion auf Abstand gehalten werden (Bild 5-10).

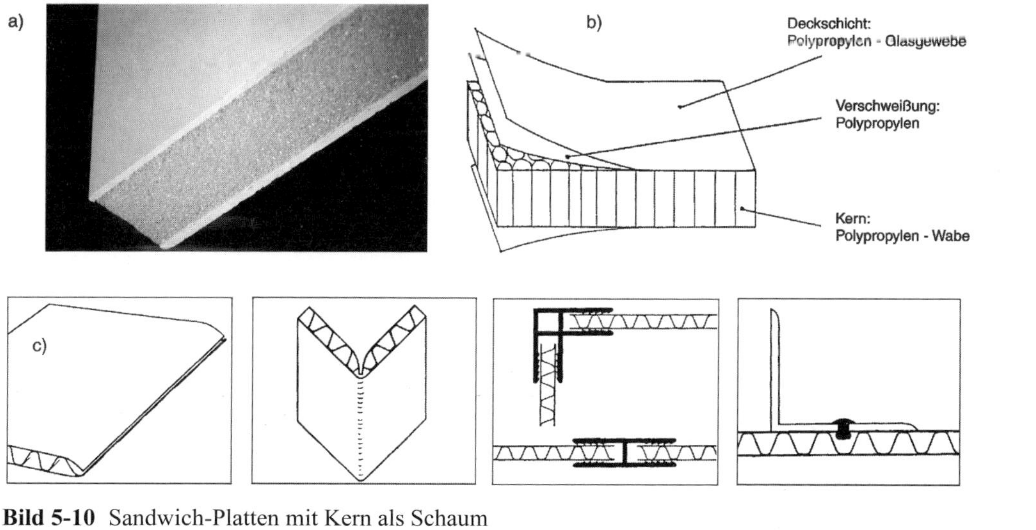


**Bild 5-10** Sandwich-Platten mit Kern als Schaum (a) (carlier plastiques), Wabe (b) (WIHAG) und Welle (c) (VAW)

Bei Biegebelastung nehmen die Deckschichten infolge ihrer höheren Materialeigensteifigkeit (Elastizitätsmodul) Zug- und Druckspannungen auf, der Kern überträgt Schubspannungen. Weiterhin verhindert er durch Abstützwirkung die aufgrund der geringen Materialstärke der Deckschichten sonst bestehende Beul- und Knickgefahr.

Als Deckschichtmaterialien werden Stahl, Aluminium (Al), GFK und glasfaserverstärktes Polypropylen (PP) verwendet. Durch die glatte und ebene wie auch haftfähige Oberfläche sind alle diese Materialien gut lackierbar. Kerne können aus Polyurethanschaum (PUR), Balsaholz, Aluminiumwellen oder PP-Waben bestehen. Sandwichplatten zeichnen sich gegenüber anderen (massiven) Plattenmaterialien in erster Linie durch ihre Gewichtsvorteile aus. Kerne aus Hartschäumen ergeben bei Materialstärken bis zu maximal 130 mm zusätzlich ausgezeichnete Isolierwirkung für tiefgekühlte Kofferaufbauten.

Zur schubfesten Verbindung müssen die Deckschichten auf dem Kern gut haften. Dazu werden die Deckschichten üblicherweise auf den Kern geklebt. Allein der Sandwichwerkstoff aus PP-Deckschichten auf PP-Waben lässt sich unter Wärmeeinwirkung ohne Zusatzwerkstoff verschweißen.

Die angebotenen Halbzeugabmessungen orientieren sich an den gesetzlich maximal möglichen Abmessungen der Kofferaufbauten von Sattelanhängern und betragen in Standardausführung 12700 mm × 2440 mm, in Sonderausführung 13500 mm × 3150 mm.

Zur Beurteilung des durch ein Sandwichprodukt erzielten Leichtbaueffektes müssen alternative Plattenmaterialien untereinander vergleichbar gemacht werden. Tabelle 5-6 zeigt deshalb gegenüber stellend Sandwichplatten gleicher Biegesteifigkeit. Dabei weisen die 2500 mm langen und 1250 mm breiten Platten mit 1000 N mittiger Linienlast eine einheitliche maximale Durchbiegung von 62 mm auf.

**Tabelle 5-6** Plattenmaterialen gleicher Biegesteifigkeit im Vergleich (Angaben WIHAG)

| Paneeltyp | Materialstärke (mm) | Druckfestigkeit ($N/mm^2$) | Gewicht ($kg/m^2$) |
|---|---|---|---|
| Sperrholz mit Phenolharzbeschichtung | 18 | 3,7 | 18 |
| PUR-Schaum mit 0,6 mm Stahldeckschicht | 10 | 1,5 | 10 |
| PUR-Schaum mit 1,5 mm GFK-Deckschicht | 27 | 2,5 | 8 |
| PP-Wabe mit 0,8 mm Deckschicht aus glasfaserverstärktem PP | 24 | 3,1 | 4,5 |

Sandwichplatten mit Hartschaum-Kern ermöglichen die Einbettung von Kanälen oder Ankerschienen zum Verzurren, Abstützen oder Einziehen von Zwischenböden (Bild 5-11). Kanäle werden dazu vor dem Aufbringen der Deckschichten in den Kern eingelegt, für das Einlassen von Schienen wird zusätzlich die innenliegende Deckschicht entsprechend ausgespart. Sandwichplatten aus Polypropylen bieten die Möglichkeit der thermischen Verformung. Sicken lassen sich ohne Aufbrechen der Deckschicht thermisch eindrücken, Kanten können thermisch verschlossen werden (Bild 5-12).

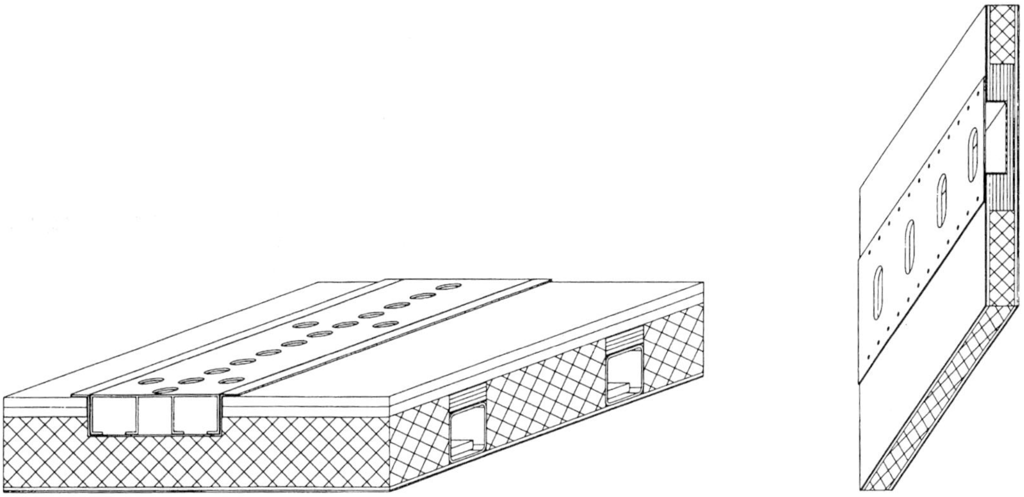

**Bild 5-11** Einbettung von Heizkanälen (Blumentransport) und Ankerschienen in Sandwichplatten mit Hartschaumkern (PECOLAR)

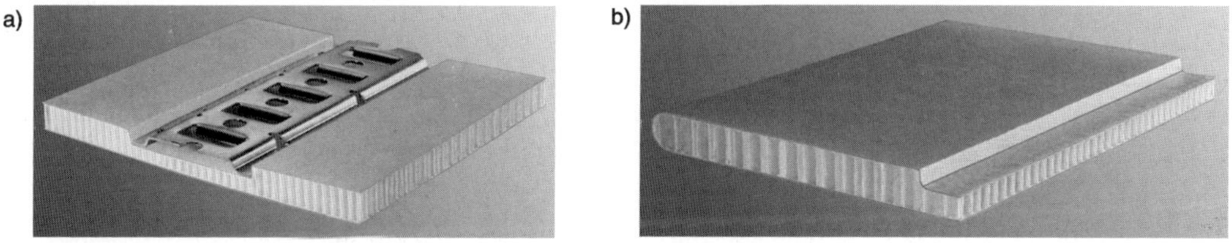


**Bild 5-12** Thermisch eingedrückte Sicke für Ankerschiene (a) und thermisch verschlossene Kante in Sandwichplatte aus Polypropylen (b) (WIHAG)

# 5.2 Gestaltung der Tragwerke

## 5.2.1 Tragsystem Fahrgestellrahmen

Jedes Nutzfahrzeug benötigt ein geeignetes Tragsystem, welches Befestigungsmöglichkeiten für das Fahrwerk bietet und die Gewichtskräfte aus Eigenmasse und Nutzlast aufnimmt, weiterleitet und auf dieses überträgt.

Grundsätzlich kann man drei Typen von Tragsystemen unterscheiden:

- Der Fahrgestellrahmen ist volltragend; der Aufbau bildet nur die Hülle für die Nutzlast.
- Der Fahrgestellrahmen und der Aufbau tragen anteilig (mittragend). Dabei ergibt sich das Problem, die Biege- und Torsionssteifigkeiten von Fahrgestellrahmen und Aufbau so aufeinander abzustimmen, dass sich die gewünschte Aufteilung der Tragfunktion ergibt. Beispielsweise hätte ein starr mit dem Fahrgestellrahmen verbundener Kofferaufbau allein aufgrund seiner Gestaltung sowohl eine wesentlich höhere Biege- als auch Torsionsteifig-

keit als der darunter angeordnete Fahrgestellrahmen. Dadurch wären sowohl der Kofferaufbau als auch die Verbindungselemente zum Fahrgestellrahmen großen Belastungen ausgesetzt und deren Dauerhaltbarkeit gefährdet.

- Der ohnehin vorhandene Aufbau ist selbsttragend und übernimmt alle auftretenden Kräfte, ein Fahrgestellrahmen fehlt ganz. Dazu muss der Aufbau als Röhre mit schubsteifen Wänden, Boden und Decke ausgebildet sein.

Im Nutzfahrzeugbau haben sich Lastkraftwagen und Anhänger mit volltragenden Fahrgestellrahmen durchgesetzt, während Omnibusse und Personenkraftwagen fast ausschließlich selbsttragend ausgeführt werden.

Volltragende Fahrgestellrahmen bieten folgende Vorteile:

- Verwendungsmöglichkeit für verschiedene Aufbauten
- von den Aufbauten unabhängige wirtschaftliche Serienfertigung
- weitgehende Freiheit bei der Gestaltung, solange die Anschlussbedingungen für die Aufbauten ähnlich bleiben
- geringe Beanspruchung der Aufbauten. Dabei ist darauf zu achten, dass bei besonders biege- und torsionssteifen Aufbauten die Anschlüsse an den Fahrgestellrahmen nachgiebig auszuführen sind.

Die unterschiedlichen Rahmenkonzeptionen unterscheiden sich durch den Rahmengrundriss (Anordnung der tragenden Elemente zueinander) und den Stilquerschnitt (Querschnittsform der tragenden Elemente). Übliche Lastkraftwagenrahmen werden als so genannte Leiterrahmen (Zweistiel-Flachrahmen) ausgebildet, welche in jedem Fall biegesteif und in Abhängigkeit der Form der Profilquerschnitte entweder torsionsweich oder torsionssteif sind. Bei torsionsweichen Fahrgestellrahmen bestehen Längs- und Querträger aus offenen Profilen (U, I, Hut). Sie weisen bei großem axialen Flächenmoment 2. Grades $I_{ax}$ ein relativ kleines polares Flächenmoment $I_p$ auf. Geschlossene Profile etwa gleicher Hauptabmessungen sind um ein vielfaches torsionssteifer (Tabelle 5-7). Die Wahl richtet sich hier nach den Fahrbahneigenschaften (Einsatz auf der Straße/im Gelände) und der Torsionssteifigkeit des Aufbaus bzw. der Nachgiebigkeit der Aufbaubefestigung. Während Fahrzeuge für den Straßeneinsatz mit kaum mehr als $\pm 2°$ Verwindung der Radaufstandsfläche rechnen müssen, sind im Gelände Spitzenwerte von bis zu $\pm 20°$ möglich, was bei einer Spurweite von 2000 mm einer Höhendifferenz von etwa 700 mm entspricht. Um für solche Einsatzbedingungen die Fahrwerksfederung bezüglich des erforderlichen Hubes zu entlasten, werden – falls die Aufbaukonstruktion es zulässt – die Fahrgestellrahmen bewusst verwindungsweich ausgeführt (Bild 5-13).

**Tabelle 5-7** Statische Werte offener und geschlossener Profile im Vergleich

| Profil | A ($cm^2$) | $I_{ax}$ ($cm^4$) | $W_{ax}$ ($cm^3$) | $I_p$ ($cm^4$) | $W_p$ ($cm^3$) |
|---|---|---|---|---|---|
| U 200 × 100 × 7,5 | 29 | 1790 | 179 | 6 | 8 |
| Rechteckrohr 200 × 100 × 5 | 29 | 1520 | 152 | 1410 | 300 |

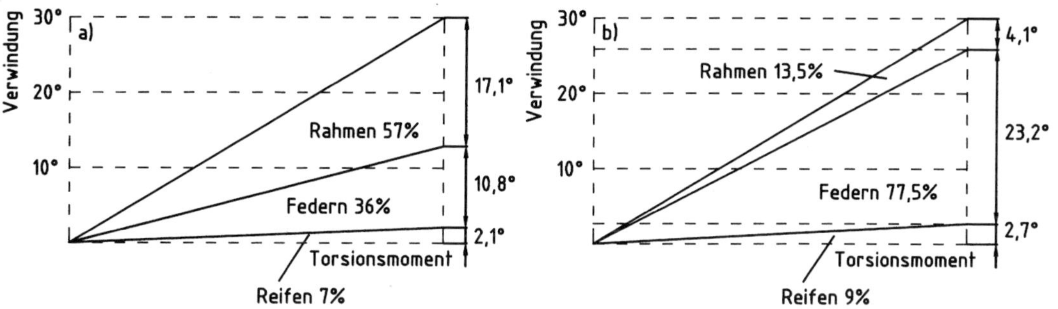


**Bild 5-13** Unterschiedliche Anteile an der Gesamtfederung verwindungsweicher (a) und verwindungssteifer (b) Lkw-Leiterrahmen (nach [5-2])

Verwindungsweiche Rahmenkonstruktionen aus offenen Profilen haben gegenüber den verwindungssteifen Ausführungen folgende Vorteile:

- leichtere und preiswertere Halbzeuge
- einfacher und damit kostengünstiger herzustellen
- leichter vor Korrosion zu schützen
- Erleichtern die Befestigung von Anschlussprofilen und Aggregaten
- Verringern durch ihre Verwindungsmöglichkeit um ihre Längsachse den erforderlichen Hub der Fahrwerksfederung

Wird ein Leiterrahmen um seine Längsachse verwunden, dann tordieren sowohl die Längsträger als auch die dazwischen angeordneten Querträger. Wegen der torsionsweichen, aber biegesteifen Träger stellt sich eine Rahmenverformung entsprechend Bild 5-14 ein. Aus der Rahmengeometrie folgt, dass sich die Verdrehwinkel von Querträgerprofilen $\varphi_Q$ zu Längsträgerprofilen $\varphi_L$ verhalten wie ihre Längen $l_L$ und $l_Q$.

$$\frac{\varphi_Q}{\varphi_L} = \frac{l_Q}{l_L} \Rightarrow \frac{\varphi_Q}{l_Q} = \frac{\varphi_L}{l_L} \qquad (5\text{-}2)$$

Damit sind sowohl für Quer- als auch Längsträger ihre auf die Länge bezogenen Verdrehwinkel gleich und es wird gezeigt, dass die Verdrehsteifigkeiten aller Profile gleichermaßen zur Gesamtverdrehsteifigkeit beitragen. Aus der Verdrehung der Querträger folgt weiter, dass sie durch ihren torsionssteifen Anschluss an die Längsträger an den Anschlussknoten Biegemomentensprünge in diesen bewirken. Die Einspannmomente der tordierten Längsträger wiederum verursachen Biegemomente in den Schlussquerträgern des Leiterrahmens [5-2].

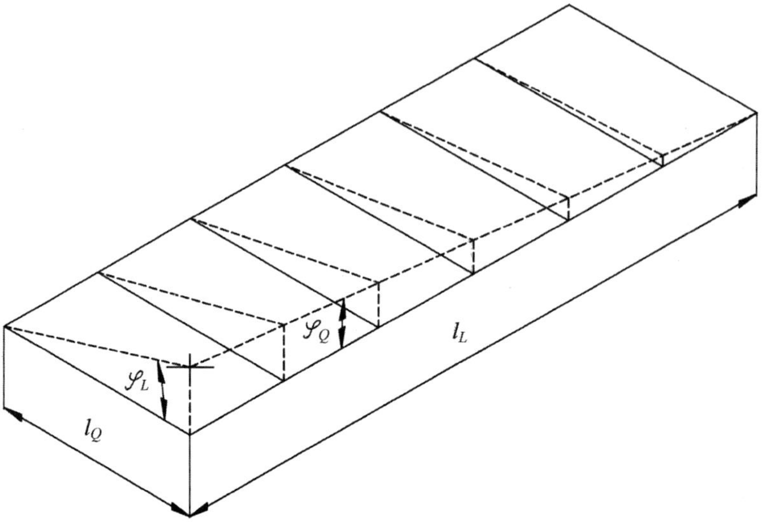


**Bild 5-14** Verformter torsionsweicher Leiterrahmen, für den die Biegelinie näherungsweise als Gerade angenommen wurde

Zum Verständnis der leiterrahmenspezifischen Gestaltungsregeln muss im Folgenden auf spezielle mechanische Eigenschaften offener Profile eingegangen werden:

Verdreht man ein Kreis- oder Rechteckrohr, so bleiben für diesen geschlossenen Querschnitt alle Querschnitte in sich selbst eben, sie verschieben sich nur gegenseitig. Die Querschnitte offener Profile dagegen verwölben sich. Die Verwölbung doppelflanschiger Profile ist an einem entgegengesetzt gerichteten Schieben der Ränder der beiden Flansche in Richtung der Profillängsachse zu erkennen (Bild 5-15). Bei Verhinderung der mit der Profilverwindung einhergehenden freien Verwölbung wird das Profil verdrehsteifer. Außerdem entstehen durch die Wölbbehinderung zu den Einspannstellen hin anwachsende Normalspannungen in Richtung der Profillängsachse, die an den Außenkanten der Flansche am größten sind und für den Fall eines stumpfen Anschlusses durch eine umlaufende Schweißnaht erhöhte Bruchgefahr bedeuten (Bild 5-16). Daher muss bei verwindungsweichen Leiterrahmen die freie Verwölbung offener Profile durch entsprechende gestalterische Maßnahmen des Profilanschlusses (hier Querträgeranschluss an den Längsträger) zugelassen werden.

Werden Lasten quer zur Längsachse (x-x) eines U-Profils (y-z-Ebene) eingeleitet, so entsteht nur dann reine Biegung, wenn diese Last in Richtung der Symmetrieachse (y-y) wirkt und damit durch den Profilschwerpunkt geht (Bild 5-17a). Dreht man die Last aus dieser Richtung heraus und lässt sie weiterhin im Profilschwerpunkt angreifen, wird man feststellen, dass sich das Profil zusätzlich verdreht. Bei diesem Belastungsfall erfährt das U-Profil Querkraftbiegung und zusätzlich eine Torsionsbeanspruchung (Bild 5-17b). Es gibt nun einen Punkt außerhalb des Profilquerschnittes, für den es keine Querschnittsverdrehung gibt (Bild 5-17c). Dies ist der so genannte Schubmittelpunkt, welcher sich z. B. nach [5-3] berechnen lässt, oft aber schon tabelliert vorliegt. Um diesen Punkt drehen sich im Falle der Torsion alle Querschnitte. Daher ist es grundsätzliche Zielsetzung, dass die Wirkungslinien der auf den Fahrgestellrahmen wirkenden Vertikalkräfte möglichst durch den Schubmittelpunkt verlaufen.

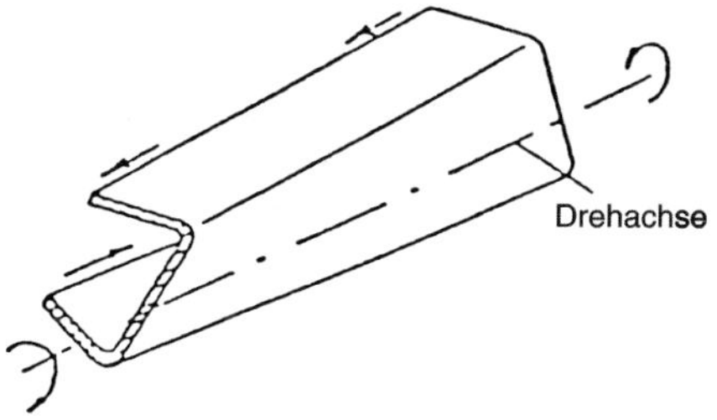


**Bild 5-15** Freie Verwölbung

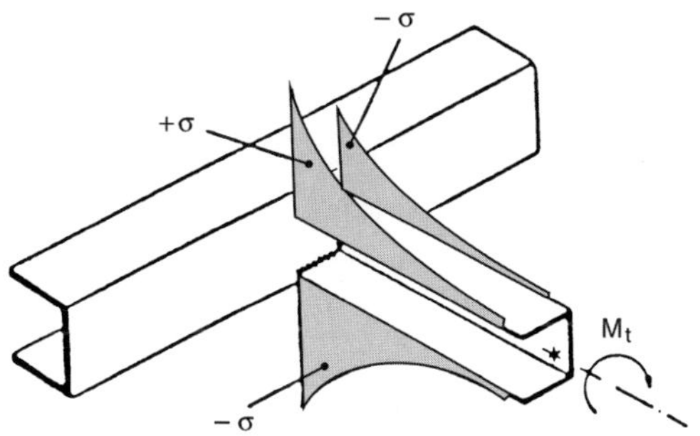


**Bild 5-16** Spannungsverteilung bei Verdrehung und verhinderter Verwölbung (aus [5-3])

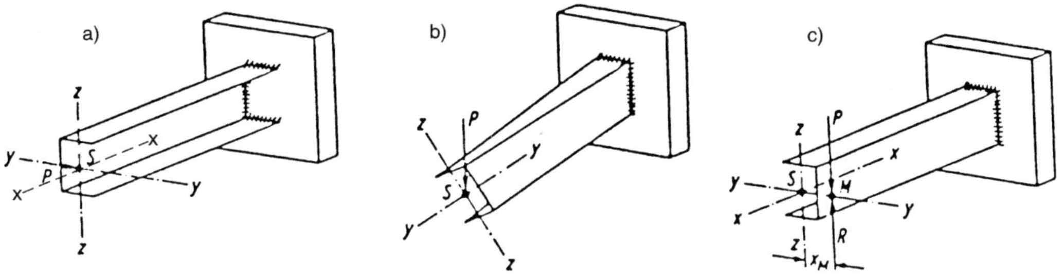


**Bild 5-17** Lasteinleitung in U-Profil

Die geschilderten Zusammenhänge machen deutlich, dass die Torsionssteifigkeit eines Leiterrahmens beim Einsatz offener Profile entscheidend von der Behinderung der Querschnittsverwölbung mitbestimmt wird und damit durch die Gestaltung der Anschlussknoten zwischen Querträgern und Längsträgern. Zur konkreten Berechnung dieser komplexen Zusammenhänge von Spannungen und Verformungen tordierter Leiterrahmen werden für im Querschnittsprofil unbeeinträchtigte Profile exakte Kraft-Verformungs-Zusammenhänge benutzt und die Knotenbereiche als Substrukturen durch Finite Elemente diskretisiert [5-4, 5-5].

## 5.2.2 Gestaltung von Lkw-Fahrgestellrahmen

Rahmen von Lastkraftwagenfahrgestellen werden üblicherweise als verwindungsweiche Leiterrahmen aus U-förmigen Längsträgern mit stehendem Steg ausgeführt. Damit die Einleitung der Vertikalkräfte durch Aufbau (Aufbaukonsolen) und Fahrwerk (Federböcke) in der Nähe des Schubmittelpunktes erfolgt, werden die Längsträger mit der Öffnung nach innen angeordnet. Unter den am Markt angebotenen Fahrgestellen sind sowohl gerade Längsträgerprofile mit durchgehend konstantem Querschnitt (siehe Bild 4-4) als auch mehrfach gekröpfte Profile, die den so genannten Fischbauchrahmen (siehe Bild 4-7) bilden, verbreitet. Rahmen mit durchgehend geraden Profilen erleichtern den Aufbauherstellern die Anpassung des Hilfsrahmens, Fischbauchrahmen bauen durch eine dem Biegemomentenverlauf angepasste Querschnittsgestaltung und eine dem Platzbedarf der Aggregate angepasste Rahmenbreite bei gleicher Tragfähigkeit leichter und können niedrigere Höhen der Rahmenoberkante realisieren. Die Schlussquerträger vorne und hinten bestehen meist aus U-Profilen und sind biegesteif an die Längsträger angeschlossen (Bild 5-18). Alle übrigen Querträger haben üblicherweise hutförmige Querschnitte, welche an den Enden für eine möglichst ungehinderte Verwölbung schnabelförmig ausgebildet sind und an die Stege der Längsträger anschließen (Bild 5-19). Die Verbindung von Quer- und Längsträgern erfolgt wegen der Forderung nach hoher Knotenelastizität ausschließlich durch Nieten oder Schrauben.

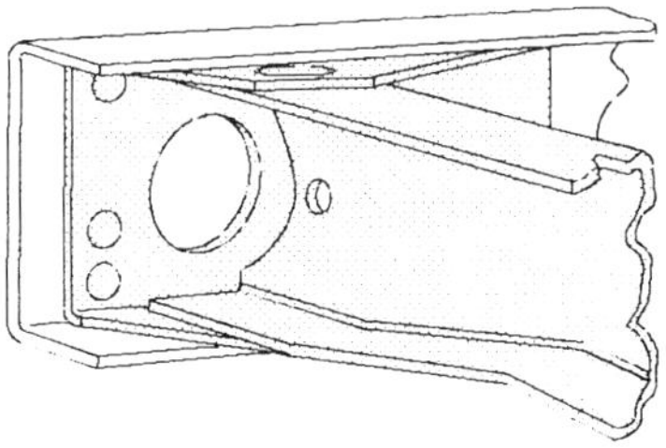

**Bild 5-18** Anschluss eines U-förmigen Querträgerprofils (SCANIA, aus [5-6])

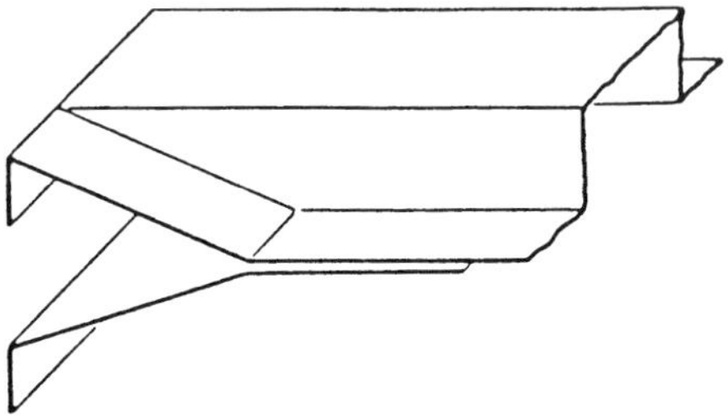

**Bild 5-19** Anschluss eines hutförmigen Querträgerprofils

Als grundsätzliche Gestaltungsregeln lassen sich formulieren:

- Um die Zusatzbelastung aus Verwindung des Fahrgestellrahmens möglichst gleichmäßig aus Längs- und Querträger zu verteilen, sollte dessen Torsionssteifigkeit möglichst auf der gesamten Länge konstant sein. Dies lässt sich durch Querträger gleicher Verdrehsteifigkeit mit etwa gleichen Abständen zueinander verwirklichen.
- Der Anschluss verwindungsweicher Querträger (offener Profilquerschnitt) sollte möglichst ohne Beeinträchtigung der Querschnittsverwölbung erfolgen.
- Querschnittsübergänge sollten nicht sprunghaft, sondern allmählich erfolgen, um örtliche Spannungsspitzen infolge des Steifigkeitssprunges zu vermeiden.
- Krafteinleitungsstellen müssen so gestaltet werden, dass die Einleitung der Kräfte nicht sprunghaft, sondern allmählich erfolgt. Dabei sollten die Wirkungslinien der Vertikallasten möglichst durch den Schubmittelpunkt des Längsträgerprofils gehen. Ist dies nicht möglich, muss das örtlich eingeleitete Torsionsmoment durch Einfügen zusätzlicher Querträger abgestützt werden (Bild 5-20).
- Der Rahmen darf an Stellen hoher Beanspruchung (hohe Spannungen in den Ober- und Untergurten der Längsträger aus Vertikalbiegung) örtlich nicht geschwächt werden. Dies betrifft in erster Linie die Anordnung von Bohrungen für Schrauben und Nieten für den Fahrgestellrahmen sowie Schweißnähte an Hilfsrahmen und Anhängerfahrgestellen, deren Kerbwirkung sich gravierend nachteilig auf die Dauerfestigkeit der eingesetzten Werkstoffe auswirkt. Die Aufbaurichtlinien der Fahrgestellhersteller geben hier für Bohrungen konkrete Mindestabstände von der Profiloberkante bzw. -unterkante an (Bild 5-21).

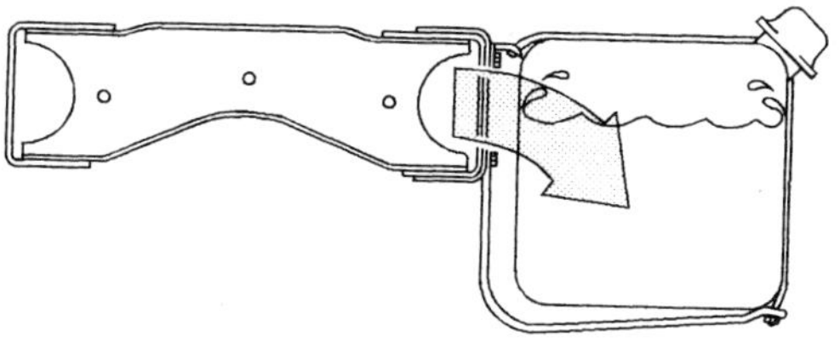

**Bild 5-20** Zusätzlicher Querträger im Bereich des Kraftstoffbehälters (SCANIA, aus [5-6])

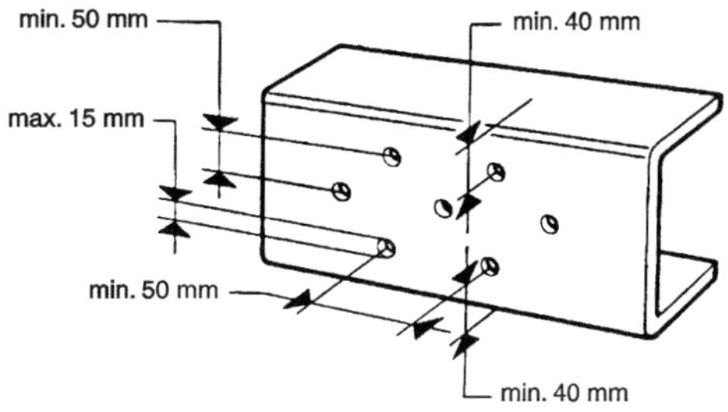


**Bild 5-21** Mindestabstände für Bohrungen am Längsträger (IVECO, aus [5-7])

Mit der Zielsetzung einer hohen Biegesteifigkeit bei geringem Gewicht und einer damit kleiner Querschnittsfläche (Formleichtbau) muss für die eingesetzten Profile die Materialdicke d in Relation zu Steghöhe $h_P$ und Flanschbreite $b_P$ möglichst klein sein. Bestimmte $d/h_P$- bzw. $d/b_P$-Verhältnisse dürfen allerdings wegen der Beulgefahr (Kanten der Profile bleiben gerade, während die Wände unter Druckspannungen ausweichen, Bild 5-22), nicht unterschritten werden. Nach [5-8] beträgt die kritische Beulspannung $\sigma_{kr}$ für den Flansch eines U-Profils:

$$\sigma_{kr} \approx 0{,}38 \cdot E \cdot \left(\frac{d}{b_P}\right) \quad \text{und für den Steg} \quad \sigma_{kr} \approx 3{,}6 \cdot E \cdot \left(\frac{d}{h_P}\right)$$

Setzt man für die kritische Beulspannung die Streckgrenze an, dann betragen z. B. für den Feinkornbaustahl QStE 500TM die nicht zu unterschreitenden Abmessungsverhältnisse

$$\frac{d}{h_P} \approx \frac{1}{40} \qquad (5\text{-}3) \qquad\qquad \frac{d}{b_P} \approx \frac{1}{12} \qquad (5\text{-}4)$$

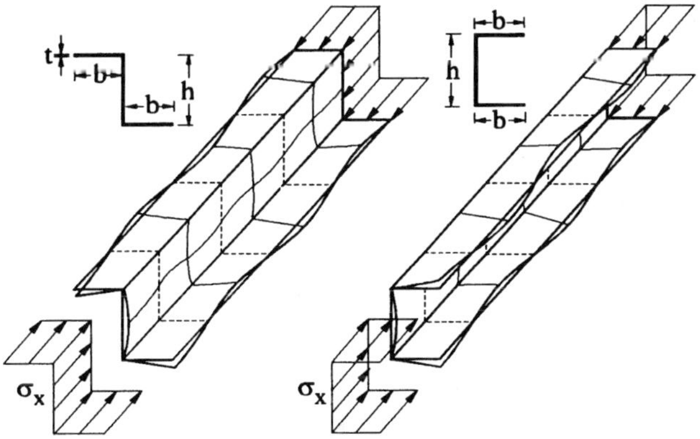


**Bild 5-22**
Beulbilder für Z- und für U-Profil (aus [5-8])

## 5.2.3 Gestaltung von Anhänger-Fahrgestellrahmen

Für den Anhänger-Fahrgestellrahmen lassen sich aufgrund ähnlicher Beanspruchungen aus dem Fahrbetrieb die grundsätzlichen Gestaltungsregeln vom Lkw-Fahrgestellrahmen übernehmen. Das gleiche gilt auch für den Hilfsrahmen des Motorwagens (siehe Abschnitt 5.4.4). Zu beachten ist allerdings, dass als Längsträger meist I-Profile eingesetzt werden, es keine die

Gestaltung einschränkenden Vorschriften (z. B. Aufbaurichtlinien) gibt, üblicherweise durch Schweißen gefügt wird und funktionsbedingte Kröpfungen der Längsträger erforderlich sind.

Da Anhänger-Fahrgestellrahmen meist nicht in größeren Serien gefertigt werden, greifen deren Hersteller oft auf im Handel angebotene Halbzeuge zurück. Dies sind I-Profile für die Längs- und U- oder Z-Profile für die Querträger. Da für das I-Profil Schwerpunkt und Schubmittelpunkt zusammen fallen, erfolgt hier die Krafteinleitung durch das Fahrwerk auf der Breite der Stege in die Untergurte der Längsträger (siehe Abschnitt 4.2.2.2). Die üblicherweise durch die Längsträgerstege durchgesteckten Querträger (siehe Bild 4-42) werden lediglich zur Einleitung der Vertikalkräfte über den Steg verbunden, um die freie Verwölbung nicht zu behindern. Zahlreiche Gestaltungsbeispiele zu unversteiften und versteiften Knotenpunkten, Übergängen von offenen zu geschlossenen Profilen sowie verschiedensten Rahmenkonstruktionen zeigt [5-3].

Sowohl Längsträger von Gelenk- als auch Sattelanhängern weisen im Bereich von Drehgestell bzw. Sattelkupplung eine Steghöhenreduzierung (siehe Bilder 4-39 bis 4-41) auf. Bei der Gestaltung des Querschnittsübergangs (Kröpfung) ist zu beachten, dass es im Untergurt durch die Kraftumlenkung (üblicherweise Zugkraft) infolge der so genannten Querbiegung zu einem Ausweichen der weiter vom Steg weg liegenden Flanschbereiche in Richtung der resultierenden Kraftwirkung (Bild 5-23) und einem damit verbundenen zweiachsigen Spannungszustand kommt. Darüber hinaus entziehen sich diese Bereiche der Kraftübertragung. In der Schnittebene A-A wird der Flansch nach unten, in B-B nach oben gezogen. Dadurch sind die übertragbaren Biegemomente hier geringer als im ungekröpften Längsträgerbereich und zwar umso mehr, je stärker der Untergurt abgewinkelt ist.

Seltener (z. B. bei Tiefladeanhängern) werden Tiefkröpfungen ausgeführt. Der Kraftflussverlauf ist hier durch die 90°-Kröpfung extrem ungünstig. Um in diesem Fall die starke Querbiegung an den Knickstellen des Profils zu vermeiden und die Flansche zum besseren Mittragen zu zwingen, werden ihre freien Enden durch diagonale Stegbleche ausgesteift (Bild 5-24). Unvermeidbar führt dies jedoch zu einer beträchtlichen Torsionsversteifung gegenüber den angrenzenden offenen Profilen.

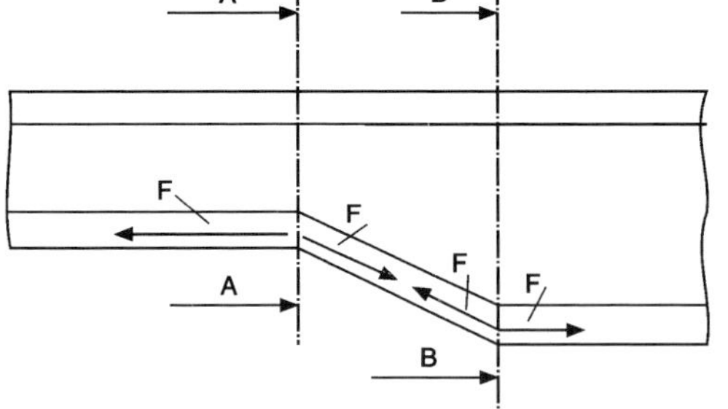


**Bild 5-23** Kraftumlenkung im zugbelasteten gekröpften Untergurt

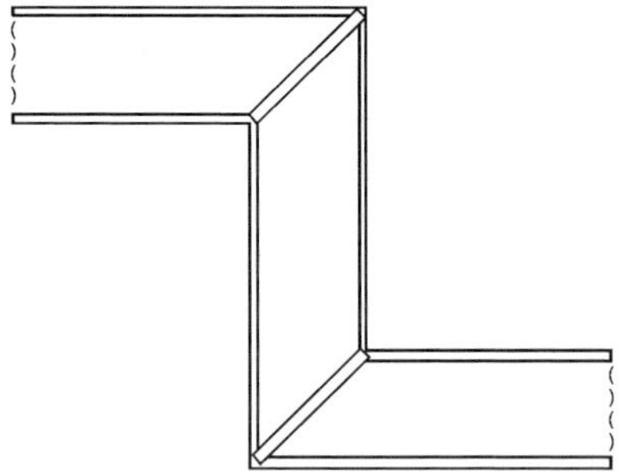

**Bild 5-24** Tiefkröpfung mit diagonalen Stegblechen

## 5.3 Bemessung der Tragwerke

Tragwerkskonstruktionen in Nutzfahrzeugen sind sowohl flächige (siehe Bild 4-7 und 4-8) als auch räumliche Strukturen (Bild 5-25) von üblicherweise Profilen mit konstanten Querschnitten, die als eigenständige Baugruppe deren tragendes Gerüst bilden. Sie stellen die räumliche Verbindung aller übrigen Baugruppen (Fahrerhaus, Aufbau mit Nutzlast, Antrieb, Aggregate) dar und leiten deren Gewichtskräfte in das Fahrwerk ein. Die stützenden Kräfte aus dem Fahrwerk (Federlager) wirken entlang räumlich entfernter Wirklinien. Damit entstehen in den Profilquerschnitten des Tragwerks innere Kräfte und Momente (Schnittgrößen), die ihrerseits Beanspruchungen (Spannungen) und Verformungen hervorrufen.

Ziel der Bemessung (Dimensionierung) der Tragwerke ist, die tragenden Querschnitte so auszulegen, dass die durch die Schnittgrößen verursachten Bauteilspannungen nicht zu Werkstoffversagen im Betrieb führen bzw. die elastischen Verformungen keine Funktionsbeeinträchtigungen in der Gesamtstruktur hervorrufen.

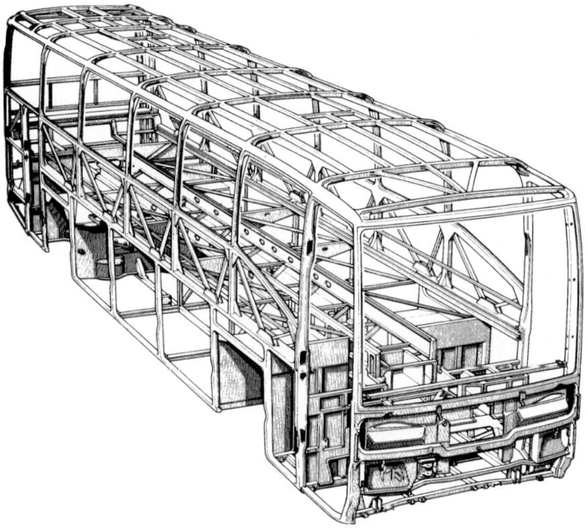

**Bild 5-25**
Tragwerk eines Kraftomnibusses (Mercedes-Benz)

Aus Kenntnis der Abmessungen und der Struktur des Tragsystems lässt sich ein der Realität in etwa entsprechendes Mechanisches Ersatzsystem entwerfen, in dem man mit Hilfe der Technischen Mechanik die aus den äußeren Belastungen resultierenden und das Tragwerk beanspruchenden Schnittgrößen (Längskräfte, Querkräfte, Biegemomente, Torsionsmomente) in beliebigen Querschnitten bestimmen kann. Liegen dazu die statischen Werte Querschnittsfläche A, axiales Widerstandsmoment $W_{ax}$ und polares Widerstandsmoment $W_p$ der Profilquerschnitte vor, lassen sich daraus die maximalen Randfaserspannungen (Nennspannungen $\sigma_n$ und $\tau_n$) bzw. resultierenden Vergleichsspannungen $\sigma_v$ in den gefährdeten Querschnitten berechnen.

Aus der Werkstoffprüfung sind für die zur Auswahl stehenden Werkstoffe die Grenzspannungen $R_m$ (Bruchfestigkeit) und $R_e$ (Streckgrenze) für die statische Belastung sowie die Dauerfestigkeitswerte $\sigma_D$ für dynamische Belastung bekannt. Da diese Werkstoffkennwerte an normierten Proben ermittelt wurden, sind sie nicht direkt auf konkrete Bauteile übertragbar, sondern müssen durch Beiwerte korrigiert werden, welche absolute Abmessungen, Querschnittsübergänge und die Oberflächenbeschaffenheit berücksichtigen. Die hieraus abgeleitete Gestaltfestigkeit $\sigma_G$ wird dann mit Nennspannung bzw. Vergleichsspannung verglichen.

### 5.3.1 Belastungsfälle

Fahrzeuge, die den Bestimmungen der StVZO entsprechend für den Straßenverkehr zugelassen werden sollen, sind je nach Anzahl ihrer Achsen in ihrem zulässigen Gesamtgewicht begrenzt. Steht ein solches Fahrzeug im beladenen Zustand auf einer ebenen Fahrbahn, so ist allein diese Gewichtskraft in ihrer jeweils individuellen Verteilung Ursache einer rein statischen Belastung. Im Fahrbetrieb kommen neben einer nicht auszuschließenden Überladung weitere Belastungen überlagernd hinzu. Sie sind sowohl quasistatischer als auch dynamischer Natur. Somit ist das Tragwerk (hier: Leiterrahmen eines Lastkraftwagens) folgenden Belastungen ausgesetzt [5-9]:

Statische Vorlast bei ebener Aufstellung:

- Biege und Torsionsbelastung aus Gewichtskräften

Quasistatische Zusatzbelastungen:

- Biege- und Torsionsbelastung infolge einseitiger Beladung, Fahrt auf seitlich geneigter Fahrbahn und Fahrt bei Seitenwind
- Biegebelastung als Folge von Achslastverlagerungen durch Bodenunebenheiten in Fahrtrichtung bei Fahrzeugen mit mehr als zwei Achsen
- Biegebelastung aus Hangabtriebskräften an Steigungen oder Gefällen
- Torsionsbelastung infolge Radlastverlagerung aus diagonalen Bodenunebenheiten
- Horizontalbiegung durch langsame Kurvenfahrt mit mehr als einer ungelenkten Achse

Langsame dynamische Belastungen:

- Biege- und Torsionsbelastung infolge Kurvenfahrt, Wank- und Nickschwingungen
- Biegebelastung aus Beschleunigungs- und Bremskräften
- Horizontalbiegung aus seitlichen Komponenten eventueller Deichselkräfte

Schnelle dynamische Belastungen:

- örtliche Biege- und Torsionsbelastungen aus kurzwelligen Fahrbahnstößen
- Stoß durch Querrillen auf der Fahrbahn auf beide Vorder- und /oder beide Hinterräder
- Biegebelastungen aus eventuell auftretenden Schwingungen innerhalb des Fahrzeuges

Für die Auslegung der in Serie hergestellten Lastkraftwagenfahrgestelle ist eine geschlossene analytische Behandlung des Steifigkeits- und Festigkeitsverhaltens nur unzulänglich möglich. Deshalb bevorzugen die Fahrgestellhersteller eine rechnerische Simulation mit der Methode der Finiten Elemente. Die Bauteilerprobung erfolgt dann auf servohydraulischen Prüfständen und letzlich für das Komplettfahrzeug durch die Fahrerprobung auf speziell ausgewählten Prüfstrecken.

Handwerksbetriebe in der Einzel- und Kleinserienfertigung können sich sowohl aufwändige Berechnungen als auch Fahrerprobungen kaum leisten und sind daher meist auf manuell ausgeführte (siehe Abschnitt 5.3.5) oder PC-unterstützte Näherungsrechnungen angewiesen.

## 5.3.2 Schnittgrößen

Schneidet man ein im statischen Gleichgewicht befindliches System (hier: Balken auf zwei Stützen) nach dem Freimachen an einer beliebigen Stelle (Schnittstelle) gedanklich durch, dann müssen auch die sich ergebenden beiden Abschnitte beiderseits der Schnittstelle jeweils für sich im Gleichgewicht stehen. Die Herstellung dieses Gleichgewichtes gelingt nur, wenn an den durch den Schnitt entstandenen Schnittufern Kräfte und Momente (Schnittgrößen, siehe Tabelle 5-8) angetragen werden, welche die äußeren Belastungen ins Gleichgewicht setzen.

**Tabelle 5-8** Schnittgrößen

| Schnittgröße | Formelzeichen | Einheit | Orientierung zur Profillängsachse | wird übertragen von | | |
|---|---|---|---|---|---|---|
| | | | | Seil | Stab | Balken |
| Querkraft | Q | N, kN | Rechtwinklig zur Längsachse | | | ja |
| Längskraft | +L (Zug) | N, kN | In Richtung der Längsachse | ja | ja | ja |
| | −L (Druck) | | | | ja [1] | ja [1] |
| Biegemoment | M | Nm, kNm | Um eine rechtwinklig zur Längsachse stehende Achse | | | ja |
| Torsionsmoment | T | Nm, kNm | Um die Längsachse | | | ja |

[1] Gefahr des Knickens schlanker Stäbe und Balken bei Druckbelastung

Da der geschnittene Querschnitt die Schnittgrößen von einem Schnittufer zum anderen überträgt, müssen sich die Schnittgrößen des positiven und negativen Schnittufers gegenseitig aufheben, d. h. sie müssen bezüglich der Wirkrichtung bzw. des Drehsinns entgegensetzt und vom Betrag her gleich sein (Bild 5-26).

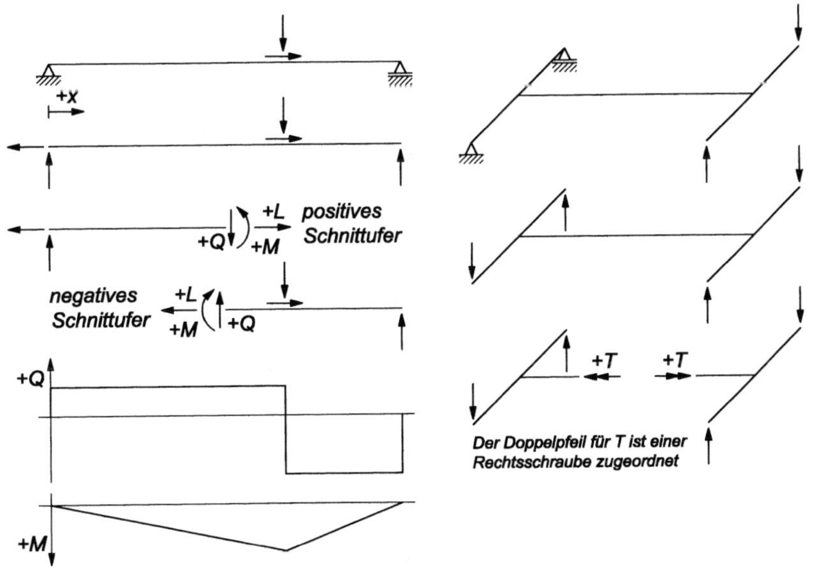


**Bild 5-26** Freimachen, Vorzeichendefinitionen für Schnittgrößen, Schnittgrößenverlauf

Für die Wirkrichtung bzw. den Drehsinn der positiven Schnittgrößen an den Schnittufern gibt es eine verbindliche Konvention. Wenn die zunächst unbekannten Schnittgrößen entsprechend dieser Vereinbarung angetragen werden, ergeben sich dann bei der konkreten Berechnung vorzeichenbehaftete Ergebnisse.

Nach der Berechnung der Schnittgröße an markanten Stellen lassen sich deren Verläufe über die gesamte Bauteillänge maßstäblich darstellen. Markante Stellen sind diejenigen, an denen im Schnittgrößenverlauf Sprünge bzw. Knicke entstehen (siehe Abschnitt 5.3.3).

### 5.3.3 Q- und M-Linien am Balkenmodell

Die im Wesentlichen tragenden Querschnitte im Lastkraftwagentragwerk sind die beiden Längsträger des Leiterrahmens. Bestehen aus zeitlichen, personellen oder wirtschaftlichen Gründen keine Möglichkeiten des Einsatzes der Methode der Finiten Elemente zur Analyse des Nutzfahrzeugtragwerks [5-5], so genügt es für eine vereinfachte manuelle oder PC-unterstütze Berechnung, den Leiterrahmen als einen Balken auf zwei Stützen zu betrachten. Dazu werden beide Längsträger gedanklich zu einem Balken zusammengefasst. Die Gewichtskräfte werden entweder als Einzel- oder Streckenlasten eingeleitet, die stützenden Kräfte aus dem Fahrwerk alternativ in je zwei Federlagern oder vereinfachend als je eine Einzellast je Achse angenommen. Weiterhin wird keine Verwindung angenommen, da sonst Biegemomentensprünge an den Anschlussknoten der Querträger (siehe Abschnitt 5.2.1) berücksichtigt werden müssten.

Mit Rücksicht auf die Berechnung der Spannungen in der Einheit N/mm$^2$ sollten – ganz im Gegensatz zur Achslastberechnung (siehe Abschnitt 3.3.1) – die Einzellasten F in N bzw. kN und die Streckenlasten q in N/mm bzw. kN/m angegeben werden.

Ein konkretes Beispiel (Bild 5-27) zeigt ein vereinfachtes mechanisches Ersatzsystem zur Ermittlung der Schnittgrößen Querkraft Q und Biegemoment M in den Längsträgern eines zweiachsigen Lastkraftwagens, die durch eine Einzellast $F_1 = 30$ kN und eine Streckenlast $q = 20$ kN/m belastet sind.

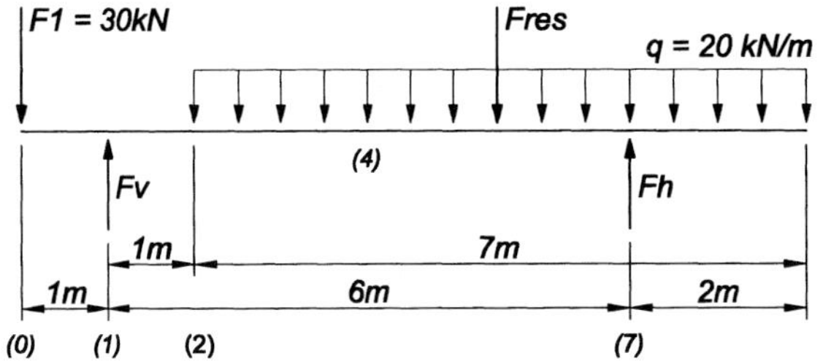


**Bild 5-27**
Mechanisches Ersatzsystem für die Längsträger eines Leiterrahmens

Zunächst werden die Gleichgewichtsbedingungen $\Sigma M = 0$ und $\Sigma F_y = 0$ formuliert, um die Auflagerkräfte (Achslasten $F_v$ und $F_h$) zu berechnen. Dazu lässt sich die Wirkung der Streckenlast $q = 20$ kN/m zu einer Resultierenden $F_{res} = q \cdot 7\text{ m} = 140$ kN zusammenfassen:

$$\Sigma M_{(v)}: \quad F_l \cdot 1\,\text{m} - F_{res} \cdot 4{,}5\,\text{m} + F_h \cdot 6\,\text{m} = 0$$

$$\Rightarrow F_h = \frac{-F_l \cdot 1\,\text{m} + F_{res} \cdot 4{,}5\,\text{m}}{6\,\text{m}} = \frac{-30\,\text{kN} \cdot 1\,\text{m} + 140\,\text{kN} \cdot 4{,}5\,\text{m}}{6\,\text{m}} = 100\,\text{kN}$$

$$\Sigma F_y: \quad -F_1 + F_v - F_{res} + F_h = 0$$

$$\Rightarrow F_v = F_1 + F_{res} - F_h = 30\text{ kN} + 140\text{ kN} - 100\text{ kN} = 70\text{ kN}$$

Um den Querkraft- und Momentenverlauf bestimmen zu können, werden anschließend die auf Bild 5-28 gezeigten Schnitte angelegt, die Schnittgrößen Q und M entsprechend Vorzeichenkonvention angetragen und mit Hilfe der Gleichgewichtsbedingungen berechnet:

$$\Sigma F_y: \quad -F_1 - Q = 0 \qquad \Rightarrow Q = -F_1 = -30\text{ kN}$$

$$\Sigma M_{(1)}: \quad F_1 \cdot 1\text{ m} + M = 0 \qquad \Rightarrow M = -F_1 \cdot 1\text{ m} = -30\text{ kNm}$$

$$\Sigma F_y: \quad F_v - F_1 - Q = 0 \qquad \Rightarrow Q = F_v - F_1 = 70\text{ kN} - 30\text{ kN} = 40\text{ kN}$$

$$\Sigma M_{(2)}: \quad F_1 \cdot 2\text{ m} - F_v \cdot 1\text{ m} + M = 0 \quad \Rightarrow M = -F_1 \cdot 2\text{ m} + F_v \cdot 1\text{ m} = -60\text{ kNm} + 70\text{ kNm} = 10\text{ kNm}$$

$$\Sigma F_y: \quad -F_1 + F_v - F_{ers1} - Q = 0$$

mit $Q = 0$ für $M_{max}$ $\qquad \Rightarrow F_{ers1} = -F_1 + F_v = -30\text{ kN} + 70\text{ kN} = 40\text{ kN}$

mit $F_{ers1} = q \cdot a_{ers1}$ $\qquad \Rightarrow a_{ers1} = \dfrac{F_{ers1}}{q} = \dfrac{40\text{ kN}}{20\text{ kN/m}} = 2\text{ m}$

$$\Sigma M_{(4)}: \quad F_1 \cdot 4\text{ m} - F_v \cdot 3\text{ m} + F_{ers1} \cdot 1\text{ m} + M = 0$$

$$\Rightarrow M = -F_1 \cdot 4\text{ m} + F_v \cdot 3\text{ m} - F_{ers1} \cdot 1\text{ m} = -120\text{ kNm} + 210\text{ kNm} - 40\text{ kNm} = 50\text{ kNm}$$

$$\Sigma F_y: \quad Q - F_{ers2} = 0, \text{ mit } F_{ers2} = q \cdot a_{ers2} \quad \Rightarrow Q = F_{ers2} = 20\text{ kN/m} \cdot 2\text{ m} = 40\text{ kN}$$

$$\Sigma M_{(7)}: \quad -F_{ers2} \cdot 1\text{ m} - M = 0 \qquad \Rightarrow M = -F_{ers2} \cdot 1\text{ m} = -40\text{ kNm}$$

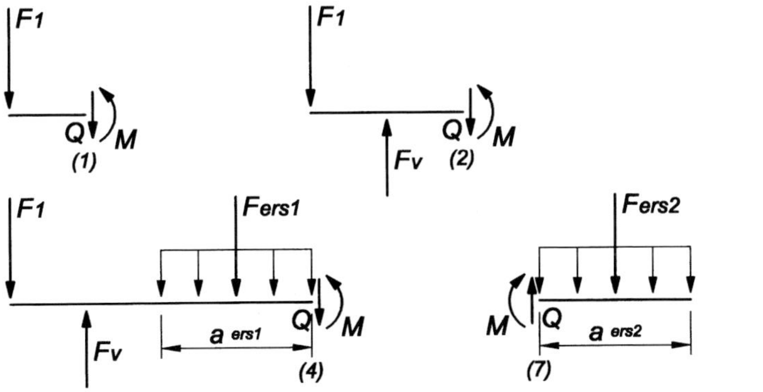


**Bild 5-28**
Schnitte mit Schnittgrößen zur Bestimmung von Q- und M-Linie

Alternativ zum konkreten Schneiden können Q- und M-Linie am hier vorgestellten Balkenmodell durch formale Integration [5-10] unter Berücksichtigung der Randbedingungen ermittelt werden:

$$Q(x) = -\int_0^x q(x)\,dx \tag{5-5}$$

$$M(x) = \int_0^x Q(x)\,dx \tag{5-6}$$

Aus diesem Zusammenhang zwischen Streckenlast q, Querkraft Q und Biegemoment M lassen sich unter bestimmten Bedingungen (Belastung durch Einzellasten, Gleichstreckenlasten und Biegemomente; keine feste Einspannung) allein aus Kenntnis der äußeren Belastungen und Auflagerreaktionen einfache Gesetzmäßigkeiten (Regeln) für Q- und M-Linien ableiten:

- Anfangs- und Endpunkt von Q- und M-Linie liegen auf Null.
- Am Angriffpunkt einer Einzellast macht die Q-Linie einen Sprung um die Größe (Betrag und Richtung) dieser Kraft.
- Zwischen den Angriffspunkten von Einzellasten verläuft die Q-Linie konstant.
- Zu Beginn und Ende einer Gleichstreckenlast macht die Q-Linie einen Knick.
- Im Bereich einer Gleichstreckenlast ist die Q-Linie eine steigende oder fallende Gerade, deren Steigung der negativen Gleichstreckenlast entspricht [folgt aus: $q(x) = -\frac{dQ(x)}{dx}$ ].
- Am Angriffspunkt eines äußeren Biegemomentes macht die M-Linie einen Sprung um dessen Betrag.
- Die M-Linie macht an einem Querkraftsprung (Angriffspunkt einer Einzellast) einen Knick.
- Die M-Linie ist für konstante Querkraft eine steigende oder fallende Gerade, deren Steigung der Querkraft entspricht [folgt aus: $Q(x) = \frac{dM(x)}{dx}$ ].
- Die M-Linie im Bereich einer Gleichstreckenlast ist eine Parabel, die tangential an die benachbarte M-Linien-Abschnitte anschließt.
- Die von Balkenanfang an bis zu einer bestimmten Stelle des Balkens hin aufsummierten Querkraftflächen entspricht dem Moment an dieser Stelle [folgt aus: $M(x) = \int_0^x Q(x)dx$ ].
- Die Summe aller positiven und negativen Querkraftflächen ist Null.
- Das Biegemoment ist dort vom Betrag her am größten (relatives oder absolutes Maximum bzw. Minimum), wo die Querkraft Null ist [folgt aus: $\frac{dM(x)}{dx} = Q \overset{!}{=} 0$ ].

Bild 5-29 zeigt zum vorangegangenen Beispiel (Bild 5-27) die nach den genannten Regeln ableitbaren Q- und M-Linien (li = links; re = rechts):

$$Q_{(0re-1li)} = -F_l = -30\ \text{kN}$$

$$Q_{(1re-2)} = Q_{(0re-1li)} + F_v = -30\ \text{kN} + 70\ \text{kN} = 40\ \text{kN}$$

$$Q_{(7li)} = Q_{(2)} - q \cdot 5\ \text{m} = 40\ \text{kN} - 20\,\text{kN/m} \cdot 5\ \text{m} = -60\ \text{kN}$$

$$Q_{7re} = Q_{7li} + F_h = -60\ \text{kN} + 100\ \text{kN} = 40\ \text{kN}$$

$$Q_{(9)} = Q_{7re} - q \cdot 2\ \text{m} = 40\ \text{kN} - 20\,\text{kN/m} \cdot 2\ \text{m} = 40\ \text{kN} - 40\ \text{kN} = 0$$

$$M_{(1)} = Q_{(0li-1re)} \cdot 1\ \text{m} = -30\ \text{kNm} \cdot 1\ \text{m} = -30\ \text{kNm}$$

$$M_{(2)} = M_{(1)} + Q_{(1re-2)} \cdot 1\ \text{m} = -30\ \text{kNm} + 40\ \text{kN} \cdot 1\ \text{m} = 10\ \text{kNm}$$

$$M_{(4)} = M_{(2)} + \frac{Q_{(2)} \cdot 2\ \text{m}}{2} = 10\ \text{kNm} + \frac{40\ \text{kN} \cdot 2\text{m}}{2} = 50\ \text{kNm}$$

$$M_{(7)} = M_{(4)} + \frac{Q_{(7li)} \cdot 3\ \text{m}}{2} = 50\ \text{kNm} + \frac{-60\ \text{kN} \cdot 3\ \text{m}}{2} = -40\ \text{kNm}$$

$$M_{(8)} = M_{(7)} + \frac{Q_{(7re)} \cdot 2\ \text{m}}{2} = -40\ \text{kNm} + \frac{40\ \text{kN} \cdot 2\ \text{m}}{2} = 0$$

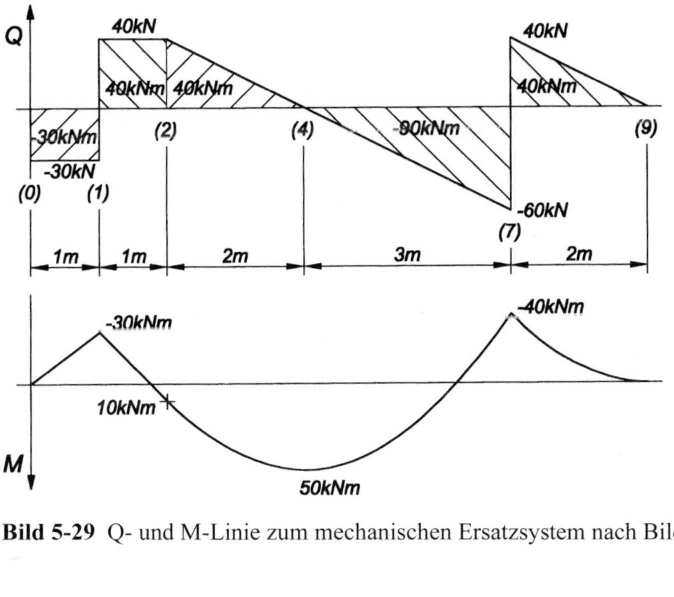


**Bild 5-29** Q- und M-Linie zum mechanischen Ersatzsystem nach Bild 5-27

### 5.3.4 Fachwerke

Fachwerke sind aus geraden Profilstäben zusammengesetzte ebene oder auch räumliche Konstruktionen, die meist vereinfachend als Systemlinien (Schwerlinien der Stäbe) und deren Verbindungsstellen (Knotenpunkte) dargestellt werden. Ebene Fachwerke bestehen aus Ober- und Untergurt sowie aus dazwischen angeordneten Vertikal- und Diagonalstäben. Die kleinste Einheit eines Fachwerks ist das Stabdreieck. Das Aneinanderfügen mehrerer Stabdreiecke lässt ebene oder auch räumliche Strukturen entstehen, die sich durch hohe Tragfähigkeit und Steifigkeit bei geringem Gewicht auszeichnen (Bild 5-30).

**Bild 5-30** Sattelanhänger in einer Aluminium-Fachwerkkonstruktion für den Transport von Wasserstoff-Flaschen (Gofa Gocher Fahrzeugbau)

Bei biegebelasteten Strukturen nehmen in Analogie zu einem I-Profil Ober- und Untergurt die durch das Biegemoment verursachten Zug- und Druckkräfte auf, während die Diagonalstäbe die Aufgabe eines Steges bzw. Schubfeldes übernehmen. Vertikalstäbe sind oft so genannte „Nullstäbe“, die frei von Zug- oder Druckkräften sind und meist zur Verringerung der Knickgefahr langer Druckstäbe dienen (Bild 5-31). Räumliche Fachwerke entstehen aus mindestens zwei ebenen Strukturen, die durch in der dritten Dimension angeordnete Gurt-, Vertikal und Diagonalstäbe verbunden und dadurch zu einem torsionssteifen Tragwerk werden.

Idealisiert betrachtet sind die Stäbe eines Fachwerks in den Knotenpunkten gelenkig miteinander verbunden und können daher nur Zug- oder Druckkräfte aufnehmen. In der Realität sind die Stabanschlüsse jedoch meist geschweißt und insbesondere beim Auftreten von Verformungen nicht frei von Querkräften und Momenten, welche jedoch relativ klein sind.

Die Spannungs- und Verformungsberechnung statisch unbestimmter komplexer Fachwerke bleibt entsprechenden Rechnerprogrammen vorbehalten. Einfache ebene Strukturen, die statisch bestimmt sind, lassen sich auch manuell berechnen bzw. zumindest in guter Näherung abschätzen. Die Stabkraftermittlung kann dabei alternativ grafisch mit dem Cremonaplan oder rechnerisch nach dem Ritterschen Schnittverfahren ermittelt werden [5-11]. Während beim Cremonaplan nach Bestimmen der Auflagerreaktionen für jeden Knoten im jeweils vorliegenden zentralen Kräftesystem ein geschlossenes Krafteck zur Ermittlung der unbekannten Stabkräfte angeschlossener Stäbe dient (Bild 5-31), werden nach dem Verfahren von Ritter Schnitte so durch das Fachwerk gelegt, dass die Gleichgewichtsbedingungen ausreichen, um die durch den Schnitt freigemachten unbekannten Stabkräfte zu ermitteln (Bild 5-32).

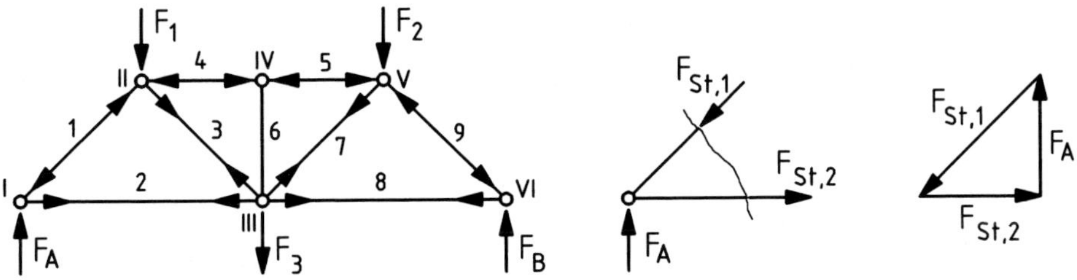


**Bild 5-31** Ebenes Fachwerk mit Zug-, Druck- und Nullstäben; Knotengleichgewicht

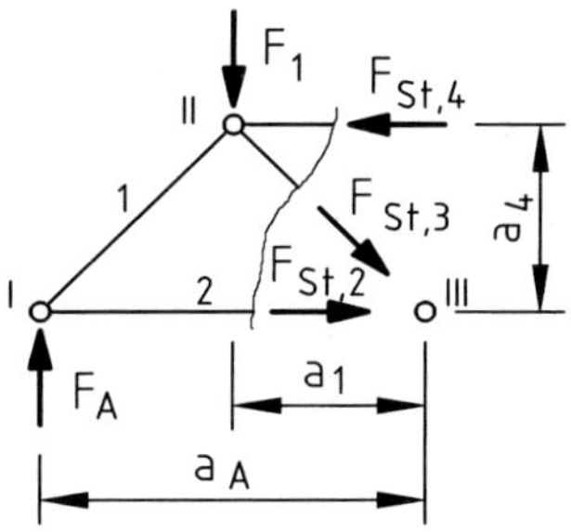


$$\overleftarrow{\Sigma M}_{(III)},\ F_{St.4} \cdot a_4 + F_1 \cdot a_1 - F_A \cdot a_A = ($$

$$\Rightarrow F_{St.4} = \frac{-F_1 \cdot a_1 + F_A \cdot a_a}{a_4}$$

**Bild 5-32**
Ermittlung von Stabkräften durch das Ritter'sche Schnittverfahren

## 5.3.5 Festigkeitsnachweis

### *5.3.5.1 Beanspruchungsarten und Bauteilnennspannung*

Äußere Belastungen an Tragwerksteilen führen in den tragenden Querschnitten zu Schnittgrößen, welche diese beanspruchen. Je nach Orientierung der Schnittgröße zum betrachteten Querschnitt (siehe Tabelle 5-8) unterscheidet man die durch die Beanspruchungsarten Zug/Druck, Biegung, Torsion und Schub (Bild 5-33) verursachten Normalspannungen $\sigma$ [N/mm$^2$] und Schubspannungen $\tau$ [N/mm$^2$], deren im jeweils betrachteten Querschnitt auftretenden Maximalwerte als so genannte Nennspannungen $\sigma_n$ bzw. $\tau_n$ mit den Methoden der Festigkeitslehre aus den statischen Werten

- Querschnittsfläche A (mm$^2$, cm$^2$),
- axiales Widerstandsmoment $W_{ax}$ (mm$^3$, cm$^3$) und
- polares Widerstandsmoment $W_p$ (mm$^3$, cm$^3$)

unter Anwendung der Gln. (5-7) bis (5-10) berechnet werden. Spannungserhöhende Faktoren (bedingt durch Gestaltung, Oberfläche, ...) werden hierbei nicht berücksichtigt, sondern gehen in die Bestimmung der Gestaltfestigkeit $\sigma_G$ (siehe Abschnitt 5.3.5.2) ein.

- Zug/Druck $\quad \sigma_n = \dfrac{L}{A}$ (5-7)

- Biegung $\quad \sigma_n = \dfrac{M}{W_{ax}}$ (5-8)

- Torsion $\tau_n = \frac{T}{W_p}$ (5-9)

- Schub $\tau_n = \frac{Q}{A}$ (5-10)

Zug/Druck- und Biegespannungen bewirken Normalspannungen $\sigma$ im Querschnitt. Während bei Zug/Druckbeanspruchung in jedem Querschnittselement die gleiche Normalspannung entsteht, geht die Normalspannung bei Biegebeanspruchung linear von einer Druckspannung in eine Zugspannung über. Die größten Werte dieser Zug- und Druckspannungen werden in der Bauteiloberfläche (größter Abstand zur neutralen Faser) erreicht. Torsionsbeanspruchungen bewirken Schubspannungen $\tau$ im Querschnitt, die ihren Größtwert in der Bauteiloberfläche erreichen und linear bis zum Wert Null in Bauteilmitte abnehmen. Beanspruchungen auf Schub verursachen ebenfalls in etwa gleichmäßig über die Querschnittsfläche verteilte Schubspannungen. In Fahrzeugen sind allerdings als Folge der Tragwerksabmessungen die Spannungen aus Schub in Relation zu den Spannungen aus Biegung sehr klein, sodass sie beim Festigkeitsnachweis vernachlässigt werden können.

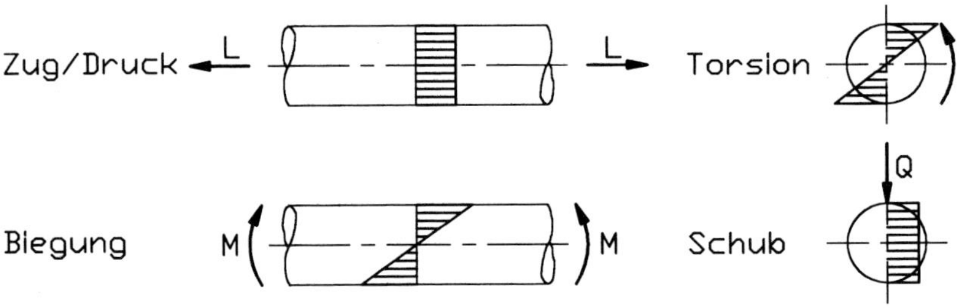


**Bild 5-33** Beanspruchungsarten mit Spannungsverteilung

Der sich infolge von Zug/Druck- oder Biegebeanspruchungen einstellende Spannungszustand ist einachsig. Kommen allerdings Torsions- oder Schubbeanspruchungen hinzu, stellt sich ein zweiachsiger Spannungszustand ein. Die resultierende Vergleichsspannung $\sigma_v$ kann dann für duktile Werkstoffe (Baustähle) nach der Gestaltänderungsenergiehypothese berechnet werden:

$$\sigma_v = \sqrt{\sigma^2 + 3 \cdot \tau^2} \tag{5-11}$$

Für die üblicherweise torsionsweichen Leiterrahmen von Lastkraftwagenfahrgestellen kann man davon ausgehen, dass Schubspannungen aus Torsion, die in nennenswerter Relation zu den Normalspannungen aus Biegung stehen, nicht in dauerfestigkeitsrelevanter Lastspielzahl auftreten und somit nur mit einem sehr geringen Anteil zur Bauteilschädigung beitragen. Für Fahrzeuge, deren Fahrgestellrahmen extremen Verwindungen im Betrieb ausgesetzt werden, sollte dagegen für einen als quasistatisch anzusehenden Lastfall ein Schubspannungsanteil aus Torsion in eine zu berechnende Vergleichsspannung eingehen, die dann gegen die Fließgrenze nach Gl. (5-18) abzusichern ist. Zur analytischen Berechnung von tordierten Leiterrahmen können die Berechnungsansätze nach K. Erz [5-12] herangezogen werden.

Zur Ermittlung der im Fahrbetrieb entstehenden Spannungen geht man sinnvollerweise von einer durch Biegebeanspruchung (Leiterrahmen) oder Zug/Druckbeanspruchung (Fachwerk) verursachten Nennspannung $\sigma_n$ aus, die sich aus den Schnittgrößen bei statischer Grundbelastung (ruhendes Fahrzeug auf ebener Fahrbahn bei zulässigem Gesamtgewicht) ergibt.

Die im praktischen Fahrbetrieb oft festzustellende Überladung von Nutzfahrzeugen kann mit einem Überlastfaktor ü* (z. B. ü* = 1,25 nach [5-13]) berücksichtigt werden und führt dann zu der ruhenden Mittelspannung $\sigma_m$:

$$\sigma_m = \sigma_n \cdot ü^* \tag{5-12}$$

Die im Fahrbetrieb stets auftretenden dynamischen Lastanteile verursachen wechselnde Spannungsausschläge, deren Spannungsamplituden absolut regellos sind (Bild 5-34) und sich nur statistisch als Spannungskollektive beschreiben lassen.

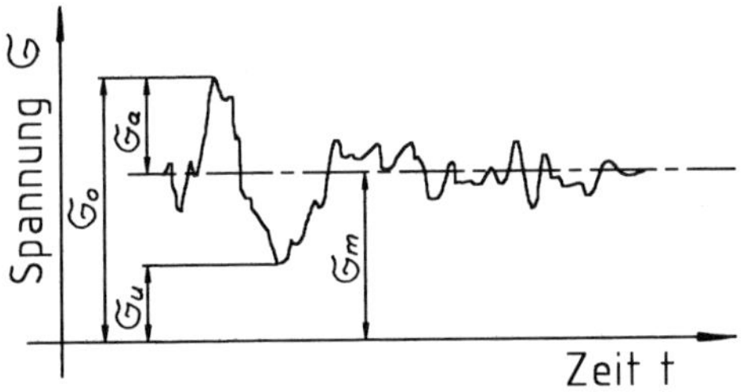


**Bild 5-34**
Zeitlicher Spannungsverlauf in dynamisch beanspruchten Tragwerksteilen

Die Relation der maximal auftretenden Oberspannungen $\sigma_o$ zur Mittelspannung $\sigma_m$ lässt sich durch einen Stoßfaktor s* beschreiben:

$$\sigma_o = \sigma_m \cdot s^* \tag{5-13}$$

Mit $\sigma_o = \sigma_m + \sigma_a$ und $\sigma_u = \sigma_m - \sigma_a$ (siehe Bild 5-34) ergibt sich das Grenzspannungsverhältnis $\kappa$ zu:

$$\kappa = \frac{\sigma_u}{\sigma_o} = \frac{2 - s^*}{s^*} \tag{5-14}$$

Nach [5-14] können je nach Einsatz des Nutzfahrzeuges folgende Stoßfaktoren s* angesetzt werden:

**Tabelle 5-9** Stoßfaktoren

| Fahrbahnbedingung | Landstraße | Baustelle | Schwieriges Gelände |
|---|---|---|---|
| Stoßfaktor s* | 1,2 bis 1,4 | 1,4 bis 1,6 | 1,6 bis 2,4 |

### *5.3.5.2 Gestaltfestigkeit und Bauteilsicherheit*

Aus der Werkstoffprüfung stehen für alle im Nutzfahrzeugbau eingesetzten Werkstoffe dynamische Festigkeitswerte zur Verfügung. Diese werden an normierte Proben unter standardisierten Prüfbedingungen ermittelt. Dabei kommt der Beanspruchungsfall zur Ermittlung der Dauerfestigkeit ($10^7$ Schwingspiele) mit einer um eine konstante Mittelspannung $\sigma_m$ schwingenden Ausschlagsspannung $\sigma_a$ (Bild 5-35) den Beanspruchungsverhältnissen im Fahrbetrieb am nächsten.

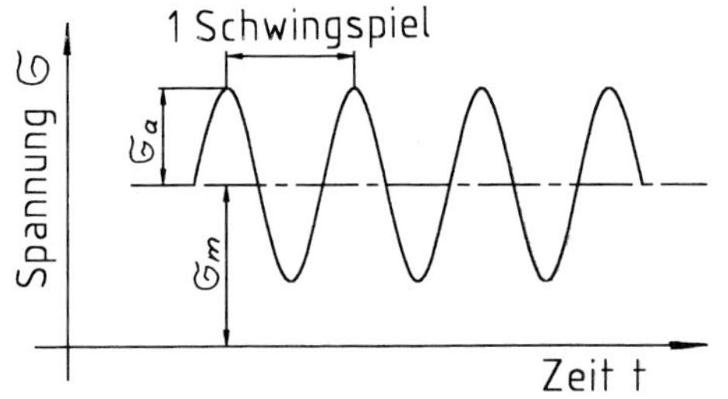


**Bild 5-35**
Zeitlicher Spannungsverlauf zur Ermittlung der Dauerfestigkeit

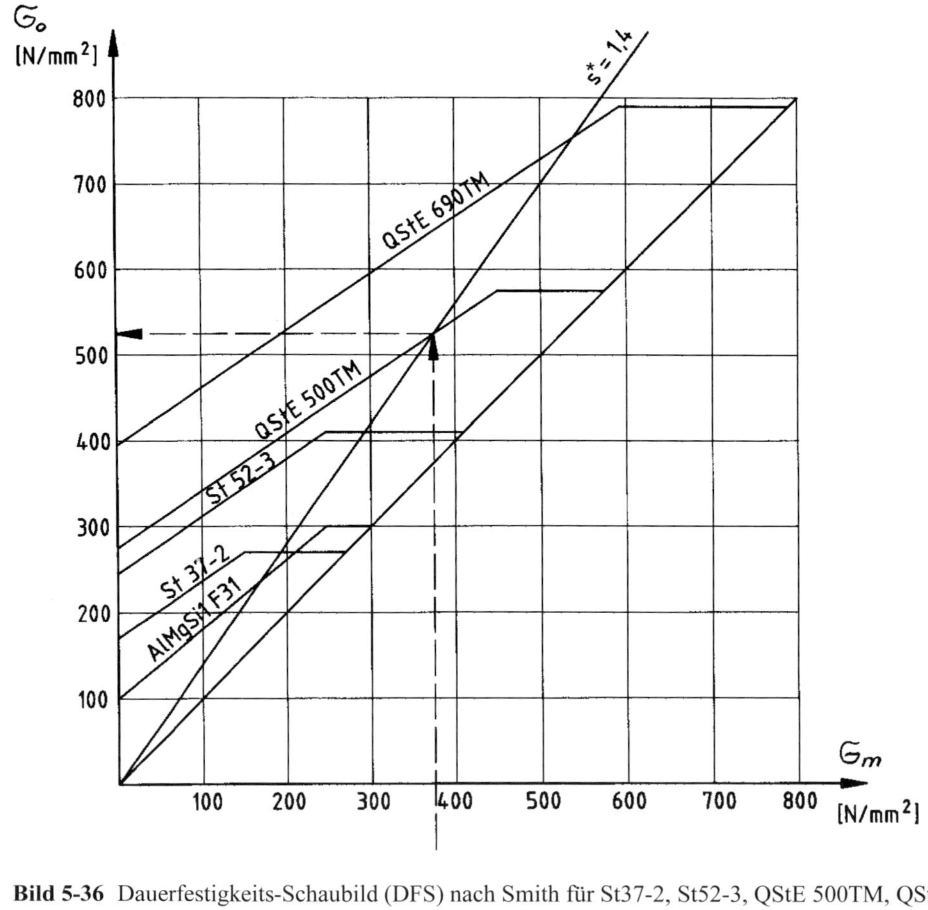


**Bild 5-36** Dauerfestigkeits-Schaubild (DFS) nach Smith für St37-2, St52-3, QStE 500TM, QStE 690 TM und AlMgSi1 F31 für Biegebeanspruchung, mit Ablesebeispiel, anstelle eines Grenzspannungsverhältnisses κ ist hier der Stoßfaktor s* nach Gl. 5-14 eingearbeitet.

Die Ergebnisse der Dauerfestigkeitsversuche für variierende Mittelspannungen $\sigma_m$ lassen sich anschaulich in das Dauerfestigkeits-Schaubild (DFS) nach Smith eingetragen, aus dem unter Nutzung der Hilfslinien für unterschiedliche Grenzspannungsverhältnisse $\kappa$ der Dauerfestigkeitswert $\sigma_D = \sigma_o$ direkt abgelesen werden kann (Bild 5-36). Dieser darf allerdings nicht direkt auf das Bauteil übertragen werden, da Bauteile in der Praxis von den idealen Gegebenheiten des Probestabes (glatt, poliert, 10 mm Durchmesser) oft erheblich abweichen.

Die für das Bauteil maßgebliche Dauerfestigkeit, die so genannte Gestaltfestigkeit $\sigma_G$, kann durch entsprechende Korrekturwerte nach Gl. (5-15) [5-15] aus der Dauerfestigkeit $\sigma_D$ – bei überwiegender Biegebeanspruchung der Biegedauerfestigkeit $\sigma_{bD}$ – des Probestabes abgeleitet werden. Dabei sind alle Abweichungen, welche das Bauteil vom Probestab unterscheiden, zu berücksichtigen:

$$\sigma_G = \frac{\sigma_{bD} \cdot b_l \cdot b_2}{\beta_k} \quad \text{mit} \quad b_2 = k_t \cdot k_g \cdot k_\alpha \tag{5-15}$$

Der Oberflächenbeiwert $b_l$ berücksichtigt die Kerbwirkung der Werkstückoberfläche in Abhängigkeit von gemittelter Rautiefe $R_z$ und Zugfestigkeit $R_m$, die Kerbwirkungszahl $\beta_k$ die Kerbwirkung konstruktiver Kerben (Querschnittsübergänge, Einstiche, Bohrungen, ...).

Die Abhängigkeiten der Gestaltfestigkeit von der Querschnittshauptabmessung werden durch die Größeneinflussfaktoren $k_t$ (Wärmebehandlung), $k_g$ (Stützwirkung bei Biegebeanspruchung) und $k_\alpha$ (konstruktive Kerbwirkung) erfasst. Da die für Leiterrahmen verwendeten gepressten oder gewalzten Profile aus Baustählen üblicherweise kraftflussgerecht gestaltete Querschnittsübergänge aufweisen und die Flanschflächen frei von konstruktiven Kerben (z. B. Bohrungen) sind, können die Beiwerte $\beta_k$, $k_t$ und $k_\alpha$ zu 1 gesetzt werden.

Nach der Bestimmung der Gestaltfestigkeit lässt sich nun die Bauteilsicherheit kontrollieren. In jedem Fall ist sicherzustellen, dass die Sicherheit gegen Dauerbruch $\nu_D$ als Verhältnis der Gestaltfestigkeit $\sigma_G$ zur Nennspannung $\sigma_n$ stets $\geq 1$ ist:

$$\nu_D = \frac{\sigma_G}{\sigma_n} \geq 1 \tag{5-16}$$

Die Höhe der erforderlichen Sicherheit liegt im Ermessensbereich des Konstrukteurs, der für jeden Einzelfall nach den zu erwartenden Betriebsbedingungen (Häufigkeit der Höchstlast, Art des Lastkollektivs, Grenzspannungsverhältnis, ...) die Sicherheit eigenverantwortlich festzulegen hat. In Anlehnung an [5-15, TB 3-13] wird hier ein vergleichsweise niedriger Sicherheitswert von $\nu_D = 1{,}2$ vorgeschlagen. Dies ist damit zu begründen, dass die Häufigkeit des Auftretens der Höchstlast im Fahrbetrieb relativ gering ist.

Mit gleichbleibenden technologischen und gestalterischen Randbedingungen kann Gl. (5-15) unter Berücksichtigung von Gl. (5-16) umgestellt werden, um eine zulässige Bauteil(nenn)-spannung $\sigma_{zul}$, die größer als die Nennspannung $\sigma_n$ sein muss, zu ermitteln. Der geometrische Größenbeiwert $k_g$ kann für übliche Bauteilhauptabmessungen > 150 mm zu 0,8 gesetzt werden [5-15, TB 3-12]:

$$\sigma_{zul} = \frac{\sigma_{bD} \cdot b_l \cdot 0{,}8}{\nu_D \cdot \ddot{u}^* \cdot s^*} \geq \sigma_n \tag{5-17}$$

Bei statischer Beanspruchung ist als Festigkeitswert für duktile Werkstoffe die Fließgrenze $\sigma_F$ der jeweiligen Beanspruchungsart, d. h. bei überwiegender Biegebeanspruchung die Biegefließgrenze $\sigma_{bF}$ maßgebend. Für die in Nutzfahrzeugtragwerken üblicherweise eingesetzten Leichtbauprofile (U-, I- und Hohlprofile) mit einem Verhältnis der inneren zu den äußeren Hauptabmessungen von etwa 0,93 beträgt nach [5-16, Tabelle 1.3.2] $\sigma_{bF} = 1{,}15 \cdot R_e$. Ein etwaiger Kerbeinfluss wird entweder durch die im unmittelbaren Kerbbereich erhöhte Fließgrenze ausgeglichen oder führt zum Abbau der erhöhten Spannungen durch örtliches Fließen.

Die zulässige Spannung, die mit der Nennspannung $\sigma_n$ bzw. der Vergleichsspannung $\sigma_v$ zu vergleichen ist, berechnet sich analog zu Gl. (5-17) mit der Sicherheit gegen Fließen $\nu_F$ zu:

$$\sigma_{zul} = \frac{\sigma_{bF}}{\nu_F \cdot ü^*} \geq \sigma_n \tag{5-18}$$

In Anlehnung an [5-16, Tabelle 1.5.1] wird für die statische Beanspruchung eine Sicherheit gegen Fließen von $\nu_F = 1{,}5$ vorgeschlagen.

In Tabelle 5-10 sind (mit $ü^* = 1{,}25$; $s^* = 1{,}4$; $\nu_D = 1{,}2$; $\nu_F = 1{,}15$) die zulässigen Spannungen $\sigma_{zul}$ unter Anwendung des Dauerfestigkeits-Schaubildes (Bild 5-36) für Biegebeanspruchung nach Gl. (5-17) bzw. (5-18) berechnet.

**Tabelle 5-10** Zulässige Spannungen für statisch und dynamisch biegebeanspruchte Tragwerksteile nach Gln. (5-17) und (5-18) und DFS nach Bild 5-36

| Werkstoff | $R_e$ (N/mm²) | $\sigma_{bF}$ (N/mm²) | $\sigma_{bD}$ (N/mm²) | $b_1$ | Beanspruchungsart | $\sigma_{zul}$ (N/mm²) |
|---|---|---|---|---|---|---|
| S235JR | 235 | 270 | | | statisch | 145 |
| | | | 270 | 0,88 | dynamisch | 90 |
| S355JR | 355 | 410 | | | statisch | 220 |
| | | | 410 | 0,80 | dynamisch | 125 |
| S500MC | 500 | 575 | | | statisch | 305 |
| | | | 525 | 0,77 | dynamisch | 155 |
| S700MC | 690 | 790 | | | statisch | 420 |
| | | | 755 | 0,67 | dynamisch | 190 |
| AlMgSi1 F31 | 260 | 300 | | | statisch | 160 |
| | | | 235 | 0,90 | dynamisch | 80 |

Für geschweißte Querschnitte kann der Festigkeitsnachweis entsprechend geführt werden. Dabei sind je nach Bewertungsgruppe, welche Anordnung, Stoß- und Nahtform, Belastung und Prüfaufwand berücksichtigt, unterschiedliche Dauerfestigkeitswerte anzuwenden.

Im Hinblick auf Auslegungssicherheit ist der hier vorgestellte Festigkeitsnachweis höchst unbefriedigend. Nach dem heutigen Stand der Betriebsfestigkeitsrechnung erscheint insbesondere die Beurteilung der Betriebsfestigkeit von Fahrzeugbauteilen im Sinne eines Nachweises auf der Basis von Probestabdaten heute und in absehbarer Zukunft nicht möglich. Dies ist darauf zurückzuführen, dass wesentliche schwingungsfestigkeitsbestimmende Einflussfaktoren über Probestabversuche nur unzureichend erfasst werden können [5-17]. Dies sollte aber nicht dazu verleiten, auf Berechnungen ganz zu verzichten. Denn selbst wenn aus Gründen der Auslegungsunsicherheit $W_{ax}$ um einen „Unsicherheitsfaktor" von 1,3 erhöht wird, bedeutet das für geometrisch ähnliche Profile lediglich eine Zunahme der Hauptabmessungen von etwa 10 % und eine Gewichtssteigerung von etwa 20 %.

Bleibt zu hoffen, dass weitere Forschungen auf Grundlage der neu erarbeiteten FKM-Richtlinie [5-16] die Auslegungssicherheit deutlich verbessern werden.

### 5.3.6 Elastische Biegeverformungen in Nutzfahrzeugtragwerken

Mit zunehmendem Einsatz von sowohl höherfesten Stählen als auch Aluminium-Knetlegierungen im Nutzfahrzeugbau gewinnt die Beachtung elastischer Biegeverformungen an Fahrgestellrahmen an Bedeutung. Beispielsweise reduziert die Substitution von S235JR durch QStE 500 TM bei gleichbleibender Biegebelastung das erforderliche axiale Widerstandsmoment $W_{ax}$ auf etwa 60 % und mit dem axialen Flächenmoment 2. Grades $I_{ax}$ die Biegesteifigkeit $E \cdot I_{ax}$ auf etwa 50 %, was etwa doppelt so große Biegeverformungen zur Folge hat. Beim Einsatz von AlMgSi1 F31, welcher nahezu identische Festigkeitseigenschaften wie S235JR aufweist, würde bei gleichbleibenden statischen Werten durch den um den Faktor drei geringeren Elastizitätsmodul E des Aluminiums die Biegesteifigkeit auf ein Drittel reduziert werden und die Biegeverformung entsprechend dreimal so groß sein.

Für beliebige Belastungsfälle eines auf ein Balkenmodell reduzierten Fahrgestellrahmens können der Tangentendrehwinkel $\psi$ und auch die Vertikalverschiebung w für jede beliebige Stelle durch formale Integration [5-10] unter Berücksichtigung der Randbedingungen ermittelt werden. Dabei kann $I_{ax}$ bei veränderlichen Querschnittsabmessungen auch variabel sein bzw. sich als $I_{ax,ges}$ aus dem Zusammenwirken zweier übereinander liegender und gleichsinnig verformter Profile (siehe Abschnitt 5.4.4) ergeben:

$$\psi(x) = \int_0^x \frac{M(x)}{E \cdot I_{ax}} dx \tag{5-19}$$

$$w(x) = -\int_0^x \psi(x) dx \tag{5-20}$$

Für einfache Belastungs- und Lagerungsfälle stehen Biegeträger-Formeln (Bild 5-37) zur Verfügung. Sie ermöglichen die Berechnung von Auflagerkräften, Biegemomentenverlauf, Vertikalverschiebung und Tangentendrehwinkeln an den Auflagern.

Bild 5-37 zeigt beispielhaft einen Träger auf zwei Stützen mit gleichen Überhängen unter Gleichstreckenlast. Dieser Belastungsfall wäre gut geeignet, die Verformungen in den Längsträgern eines 2-achsigen Anhängers relativ genau abzuschätzen.

Die konkreten Folgen größerer elastischer Verformungen im Fahrgestellrahmen können Funktionsbeeinträchtigungen durch sich im praktischen Einsatz verändernde Spaltmaße an Türen, Klappen oder anderen Aufbauteilen (z. B. Ladebordwänden) sein. Für Pritschenaufbauten mit dreiteiligen Bordwänden sollte daher die maximale Rahmendurchbiegung $w_{max}$ nach [5-19] in Abhängigkeit vom technischen Radstand $l_{tech}$ nicht größer sein als:

$$w_{max} = \frac{l_{tech}}{250} \tag{5-21}$$

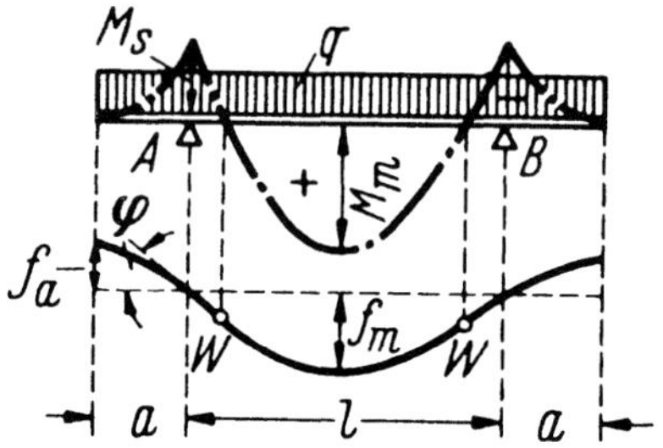


$$A = B = q\left(\frac{l}{2} + a\right), \quad M_s = -\frac{qa^2}{2}$$

$$M_m = \frac{q\,(l^2 - 4\,a^2)}{8}, \quad M_m = 0 \text{ für } a = \frac{l}{2}$$

$$M_m = -M_s = \frac{q\,l^2}{16} \text{ für } a = \frac{l}{\sqrt{8}} = 0{,}3536\,l$$

$$f_m = \frac{q l^2 (5\,l^2 - 24\,a^2)}{384\,EJ}$$

$$f_m = 0 \text{ für } a = \sqrt{\frac{5}{24}}\,l = 0{,}4564\,l$$

$$f_a = \frac{qa\,(l^3 - 6\,a^2\,l - 3\,a^3)}{24\,EJ}$$

$$\varphi_a = \frac{ql\,(l^2 - 6\,a^2)}{24\,EJ}$$

$$\varphi_a = 0 \text{ für } a = \frac{l}{\sqrt{6}} = 0{,}4082\,l$$

**Bild 5-37** Biegeträgerformel für einen Träger auf zwei Stützen unter Gleichstreckenlast (aus [5-18])

Darüber hinaus verringert sich durch ein biegeweiches Tragwerk dessen Biegeeigenfrequenz, welche mit Rücksicht auf Fahrverhalten und Fahrkomfort für das vollbeladene Fahrzeug f = 5 Hz nicht unterschreiten sollte [5-20]. Beispielsweise gibt Scania [5-6] für seine Lastkraftwagenfahrgestelle Biegeeigenfrequenzen von f = 6,0 bis 6,5 Hz an. Für einen Lastkraftwagen mit 295/80 R 22.5-Bereifung und dem Abrollumfang U = 3185 mm hat dies zur Folge, dass der in erster Linie als Schwingungserreger in Frage kommende radiale Reifenschlag für f = 6 Hz nach Gl. (5-22) bei einer Fahrgeschwindigkeit von v = 69 km/h oder ganzzahligen Teilern davon zu Resonanzschwingungen anregt.

$$v = f \cdot U \tag{5-22}$$

Die Biegeeigenfrequenzen f eines unter Last stehenden Nutzfahrzeugrahmens (Balken auf zwei Stützen) werden hier für den einfachen Fall einer gleichmäßig über die Balkenlänge $l_B$ verteilten Masse m (Gleichstreckenlast) für die beiden Lagerungsfälle „beidseitig gelagert“ und „freie Enden“ (Bild 5-38) für die vier ersten Eigenformen nach angegeben [5-21]. Bei der konkreten Ermittlung der Biegeeigenfrequenzen des Gesamtfahrzeuges ist zu beachten, dass sowohl die Biegesteifigkeit des Hilfsrahmens beim Lastkraftwagen als auch die des Aufbaus in die Gesamtbiegesteifigkeit $E \cdot I_{ax}$ nach Gl. (5-23) eingehen:

$$f = k^* \cdot \sqrt{\frac{E \cdot I_{ax}}{m \cdot l_B^3}} \tag{5-23}$$

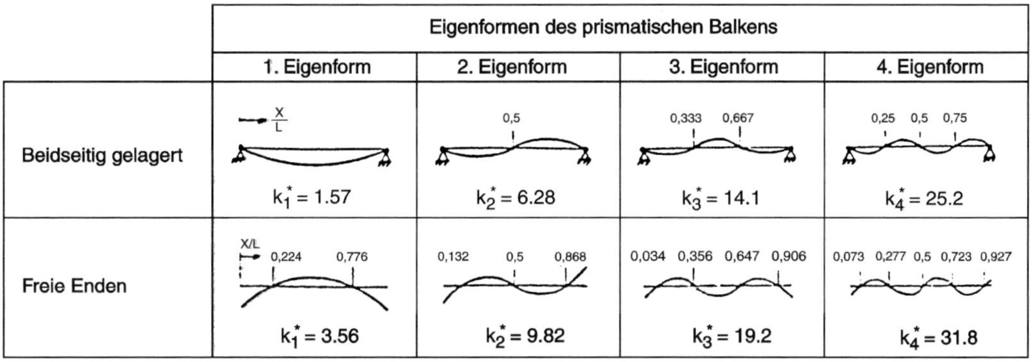


**Bild 5-38** Eigenformen und Beiwerte k für die Biegeschwingungen eines Balkens mit gleichmäßiger Massebelegung (nach [5-21])

# 5.4 Aufbauten

## 5.4.1 Aufbaurichtlinien und Aufbaugenehmigung

Die Hersteller von Lastkraftwagenfahrgestellen geben den Unternehmen, die Konstruktion und Montage von Aufbauten sowie Änderungen an Fahrgestellen ausführen, so genannte Aufbaurichtlinien an die Hand, die sicherstellen sollen, dass die Funktion und die Lebensdauer der Fahrgestelle durch Aufbauten bzw. Fahrgestellveränderungen nicht beeinträchtigt werden.

Wesentliche Themen dieser Aufbaurichtlinien sind (nach MAN-Aufbaurichtlinie [5-19]):

- Allgemeines (Produktvorstellung und Baureihenbezeichnung, Genehmigungsablauf, Ausnahmegenehmigungen, Überhanglängen)
- Ändern und Ausrüsten von Fahrzeugen (Bohren und Schweißen am Rahmen, Verändern des Rahmenüberhangs, Radstandsänderungen, nachträglicher Einbau von Aggregaten und Achsen, Gelenkwellen, Elektrische Anlage, Änderungen am Fahrerhaus, Verbindungseinrichtungen, Unterfahrschutz, seitliche Schutzvorrichtung)
- Aufbauten und Hilfsrahmen (Hilfsrahmengestaltung, Befestigung von Hilfsrahmen und Aufbauten, Sonderaufbauten Tank, Kipper, Wechselbehälter, Ladekran, Ladebordwand und Betonmischer)
- Nebenabtriebe (Grundsätze, Regulierung der Motordrehzahl, technische Beschreibung)
- Bremsanlage (Bremsleitungen, ALB-Einstellung, verschleißlose Dauerbremsen)
- Anhang (Schriften zur technischen Sicherheit, Berechnungen, Anschriften)

Werden Veränderungen und Aufbauten an Fahrgestellen den Aufbaurichtlinien entsprechend ausgeführt, bedürfen sie keiner besonderen Genehmigung durch den Fahrgestellhersteller. Dieser setzt allerdings die zusätzliche Kenntnis aller auf den Aufbau und den Betrieb des Fahrzeuges anzuwendenden gesetzlichen Bestimmungen, Unfallverhütungsvorschriften, Betriebsanleitungen, sonstigen Richtlinien sowie der einschlägigen Normen voraus. Darüber hinaus sind für gewisse Aggregate, wie z. B. Ladekräne, Ladebordwände und Seilwinden, die besonderen Aufbauvorschriften der jeweiligen Hersteller zu beachten.

Für die fachgerechte Konstruktion, Produktion und Montage der Aufbauten bzw. Fahrgeständerungen in handwerklich einwandfreier Qualität liegt die Verantwortung immer bei dem Unternehmen, welches den Aufbau herstellt und montiert oder die Änderung ausführt (Produzentenhaftung). Erkennt ein ausführendes Unternehmen bereits im Planungsstadium den einschlägigen Vorschriften und dem Stand der Technik zuwiderlaufende Absichten des Auftraggebers, so ist dieser darauf hinzuweisen. Denn das Unternehmen ist dafür verantwortlich, dass die Betriebssicherheit des mit einem Aufbau versehenen oder geänderten Fahrzeugs durch die aufgeführten Arbeiten nicht beeinträchtigt wird.

Für den Fall, dass eine beabsichtigte Ausführung und Befestigung eines Aufbaus bzw. oder Fahrgeständerungen nicht in den Aufbaurichtlinien beschrieben ist oder von dieser abweicht, bedarf das ausführende Unternehmen der schriftlichen Genehmigung der zuständigen Fachabteilung des Fahrgestellherstellers. Dies setzt einen schriftlichen Antrag voraus, der Angaben zum Fahrzeugtyp mit konkreter Ausführung und Fahrgestellnummer, allen Maß-, Gewichts- und Schwerpunktangaben, der beabsichtigten konstruktiven Ausführung der Aufbaubefestigung, den Einsatzverhältnisse des Fahrzeugs (z. B. Einsatz auf schlechten Straßen, in großen Höhen, bei hoher Staubbelastung, bei extremen Außentemperaturen), allen Abweichungen von den Aufbaurichtlinien und dem Hinweise auf gleiche oder ähnlich ausgeführte Fahrzeuge enthalten sollte.

Nach Prüfung der eingereichten Unterlagen wird, eventuell mit konkreten Änderungsanforderungen, die Aufbaugenehmigung erteilt; ein Rechtsanspruch auf Erteilung besteht allerdings nicht. Auch in Fällen, in denen bereits früher eine vergleichbare Genehmigung erteilt wurde, kann mit der Begründung des veränderten Stands der Technik eine Aufbaugenehmigung verweigert werden. Weiterhin ist eine Beschränkung der Aufbaugenehmigung auf Einzelfahrzeuge möglich. Für bereits fertiggestellte oder ausgelieferte Fahrzeuge kann die nachträgliche Erteilung einer der Genehmigung grundsätzlich abgelehnt werden.

Eine erteilte Aufbaugenehmigung bezieht sich in jedem Fall immer nur auf die Gestaltung und Dimensionierung von Aufbauten oder Fahrgestellveränderungen. Die Verantwortung für die technisch einwandfreie Ausführung trägt auch hier der Aufbauhersteller.

Treten an Fahrgestellen im Betrieb Schäden auf, dann kann im Rahmen der Gewährleistungsverpflichtung der Fahrgestellhersteller regresspflichtig gemacht werden. Er ist allerdings dann von dieser Verpflichtung entbunden, wenn die Aufbaurichtlinien nicht eingehalten wurden, Fahrgestellschäden nachweislich durch den Aufbau, die Art der Aufbaumontage oder Fahrgeständerung, durch unsachgemäße Bedienung oder die Wahl eines für den Einsatzfall ungeeigneten Fahrgestells herbeigeführt wurden.

### 5.4.2 Hilfsrahmen und Aufbaubefestigung

Lastkraftwagenfahrgestelle werden mit unterschiedlichsten Aufbauten ausgerüstet, die je nach Aufbauart unterschiedlichste Rahmenbeanspruchungen ergeben. Deshalb ist in den meisten Fällen ein Hilfsrahmen (Montagerahmen) zur besseren Krafteinleitung bei großen Punktlasten oder Rahmenverstärkung bei hohen Biegebelastungen (Bild 5-39) erforderlich.

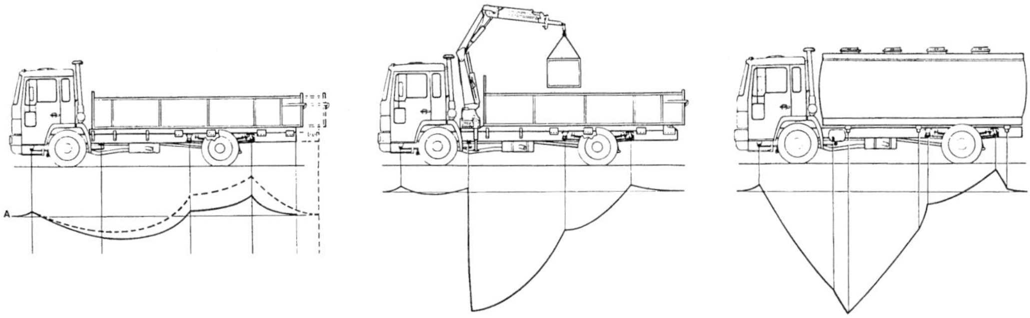


**Bild 5-39** Biegemomentenverlauf im Fahrgestellrahmen für gleichmäßig verteilte Belastung (Pritsche), konzentrierte und gleichmäßige Belastung (Pritsche mit Ladekranaufbau hinter dem Fahrerhaus) und Punktbelastung (Tankfahrzeug), (VOLVO, aus [5-22])

Daneben ermöglicht ein Hilfsrahmen eine größere Gestaltungsfreiheit für die Montage des Aufbaus sowie zusätzlicher Bauteile und Aggregate und schafft genügend Freiraum für Räder und andere Fahrgestellbaugruppen, die über die Oberkante des Fahrgestellrahmens hinausragen.

Hilfsrahmen werden üblicherweise in konstruktiver Anlehnung an den Fahrgestellrahmen in Leiterbauart (Längs- und Querträger) ausgeführt und durchgehend vom hinteren Rahmenende bis möglichst zum hinteren Vorderfederbock geführt (Bild 5-40). Dies entlastet den Fahrgestellrahmen und verringert durch die Erhöhung der Gesamtbiegesteifigkeit auch dessen Neigung zu Biegeeigenschwingungen.

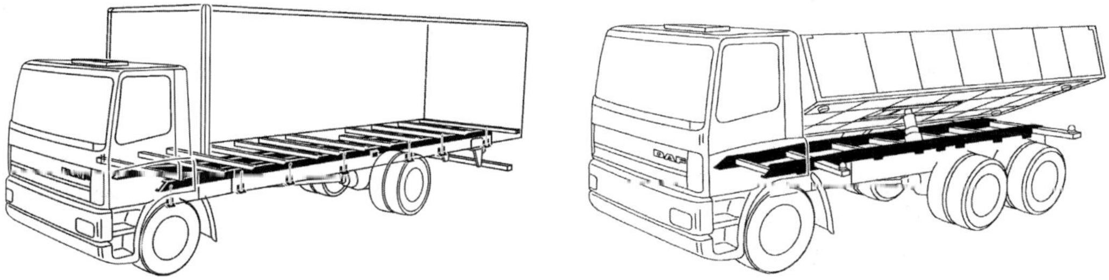

**Bild 5-40** Lastkraftwagenfahrgestelle mit Hilfsrahmen in Leiterbauart (DAF, aus [5-23])

Zur optimalen Kraftübertragung muss der Hilfsrahmen auf seiner gesamten Länge die gleiche äußere Breite wie der Fahrgestellrahmen haben und dessen Außenkontur folgen. Unterbrechungen und Kröpfungen sind nicht zugelassen.

Wo es nicht möglich ist, dass die Untergurte der Hilfsrahmenlängsträger eben auf den Obergurten der Rahmenlängsträger aufliegen, können Zwischenlagen in Form von Blechstreifen eingepasst werden. Sollen zur Vermeidung elektrochemischer Korrosion, z. B. bei einem Hilfsrahmen aus Aluminium, isolierende Zwischenlagen angebracht werden, müssen diese über die gesamte Länge reichen und aus einem formbeständigen Material (Kunststoff mit Shore-Härte 80 und maximal 3 mm Dicke) bestehen. Bei ganz oder teilweise schubfesten Hilfsrahmen sind derartige Zwischenlagen allerdings nicht erlaubt.

Fahrgestellrahmen und Hilfsrahmen sind an diskreten Punkten über Verbindungsglieder miteinander verbunden, die beiden eine gemeinsame Biegeverformung aufzwingt. Bedingt durch die örtliche Form der Biegelinie belastet das vordere Ende des Hilfsrahmens den Fahrgestellrahmen punktuell. Zur Vermeidung von örtlich sehr hohen Flächenpressungen werden deshalb die vorderen Enden beider Hilfsrahmenlängsträger entweder unter 30° abgeschrägt oder entsprechend ausgeklinkt. Zusätzlich wird die Kante des Untergurtes mit einem Radius von mindestens 5 mm abgerundet (Bild 5-41).

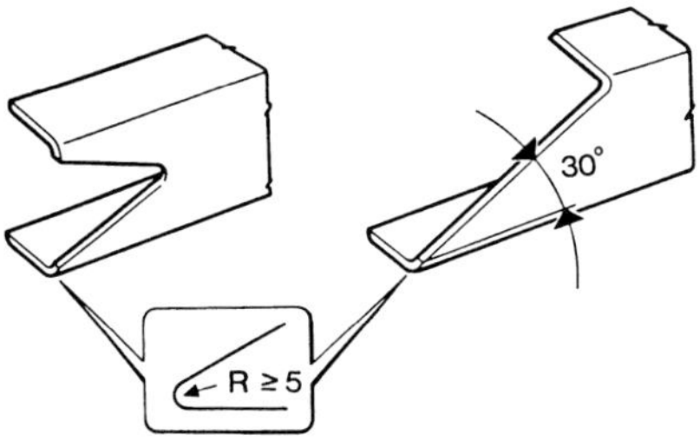


**Bild 5-41**
Gestaltung des vorderen Endes eines Hilfsrahmenlängsträgers (IVECO, aus [5-7])

Fahrgestell- und Hilfsrahmen können durch unterschiedliche Aufbaubefestigungselemente (Konsolen mit Schrauben, Schubbleche, Briden, ...) verbunden werden, die sich bezüglich ihrer Übertragungseigenschaft für Horizontalkräfte in Längsrichtung wesentlich unterscheiden. Die Wahl geeigneter Befestigungselemente richtet sich in erster Linie nach der Verwindungssteifigkeit des Aufbaus (Bild 5-42). Feste Pritsche, Kipper und Sattelkupplung sind Beispiele für verwindungsweiche Aufbauten, die der Fahrgestellverwindung im Fahrbetrieb problemlos folgen können. Tank, Silo und selbsttragende Kofferaufbauten sind dagegen extrem verwindungssteif und stellen daher besondere Anforderungen an die Aufbaubefestigungselemente, welche in extremen Fahrsituationen ein begrenztes Abheben des Aufbaus zulassen müssen.

**Bild 5-42** Verwindungsweicher und verwindungssteifer Aufbau im Vergleich (SCANIA, aus [5-6])

Bild 5-43 zeigt eine schubweiche Aufbaubefestigung, die aus zwei übereinander angeordneten Konsolen und einer Schraubenverbindung besteht. Sie wird im vorderen Bereich verwindungsweicher oder im hinteren Bereich verwindungssteifer Aufbauten eingesetzt. Während die Schraube die beiden Längsträger aufeinanderpresst, bewirkt die nach oben über den Fahrgestellrahmenobergurt überstehende Fahrgestellkonsole die seitliche Führung. Durch Schrägstellen der Schraube können sich Hilfs- und Fahrgestellrahmen in Längsrichtung relativ zueinander bewegen. Die im vorderen Bereich verwindungssteifer Aufbauten eingesetzten Aufbaubefestigungen nach Bild 5-44 unterscheiden sich von den auf Bild 5-43 gezeigten durch elastische Elemente (Schaubenfeder, Tellerfedern, Gummielement) in der Schraubenverbindung, die bei extremer Fahrgestellverwindung soweit zusammengedrückt werden, dass der Aufbau örtlich vom Fahrgestellrahmen abheben kann und dadurch vor Schäden bewahrt wird.

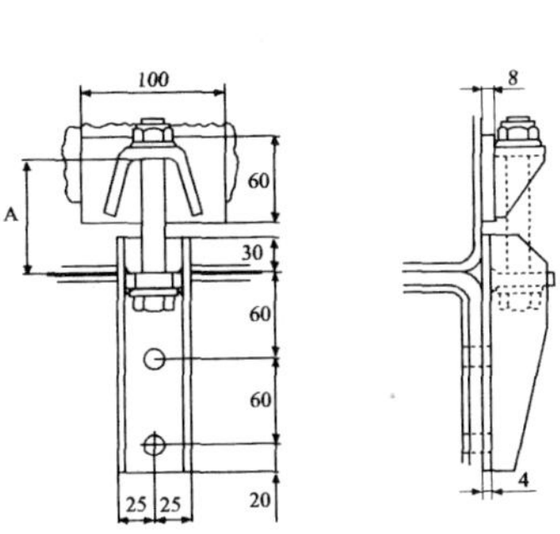


**Bild 5-43** Aufbaubefestigung mit Konsolen (SCANIA, aus [5-6])

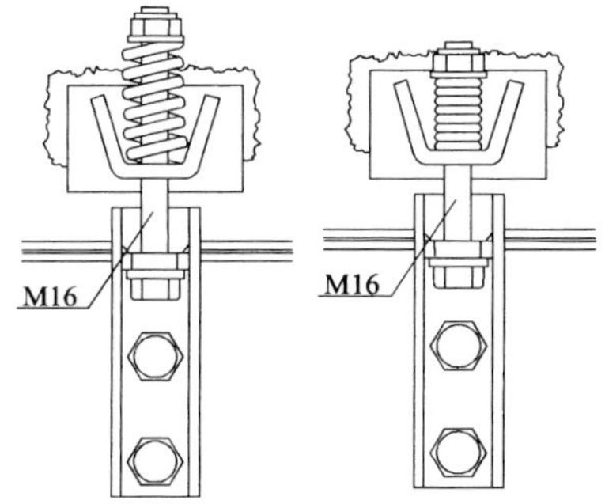


**Bild 5-44** Aufbaubefestigung mit Konsolen und Federn (SCANIA, aus [5-6])

Bei Fahrzeugen mit sehr verwindungssteifen Aufbauten, wie z. B. Tankaufbauten, die oft auf unebener Fahrbahn eingesetzt werden, müssen die Aufbaubefestigungen sowohl eine bestimmte Abwärtsbewegung als auch eine etwas größere Aufwärtsbewegung des Aufbaus ermöglichen. Bild 5-45 zeigt eine solche Befestigung.

Schubweiche Verbindungen mit Briden (Bild 5-46) werden heute von den meisten Fahrgestellherstellern nicht mehr empfohlen, da die Flansche der beiden offenen U-Profile durch zusätzliche Distanzstücke vor Verformungen geschützt werden müssen.

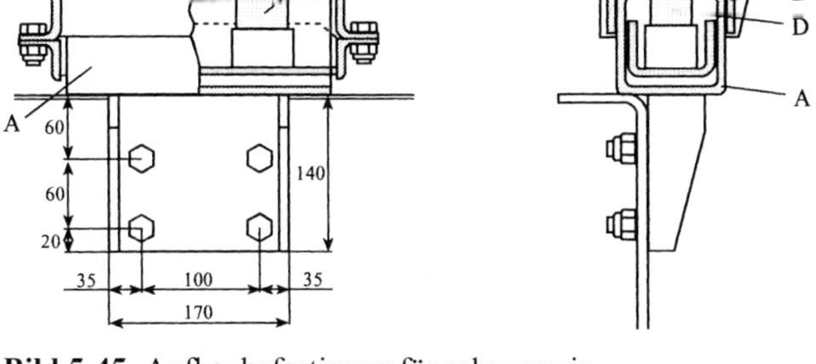


**Bild 5-45** Aufbaubefestigung für sehr verwindungssteife Aufbauten (SCANIA, aus [5-6])

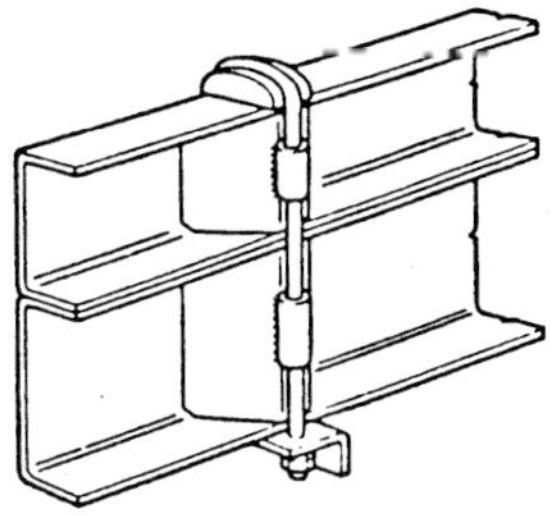

**Bild 5-46** Aufbaubefestigung mit Bride (IVECO, aus [5-7])

Schubbleche (Bild 5-47) können aufgrund der auf Scherung (Bohrungsspiel zum Schraubenschaft < 0,2 mm) beanspruchten Schraubenverbindung erhebliche Längskräfte übertragen. Sie ermöglichen eine schubfeste Verbindung und werden als Aufbaubefestigungen üblicherweise über der Hinterachse und im Bereich des hinteren Überhangs von solchen Fahrgestellen eingesetzt, die in diesem Bereich möglichst biege- und torsionssteif sein müssen. Das ist besonders bei Kippern, Betonmischfahrzeugen und Fahrzeugen mit heckmontiertem Kran der Fall.

Damit im Laufe der Betriebszeit der Hilfsrahmen nicht in Längsrichtung wandern kann, ist mindestens eine schubfeste Verbindung je Fahrzeugseite erforderlich, welche üblicherweise im Bereich über der Hinterachse angebracht wird. Die gleiche Funktion kann alternativ auch eine direkte Verschraubung am Rahmenende (Bild 5-48) erfüllen.

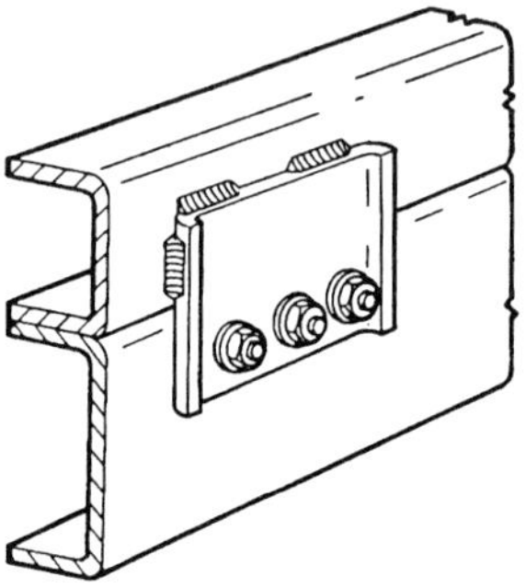

**Bild 5-47** Aufbaubefestigung mit Schubblech (IVECO, aus [5-7])

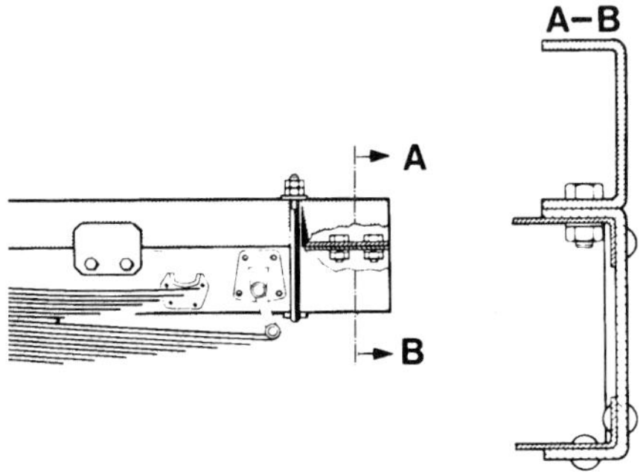


**Bild 5-48** Schubstarre Verschraubung am Rahmenende (Mercedes-Benz, aus [5-24])

### 5.4.3 Aufbauten ohne Hilfsrahmen

Sofern Festigkeit und Steifigkeit eines vorhandenen Fahrgestellrahmens ausreichend sind, dürfen selbsttragende Aufbauten (Tank, Wechselaufbau, Koffer) unter bestimmten Bedingungen ohne Hilfsrahmen aufgebaut werden.

Extrem verwindungssteife Tankaufbauten lassen sich alternativ zur elastischen Lagerung (siehe Bild 5-45) auch hilfsrahmenlos über drei Punkte direkt auf dem Fahrgestellrahmen lagern. Während die hintere Abstützung über beidseitig angeordnete starre oder gefederte Konsolen erfolgt, kann der als Waage ausgebildete vordere Abstützpunkt über ein elastisch gestütztes Gelenk gegenüber der Fahrgestellverwindungen ausgleichen (Bild 5-49).

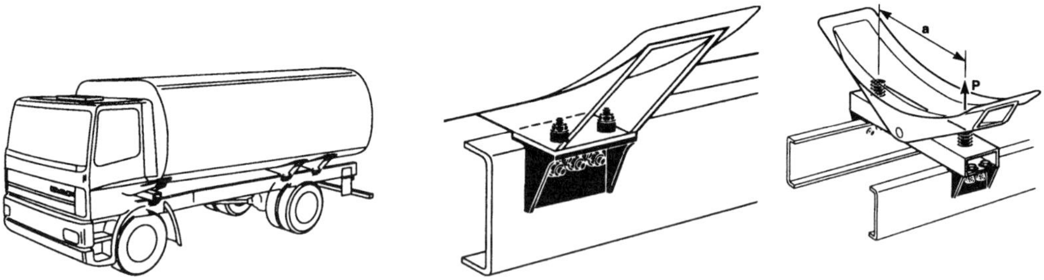


**Bild 5-49** Dreipunktlagerung eines Tankaufbaus durch Waage und Konsolen (DAF, aus [5-23])

Mit der Zielsetzung möglichst geringer Abstellhöhe werden Lastkraftwagen für Wechselaufbauten bevorzugt ohne Hilfsrahmen aufgebaut. In diesem Fall muss allerdings sichergestellt sein, dass der Aufbau auf seiner gesamten Länge oder zumindest in unmittelbarer Nähe der Federaufhängung großflächig auf dem Fahrgestellrahmen aufliegt und die Twistlock-Halterungen (Bild 5-50) in der Nähe von Querträgern angeordnet und nur am Rahmenhochsteg befestigt sind. Weiterhin dürfen durch die Hubeinrichtung nur geringfügige zusätzliche Kräfte und Biegemomente in den Fahrgestellrahmen eingeleitet werden. Zum Schutz des Rahmenlängsträgers fordert MAN zusätzlich ein Verschleißprofil (Bild 5-51).

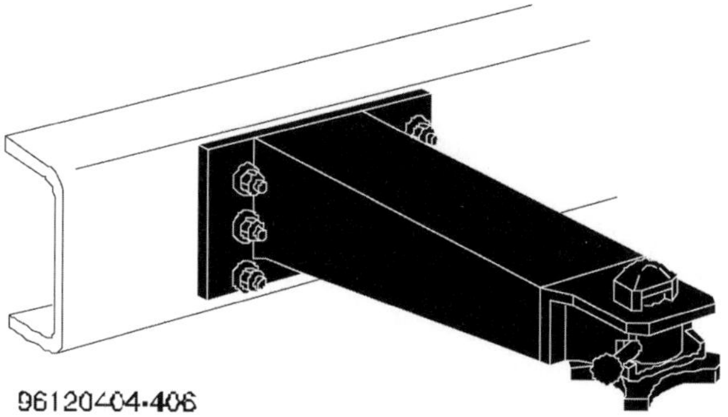


**Bild 5-50**
Twistlock-Befestigung am Rahmenlängsträger (DAF, aus [5-23])

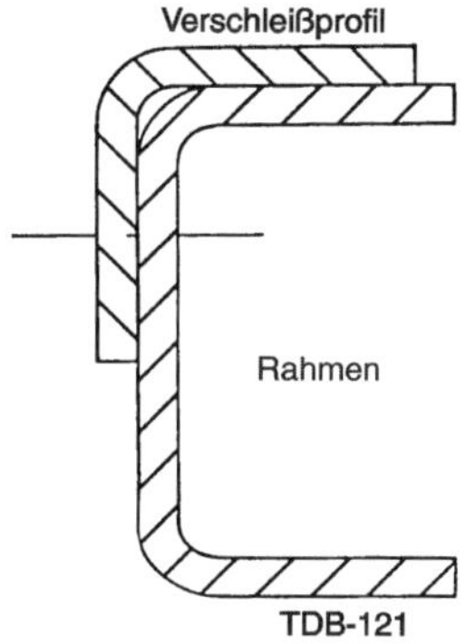


**Bild 5-51**
Verschleißprofil auf Rahmenlängsträger (MAN, aus [5-19])

Ist die Bodengruppe eines selbsttragenden Kofferaufbaus so ausgebildet, dass sie die Funktion eines Hilfsrahmens übernimmt, dann kann bei einem üblicherweise minimalen Querträgerabstand von etwa 600 mm auf einen Hilfsrahmen verzichtet werden (Bild 5-52). Wegen der relativ geringen Auflagefläche des Aufbaus auf den Längsträgern des Fahrgestells sind Kantenpressungen aufgrund nicht entgrateter oder nicht abgerundeter Kanten in diesem Bereich unbedingt zu vermeiden.

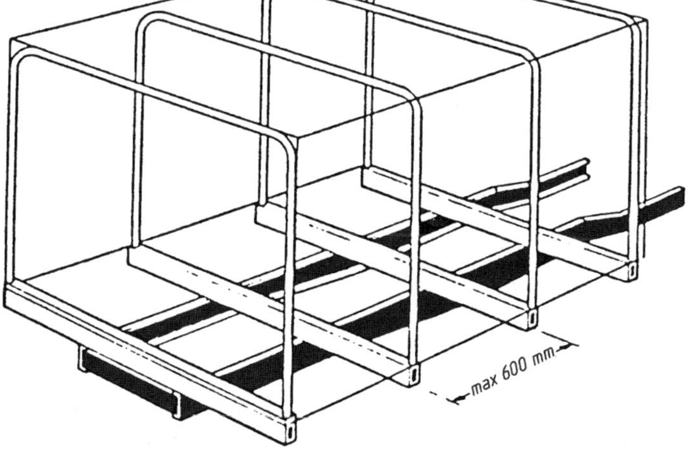


**Bild 5-52**
Hilfsrahmenloser Kofferaufbau in selbsttragender Ausführung (Mercedes-Benz, aus [5-24])

### 5.4.4 Hilfsrahmengestaltung

Die mechanischen Eigenschaften eines Hilfsrahmens sind zunächst von der Gestalt, Anordnung und Verbindung der verwendeten Profile sowie den mechanischen Eigenschaften der verwendeten Werkstoffe abhängig. Durch die besondere Anordnung und die alternativen Verbindungsmöglichkeiten zum Fahrgestellrahmen muss das Zusammenwirken beider Rahmen hier speziell betrachtet werden.

Grundsätzlich können beide Rahmen über deren Längsträger entweder schubweich oder schubstarr verbunden werden. Schubweiche Verbindungen sind kraft/reibschlüssig und lassen eine Relativbewegung zwischen Fahrgestellrahmen und Hilfsrahmen in Längsrichtung bedingt zu. Da bei schubstarrer (schubfester) Verbindung dies nicht möglich ist, resultieren für den Verbund beider Rahmen je nach Ausbildung der Verbindung unterschiedliche Biegesteifigkeiten $E \cdot I_{ax,ges}$ und Torsionssteifigkeiten $G \cdot I_{p,ges}$.

Bei Biegebelastung eines schubweichen Verbundes ist beiden Trägern die Biegeverformung gemeinsam. Dadurch stellt sich für Werkstoffe gleicher Materialeigensteifigkeit (Elastizitätsmodul E) ein Biegespannungsverlauf entsprechend Bild 5-53a ein. Da in der Berührzone beider Träger zug- und druckbeanspruchte Flansche aufeinander liegen, führt die mit der Spannung verknüpfte Dehnung des einen und Stauchung des anderen Flansches zu Relativverschiebungen. Werden diese durch schubfeste Verbindungen behindert, entstehen in diesen Schubkräfte. Der Gesamtverband verhält sich dann wie ein wesentlich biegesteiferer einteiliger Träger mit einem Spannungsverlauf nach Bild 5-53b.

Durch Vergleich der qualitativen Spannungsverteilungen nach Bild 5-53 ist festzustellen, dass für den schubweichen Verbund die maximalen Randspannungen der Träger den Profilhöhen direkt proportional sind. Somit können für die in allen Fällen niedrigeren Hilfsrahmen, welche primär der Lastverteilung dienen und daher schubweich angeschlossen sind, Werkstoffe eingesetzt werden, deren Festigkeitswerte deutlich unter denen der Fahrgestellrahmenwerkstoffe liegen. Der schubfeste Verband dagegen erfordert einen Hilfsrahmenwerkstoff von mindestens gleicher Festigkeit.

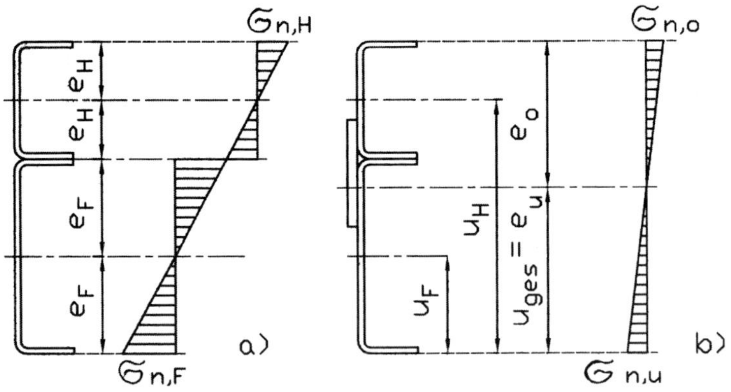


**Bild 5-53**
Biegespannungsverlauf in Fahrgestellrahmen (F) und Hilfsrahmen (H) bei schubweicher (a) und schubfester (b) Verbindung

Das in die Gesamtbiegesteifigkeit $E \cdot I_{ax,ges}$ eingehende axiale Flächenmoment 2. Grades $I_{ax,ges}$ lässt sich für den schubweichen Verbund nach [5-9] ermitteln:

$$I_{ax,ges} = I_{ax,F} + I_{ax,H} \tag{5-24}$$

Daraus folgen bei gegebenem Biegemoment M die maximalen Randfaserspannungen:

$$\sigma_{n,F} = \frac{M}{I_{ax,ges}} \cdot e_F \qquad (5\text{-}25) \qquad\qquad \sigma_{n,H} = \frac{M}{I_{ax,ges}} \cdot e_H \qquad (5\text{-}26)$$

Mit den Querschnittsflächen $A_F$ und $A_H$ und der Lage ihrer Schwerpunkte $u_F$ und $u_H$ wird für den schubfesten Verbund die Lage der Schwerachse $u_{ges}$ bestimmt:

$$u_{ges} = \frac{A_F \cdot u_F + A_H \cdot u_H}{A_F + A_H} \qquad (5\text{-}27)$$

Das in die Gesamtbiegesteifigkeit $E \cdot I_{ax,ges}$ eingehende axiale Flächenmoment 2. Grades $I_{ax,ges}$ ergibt sich dann mit Hilfe des Steinerschen Verschiebesatzes [5-11] zu:

$$I_{ax,ges} = I_{ax,F} + A_F \cdot (u_{ges} - u_F)^2 + I_{ax,H} + A_H \cdot (u_{ges} - u_H)^2 \qquad (5\text{-}28)$$

Daraus folgen bei gegebenem Biegemoment M die maximalen Randfaserspannungen:

$$\sigma_{n,u} = \frac{M}{I_{ax,ges}} \cdot e_u \qquad (5\text{-}29) \qquad\qquad \sigma_{n,o} = \frac{M}{I_{ax,ges}} \cdot e_o \qquad (5\text{-}30)$$

Bei Verwindung eines schubweichen Verbundes um die Rahmenlängsachse bewegen sich die Flansche der übereinander angeordneten Längsträgerprofile infolge Verwölbung ihrer Querschnitte (siehe Abschnitt 5.2.1) in der Berührebene gegenläufig. Bei einer schubstarren Verbindung kommt es daher durch die Verhinderung dieser Bewegung zu einer Erhöhung der Gesamttorsionssteifigkeit und dem Auftreten von Schubkräften, die von den Verbindungselementen übertragen werden müssen.

Zur Anpassung an den auf dem überwiegenden Teil seiner Länge torsionsweichen Fahrgestellrahmen werden, um Spannungsspitzen bei Rahmenverwindung zu vermeiden, sowohl Längs- als Querträger des Hilfsrahmens aus torsionsweichen U Profilen gestaltet. Die Verbindung der Träger untereinander wie auch zu Befestigungskonsolen und Schubblechen erfolgt stoffschlüssig durch Schweißen.

Die erforderlichen statischen Werte (axiales Widerstandsmoment $W_{ax}$ bzw. axiales Flächenmoment 2. Grades $I_{ax}$) und die daraus resultierenden Abmessungen der Hilfsrahmen-Längsträgerprofile sind je nach Aufbauart von den Fahrgestellherstellern ermittelt worden und werden in den Aufbaurichtlinien als verbindlich vorgegeben.

Die Anordnung der Querträger richtet sich nach der Art des Aufbaus. Bei verwindungsweichen festen Aufbauten (Pritschen) liegen die Querträger üblicherweise auf den Längsträgern auf und sind mit diesen über nachgiebige Winkel oder Knotenbleche verbunden (Bild 5-54).

Bei Aufbauten, für die eine niedrige Ladehöhe erforderlich ist (z. B. für Getränkefahrzeuge), können Querträger in geteilter Ausführung vorgesehen werden. Sie schließen bündig mit der Oberkante der Hilfsrahmen-Längsträger ab sind und mit diesen verschweißt (Bild 5-55).

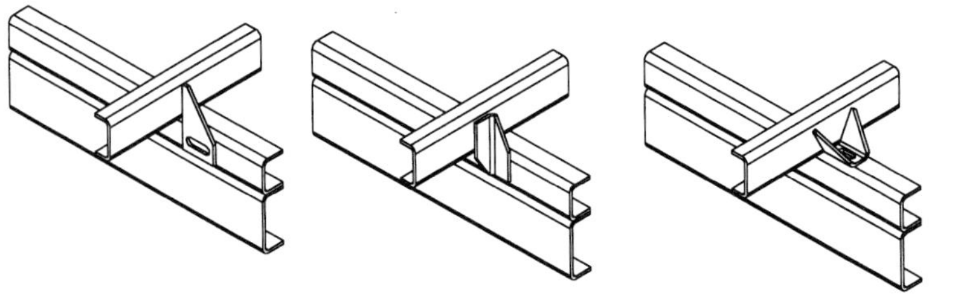

**Bild 5-54** Nachgiebige Querträgeranschlüsse zum Hilfsrahmen-Längsträger

**Bild 5-55**
Hilfsrahmen mit geteilten Querträgern (IVECO, aus [5-7])

Für kippbare Aufbauten und solche, die keine Ladefläche bilden müssen (Betonmischer, Ladekran, ...) werden, dienen die zwischen den Längsträgern angeordneten Querträger lediglich der Aussteifung. Sie werden zweckmäßigerweise nahe der Befestigungsstellen zum Fahrgestellrahmen angeordnet. Um Verwindungsfähigkeit sicherzustellen, erfolgt die Verbindung zu den Hilfrahmen-Längsträgern über Knoten- oder Winkelbleche (Bild 5-56a). Falls im hinteren Bereich des Hilfsrahmens zur Erhöhung der Verdrehsteifigkeit Rohrquerträger vorgesehen sind, können diese durch Flanschplatten angeschlossen werden (Bild 5-56b).

a) b)

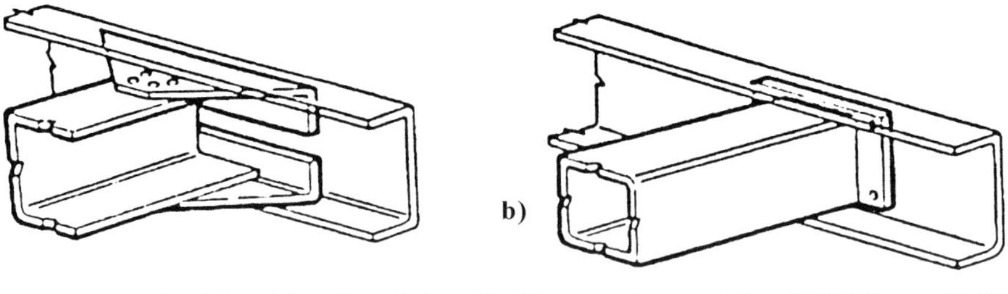

**Bild 5-56** Verdrehweicher (a) und verdrehsteifer (b) Querträgeranschluss (IVECO, aus [5-7])

Bei einigen Aufbauten (z. B. Kipper, Heckladekran und kippbareren Behälteraufbauten) muss der Hilfsrahmen im hinteren Bereich besonders verdrehsteif sein. Dazu werden die Hilfsrahmen-Längsträger zum Kastenprofil geschlossen und die Querträger als Rohre ausgebildet (Bild 5-57a). Zusätzlich kann mit einem Diagonalkreuz (Bild 5-57b) ausgesteift werden.

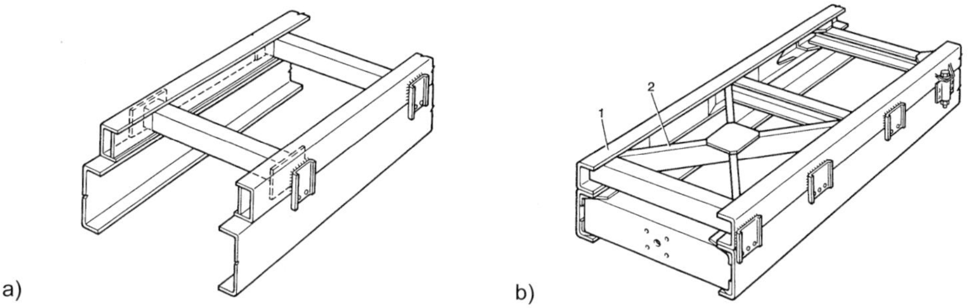


**Bild 5-57** Hilfsrahmenaussteifung durch geschlossene Querschnitte (a) und Diagonalkreuz (b) (IVECO, aus [5-7])

Werden die Hilfsrahmen-Längsträger durch Schließen zum Kastenprofil örtlich torsionssteif gemacht, ist zur Vermeidung eines Steifigkeitssprunges für einen allmählichen Übergang vom geschlossenen zum offenen Profil zu sorgen (Bild 5-58).

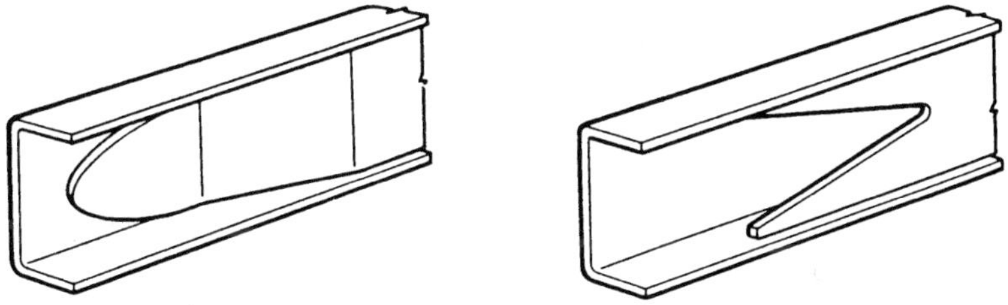

**Bild 5-58** Übergänge vom geschlossenen zum offenen Profil (IVECO, aus [5-7])

## 5.4.5 Böden von Pritschen- und Kofferaufbauten

Böden von Pritschen und Kofferaufbauten begrenzen das Aufbauvolumen nach unten. Sie nehmen die Gewichtskräfte der Nutzlast auf und übertragen diese in den Fahrgestellrahmen. Je nach Beschaffenheit der Nutzlast können diese Lasten flächig verteilt sein oder als Einzellasten wirken. Für den Fall der Be- und Entladung durch Flurförderzeuge (Gabelstapler, Hubwagen) sind zusätzlich deren punktuell wirkende Radlasten zu berücksichtigen.

Das Tragwerk besteht in Falle der traditionellen Bauweise aus mehreren Hilfsrahmen-Querträgern und einem umlaufenden Bodenrahmenprofil, welches die äußere Begrenzung des Bodens darstellt und an seinem vertikal angeordneten Steg die Möglichkeit der Befestigung von Bordwandscharnieren bietet. Der eigentliche Boden aus wetterfesten selbsttragenden Sperrholzplatten (Kompaktboden) stützt sich auf diesem Tragwerk ab.

Als Querträger werden entweder walzprofilierte U-Profile mit konstantem Querschnitt oder speziell für diesen Verwendungszweck kaltgepresste Träger (Bild 5-59) aus S235JR eingesetzt. Letztere verjüngen die Steghöhe zu den Enden hin. Dies reduziert Eigengewicht und erleichtert die Anbindung an das Bodenrahmenprofil.

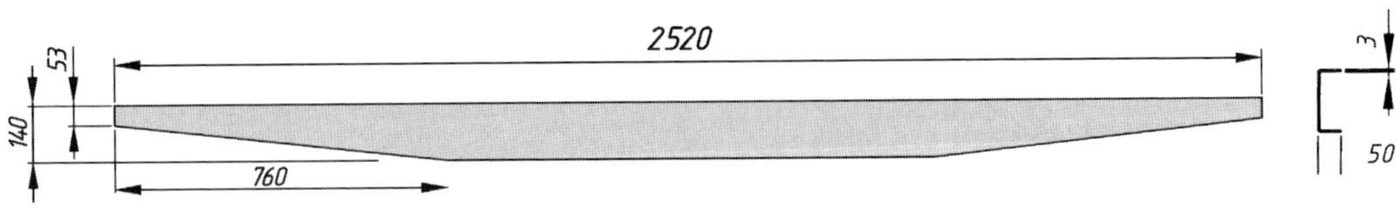


**Bild 5-59** Kaltgepresster Querträger für Lkw-Aufbau (Titgemeyer, Fahrzeugbautechnik-Katalog)

Die Querschnittsabmessungen des Bodenrahmenprofils richten sich nach der erforderlichen Dicke des Kompaktbodens. Handelsübliche Bodenrahmenprofile sind auf Dicken von 21 bis 50 mm abgestimmt. Sie werden an den Ecken des Rahmens auf Gehrung geschnitten und stumpf verschweißt. Mit Rücksicht auf eine möglichst freie Querschnittsverwölbung erfolgt der Querträgeranschluss lediglich durch eine winkelförmig angeordnete Schweißnaht. Zusätzlich wird der Untergurt etwas ausgeklinkt (Bild 5-60a). Sollen die Auflageflächen für die Bodenplatten im Bereich des Bodenrahmenprofils keinen Höhenversatz zu den Querträgern aufweisen, müssen bei letzteren die Obergurte ausgeklinkt werden (Bild 5-60b).

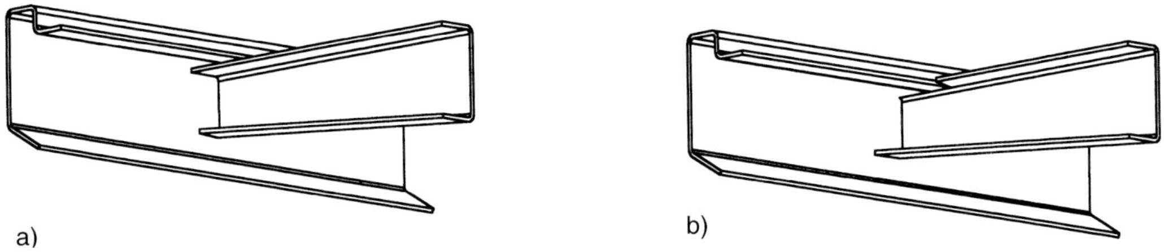


**Bild 5-60** Querträgeranschluss an Bodenrahmenprofil mit (a) und ohne (b) Höhenversatz

Die Standardabmessungen handelsüblicher Bodenplatten sind mit 2500 mm Breite und 1500 mm Länge auf die maximal zulässige Fahrzeugbreite von 2550 mm abgestimmt. Sie werden zur Montage mit den Obergurten der Querträger durch Bohrschrauben verbunden. Der Plattenstoß kann als Stumpfstoß, Zapfenstoß, mit Schiffsläppung oder als Doppelnutung mit Federverbindung ausgeführt werden. Für den aus Kostengründen bevorzugten Stumpfstoß muss dieser aus Tragfähigkeitsgründen über einem Querträger liegen. Damit ergeben sich mögliche Querträgerabstände von 750, 500 oder 375 mm. Da die Biegefestigkeitswerte vom Faserverlauf des Deckfurniers abhängen (siehe Tabelle 5-4), muss bei der Auflage der Platten auf Querträgern der Faserverlauf in Längsrichtung des Fahrzeuges zeigen (Bild 5-61).

Für eine gleichmäßig auf die Bodenfläche des Aufbaus verteilte Nutzlast $F_N$ lässt sich bei gegebenen Aufbauabmessungen $l_A$ und $b_A$ sowie Abstand $a_Q$ (Stützweite) und Überstand $ü_Q$ der Querträger (Bild 5-62) das Biegemoment $M_{max}$ im gefährdeten Querschnitt (über den Längsträgern) berechnen:

$$M_{max} = F_N \cdot \frac{a_Q}{l_A \cdot b_A} \cdot \frac{ü_Q^2}{2} \tag{5-31}$$

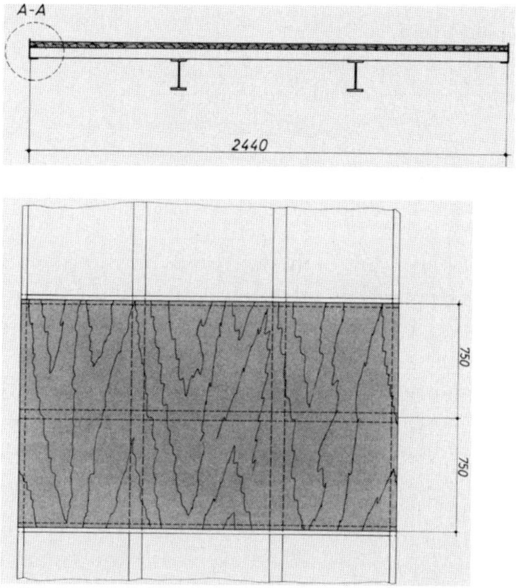


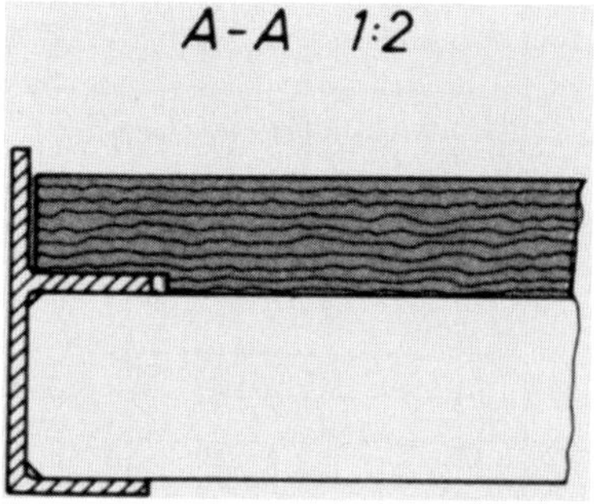


**Bild 5-61**
Verlegung von Kompaktböden auf Querträgern (Glunz AG)

Stellt man die Biegehauptgleichung Gl. (5-8) nach dem axialen Widerstandsmoment $W_{ax}$ um und begrenzt die Nennspannung $\sigma_n$ auf eine für den verwendeten Werkstoff ertragbare zulässige Spannung $\sigma_{zul}$, kann man das erforderliche axiale Widerstandsmoment $W_{ax,erf}$ für den Querträgerquerschnitt bestimmen:

$$W_{ax,erf} = \frac{M_{max}}{\sigma_{zul}} = \frac{F_N}{\sigma_{zul}} \cdot \frac{a_Q}{l_A \cdot b_A} \cdot \frac{ü_Q^2}{2} \tag{5-32}$$

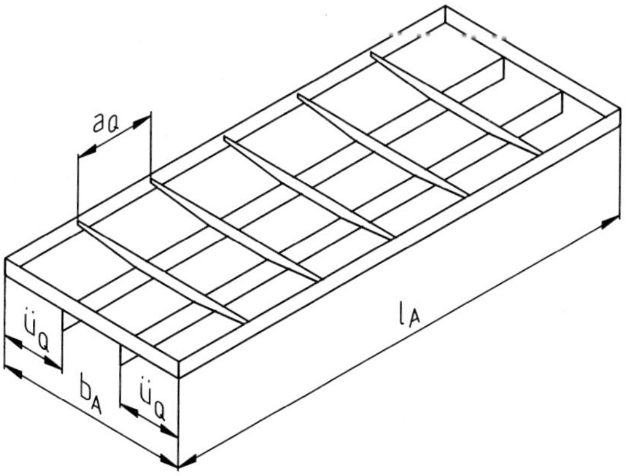


**Bild 5-62**
Tragwerk Pritschenboden

Die erforderliche Dicke d des Kompaktbodens hängt von Betrag und Art der Belastung (Flächenlast $F_N''$, Punktlast $F_N$), der Stützweite (Querträgerabstand $a_Q$) und dem statischen System (Einfeldplatte, Mehrfeldplatte) ab. Bild 5-63 zeigt die Auswertung von Belastbarkeitstabellen als Diagramm mit doppeltlogarithmischer Darstellung (Skalierung nach Normzahlen).

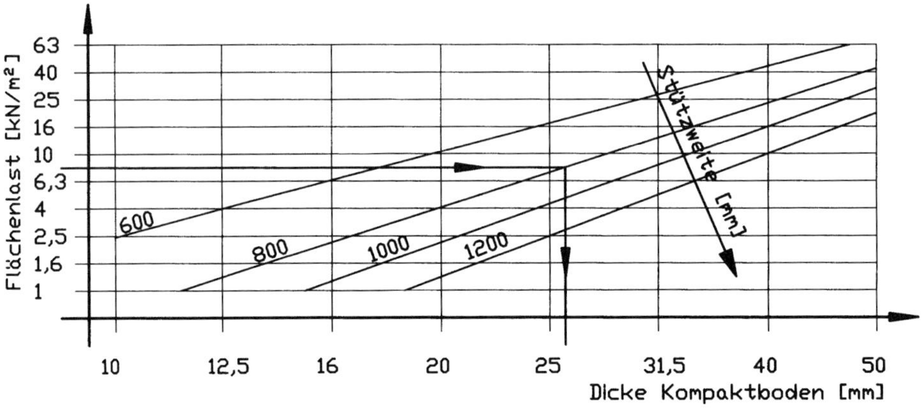


**Bild 5-63** Bestimmung der erforderlichen Dicke von Kompaktböden für Einfeldplatte mit Ablesebeispiel (Auswertung von Belastbarkeitstabellen, Glunz AG)

Die Alternative zu Bodenkonstruktionen in Stahl und Holz sind Böden aus selbsttragenden Aluminium-Strangpressprofilen (Bild 5-64). Diese 30 oder 40 mm dicken und 200 bis 300 mm breiten Bodenplanken (Bild 5-65) werden quer zur Fahrtrichtung auf den Hilfsrahmen-Längsträgern verlegt und mit diesen verschraubt oder mit Schraub-Klemm-Verbindern (Bild 5-66) verbunden. Durch ihre hohe Eigensteifigkeit übernehmen sie Querträgerfunktion. An den Stoßstellen ergibt sich durch die Profilgestaltung nach dem Nut-Feder-Prinzip ein vertikaler Formschluss, sodass bei Punktlasten benachbarte Planken stets mittragen. Die Verbindung zum umlaufenden Bodenrahmenprofil (Bild 5-67) erfolgt ebenfalls durch Schrauben.

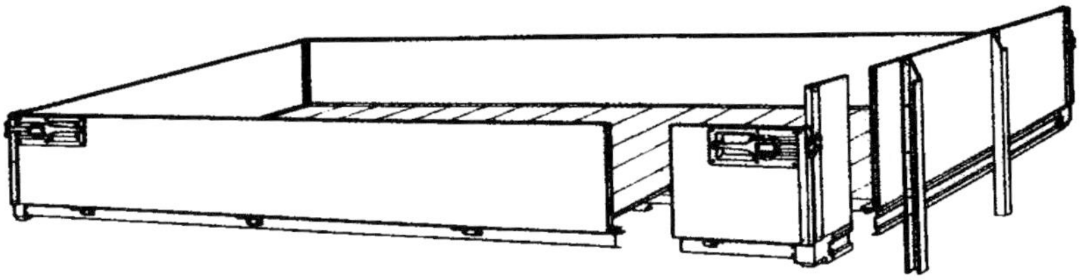

**Bild 5-64** Ganzaluminium-Pritschenaufbau für leichte Lastkraftwagen (Alusuisse Road & Rail AG)

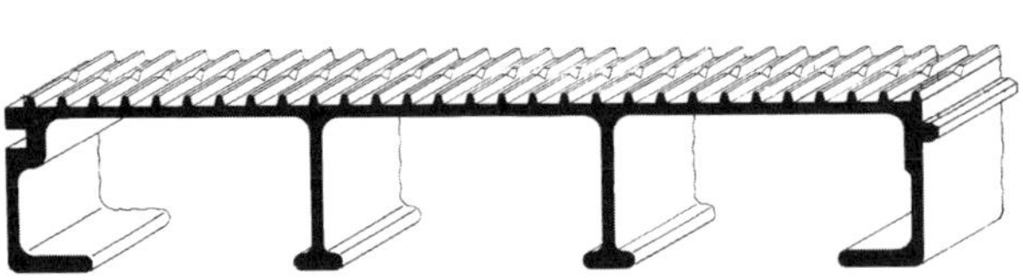

**Bild 5-65** Stranggepresste Aluminium-Bodenplanke (Fudickar)

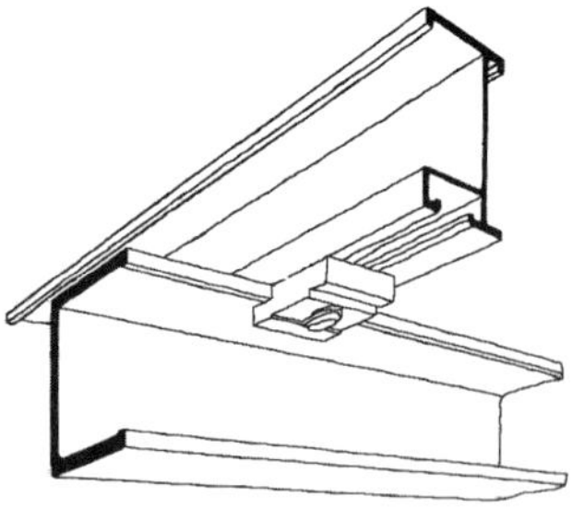

**Bild 5-66** Schraub-Klemm-Verbindung (Alusuisse Road & Rail AG)

Aufbauten für leichte Lastkraftwagen kommen ganz ohne Querträger aus. Unterkonstruktionen für mittelschwere und schwere Lastkraftwagen (Bild 5-68) benötigen allerdings eine örtliche Aussteifung in der Ebene der Rungen.

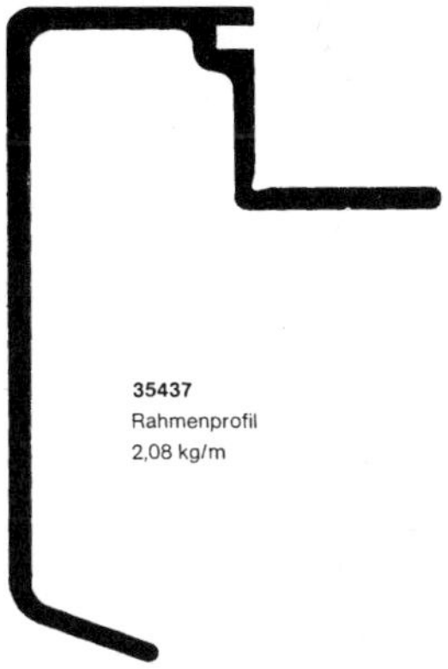


**Bild 5-67** Aluminium-Bodenrahmenprofil (Fudickar)

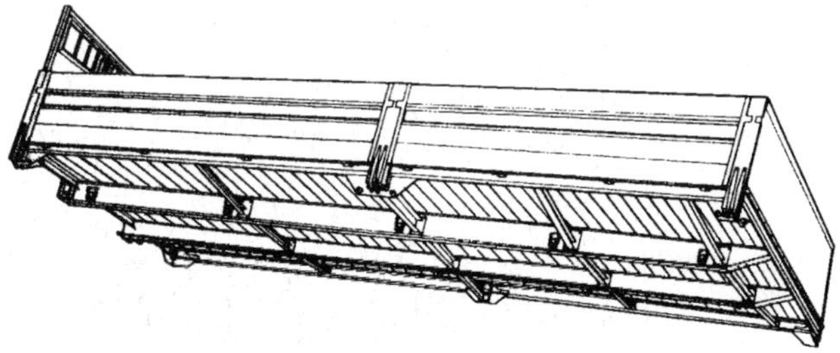

**Bild 5-68** Ganzaluminium-Pritschenaufbau für mittelschwere und schwere Lastkraftwagen (Alusuisse Road & Rail AG)

## 5.4.6 Kofferaufbauten

Kofferaufbauten sind kastenförmige geschlossene Aufbauten. Sie sind besonders für den Transport empfindlicher Güter geeignet, da sie das Ladegut vor Staub, Feuchtigkeit und Nässe sowie vor Temperaturschwankungen schützen. Bei geeigneter Isolierung und Einsatz einer Kältemaschine eignen sie sich zum Transport tiefgekühlter Lebensmittel. Der Kofferaufbau besteht aus zwei Seitenwänden, der Stirn- und der Rückwand sowie dem Dach (Bild 5-69) und wird auf einen Boden mit entsprechender Unterkonstrukion aus Längsträgern und Querträgern (siehe Abschnitt 5.4.5) aufgesetzt. Das Bodenrahmenprofil ist meist integraler Bestandteil der Aufbau-Wandelemente (siehe Bild 5-73). Die Tür, welche von einem geschweißten Heckportal eingefasst ist, befindet sich in den meisten Fällen in der Rückwand. Zur Erleichterung der Be- und Entladung ist am Heck häufig eine Ladebordwand angebracht, die entweder als reine Ladehilfe dient oder anstelle einer Tür den Koffer nach hinten verschließt.

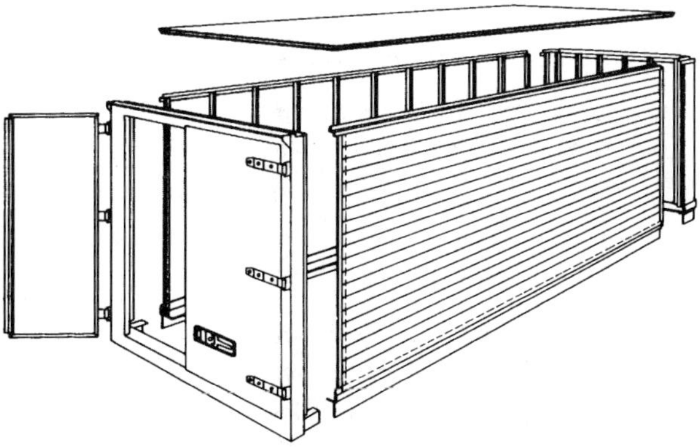

**Bild 5-69**
Vormontierte Systemelemente eines Kofferaufbaus (CARGO VAN)

Seit Mitte der 1970er Jahre werden in Deutschland Kofferaufbauten als Baukastensysteme konzipiert. Sie kommen als Bausatz an den Nutzfahrzeugbetrieb zur Auslieferung und werden erst dort endmontiert. Baukastensysteme sind dadurch gekennzeichnet, dass deren Gesamtfunktion durch das Zusammenwirken einzelner Teifunktionen bewirkt wird, wobei die Teilfunktionen durch standardisierte Bausteine (Profile, Wandelemente, Verbindungselemente, ...) realisiert werden [5-25]. Für den Hersteller eines Baukastens ergeben sich in nahezu allen Unternehmensbereichen überwiegend Vorteile:

- Für Angebote, Projektierung und Konstruktion stehen bereits fertige Ausführungsunterlagen zur Verfügung. Der Konstruktionsaufwand für Standardlösungen wird nur einmal vorab nötig, was hinsichtlich der erforderlichen Vorleistungen ein Nachteil sein kann. Zusätzlicher Konstruktionsaufwand entsteht nur für nicht vorhersehbare auftragsspezifische Zusatzeinrichtungen.
- Vereinfachte Arbeitsvorbereitung und bessere Fertigungsterminsteuerung sind möglich.
- Schnelle Lieferbereitschaft, da die Auftragsabwicklung im Konstruktions- und Fertigungsbereich mit Hilfe bausteinbedingter Parallelfertigung stark verkürzt werden kann.
- Einfache Kalkulation und EDV-unterstützte Auftragsabwicklung werden erleichtert.
- Bausteine können auftragsunabhängig in optimalen Losgrößen gefertigt werden. Dies führt zu kostengünstigen Fertigungsmitteln und -verfahren.

Auch der Anwender profitiert vom Baukastensystem fast ausschließlich:

- Kurze Lieferzeiten. Eine schnelle Ersatzteilversorgung minimiert Stand- und Ausfallzeiten im Reparaturfall.
- Da Entwicklungsarbeiten entfallen, können bei gleichem Personalbestand (sogar mit weniger geschulten Kräften) und bei gleicher Betriebsgröße wesentlich mehr Fahrzeuge durchgesetzt werden.
- Fehlermöglichkeiten sind durch die ausgereifte Gestaltung fast ausgeschlossen.

Nachteilig für den Baukastenanbieter ist die Einbuße an Flexibilität und Marktorientierung, da Produktänderungen infolge hoher Entwicklungskosten nur in größeren Zeiträumen wirtschaftlich vertretbar sind und eine Anpassung an spezielle Kundenwünsche nicht so weitgehend möglich ist wie bei Einzelkonstruktionen. Dies kann auch dazu führen, dass die Gewichte und Bauvolumina oft größer als bei einem speziell entwickelten Produkt sind.

Die verschiedenen Koffer-Baukastensysteme unterscheiden sich im Wesentlichen durch die Art der verwendeten Wandelemente sowie durch die Fügetechnik.

Für unisolierte Aufbauten bestehen die Wandelemente aus Aluminium-Blechfeldern, die im Abstand von etwa 600 mm durch vertikal stehende Säulen (Z- oder Hutprofile) gegen Beulen ausgesteift werden (Bild 5-70). Die Verbindung der Bleche mit den Säulen erfolgt entweder durch Nieten oder durch eine Klemmverbindung (Bild 5-71). Auch die Anschlüsse an die Dachgurte und Ecksäulen können alternativ genietet oder geklemmt sein (Bild 5-72). Die Dachelemente bestehen aus geraden oder leicht gewölbten Dachspriegeln, die mit gesicktem Aluminium-Blech beplankt und mit diesen vernietet werden.

Bei Wandelementen aus Plywood kann aufgrund ausreichender Beulsteifigkeit auf stützende Säulen verzichtet werden. Die Anbindung an die umlaufenden Einfassprofile erfolgt hier durch Nietverbindungen (Bild 5-73). Alternativ werden Wandelemente aus miteinander verhakten stranggepressten Aluminium-Profilen (Bild 5-74) angeboten.

Für Isolier- und Kühlkoffer finden Wand-, Boden- und Dachelemente aus Sandwichplatten Verwendung. Als Kernmaterialien eignen sich Polyurethan, extrudiertes Polystyrol, PVC-Schaum oder Phenolharzschaum, als Deckschichten GFK-Laminat, GFK-Laminat mit Sperrholz oder Bleche aus Aluminium, kunststoffbeschichtetem oder rostfreiem Stahl. Die erforderliche Materialdicke richtet sich nach der zu erreichenden Wärmedurchgangszahl und kann bis zu 100 mm betragen. Die Verbindung der Sandwichplatten erfolgt durch Nieten, Kleben (Bild 5-75), Klemmen (Bild 5-76) oder einer Kombination der genannten Fügeverfahren.

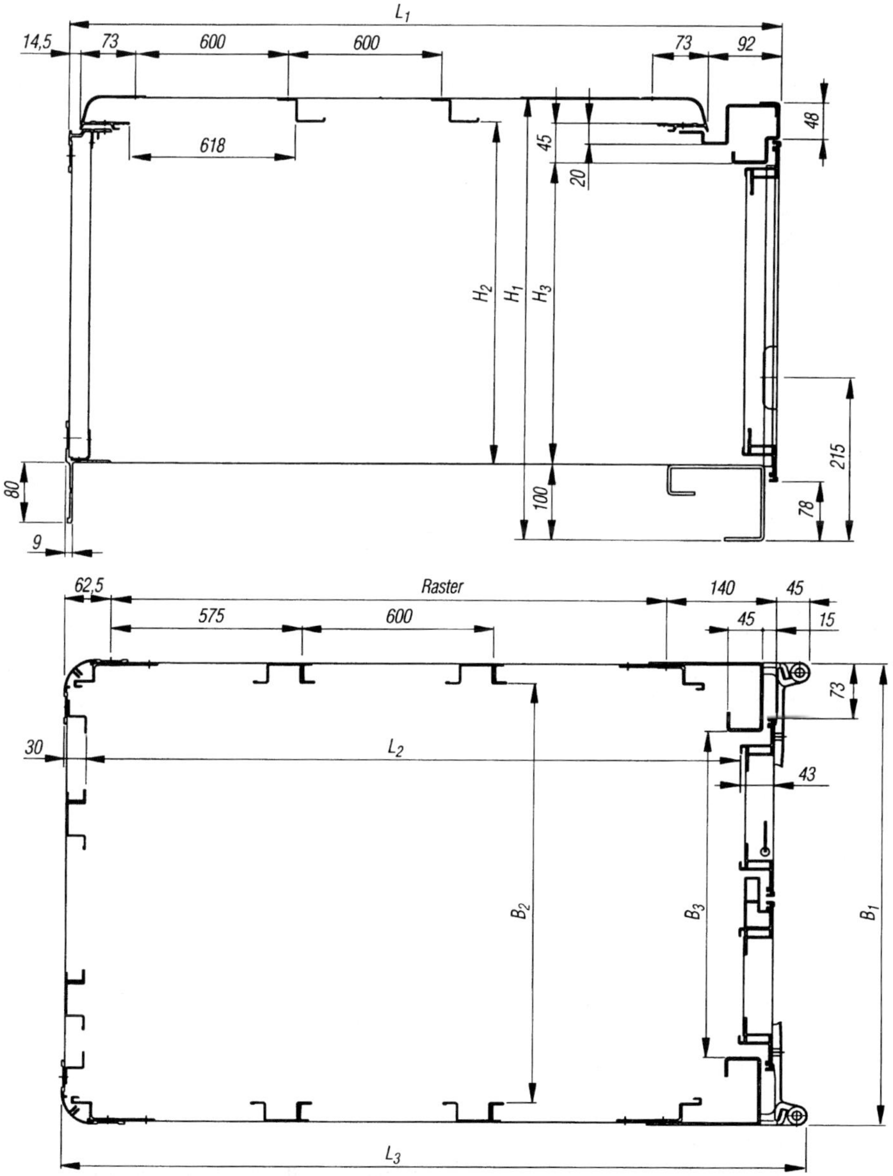


**Bild 5-70** Kofferbaureihe GETO VAN 2000 Standard AL (Titgemeyer)

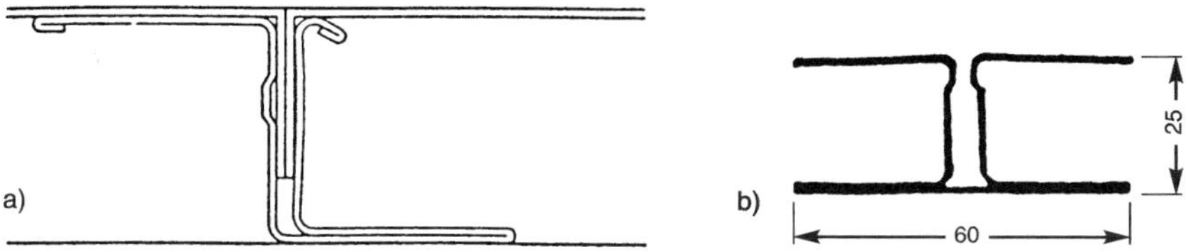


**Bild 5-71** Alternative Klemmsäulenausführungen: Ausführung (a) mit dargestellter Blechbeplankung (Titgemeyer), Ausführung (b) ohne dargestellte Blechbeplankung (CARGO VAN)

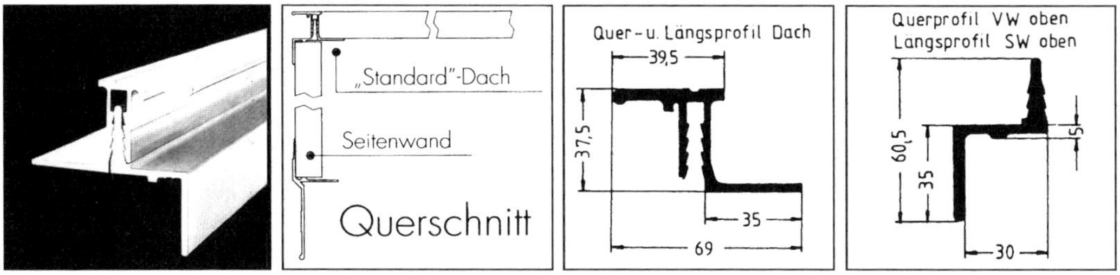


**Bild 5-72** Klemmverbindung Dachgurt (CARGO VAN)

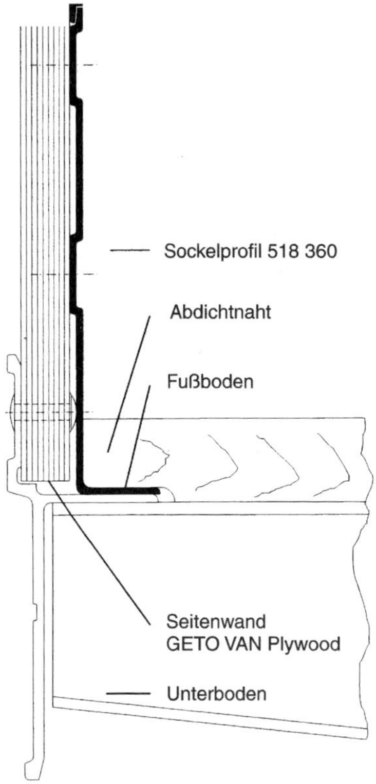


**Bild 5-73** Bodenrahmen mit Seitenwand für GETO VAN Plywood-Kofferbausatz (Titgemeyer)

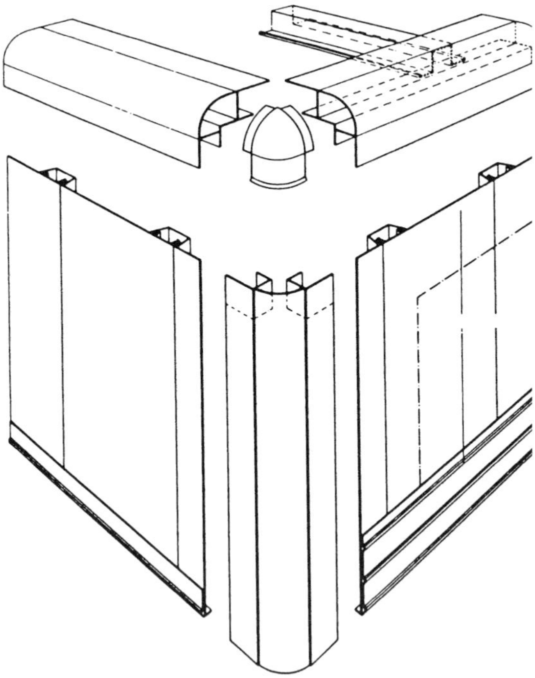

**Bild 5-74** Kofferbausatz mit stranggepressten Alumimium-Wandelementen (Alusuisse Road & Rail AG)

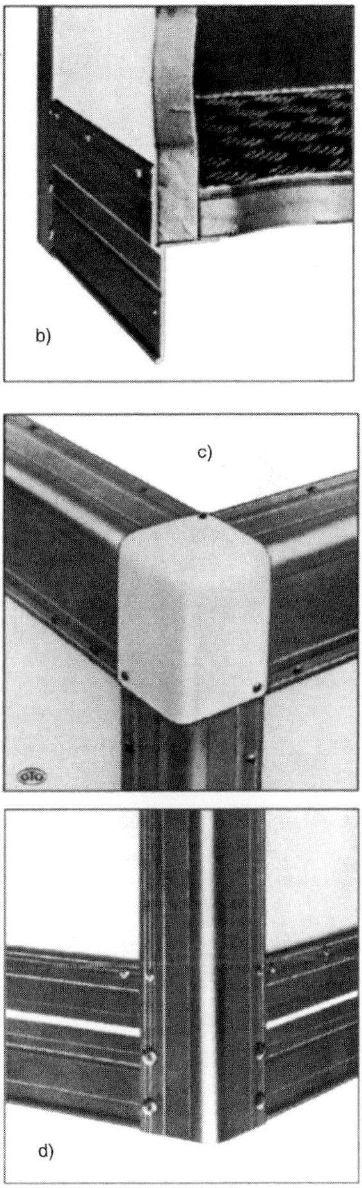


**Bild 5-75**
(a) Gestaltungsbeispiele für Dachgurt
(b) Untergurt
(c) Kofferecke oben
(d) und Kofferecke unten eines Kofferaufbaus aus Sandwichplatten (Titgemeyer)

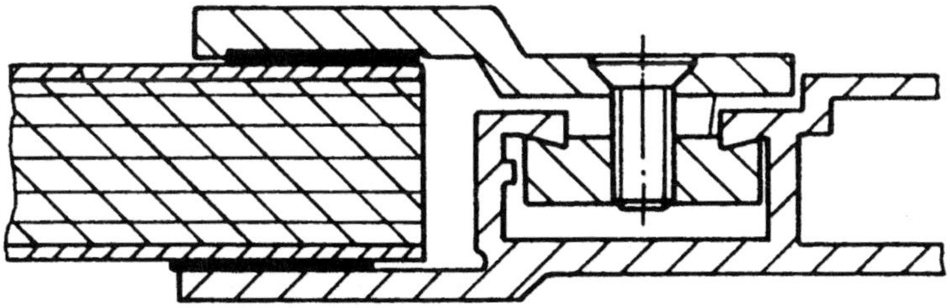

**Bild 5-76** Klemmverbindung für Sandwichplatten (Alusuisse Road & Rail AG)

## 5.5 Ladungssicherung

Die Aufgabe, den Straßenverkehr sicherer zu gestalten, stellt an Menschen, Fahrzeuge und Straßen hohe Anforderungen. Die richtige Sicherung der Ladung liegt im Zuständigkeitsbereich von Fahrer, Fahrzeughalter und Verlader. Sie erhält deshalb eine große Bedeutung, weil die Gefahren, die von einer unzureichenden Ladungssicherung ausgehen, vielfach nicht erkannt bzw. ignoriert werden. Allein im Jahr 1997 verursachten mehr als 2300 Lastkraftwagen auf deutschen Autobahnen Unfälle, weil ihre Ladung nicht oder nur unzureichend gesichert war; demnach sind etwa 30 bis 40 % der Transportschäden darauf zurückzuführen (Angaben trans aktuell 1/98). Lkw-Kontrollen bestätigen, dass zwei Drittel aller Lkw-Transporte nur mangelhaft gesichert sind, davon ein Drittel überhaupt nicht.

Die Richtlinie VDI 2700 (Ladungssicherung auf Straßenfahrzeugen) legt die Mindestanforderungen an die Ladungssicherung fest. Danach muss durch geeignete Maßnahmen der Ladung (Nutzlast $G_N$) die Möglichkeit genommen werden, unter dem Einfluss von Beschleunigungskräften (Trägheitskräften) $F_T$ relativ zur Ladefläche in Bewegung zu geraten.

$$F_T = a \cdot G_N \tag{5-33}$$

Als Mindestwerte werden für Bremsvorgänge (negative Beschleunigung a in Fahrtrichtung) 0,8 · g (80 % der Erdbeschleunigung g) und für Anfahrvorgänge (positive Beschleunigung a in Fahrtrichtung) und Kurvenfahrt (seitliche Beschleunigung a) 0,5 · g angesetzt (Bild 5-77), wobei seit Einführung der Scheibenbremsen und der elektronischen Bremsenregelung bereits über 1· g für die Bremsverzögerung diskutiert wird.

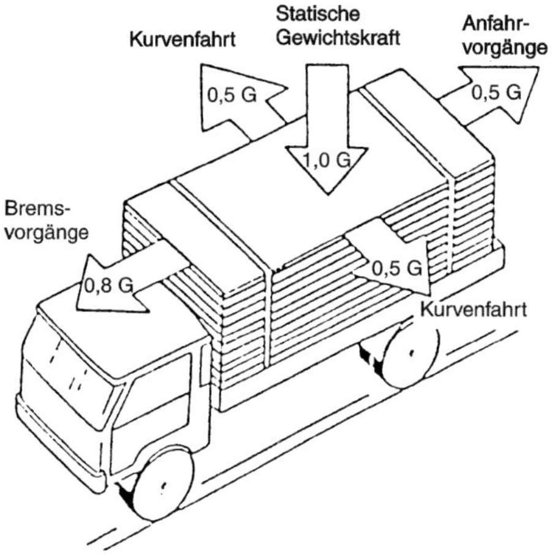


**Bild 5-77**
Im Fahrbetrieb für die Ladungssicherung zu berücksichtigende Trägheitskräfte

Die von den Ladungssicherungsmitteln aufzunehmenden Sicherungskräfte $F_{Si}$ sind allerdings kleiner als die Trägheitskräfte $F_T$ aus Beschleunigung, da die Gleitreibungskräfte $F_R$ zwischen Ladung und Ladefläche mit einem Anteil zur Ladungssicherung gegen Verrutschen beitragen:

$$F_R = \mu_R \cdot G_N \cdot g \tag{5-34}$$

$$F_{Si} = F_T - F_R = a \cdot G_N - \mu_R \cdot G_N \cdot g = (a - \mu_R \cdot g) \cdot G_N \tag{5-35}$$

Die anzusetzenden Gleitreibungswerte $\mu_R$ (Tabelle 5-11) sind sowohl von der Werkstoffpaarung als auch dem Schmierzustand der Oberfläche abhängig:

**Tabelle 5-11** Gleitreibungswerte verschiedener Werkstoffpaarungen (nach Richtlinie VDI 2700)

| | trocken | nass | fettig |
|---|---|---|---|
| Holz/Holz | 0,20 – 0,50 | 0,20 – 0,25 | 0,05 – 0,15 |
| Metall/Holz | 0,20 – 0,50 | 0,20 – 0,25 | 0,02 – 0,10 |
| Metall/Metall | 0,10 – 0,25 | 0,10 – 0,20 | 0,01 – 0,10 |
| Beton/Holz | 0,30 – 0,60 | 0,30 – 0,50 | 0,10 – 0,20 |

Die Ladungssicherung kann alternativ form-, kraftschlüssig oder als deren Kombination erfolgen. Zu den formschlüssigen Sicherungsmethoden gehört das Abstützen der Ladung gegen Stirn- und Bordwände bzw. gegen Rungen. Dazu wird Ladung direkt gegen die Laderaumbegrenzung angelegt bzw. Abstände durch Einbringen gesicherter Distanzstücke überbrückt. Auf nagelfähigen Holzböden können Ladegüter durch Kanthölzer gesichert werden. In geschlossenen Aufbauten finden Sperrbalken Verwendung.

Zu kraftschlüssigen Sicherungen gehören das Niederzurren durch Zurrgurte (Bild 5-78), Zurrseile und Zurrketten sowie die Verwendung Reibwert erhöhender Hilfsmittel (Antirutschmatten) oder die geeignete Oberflächenbeschaffenheit der Fahrzeugböden. Voraussetzung für das sichere Verzurren von Ladegütern sind Zurrpunkte am Fahrzeug. Die verwendeten Hilfsmittel müssen der Richtlinie VDI 2701 entsprechen, die Zurrkräfte sind nach Richtlinie VDI 2702 zu ermitteln.

W. Bläsius [5-26] hat sich kritisch mit der Thematik der Ladungssicherung auf Nutzfahrzeugen auseinandergesetzt und Schwachpunkte herausgearbeitet, welche die bestehenden Richtlinien, die verwendeten Ladungssicherungssysteme und vor allem den praktischen Umgang mit diesen betrifft. Praxisnahe Beispiele zur Ladungssicherung verschiedenster Transportgüter mit Darstellung der verschiedenen Sicherungsmethoden und Angabe der Anzahl der benötigten Zurrmittel enthält das BGL/BGF-Loseblattwerk „Laden und sichern“ [5-27].

**Bild 5-78**
Spanngurte halten Betonröhren im Dekra-Fahrversuch (Dekra/Küppers)

## 5.6 Korrosionsschutz

Aufgrund der Korrosionsanfälligkeit der im Nutzfahrzeugbau überwiegend eingesetzten Eisenwerkstoffe hat der Korrosionsschutz eine Schlüsselrolle für eine dauerhafte Werterhaltung der Fahrzeuge. Daneben gewinnt die gestaltete „Außenhaut" zunehmend als Werbeträger (Bild 5-79) an Bedeutung.

**Bild 5-79** Werbewirksame Gestaltung eines Sattelkraftfahrzeugs (Gummiwerke Fulda)

Bezüglich der eingesetzten Lackierverfahren und Grundstoffe muss bei Nutzfahrzeugen zwischen den Baugruppen Fahrerhaus und Rahmen mit Fahrwerk einerseits und der Produktionsweise (in Serie oder handwerklich) andererseits unterschieden werden.

Das Lackierverfahren wie auch die eingesetzten Grundstoffe (Farbpigmente, Bindemittel, Lösemittel) für die Fahrerhauslackierung beim Fahrgestellhersteller unterscheidet sich im Grundsätzlichen nicht von der industriellen Serienlackierung der Pkw-Karosserien. Nach dem Reinigen und Entfetten der Rohkarosserie mittels Heißwasser mit Fettlöserzusatz erfolgt das Phosphatieren (Bondern) zum Rostschutz und zur Haftvermittlung im Tauchbad. Anschließend wird die Grundierung durch kathodisches Tauchlackieren (KTL) aufgebracht. Dazu wird die Karosserie in einen niedrigviskosen, wasserverdünnbaren Lack eingetaucht. Eine Gleichspannung von 50 bis 300 V zwischen Karosserie (Minuspol) und Tauchbeckenwandung (Pluspol) sorgt für ein elektrisches Feld, unter dessen Einfluss sich die Farbpigmente auf der Karosserie abscheiden. Der Vorteil gegenüber dem herkömmlichen Grundieren besteht darin, dass Ecken, Ritzen und Hohlräume, die beim Spritzen mit der Spritzpistole nicht oder nur unzureichend erreicht würden, einen sicheren Korrosionsschutz erhalten. Nach dem Säubern mit Hilfe von Hochdruckreinigern werden die Lackteilchen im Trockenofen zu einer festen Lackschicht vernetzt. Anschließend erfolgen Füllerauftrag im elektrostatischen Spritzverfahren, ein manuelles Schleifen mit Sichtkontrolle und eventueller Nachbesserung sowie die von Robotern ausgeführte Decklackierung.

Die Ansprüche an die Oberfläche von Fahrgestellrahmen und Fahrwerk sind geringer. Sämtliche Rahmen- und Fahrwerksteile sind vor der Endmontage bereits grundiert. Ist diese abgeschlossen, werden nicht zu lackierende Teile abgedeckt und abgeklebt, sichtbares Fett entfernt und das Fahrgestell (ohne Fahrerhaus) mit warmem Wasser (mit Rücksicht auf bereits montierte Elektrik- und Pneumatikkomponenten max. 50° C warm) unter Zusatz von Entfettungsmitteln gereinigt. Anschließend erfolgt die Decklackierung im manuell ausgeführten Airless-

Spritzverfahren. Dabei steht das hochviskos eingestellte Lackmaterial unter hohem Druck. Durch das Fehlen von Druckluft am Düsenausgang erfolgt der Spritzvorgang nebelarm und durch den niedrigen Lösungsmittelanteil ist der Lackauftrag meistens schon nach einem Kreuzgang deckend.

Die handwerkliche Lackierung von Anhängerfahrgestellen sowie der verschiedensten Nutzfahrzeugaufbauten muss aus wirtschaftlichen Gründen auf Tauchbadverfahren verzichten. Zur Vorbehandlung der zu lackierenden Teile gehören die Grundreinigung (Entfernen sämtlicher Verunreinigungen und Schutzwachse) mit anschließendem Waschgang mit Hochdruck-Dampfstrahl-Gerät und eine chemische (Beize) oder mechanische (Strahlen) Vorbehandlung, um haftungsfeindliche Stoffe (Fette, Zunder, Rost) aus der Metalloberfläche zu entfernen. Für das Strahlen von Aluminium ist zu beachten, dass nur eisenfreies Strahlgut (z. B. Glasperlen) verwendet wird. Kann eine Vorbehandlung durch Beizen oder Strahlen nicht angewendet werden, bleiben nur das zeitraubende Entfetten mit Lösungsmittel und das manuelle Anschleifen.

Beim handwerklichen Lackierverfahren muss hinsichtlich des Lackaufbaus (Spachtel, Grundierung, Grundfüller, Füller, Haftvermittler, Decklack), der verwendeten Rohstoffbasis (UPE, PVB, EP, PUR, MP) der einzelnen Schichten, den Anforderungen an die Qualität der Oberfläche (Fahrgestell, Aufbau), dem Spritzverfahren (Druckluftzerstäubung mit Membranpumpe/HVLP-Pistole, Airless, Airmix, mit/ohne elektrostatische Unterstützung) und den zu lackierenden Untergründen (blanker Stahl, rostfreier Stahl, verzinkter Stahl, Aluminium, Altlack, Kunststoff) unterschieden werden. Für die im konkreten Fall einzusetzenden Materialien, Verfahren und Verfahrensparameter (Mischungsverhältnisse, Viskosität, VOC-Wert, Spritzdruck, Materialdruck, Spritzgänge, Schichtdicke, Ergiebigkeit, Ablüftzeit, Trocknungszeit) geben die Lackhersteller entsprechende Hinweise.

Heute sind in der Nutzfahrzeuglackierung fast ausschließlich Lacke mit organischen Lösungsmitteln im Einsatz. Zur Begrenzung der mit dem Ablüften der Lacke verbundenen Emissionen wird eine anstehende EU-Regelung künftig den Lösungsmittelanteil (VOC-Wert) auf 420 g je Liter begrenzen. Entwicklungen neuer Lacksysteme zielen in Richtung wasserverdünnbarer Zweikomponenten-Lacke auf Epoxidharzbasis.

Eine Alternative zur Lackierung stellt die Pulverbeschichtung dar. Bei diesem Verfahren werden pigmentierte duroplastische Bindemittel ohne Lösungsmittelanteile aufgetragen. Beim älteren Wirbelsinterverfahren wird das erhitzte Werkstück in das aufgewirbelte Pulver gehalten. Dabei schmilzt dieses an und bildet eine geschlossene Deckschicht, welche dann im Trockenofen bei Schmelztemperatur des Pulvers vollständig aufschmilzt. Pulverbeschichtungen können auch elektrostatisch aufgetragen und anschließend eingebrannt werden. Man erreicht hierbei gleichmäßigere Schichtstärken als beim Wirbelsintern.

Insbesondere Tragwerksteile im Pkw-Anhängerbau erhalten durch Feuerverzinkung einen dauerhaften Korrosionsschutz. Dazu werden die in der Lohnverzinkerei angelieferten Einzelteile oder geschweißten Stahlkonstruktionen zunächst in wässrig alkalischen oder sauren Entfettungsmittel entfettet, anschließend im Wasserbad gespült. Der nächste Schritt ist eine Beizbehandlung in verdünnter Salzsäure, um arteigene Verunreinigungen (z. B. Rost und Zunder) zu entfernen. Einem erneuten Spülvorgang folgt ein Flussmittelbad in einer wässrigen Lösung aus Zink- und Ammoniumchlorid, um die Benetzungsfähigkeit zwischen Stahloberfläche und schmelzflüssigem Zink zu verbessern. Nach Durchlaufen einer Trockenstation, in der alle wässrigen Bestandteile auf der Metalloberfläche verdunsten müssen, wird das Verzinkungsgut in die flüssige Zinkschmelze getaucht. Bei Betriebstemperaturen zwischen 440 und 460 °C bilden sich auf der Stahloberfläche verschiedenartig zusammengesetzte Eisen-Zink-Legierungsschichten einschließlich einer sichtbaren Reinzinkschicht. Nach Entfernen der abgekochten Flussmittelreste von der Oberfläche des Zinkbades wird das Verzinkungsgut aus der Schmelze herausgezogen und an der Luft oder im Wasserbad abgekühlt. Die Oberfläche ist durch das für Feuerverzinken charakteristische Zinkblumenmuster gekennzeichnet.

Um eine einwandfreie Verzinkung sicherzustellen, sind neben einschlägigen Verfahrensregeln besondere Gestaltungsregeln [5-28] einzuhalten (Bild 5-80):

- Rohrkonstruktionen müssen die Möglichkeit der Entlüftung beim Eintauchen in die Schmelze bieten.
- Großflächige Überlappungen sind zu vermeiden bzw. mit Entlastungsöffnungen zu versehen.
- Schweißnähte, die nicht in der Nähe der Schwerachse liegen, sind möglichst symmetrisch auszuführen, um Verzug zu vermeiden.
- Freischnitte und Durchflussöffnungen sind so zu gestalten, dass das flüssige Zink ohne Behinderungen aus den Ecken und Winkeln einer Konstruktion ein- und auslaufen kann.

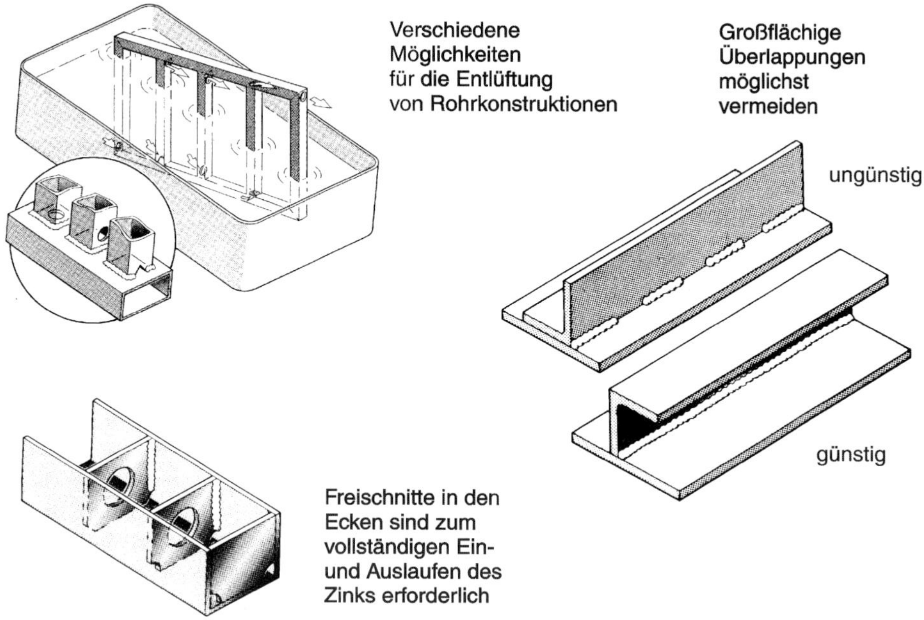


**Bild 5-80** Gestaltungsregeln für feuerverzinkungsgerechte Konstruktionen (aus [5-28])

# Literaturverzeichnis
# 5 Nutzfahrzeugtragwerke und deren Aufbauten


[5-1] Stöferle, Th.: Vorlesungsskriptum Mechanische Technologie. TH Darmstadt, 1971

[5-2] Pippert, H.: Karosserietechnik. Vogel Buchverlag, Würzburg, 1989

[5-3] Broer, G.: Kaltprofile. Verlag Stahleisen, Düsseldorf, 1993

[5-4] Fuchs, D.: Berechnung und Vergleich verschiedener Bauprinzipien für Leiterrahmen der Nutzfahrzeuge bei Drillbelastung. Dissertation TU München, 1972

[5-5] Beermann, H.J.: Rechnerische Analyse von Nutzfahrzeugtragwerken. TÜV-Verlag Rheinland, 1986

[5-6] Saab-Scania AB: Aufbau-Handbuch. 1991

[5-7] Iveco SpA: Richtlinien für Aufbauten und Fahrzeugveränderungen. Turin, 1997

[5-8] Klein, B.: Leichtbau-Konstruktionen. 6. Aufl., Verlag Vieweg, Wiesbaden, 2005

[5-9] Bussien: Automobiltechnisches Handbuch (Ergänzungsband). De Gruyter-Verlag, Berlin, 1978

[5-10] Marguerre, K.: Technische Mechanik. Springer-Verlag, Berlin – Heidelberg – New York, 1967

[5-11] Kabus, K.: Mechanik und Festigkeitslehre. Carl Hanser Verlag, München, 1988

[5-12] Erz, K.: Über die durch Unebenheiten der Fahrbahn hervorgerufene Verdrehung von Straßenfahrzeugen. In: ATZ 59 (1957), Nr. 4, 6, 11 und 12

[5-13] Reichwaldt, H.: Vorlesungsskriptum Nutzfahrfahrzeugkonstruktion. FH Hamburg

[5-14] Bundesverband Metall, Fachgruppe Fahrzeugbau: Konstruktionsmappe Fahrzeugbau. Essen, 1993

[5-15] Matek, W., Muhs, D., Wittel, H., Becker, M.: Roloff/Matek, Maschinenelemente. 17. Aufl., Vieweg Verlag, Wiesbaden, 2005

[5-16] Forschungskuratorium Maschinenbau: FKM-Richtlinie Rechnerischer Festigkeitsnachweis für Maschinenbauteile. VDMA Verlag, 1988

[5-17] Heuler, P., Bergmann, J, Schütz, W.: Möglichkeiten und Grenzen einer probestab-orientierten Betriebsfestigkeitsbeurteilung von Fahrzeug-Bauteilen. In: ATZ 90 (1988), Nr. 9

[5-18] Deutscher Stahlbau-Verband: Stahlbau-Taschenkalender. Köln, 1992

[5-19] MAN Nutzfahrzeuge AG: Aufbaurichtlinien für Lastkraftwagen 6 bis 48 Tonnen. München, 1993

[5-20] Fersen, O. von (Hrsg.): Ein Jahrhundert Automobiltechnik, Nutzfahrzeuge. VDI-Verlag, Düsseldorf, 1987

[5-21] Church, A.H.: Mechanical Vibrations. J. Wiley and Sons, New York, 1957

[5-22] Volvo Truck Corporation: Aufbauten F10, F12, F16. Göteborg, 1987

[5-23] DAF Trucks N.V.: Aufbaurichtlinien. 1998

[5-24] Mercedes-Benz AG: Aufbaurichtlinien Transporter/Lkw. 1996

[5-25] Pahl, G., Beitz, W.: Konstruktionslehre. Springer-Verlag, Berlin – Heidelberg – New York, 1977

[5-26] Bläsius, W.: Nutzfahrzeug-Aufbauten, Einrichtungen und Zubehör – kritisch betrachtet. In: F+K 4/1990, 9/1990, 11/1990 und 2/1991

[5-27] Großmann, G., Schmidt, W.: Laden und sichern, Beladung und Ladungssicherung auf dem Nutzfahrzeug. BGL/BGF (Berufsgenossenschaft für Fahrzeughaltungen), 1999

[5-28] Beratung Feuerverzinken (Hrsg.): Arbeitsblätter Feuerverzinken. Institut Feuerverzinken GmbH, Düsseldorf 1996

# 6 Motor

Die Klassifizierung der Nutzfahrzeuge erfolgt allgemein nach der Gesamtmasse des Fahrzeuges und ist beispielsweise ausschlaggebend für die unterschiedlichsten Gesetzgebungsvorschriften, wie die Begrenzung von Abgasemissionen und die Regelung der zulässigen Höchstgeschwindigkeit des Fahrzeuges. Der Übergang von der leichten zur schweren Klasse im Sinne des Antriebes ist nicht exakt definiert und bewegt sich eher fließend in einem Bereich zwischen 3,5 t und 6,5 t. In der schweren Klasse wird noch einmal zwischen leichten, mittleren und schweren Nutzfahrzeugen unterteilt. Die maximal zulässige Gesamtmasse liegt innerhalb Europas für den öffentlichen Straßenverkehr bei 44,0 t (Tabelle 6-1).

In der schweren Klasse werden heute oberhalb 6,5 t ausschließlich abgasturboaufgeladene, ladeluftgekühlte Dieselmotoren eingesetzt. Die leichten Nutzfahrzeuge im Bereich der schweren Klasse (< 6,5 t), die noch über einen Saugmotorantrieb verfügen, werden durch die stetige Verminderung der zulässigen Abgasemissionen und aufgrund ihrer geringeren Wirtschaftlichkeit in absehbarer Zeit von den ladeluftgekühlten Turbomotoren endgültig abgelöst bzw. verdrängt werden.

**Tabelle 6-1** Einteilung der schweren Nutzfahrzeuge im Bezug auf Motor/Getriebe

| Schwere Klasse (3,5t ÷ 6,5 t ... 44 t) | |
|---|---|
| leicht | ca. 6,5 t ... ca. 12,0 t |
| mittel | ca. 9,0 t ... ca. 18,0 t |
| schwer | ca. 18,0 t ... 44,0 t |

Im Bereich der schweren Klasse (für Fahrzeuge > 6,5 t) erstreckt sich das Leistungsangebot aller in Europa eingesetzten Nutzfahrzeugmotoren von 82 kW (Perkins Phaser Ti 4-Zylinder) bis zu 485 kW (MAN D2840 LF 25). Je nach Einsatzgebiet (Fernverkehr, regionaler Verteilerverkehr, Baustellenverkehr) kommen die unterschiedlichsten Fahrzeugkonzepte (Sattelzugmaschine, Pritschenwagen, Kipper, mit zwei, drei, oder mehr Achsen) mit der jeweils darauf abgestimmten Antriebstechnik Motor/Getriebe zum Einsatz.

Bei der Entwicklung neuer Motoren von Nutzfahrzeugen ist der Kundennutzen oberstes Ziel der Entwicklungsarbeiten, die Erfüllung der Abgasgrenzwerte ist eine der Randbedingungen. Der Kundennutzen setzt sich zusammen aus den beiden Faktoren *Life Cycle Costs* und *Transportleistung*. Dazu muss das Antriebsaggregat niedriges Gewicht zu Gunsten hoher Nutzlast haben, ein geringer Bedarf an Bauraum begünstigt das Ladevolumen. Die Transportgeschwindigkeit soll hoch sein, wozu eine Motorbremse mit hoher Bremsleistung zunehmende Bedeutung gewinnt. Bei einer Sattelzugmaschine im Fernverkehr halten sich Personal- und Kraftstoffkosten mit je 30 % die Waage, beim Verteilerfahrzeug dagegen dominieren die Personalkosten mit etwa 71 % bei Kraftstoffkosten von nur 6 %. Die Anschaffungskosten mit ca. 15 % sind beim schweren Fernverkehrsfahrzeug nur halb so relevant wie der Verbrauch, während sie im leichten Verteilerverkehr kräftig zu Buche schlagen.

Sind bei schweren Nutzfahrzeugen der Kraftstoffverbrauch, die Lebensdauer und die Zuverlässigkeit von höchster Priorität für den Fernverkehr, spielt bei kleiner werdenden Fahrzeugen mit einer geringeren jährlichen Fahrleistung, der Fahrzeugpreis und auch das Gewicht eine entscheidende Rolle (Tabelle 6-2).

**Tabelle 6-2** Bereichsspezifische Anforderungen an die verschiedenen Nutzfahrzeugklassen

| Nutzfahrzeug-Klasse: | | leicht | mittel | schwer |
|---|---|---|---|---|
| Hubraum: | Liter/Zylinder | ca. 0,7 | ca. 1,0 | ca. 2,0 |
| Anforderung: | | | | |
| Abgas-Emissionen | | *** | *** | *** |
| Geräusch | | *** | *** | *** |
| Gewicht | | * | ** | *** |
| Kraftstoffverbrauch | | * | ** | *** |
| Haltbarkeit | | * | ** | *** |
| Zuverlässigkeit | | * | ** | *** |
| Motorkosten | | *** | ** | * |

* = wichtig ** = sehr wichtig *** = muss

Ziel einer jeden Motorenkonstruktion ist dabei ein möglichst ausgewogenes Triebwerk, in Bezug auf Leistung, Drehmoment, Kraftstoffverbrauch und Schadstoffemission sowie geringe Herstellungskosten für den Konstrukteur und niedrige Wartungs- und Unterhaltskosten für den Käufer.

## 6.1 Lastenheftanforderungen für Nutzfahrzeugmotoren

Bei der Entwicklung neuer Motoren werden in einem für den Motor individuell erstellten Lastenheft die zu erfüllenden Kriterien festgeschrieben. Anhand dieser aus den Anforderungen des Marktes für Nutzfahrzeug-Dieselmotoren abgeleiteten Kriterien wird anschließend für den festgelegten Einsatzbereich der Motor unter Einbeziehung modernster Konstruktions- und Fertigungsmethoden entwickelt und gebaut.

Unterschieden wird bei den Lastenheftanforderungen zwischen den Grundsatzüberlegungen zur Herstellung des Motors und den Auslegungskriterien zur Entwicklung des Motorenkonzeptes, bezüglich der Erfüllung derzeitiger und zukünftiger Anforderungen. Das Lastenheft ist damit die wichtigste Grundlage zur Konstruktion und Fertigung des Motors.

### 6.1.1 Grundsatzüberlegungen

Die Grundsatzüberlegungen betreffen die Fertigung bzw. die Konstruktion und sind in erster Linie für den Motorenhersteller als Auslegungskriterium bezüglich der Herstellung und Kostenoptimierung relevant. Zu diesen Punkten zählen:

- fertigungstechnische Belange
- Entwicklungslieferanten
- Fertigungstiefe
- montagefertige Anlieferung

Bei der Erfassung fertigungstechnischer Belange wird als Basis für günstige Herstellkosten und niedrige Ausfallraten ein möglichst einfacher, modularer Aufbau des Grundmotors mit der Zusammenfassung vieler Einzelfunktionen in wenigen Bauteilen angestrebt. Die durch ein Auswahlverfahren festgelegten Entwicklungslieferanten werden schon frühzeitig in den weiteren Entwicklungsablauf eingebunden, um jederzeit bei auftretenden Problemen schnell und flexibel reagieren zu können. Darüber hinaus werden herstellerunabhängige Institute mit der Abarbeitung spezieller Problemstellungen beauftragt. Die Fertigungstiefe wird meist durch die Konzentration auf die Motor-Hauptkomponenten wie Kurbelgehäuse, Zylinderkopf, Kurbelwelle reduziert. Durch die Anlieferung montagefertiger Zulieferteile direkt an das Montageband können die Fertigungszeit und damit die Fertigungskosten erheblich gesenkt werden.

### 6.1.2 Auslegungskriterien

Die Auslegungskriterien müssen so gewählt sein, dass der neue Motor jeweils allen derzeit gültigen, sowie in absehbarer Zeit kommenden, weltweiten Anforderungen gewachsen ist und die dementsprechenden Gesetzesvorschriften einhält. Gleichfalls muss trotz dieser hohen Anforderungen auf ein günstiges Kosten/Nutzenverhältnis für Hersteller und Käufer unter dem Aspekt der Herstellungs-, Wartungs- und Betriebskosten geachtet werden.

Zu diesen Auslegungskriterien zählen:

- kompakte Bauform
- hohe Lebensdauer
- Erfüllung derzeitiger und künftiger Abgasgrenzwerte
- niedriger Kraftstoffverbrauch
- lange Wartungsintervalle
- hohe Leistungsdichte
- Bauteilreduzierung
- geringe Geräuschemission
- Recyclingfähigkeit der Motorkomponenten und der Betriebsflüssigkeiten
- gutes dynamisches Verhalten
- hohe Bremsleistung
- hohe Flexibilität für unterschiedliche Märkte und Einsatzbedingungen
- niedrige Herstellungs- und Betriebskosten

Zu Beginn der Entwurfsarbeiten erfolgt die Angabe grundsätzlicher Gestaltungsdetails, nach denen der Motor dimensioniert und konstruiert wird.

Ausgehend von den Leistungs- und Nenndrehzahlangaben des Lastenheftes erfolgt als erster Schritt die Festlegung der Hauptabmessungen wie Zylinderdurchmesser $d_Z$ und Kolbenhub s. Die Bauform des Motors (Reihe/V und Zylinderzahl) ist im allgemeinen bereits vorgegeben.

So baut Mercedes Benz seine 6- und 8-Zylinder Motoren in V-Bauweise, die auch in einem kurzen Fahrerhaus Platz finden, so dass der Aufbau ab der Fahrerhausrückwand nutzbar ist.

Die Zylinderzahl beschreibt automatisch die Bauform des Motors, da die Kurbelwelle mit zunehmender Anzahl der Zylinder aufgrund ihrer zunehmenden Länge kaum noch beherrschbare Torsionsschwingungen aufzeigt und so bis maximal 6 Zylinder die Reihen-Bauweise und bei mehr als 6 Zylindern die V-Bauweise, bei der beispielsweise an einer geschränkten Kurbelkröpfung jeweils zwei Pleuelstangen an einem Hubzapfen angreifen, favorisiert werden. Die Bauform wird zudem durch den verfügbaren Einbauraum mitbestimmt. Bei aufgeladenen Motoren sind die Abgas- bzw. Ladeluftführung zu berücksichtigen.

Durch Entwicklung und Einsatz neuer Hochdruck-Einspritzsysteme und der Optimierung des Brennraumes in Verbindung mit der Möglichkeit der Unterbringung einer Abgasnachbehandlungsanlage wird sichergestellt, dass der Motor alle derzeitigen und zukünftigen gesetzlich vorgeschriebenen Grenzwerte zur Einhaltung der Geräusch- und Abgasemission erfüllt.

Zur Einhaltung der aktuellen EURO-4-Norm ohne Abgasnachbehandlung wurden beispielsweise u. a. folgende Lastenheftanforderungen an das Brennverfahren und die Konstruktion des OM 904 LA von Mercedes-Benz gestellt:

- mittige, senkrechte Düsenlage
- hoher zulässiger Zylinderdruck bis zu 180 bar mit Entwicklungspotenzial bis 200 bar
- geringe Strömungsverluste in den Kraftstoff zuführenden Leitungen
- hoher Einspritzdruck, 1800 bar mit Entwicklungspotenzial bis 2000 bar
- Einspritzzeitpunkt und -menge im Kennfeld des Motors frei wählbar

Niedriger Kraftstoffverbrauch bei einer hohen Leistungsdichte des Motors ist ebenfalls ein entscheidendes Kriterium für den Erfolg des Motors, da aufgrund des starken Wettbewerbs ein unwirtschaftlicher Motor, bei Fahrleistungen der schweren Klasse von bis zu 180000 km/Jahr sich unter dem Aspekt der Wirtschaftlichkeit nicht verkaufen lässt.

Die Lebensdauer sollte so ausgelegt sein, dass der Motor je nach Klasse eine Laufleistung und damit eine B10-Lebensdauer von bis zu einer Million und mehr Kilometern erreicht, d. h., dass bei dieser Laufleistung erst für 10 % der eingesetzten Motoren eine Grundüberholung oder ein Austauschmotor erforderlich ist. In USA werden künftig 1,92 Millionen km Laufleistung gefordert.

Lange Wartungsintervalle und ein damit verbundenes kostengünstiges Wartungskonzept wird durch den Einsatz modernster Diagnose- und Steuergeräte zum schnellen Erkennen spezifischer Fehlfunktionen sowie durch die Reduzierung der Wartungspositionen durch konstruktive Maßnahmen wie dem Einsatz von neuen Dichtungskonzepten (Metall/Elastomerdichtungen) automatische Riemenspannvorrichtungen u.ä. in Verbindung mit dem Einsatz neuester Filtertechnologien (Langzeitfilter) realisiert. Ölwechselintervalle im Durchschnitt von mehr als 100000 km werden vorausgesetzt.

Im Bezug auf den weltweiten Verkauf des Motors muss sichergestellt sein, dass ohne große bauliche Veränderungen die in den Export-Ländern gestellten Anforderungen, durch gesetzliche Bestimmungen oder klimatische Bedingungen (Hitze, Staub, Kälte, Nässe) beispielsweise durch den Einbau einer zusätzlichen Kaltstartanlage für den Einsatz in nordischen Ländern, erfüllt werden.

Die Berücksichtigung und schließlich die Umsetzung aller Konstruktions- und Entwicklungspunkte führt im Abschluss zu einem Motor, der über einen langen Zeitraum hinaus alle gestellten Anforderungen, unter dem Einfluss stetiger Verbesserungen, erfüllt und ein globales Einsatzgebiet erfährt.

Tabelle 6-3 zeigt die zukünftigen technischen Anforderungen an Nutzfahrzeug-Dieselmotoren. Die angegebenen Werte stellen individuelle Maximalforderungen dar und müssen nicht in Kombination erfüllt werden.

**Tabelle 6-3** Technische Anforderungen an Nutzfahrzeugmotoren der Zukunft

| Nutzfahrzeug-Klasse | | leicht | mittel | schwer |
|---|---|---|---|---|
| Hubraum | Liter/Zylinder | ca. 0,7 | ca. 1,0 | ca. 2,0 |
| Spezifische Leistung | kW/Liter | 40 | 35 | 30 |
| $p_{me, max}$ | bar | 20 | 22 | 25 |
| Drehmomentenerhöhung | % | 20 | 25 | 30 |
| Mittlere Kolbengeschwindigkeit | m/sec | 14 | 11 | 10 |
| Spezifisches Gewicht | kg/kW | 2,2 | 2,5 | 2,6 |
| Maximaler Zünddruck | bar | 160 | 180 | 200 |
| B10 – Lebensdauer | km | 400.000 | 700.000 | 1.200.000 |
| Wartungsintervalle | km | 50.000 | 80.000 | 100.000 |

## 6.2 Thermodynamische Grundlagen des dieselmotorischen Arbeitsprozesses

Energie kann nicht vernichtet, sondern nur umgewandelt werden. Kreisprozesse dienen der Beschreibung der Umwandlung von Energieformen. Für verbrennungsmotorische Abläufe ist dabei die Umwandlung der chemischen Energie des Kraftstoffes in mechanische Energie an der Kurbelwelle von besonderem Interesse. Der Vorgang soll dabei nicht nur einmal, sondern kontinuierlich bzw. zyklisch ablaufen. Eine exakte Berechnung der Verbrennungsvorgänge im Dieselmotor ist aufgrund der Komplexität der einzelnen chemischen Reaktionen, in Verbindung mit mehrdimensionalen Strömungsvorgängen, Stoff- und Energieaustauschvorgängen, mit erheblichem Aufwand verbunden.

Um trotzdem eine Aussage über das Betriebsverhalten von Dieselmotoren bei der Variation von Parametern treffen zu können, werden Vergleichsprozesse definiert. Geschlossene reversible Kreisprozesse sind die einfachsten Modelle zur Darstellung des dieselmotorischen Motorprozesses. Hierbei wird die chemische Umwandlung durch eine Wärmezufuhr ersetzt und der Prozess durch eine Wärmeabfuhr wieder auf den Ausgangspunkt zurückgeführt.

Anhand dieser Prozesse ist es möglich sich dem realen Geschehen im Dieselmotor anzunähern. Für die technische Arbeit sind dabei nur Druckänderungen mit den entsprechenden Volumenänderungen interessant. Diese Änderungen können in einem einfachen Druck-Volumen-Arbeitsdiagramm, dem p-V-Diagramm, dargestellt werden.

### 6.2.1 Dieselmotor-Kreisprozess

Der Seiliger-Prozess (Bild 6-1) kommt dem realen Arbeitsprozess eines Dieselmotors recht nahe. Er zeichnet sich dadurch aus, dass die Wärmezufuhr bei isochorem und isobaren Zustand erfolgt. Die vorhandene Höchstdruckbegrenzung hat bei gleichem Verdichtungsverhältnis aber stets einen geringeren thermischen Wirkungsgrad als ein Prozess ohne eine solche Begrenzung. Der Wirkungsgrad ergibt sich aus dem Verhältnis der in nutzbare Arbeit umgewandelten Wärmemenge zur insgesamt zugeführten Wärmemenge.

Mit:

$$q_{zu_v} = c_v \cdot (T_3 - T_2) \tag{6-1}$$

$$q_{zu_p} = c_p \cdot (T_{3'} - T_3) \tag{6-2}$$

$$q_{ab} = c_v \cdot (T_4 - T_1) \tag{6-3}$$

folgt:

$$\eta_{th_{Seiliger}} = 1 - \frac{q_{ab}}{q_{zu_v} + q_{zu_p}} = 1 - \frac{c_v \cdot (T_4 - T_1)}{c_v \cdot (T_3 - T_2) + c_p \cdot (T_{3'} - T_3)} \tag{6-4}$$

mit dem Isentropenkoeffizienten:

$$\kappa = \frac{c_p}{c_v} \tag{6-5}$$

mit dem Drucksteigerungs- und Gleichdruckverhältnis:

$$\psi = \frac{p_3}{p_2} = \frac{T_3}{T_2} \qquad \varphi = \frac{v_{3'}}{v_2} = \frac{T_{3'}}{T_2} \tag{6-6}$$

und:

$$p_{3'} = p_3 \,(\text{Isobare}) \text{ und } \frac{T_4}{T_1} = \frac{p_4}{p_1} \,(\text{Isochore}) \tag{6-7}$$

folgt für den thermischen Wirkungsgrad des Dieselmotors:

$$\eta_{th_{Seiliger}} = 1 - \frac{\psi \cdot \varphi^{\kappa} - 1}{\varepsilon^{\kappa-1} \cdot [(\psi - 1) + \psi \cdot \kappa \cdot (\varphi - 1)]} \tag{6-8}$$

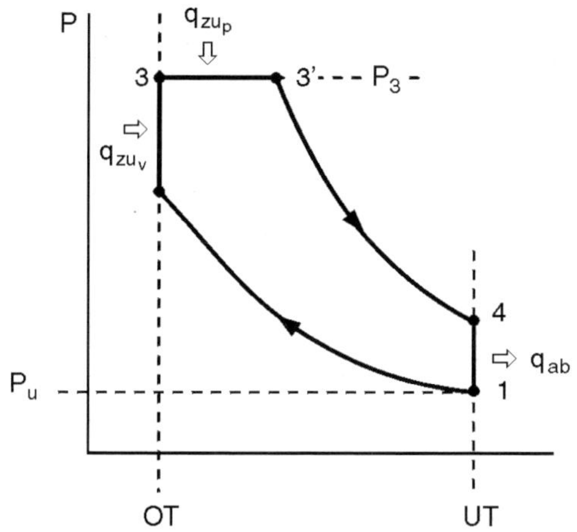


1 – 2 : adiabate Verdichtung
2 – 3 : isochore Wärmezufuhr
3 – 3′ : isobare Wärmezufuhr
3′– 4 : adiabate Expansion
4 – 1 : isochore Wärmeabfuhr

**Bild 6-1**
Seiliger-Prozess

Bild 6-2 zeigt, dass eine Verdichtungserhöhung über 16…24 bei schnellaufenden Dieselmotoren hinaus keine weitere Verbesserung der Energieausnutzung bringt. Der Wirkungsgrad steigt nur mäßig im Bereich höherer Verdichtungsverhältnisse. Beim realen Motor kommt hinzu, dass bei höherem ε im Allgemeinen auch eine Zunahme des Spitzendrucks verbunden ist, was oft allein schon mit Rücksicht auf die Bauteilbeanspruchungen zu vermeiden ist. Außerdem führen höhere ε-Werte zu erhöhten Wandwärme- und Reibungsverlusten und schließlich fördern die ansteigenden Prozesstemperaturen auch die Partikelbildung bei der Verbrennung, verringern also die an der Rußgrenze fahrbare Motorleistung.

Durch eine Erhöhung des Spitzendrucks (Beschleunigung des anfänglichen Verbrennungsablaufs) würde der Wirkungsgrad noch merklich verbessert. In der Praxis sind neben der erwähnten Bauteilbelastung die wachsenden Kühl- und Reibungsverluste zu beachten. Außerdem führt eine sehr schnell einsetzende Verbrennung zu einer verstärkten Geräuschemission und wegen der ansteigenden Spitzentemperaturen auch zu einer erhöhten Emission von Stickoxiden.

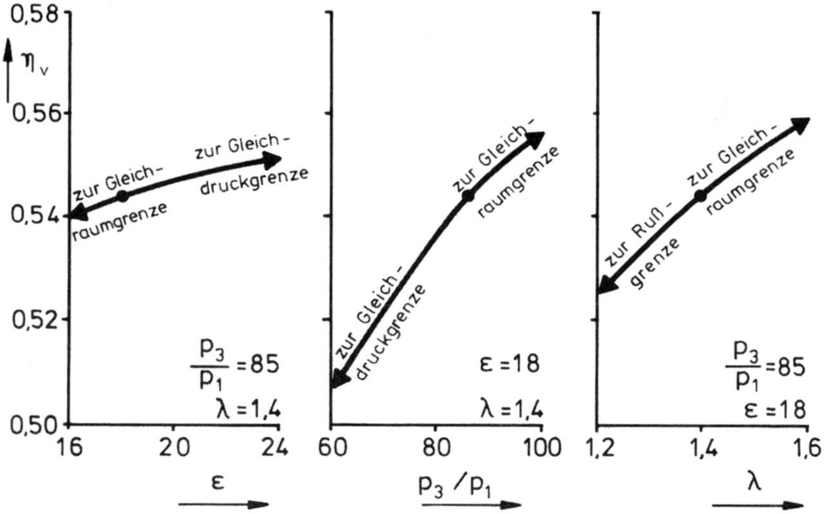


**Bild 6-2** Wirkungsgrade des vollkommenen Dieselmotors bei Variation von ε, λ und $p_3/p_1$ [6-3]

Schließlich ergibt eine Vergrößerung des Luftverhältnisses ebenfalls eine deutliche Wirkungsgradverbesserung. Es ist jedoch zu beachten, dass ein Betrieb mit großem Luftüberschuss die hubraumspezifische Arbeit sehr verringert. Zur Erzielung hoher Motorleistungen ist man also bestrebt, mit einem möglichst kleinen, vornehmlich durch die Rußemissionen nach unten begrenzten $\lambda$-Wert zu arbeiten. In dem vor allem für den mittleren Kraftstoffverbrauch eines Dieselmotors sehr wichtige Teillastbereich kann aber der mit wachsendem $\lambda$ zunehmende Wirkungsgrad voll genutzt werden.

### 6.2.2 Realprozess

Gegenüber den angepassten Vergleichsprozessen treten in realen Dieselmotoren weitere Abweichungen auf:

- endliche Verbrennungsgeschwindigkeit
- Undichtigkeit des Arbeitsraumes
- Kühlung
- Temperaturanstieg der Frischluft
- Gaswechselvorgänge
- Veränderung der Gaszusammensetzung
- Wärmetausch mit der Wandung
- unvollkommene Verbrennung
- Ausgehend vom Vergleichsprozess des vollkommenen Motors kann der effektive Wirkungsgrad des realen Motors durch ein schrittweises Fallenlassen der einzelnen Idealisierungen bestimmt werden. Da die Reihenfolge der Schritte das Ergebnis beeinflussen, müssen diese eindeutig festgelegt sein.

Der *effektive Wirkungsgrad* des realen Motors setzt sich wie folgt zusammen:

$$\eta_e = \underbrace{\eta_v - \Delta\eta_{bv} - \Delta\eta_u - \Delta\eta_k - \Delta\eta_{lw}}_{\eta_i} - \Delta\eta_r \tag{6-9}$$

$\Delta\eta_{bv}$ = Wirkungsgradverlust durch den realen Brennverlauf
$\Delta\eta_u$ = Wirkungsgradverlust durch die Undichtigkeit der Kolbengruppe
$\Delta\eta_k$ = Wirkungsgradverlust durch die Kühlungsverluste
$\Delta\eta_{lw}$ = Wirkungsgradverlust durch die Ladungswechselarbeit
$\Delta\eta_r$ = Wirkungsgradverlust durch die Reibungsarbeit

Zusammenfassend kann festgestellt werden, dass der innere Wirkungsgrad des offenen Vergleichsprozesses beim Dieselmotor aufgrund der höheren Verdichtung und des mageren Betriebes deutlich höher als bei einem Ottomotor ist. Dies gilt vor allem für die niedrige Teillast. Als wesentliche Verlustquellen sind hier die Kühl- und Reibungsverluste anzusehen sowie eine zunehmende Abweichung von der idealen Verbrennung. Insgesamt weist der Dieselmotor besonders bei Teillast höhere effektive Wirkungsgrade auf als ein vergleichbarer Ottomotor, was unter anderem auch auf die deutlich niedrigeren Ladungswechselverluste zurückzuführen ist. Der dieselmotorische Prozess ist vom wirtschaftlichen Standpunkt aus gesehen der optimale derzeit verfügbare Antrieb eines Nutzfahrzeuges.

# 6.3 Einspritzung, Gemischbildung und Verbrennung

## 6.3.1 Einspritzsysteme für Nutzfahrzeugmotoren

Damit eine gute Gemischaufbereitung im Zylinder stattfindet, muss durch eine Einspritzpumpe, bei einer höchstmöglichen Genauigkeit des Einspritzbeginns von maximal ± 0,5° kW, der Dieselkraftstoff je nach Verbrennungsverfahren über eine Düse mit ca. 350 bis 2400 bar eingespritzt werden. Die Last- und Drehzahlsteuerung des Dieselmotors erfolgt im Allgemeinen über die Kraftstoffzufuhr, ohne Reduzierung der Ansaugluftmenge. Die Einspritzmenge muss so dosiert sein, dass die Leerlaufdrehzahl nicht unterschritten, die Höchstdrehzahl nicht überschritten wird und für jeden Betriebszustand, im Hinblick auf ein niedriges Abgasemissionsverhalten, ein Luftüberschuss gewährleistet ist. Die Regelung des Spritzbeginns erfolgt durch einen mechanischen oder elektronischen Spritzversteller, wobei sich der Einspritzzeitpunkt nach der Motorlast und der Drehzahl des Motors richtet.

Die Einspritzanlage setzt sich zusammen aus:

- Niederdruckteil mit Kraftstoffbehälter, Zuleitungen, Förderpumpe und Kraftstofffilter
- Hochdruckteil der Einspritzpumpe mit Druckventil, Druckleitung und Düsenhalter

Die *Kraftstoffbehälter* unterscheiden sich hauptsächlich in Form und Volumen und sind im Normalfall aus Stahlblech gefertigt. Zum Schutz vor Korrosion werden sie im Innern mit einer Lackschicht überzogen. Im Rahmen der Gewichtsoptimierung werden mittlerweile vermehrt Kunststoffbehälter eingesetzt. Größere Kraftstoffbehälter stattet man zusätzlich mit so genannten Schlingerwänden aus, um im Fahrbetrieb (Beschleunigung, Verzögerung, Kurvenfahrt) ein allzustarkes Aufschaukeln des Kraftstoffes zu verhindern. Die Be- und Entlüftung erfolgt üblicherweise durch ein mit einem Ventil ausgestatteten Tankdeckel.

Die Aufgabe der *Zuleitungen* ist es, dem Hochdruckteil der Einspritzpumpe den Kraftstoff kontinuierlich, blasenfrei und unter Druck zuzuführen. Aufgrund der langen Leitungswege, des Höhenunterschiedes zwischen Tank und Einspritzpumpe und den damit verbundenen Leitungswiderständen in Verbindung mit Widerständen durch Kraftstofffilter u.ä. wird eine Förderpumpe installiert. Die Leitungen zwischen Hochdruckpumpe und Einspritzdüse bestehen überwiegend aus nahtlos gezogenem Präzisionsstahlrohr mit konischen Anschlussnippeln für die Einspritzpumpe und den Düsenhalter und besitzen stets für jeden Zylinder des Motors die gleiche Länge.

Die Aufgabe der *Förderpumpe* ist, den Kraftstoff aus dem Kraftstofftank anzusaugen und ihn unter Druck, durch die Leitungen und das Kraftstofffilter, in den Saugraum der Einspritzpumpe zu fördern. Der Antrieb ist zum einen durch den Verbrennungsmotor selbst möglich und zum anderen durch direkte Integration in die Hochdruckpumpe.

*Kraftstofffilter* halten die Verunreinigungen im Kraftstoff zurück. Die Einspritzdüse und der Hochdruckteil der Einspritzpumpe sind Präzisionsteile, die mit Toleranzen von wenigen Tausendstel Millimetern hergestellt werden. Verunreinigungen im Kraftstoff können die Funktion der Teile beeinträchtigen. Deshalb ist die Verwendung eines hochwertigen Filterelements für den störungsfreien Betrieb und lange Lebensdauer der Einspritzanlage unverzichtbar. Es wird zwischen Einfachfiltern, Stufenfiltern (Bild 6-3) und Parallelfiltern unterschieden. Einfachfilter werden als Boxfilter ausgeführt. Im Filterdeckel befinden sich die Anschlüsse für den Zu- und Ablauf des Kraftstoffes, im Boden ist die Wasserablassschraube integriert. Stufenfilter bestehen aus zwei Gehäusen, die durch einen Deckel miteinander verbunden sind. Das erste Filter ist ein Grobfilter mit einem Filzeinsatz, das zweite Filter ist ein Feinfilter mit einem Papiereinsatz. Parallelfilter werden bei Dieselmotoren mit einer Leistung von mehr als 120 kW eingesetzt. Der Aufbau ist wie bei den Stufenfiltern, wobei im Filterdeckel der Kraftstoff so aufgeteilt wird, dass jede Box im gleichen Zeitraum die gleiche Menge Kraftstoff filtert und bewirkt dadurch eine Verdoppelung der wirksamen Filterfläche. Zur Vermeidung einer Verstopfung des Filters durch Paraffinausscheidung des Dieselkraftstoffes wird häufig eine Filterheizung (elektrisch oder durch Kühlwasser) eingesetzt.

**Bild 6-3**
Stufenfilter mit Wasserabscheider, rechts Vorfilter, links Feinfilter

Aufgabe der *Einspritzpumpe* ist die Druckerzeugung für die Einspritzung des Kraftstoffes in die Zylinder des Dieselmotors. Die Verbrennungsvorgänge im Motor sind dabei von folgenden Kriterien abhängig:

- Zeitpunkt der Einspritzung
- Zeitdauer der Einspritzung
- Verteilung des Kraftstoffs im Verbrennungsraum
- Zeitpunkt des Verbrennungsbeginns
- zugeführte Kraftstoffmenge je Grad Kurbelwinkel
- die Gesamtmenge des zugeführten Kraftstoffs entsprechend der Motorbelastung

In Nutzfahrzeugen war in Europa vor allem bei schweren Fahrzeugen die Reiheneinspritzpumpe (RE) über viele Jahrzehnte das dominierende Einspritzsystem (Bild 6-4).

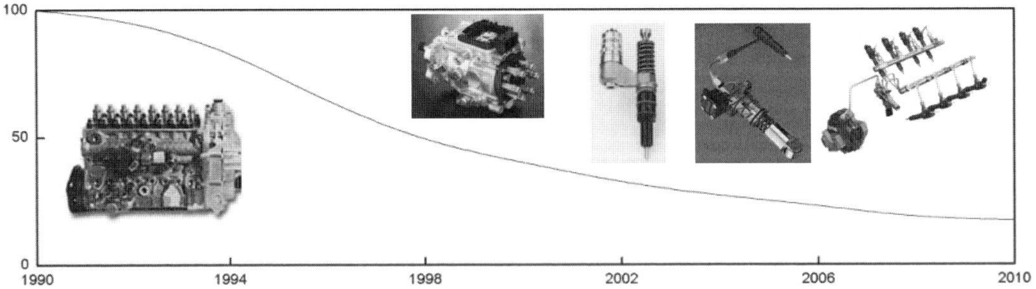


**Bild 6-4** Technische Trends der Kraftstoff-Einspritzsysteme bei Nutzfahrzeugmotoren (treibende Kraft = Emissionen)

Forciert durch die Emissionsgesetzgebung gab es seit Anfang der 1990er Jahre eine schrittweise Umstellung auf elektronisch geregelte Hochdruckeinspritzsysteme wie Pumpe-Düse-Systeme (PD oder auch Unit-Injector-System UIS) und Pumpe-Leitung-Düse-Systeme (PLD oder auch Unit-Pump-System UPS). Im Jahre 1999 lief auch die erste Common-Rail-Anwendung (CRS) in einem schweren Nutzfahrzeug in Serie. Bei Leistungsklassen im mittleren Einspritz-Druckbereich bietet die magnetventilgesteuerte Radialkolbenverteilerpumpe VP44 weiterhin eine interessante Alternative.

### *6.3.1.1 Reiheneinspritzpumpe (RE)*

Bei Reiheneinspritzpumpen wird für jeden Zylinder des Motors ein eigenes Pumpenelement verwendet, die in einem gemeinsamen Gehäuse untergebracht sind. Das einzelne Pumpenelement besteht aus Pumpenkolben und Pumpenzylinder. Je nach Motorleistung werden die Pumpen in verschiedenen Größen angeboten. Für Nutzfahrzeuge kommt hauptsächlich die P-Pumpe zur Anwendung. Bei Reiheneinspritzpumpen (Bild 6-5) mit der Abkürzung (PE) steht das E für eigene Nockenwelle und das P für die Leistungsklasse (P = 1300 bar Pumpendruck und bis 100 kW Zylinderleistung). Die zeitliche Steuerung der Kraftstoffzuführung erfolgt durch eine im Aluminiumgehäuse der Reiheneinspritzpumpe gelagerte Nockenwelle. Angetrieben wird die Nockenwelle, von der Kurbelwelle des Dieselmotors ausgehend, über ein Rädergetriebe. Die Verbindung zwischen Motor und Nockenwelle der Einspritzpumpe wird durch ein drehsteifes Kupplungselement realisiert. Diese drehsteife Kupplung gewährleistet eine Synchronisation der Einspritzzeit mit der Kurbelwellenstellung.

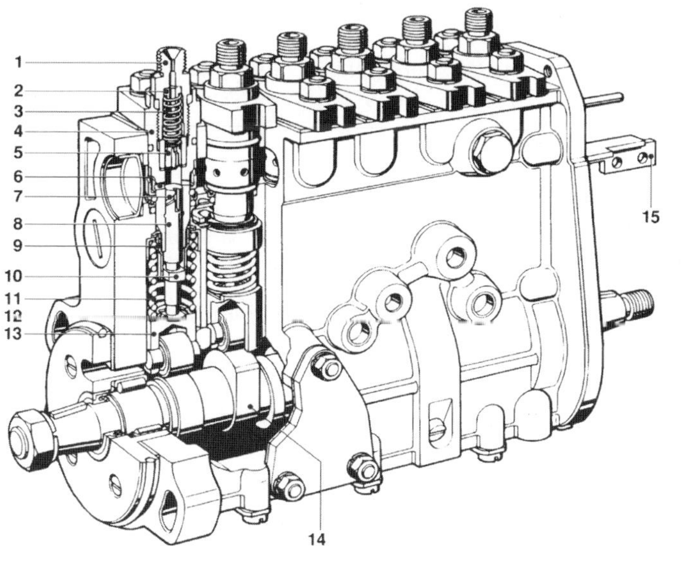


1 Druckventilhalter
2 Füllstück
3 Druckventilfeder
4 Pumpenzylinder
5 Druckventil
6 Saug-/Steuerbohrung
7 Steuerkante
8 Pumpenkolben
9 Regelhülse
10 Kolbenfahne
11 Kolbenfeder
12 Federteller
13 Rollenstößel
14 Nocken
15 Regelstange

**Bild 6-5**
Reiheneinspritzpumpe [6-61]

Zur Regelung der Fördermenge ist der Pumpenkolben über eine Regelhülse mit einer Regelstange verbunden (Bild 6-6). Die Regulierung der Fördermenge von Stopp bis Volllast erfolgt durch Verdrehen des Pumpenkolbens mittels der Regelstange. Die Maßtoleranz zwischen Kolben und Zylinder ist so fein, dass auch bei hohen Drücken bis zu 1300 bar eine Abdichtung gewährleistet ist und keine weiteren Dichtungselemente benötigt werden. Typisch für den Pumpenkolben ist eine seitliche Ausfräsung. Die dabei entstehende schräge Wand wird als Steuerkante bezeichnet. Da der Hub des Pumpenkolbens nicht verändert werden kann, wendet man das Prinzip der Steuerkante an, um die Fördermenge von Null bis Volllast stufenlos zu regulieren:

Der Kolben steht im unteren Totpunkt (UT), die Zulaufbohrungen sind frei. Der Kraftstoff strömt vom Saugraum der Pumpe in den Hochdruckraum des Pumpenelements.

Der Kolben geht nach oben und verschließt die Zulaufbohrung, im Zylinder baut sich Druck auf (wird auch als Vorhub bezeichnet).

Jetzt beginnt der Nutzhub, der sich je nach Last in Vollförderung, Teilförderung und Nullförderung variieren lässt.

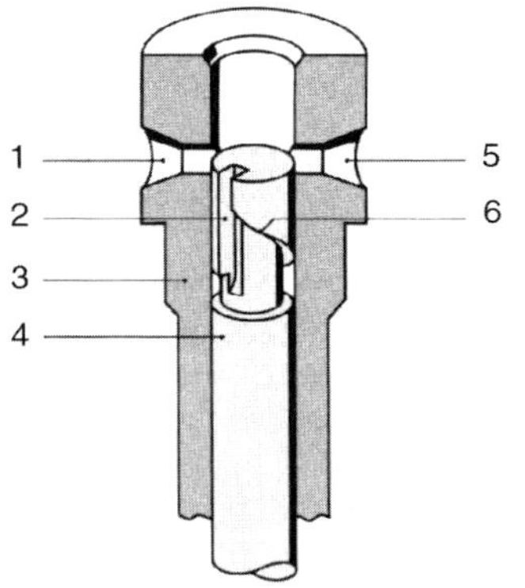


1 Zulaufbohrung
2 Längsnut
3 Zylinder
4 Kolben
5 Steuerbohrung
6 Steuerkante

**Bild 6-6**
Pumpenelement der Reiheneinspritzpumpe [6-61]

Vollförderung: Hält die Steuerkante beim Nutzhub die Zulaufbohrungen verschlossen, so wird der gesamte Kraftstoff im Druckraum über das Druckventil zur Einspritzdüse gefördert.

Teilförderung: Ist der Kolben so gedreht, dass die Steuerkante nach einem gewissen Hubweg die Steuerbohrung freigibt, so fällt der Druck ab, das Druckventil schließt sich und der Restkraftstoff fließt durch die Längsnut zurück in den Saugraum und die Förderung ist beendet.

Nullförderung: Ist der Kolben so gedreht, dass die Längsnut zur Steuerbohrung ausgerichtet ist, so fließt der Kraftstoff vom Hochdruckraum wieder zurück in den Saugraum. Es entstehen dabei weder Druck noch Förderung.

Das Druckventil verhindert gleichzeitig ein Nachtropfen des Kraftstoffes nach Beendigung der Kraftstoffförderung.

Darüber hinaus gibt es die Hubschieberreihenpumpe, bei der Menge und Förderbeginn unabhängig voneinander verstellt werden können, und dadurch die Schadstoffemission weiter vermindert werden kann (Bild 6-7). Durch Verschieben des Hubschiebers in Kolbenlängsrichtung verändert sich der Vorhub der Pumpe und damit der Förderbeginn in Abhängigkeit von der Nockenerhebung. Ausgelegt ist die Hubschieberpumpe für Motorleistungen bis 70 kW/Zylinder und für einen Einspritzdruck von ca. 1200 bar.

Die Förderpumpe der Reiheneinspritzpumpe ist eine mechanisch angetriebene Kolbenpumpe und wird in der Regel am Gehäuse der Einspritzpumpe angeflanscht. Der Antrieb erfolgt über die Nockenwelle der Einspritzpumpe oder des Motors. Eine Füllung der Einspritzpumpenzylinder ist nur dann gewährleistet, wenn der Kraftstoff mit einem Überdruck von ungefähr 1 bar in den Saugraum der Einspritzpumpe geleitet wird. Der zur Zylinderfüllung benötigte Saugraumdruck wird durch die Förderpumpe sichergestellt.

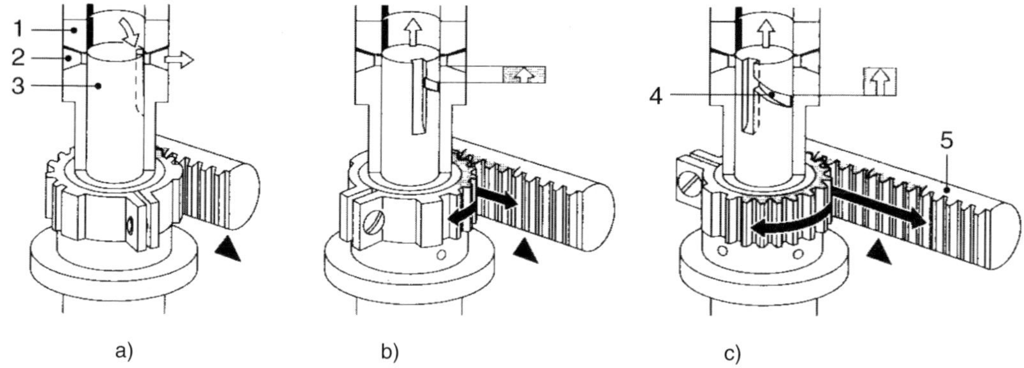


**Bild 6-7** Fördercharakteristik der Reiheneinspritzpumpe mittels Regelstange
a) Nullförderung, b) Teilförderung, c) Vollförderung

### *6.3.1.2 Verteilereinspritzpumpe (VE)*

Verteilereinspritzpumpen kommen vorwiegend in leichten Nutzfahrzeugen mit kleinen schnelllaufenden Dieselmotoren und einer Zylinderleistung von ca. 30 kW zum Einsatz (Bild 6-8). Im Gegensatz zur Reiheneinspritzpumpe ist bei der Verteilereinspritzpumpe nur ein Pumpenkolben und ein Pumpenzylinder vorhanden. Der im Pumpenkolben geförderte Kraftstoff wird über eine Verteilernut auf die Auslässe für die einzelnen Zylinder verteilt. Angetrieben wird die Verteilereinspritzpumpe mittels Zahnriemen, Kette oder Zahnräder durch die Kurbelwelle.

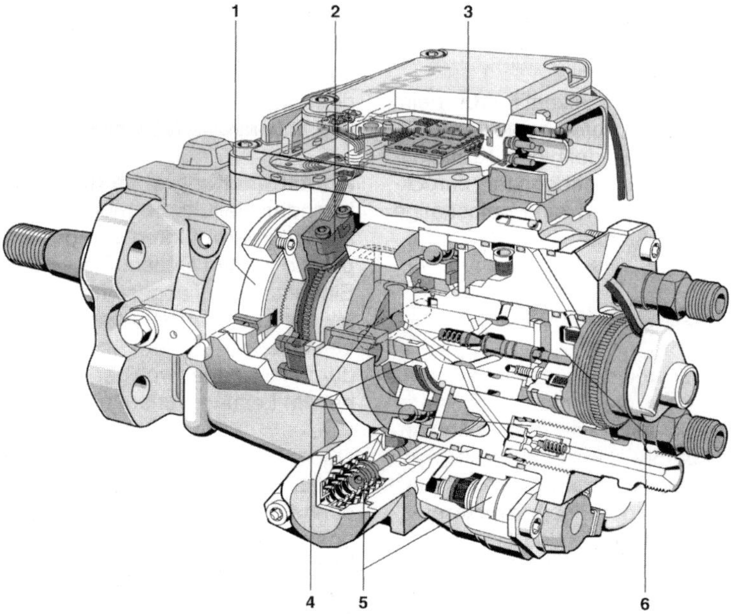


1 Flügelzellen-Förderpumpe mit Druckreglerventil
2 Drehwinkelsensor
3 Pumpensteuergerät
4 Radialkolben-Hochdruckpumpe mit Verteilerwelle uns Auslassventil (Druckventil)
5 Spritzversteller und Spritzversteller-Magnetventil (Tankventil)
6 Hochdruckmagnetventil

**Bild 6-8**
Verteilereinspritzpumpe Typ VE (elektronisch geregelt) [6-64]

Der so genannte Pumpenverband erzeugt den Hochdruck (ca. 800 bar) und verteilt den Kraftstoff auf die entsprechende Einspritzdüse. Die Passungstoleranzen zwischen Verteilerkopf, Verteilerkolben und Regelschieber sind so gering, dass sie auch bei hohen Drücken, bis auf geringe Leckverluste, die zur Schmierung notwendig sind, abdichten. Die Kraftstoffförderung setzt sich aus mehreren Hub- bzw. Bewegungsphasen des Verteilerkolbens zusammen und wächst mit steigender Drehzahl (Bild 6-9).

1. Der Kolben steht im unteren Totpunkt (UT), der Kraftstoff strömt durch den Zulaufkanal in den Hochdruckraum.
2. Nutzhub: Der Kolben geht nach oben und verschließt dabei den Zulaufkanal. Im Zylinder baut sich Druck auf. Durch die gleichzeitige Drehbewegung des Kolbens und durch die Verteilernut im Kolben wird die dem Motorzylinder zugehörige Auslassbohrung geöffnet. Der aufgebaute Druck öffnet das Druckventil und der Kraftstoff gelangt über die Druckleitung zur im Düsenhalter eingebauten Düse.
3. Die Kraftstoffförderung ist beendet, sobald die querliegende Absteuerbohrung des Kolbens die Steuerkante erreicht.
4. Der Kolben geht vom oberen Totpunkt (OT) zum unteren Totpunkt und führt dabei eine Dreh-/Hubbewegung aus. Hierdurch wird die Absteuerbohrung geschlossen und der Hochdruckraum der Förderpumpe füllt sich erneut.

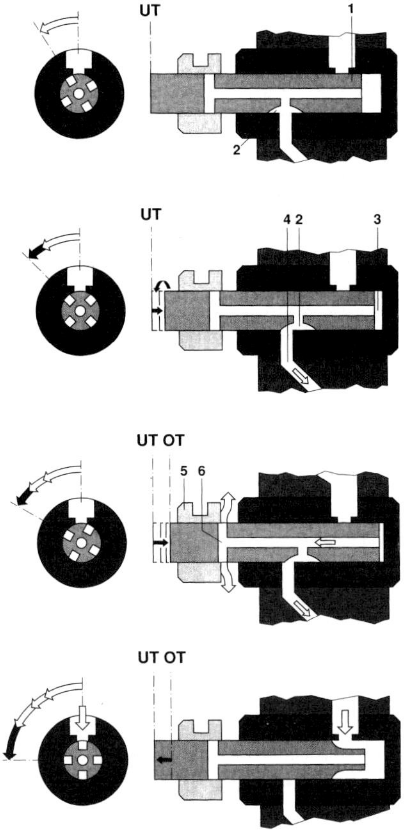


1 Steuerschlitz
2 Verteilernut
3 Hochdruckraum
4 Auslassbohrung
5 Regelschieber
6 Steuerbohrung

**Bild 6-9**
Hub und Förderphasen der Verteilereinspritzpumpe [6-64]

Für die Verteilereinspritzpumpe wird der Kraftstoff von einer Flügelzellen-Förderpumpe, durch die Drehbewegung des Flügelrades, in den Pumpeninnenraum der Hochdruckpumpe gefördert. Um im Pumpeninnenraum einen bestimmten Druck in Abhängigkeit von der Drehzahl zu erreichen, ist ein Drucksteuerventil notwendig. Mit diesem Ventil kann für eine bestimmte Drehzahl ein definierter Druck eingestellt werden. Der Druck steigt hierbei proportional mit der Drehzahl, d. h. je höher die Drehzahl, desto höher der Pumpeninnendruck.

Durch den Zündverzug bei steigender Motordrehzahl verschlechtert sich die Leistung des Dieselmotors. Dieser Nachteil kann durch die Verwendung eines Spritzverstellers behoben werden. Mit zunehmender Drehzahl verdreht der Spritzversteller die Einspritzpumpenwelle so, dass der Pumpenkolben etwas früher angehoben wird. Durch diese Vorverlegung des Kolbenhubes wird der Einspritzzeitpunkt in Richtung früh verstellt und dadurch der Zündverzug ausgeglichen. Die Steuerung des Spritzverstellers erfolgt entweder mechanisch durch Fliehkraftregelung oder elektronisch durch ein Mikroprozessor-Steuergerät und Kennfelder.

Bedingt durch den Sachverhalt, dass es keine feste Regelstangenstellung gibt, bei der der Dieselmotor seine Drehzahl konstant beibehält, muss die Drehzahl durch eine Mechanik reguliert werden. Diese Mechanik stellt der Drehzahlregler dar. Ohne diesen Regler würde z. B. ein kalter Motor, der gerade angelassen wurde und mit einer bestimmten Kraftstoffmenge im Leerlauf läuft, durch Reduzierung der Eigenreibung in der Warmlaufphase, seine Drehzahl immer mehr erhöhen und schließlich überdrehen.

Die Aufgabe aller Drehzahlregler ist die Begrenzung der Maximaldrehzahl des Motors. Eine weitere Aufgabe kann die Einstellung einer konstanten Drehzahl (z. B. Leerlaufdrehzahl) sein. Unterschieden wird bei den Reglern zwischen:

- Enddrehzahlregelung: Die Volllastdrehzahl darf bei Entlastung des Motors höchstens auf obere Leerlauf- oder Nulllastdrehzahl steigen.
- Zwischendrehzahlregelung: Bei Fahrzeugen mit Nebenantrieb kann der Regler die Drehzahl zwischen Leerlauf- und Enddrehzahl konstant halten.
- Leerlaufregelung: Je nach Betriebszustand des Motors z. B. Kaltstart erfolgt die Drehzahlregelung des Motors durch Verschieben der Regelstange der Einspritzpumpe.

Für die Einhaltung der zukünftigen Emissionsgrenzwerte EURO-3, -4 und -5 werden neben den Abgasnachbehandlungsmaßnahmen eine Hochdruckeinspritzung und eine variable Spritzbeginnverstellung benötigt. Neben der Weiterentwicklung der Reiheneinspritzpumpe werden die zeitgesteuerten Einzelpumpensysteme in modernen Nutzfahrzeugmotoren mit Direkteinspritzung eingesetzt. Hierzu gehören die modular aufgebauten, elektronisch geregelten (EDC) Systeme Pumpe-Düse-Einheit (PD), Pumpe-Leitung-Düse (PLD) und das Speicher-Einspritzsystem (Common-Rail). Ein modulares Einspritzsystem ist dann gegeben, wenn je Motorzylinder das gleiche Einspritzmodul eingesetzt wird.

#### *6.3.1.3 Pumpe-Düse-Einheit (PD)*

Dieses System ist eine Einzylinder-Einspritzpumpe mit einem integrierten Magnetventil und angebauter Düse, die direkt in den Zylinderkopf des Dieselmotors eingesetzt wird (Bild 6-10 und Bild 6-11). Der Antrieb der PD erfolgt durch einen Einspritznocken auf der Motornockenwelle über einen Kipphebel oder mittels einer Stößel-Kipphebel-Verbindung. Der Einspritzbeginn und die Einspritzmenge wird über ein elektronisches Steuergerät durch ein schnell schaltendes Magnetventil gesteuert. Liegt keine Spannung am Magnetventil an, ist es geöffnet und der Pumpenraum füllt sich während des Saughubes mit Kraftstoff. Durch das Schließen des Magnetventils während des Förderhubes wird der Hochdruck erzeugt und der Dieselkraftstoff durch die Düse in den Brennraum eingespritzt. Der Schließzeitpunkt des Ventils regelt den Spritzbeginn, die Schließdauer die Menge des einzuspritzenden Kraftstoffes. Die Pumpe-Düse-Einheit benötigt keine Druckleitung, dadurch reduzieren sich die Druck- und Reibungsverluste, verursacht durch die Kompression des Schadvolumens.

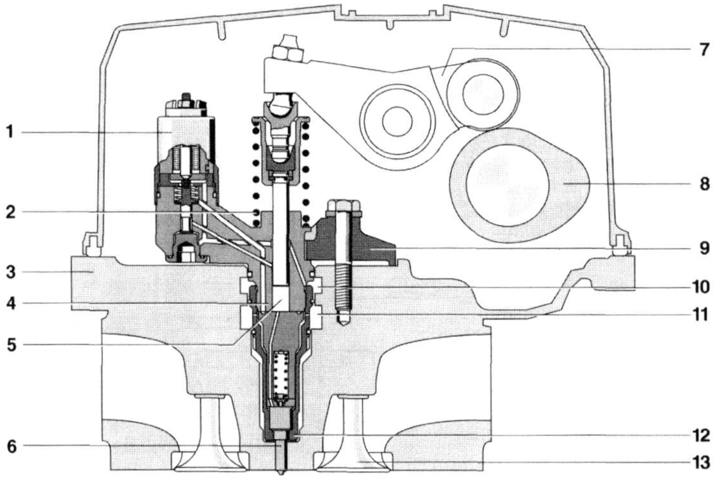


1 Hochdruckmagnetventil
2 Rückstellfeder
3 Zylinderkopf
4 Körper des Injectors
5 Hochdruckraum
6 Einspritzdüse
7 Kipphebel
8 Antriebsnocken
9 Spannpratze
10 Kraftstoffrücklauf
11 Kraftstoffzulauf
12 Spannmutter
13 Motorventil

**Bild 6-10** Pumpe-Düse-Einheit im Motor integriert [6-3]

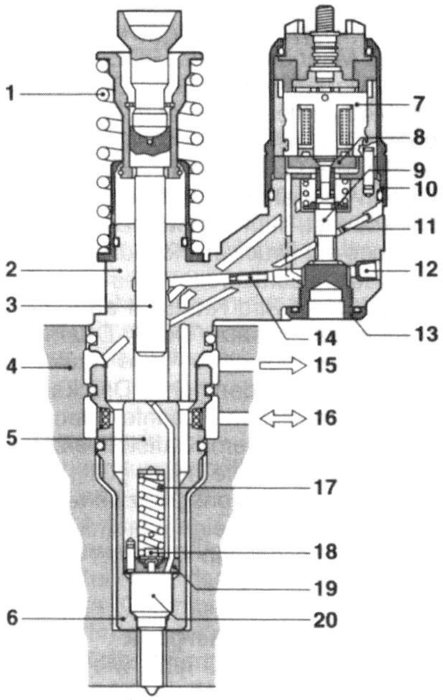


1 Rückstellfeder
2 Pumpenkörper
3 Pumpenkolben
4 Zylinderkopf
5 Federhalter
6 Spannmutter
7 Stator
8 Ankerplatte
9 Magnetventilnadel
10 Magnetventilspannmutter
11 Hochdruckstopfen
12 Niederdruckstopfen
13 MV-Hubanschlag
14 Drossel
15 Kraftstoffrücklauf
16 Kraftstoffzulauf
17 Düsenfeder
18 Druckbolzen
19 Zwischenscheibe
20 Einspritzdüse

**Bild 6-11** Pumpe-Düse-Einheit [6-65]

Das Schadvolumen ist die Summe des Volumens, das bei jeder Einspritzung verdichtet und am Ende der Einspritzung wieder entspannt werden muss. Die PD ist für Einspritzdrücke bis maximal 1800 bar und für Motoren bis 2 Liter Hubraum/Zylinder ausgelegt und ermöglicht eine Voreinspritzung sowie selektive Zylinderabschaltung. Die elektronische Kennfeldregelung in Kombination mit dem hohen Einspritzdruck führen zu einer Reduzierung des Kraftstoffverbrauchs mit gleichzeitiger Senkung der Schadstoffemission, was im Hinblick auf die strenge EU-Emissionsgesetzgebung (Einhaltung von EURO-3, -4 und -5) von großer Bedeutung ist. Durch die Magnetventilsteuerung ist es möglich eine Voreinspritzung zu realisieren und im Teillastbetrieb einzelne Zylinder abzuschalten.

Negativ wirkt sich die funktionale Integration von Pumpe und Düse als eine Einheit im Bezug auf die Einbaumöglichkeit im Zylinderkopf aus, da hierdurch die Bauhöhe des Motors steigt.

### *6.3.1.4 Pumpe-Leitung-Düse (PLD)*

Auch das PLD-System (Bild 6-12 und Bild 6-13) ist ein modulares zeitgesteuertes Einzelpumpen-Einspritzsystem, bei dem jeder Zylinder durch ein Einspritzmodul versorgt wird. Das Modul besteht aus folgenden Komponenten:

- Hochdrucksteckpumpe mit schnell schaltendem Magnetventil
- kurze Hochdruckleitungen
- Düsenhalterkombination

Der Antrieb der einzelnen PLD-Einheiten erfolgt durch Einspritznocken auf der Motornockenwelle. Der Einspritzbeginn und die Einspritzmenge wird auch hier durch ein sehr schnell schaltendes Magnetventil kennfeldabhängig geregelt. Die PLD erlaubt Einspritzdrücke bis zu 2000 bar. Das PLD-System bietet die gleichen Regel- bzw. Steuermöglichkeiten wie die PD (Zylinderabschaltung, Voreinspritzung) und hat zusätzlich noch den Vorteil der einfachen Handhabung im Servicefall. Durch die hohen Drücke und die Kennfeldregelung werden alle heutigen und zukünftigen Emissionsgrenzwerte in Verbindung mit niedrigem Verbrauch eingehalten. Das PLD-System ist wie die PD-Einheit für Nutzfahrzeugmotoren bis maximal 2 Liter Hubraum pro Zylinder vorgesehen. Zur Erfüllung der EURO-4-Norm, bei bestmöglichem Kraftstoffverbrauch, wird intensiv an der Weiterentwicklung des bestehenden Steckpumpen-Einspritzsystems gearbeitet.

Nach wie vor stellt das PLD-System auch im Vergleich zu den zwischenzeitlich in Entwicklung befindlichen Common-Rail-Systemen, im Hubraumbereich > 1 Liter/Zylinder und den für Nutzfahrzeuge gültigen Abgas-Testzyklen die derzeit beste Lösung dar.

Vorteile gegenüber der PD sind:

- Servicefreundlichkeit durch funktionale Trennung von Pumpe und Düse
- geringer Platzbedarf im Zylinderkopf, dadurch geringere Gesamthöhe des Motors
- einfache Montage/Demontage der Düse
- größere Freiheit bezüglich der Zylinderkopfgestaltung

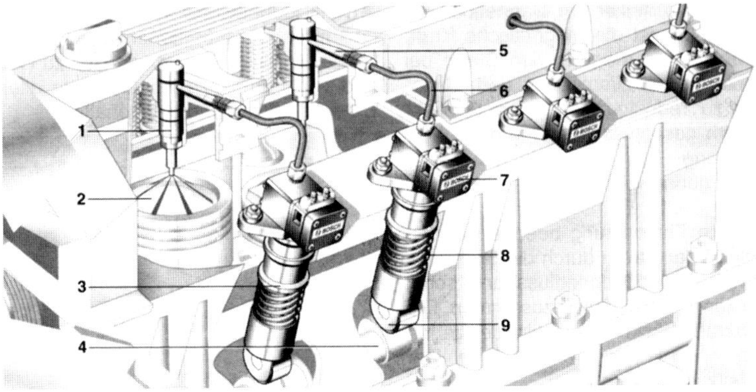


1 Stufendüsenhalter
2 Brennraum des Motors
3 Einspritzpumpe
4 Motornockenwelle
5 Druckstutzen
6 Hochdruckleitung
7 Magnetventil
8 Rückstellfeder
9 Rollenstößel

**Bild 6-12**
Pumpe-Leitung-Düse im Motor eingebaut [6-3]

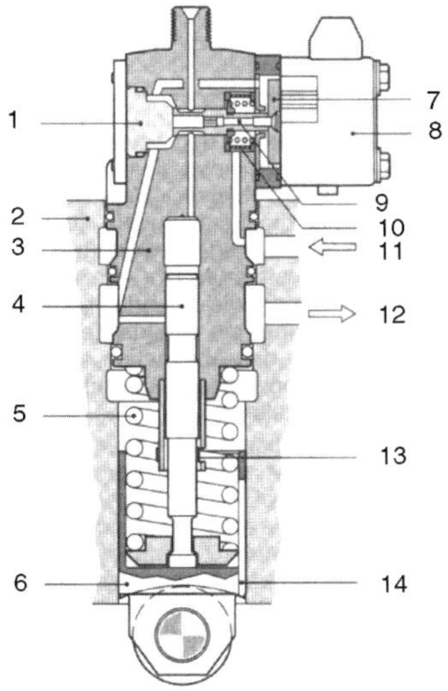


1 MV-Hubanschlag
2 Motorblock
3 Pumpenkörper
4 Pumpenkolben
5 Rückstellfeder
6 Rollenstößel
7 Ankerplatte
8 Stator
9 Magnetventilnadel
10 Filter
11 Kraftstoffzufuhr
12 Kraftstoffrücklauf
13 Rückhalteeinrichtung
14 Fixiernut

**Bild 6-13**
PLD Hochdruckpumpe [6-65]

### *6.3.1.5 Common-Rail (CRS)*

Das Common-Rail-System (Bild 6-14) zeichnet sich dadurch aus, dass der Einspritzdruck unabhängig von der Motordrehzahl und der Einspritzmenge erzeugt wird.

Durch die Entkopplung von Druckerzeugung und Einspritzung erhält man für die Verbrennungsentwicklung einen zusätzlichen Freiheitsgrad. Der Einspritzdruck kann durch eine Kolbenpumpe in Hochdruckausführung, bei Nutzfahrzeugmotoren als Reihenpumpe ausgeführt, unabhängig vom Betriebszustand des Motors frei gewählt werden. Der von der Hochdruckreihenpumpe aufgebrachte Systemdruck wird in einer Verteilerleiste, dem so genannten „Common Rail" (CR), aufgebaut und über einen Hochdruckanschluss dem CR-Einzelinjektor zugeführt. Dieser Injektor beinhaltet neben der Funktion der Kraftstoffzerstäubung auch die Funktion der Verschiebung der Düsennadel, mittels Magnetventil. Durch einen Impuls des Steuergerätes an das Magnetventil im Injektor wird der Kraftstoff in den Brennraum eingespritzt. Die eingespritzte Kraftstoffmenge wird durch die Öffnungsdauer und den Systemdruck bestimmt. Die bei der Einspritzung nicht benötigte Kraftstoffmenge (Steuer- und Leckmenge des Injektors) wird über Leitungen in den Kraftstofftank zurückgeführt. Die verwendeten Steuergeräte und Sensoren des Systems sind die gleichen wie bei den PLD und PD Systemen.

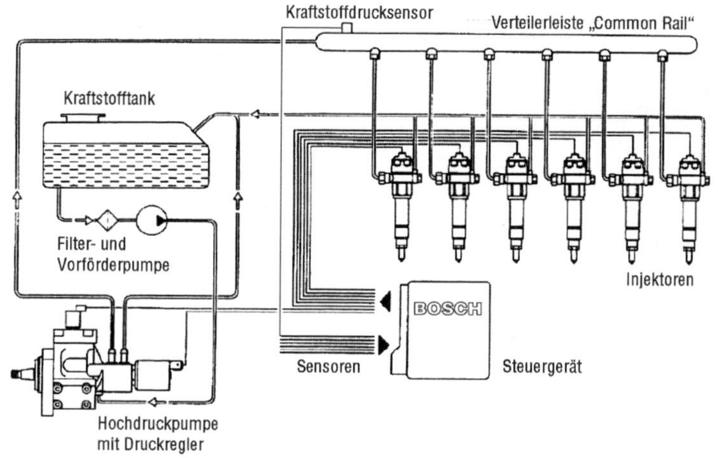


**Bild 6-14**
Common-Rail-Einspritzsystem [6-65]

Herzstück eines jeden Common-Rail-Systems ist der Injektor. Die Konstruktion richtet sich nach dem vorhandenen Einbauraum zwischen den Ein- und Auslassventilen des Zylinderkopfes. Im Injektorkörper befindet sich die Zu- und Ablaufdrossel, das Magnetventil, der Steuerraum sowie die Düse mit der entsprechenden Düsennadel. Der zugeführte Kraftstoff wirkt sowohl auf den Steuerraum als auch auf den Düsensitz. Liegt eine Spannung am Magnetventil an, wird die Ablaufdrossel geöffnet und dadurch der Druck im Steuerraum gesenkt. Durch das Druckgefälle zwischen Steuerraum und Düse wird die Düsennadel angehoben und die Kraftstoffeinspritzung in den Brennraum beginnt. Durch Unterbrechung der Stromzufuhr zum Magnetventil schließt die Ablaufdrossel und die Nadel wird durch den entstehenden Druck im Steuerraum wieder auf ihren Sitz zurückgeschoben, womit die Einspritzung beendet ist. Die zur Steuerung benötigte Kraftstoffmenge sowie die Leckmenge im Dichtsitz der Düse werden durch eine Leitung in den Tank des Fahrzeuges zurückgeführt.

Dadurch, dass bei dem Common-Rail der gewünschte Einspritzdruck von bis zu 1600 bar immer zur Verfügung steht, kann mit diesem System der Dieselkraftstoff feiner zerstäubt, genauer dosiert und unabhängig von der Nockenform der Einspritzbeginn frei gewählt werden. Darüber hinaus besteht durch das sehr schnell schaltende *Magnetventil* die Möglichkeit der Mehrfacheinspritzung. Dies eröffnet eine fast beliebige Einspritzgestaltung mit Variation von Vor-, Haupt- und Nacheinspritzungen. Die freie Wahl der Einspritzverlaufsgestaltung wirkt sich in erster Linie auf die Geräusch- und Abgasemission aus. Gerade im Bezug auf die Reduzierung der $NO_X$ und Ruß-Werte ermöglicht das CRS-System bereits bei niedrigen Drehzahlen eine Anhebung des Drehmomentes, ohne eine Zunahme der Partikelwerte. Die Voreinspritzung, in Verbindung mit einer Spritzbeginn-Verstellung in Richtung früh, ermöglicht darüber hinaus eine Verbrauchsreduzierung, unter Vermeidung eines $NO_X$-Anstiegs.

Die Applikation eines Common-Rail-Systems an einen Nutzfahrzeug-Dieselmotor mit Direkteinspritzung ist ohne großen konstruktiven Aufwand möglich. Der Injektor wird in den Zylinderkopf wie eine Düsenhalterkombination eingebaut und die Einspritzpumpe wird durch die Hochdruckpumpe ersetzt. Eingesetzt wird diese Technik des Speicher-Einspritzsystems derzeit im Pkw-Bereich und bei leichten Nutzfahrzeugen. Die Einführung in die schwere Klasse begann im Jahr 1999.

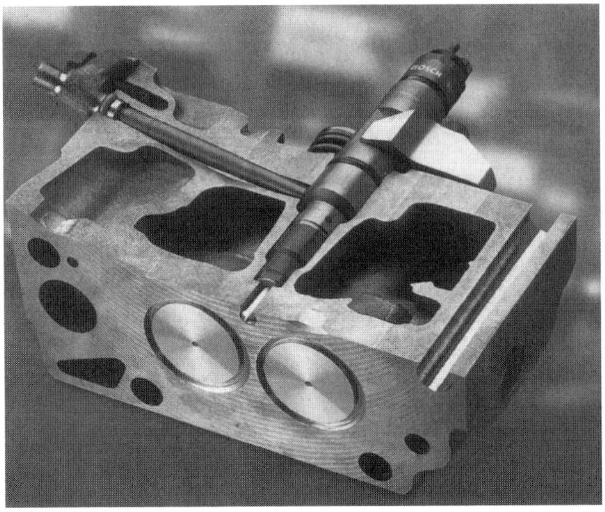

**Bild 6-15**
Common-Rail-Injektor der Firma Bosch in der neuen MAN Sechszylinder-Motorenbaureihe D20 CR

Die herkömmlichen Magnetventile in den Einspritzinjektoren haben prinzipbedingt wegen der Induktivität der elektrischen Spule relativ hohe Totzeiten. Die im Nutzfahrzeugbereich zur Zeit noch nicht Verwendung findenden *piezoelektrischen Injektoren* zeichnen sich gegenüber den elektromagnetischen Ventilen durch extrem kurze Schaltzeiten in der Größenordnung von 0,1 Millisekunden aus. Die Formänderung eines aus zahlreichen dünnen Keramikschichten zu einem Quader gesinterten Piezo-Multilayer-Aktuators wird bei Anlage einer elektrischen Spannung in den Einspritzdüsen von Common-Rail-Systemen zur Steuerung der Düsenöffnung genutzt. Ein 30 mm langer Aktor im Injektor besteht aus mehr als 300 Schichten mit je 80 μm Stärke und liefert einen Nutzhub von etwa 40 μm. Gegenüber Magnetventilen besitzen Piezo-Aktoren die folgenden Vorteile:

- Der Piezo-Aktor hat praktisch keine Totzeit.
- Er schaltet sehr schnell und präzise. Die Schaltzeit ist viermal schneller als bei den herkömmlichen Aktuatoren.
- Die Reproduzierbarkeit ist sehr gut, eine kleinste Kraftstoffmenge mit 0,5 $mm^3$ pro Hub bei einer Mengentoleranz von weniger als 0,2 $mm^3$ pro Hub.
- Er hat keine vom Design bedingten Toleranzen in Form von Luftspalten etc.
- Über der Lebensdauer zeigt sich ein sehr stabiles Verhalten.
- Das Piezo-Modul ist als vorgefertigtes und geprüftes Stellglied lieferbar.

Während bisher maximal 5 Teileinspritzungen pro Einspritzvorgang möglich waren, lässt der Piezoinjektor bis zu sieben Teileinspritzungen und eine noch feinere und exaktere Dosierung des Kraftstoffs zu.

### 6.3.2 Gemischbildungsverfahren

Ziel der Gemischbildungsverfahren ist die Bildung eines zündfähigen Gemisches aus Luft und Kraftstoff, welches im Motor verbrannt werden soll. Beim Dieselmotor liegt bekanntlich eine innere Gemischbildung mit Selbstzündung vor. Während des Kompressionstaktes wird die Luft im Zylinder auf ca. 50 bar verdichtet und dadurch auf ca. 800 °C erhitzt. Kurz vor Erreichen des oberen Totpunktes erfolgt die Einspritzung des Dieselkraftstoffes in den Brennraum, der Kraftstoff vermischt sich mit der erhitzten Luft und entzündet sich dabei. Die anschließende Verbrennung sowie die Ausnutzung der angesaugten Verbrennungsluft hängt bei dem heterogenen Diesel-Verfahren (Gemischbildung mit fetten und mageren Gemischzonen) wesentlich von der Gemischbildung ab.

Bei den Gemischbildungsverfahren des Dieselmotors wird zwischen den Kammerbrennverfahren (Vorkammer, Wirbelkammer) mit einer Einspritzung des Kraftstoffes in die Nebenkammer und Verfahren mit direkter Einspritzung in die Hauptkammer (wandgeführt, strahlgeführt) unterschieden. Die direkte Einspritzung ist bei Motoren Standard, die in schweren Nutzfahrzeugen eingesetzt werden. Lediglich im Bereich der leichten Nutzfahrzeuge bis ca. 4,0 t werden nach wie vor noch Nebenkammermotoren eingesetzt.

Der beste Wirkungsgrad des Dieselmotors lässt sich nur über die Direkteinspritzung des Brennstoffs in die Luftladung erreichen. Die Einspritzung durch die Düse erfolgt dabei in einen ungeteilten Brennraum. Das Verfahren der direkten Einspritzung wird bei allen Motoren der schweren Nutzfahrzeug-Klasse angewendet. Durch den kompakten Brennraum gegenüber den Kammermotoren wird ein thermodynamisch wesentlich günstigeres Oberflächen/Volumen-Verhältnis erzielt. In Verbindung mit der langhubigen Bauweise der direkteingespritzten Motoren, die eine Reduzierung der an die Brennraumwand abgegebenen Wärmemenge ermöglichen, kann demzufolge das Verdichtungsverhältnis gegenüber den Kammermotoren auf ca. 15 bis 19:1 reduziert werden.

Zur Einspritzung des Dieselkraftstoffes kommen je nach Einspritzverfahren Lochdüsen mit eins bis acht Einspritzstrahlen zur Anwendung. Angestrebt wird dabei immer eine zentrale Anordnung der Düse im Zylinderkopf. Die zentrale Anordnung birgt den Vorteil einer gleichmäßigen Verteilung des Kraftstoffes in den rotationssymmetrisch ausgebildeten Brennraum des Zylinder.

Man unterscheidet bei der Direkteinspritzung nochmals zwischen wandgeführten und strahlgeführten Verfahren.

Ein *wandgeführtes Verfahren* ist das Mittenkugelverfahren (M-Verfahren in Bild 6-16). Es beruht auf einem kugelförmigen Brennraum in der Mitte des Zylinders. Der verbrennungstechnisch günstige Kugelbrennraum des Kolbens nimmt nahezu die gesamte Verbrennungsluft auf, die gegen Hubende von allen Seiten mit großer Geschwindigkeit in den Brennraum einströmt, dort verdichtet wird und starke Verwirbelungen erzeugt. Der Kraftstoff wird bei dem M-Verfahren als kompakter Strahl auf die Wandung der tiefen zumeist eingezogenen Brennraummulde, aufgetragen. Durch die Wandwärme verdampft der Brennstoff und wird durch die starken Verwirbelungen der Luft allmählich von der Wand abgetragen. Im Zentrifugalfeld der Luftdrehung bleiben die heißen Gase in der Mitte, während die kühleren und sauerstoffreicheren Gase zur Wand und somit zum Kraftstoff geleitet werden. Hierdurch wird eine besonders gute Durchmischung erzielt und die Partikelemission sowie das Verbrennungsgeräusch sehr günstig beeinflusst. Da die Kugel die kleinste Oberfläche von allen volumengleichen Körpern hat und der Brennraum im Kolben liegt – im Gegensatz zu den Nebenkammerverfahren mit geteiltem Brennraum, deren Kammern in den meistens wassergekühlten Zylinderkopf untergebracht sind – ergeben sich nur geringe Wärmeverluste, die einen Kaltstart des Motors ohne Glühkerzen ermöglichen.

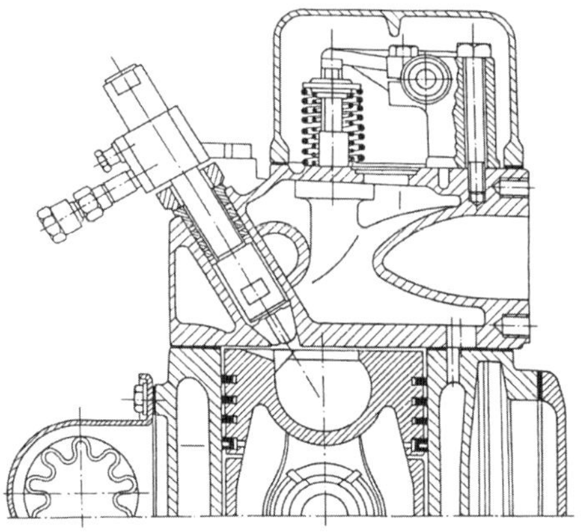

**Bild 6-16**
Mittenkugelverfahren [6-18]

Weitere Untersuchungen brachten die Erkenntnis, dass in erster Linie der extrem hohe Luftdrall für die Gemischbildung im M-Verfahren ausschlaggebend ist. Diese Verwirbelungen werden durch einen Einlassdrall und durch die tiefe Kolbenmulde realisiert. Der durch ein Schirmventil erzeugte Drall der Ladung wird in den tiefen Brennraum des Kolbens gegen Ende des Verdichtungshubs extrem beschleunigt, so dass dieser stark rotierende Luftwirbel eine besonders gute Durchmischung mit den feinen eingespritzten Kraftstoffteilchen eingeht. Die Verbrennung erfolgt dabei in kurzer Zeit und das sehr intensiv.

Die wandgeführten Strahlverfahren sind mittlerweile durch die Mehrlochdüsen-Verfahren aufgrund der stetig wachsenden Anforderungen bezüglich Verbrauchsoptimierung, Emissionsreduzierung und Fahrkomfort ersetzt worden.

Bei den *strahlgeführten Verfahren* erfolgt die Gemischbildung gleichfalls durch eine Direkteinspritzung in einen nicht unterteilten Brennraum im Kolben. Im Gegensatz zu dem M-Verfahren, in dem die gute Gemischbildung hauptsächlich durch die Verwirbelungen der Luft mit einer Abtragung des Kraftstoffes von der Brennraumwandung erfolgt, wird hierbei die Durchmischung weitestgehend über die Einspritzenergie einer Mehrlochdüse, bei einer möglichst drallarmen Verwirbelung der Verbrennungsluft, herbeigeführt. Um eine gute Verbrennung zu erhalten und gleichzeitig günstige Drehmoment- und Verbrauchswerte unter Berücksichtigung der vorgegebenen Abgasemissionswerte zu erzielen, ist auf eine optimale Abstimmung von Luftdrall, Einspritzdruck, Anzahl der Einspritzlöcher und Ausbildung der Kolbenmulde zu achten. Bei den in Nutzfahrzeugen eingesetzten größeren Motoren mit einer niedrigen Drehzahl werden die Verbrennungsräume im Zylinder stets als flache offene Mulden mit einer geringen Drallströmung ausgeführt.

Im Hinblick auf die Einhaltung der zukünftigen EU-Abgasemissionsvorschriften und der Verbrauchsoptimierung stattet man moderne Nutzfahrzeug-Dieselmotoren mit einer zentral zum Brennraum angeordneten 5-Loch-, 6-Loch- oder 8-Lochdüse und mit einem hohen Einspritzdruck (hoher Einspritzdruck $\Rightarrow$ niedrige Partikelemission, geringerer Verbrauch) aus. Die flüssigen Strahlanteile erreichen bei der Einspritzung in den Brennraum nicht die Brennraumwand (Bild 6-17). Bereits nach einer kurzen Eindringtiefe tritt eine vollständige Verdampfung des Kraftstoffes ein. Durch die symmetrische Ausbreitung der bis zu acht Einspritzstrahlen und der drallschwachen Verwirbelung der Verbrennungsluft im Zylinder wird eine sehr gute und gleichmäßige Lufterfassung erzielt und somit eine sehr homogene Verbrennung ermöglicht. Der Kraftstoffverbrauch gegenüber dem M-Verfahren ist um 6 bis 8 % geringer.

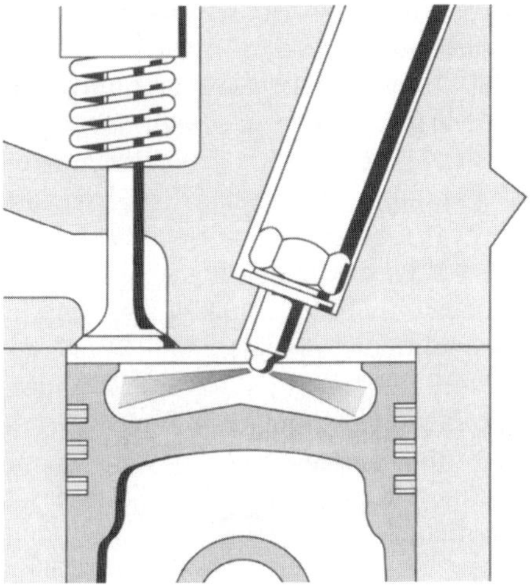

**Bild 6-17**
Schematische Darstellung eines strahlgeführten Direkteinspritzverfahrens

Die Entwicklungstendenz für zukünftige Nutzfahrzeug-Dieselmotoren geht in Richtung flacher, weiter Brennraummulden mit einem schwach kegeligen Boden und nicht eingezogenen Brennraumwänden sowie niedrigem Einlassdrallniveau (Bild 6-18). Die Einspritzung erfolgt durch 6-Loch- oder 8-Loch-Düsen mit einem Einspritzdruck von 1600 bis 1800 bar bei zentraler, senkrechter Anordnung der Düse zum Brennraum.

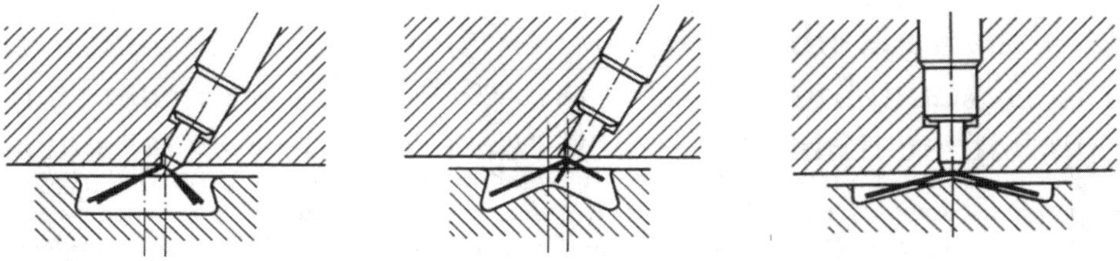

**Bild 6-18** Links: 4-5 Lochdüse, Mitte: 5-6-Lochdüse, Rechts: 6- und 8-Lochdüse [6-22]

Tabelle 6-4 stellt in einer Übersicht die verschiedenen Kolbenmulden- und Einspritzformen bei Verwendung von Mehrlochdüsen in Nutzfahrzeugmotoren dar.

**Tabelle 6-4** Strahlgeführte Einspritzungskonfigurationen

| Düse | Anordnung Düse | Luftdrall | Einspritzdruck (bar) | Kolbenmulde | Verdichtung |
|---|---|---|---|---|---|
| 4-5-Loch | außermittig, geneigt | hoch | 800–1200 | tief, Wand eingezogen (Topfmulde) | ca. 15–19:1 |
| 6-Loch | außermittig bis zentral, geneigt bis nicht geneigt | hoch bis drallarm | 1200–1600 | tief bis flach, Wand eingezogen/nicht eingezogen, Boden kegelig | ca. 16–18:1 |
| 8-Loch | zentral, senkrecht | drallarm | 1800 | flach, Wand nicht eingezogen Boden leicht kegelig | ca. 16–18:1 |

Der Einlasskanal des Dieselmotors ist eine wesentliche Größe für die Aufbereitung des Kraftstoffes. Er beeinflusst den Drall der in den Brennraum einströmenden Luft und damit die Strömungsverhältnisse. Besonders wichtig ist die Abstimmung zwischen der Luftverteilung und der Kraftstoffeinspritzung bei den strahlgeführten Einspritzverfahren. Die Intensität der Drallströmung, verursacht durch den Einlasskanal, bestimmt in erheblichen Maße die Verteilung des Kraftstoffes. Mit zunehmender Anzahl der Düsenbohrungen und steigender Motorengröße zeigt sich jedoch, dass die Drallintensität zur Bildung des Luft-Kraftstoff-Gemisches reduziert werden kann. Bei direkt einspritzenden Dieselmotoren wird der Drall durch eine geeignete Formgebung des Einlasskanals und des Einlassventilsitzes bestimmt. Der Einlasskanal kann in zwei Ausführungen gestaltet werden. Zum einen als Drallkanal und zum anderen als Tangentialkanal, wobei der Drall der angesaugten Luft, wie in Bild 6-19 dargestellt, durch eine Rotation um die Ventilachse erzeugt wird. Der Drallkanal wird spiralförmig um das Einlassventil ausgebildet. Der Tangentialkanal ist so ausgebildet, dass die Luftströmung tangential zum Zylinder erfolgt. Er beansprucht weniger Bauraum und ist dadurch für die Ausbildung mehrerer Ansaugkanäle pro Zylinder gut geeignet. Zusätzlich ermöglicht er eine etwas höhere Füllung (1 bis 2 %) des Zylinders.

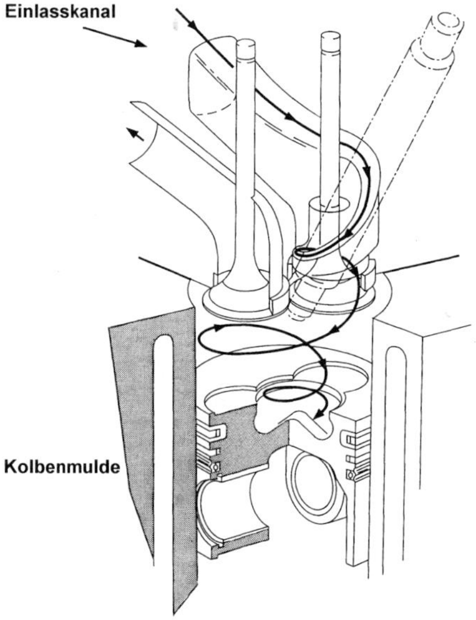


**Bild 6-19**
Drallkanal und Führung der Luftströmung [6-3]

### 6.3.3 Verbrennung im Dieselmotor

Die Verbrennung im Dieselmotor kann und muss über die verschiedensten Maßnahmen beeinflusst werden, damit im Hinblick auf Geräusch, Abgas und Kraftstoffverbrauch alle heutigen und zukünftigen Anforderungen an moderne Nutzfahrzeugmotoren erfüllt werden können.

Der *Einspritzzeitpunkt* legt den Beginn und den Ablauf der Verbrennung fest und muss last-, drehzahl- und temperaturabhängig erfolgen. Hierüber erfolgt die Optimierung von Kraftstoffverbrauch, Emission und Geräusch. Die Einspritzung des Kraftstoffs erfolgt gegen Ende des Kompressionstaktes. Durch Verlegung des Einspritzzeitpunktes in Richtung spät wird der Kraftstoffverbrauch des Motors günstig beeinflusst und die $NO_X$-Emission gesenkt. Gleichzeitig erfolgt ein Anstieg der Partikel-, HC- und CO-Konzentration im Abgas. Eine Verlegung in Richtung früh kehrt diesen Vorgang um. Eine untergeordnete Rolle spielt dabei die CO- und

HC-Bildung, da diese Schadstoffkonzentrationen beim Dieselmotor im Verhältnis zum Otto-Motor sehr gering sind und ohne wesentliche konstruktive Maßnahmen unterhalb der gesetzlich vorgeschriebenen Werten bleiben. Es zeigt sich auch hier der Zielfindungskonflikt bezüglich $NO_X$ und Partikel, der zu einer Kompromissbereitschaft für die Abgasoptimierung führen muss. Für Nutzfahrzeugmotoren mit Direkteinspritzung nach EURO-3 gilt als Näherungswert:

- Volllast bis 3° KW nach OT
- Teillast bis 14° KW vor OT
- Bei kaltem Motor ca. 3° bis 10° KW früher.

Die *Einspritzdauer* ist für die Abhängigkeit, d. h. den Trade-Off bzw. Zielkonflikt zwischen Partikel und $NO_X$ ebenfalls eine wesentliche Größe. Die Dauer der Einspritzung wird in Grad Kurbelwinkel angegeben:

- Kammermotor ca. 35° bis 40° KW
- Direkteinspritzung ca. 26° bis 32° KW

Je länger die Dauer der Einspritzung, desto größer wird die Partikel-Emission und um so geringer die $NO_X$-Emission.

Der *Zündverzug* ist eine wichtige Größe für die Geräuschentwicklung des Motors. Er entscheidet, ob ein Motor hart oder ruhig läuft und gibt die Zeit an, die zwischen dem Einspritzbeginn und dem ersten messbaren Druckanstieg – durch die Zündung des Kraftstoffes – vergeht (Bild 6-20). Normalerweise erstreckt sich die Dauer des Zündverzuges bei einem Dieselmotor auf einen Zeitabschnitt von 1 bis 2 Millisekunden. In diesem Zeitraum fällt bereits die Entscheidung hinsichtlich Verbrennungsgeräusch, Kraftstoffverbrauch und Partikel-/Stickoxidemission. Ein Zündverzug von 0,001 sec. ist durchaus wünschenswert, da hierdurch ein ruhiger Motorlauf sowie günstige Verbrauchs- und Emissionswerte gewährleistet sind. Bei einer Verschiebung des Zündverzuges um 0,001 sec. auf 0,002 sec. wird aus dem ehemals ruhigen Motorlauf ein harter und damit lauter Motorlauf in Verbindung mit einem Anstieg des Verbrauchs und Schadstoffausstoßes. Beeinflusst wird der Zündverzug durch die Zündwilligkeit des Dieselkraftstoffes (Cetanzahl-Abhängigkeit), der Art des Mischungsvorganges und der Brennraumwandtemperatur.

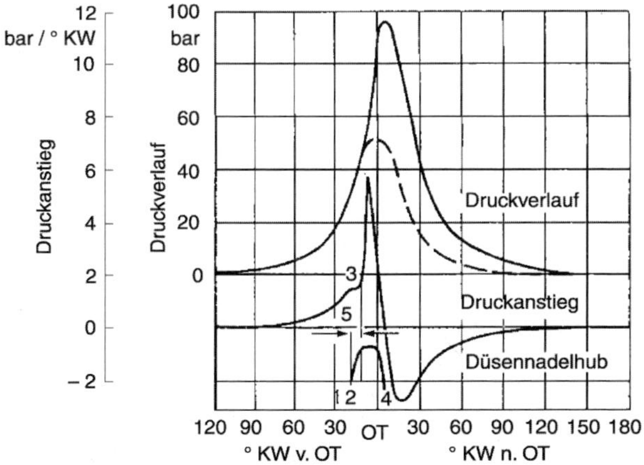


1 Förderbeginn
2 Einspritzbeginn
3 Zündbeginn
4 Einspritzende
5 Zündverzug

**Bild 6-20**
Zündverzug bei direkter Einspritzung [6-22]

Der Brennverlauf ist für das akustische Verhalten und den Gütegrad des Motors von großer Bedeutung und stimmt nicht mit dem Einspritzverlauf des Motors überein. Verursacht wird dieses durch den Zündverzug, der praktisch ein „Nachlaufen" des Brennverlaufs gegenüber der Einspritzung bewirkt.

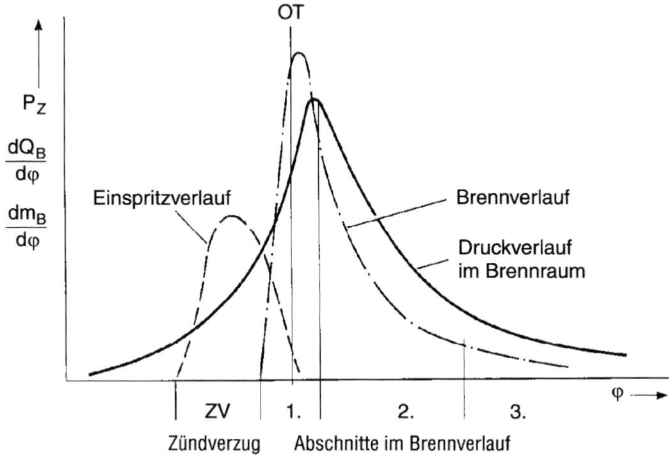


**Bild 6-21**
Brennverlauf für einen Dieselmotor mit Direkteinspritzung [6-22]

Wie in Bild 6-21 dargestellt kann der Brennverlauf in drei Abschnitte unterteilt werden. Der *erste* Abschnitt stellt die Zündung des zündfähigen Luft-Kraftstoff-Gemisches im Brennraum dar. Er ist beendet, wenn der Hauptteil des in den Brennraum eingespritzten Kraftstoffs verbrannt ist. Im *zweiten* Abschnitt wird der nach dem Einspritzbeginn in den Brennraum eingebrachte Kraftstoff verbrannt und ist gekennzeichnet durch einen stark langsamer werdenden Verlauf der Energieumsetzung. Im *dritten* Abschnitt, gegen Ende der Verbrennung, zeigt sich aufgrund des geringer werdenden Luftüberschusses und einer Abnahme der Gastemperatur eine zeitlich noch langsamere Umsetzung des zuletzt aufbereiteten Dieselkraftstoffs.

Die Beeinflussung des Brennverlaufes kann bei mechanischen Einspritzsystemen durch den Zündverzug wie bereits oben beschrieben, den Einspritzverlauf oder durch den Mischungsvorgang erfolgen. Eine günstige Einspritzverlaufsgestaltung durch eine Drosselzapfendüse, Zweifeder-Lochdüse oder Variation des Einspritznockens gerade im ersten Abschnitt der Verbrennung kann eine harte dieselmotorische Verbrennung reduzieren oder vollständig verhindern. Der dritte Abschnitt beeinflusst in erster Linie den Kraftstoffausstoss sowie die Bildung der Abgasschadstoffe. Anzustreben ist ein möglichst frühes und rasches Ende der Verbrennung. Konstruktive Maßnahmen hierfür sind eine günstige Ausbildung der Brennraumform in Abhängigkeit vom Einspritzsystem sowie eine Optimierung der Strömungsvorgänge im Brennraum.

Moderne elektronisch gesteuerte Einspritzsysteme (EDC) mit hohen Einspritzdrücken machen es erforderlich mit Mehrfacheinspritzungen den Brennverlauf und die Brenndauer (b) stetig mit sanftem Druckanstieg (Druck und Temperatur in der Brennkammer) zu formen, um das Verbrennungsgeräusch und die Schadstoffemissionen weiter zu senken (Bild 6-22):

- eine zusätzliche, weit vorgelagerte *Voreinspritzung* (1) („Pilot Injection") zur:
  - Einleitung von Vorreaktionen
  - kürzeren Zündverzug für die Haupteinspritzung
  - Verminderung des Verbrennungsgeräusches
  - Verminderung der $NO_x$-Emissionen
  - Erzielung einer teilhomogenen Verbrennung
  - Verbesserung der Kaltstarteigenschaften
- in Menge und Lage *frei applizierbare weitere Voreinspritzungen*, eventuell mit Übergang zur „Boot Injection" (4), um für alle denkbaren Betriebszustände ein Optimum zu erzielen
- ein *hoher, frei steuerbarer Öffnungsdruck* für die Haupteinspritzung (2)
- ein *steil ansteigender Druckverlauf während der Haupteinspritzung* (3) zur:
  - Verminderung der $NO_x$-Emissionen
  - Begrenzung der während des Zündverzugs aufbereiteten Mengen
- ein *hoher und eventuell steuerbarer Düsenschließdruck* zur Verkürzung der Spritzdauer und zur Erhöhung der Gemischbildungsenergie
- ein *konstant hoher Druck $p_S$ während der Haupteinspritzung* (2) zur Verminderung der Rußemission bei der Abgasrückführung
- ein *steiler Ratenabfall zu Einspritzende* (7) zur Verminderung schlecht aufbereiteter Mengen zu Einspritzende
- eine *unterbrochene Haupteinspritzung* (8) („Split Injection") zur weiteren Absenkung der Partikelemission durch Einbringung zusätzlich turbulenter Energie
- eine *zusätzliche, späte Nacheinspritzung* (9) zur:
  - Anhebung der Abgastemperatur zur Aktivierung der Regeneration der künftigen Abgasreinigungssysteme wie Partikelfilter und $NO_x$-Speicherkatalysator (Reduktionsmittel)
  - Unterstützung der Nachreaktionen

Bei den kantengeregelten Verteiler- und Reiheneinspritzpumpen findet die konventionelle Einspritzung noch ausschließlich als Haupteinspritzung ohne Vor- und Nacheinspritzung statt mit ansteigendem Druckverlauf (5) und flachem Druckabfall (6).

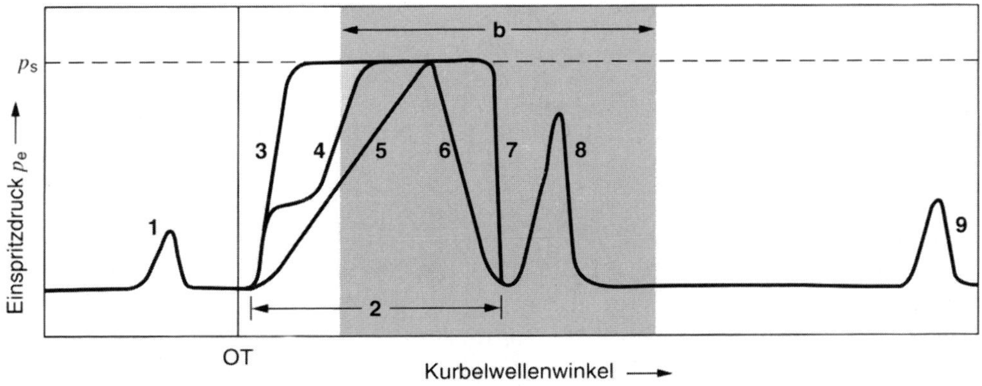


**Bild 6-22** Einspritzverläufe bei Mehrfacheinspritzung

# 6.4 Abgasschadstoffe

## 6.4.1 $NO_x$, Partikel-, CO- und HC-Emissionen im Dieselmotor

Eine vollständige Verbrennung des Dieselkraftstoffes bildet in Folge von Oxidationen lediglich die unschädlichen Stoffe Kohlendioxid ($CO_2$) und Wasser ($H_2O$). Durch den Schwefelgehalt des Diesels entsteht zusätzlich Schwefeldioxid ($SO_2$). Dadurch, dass der Brennvorgang zeitlich begrenzt ist, kommt es jedoch in Abhängigkeit des Brennverfahrens, der innermotorischen Gemischbildung und dem örtlichen Luftverhältnis Lambda zu einer unvollständigen Verbrennung, die zur Bildung von teilverbrannten/unverbrannten Stoffen führt.

In Folge dieser unvollständigen Verbrennung treten neben den zuvor aufgeführten Verbrennungsprodukten ($CO_2$, $H_2O$, $SO_2$) vor allem Kohlenmonoxid (CO), teiloxidierte Kohlenwasserstoffverbindungen (HC) und durch den Luftstickstoff als Nebenprodukt der Verbrennung die Stickoxide (NO, $NO_2$) auf. Eine zusätzliche Komponente der Dieselmotoren ist die Partikelbildung. Dabei wird wie in Bild 6-23 dargestellt zwischen festen (Ruß, anorganischen Verbindungen, Metall-Verbindungen) und flüssigen (Kraftstoffanteile, Öl) Partikeln unterschieden. Die Entstehung teiloxidierter Kohlenwasserstoffverbindungen insbesondere die Entstehung der Aldehyde, beispielsweise Formaldehyd, führen dabei zu der typischen Geruchsentwicklung des dieselmotorischen Abgases.

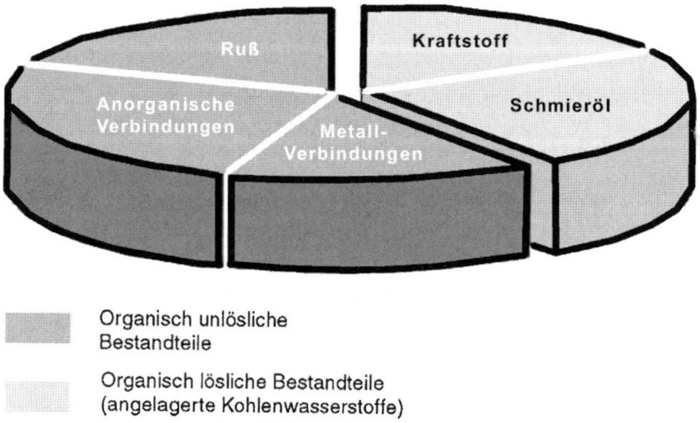


**Bild 6-23**
Zusammensetzung der Partikelemission

### *6.4.1.1 Verbrennungsprodukte*

*Kohlenmonoxid* entsteht durch unvollständige Verbrennung in Bereichen mit lokalem Luftmangel. Die Entstehung von Kohlenmonoxid ist über das Luftverhältnis Lambda, die Drallintensität im Zylinder und durch das Einspritzsystem beeinflussbar. Der CO-Gehalt im Abgas von Dieselmotoren ist aufgrund des Luftüberschusses, mit dem die Motoren arbeiten, im Verhältnis zu einem vergleichbaren Ottomotor mit 3-Wege-Katalysator um ca. 70 % geringer. Lediglich in der Nähe der Rauchgrenze, also bei einem kleinen Lambda-Wert steigt die CO-Konzentration im Abgas an (Bild 6-24).

*Kohlenwasserstoffe* bestehen aus ketten- oder ringförmigen chemischen Verbindungen, die sich aus C- und H-Atomen zusammensetzten. Zu den gasförmigen HC-Emissionen zählen unverbrannte Stoffe (Aromate, Paraffine, Olefine), teilverbrannte Stoffe (Aldehyde, Ketone) und Komponenten aus Crackreaktionen (Acetylen, Athylen). Kohlenwasserstoffe entstehen hauptsächlich durch eine ungenügende Aufbereitung des Kraftstoffes. Starke Anlagerungen von Dieselkraftstoff an den Brennraumwänden und eine schlechte Zerstäubung durch die Einspritzdüse (große Tröpfchen) sowie das ungewollte nochmalige Öffnen der Düsennadel (Nachspritzer), führen zu einer unvollständigen Gemischverbrennung durch Erlöschen der Flamme. Auch durch die heterogene Gemischbildung im Dieselmotor mit mageren Gemischzonen (hoher Luftüberschuss) werden unverbrannte Kohlenwasserstoffe durch vorzeitiges Erlöschen der Flamme gebildet. Durch hohe Verbrennungstemperaturen lässt sich die HC-Emission reduzieren. Besonders das Verdichtungsverhältnis (hohe Verdichtung = hohe Temperatur) spielt hierbei eine wichtige Rolle. Allgemein sind die Kohlenwasserstoffemission bei Dieselmotoren im Verhältnis zum Ottomotor jedoch sehr niedrig.

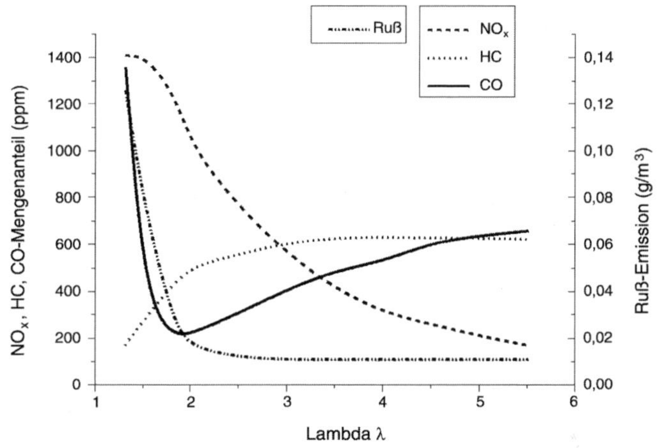


**Bild 6-24** Schadstoffkonzentration über dem Verbrennungsluftverhältnis λ eines Dieselmotors [6-25]

Unter dem Oberbegriff *Stickoxide* werden die Stoffe Stickstoffmonoxid und Stickstoffdioxid zusammengefasst. Sie entstehen bei der Verbrennung im Motor deshalb, weil der in der angesaugten Verbrennungsluft enthaltene Stickstoff sich nicht streng inert verhält. Der $NO_2$-Anteil im $NO_x$ beträgt in den Rohemissionen ca. 5 %. Hohe Temperaturen begünstigen die Kettenreaktion der Stickoxidbildung, zusätzlich ist sie stark vom Brennverfahren abhängig. Durch das Brennverfahren kann über die Gemischbildung die Brennraumtemperatur gesenkt (Verschieben des Einspritzzeitpunktes in Richtung spät, Einsatz eines Ladeluftkühlers) und die Gemischkonzentration beeinflusst werden. Auch eine hohe Sauerstoffkonzentration fördert die Stickoxidbildung. Beim Vorkammerverfahren erfolgt die Verbrennung zunächst in der Nebenkammer mit extremen Luftmangel (fettes Gemisch) und anschließender Verbrennung bei einem Luftüberschuss in der Hauptkammer. Hierdurch wird der Lambda-Bereich, in der Größenordnung 1,3... 2,0 mit hoher $NO_x$-Bildung größtenteils umgangen und führt in Verbindung mit den bei direkteingespritzten Brennverfahren auftretenden hohen Verbrennungstemperaturen dazu, dass die Stickoxidbildung von Vorkammermotoren ca. 50 % niedriger ist als bei Motoren mit Direkteinspritzung.

*Ruß* tritt vorwiegend bei der Verbrennung mit extremen Luftmangel $\lambda < 1$ auf und setzt sich hauptsächlich aus Asche, Öladditiven, Korrosionsprodukten und Abrieb zusammen. Die Rußbildungshypothese geht davon aus, dass das bei der Diesel-Verbrennung entstehende Acetylen (reaktionsfreudige Kohlenwasserstoffverbindung) den Reaktionsablauf zur Bildung von Rußteilchen (Kerne) bestimmt. Die Zusammenballung mehrerer Acetylenmoleküle führt zu stetig wachsenden Ring-Molekülen. Durch diese Koagulationsvorgänge (Zusammenballung) kommt es zu einer Anreicherung von Kohlenstoff mit einer Abnahme von Wasserstoff. Hieraus bilden sich die Rußkerne in einer Größenordnung von 1 bis 10 nm. Diese Rußkerne wiederum führen durch eine weitere Anhäufung schließlich zu den 20 bis 30 nm großen Primär-Partikeln. An diesem Kohlenstoffkern lagern sich durch Adsorptionswirkung zusätzlich die Sulfate durch den Schwefelgehalt des Dieselkraftstoffes, Zunder aus dem Motor, Verbrennungswasser, Schmierölbestandteile und organisch lösliche, unverbrannte Kohlenwasserstoffe an und bilden die Rußpartikel. Eine gute Gemischaufbereitung kann die Partikelbildung erheblich reduzieren. Maßgeblich sind hierfür in erster Linie Einspritzdruck, Strahl-/Brennraumgeometrie und Luftdrall.

#### *6.4.1.2 Emissionen und Immissionen*

Mit *Emission* sind die Massen der ausgestoßenen Schadstoffe von Verbrennungsmotoren gemeint, die die natürliche Zusammensetzung der Luft verändern. Sie werden gewöhnlich in parts-per-million (ppm) als Molanteil oder für die Abgasdiagramm-Auswertung in g/kWh (Schadstoffmasse bezogen auf geleistete Arbeit) angegeben. Für jede Schadstoffgruppe erfolgt dabei eine getrennte Betrachtung der Emissionswerte. Die Angabe in g/kWh ist gleichzeitig ein Maß zur Beurteilung der Umweltfreundlichkeit von Fahrzeugen, da die Abgasemissionsvorschriften nach dieser Einheit festgelegt und dementsprechend eingehalten werden müssen.

Mit *Immission* ist die Auswirkung der Abgasemissionen auf den Menschen bzw. die Natur gemeint. Die Immissionseinwirkung ist nicht überall gleich, sondern wird unter anderem von der geographischen Lage (Stadt, Land) und der Menge (Verkehrsdichte, Art des Verkehrs) des Emissionsausstoßes bestimmt. Gleichfalls spielen die klimatischen Bedingungen wie Wind, Temperatur sowie die chemische Reaktion der emittierten Abgase (Smogbildung) eine Rolle. Die Immission kann durch Niederschläge, durch Vegetation oder chemische Reaktion in der Luft abgebaut werden. Die eigentlichen Schadstoffe ($CO$, $NO_x$, $SO_2$), die bei der Verbrennung im Motor auftreten, bauen sich relativ schnell ab. Sehr langsam abgebaut werden dagegen die $CO_2$-Emissionen, die sich in der Atmosphäre anreichern und nach wissenschaftlichen Studien ein Grund für den Treibhauseffekt sind.

Wie giftig bzw. wie gefährlich ein Stoff für den Menschen ist, ist abhängig von der Art der Schadstoffaufnahme, der aufgenommenen Menge und der Dauer der Einwirkung.

Es folgt eine kurze Darstellung der Eigenschaften der einzelnen Schadstoffkomponenten im Dieselabgas:

- Kohlenmonoxid $CO$: farb-, geruch- und geschmackloses Gas. 0,3 Vol.-% CO in der Atemluft können innerhalb von 30 Minuten tödlich wirken, ab 1000 ppm akute Vergiftungserscheinungen.
- Kohlendioxid $CO_2$: nicht giftig, farblos, hat Einfluss auf den Treibhauseffekt durch Anreicherung von $CO_2$ in der Atmosphäre.
- Stickstoffmonoxid $NO$: farb-, geruch- und geschmackloses Gas, wandelt sich in der Luft langsam in $NO_2$ um, über 20 ppm Veränderung der Lungenfunktion.
- Stickstoffdioxid $NO_2$: in reiner Form ein rotbraunes, stechend chlorartig riechendes, giftiges Gas. Die im Abgas vorhandenen Konzentrationen können die Schleimhäute und Lunge reizen.

- Kohlenwasserstoffe HC: sind in großer Vielfalt im Abgas vorhanden. Ein Teil der Kohlenwasserstoffe gilt als krebserregend (aromatische HC), Reizwirkung auf Schleimhäute, ein Hauptverursacher der Smogbildung (ungesättigte HC).
- Rußpartikel PT: sehr kleine Teilchen, die lungengängig sind und so Giftstoffe in den Körper transportieren, erhöhen die Krebsgefahr.
- Schwefeldioxid $SO_2$: farbloses Gas mit stechendem Geruch und saurem Geschmack, führt durch Verbindung mit Wasser zu schwefeliger Säure, starke Reizwirkung, wirkt ätzend auf Schleimhäute.

#### *6.4.1.3 Trade-Off zwischen Kraftstoffverbrauch und Emissionen*

Einspritzbeginn, Einspritzverlauf und die Zerstäubung des Kraftstoffes beeinflussen die Schadstoffemission. Der Beginn der Verbrennung wird im Wesentlichen vom Einspritzzeitpunkt bestimmt. Wie bereits in Kapitel 6.3.3 beschrieben kann durch späte Einspritzung des Kraftstoffes in den Brennraum die $NO_x$-Emission vermindert werden, gleichzeitig steigt jedoch bei einer zu späten Einspritzung der Kraftstoffverbrauch und die HC-Emission stark an. Eine Abweichung des Spritzbeginns um 1° KW kann die $NO_x$-Emission um 5 % und die HC-Emission um 15 % verändern. Eine ähnliche Beziehung tritt zwischen der Partikel- und Stickoxidemission auf. Eine Erhöhung der Verbrennungstemperatur bewirkt eine Senkung der Partikelemission, gleichzeitig wird jedoch die $NO_x$-Bildung gesteigert.

Für eine niedrige CO Konzentration bzw. Partikelemission ist ein hoher Luftüberschuss über dem gesamten Leistungsbereich von Vorteil und wird beispielsweise durch die Verwendung eines Turboladers realisiert. Durch günstiges Ausformen der Kolbenmulde (schwache Verwirbelung) wird in Verbindung mit einer modernen 8-Lochdüse und sehr hohem Einspritzdruck, eine sehr gute Durchmischung des Luft-Kraftstoff-Gemisches erzielt und die Partikelemission positiv beeinflusst.

Die Gemischbildung heutiger Nutzfahrzeugmotoren erfolgt fast ausschließlich durch die Einspritzenergie mit einer möglichst drallarmen Luftbewegung, während bei dem alten Kammerbrennverfahren die Luftbewegung im Brennraum eine dominierende Rolle spielte. Hauptmerkmale der Verbrennung sind dabei eine große flache Kolbenmulde mit sehr kleinen Quetschflächenanteilen und zur Realisierung einer optimalen Kraftstoffverteilung eine zentral zum Brennraum angeordnete Mehrloch-Düse. Zur Reduzierung der Partikelemission (Bild 6-26) ist nach wie vor die Erhöhung des Einspritzdrucks, durch Erhöhung der Fördergeschwindigkeit eine geeignete Maßnahme. Im Vergleich zu älteren Fahrzeugmotoren wurde der Einspritzdruck von ca. 800 bar (EURO-1) über 1200 bar (EURO-2) auf 1800 bar (EURO-2/EURO-3) gesteigert.

Der Einfluss der Abgasgesetzgebung auf die Motorenentwicklung wird durch die Entwicklung des Einspritzdrucks und damit der Düsengeometrie deutlich gemacht (Bild 6-25).

Mit der konventionellen Reiheneinspritzpumpe ist es nicht mehr möglich, diese hohen Einspritzdrücke von 1200 bar und mehr ohne erheblichen Aufwand zu realisieren. Es mussten deshalb andere Einspritzverfahren zum Einsatz gebracht werden, wobei man dazu übergegangen ist, die zeitgesteuerten Einspritzsysteme wie das Pumpe-Leitung-Düse-System, die Pumpe-Düse-Technik und das Common-Rail-System zu favorisieren.

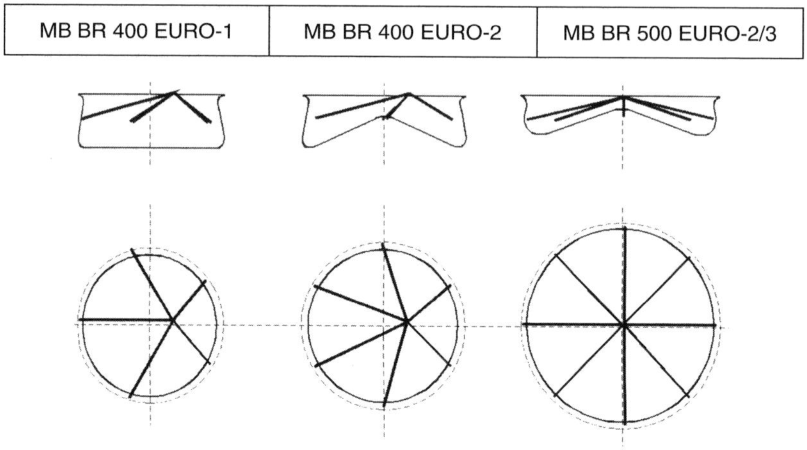


**Bild 6-25** Entwicklung der Brennraumform und der Strahllage von EURO-1 bis EURO-3 [6-34]

Wie in Kapitel 6.3.1 beschrieben, lässt sich durch die Optimierung der Einspritzdüsengeometrie die Schadstoffemission, insbesondere die Kohlenwasserstoffemission, positiv beeinflussen. Nachdem für ein gewähltes Brennverfahren die Lochzahl der Düse festgelegt wurde, wird der Lochdurchmesser für die Schadstoffoptimierung im Nennleistungspunkt ausgelegt. Entscheidend für die Auswahl des Spritzlochdurchmessers ist eine günstige Relation zwischen Partikel- und $NO_X$-Emission. Für heutige Hochdruckeinspritzsysteme lassen sich folgende Bohrungsdurchmesser angeben:

- Motor mit 1,0 *l* Hubraum pro Zylinder: Sechsloch-Düse mit Loch-∅ von ca. 0,21 mm
- Motor mit 2,0 *l* Hubraum pro Zylinder: Achtloch-Düse mit Loch-∅ von ca. 0,23 mm

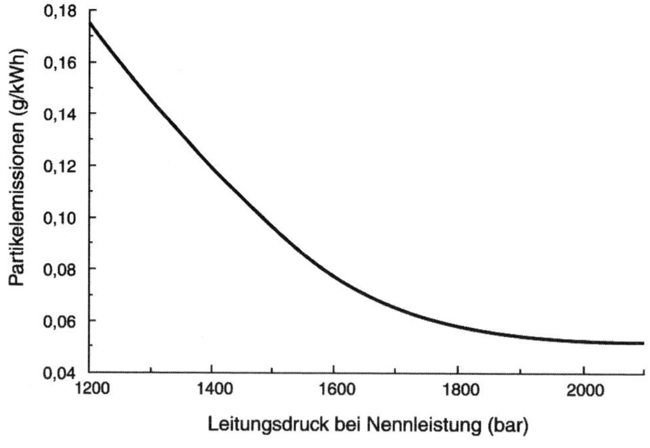


**Bild 6-26**
Partikelemission in Abhängigkeit vom Einspritzdruck [6-34]

Die Lochlänge der Einspritzlöcher beeinflusst, in Verbindung mit dem Sacklochvolumen, die HC-Emission. Deshalb wird die Lochlänge immer so kurz wie möglich ausgeführt, um das Volumen, das sich außerhalb des Nadelsitzbereiches befindet, so gering wie möglich zu halten. Dieses Volumen stellt einen Bereich dar, indem der Kraftstoff nur schlecht aufbereitet werden kann und dadurch die Kohlenwasserstoffemission erhöht. Zulässige Lochlängen sind, unter Einhaltung der Festigkeitsansprüche der Düsenkuppe, für Sacklochdüsen 0,6 bis 0,8 mm und für Sitzlochdüsen $\geq 1{,}0$ mm. Die Lochzahl variiert zwischen eins und acht, je nach Brennverfahren. Die Entwicklung der Bennverfahren geht eindeutig in Richtung drallarmer Systeme mit Sechs- und Achtlochdüse und zentraler Anordnung zum Brennraum.

### 6.4.3 Vorschriften zur Emissionsbegrenzung von Nutzfahrzeugmotoren

Ziel der europäischen Gemeinschaft war die Vereinheitlichung der technischen Vorschriften, denen die Kraftfahrzeuge nach den einzelstaatlichen Rechtsvorschriften genügen mussten. Dies betraf unter anderem auch die Emission gasförmiger Schadstoffe aus Dieselmotoren zum Antrieb von Fahrzeugen. Der bereits 1982 von der EG eingeführte 13-Stufen Test (Dieselmotor) nach ECE R49.00 mit einer Emissionsbeschränkung für HC = 3,5 g/kWh, $NO_x$= 18,0 g/kWh und CO = 14,0 g/kWh sowie einer Verschärfung durch EURO-0 ab 1988 mit HC = 2,6 g/kWh, $NO_x$ = 15,8 g/kWh und CO = 12,3 g/kWh und ab 1990 mit Partikel = 0,7 g/kWh, besaß in keinem europäischen Staat Gesetzeskraft. Hieraus ergab sich die Überlegung, dass alle Mitgliedstaaten entweder zusätzliche Regelungen erlassen oder aber die Gesetzgebung für alle Mitgliedstaaten vereinheitlicht wird. Somit wurden von der EU mehrerer Richtlinien verfasst, die im Hinblick auf die schrittweise Verwirklichung des freien Binnenmarktes bis zum 31. Dezember 1992, von den Mitgliedstaaten der europäischen Union umgesetzt werden mussten.

**Tabelle 6-5** Klasseneinteilung der Fahrzeuge zur Güterbeförderung nach RREG 71/320/EWG

| Klasse | zul. Gesamtgewicht | Testzyklen |
|---|---|---|
| $N_1$ | bis max. 3,5 t | ECE R49/02 oder auch<br>ECE R83/02 |
| $N_2$ | mehr als 3,5 t bis max. 12 t | ECE R49/02<br>ECE R24 (Rauch) |
| $N_3$ | mehr als 12 t | ECE R49/02<br>ECE R24 (Rauch) |

Die Emissionsprüfungen für schwere Nutzfahrzeuge werden aufgrund des hohen Reifen- und Bremsenverschleißes auf einem Rollenprüfstand grundsätzlich auf stationären Motoren-Prüfständen durchgeführt. Die Einteilung der Fahrzeuge erfolgt dabei wie in der zuvor aufgeführten Tabelle 6-5. Um für alle Motoren einheitliche Prüfbedingungen gewährleisten zu können, ist man dazu übergegangen, den Emissionsausstoß der Fahrzeuge bezüglich Stickoxide, Kohlenwasserstoffe, Kohlenmonoxid, Partikel sowie für die Abgastrübung in einem einheitlichen, möglichst den realen Fahrbedingungen entsprechenden und für alle Länder innerhalb der europäischen Gemeinschaft verbindlichen Prüfzyklus zu messen.

1998 hat sich der EU-Umweltministerrat auf neue Grenzwerte (EURO-4/5) für schwere Nutzfahrzeuge (> 3,5 t zulässiges Gesamtgewicht) geeinigt. Als Testzyklen werden der neue Europa-Stationärzyklus (European Steady Cycle = ESC) für alle schweren Nfz-Motoren mit/ohne Abgasrückführung und/oder Oxidationskatalysator in Verbindung mit dem ELR-Rauchtest und für Fahrzeuge mit Abgasnachbehandlungssystemen wie Entstickungskatalysatoren und/oder Partikelabscheidern zusätzlich zum ESC und ELR der neue Europa Transient Test (European

Transient Cycle = ETC) herangezogen. Diese neuen Testverfahren wurden auch für die EURO-3-Emissionsprüfung verwendet. Die aktuellen Grenzwerte für EURO-4, die zukünftigen EURO-5-Schadstoffgrenzwerte und der aktuelle EU Diskussionsvorschlag für EURO-6 sind in Tabelle 6-7 aufgeführt.

**Tabelle 6-7** Übersicht der Abgasgrenzwerte EURO-4 / EURO-5 und Vorschlag EU EURO-6 Grenzwerte für schwere Diesel-Nutzfahrzeuge in Europa zul. Gesamtgewicht > 3,5 t (Motorleistung > 85 kW)

| | Datum | Zyklus | CO g/kWh | THC g/kWh | $NO_x$ g/kWh | Partikel g/kWh | $NH_3$ ppm |
|---|---|---|---|---|---|---|---|
| EURO-4 | ab 1.10.2005[1)]<br>ab 1.10.2006[2)] | ESC | 1,5 | 0,46 | 3,5 | 0,02 | – |
| EURO-5 | ab 1.10.2008[1)]<br>ab 1.10.2009[2)] | ESC | 1,5 | 0,46 | 2,0 | 0,02 | – |
| EURO-6 (Vorschlag) | ab 1.10.2013[1)]<br>ab 1.10.2014[2)] | ESC | 1,5 | 0,13 | 0,4 | 0,01 | 10 |

| | Datum | Zyklus | CO g/kWh | NMHC[3)] g/kWh | $CH_4$ g/kWh | $NO_x$ g/kWh | Partikel g/kWh | $NH_3$ ppm |
|---|---|---|---|---|---|---|---|---|
| EURO-4 | ab 1.10.2005[1)]<br>ab 1.10.2006[2)] | ETC[5)] | 4,0 | 0,55 | 1,1[4)] | 3,5 | 0,03[6)] | – |
| EURO-5 | ab 1.10.2008[1)]<br>ab 1.10.2009[2)] | ETC[5)] | 4,0 | 0,55 | 1,1[4)] | 2,0 | 0,03[6)] | – |
| EURO-6 (Vorschlag) | ab 1.10.2013[1)]<br>ab 1.10.2014[2)] | ETC[5)] | 4,0 | 0,16 | 0,5[4)] | 0,4 | 0,01 | 10 |

1) Für Motoren, die typgenehmigt werden
2) Serie, wird in der Regel vom Hersteller selbst geprüft
3) HC ohne Methan $CH_4$, im ETC-Zyklus wahlweise Prüfung der THC oder NMHC-Werte
4) Nur für Erdgasmotoren
5) Zusätzlicher Transienten-Test für Dieselmotoren mit Abgasnachbehandlungssystem, für Gasmotoren nur Transient-Test
6) Nur für Dieselmotoren

### *6.4.3.1 13-Stufen-Test ESC (EURO-3, -4, -5)*

Der ESC-Test (Bild 6-27) ersetzt den auslaufenden 13-Stufen-Test nach ECE R49 und trat mit Einführung der EURO-3-Norm im Jahr 2000 in Kraft.

Die drei angewandten Motordrehzahlen A, B und C sind wie folgt zu berechnen. Die hohe Drehzahl $n_{high}$ ist durch Berechnen von 70 % der angegebenen höchsten Nutzleistung zu bestimmen. Die höchste Motordrehzahl, die bei diesem Leistungswert auf der Leistungskurve eintritt, wird mit $n_{high}$ bezeichnet. Die niedrige Drehzahl $n_{low}$ ist durch Berechnen von 50 % der angegebenen höchsten Leistung zu bestimmen. Es gelten die folgenden Umrechnungen:

Drehzahl A = $n_{low} + 25\,\%(n_{high} - n_{low})$
Drehzahl B = $n_{low} + 50\,\%(n_{high} - n_{low})$
Drehzahl C = $n_{low} + 75\,\%(n_{high} - n_{low})$

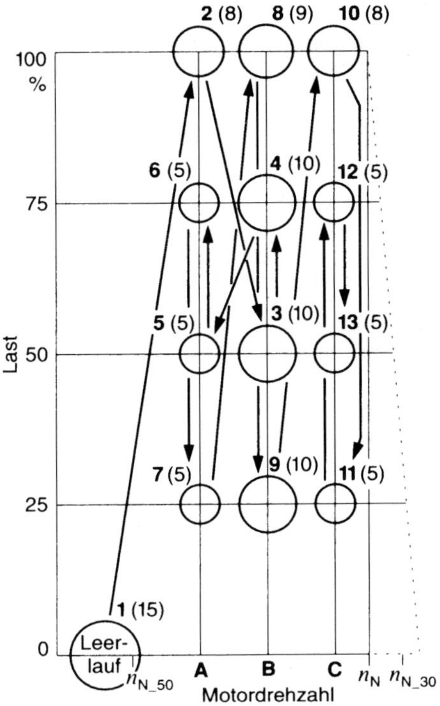


Teststufen 1-13
Reihenfolge: (fett)
Klammerwerte: (Gewichtung in %)

| | | |
|---|---|---|
| $n_N$ | = | Nenndrehzahl (Nennleistung $P_N$) |
| $n_{N-30}$ | = | Drehzahl bei der 30 % Leistungsabfall gegenüber $P_n$ auftritt |
| $n_{N-50}$ | = | Drehzahl bei der 50 % Leistungsabfall gegenüber $P_n$ auftritt |
| A, B, C | = | Drei angewandte Motordrehzahlen |

**Bild 6-27**
13-Stufen-Test EWG-ESC [6-59]

### *6.4.3.2 ETC-Prüfzyklus (EURO-3, -4, -5)*

Diese innerhalb der EU ab 2000/2005 geltende Testmethode für schwere Nutzfahrzeuge mit Dieselmotoren und Abgasnachbehandlungssystem beruht auf der Constant Volume Sampling (CVS)-Technik für Pkw und leichte Nutzfahrzeuge, die mit einem Dieselmotor ausgerüstet sind. Bei diesem Verfahren erfolgt eine Verdünnung des Abgasvolumenstroms mit der Umgebungsluft zu einem Abgas-Luft-Gemisch-Volumenstrom. Aus dem Abgas-Luft-Gemisch wird dann die Schadstoffkonzentration ermittelt (Bild 6-28 und Bild 6-29). Vorteil dieser Messmethode ist:

- tatsächliche Erfassung aller stationären und instationären Fahrzustände
- Berücksichtigung des realen vom Motor während der Testphase abgegebenen Abgasvolumens
- Messtechnik erlaubt eindeutige Bestimmung der Partikelemission.

Die Messtechnik umfasst die CO-Bestimmung z. B. mit nichtdispersiven Infrarot-Analysator und die $NO_x$-Bestimmung z. B. nach dem Chemolumineszenz-Prinzip. Die Partikel werden mittels Wägung eines Partikelfilters vor und nach der Messung bestimmt.

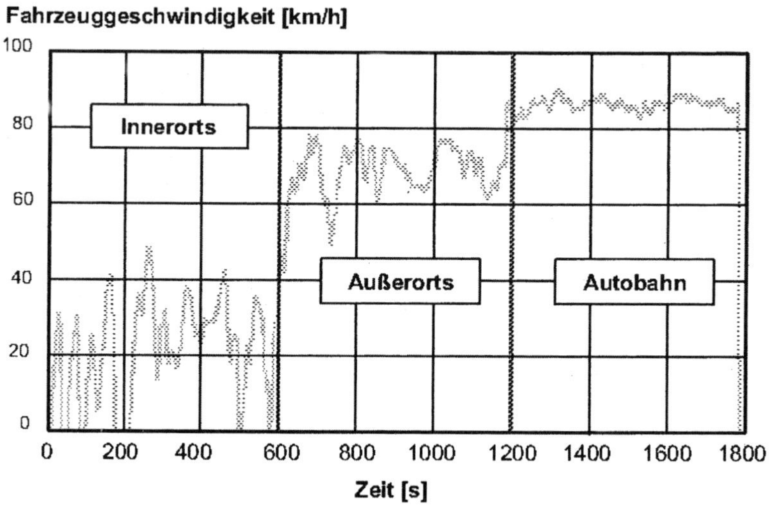


**Bild 6-28** ETC-Test für schwere Nutzfahrzeugmotoren über der Fahrgeschwindigkeit

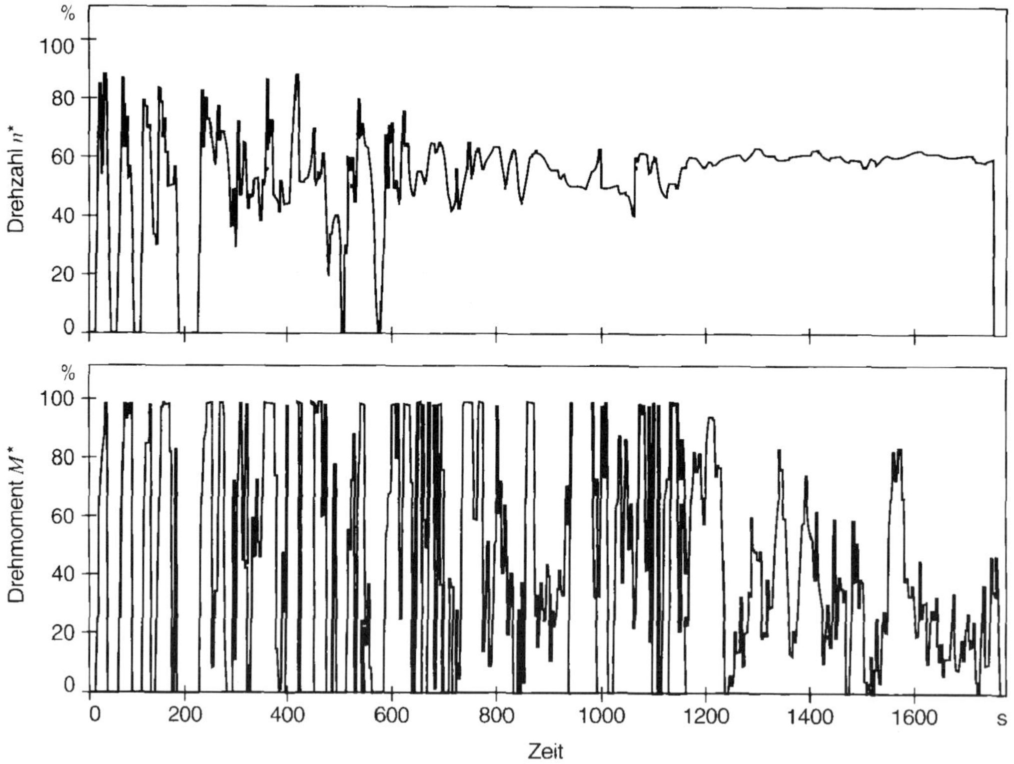


$n^*$ = normierte Drehzahl, vom Gesetzgeber vorgegebener Tabellenwert
$M^*$ = normiertes Drehmoment, vom Gesetzgeber vorgegebener Tabellenwert

**Bild 6-29** ETC-Test für schwere Nutzfahrzeugmotoren über der Motordrehzahl und der Motorlast

### *6.4.3.3 ELR-Prüfzyklus (EURO-3, -4, -5)*

Der Rauchtest nach ELR (European Load Response Test) muss zusätzlich im Anschluss an die Typprüfung nach ESC bestanden werden. Es handelt sich dabei um einen mehrschichtigen Belastungstest von schweren Nfz-Motoren (Bild 6-30), bei den zuvor im ESC-Prüfverfahren mit den Buchstaben A, B, C gekennzeichneten bzw. zur Anwendung gekommenen Drehzahlen. Eine vierte Drehzahl D von der Prüfbehörde ausgewählt, liegt zwischen der Drehzahl A und C. Für jede Drehzahl A, B, C wird die Einspritzmenge schlagartig von 10 % auf 100 % der zu dieser Drehzahl gehörenden Volllast-Einspritzmenge erhöht. Bei der vierten Drehzahl (D) wird ebenso verfahren mit der Ausnahme, dass das Ausgangsdrehmoment auf ≥ 10 % des zugehörigen Volllastmomentes festgesetzt werden darf.

Wie bei dem vorherigen ECE-R24 Rauchtest wird die Rauchdichte mit einem Lichtabsorptions-Messgerät ermittelt. Die Auswertung des Tests erfolgt nach genau vorgegebenen Vorschriften/Rechenschemata. Der sich hieraus ergebende Absorptionskoeffizient stellt den Rauchausstoß des Motors im niedrigen/mittleren Drehzahlbereich dar und erfasst damit die in der Fahrpraxis auftretenden kritischen Zustände.

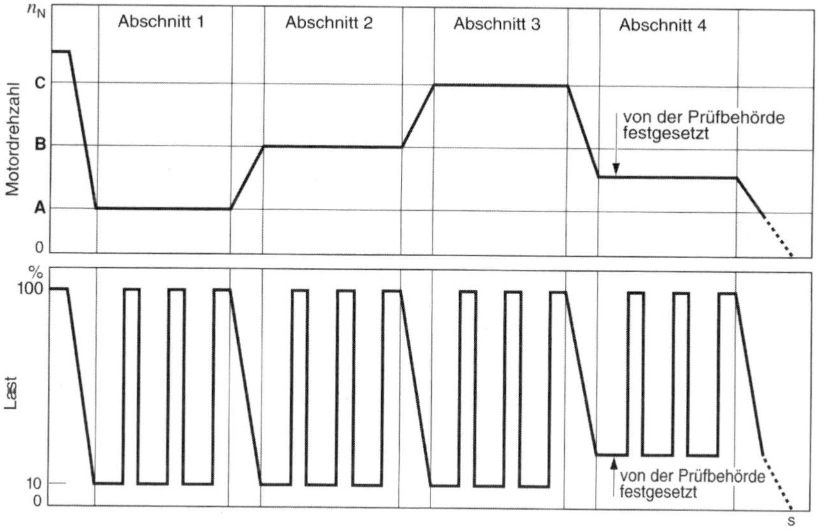


**Bild 6-30** Rauchtest nach EWG-ELR [6-59]

**Tabelle 6-8** Übersicht Grenzwerte für ELR-Trübung EURO-3 / EURO-4 / EURO-5

| Typprüfung | ELR-Trübung in $m^{-1}$ |
|---|---|
| EURO-3 | 0,8 |
| EURO-4 | 0,5 |
| EURO-5 | 0,5 |

HC, $NO_x$, CO und Partikel sind die vom Gesetzgeber limitierten Abgasemissionen. Neben diesen zu prüfenden Abgaskomponenten gibt es eine Vielzahl anderer Verbindungen im Dieselabgas wie z. B. die Aromaten, Aldehyde und Geruchsstoffe, die nicht limitiert bzw. kontrolliert werden, jedoch typisch für die dieselmotorische Verbrennung sind und ihm den charakteristischen Geruch verleihen.

### *6.4.3.4 Entwicklung der Emissionsgrenzwerte und Ausblick*

Die Entwicklung vom rauchenden und schwachbrüstigen Dieselmotor im Nutzfahrzeug der 1970er Jahre bis zum heutigen Hochleistungsaggregat ist das Ergebnis des Erfindungsreichtums und der Konsequenz der Ingenieure, des Engagements der Zulieferindustrie und der Investitionsbereitschaft und -stärke der Nutzfahrzeughersteller. Im Bereich der Emissionen hat die Gesetzgebung diesen Fortschritt der Nutzfahrzeugmotoren wesentlich getrieben (Bild 6-31). Mit jeder neuen Abgasnorm stiegen die Herausforderungen an die Motorenentwickler, deren Zielkonflikt in der Entwicklung dadurch entsteht, dass die Reduzierung der Stickoxide zwangsläufig zu höherer Partikelemissionen, höherem Kraftstoffverbrauch und damit stärkerem $CO_2$-Ausstoß führt. Der ELR-Test ist nach Aussage des UBA zukünftig entbehrlich, da er ursprünglich nur als „dynamische Ergänzung“ zum stationären ESC vorgeschlagen und im Zuge eines Kompromisses gemeinsam mit dem ESC und dem dynamischen ETC eingeführt wurde. Bei sehr niedrigen Emissionswerten ermöglicht er keine Aussage.

#### Neuer Nutzfahrzeug-Fahrzyklus

In der ECE-GRPE-Ad-hoc-Gruppe „WHDC“ (Weltweite Harmonisierung des Nutzfahrzeugprüfverfahrens) wurden die neuen Nutzfahrzeugzyklen WHSC (stationär) und WHTC (transient) entwickelt, die gegenwärtig einer Validierung unterzogen werden. Diese sollen ab EURO-6 die derzeitigen ESC und ETC-Zyklen ersetzen. Im Rahmen der WHDC hat die Normungsorganisation ISO das gravimetrische Partikelmessverfahren überarbeitet, so dass auch weiter herabgesetzte Partikelemissionen mit ausreichender Genauigkeit bestimmt werden können.

Nach einem vorläufigen Abschluss der Arbeiten der Ad-hoc-WHDC-Gruppe ist der Stand der weiterentwickelten Technik von Nutzfahrzeugen in dem neuen Prüfverfahren zu bestimmen. In einem weiteren Schritt können dann die zulässigen Grenzwerte für EURO-6 nach den neuen Testverfahren festgelegt werden.

#### On-Board-Diagnose

Die Ad-hoc-Gruppe „OBD“ (On-Board-Diagnose) der ECE-GRPE wurde beauftragt, Vorschläge für Eigenüberwachungssysteme für Motoren in Nutzfahrzeugen auf weltweiter Grundlage zu entwickeln. Einige Elemente dieser Vorschläge wurden von der Kommission bei der Fortschreibung der entsprechenden EG-Richtlinie 88/77/EWG mit Erweiterung um OBD-Anforderungen bereits berücksichtigt.

Die On-Board-Diagnose steht heute weltweit als Synonym für die Anforderungen des Gesetzgebers, abgasrelevante Fahrzeugdaten zu überprüfen. Die Diagnose im Fahrzeug ist heute eine überaus anspruchsvolle Herausforderung für die Automobilingenieure, die sich aus der Anwendung modernster Messtechniken, neuartiger Datenübertragungsverfahren (drahtgebunden, über das Internet, drahtlos) bis hin zum Einsatz theoretischer Ansätze aus dem Bereich der künstlichen Intelligenz, wie z. B. bei der modellbasierten Diagnose, ergeben. Umso wichtiger ist es, für alle nicht wettbewerbsrelevanten Bereiche der gesetzlich geforderten Diagnose

(OBD) weltweite Standards zu entwickeln, um überproportional steigende Kosten für die Umsetzung der OBD in Hard- und Software zu vermeiden.

Mit Einführung der EURO-4 müssen die Fahrzeughersteller die folgenden Dauerhaltbarkeitskriterien der emissionsrelevanten Bauteile nachweisen.

| Fahrzeugklasse | EU20-4/EURO-5 | EU20-6 (Vorschlag) |
|---|---|---|
| N1 | 100.000 km oder 5 Jahre | 160.000 km oder 5 Jahre |
| N2, N3 < 16 t | 200.000 km oder 6 Jahre | 300.000 km oder 6 Jahre |
| N3 > 16 t | 500.000 km oder 7 Jahre | 700.000 km oder 7 Jahre |

Der internationalen Normungsorganisation ISO ist es in den letzten Jahren gelungen, alle bei der OBD weltweit referenzierten Datenübertragungsstandards zu vereinheitlichen. Es gelang dabei insbesondere, die in den USA verbindlichen SAE-Standards durch technisch deckungsgleiche internationale ISO-Normen abzulösen. Dies gilt zumindest für Pkw. So sind die folgenden ISO-Standards nunmehr abgeschlossen und über die OBD-Gesetzgebung (Japan, USA, Europa, UN-ECE) verbindlich:

ISO 15031-3 – Diagnosestecker im Fahrzeug
ISO 15031-4 – Anforderungen an das Testgerät
ISO 15031-5 – Diagnosedienste
ISO 15031-6 – Abgasrelevante Fehlercodes
ISO 15031-7 – Anforderungen für die Datenübertragungssicherheit

Ebenso ist das zu verwendende Kommunikationsprotokoll auf Basis von CAN (Controller Area Network) vorgeschrieben und bei ISO kürzlich als Standard veröffentlicht worden:

ISO 15765-4 – CAN-Anforderungen für abgasrelevante Systeme

Im Nutzfahrzeugbereich war bisher die OBD noch nicht verbindlich. Die UN-ECE hat die ISO beauftragt, auch hierfür die notwendigen Standards zu entwickeln. Neue Anforderungen sind hierbei erstmals ins Gespräch gebracht worden, so beispielsweise die Erweiterung der OBD auch auf sicherheitsrelevante Informationen oder die drahtlose Datenübertragung zwischen Fahrzeug und den externen Stellen (Werkstätten, Typprüfungsbehörden, periodische technische Überwachung usw.).

Ein wichtiger Standard hierfür ist bereits bis zum Entwurf gediehen und beschreibt grundlegende Diagnosedienste, die von beliebigen Protokollen genutzt werden können (ISO 14229-1 – UDS – Unified Diagnostic Services (vereinheitlichte Diagnosedienste)).

Darüber hinaus befindet sich ein weiterer Standard in Vorbereitung, der die bisher in den USA und Europa im Nutzfahrzeugbereich angewendeten nationalen SAE- und internationalen ISO-Normen harmonisiert und insbesondere alle erforderlichen Daten und Botschaften vereinheitlicht. Ein entsprechender Normungsantrag befindet sich gegenwärtig in der internationalen Abstimmung.

Auf Wunsch der UN-ECE WP.29 wird die internationale Normungsorganisation ISO dem Gesetzgeber auch einen Vorschlag für eine drahtlose Übertragung von diagnosebezogenen Daten unterbreiten. Dies wird allerdings bezüglich der zu übertragenden Datenmengen gestaffelt geschehen – je nachdem, ob die Datenübertragung bei der Reparatur in der Werkstatt, bei der Typprüfung oder während der Fahrt erfolgen soll.

Allerdings haben sich bei der Erarbeitung der Entwürfe hierzu Verzögerungen ergeben, so dass der Vorschlag zur Änderung der EG-Richtlinie Motoren für schwere Nutzfahrzeuge 88/77/EWG von der Kommission erst im Herbst 2003 vorgelegt worden ist. Es wird nunmehr eine zügige Verabschiedung dieses Vorschlags durch den Rat und das Europäische Parlament angestrebt. Um diesen Prozess zu beschleunigen, behandelte der Anpassungsausschuss (CATP) die Anforderungen an das Prüfverfahren in den technischen Anhängen, während die Vorschriften selbst (Grenzwerte, OBD- und Feldvorschriften) im Abstimmungsverfahren zwischen Rat und Europäischem Parlament behandelt wurden. Folgende OBD Threshold Grenzwerte in g/kWh wurden beschlossen:

| Emissionsstufe | $NO_X$ | Partikel |
|---|---|---|
| EURO-4 | 7,0 | 0,1 |
| EURO-5 | 7,0 | 0,1 |

Die europäischen Nutzfahrzeughersteller werden zur Erfüllung der anspruchsvollen EURO-4- und EURO-5-Vorschriften neben innermotorischen Maßnahmen wie Abgasrückführung und Hochdruck-Mehrfacheinspritzung zusätzlich die selektive Katalysatortechnik (SCR) mit Reduktionsmittel als Abgasnachbehandlungssystem einführen. Die einzelnen Hersteller werden sukzessive mit EURO-4 beginnend, spätestens aber mit EURO-5, ihr gesamtes Produktionsprogramm ab einer zulässigen Gesamtmasse von 6 Tonnen auf die SCR-Technik mit Reduktionsmittel umstellen.

Im Februar 2005 wurde im Anpassungsausschuss CATPMV in Brüssel daraufhin unter anderem folgende Neuregelungen beschlossen:

- Zur Überwachung der $NO_X$-Emissionen ist ein $NO_X$-Sensor vorgesehen. Alternativ kann eine Funktionsüberprüfung vorgenommen werden, welche bei Systemen mit Reduktionsmittel (wie AdBlue) neben der obligatorischen Kontrolle von dessen Füllmenge auch die Überwachung der Qualität, des Verbrauchs und der Dosierung des Reduktionsmittels vorschreibt.
- Sobald die $NO_X$-Werte die zulässigen Grenzwerte (2005: 3,5 g/kWh, 2008: 2,0 g/kWh) um 1,5 g/kWh überschreiten, wird der Fahrer über eine Kontrolllampe informiert.
- Die Fahrzeuge müssen zudem mit einem Drehmomentbegrenzer ausgestattet sein, der aktiviert wird, wenn entweder der $NO_X$-Level den OBD-Schwellwert (7,0 g/kWh) überschreitet oder eine Unterbrechung der Reduktionsmittel-Zufuhr, z. B. wegen leeren Tanks, bzw. eine nicht ausreichende Qualität des Reduktionsmittels nachgewiesen wird.

**Off-Cycle Emissionen**

Die ECE-GRPE-ad-hoc-Gruppe „OCE“ (Off-Cycle Emissions) ist dabei, Vorschläge zur Beurteilung der Emissionen von Nutzfahrzeugmotoren außerhalb des Zyklus zu entwickeln. In einem ersten Schritt wurden zunächst die Bedingungen zur Beurteilung von OCE definiert.

Schon seit 2007 spätestens ab 2010 werden Nutzfahrzeug-Dieselmotoren in USA nur noch 0,27 g/kWh $NO_x$ und 0,0134 g/kWh Partikel emittieren (dürfen), bei einem Kraftstoffverbrauch, der nicht schlechter als heute sein wird (Bild 6-32).

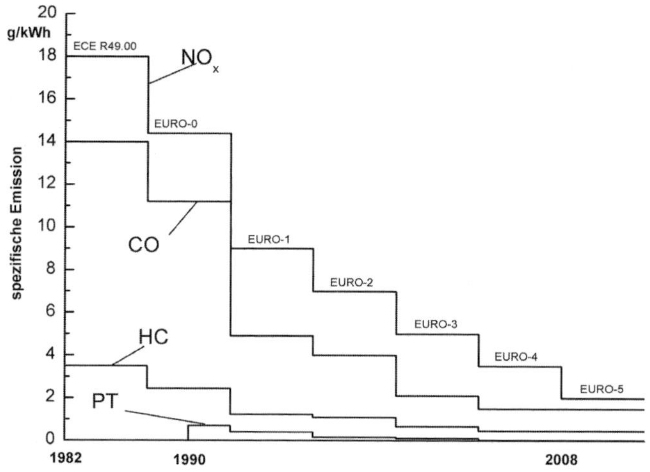


**Bild 6-31**
Emissionsstandards für Nutzfahrzeugmotoren im Laufe der Zeit

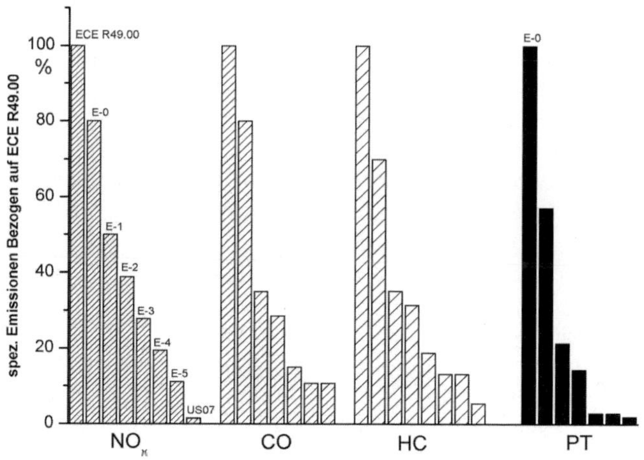


**Bild 6-32**
Prozentuale Veränderungen und Vergleich mit den US-Grenzwerten 2007

Für die verschiedenen Formen der Abgasnachbehandlung zur Erreichung dieser Grenzwerte gilt zukünftig: Die Rohemission des Nutzfahrzeugmotors muss ein Maß von deutlich weniger als 2 g/kWh $NO_x$ und 0,1 g/kWh Partikel erreichen, und Dieselmotor und Nachbehandlungssystem sind als Einheit unter Berücksichtigung des Gesamtsystems Fahrzeug zusammenzuführen und zu optimieren.

# 6.5 Abgasreinigung beim Nutzfahrzeug-Dieselmotor

## 6.5.1 Interne, motorische Maßnahmen

Bei der Abgasreinigung gilt: Je geringer die Menge der Rohemissionen, um so einfacher kann das benötigte Nachbehandlungssystem ausfallen.

Günstige Wirkungsgrade von Verbrennungsmotoren bedürfen im Allgemeinen hoher Prozesstemperaturen. Diese angestrebt hohen Temperaturen bergen aber den Nachteil der verstärkten Stickoxid-Bildung. Allein hieraus ergibt sich schon die Überlegung, durch innermotorische

Maßnahmen die Rohemissionswerte von Dieselmotoren durch Optimierung des Brennverfahrens in Verbindung mit einem möglichst geringen Kraftstoffverbrauch zu reduzieren.

Zu den innermotorischen Maßnahmen der Schadstoffreduzierung beim Dieselmotor, also der Reduzierung der Rohemissionswerte, zählt die Optimierung des *Einspritzzeitpunktes*. Die $NO_X$-Emission kann durch einen späten Einspritzzeitpunkt wesentlich reduziert werden, jedoch steigt dabei die Ruß-, HC- und CO-Konzentration im Abgas an. Durch einen frühen Einspritzzeitpunkt wird die $NO_X$-Emission erhöht, jedoch die Ruß und CO-Konzentration im Abgas gesenkt (Partikel-$NO_x$-Trade-off). Eine Kompromissfindung ist also zwingend erforderlich. Zur Zeit sieht dieser Kompromiss für die Einhaltung von EURO-3 in Verbindung mit einem hohem Einspritzdruck (PLD, PDE) und elektronischer Motorregelung so aus, dass für Volllast eine Einspritzung bei ca. 2° KW nach OT und bei Teillast bis ca. 12° KW vor OT erfolgt.

Je nach *Brennverfahren* ergeben sich unterschiedliche Emissionswerte. Zeigten die früher eingesetzten Nebenkammermotoren sehr geringe CO-, HC- und $NO_X$-Emissionswerte bei einer stärkeren Partikel-Bildung, so neigen Direkteinspritzsysteme dazu, sehr geringe Partikelemissionen bei etwas höheren Werten im Bereich der $NO_X$-Emission zu bilden.

Grundsätzlich lässt sich der Verbrennungsablauf in seiner ersten Phase durch eine zeitlich veränderliche Kraftstoffzumessung beeinflussen. Zur Reduzierung der Stickoxide ist eine möglichst homogene Brennraumtemperatur zur Vermeidung von $NO_X$ fördernden Temperaturspitzen anzustreben. Die Reduzierung der Partikel ist durch eine feine und gleichmäßige Gemischverteilung mittels einer zentral zum Brennraum angeordneten Einspritzdüse in Verbindung mit einem hohen *Einspritzdruck* und möglichst vielen *Düsenbohrungen* realisierbar. Durch eine günstige Paarung der Kolbenringe in Kombination mit einer geometrisch möglichst runden Zylinderbuchse kann der *Ölverbrauch* und der damit zur Partikelbildung beitragende Teil des verbrannten Öls gesenkt und dadurch der Gesamtausstoß an Partikeln weiter reduziert werden. Die HC-Emission lässt sich durch ein sehr geringes *Sacklochvolumen der Einspritzdüse* oder eine Sitzlochdüse ebenfalls günstig beeinflussen.

Eine andere Möglichkeit zur Senkung der Abgasemission, insbesondere der Stickoxidemission, ist die interne *Abgasrückführung*. Dabei wird der angesaugten Luftmenge ein Teil der Abgase über eine geeignete Wahl der Ventilsteuerzeiten zugemischt, wodurch der Sauerstoffanteil der Frischladung im Zylinder reduziert und dadurch die spezifische Wärmekapazität erhöht wird. Dies bewirkt eine Senkung der Verbrennungstemperatur und damit eine Reduzierung der Stickoxidemission. Gleichzeitig wird durch die Zuführung eines Teils der Abgase zum Verbrennungsvorgang die insgesamt ausgestoßene Abgasmenge reduziert. Bei einer zu großen rückgeführten Abgasmenge steigt jedoch aufgrund des zu geringen Luftanteils in der Frischladung die Emissionen von Ruß und Kohlenmonoxid stark an (Bild 6-33). Deshalb muss darauf geachtet werden, dass eine ausreichende Menge an Sauerstoff zur Verbrennung des Kraftstoffs im Brennraum verbleibt, um eine wirkungsvolle und optimierte Schadstoffreduktion erzielen zu können.

Durch das *Einspritzen von Wasser* in den Brennraum wird eine Art Innenkühlung während des Verbrennungsvorganges erzielt, wodurch die Temperatur im Brennraum gesenkt und dadurch die Stickoxidbildung verringert wird. Die Einbringung des Wassers kann auf verschiedene Arten erfolgen:

- Einspritzung ins Saugrohr
- Diesel-Wasser-Emulsion
- separate Düse zur direkten Wassereinspritzung in den Brennraum
- geschichtete Diesel-Wasser-Diesel-Einspritzung

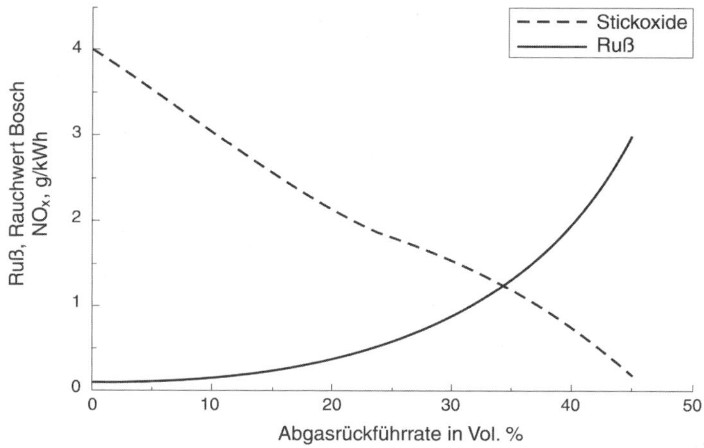


**Bild 6-33** Einfluss der Abgasrückführung auf Ruß und $NO_x$-Emission für einen Nutzfahrzeugmotor

Von den aufgeführten Verfahren hat sich das Diesel-Wasser-Diesel-Verfahren als besonders vielversprechend herausgestellt. Es vermeidet die Nachteile der unkontrollierten Temperaturabsenkung in Bereichen, in denen keine Verbrennung stattfindet. Die unkontrollierte Absenkung der Verbrennungstemperatur bewirkt unter Umständen einen verlängerten Zündverzug mit dem daraus resultierenden Anstieg des Verbrennungsgeräusches und Absenkung des Wirkungsgrades. Untersuchungen an einem direkteinspritzenden Einzylinder-Versuchsträger zeigten, dass dieses Verfahren ein Schadstoffminderungspotenzial bezüglich $NO_x$ von bis zu 60 % aufweist und das bei gleichzeitiger Verbesserung des Verbrauchs- und Schwarzrauchemissionsverhalten. Die Wassereinspritzung ist damit eine weitere Entwicklungsfähigkeit des direkteinspritzenden Dieselmotors zum umweltgerechten Antrieb. Alle Wassereinspritzverfahren befinden sich zur Zeit in der Forschungs- und Entwicklungsphase und stehen für den Serieneinbau in den Antrieben von Nutzfahrzeugen noch nicht zur Verfügung. Ebenso befindet sich das Wasserstoff-Brennverfahren in der experimentellen Untersuchung und ist für einen Serieneinbau noch nicht geeignet.

Zusammenfassend ist in Tabelle 6-9 eine tendenzielle Auswirkung der innermotorischen Maßnahmen dargestellt.

**Tabelle 6-9** Auswirkungen von Maßnahmen zur Beeinflussung der Schadstoffemission

| Maßnahme | CO | HC | $NO_x$ | Partikel | Verbrauch |
|---|---|---|---|---|---|
| später Einspritzbeginn | ➚ | ➚ | ⬇ | ⬆ | ➚ |
| früher Einspritzbeginn | ➘ | ➚ | ⬆ | ⬇ | ➔ |
| hoher Einspritzdruck | ➔ | ➔ | ➘ | ⬇ | ➚ |
| Abgasrückführung | ⬆ | ➘ | ⬇ | ⬆ | ➔ |
| Wassereinspritzung | ➔ | ➔ | ⬇ | ⬇ | ➘ |
| sacklochlose Düse | ➚ | ⬇ | ➔ | ➔ | ➔ |

⬆ = starker Anstieg ➔= keine Veränderung ⬇ = starke Reduzierung
➚ = steigt ➘ = sinkt

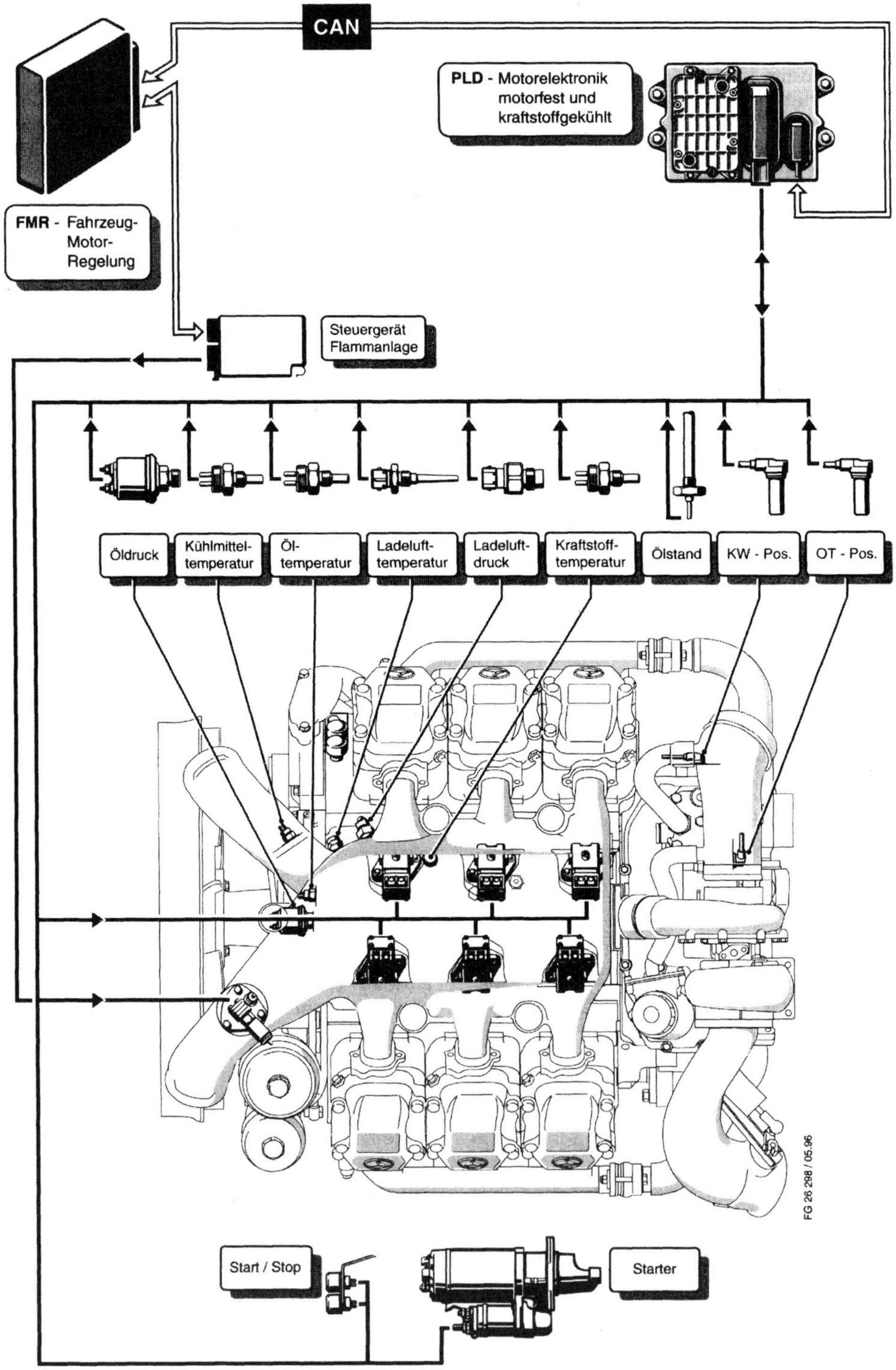


**Bild 6-34** Elektronisches Motormanagement [6-19]

Die Steuerung und Regelung der beschriebenen Parameter, welche die innermotorische Schadstoffbildung beeinflussen, übernimmt eine elektronische Dieselregelung *(Electronic Diesel Control – EDC)* (Bild 6-34). Hier werden die Steuer- und Regelfunktionen für das Einspritzsystem sowie das Motormanagement in ein digitales Steuergerät verlagert und durch elektrische Aktoren im Gegensatz zu den mechanischen Reglern wesentlich präziser umgesetzt. Unter Steuerung versteht man die Einflussnahme auf eine physikalische Größe (z. B. Kraftstoffmasse) mittels eines Stellgliedes in der Weise, das die Größe einem vorgegebenen Sollwert möglichst genau entspricht. Der Grundaufbau des Steuergeräts ist für alle Einspritzsysteme (PLD, PDE, Common Rail, Reihenpumpe, Verteilerpumpe) gleich. Die EDC ermöglicht eine optimale Regelung der eingespritzten Kraftstoffmasse, des Einspritzbeginns, des Ladedrucks sowie eine Steuerung der Abgasrückführrate. Darüber hinaus enthält die EDC Funktionen zur Fahrzeugdiagnose, Drehzahl- und Fahrgeschwindigkeitsregelung.

Das elektronische Regelsystem (siehe auch Kapitel 7) gliedert sich in drei Systemblöcke:

1. Geber und Sensoren zur Eingabe bzw. Erfassung von Betriebszuständen (Soll/Ist Vergleich)
2. Motor-Steuergerät mit Mikroprozessoren, zur Auswertung der Betriebsdaten
3. Stellglieder, die die elektronischen Werte in mechanische Größen umwandeln

Im EDC-Steuergerät sind für jeden Motor individuelle Kennfelder wie z. B. für die Kraftstoffdosierung, Drehzahl, Einspritzbeginn, Fahrgeschwindigkeit, Ladedruck und Abgasrückführraten einprogrammiert. Bei einer Veränderung der Istwerte des Motors z. B. durch Veränderung der Stellung des Fahrpedals wird durch das EDC-Steuergerät unter Einbeziehung der Istwerte der verschiedenen Zustandsgrößen des Motors und der programmierten Kennfeldwerte ein Sollwert ermittelt. Durch entsprechende elektrische Impulse an einen Stellregler wird eine rasche Annäherung des Istwertes an den berechneten Sollwert sichergestellt.

### 6.5.2 Abgasnachbehandlungssysteme für Nutzfahrzeugmotoren

Die Verminderung der Partikel- und $NO_x$-Emissionen konnte bis zu den EURO-2-Grenzwerten für Nutzfahrzeuge allein durch Optimierung der Verbrennung, d. h. durch innermotorische Maßnahmen, erreicht werden. Auch die EURO-3-Grenzwerte sind ohne Abgasnachbehandlung erreichbar, sei es mit oder ohne Abgasrückführung (AGR).

Nach derzeitigen Wissenstand muss man aber davon ausgehen, dass zur Erhaltung der EURO-4- und der EURO-5-Grenzwerte in Nutzfahrzeugen neben motorinternen Maßnahmen die Anwendung von Abgasnachbehandlungssystemen erforderlich sein wird, nicht zuletzt auch um unvermeidliche Serienstreuungen auf diesem sehr niedrigen Emissionsniveau zu kompensieren (Bild 6-35).

Derzeit befinden sich drei Abgasnachbehandlungstechniken in der Entwicklungs- und Erprobungsphase und haben gute Chancen auf eine Serienrealisierung:

Strategie 1: $NO_X$- und Partikelreduktion über die schon beschriebenen motorinternen Maßnahmen unter Anwendung gekühlter Abgasrückführung

Strategie 2: Partikelreduktion durch motorinterne Maßnahmen und $NO_X$-Absenkung mit Abgasnachbehandlung durch selektive katalytische Reduktion (SCR-Technologie)

Strategie 3: $NO_X$-Reduktion über intensive, gekühlte Abgasrückführung und Partikelreduktion mittels Filter

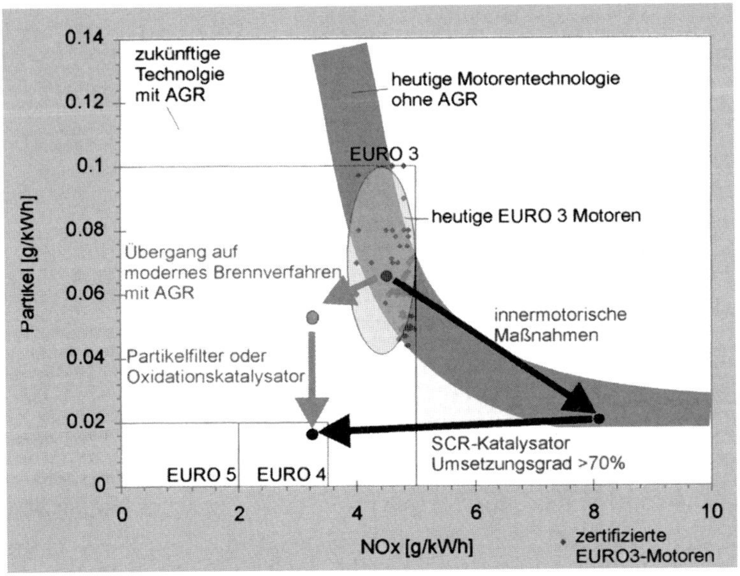


**Bild 6-35** Möglichkeiten zur Erreichung zukünftiger europäischer Grenzwerte von Nutzfahrzeugen

Allen drei Strategien ist gemeinsam, dass sie einen hochentwickelten Grundmotor erfordern, der möglichst geringe Rohemissionen erzielt. Direkteinspritzung, Abgasturboaufladung mit Ladeluftkühlung, Verbrennungsoptimierung mit Vor-, Haupt- und Nacheinspritzung sowie Einspritzratenformung und ein auf niedriges Niveau optimierter Schmierölverbrauch sind wichtige Hauptmerkmale eines derartigen Motors. Zusätzlich werden Mehrventil-Zylinderkopf-Konzepte, Hochdruck-Einspritzsysteme sowie vollelektronische Motormanagement-Systeme unabdingbare Randbedingungen darstellen.

### *6.5.2.1 Gekühlte Abgasrückführung*

In Kombination mit weiterentwickelten Brennverfahren lassen sich durch die Anwendung der gekühlten äußeren Abgasrückführung (**Strategie 1**) die $NO_x$-Emissionen unter den Grenzwert von EURO-4 absenken. Der niedrige europäische Partikel-Grenzwert kann durch den Einsatz eines Oxidationskatalysators oder eines Partikelfilters erreicht werden.

Die $NO_x$ reduzierende Wirkung der Abgasrückführung beruht auf der Senkung der Sauerstoffkonzentration der Zylinderladung durch den Zusatz von Abgas zur Frischluft. Um dennoch die Verbrennung jeder Kraftstoffeinheit zu sichern, muss die Flamme eine größere Ladungsmasse erfassen und aufheizen. Dadurch sinken Temperatur und Geschwindigkeit der Verbrennung. Wegen der exponentiellen Abhängigkeit der NO-Bildungsrate von der Temperatur ist das mit einer deutlichen Reduktion der $NO_x$-Emissionen verbunden. Eine weitere Temperatursenkung wird durch die größere spezifische Wärmekapazität des rückgeführten Abgases im Vergleich zu Luft hervorgerufen. Die Kühlung des zurückgeführten Abgases verstärkt diesen Effekt noch. Zudem verbessert sich die Zylinderfüllung und erhöht die AGR-Verträglichkeit.

Das zurück zu führende Abgas wird der Abgasanlage am Abgaskrümmer des Nutzfahrzeugmotors, also vor der Turbine, entnommen, im AGR-Kühler gekühlt und nach dem Ladeluftkühler der Frischluft gleichmäßig zugemischt. Dem einfachen und theoretisch effizienteren Weg einer Rückführung des Abgases nach Turbine und vor den Verdichter stehen eine zu starke Verschmutzung des Verdichters und eine hohe chemische Aggressivität des Kraftstoffschwefels gegen das Aluminiummaterial des Ladeluftkühlers entgegen. Die abzweigte ungereinigte Abgasmenge wird durch ein AGR-Ventil geregelt. Zusätzlich zum Ventil und Kühler sind weitere Bauteile, wie Rückschlagventil oder Venturi-Mischer Bestandteile des Systems.

Ein wesentliches Merkmal serientauglicher AGR-Systeme liegt darin, durch konstruktive Gestaltung und optimierte Regelstrategie die Verschmutzung des Systems zu minimieren und die temperaturempfindlichen Steuerorgane nicht den höchsten Abgastemperaturen auszusetzen. Für die gekühlte Abgasrückführung ist kein schwefelarmer Kraftstoff erforderlich und im Vergleich zur $NO_x$-Reduktion mit dem SCR-Verfahren sind die Systemkosten deutlich geringer, besonders wenn es gelingt den Partikel-Grenzwert ohne Einsatz eines Partikelfilters zu erreichen. Dem steht jedoch ein etwas erhöhter Kraftstoffverbrauch von 1 bis 2 % entgegen.

MAN nutzt das Verfahren mit gekühlter Abgasrückführung und nachgeschaltetem Partikelfilter (siehe Kapitel 6.5.2.3) zur Anpassung ihrer Motoren an die EURO-4- und -5-Abgasgrenzwerte. Auch Scania setzt auf innermotorische Maßnahmen und Abgasrückführung.

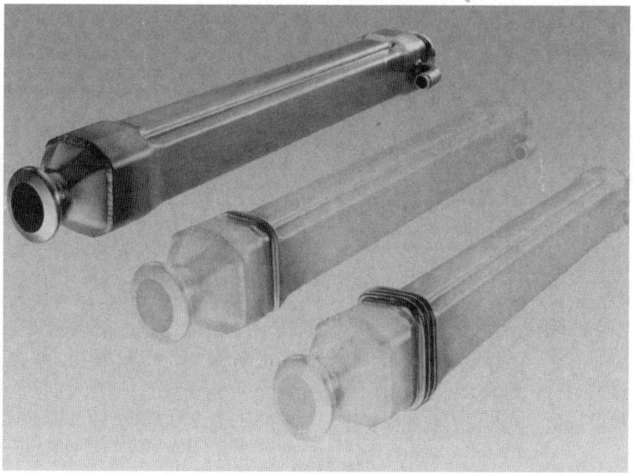

**Bild 6-36**
Abgaskühler ohne Längenausgleich (oben) und mit Dehnsicke und Faltenbalg zum Längenausgleich

### *6.5.2.2 Oxidationskatalysator und SCR-Technik*

Eine bezüglich des Kraftstoffverbrauchs sehr attraktive Lösung ist die unter **Strategie 2** aufgeführte $NO_X$-Reduzierung mittels der Kombination eines Oxidationskatalysators und der selektiven katalytischen Reduktion SCR (Selective Catalytic Reduction).

Im Bereich der Dieselmotoren für Nutzfahrzeuge werden zur Zeit *Oxidationskatalysatoren* für den serienmäßigen Einbau angeboten. Die Wirkungsweise des Oxidationskatalysators beruht auf seiner Eigenschaft, die benötigte Energie und damit die erforderliche Temperatur zur Einleitung der Oxidationsvorgänge wesentlich zu senken. Durch Oxidationskatalysatoren lassen sich Kohlenmonoxid und Kohlenwasserstoff in Kohlendioxid und Wasser umwandeln. Als Vorkatalysator verwendet, wandelt er auch bis zu 50 % des vom Motor emittierten NO zu sehr reaktivem $NO_2$.

$$2\,NO + O_2 \rightarrow 2\,NO_2 \quad (6\text{-}43)$$

$$CH_4 + 2\,O_2 \rightarrow CO_2 + 2\,H_2O \quad (6\text{-}44)$$

$$2\,CO + O_2 \rightarrow 2\,CO_2 \quad (6\text{-}45)$$

Das $NO_2$ oxidiert die Rußpartikel beträchtlich und kann die Reduktion des $NO_x$ im Falle der Verwendung eines SCR-Katalysators beschleunigen. Voraussetzung für einen hohen Umwandlungsgrad von CO und HC ist ein möglichst geringer Schwefelanteil im Kraftstoff. Auch im Bezug auf die Partikelemission ist ein niedriger Schwefelgehalt wünschenswert, da im oberen Lastbereich bei einem Temperaturanstieg der Abgase (oberhalb 400 °C) der Schwefel zur Sulfatbildung neigt (Entstehung von Säurekonzentrat), die zu einer höheren Gesamt-Partikelemission beitragen, einen Partikelfilter verstopfen und die Lebensdauer des Systems einschränken. Der Einsatz eines Oxidationskatalysators fördert damit je nach Betriebsbereich die Sulfatbildung gegenüber dem Betrieb ohne Katalysator. Der optimale Einsatzbereich liegt zwischen 250 °C und 350 °C. Er kann entweder als Einzelgerät vor dem Schalldämpfer der Abgasanlage eingebaut werden oder aber als Kombination zusammen mit dem Schalldämpfer in einem Gehäuse untergebracht sein (Bild 6-37).

**Bild 6-37**
Kompakt durch modularen Aufbau: Oxidationskatalysator und Schalldämpferelement in einem Gehäuse

Der eigentliche Katalysator besteht aus einem Monolith als Träger mit einer als Washcoat bezeichneten Zwischenschicht und einer auf der Zwischenschicht aufgetragenen katalytisch wirksamen Beschichtung. Der Träger wiederum besteht wie im Bild 6-38 dargestellt aus einem Wabenkörper mit meist rundem Querschnitt und ist mit gitterförmig angeordneten Kanälen durchzogen, die eine quadratische, runde oder dreieckige Form besitzen. Die Zellendichte liegt in einem Bereich von ungefähr 62 Zellen/$cm^2$ mit einer Wanddicke von ca. 0,15 bis 0,3 mm.

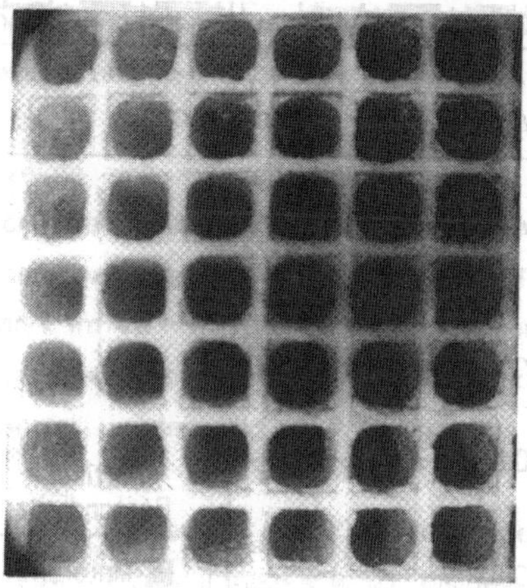

**Bild 6-38** Monolith mit gitterförmiger Wabenstruktur; links [6-52]; rechts [6-12]

Der Washcoat besteht aus $\gamma - Al_2O_3$ und besitzt eine spezifische Oberfläche von 10 bis 25 $m^2/g$. Die Beschichtung besteht aus einem Gemisch aus Platin und Palladium oder nur aus Platin und fördert die Aufspaltung der Sauerstoffmoleküle, wodurch die Nachverbrennung der Schadstoffe eingeleitet wird (Bild 6-39). Bei höheren Temperaturen (Volllast) erfolgt eine ungewollte Oxidation des $SO_2$ zu $SO_3$. Mit dem sich bildenden Wasserdampf im Abgas verbindet sich das $SO_3$ zu Schwefelsäuretropfen, die zu einem Anstieg der Gesamtpartikelemission führen.

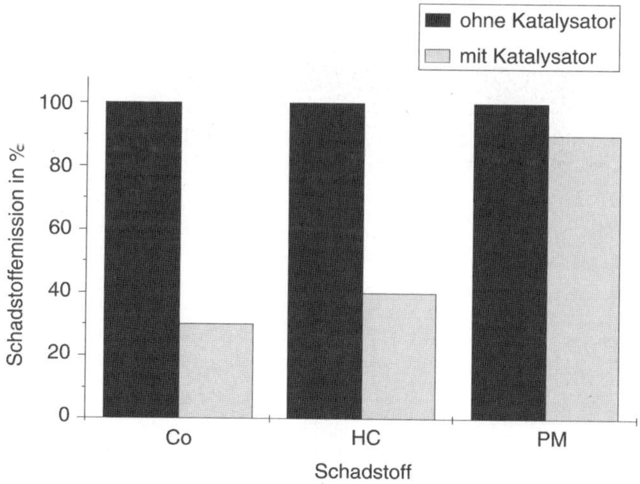


**Bild 6-39** Schadstoffreduzierungspotenzial durch Oxidationskatalysator im 13-Stufen-Test, 360 ppm Schwefelanteil im Dieselkraftstoff (MB OM 447 hLA-EURO-2)

Zentrales Element des *SCR-Systems* ist ein Katalysator, der unter Zuhilfenahme von Ammoniak die Stickoxide in Wasserdampf und Stickstoff umwandelt. Hierbei wird dem Abgas vor Erreichen des SCR-Katalysators ein zusätzliches Reduktionsmittel durch eine Einspritzdüse zugeführt.

Als Reduktionsmittel standen reines Ammoniak, Ammoniumcarbamat oder eine Harnstofflösung in der Erprobung. Die europäische Nutzfahrzeugindustrie hat sich im September 2001 auf jene der drei Möglichkeiten geeinigt, die sich am leichtesten umsetzen lässt. Es kommt eine 32,5%ige wässrige Harnstofflösung mit definierter Spezifikation (DIN 70070) unter dem Markennamen „AdBlue“ zum industriellen Einsatz. Ende 2003 konnte die erste „AdBlue“ Tankstelle in Stuttgart eröffnet werden.

Der ungiftige, geruchsneutrale Harnstoff zersetzt sich bei Temperaturen ab ca. 200 °C unter Bildung von Ammoniak ($NH_3$) und Kohlendioxid ($CO_2$).

$$CO(NH_2)_2 \rightarrow NH_3 + HNCO \tag{6-46}$$

$$HNCO + H_2O \rightarrow NH_3 + CO_2 \tag{6-47}$$

Das Verfahren beruht auf dem Prinzip der Eindüsung von Harnstoff in den heißen Dieselabgasstrom. Der im Harnstoff vorhandene Ammoniakanteil verbindet sich an der Spezialkeramikoberfläche des Katalysators aus Titan-, Wolfram- und Vanadiumoxid mit den im Abgas vorhandenen Stickoxiden, oxidiert mit dem Sauerstoff und bildet mit einem angeschlossenen oder integriertem Oxidationskatalysator die unschädlichen Luftbestandteile Stickstoff und Wasser. Die SCR-Reduktion erfolgt entsprechend den folgenden chemischen Reaktionen:

$$4\,NH_3 + 4\,NO + O_2 \rightarrow 4\,N_2 + 6\,H_2O \tag{6-48}$$

$$4\,NH_3 + 2\,NO + 2\,NO_2 \rightarrow 4\,N_2 + 6\,H_2O \tag{6-49}$$

$$2\,NO_2 + O_2 + 4\,NH_3 \rightarrow 3\,N_2 + 6\,H_2O \tag{6-50}$$

Bei der gewählten Konzentration beginnt das Reduktionsmittel ab –11 °C zu gefrieren. Die 10%ige Volumenausdehnung der Harnstofflösung beim Phasenwechsel erfordert eine eisdruckfeste Auslegung aller Systembauteile. Um ein mögliches Gefrieren zu vermeiden, sind alle Leitungen und Kammern bis hin zum Tank, in denen die Harnstoff-Wasserlösung auftritt, beheizt. Hochlegierte Chromstähle und Naturkautschuk bei den Elastomeren haben sich als beständig gegen die hohe Alkalität der Lösung erwiesen. Zur Zeit liegt der europäische Bedarf bei ca. 7000 t jährlich, bis 2012 soll er rasch auf 3,5 Millionen Tonnen ansteigen. Der Harnstoffverbrauch liegt bei ca. 3 % des Kraftstoffverbrauchs für eine EURO-4-Applikation und ca. 5 % für eine EURO-5-Kalibrierung. Der AdBlue-Verbrauch ist abhängig vom Lastprofil des Fahrzeugs und liegt im Fernverkehr etwa im Verhältnis 4 Liter AdBlue zu 100 Liter Kraftstoff. Der AdBlue-Preis beträgt ca. 0,6 Euro pro Liter, auf Wunsch werden schon heute in die Fahrzeuge AdBlue-Tanks für Reichweiten von bis zu 10000 Kilometern eingebaut.

Das Verfahren hat sich in Kraftwerken und stationären Schiffs- und Industriemotoren bereits bestens bewährt. In Nutzfahrzeugen mit einem dauernd wechselnden Last- und Drehzahl- sowie recht engen Platzverhältnissen ist die Effizienz der $NO_x$-Konvertierung allerdings geringer. Bei Abgastemperaturen von 200 bis 280 °C (typisch für geringe Last und Fahrt in der Ebene) ist maximal eine 45%ige $NO_x$-Konvertierung erreichbar. Auch gelingt es nicht immer genügend schnell Ammoniak aus dem Harnstoff zu produzieren. Das Einsprühen von Harnstoff in das heiße Abgas führt unter beengten Verhältnissen (geringe Verweildauer) nur zu einer teilweisen Zersetzung. Als Konsequenz trifft unzersetzter Harnstoff auf den Katalysator und vermindert dessen Reduktionsaktivität. Bei der SCR-Strategie ist es allerdings erforderlich, dass eine Verbrennungsabstimmung gefunden wird, die extrem niedrige Partikelemissionen ermöglicht und daher ohne Partikelfilter auskommt.

MAN entwickelt zur Zeit den filterlosen GD-Katalysator (Geregelter Diesel-Katalysator). Das System besteht aus insgesamt vier Katalysatoren (VHRO-System), der versucht diese Nachteile zu vermeiden. Neben dem Voroxidations-(V) und dem SCR-Katalysator (R) kommen zwei weitere Katalysatoren zum Einsatz. Ein nach dem Vorkatalysator plazierter Hydrolyse-Katalysator (H) sorgt, motornah und möglichst im Nebenstrom platziert, für eine vollständige Verdampfung des Wassers aus der Harnstofflösung.

$$CO(NH_2)_2 + H_2O \rightarrow 2\,NH_3 + CO_2 \qquad (6\text{-}51)$$

$$CO(NH_2)_2 + NO + NO_2 \rightarrow 2\,N_2 + CO_2 + 2\,H_2O \qquad (6\text{-}52)$$

Der vierte Katalysator ist ein $NH_3$-Oxidationskatalysator (O), der, am Ende des Systems platziert, zur Vermeidung von Ammoniakschlupf dient und nur Wasserdampf und Stickstoff entstehen lässt.

$$4\,NH_3 + 3\,O_2 \rightarrow 2\,N_2 + 6\,H_2O \qquad (6\text{-}53)$$

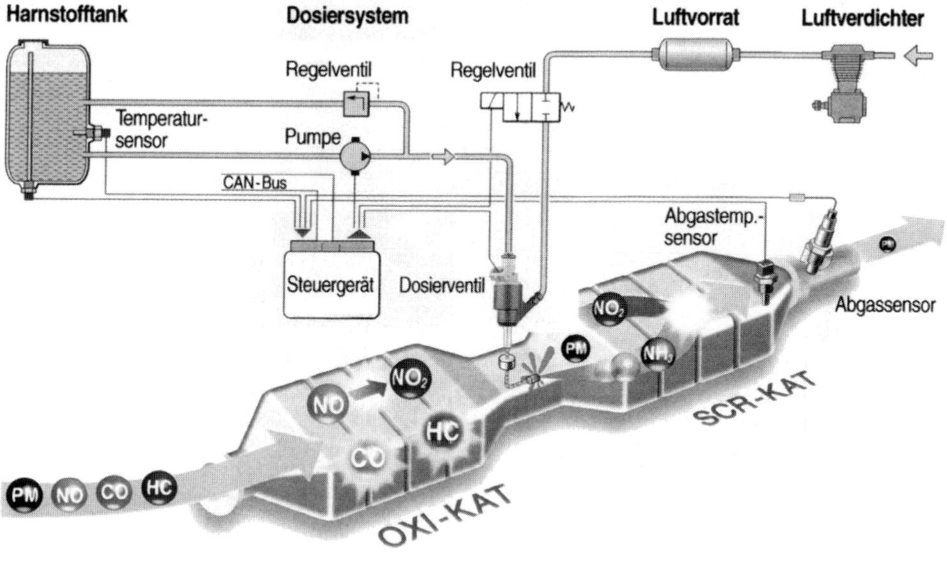


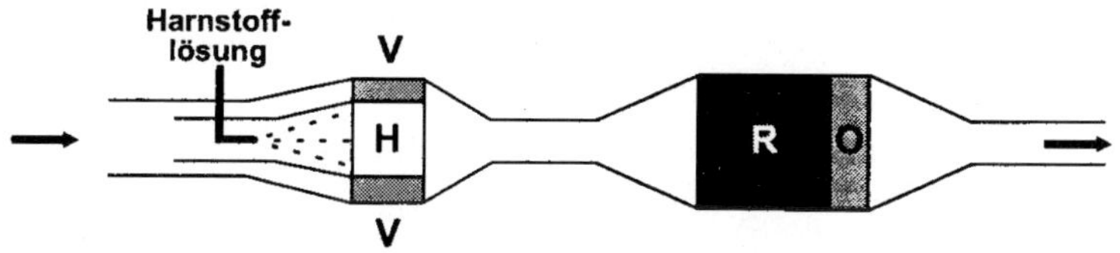


**Bild 6-40** SCR-Systemaufbau und VHRO-Systemaufbau

DAF, Iveco, Mercedes Benz, Renault und Volvo haben sich in Europa ausschließlich für das etwas teurere SCR-Verfahren entschieden, um die verschärften Emissionsgrenzwerte EURO-4 und EURO-5 mit gleichzeitiger Kraftstoffverbrauchsminderung (ca. 6 %) zu erfüllen. Ein wesentlicher Grund für diese Entscheidung war auch der in Osteuropa höhere Schwefelgehalt des

Dieselkraftstoffes, der zu einer erhöhten Partikelbildung, verstärkter Regeneration und in der Folge zu einer Zerstörung des Partikelfilters führen kann. Fehlender Harnstoff führt zu keiner dauerhaften Beeinträchtigung des SCR-Systems.

Dank des geringeren Verbrauches sollen sich die Systemmehrkosten in 1,5 bis 2,5 Jahren im Fernverkehr amortisieren. Außerdem ist der Platzbedarf für Katalysator und Harnstofftank besonders bei kleinen Fahrzeugen ein Problem und eine funktionierende Harnstoff-Infrastruktur muss erst etabliert werden. Unter der Voraussetzung, dass der Harnstoff inklusive der Verteilungskosten wesentlich unter dem Preis von Dieselkraftstoff liegt, zeigt eine Analyse eindeutige Vorteile für das SCR-System in Ländern mit hohen Kraftstoffpreisen wie Europa und Japan und für schwere Nutzfahrzeuge mit hohen Jahreslaufleistungen. Möglicherweise wird sich die derzeitige SCR-Technologie so weit vereinfachen bzw. verbilligen, dass sie auch für kleinere Nutzfahrzeuge konkurrenzfähig wird.

**Bild 6-41** SCR-Systemkomponenten am Fahrzeug

### *6.5.2.3 Partikelfilter-Systeme*

Zur Erreichung eines zukünftigen EURO-5-Niveaus ist **Strategie 3** zielführend, wobei zusätzlich zur intensivierten Abgaskühlung ein Partikelfilter zur Anwendung kommt. Zur Zeit sind Partikelfilter im Abgastrakt des Dieselmotors als die wirkungsvollste Möglichkeit anzusehen, Ruß, die daran angelagerten, schwersiedenden Kohlenwasserstoffe und unbrennbare Aschen aus dem Abgas zu filtern.

Die in letzter Zeit kolportierte potenzielle Gesundheitsgefährdung durch so genannte Nanopartikel kann durch Rußfilter weitgehend eliminiert werden. Es ist durchaus möglich, dass die zukünftige Gesetzgebung den Einsatz von Partikelfiltern vorschreiben wird oder die Emissionsgrenzwerte (Partikelanzahl) so niedrig gesetzt werden, dass die Verwendung eines Partikelfilters unerlässlich wird.

Die Filterung des Abgases stellt heute im Prinzip kein Problem dar, Filterwirkungsgrade von mehr als 95 % sind möglich. Es kommt vielmehr auf eine ausreichende Dauerhaltbarkeit des Filtersubstrates an, vor allem bei den Regenerationsvorgängen. Eine zuverlässige Regeneration unter allen möglichen Fahrzuständen ist noch nicht zufriedenstellend gelöst. Vielfach ist die Abgastemperatur zu niedrig, um den Filter mit passiven Maßnahmen zu regenerieren.

Der Wirkungsgrad der Partikelfiltersysteme hängt in erster Linie vom Belastungsgrad ab und nimmt mit steigender Porenverstopfung des Filters ab. In regelmäßigen Abständen müssen Partikelfilter also regeneriert werden, da durch den ansteigenden Abgasgegendruck der Kraftstoffverbrauch ebenfalls ansteigt. Die Filterregeneration erfolgt meistens durch das Abbrennen des Rußes, bei einer Temperatur von ca. 600 bis 700 °C am Filtereintritt (Kohlenstoffoxidation).

$$2\,NO_2 + C \rightarrow 2\,NO + CO_2 \tag{6-54}$$

Solch hohe Abgastemperaturen werden im Abgasstrom ohne einen zusätzlichen Eingriff in das Motormanagement nur bei hohen Drehzahlen in volllastnahen Betriebspunkten erreicht.

Partikelfilter weisen allerdings auch einige Nachteile auf, wie einen etwa um ein bis zwei Prozent erhöhten Verbrauch und eine beim derzeitigen Entwicklungsstand noch unzureichende Lebensdauer. Partikelfilter verteuern die Motoren erheblich und machen die Einbindung in ein entsprechendes Fahrzeug-OBD-System (On Board Diagnosis) erforderlich.

Derzeit gibt es drei verschiedene Filtersysteme, den Keramikmonolith, den Keramikgarn-Wickelfilter und den Sintermetall-Filter.

Der Monolith in Bild 6-42 ist eine *Oberflächenfilter*, bei dem der Ruß an den wechselseitig verschlossenen, mit einer porösen Keramikwand versehenen Kanälen abgeschieden wird. Nachteile des Monolith sind seine geringe spezifische Speicherkapazität, Verstopfungsneigung und seine große Thermoschock-Empfindlichkeit.

Der *Wickelfilter* ist ein Tiefenfilter bei dem die einzelnen Filterkerzen aus gelochtem Stahlrohr mit umwickelten Keramikgarn bestehen. Das Abgas durchströmt die Umwicklung und scheidet sich dabei an dem Keramikgarn ab. Vorteile dieses Filters sind seine Langlebigkeit, Thermoschock-Unempfindlichkeit, geringe Verstopfungsneigung sowie hohe spezifische Speicherkapazität.

Der *Sintermetall-Filter* ist ein Tiefenfilter und besteht aus Metalldraht-Gewebeplatten. Beim Durchströmen der Platten wird der Ruß in den Platten abgeschieden. Vorteile dieses Filters sind seine Thermoschock-Unempfindlichkeit, seine große Wärmekapazität und hohe Wärmeleitfähigkeit, die konstruktive Formgebungsfreiheit der Platten sowie seine Unempfindlichkeit bei Überladung. Nachteilig wirkt sich das höhere Gewicht gegenüber dem Monolith- und Wickelfilter aus. Monolith- und Sintermetall-Filter weisen gegenüber dem Wickelfilter im Bezug auf Abscheidegrad und Abgasgegendruck ein etwas günstigeres Verhalten auf. Bedingt durch die Ausdehnung des Sintermaterials während der Rußverbrennung und dem anschließenden Zusammenziehen löst sich ein Teil der unverbrennbaren Asche aus den Additiven des Motoröls selbstständig (pro Liter verbrannten Motoröls ca. 15 gr. Asche), sammelt sich im unteren Teil des Filters und kann entsprechend leicht entsorgt werden.

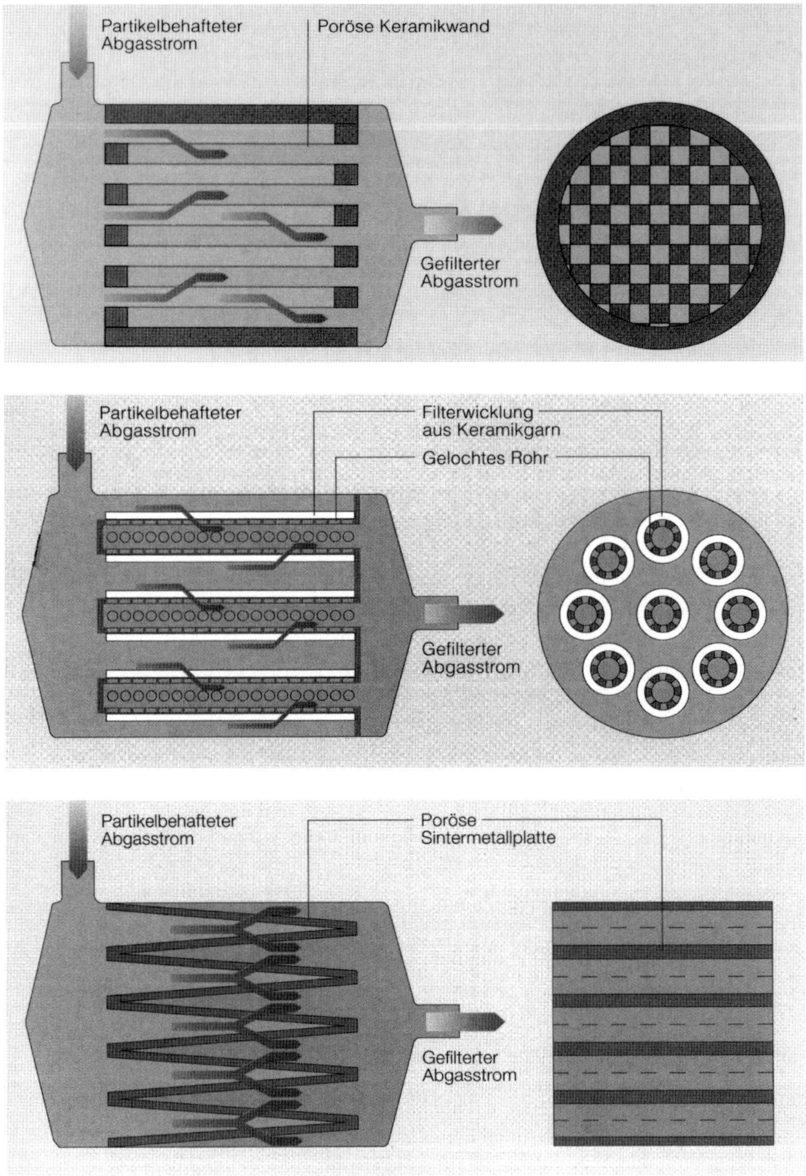


**Bild 6-42** Rußfiltersysteme, oben Monolith, Mitte Wickelfilter, unten Sintermetall-Filter [6-53]

Neben Methoden, die in der Vergangenheit für Nachrüstlösungen, wie z. B. Stillstandregenerationen mittels elektrischer Heizung entwickelt wurden, existieren derzeit vier moderne Regenerationsmethoden, die sich für den Einsatz in Nutzfahrzeugen eignen. Alle befinden sich bereits im Einsatz für Nachrüstlösungen für Nutzfahrzeugmotoren und werden derzeit für eine mögliche Serienapplikation für EURO-5-Grenzwerte weiterentwickelt. Sie können in zwei Kategorien eingeteilt werden, passiv oder aktiv. Die Vor- und Nachteile der verschiedenen Systeme sind in Tabelle 6-10 beschrieben.

**Tabelle 6-10** Regenerationsverfahren für Partikelfilter-Systeme

| Regenerationsverfahren | Vorteile/Nachteile |
|---|---|
| Additivunterstütze Regeneration | + Reduktion der Rußabbrenntemperatur von 600 °C auf ca. 350-400 °C<br>+ unempfindlich gegen Kraftstoffschwefel bei niederen/mittleren Abgastemperaturen<br>– Zusatztank und automatisierte Dosiereinrichtung für das Additiv erforderlich<br>– erhöhte Ascheakkumulierung im Filter |
| CRT-Prinzip | + passiv im bestimmten Arbeitsfenster (T>250 °C, $NO_x$/Ruß>14)<br>– geringer Kraftstoffschwefel notwendig<br>– $NO_2$-Schlupf |
| Katalytischer Rußfilter | + passiv oberhalb bestimmter Abgastemperatur (T>320–350 °C)<br>+ relativ geringer Raumbedarf<br>– max. Regenerationstemperatur <800 °C, sonst Gefahr der Beschichtungs-Schädigung<br>– Abgastemperaturanhebung durch Motormanagementmaßnahmen erforderlich, falls Betrieb außerhalb des Arbeitsfensters, resultierend in Verbrauchsanstieg |
| Brennerunterstützte Regeneration | + Regeneration im gesamten Kennfeld<br>+ unempfindlich gegen Kraftstoffschwefel<br>– relativ teuer<br>– höherer Raumbedarf |

*Additivunterstützte Regeneration* wird inzwischen auch serienmäßig beim Pkw eingesetzt. Durch den Einsatz von Additiven ist eine Absenkung der Rußzündungstemperatur von ca. 600 °C auf 350 bis 400 °C möglich. Für Fahrzeuge, die in noch tieferen Bereich betrieben werden, muss für eine Regenerationsauslösung eine Abgastemperaturanhebung mittels Motormanagement-Maßnahmen erfolgen. Nachteil dieser Methode ist der hohe technische Aufwand mit Zusatztank und einer automatischen Dosiereinrichtung zu nennen. Darüber hinaus liefert das Additiv einen zusätzlichen Ascheeintrag in den Filter, so dass dieser in regelmäßigen Abständen gereinigt werden muss.

Das selbstregenerierende *CRT-Prinzip* (Continuous Regenerating Trap) basiert auf der Fähigkeit der im vorgeschalteten Voroxidations-Katalysator erzeugten $NO_2$-Moleküle sich im Rußfilter mit dem Kohlenstoff (Ruß) zu $CO_2$ zu verbinden. Das bedeutet, dass eine Mindestmenge an $NO_x$ durch den Dieselmotor bereitgestellt werden muss, um eine vollständige kontinuierlich Regeneration zu erreichen. Durch die Verbindung von $NO_2$ und Ruß wird das $NO_2$ teilweise wieder zu NO reduziert. Diese chemische Gleichgewichtsreaktion läuft in einem Temperaturbereich zwischen 200 und 450 °C ab.

Wird die Abgastemperatur von 450 °C überschritten, so sinkt die $NO_2$-Bildung am Katalysator soweit ab, dass die gebildete $NO_2$-Menge in Relation zu der anfallenden Partikelemission zu gering ist und somit der kontinuierliche Rußabbrand nicht mehr gewährleistet ist. Der Rußfilter wird in diesem Fall weiter beladen, bis die Bedingungen für eine Regeneration wieder gegeben sind. Bei zu hohen $NO_2$-Konzentrationen kommt es zu einem NO-Schlupf, der besonders in städtischen Gebieten aus umwelthygienischer Sicht bedenklich ist.

Wird das Temperaturfenster zur NO-Oxidation von 200 bis 450 °C über eine längere Betriebsdauer nicht erreicht, so steigt der Abgasgegendruck wegen zunehmender Beladung des Filters an.

Das zweiteilig (Voroxidations-Platinkatalysator und Rußpartikelabscheider) oder einteilig (Platinbeschichteter Rußpartikelabscheider, Bild 6-43) aufgebaute CRT-Keramik-Katalysatorsystem benötigt einen Dieselkraftstoff mit sehr niedrigem Schwefelgehalt (<10 ppm). Alle 100000 km oder einmal pro Jahr muss der Filter aus dem Einsatz herausgenommen, gereinigt und in umgekehrter Richtung wieder eingebaut werden. Diese Einschränkungen der Kraftstoffqualität und der Betriebsabgastemperaturen verdeutlichen, dass der Einsatz des CRT-Systems auf die Einhaltung bestimmter Randbedingungen (insbesondere einer Einspritzverlaufsformung) angewiesen ist.

**Bild 6-43** CRT-Rußfilter der Firma HJS

Ein von der Firma EMITEC zusammen mit MAN entwickelter filterloser Partikel-Katalysator (PM-Filter-Kat) besteht aus einem Platinoxidationskatalysator und strukturierten Katalysatorträgern aus Metall mit offenen Kanälen zur Rußabscheidung und -oxidation. Die Rußpartikel werden durch gezielte Umlenkung der Strömung an einer porösen Schicht abgelagert und aufoxidiert. Dank der gelochten oder porösen Planlage zwischen den Welllagen ist der Katalysator durchlässig für die Motorenölasche, die ansonsten den Partikelfilter im Laufe der Betriebszeit zusetzt (Verblocken) und damit den Abgasgegendruck und den Kraftstoffverbrauch erhöht. Die Motorenölasche ist unproblematisch für die Umwelt, sie besteht zu ca. 90 % aus Gips und ca. 10 % aus Kalziumphosphat.

Der *katalytische Rußfilter* ist ebenso eine passive Regenerationsmaßnahme, die eine bestimmte Abgastemperatur voraussetzt. Er vereinigt die Vorteile des CRT-Prinzips mit einem relativ niedrigen Platzbedarf, da die $NO_x$-Konvertierung direkt auf der Beschichtung des Filtersubstrates stattfindet. Allerdings ist bei diskontinuierlicher Regenerationseinleitung (wie durch Abgastemperaturanhebung mit Motormanagement-Maßnahmen) darauf zu achten, dass die maximal auftretenden Temperaturspitzen im Substrat unterhalb von 800 °C gehalten werden, da sonst die Gefahr einer Schädigung der katalytisch wirksamen Oberfläche stattfindet.

Trotz der hohen Komplexität einer *brennerunterstützten Regeneration* ist eine Regeneration im gesamten Kennfeld, unabhängig von der Abgastemperatur des Nutzfahrzeugmotors, möglich. Mittels Sensorik werden die Abgastemperaturen und der Abgasgegendruck zusammen mit motorischen Werten (wie Motordrehzahl und Last) kontinuierlich gemessen und in der ECU verarbeitet. Wenn notwendig, wird die Regeneration vollautomatisch gestartet, indem der Dieselkraftstoff zusammen mit Verbrennungsluft in einer kleinen Brennkammer verbrannt und damit die Abgastemperatur auf die erforderlichen 650 °C gebracht wird (Bild 6-44).

Dort, wo zur Zeit keine Bereitschaft besteht, das beim SCR-Verfahren notwendige Reduktionsmittel einzusetzen (z. B. in den USA), kann vorläufig noch auf den Partikelfilter verzichtet werden. Für das Modelljahr 2007 lag der Partikelgrenzwert in den USA jedoch in der Größenordnung der heutigen Partikel aus dem Ölverbrauch. Ein Partikelfilter in Kombination mit einer gekühlten Abgasrückführung ist dann unumgänglich.

**Bild 6-44** Nutzfahrzeug-System zur brennerunterstützten Regeneration von Zeuna Stärker

### *6.5.2.4 Systemkombination*

Gute Lösungsansätze zur Verbesserung der Abgasqualität ergeben sich aus der Systemkombination eines *CRT-Diesel-Partikelfilters* mit einem vorgeschalteten, hocheffizienten *Oxidationskatalysator 1* und dem *SCR-Verfahren* und einem nachgeschalteten *Oxidationskatalysators 2*. In einem solchen SCRT-Verbund werden bei Temperaturen oberhalb von 200 °C Kohlenwasserstoff und Kohlenmonoxid in einem durch eine besondere Beschichtung leistungsoptimierten Katalysator mit sehr hohem Wirkungsgrad oxidiert. Die Partikel werden dann in einem nachgeschalteten Partikelfilter nahezu vollständig zurückgehalten.

Die Oxidation des abgelagerten Rußes kann nun mit dem zuvor am Oxidationskatalysator erzeugten $NO_2$ erfolgen. Im Laufe der Reaktion wird dieses $NO_2$ wieder zu NO reduziert und somit „unschädlich gemacht“. Über eine Ringdüse wird dabei gasförmiges Ammoniak, das in einem so genannten Ammoniak-Generator erzeugt wird, vor den SCR-Katalysator eingespritzt. Die „On-Board“-Erzeugung des Ammoniakgases erlaubt einen wesentlich kompakteren Anlagenaufbau und höhere Reichweiten, zudem kann ein erheblich kleinerer SCR-Katalysator eingesetzt werden.

### 6.5.3 Zukünftige Brennverfahren für Nutzfahrzeugmotoren

Die eigentliche drastische Reduzierung der Partikelemissionen bei Dieselmotoren ist bereits erfolgt. In den letzten 10 Jahren wurden sie, im Wesentlichen durch Weiterentwicklungen der Brennverfahren und der Einspritztechnik, um mehr als 90 % gesenkt. Zu der mehr oder minder vollständigen Eliminierung von Partikeln aus dem Dieselabgas tragen Partikelfilter als sehr ernsthaft verfolgter Lösungsansatz bei. Alternativ zeigen aber auch neue Brennverfahren unter dem Stichwort „Homogene Verbrennung“ vielversprechende Ansätze die Partikelrohemissionen praktisch gegen Null senken zu können und den Zielkonflikt zwischen Partikel- und $NO_x$-Emissionen zukünftig zu lösen.

HCCI (Homogeneous Charge Compression Ignition) steht für eine neue Art der motorischen Verbrennung, die wahrscheinlich eines Tages auch ohne Abgasnachbehandlung den Nutzfahrzeugmotor nahezu frei von Partikel- und $NO_x$-Emissionen arbeiten lassen soll. Während das konventionelle Dieselbrennverfahren ein inhomogenes Gemisch bildet, dass auch entsprechend uneinheitlich und mit lokalen Temperaturspitzen verbrennt, zielt HCCI auf eine möglichst homogene Gemischbildung und Verbrennung. Die homogene und magere Durchmischung von Luft und Kraftstoff vermeidet die fetten Gemischzonen, die die Partikelbildung fördern. Die großflächige und vollständige Verbrennung ohne Flammenfrontausbildung senkt die lokalen Spitzentemperaturen während der Verbrennung, die wiederum die $NO_x$-Emissionen reduzieren. Der Luftüberschuss und die sehr schnelle Verbrennung verringern zusätzlich den spezifischen Kraftstoffverbrauch.

Durch die schnelle Wärmefreisetzung stellen sich jedoch hohe Zylinderdruckgradienten ein. Die Robustheit des Brennverfahrens (konstante Zündzeitpunkte und Brennverläufe) hängt ebenfalls von vielen Faktoren wie z. B. den Kraftstoffeigenschaften, dem Homogenisierungsgrad der Zylinderladung, dem Zustand der Ladeluft sowie dem Verdichtungsverhältnis und der Motordrehzahl ab. Im Stationärbetrieb ist in einzelnen Kennfeldpunkten der Nachweis für den Einsatz im Nutzfahrzeugmotor bereits geführt. Mit nicht unerheblichem Aufwand wird das Verfahren zur Zeit in Richtung Serienanwendbarkeit weiterentwickelt.

## 6.6 Aufladung

Die Aufladung dient dem Zweck der Leistungssteigerung/Drehmomenterhöhung eines Motors bei gleichbleibender Drehzahl und gleichbleibendem Hubraum. Mit Aufladung bezeichnet man die Vorverdichtung der Verbrennungsluft.

Jeder Verbrennungsmotor benötigt Luft und Kraftstoff, um Leistung zu erbringen. Damit 1 kg Kraftstoff stöchiometrisch verbrannt werden kann, braucht man ungefähr 14,4 kg Luft. Ist es möglich die bei dem Verbrennungsvorgang benötigte Luftmasse zu steigern, so kann gleichfalls die zugeführte Kraftstoffmasse erhöht und dadurch eine Leistungssteigerung des Motors erzielt werden. Durch die Aufladung wird der Liefergrad $\lambda_L$ erhöht.

Hieraus folgt, je mehr Kraftstoff verbrannt werden kann, desto höher ist die Leistung eines Verbrennungsmotors.

$$P_e = \eta_e \cdot n \cdot \lambda_L \cdot \rho_0 \cdot \frac{H_u}{\lambda \cdot L_{St}} \cdot \frac{V_H}{i} \tag{6-55}$$

mit i = 2 für Viertakt-Motoren

## 6.6.1 Aufladeverfahren

Die Aufladeverfahren unterscheiden sich in:

- Fremdaufladung
- mechanische Aufladung
- Abgasturboaufladung

Fremd-, mechanische und Abgasaufladung sind Verfahren, bei denen ein Gebläse die vorverdichtete Luft in die Zylinder einbläst.

Die Fremdaufladung erfolgt weder durch den Kraftfahrzeugmotor noch durch die beim Verbrennungsvogang entstehenden Abgase. Bei dieser Art der Aufladung wird zum Antrieb des Ladeverdichters ein eigenes Antriebsaggregat z. B. in Form eines Elektromotors verwendet. Da die Drehzahl des Laders durch den Elektromotor beliebig eingestellt werden kann, ist die Liefermenge des Laders unabhängig von der Motordrehzahl. Diese Art der Aufladung ist jedoch relativ teuer und wird im Kfz-Bereich kaum eingesetzt.

Bei der mechanischen Aufladung (Bild 6-45) wird der Lader direkt durch den Motor über Zahnräder, Ketten oder Keilriemen angetrieben. Der Vorteile dieser Art der Aufladung sind zum einen die Kosten und zum anderen die einfache Bauart. Es verschlechtert sich jedoch der mechanische Wirkungsgrad ($\eta_m$) des Motors. Als Lader werden überwiegend Drehkolbengebläse (Rootsgebläse) eingesetzt, aber auch Radialschleudergebläse und Schraubengebläse kommen zur Anwendung.

Die mechanische Aufladung wird wegen ihrem geringeren Wirkungsgrad gegenüber der Abgasaufladung und dem höheren Kraftstoffverbrauch gegenüber einem leistungsgleichen Saugmotor nicht mehr eingesetzt.

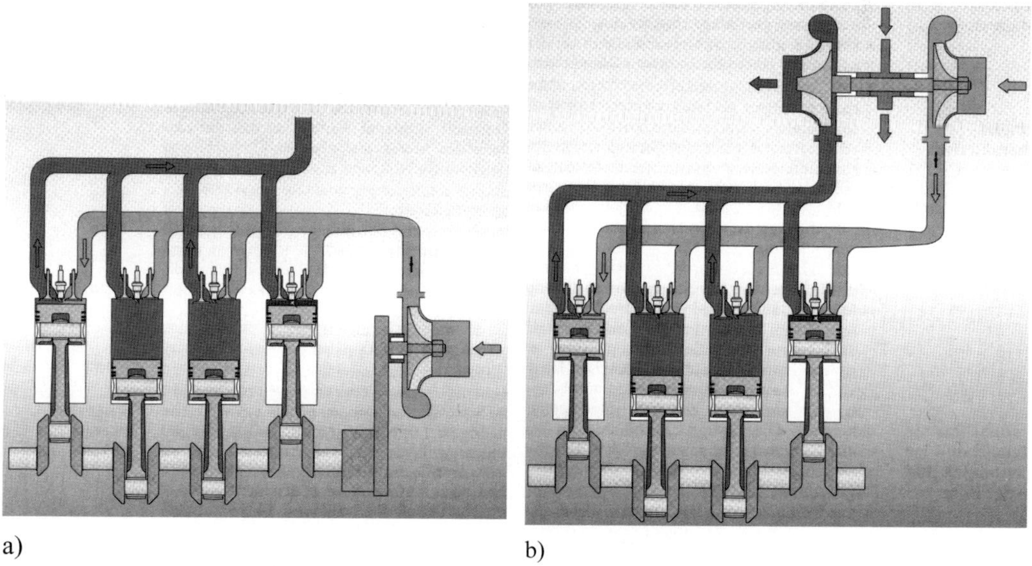

a) b)

**Bild 6-45** a) Schema eines mechanisch aufgeladenen Vierzylindermotors
b) Schema eines abgasturboaufgeladenen Vierzylindermotor [6-68]

### 6.6.2 Abgasturbolader (ATL)

Der schadstoffarme und verbrauchsgünstige Nutzfahrzeugmotor ist ohne Turbolader nicht mehr vorstellbar. Durch neu entwickelte Verdichter, die höchste Druckverhältnisse und zugleich verbreiterte Kennfelder zulassen, kann dem Nutzfahrzeugmotor in allen Betriebspunkten ausreichend viel Luft zur Verfügung gestellt werden.

Ziel des Einsatzes eines Abgasturboladers ist es, die in den Abgasen eines Verbrennungsmotors enthaltene Energie in Form von Abgasdruck und Abgastemperatur nutzbringend zu verwerten und in Ladedruck für den Motor umzuwandeln. Bei der Abgasturboaufladung wird also nicht wie bei der mechanischen Aufladung die Laderdrehzahl von der Drehzahl des Motors bestimmt, sondern von dem zur Verfügung gestellten Abgasvolumenstrom des Motors.

Die Turbine des Laders setzt die Energie des Abgases in Rotationsenergie um und treibt dadurch ein auf der gleichen Welle liegendes Turbogebläse an. Dieses Turbogebläse besteht aus einem Verdichterrad, das Luft ansaugt, komprimiert und dem Motor unter Druck zuführt. Der so gesteigerten Luftmasse im Zylinder kann eine erhöhte Kraftstoffmenge zugeführt werden, wodurch der Motor mehr Leistung abgeben kann und in weiten Bereichen einen besseren Wirkungsgrad erzielt. Es sind Leistungssteigerungen bis zu 30 % möglich. Der Turbolader setzt sich aus Abgasturbine, Verdichterrad, Turbinen- und Verdichtergehäuse sowie Ladergehäuse zusammen.

Seit der Einführung der Abgasturboaufladung (Anfang der 1950er Jahre) hat sich diese Art der Aufladung immer weiter durchgesetzt und ist heute im Bereich der Nutzfahrzeuge zusammen mit der Ladeluftkühlung obligatorisch.

Ein entscheidendes Entwicklungsziel aufgeladener Nutzfahrzeugmotoren ist die Bereitstellung eines hohen Drehmomentes bei niedrigen Drehzahlen. Die Abgasleitung spielt hierbei eine wichtige Rolle und sollte die Zylinder des Motors beim Ausblasen der Verbrennungsgase nicht gegenseitig behindern sowie die Abgasenergie so verlustarm wie möglich vom Zylinder zur Turbine des Laders leiten. Unterschieden wird zwischen der Stau- und Stoßaufladung.

Bei der *Stoßaufladung* werden die Abgase der einzelnen Zylinder durch kurze enge Einzelleitungen vom Auslass des Zylinder zur Turbine geführt. Durch den geringen Querschnitt der Leitungen, der dem Zylinderkopfaustrittsquerschnitt entspricht, bleibt ein größerer Teil der kinetischen Energie des Abgases im Gegensatz zur Stauaufladung erhalten. Durch den nicht geglätteten pulsierenden Druck in den Leitungen muss bei Mehrzylindermotoren darauf geachtet werden, dass nur solche Zylinder einer Zylinderreihe zusammengefasst werden, die sich beim Ladungswechsel nicht gegenseitig stören. Die Abgassammelleitungen werden bis zum Turbinenrad getrennt geführt. Charakteristisch für einen durch Stoßaufladung beaufschlagten Nutzfahrzeug-Turbolader sind die zwei Einlasskanäle (Zwillingsstromturbine), wie in Bild 6-46 und 6-47 gezeigt.

Im Nutzfahrzeug hat sich die Stoßaufladung gegenüber der Stauaufladung durchgesetzt. Durch die relativ geringe Querschnittsgröße der Abgasrohre wird die kinetische Energie der Abgase beim Ausströmen aus den Zylindern mitgenutzt und bewirkt bei niedrigen Drehzahlen ein höheres Drehmoment des Motors.

Bei der *Stauaufladung* werden die Motorabgase aller Zylinder einer Zylinderreihe durch kurze Verbindungsrohre in ein Sammelleitungsrohr geleitet. Dieses Sammelleitungsrohr verläuft parallel zum Motor und ist am Ende mit der Turboladerturbine verbunden. Der Querschnitt des Sammelrohres ist meist etwas größer als der Zylinderquerschnitt und stellt dadurch der Turbine, trotz der pulsierenden Beaufschlagung durch die Zylinder, sowohl einen nahezu konstanten

Abgasvolumenstrom als auch einen nahezu konstanten Druck zur Verfügung. Dies ermöglicht der Turbine im Bereich hoher Motordrehzahlen bei einem geringeren Druck mehr Abgas durchsetzten. Durch den geringeren Abgasgegedruck kann der Motor leichter ausblasen und damit der Verbrauch des Motors in diesen Betriebspunkten gesenkt werden. Das System arbeitet also besonders effektiv im Bereich hoher Drehzahlen. Nachteilig wirkt sich das wesentlich geringere Drehmoment bei niedrigen Motordrehzahlen aus. Deshalb wird die Stauaufladung hauptsächlich in Großmotoren wie Schiffsdiesel, bei denen zur Beschleunigung kein Drehmomentüberschuss benötigt wird, eingesetzt. Die Zylinderzahl spielt bei dieser Art der Aufladung keine Rolle.

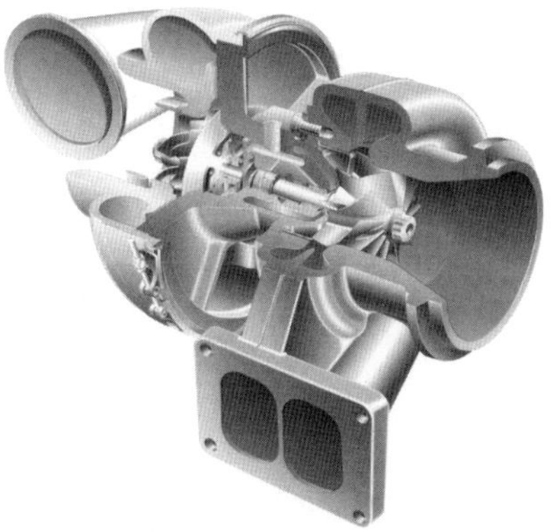

a)

b)

**Bild 6-46** a) Abgasturbolader für Nutzfahrzeuge (Zwillingsstromturbine) [6-68]
b) Abgasturbolader mit wassergekühltem Turbinengehäuse und Ladedruckregelventil

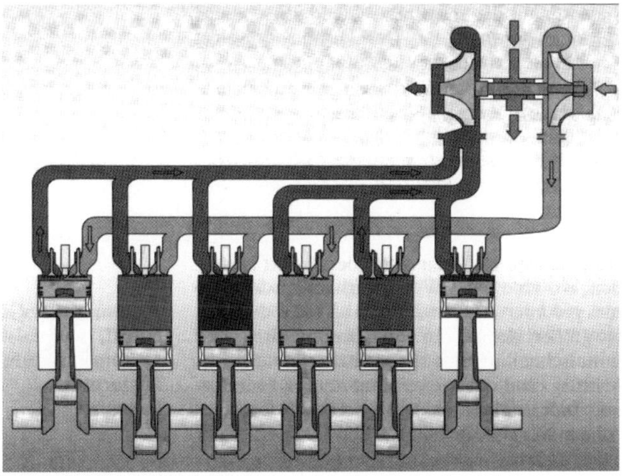

**Bild 6-47**
Stoßaufladung [6-68]

### 6.6.3 Ladeluftkühlung

Die Abgase des Motors verursachen eine Aufheizung des Turboladers. Da Turbine und Verdichter auf einer Welle sitzen und die Gehäuse miteinander verbunden sind, ist eine Wärmeübertragung auf den Frischluftverdichter nicht zu vermeiden. Die durch den Verdichter angesaugte Luft erfährt eine Erwärmung auf bis zu 180 °C. Mit steigender Temperatur dehnt sich Luft aus und bewirkt eine Verringerung des Sauerstoffanteils in der Frischladung. Diese Verringerung des Sauerstoffanteils zieht eine geringere Leistungssteigerung des Motors nach sich.

Um diesem Effekt entgegen zu wirken, verwendet man einen Ladeluftkühler. Der Kühler bewirkt, dass die aufgeheitzte Luft heruntergekühlt und dadurch dem Verbrennungsvorgang im Zylinder eine höhere Ladungsdichte zur Verfügung gestellt wird. Durch den höheren Sauerstoffgehalt der Frischladung kann eine größere Kraftstoffmenge verbrannt werden. Dies führt zu einer nochmaligen Leistungssteigerung von ca. 30 %. Durch die Ladeluftkühlung wird gleichzeitig die Stickoxidemission reduziert, da die Lufteintrittstemperatur geringer ist und damit niedrigere Verbrennungstemperaturen erzielt werden.

Durch Ausnutzen der Abgasenergie ist also eine wesentliche Leistungssteigerung in Verbindung mit reduziertem Kraftstoffverbrauch und eine Optimierung des Leistungsgewichtes möglich. Im Vergleich zum leistungsgleichen Saugmotor ist der benötigte Platzbedarf für den Motor mit ATL geringer. Zusätzlich reduziert der Lader die Schallemission der Abgase, was im Hinblick auf die strengen EU-Geräuschemissionsvorschriften von Vorteil ist. Auch das Höhenverhalten des Turbomotors ist wesentlich besser, da der Saugmotor infolge des abnehmenden Luftdruckes stark an Leistung verliert und der Turbomotor infolge des größeren Druckgefälles zwischen Abgasdruck (der nahezu konstant bleibt) und Umgebungsdruck einen Leistungsgewinn verzeichnen kann. Dadurch, dass moderne Verdichter Druckverhältnisse bis zu max. 3,5 bar zulassen, wird für jeden Betriebspunkt ausreichend Luft zur Verfügung gestellt, was gleichfalls die Partikelemission positiv beeinflusst.

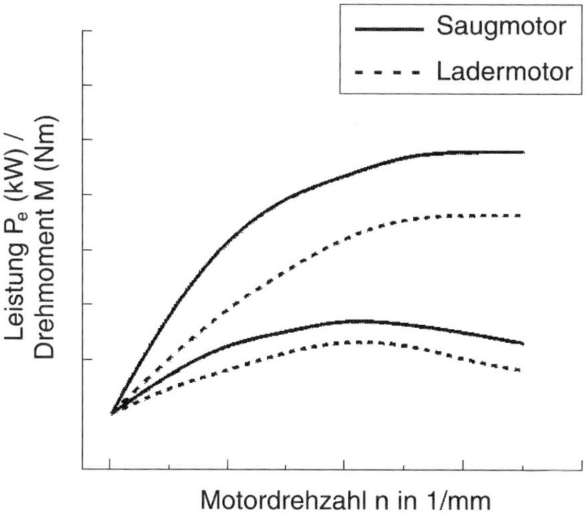


**Bild 6-48**
Drehmoment- und Leistungsvergleich eines Saug- und Ladermotors

### 6.6.4 Variationen der Abgasturbolader-Anpassung an den Motor

Das Zusammenspiel zwischen Motor und Turbolader kann durch die Variation des Strömungsquerschnittes im Turbinenleitrad beeinflusst werden. Hierüber wird auch der Wirkungsbereich des Laders festgelegt. Das heißt, bei einer Auslegung für die maximale Drehzahl und Belastung des Motors kann in einem Bereich relativ niedriger Drehzahlen der Lader nicht mehr optimal arbeiten. Es kommt zu einem Absinken des Drehmomentenverlaufes und Rauchbildung im Abgas.

Um dieses zu vermeiden, verlegt man den optimalen Arbeitsbereich des Laders in niedrigere Drehzahlbereiche des Motors. Erreicht der Lader seine Höchstdrehzahl, so bläst man vor der Turbine mittels *Bypass* die überschüssigen Abgase einfach ab, um eine Beschädigung des Laders zu vermeiden. Der Nachteil dieses Verfahrens ist, dass nicht die gesamte Abgasenergie in allen Drehzahlbereichen genutzt werden kann und so der Wirkungsgrad nicht optimal ist.

Die Leistungssteigerung durch Aufladung wird durch folgende Kriterien begrenzt:

- mechanische Belastung des Motors durch Maximalzünddruck (Werkstofffestigkeit)
- thermische Belastung des Motors durch Aufladung (Aufheizung der Ladeluft)
- Aufladung nur soweit, dass Rußgrenze bei Dieselmotor nicht erreicht wird
- maximal zulässige Turbinendrehzahl
- Aufladedruckverhältnis nach/vor Verdichter, maximal $\approx 3{,}5$
- Pumpgrenze des Verdichters
- Abgastemperatur (Warmfestigkeit des Verdichters)

Weitaus aufwändiger und teurer ist die Ladedruckregelung mittels *verstellbarer Turbinengeometrie* (VTG). Mit dem VTG-Lader (Bild 6-49) ist es möglich die Turbinengeometrie in Abhängigkeit vom Motorbetriebspunkt zu verstellen. Durch die Möglichkeit der variablen Turbinenverstellung wird bei jeder Drehzahl des Motors die gesamte Abgasenergie genutzt, was sich günstig auf den Wirkungsgrad der Turbine auswirkt und den Gesamtwirkungsgrad des Motors verbessert. Gleichzeitig steht das benötigte Drehmoment wesentlich früher zur Verfügung als bei der herkömmlichen Aufladung. Durch drehbar gelagerte Leitschaufeln wird das Aufstauverhalten des Laders beeinflusst.

Bei niedrigen Drehzhalen führen in geschlossener Leitschaufel-Position hohe Umfangskomponenten der Strömungsgeschwindigkeit und ein hohes Enthalpiegefälle zu einer hohen Turbinenleistung. Durch das Schließen der Schaufeln verkeinert sich der Strömungsquerschnitt und der Ladedruck wird erhöht.

Bei hohen Drehzahlen, in voll geöffneter Position der Leitschaufeln, erschließt sich der maximale Durchsatz der Turbine bei hohem zentripetalem Anteil des Geschwindigkeitsvektors der Strömung und der Ladedruck wird gesenkt. Der Vorteil dieser Leistungsregelung gegenüber einer Bypass-Regelung liegt darin, dass immer der volle Abgasmassenstrom über die Turbine geleitet und zur Leistungsumsetzung genutzt wird.

Die Ansteuerung der Leitschaufelverstellung kann über verschiedene pneumatische oder elektrische Steller erfolgen.

IVECO setzte 1999 als erster Nutzfahrzeug-Hersteller einen VTG-Lader serienmäßig in Verbindung mit einem Cursor 8 Motor ein.

**Bild 6-49**
VTG-Turbolader mit verstellbarer Turbinengeometrie [6-68]

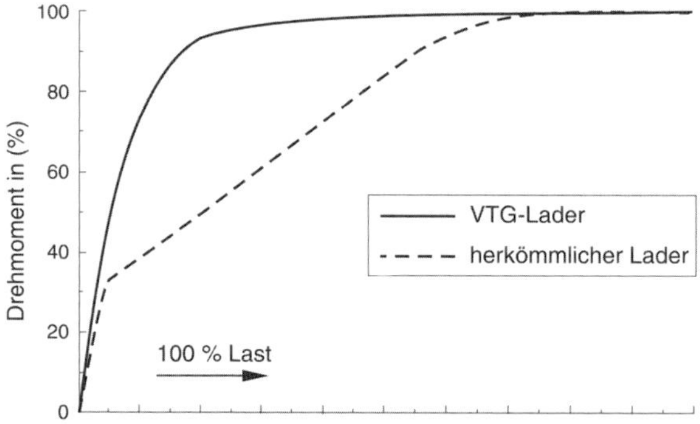


**Bild 6-50**
Drehmomentenverlauf für VTG und herkömmlicher Lader

Bild 6-50 zeigt einen Vergleich der Drehmomentenverläufe zwischen einem herkömmlichen Lader und einem VTG-Lader. Der VTG-Lader baut wesentlich schneller das Drehmoment auf als ein normaler Lader. Mit einem variablen Lader steht das maximale Drehmoment bereits nach einem Drittel der sonst üblichen Zeit zur Verfügung.

Als Folge dieser höheren Anforderungen steigen Abgastemperaturen und Druckverhältnisse im Abgassystem. Zur Zeit sind VTG-Systeme im Serieneinsatz für Abgastemperaturen bis 850 °C an. In Zukunft wird es Turbolader mit VTG für Dieselmotoren mit Abgastemperaturen bis zu 900 °C geben.

Die mechanischen Anforderungen an eine VTG im Nutzfahrzeug sind deutlich höher als im Pkw, da die Drehschaufeln auch als hocheffiziente Motorbremse dienen sollen. Dies ist erforderlich, da zukünftige Nutzfahrzeugmotoren über immer weniger Hubraum verfügen werden und die bisherige Bremsklappe im Auspuff allein nicht mehr ausreichen wird. Darüber hinaus wird die variable Turbinengeometrie, insbesondere bei modernen Nfz-Motoren, zur Steuerung der Abgasrückführung eingesetzt. Hierbei wird mittels der VTG der Druck vor Turbine so geregelt, dass ein ausreichendes Druckgefälle zwischen Abgasseite und Frischgasseite nach Verdichter besteht. Nur dann können die Abgase über eine AGR-Ventil in den Ansaugtrakt gelangen.

Aufgrund seines hohen technischen Aufwandes ist der VTG-Lader recht teuer. Durch die stetig geringer werdenden Abgasgrenzwerte wird die breite Serieneinführung bei Nutzfahrzeugmotoren immer wahrscheinlicher.

Da der Verbrennungsmotor als Kolbenmaschine zwischen festen Volumengrenzen arbeitet, ist es nicht möglich, das Arbeitsgas im Zylinder während des Expansionshubes auf Umgebungsdruck zu entspannen. Durch die Nutzbarmachung des gesamten Hubes kann man deutlich Wirkungsgradsteigerungen erzielen. Von einem *Tubocompound- bzw. Verbundbetrieb* spricht man, wenn die Nutzleistung nicht nur vom Motor, sondern auch von der Turbine (bzw. einer der Turbinen) erzeugt wird. Die Druckdifferenz zwischen Abgas und Umgebung wird mittels einer in den Abgasstrom des Motors geschalteten Turbine genutzt.

Die Turbocompound-Aufladung wurde bisher nur bei Nutzfahrzeugen eingesetzt (Scania und Volvo). Dem mit Hilfe einer Abgasturboaufladung aufgeladenen Dieselmotoren wird eine Abgasturbine nachgeschaltet (Bild 6-51).

**Bild 6-51**
Turbocompound-System
am Scania DT 12 02

1. Die Abgase strömen mit einer Temperatur von 700 °C aus dem Abgaskrümmer.
2. Die heißen Abgase treiben den konventionellen Turbolader an, die angesaugte Luft wird verdichtet und dem Verbrennungsprozess zugeführt. Anschließend werden die Abgase nicht in die Atmosphäre abgeleitet, sondern direkt auf das Turbocompound-Aggregat übertragen.
3. Die Abgase haben beim Erreichen des Turbocompound-Aggregats noch immer eine sehr hohe Temperatur (ca. 600 °C). Diese Energie wird eingesetzt, um eine Turbine bis zu einer Drehzahl von 50.000 U/min zu beschleunigen. Anschließend haben sich die Abgase auf 490 °C abgekühlt und werden über das konventionelle Abgassystem und den Schalldämpfer ins Freie geleitet.
4. Die Umdrehungen der Turbine werden in mehreren Stufen durch Zahngetriebe und eine Hydraulikkupplung untersetzt.

5. Die Drehzahl bei Erreichen des Schwungrads beträgt ca. 1.000 U/min. Die Hydraulikkupplung gleicht Schwankungen bei der Rotation des Schwungrads und des Antriebsstrangs vom Turbocompound-Aggregat aus.
6. Das Drehmoment am Schwungrad wird erhöht. Das Schwungrad dreht sich auf diese Weise stabiler und gleichförmiger. Die zusätzliche auf das Schwungrad übertragene Leistung entspricht einem um 3 % höheren Wirkungsgrad.

Bei der Turbocompound-Technologie handelt es sich um ein integriertes Teil des Scania 470 Motors. Der 12-Liter Zylinderblock und die Kurbelwelle wurden speziell für den kombinierten Einsatz der Turbocompound-Technologie entwickelt.

### 6.6.5 Zukünftige Entwicklungen

Eine sehr interessante Alternative zum VTG-Lader ist die zweistufige, geregelte Aufladung (Bild 6-52). Das Aufladesystem ermöglicht eine stufenlos variable Anpassung der Turbinen- und Verdichterseite für jeden Motorbetriebspunkt. Durch die Reihenschaltung von Turboladern heutiger Technologie werden hohe Druckverhältnisse erreicht. So lassen sich extrem niedrige Schadstoffemissionen und ein geringer spezifischer Kraftstoff mit der vorhandenen Technologie kostengünstig erreichen. Durch jeweiliges Zu- oder Abschalten der einzelnen Lader kann der Gesamtturbinenquerschnitt stufenweise variiert werden. Durch diese Variation ist es möglich für jeden Betriebspunkt ein hohes Drehmoment zur Verfügung zu stellen.

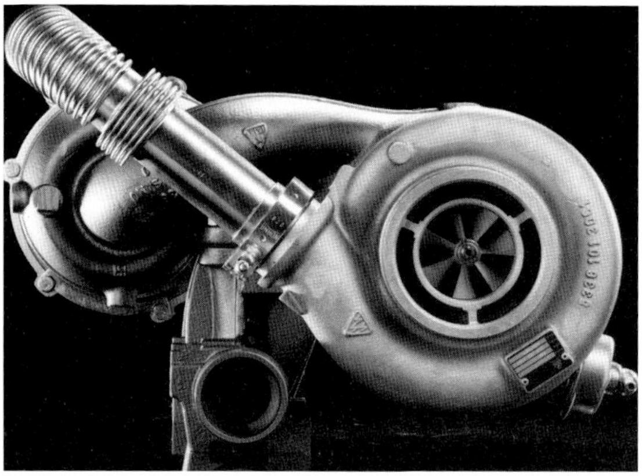

**Bild 6-52**
2-stufige, geregelte Aufladung der Firma BorgWarner Turbo Systems an einem 12-*l*-Nutzfahrzeugmotor

Steigende Ladedrücke und und extreme Einsatzbedingungen bringen herkömmliche Verdichterräder zunehmend an ihre Grenzen. Dem begegnet man in der Entwicklung mit Verdichterräder aus hochfestem Titan, die die Lebensdauer von Turboladern selbst unter höchster Beanspruchung deutlich erhöhen.

# 6.7 Motorkonstruktion

Der Motor zum Antrieb von Nutzfahrzeugen ist üblicherweise ein Dieselmotor, der nach dem 4-Takt-Verfahren arbeitet. Je nach Leistungsklasse (leicht, mittel, schwer) sowie Einsatzgebiet (Fern-/Verteilerverkehr, Sonderfahrzeuge usw.) kommen die unterschiedlichsten Motorvarianten 4-, 6-, 8-, 10-, 12-Zylinder, Reihen-, V-, Unterflurmotor zum Einsatz. Trotz dieser unterschiedlichen Motorenkonzepte ist der Grundaufbau des Motors mit den Baugruppen:

- Zylinderkurbelgehäuse
- Zylinderkopf
- Kurbeltrieb
- Steuerung/Ventiltrieb

stets wiederzufinden.

## 6.7.1 Zylinderkurbelgehäuse

Das Zylinderkurbelgehäuse ZKG (Bild 6-53) ist das zentrale Bauteil eines Motors und ist der eigentliche Träger aller Motoraggregate. Es besteht aus zwei Untergruppen, dem Zylinderblock und dem Kurbelgehäuse.

Die Hauptanforderungen sind:

- Übertragung der Gaskräfte vom Zylinderkopf zu den Kurbelwellenlagern
- Aufnahme des Triebwerkes, mit folgenden Komponenten: Kolben, Pleuel, Kurbelwelle und Schwungrad oder Mitnehmerscheibe
- Bildung von Kanälen für Schmiermittel (Öl), Kraftstoff und Kurbelgehäuseentlüftung
- bei wassergekühlten Motoren Hohlraumbildung für Kühlflüssigkeit
- Anschluss zum Getriebe, Zylinderkopf und Ventilsteuerungsantrieb mit Abdeckung
- Anschluss der Nebenaggregate (Anlasser, Luftpresser, Lichtmaschine usw.)
- Abdichten des Kurbelraumes nach außen durch Ölwanne/Wellendichtringe

**Bild 6-53**
Zylinderkurbelgehäuse eines
V-6 Nutzfahrzeugmotors

Beansprucht wird das Kurbelgehäuse auf Zug/Druck, Torsion und Biegung. Diese Belastungen werden durch innere Biegemomente, verursacht durch rotierende und oszillierende Massenkräfte, innere Torsionsmomente zwischen den einzelnen Zylindern, dem Kurbelwellendrehmoment und durch Gaskräfte, die vom Zylinder zur Kurbelwelle übertragen werden müssen, hervorgerufen.

Die Konstruktion des Zylinderkurbelgehäuses ist von verschiedenen Parametern abhängig. Zum einen sind Variationsmöglichkeiten im Detailbereich im Bezug auf die vorgegebenen Lastenheft-Anforderungen durchaus möglich, zum anderen aber ist im Hinblick auf das eigentliche Gestaltungskonzept das Konstruktionsprinzip weitestgehend festgelegt.

Konstruktionskonzepte sind:

- Bauweise: ausreichende Festigkeit im Dauerbetrieb, minimale Verformung an Zylinderkopfdichtung, Zylinderbüchse und Kurbelwellenlager
- Werkstoff: Gusseisen, Sphäroguss (hohe Belastungen)
- Gießverfahren: einfache Herstellbarkeit durch Druckguss, Sandguss, Kokillenguss, geringe Masse (Gewichtsoptimierung)

### *6.7.1.1 Zylinderkurbelgehäuse-Bauarten*

Bei der Closed-deck-Bauweise (Bild 6-54) ist das Zylinderdeck mit einer Platte geschlossen, in der sich nur die Bohrungen und Kanäle für die Gewinde der Zylinderkopf-Verschraubungen, Kühlwasser, Kraftstoff, Ölrücklauf und Kurbelgehäuseentlüftung befinden. Diese Öffnungen stellen über abgestimmte Durchlässe der Zylinderkopfdichtung die Verbindung zwischen dem Wasserraum, der die Zylinder umgibt, und dem Wassermantel im Zylinderkopf her.

Das Closed-deck-Konzept erfordert zur Herstellung des Wassermantels im ZKG einen Sandkern, da ein direktes Abformen nicht möglich ist. Der Wassermantelsandkern muss in der Gussform gelagert werden. Am fertigen Kurbelgehäuse finden sich später diese Lagerstellen wieder. Dadurch ist es möglich bei montiertem Motor ohne Einblick auf das Zylinderdeck die Bauart der Zylinderdeckplatte zu bestimmen.

**Bild 6-54** Closed-deck-Bauart [6-9]

Die Vorteile der Closed-deck-Bauart sind eine höhere Steifigkeit der Deckplatte gegenüber Open-deck und dadurch geringere Deckplattenverformung sowie geringerer Zylinderverzug und günstigere Geräuschentwicklung.

Bei der Open-deck-Bauweise (Bild 6-55) kann der Wassermantel von oben eingesehen werden. Hierdurch ist es möglich den Wassermantel direkt abzuformen und als Stahl-Formteil darzustellen. Darüber hinaus können bei der Open-deck-Bauform alle Gießverfahren angewendet werden.

**Bild 6-55**
Open-deck Bauweise

Die Vorteile der Open-deck-Bauweise sind zum einen einfachere Gießverfahren und damit Kostengünstigkeit und zum anderen eine bessere Kühlung des heißen oberen Bereichs der Zylinder durch den oben offene Wassermantel. Nachteilig wirkt sich die geringere Steifigkeit gegenüber der Closed-deck-Bauweise aus. Dieser Nachteil kann aber durch den Einsatz einer Metall-Zylinderkopfdichtung kompensiert werden.

### *6.7.1.2 Zylinderlaufflächen und Zylinderbuchsen*

Im Nutzfahrzeugbereich hat sich das heterogene Zylinderkurbelgehäuse-Konzept durchgesetzt. Hierbei werden Büchsen in vorgefertigte Passbohrungen eingesetzt. Diese Büchsen können nass oder trocken, stehend oder hängend ausgeführt werden. Als Variation dazu gibt es das monolithische Konzept, bei dem das Zylinderkurbelgehäuse gleich in einem Stück einschließlich der Zylinderbohrungen hergestellt wird. Da dieses Verfahren vorwiegend im Pkw-Bereich eingesetzt wird, soll hier nicht weiter darauf eingegangen werden.

Nasse Buchsen werden in die entsprechend ausgearbeitete Aufnahme im Kurbelgehäuse eingeschoben (Bild 6-56). Der eigentliche Wassermantel befindet sich zwischen Zylinderkurbelgehäuse und Buchse. Die Einspannung der Buchse erfolgt zumeist über einen Bund am oberen Buchsenende. Die Zentrierung erfolgt dabei über den Bund selbst oder durch die Passbohrung unterhalb des Bundes. Bei stehenden Buchsen erfolgt die Zentrierung über einen Passdurchmesser im Zylinderhalsbereich. Gegen das Eindringen von Öl und Kühlmittel werden nasse Buchsen oben und unten mit O-Ringen abgedichtet. Die Herstellung erfolgt aus legiertem Schleuderguss sowie aus Aluminiumlegierungen.

In Nutzfahrzeugmotoren kommen jedoch überwiegend Buchsen aus legiertem Schleuderguss (GG) vor.

Der Vorteil der nassen Buchsen ist zum einen die universelle Verwendbarkeit, d. h., sie können mit Open-deck-, Closed-deck-Design und allen Gießverfahren kombiniert werden, und zum anderen die gute Auswechselbarkeit im Schadensfall. Zusätzlich haben sie einen geringen Zylinderverzug in Verbindung mit niedrigem Verschleiß. Eingesetzt werden solche Buchsen beispielsweise im Nutzfahrzeugmotor OM 501 LA von Mercedes Benz.

Trockene Buchsen werden in das Kurbelgehäuse eingeschrumpft, eingepresst oder eingegossen (Bild 6-56). Der Wassermantel berührt nicht die Wandung der Buchse und wird vollständig im Zylinderkurbelgehäuse realisiert. Somit ist keine Abdichtung zwischen Buchse und Gehäuse nötig. Trockene Buchsen können ebenfalls mit allen Kurbelgehäusen kombiniert werden.

Ein Vorteil der trockenen Buchse ist die freie Wahl des Buchsenwerkstoffes. Nachteilig wirkt sich der schlechtere Wärmeübergang zwischen Zylinderlaufbahn und Wassermantel aus, der eine geringere Wärmeabfuhr an das Kühlmedium zur Folge hat.

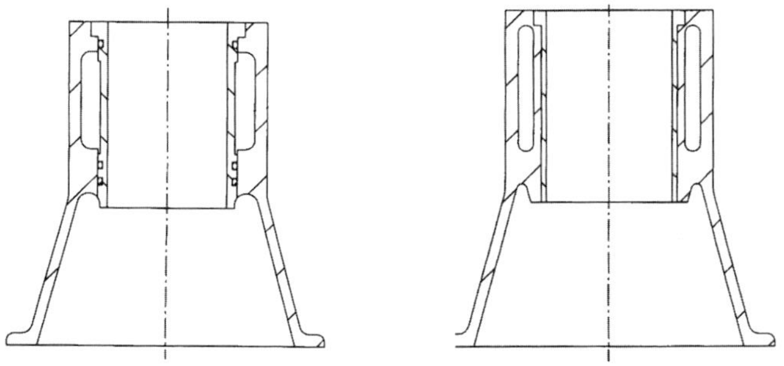

**Bild 6-56**
links nasse Buchse,
rechts trockene Buchse [6-3]

### *6.7.1.3 Verbindung Zylinderkurbelgehäuse/Zylinderkopf*

Die Verschraubung des Zylinderkurbelgehäuses mit dem Zylinderkopf erfolgt bei modernen Nutzfahrzeugmotoren im Hinblick auf optimalen Kraftfluss über jeweils vier gleichmäßig um die Zylinderlaufbuchsen angeordneten Schrauben, die tief in das Zylinderkurbelgehäuse hineinreichen und einen möglichst geringen Abstand zur Zylinderbohrung aufweisen sollten. Dadurch werden die eingeleiteten Gaskräfte ohne wesentliche Umlenkung über die Schottwand zum Grundlagerstuhl geleitet. Der untere Abschluss des Zylinderkurbelgehäuses kann entweder in Schürzen- oder zweigeteilter Bauweise erfolgen.

Bei der Schürzenbauweise werden die Außenwände des Kurbelgehäuses bis tief unterhalb der Kurbelwellenachse heruntergezogen und bilden dort die Flanschebene zur Ölwanne. Grauguss-Kurbelgehäuse werden vorwiegend in Schürzenbauweise ausgeführt und finden so recht häufig im Nutzfahrzeug-Bereich Verwendung. Vorteile sind: Günstige Akustikeigenschaften und hohe Steifigkeit.

Bei der zweigeteilten Bauweise ist das Zylinderkurbelgehäuse in Höhe der Hauptlagerachse geteilt. Die unterer Hälfte bildet den Flansch zur Ölwanne. Zweigeteilte Zylinderkurbelgehäuse werden jedoch fast ausschließlich aus Aluminiumlegierungen hergestellt und im Pkw-Bereich eingesetzt.

## 6.7.2 Zylinderkopf und Zylinderkopf-Dichtung

Der Zylinderkopf ist im Bezug auf die Herstellung das aufwändigste Bauteil des Motors. Im Allgemeinen werden folgende Grundanforderungen an jeden Zylinderkopf gestellt:

- hohe Volllastwechsel durch widerstandsarme Ladungswechsel
- effiziente Verbrennung durch kompakten Brennraum
- geräuscharmer und drehzahlfester Ventiltrieb
- niedriges Gewicht
- kostengünstige Herstellung
- Wartungsfreiheit

Bei den Zylinderköpfen unterscheidet man zwischen Einzel- und Blockausführung (Bild 6-57). Für den mittleren/schweren Nutzfahrzeug-Bereich werden im europäischen Raum überwiegend Einzelzylinderköpfe mit der Möglichkeit des Baukasten-Prinzips eingesetzt.

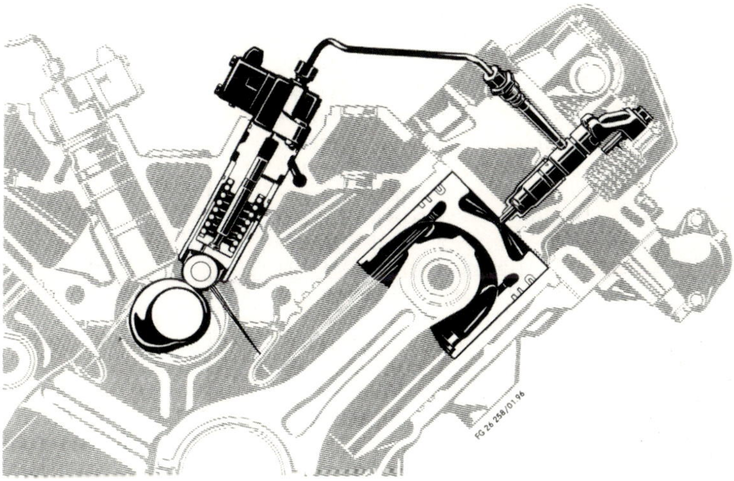


**Bild 6-57**
Zylinderkopf mit Einzelsteckpumpen-Einspritzsystem [6-13]

Die Formgebung des Zylinderkopfes wird in erster Linie von den vielfältigen Anforderungen, wie zuvor aufgeführt, bestimmt.

- Die Unterseite des Zylinderkopfes ist plan geschliffen und stellt die Verbindung zum Zylinderkurbelgehäuse dar. Gleichfalls sind auf der Unterseite die Brennraumkalotten für die einzelnen Zylinder eingelassen.
- Im Innern des Zylinderkopfes befinden sich die Ein- und Auslasskanäle der einzelnen Zylinder, die vom Brennraum zu den Flanschflächen des Frischladung- bzw. Abgasstrangs verlaufen, sowie die Ventilsitzringe für die Ein- und Auslassventile.
- Um den Kalottenbrennraum herum befinden sich Hohlräume (Wasserkühlung), die durch Bohrungen auf der Unterseite des Zylinderkopfes mit dem Wassermantel des Zylinderkurbelgehäuses verbunden sind und so durch den Wasserkreislauf den Zylinderkopf kühlen. Diese Kühlwasscrräume werden durch Aussparungen für die Einspritzdüsen sowie Ladungswechselkanälen durchbrochen.

- Die Führungen für die Ventilschäfte werden ebenfalls in den Zylinderkopf eingegossen.
- Oberhalb des Kühlwassermantels erstreckt sich der Hohlraum für den Ölkreislauf, in dem die Ventilsteuerung untergebracht ist.

Bei V-Motoren ist man bestrebt den Zylinderkopf als Wende-Kopf auszuführen. Durch das Drehen um 180° kann der Zylinderkopf für beide Zylinderbänke des Motorblocks verwendet werden. Dieses Drehen ist notwendig, da bei V-Motoren immer die Einlassventile auf der V-Innen- und die Auslassventile auf der V-Außenseite liegen. Vorteil dieser Ausführung ist insbesondere die Kostenersparnis gegenüber der Fertigung eines Zylinderkopfes für jede Seite des V-Motors. Nachteilig wirkt sich das etwas höhere Gewicht, durch die aufwändigere Konstruktion aus.

Je nach Nutzfahrzeugmotorausführung können zwei, drei, vier oder in Sonderfällen auch mehr Ventile im Zylinderkopf realisiert werden (mit Konstantdrosselventil + 1 Ventil). Von Vorteil erweist sich dabei die Vierventiltechnik, die es erlaubt die Einspritzdüse zentral und senkrecht zum Brennraum anzuordnen und dadurch eine gewisse Symmetrie des Zylinderkopfes zulässt.

Zur Optimierung des Kraftflusses der Zylinderkopfschrauben erfolgt eine möglichst nahe Anbindung an die steifen Seitenwände.

Hergestellt werden die Zylinderkopfe aus Grauguss (GG) mit zulegiertem Molybdän (Mo) und/oder Chrom (Cr) zur Minimierung der Stegrissgefahr.

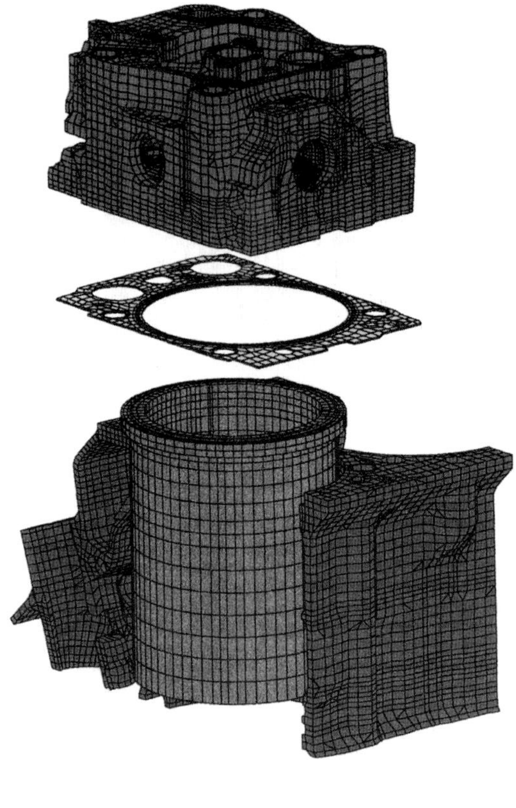

**Bild 6-58**
Zylinderkopf/Zylinderkurbelgehäuse Dichtungssystem in FEM Darstellung [6-33]

Zur Berechnung werden wie beim Zylinderkurbelgehäuse aufgrund der nur aufwändig zu modellierenden Zylinderkopf-Geometrie-FEM-Berechnungen (Bild 6-58) herangezogen und z. B. ein thermischer Beanspruchungszyklus (Erwärmung/Abkühlung) im Rechner simuliert.

Die Zylinderkopfhaube ist vom Zylinderkopf abgekoppelt und wird aufgrund der Gewichtsersparnis sowie der niedrigeren Geräuschabstrahlung häufig aus einem glasfaserverstärktem Thermoplast hergestellt.

Zur Abdichtung der Verbindung zwischen dem Zylinderkopf und dem Zylinderkurbelgehäuse wird eine Zylinderkopfdichtung (Bild 6-59) eingelegt.

Aufgabe dieser Dichtung ist:

- Verhinderung des Austritts von Verbrennungsgasen und damit Leistungsverlusten des Motors
- Verhinderung des Eintritts von Kühlflüssigkeit in die Brennräume des Motors
- Trennung von Kühl- und Ölkreislauf

Hochbelastete Nutzfahrzeug-Dieselmotoren verwenden für jeden Zylinderkopf zum Abdichten der Brennräume sowie der Wasser- und Öldurchtritte eine nachzugsfreie Edelstahldichtung mit einer Sicke zur Brennraumabdichtung und einem anvulkanisierten Elastomerelement für den Wasser- und Ölkreislauf.

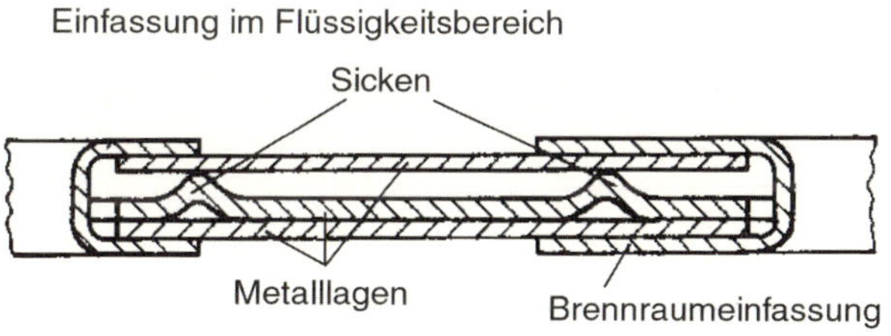


**Bild 6-59**
Metalllagen-Zylinderkopfdichtung [6-3]

## 6.7.3 Kurbeltrieb

Der Kurbeltrieb steuert den Bewegungsablauf und damit die Kraftwirkung im Motor und setzt sich aus vier Baugruppen zusammen:

- Kurbelwelle und Kolben
- Pleuel und Lagerung

### *6.7.3.1 Kurbelwelle*

Aufgabe der Kurbelwelle (Bild 6-60) ist, die durch die Verbrennung im Zylinder auftretenden Kräfte in ein Drehmoment umzuwandeln, sowie der Antrieb der Nebenaggregate des Motors. Die Kurbelwellenform wird durch die an sie gestellte Funktion bestimmt.

Durch die Auf- und Abbewegung der Kolben muss die Kurbelwelle eine hohe Dauerwechselfestigkeit sowie zum Verkraften der Torsionsbelastungen, verursacht durch Fliehkräfte, eine ausreichende Zähigkeit und an den Lagerflächen eine hohe Oberflächenhärte zur Minimierung des Reibungsverschleißes aufweisen. Die Vereinigung dieser an die Kurbelwelle gestellten

Anforderungen werden durch sorgfältige Auswahl des Werkstoffes mit anschließender verschiedenartiger Wärmebehandlung erreicht. Kurbelwellen für Nutzfahrzeuge werden üblicherweise als gesenkgeschmiedete Stahlwellen ausgeführt.

**Bild 6-60**
Kurbelwelle eines 6-Zylinder-Nutzfahrzeug-Reihenmotors

Werkstoffe zur Herstellung von Nutzfahrzeug-Kurbelwellen sind:

- mikrolegierte Stähle, die aus der Schmiedehitze kontrolliert abgekühlt werden
- legierte Vergütungsstähle z. B. 42 CrMo 4
- Nitrierstähle z. B. 34 CrNiMo 6

Als Wärmebehandlungsverfahren sind in erster Linie Normalglühen und Vergüten zu nennen. Die Laufflächen der Grund- und Hublagerzapfen sowie alle Rundungen und Radien werden zur Verschleißminderung induktiv gehärtet.

Die Gegengewichte zum Massenausgleich bzw. statischen und dynamischen Auswuchten der Kurbelwelle können zum einen direkt mit der Kurbelwelle geschmiedet, oder aber auch wie bei Nutzfahrzeugmotoren überwiegend angewendet (z. B. BR 500 MB) mit der Kurbelwelle über Schrauben befestigt werden. Zur Reduzierung eventuell auftretender Schwingungen werden Schwingungsdämpfer, zur Überwindung der Totpunkte und Leertakte ein Schwungrad mit dem Anlasserzahnkranz an die Kurbelwelle angebaut.

Die Kurbelwellen von 6-Zylinder-Motoren in V-Bauweise und einem V-Winkel von 90° werden mit um 30° versetzten Hubzapfen (Split-Pin) ausgeführt, um einen gleichen Zündabstand der Zylinder zu realisieren (Bild 6-61).

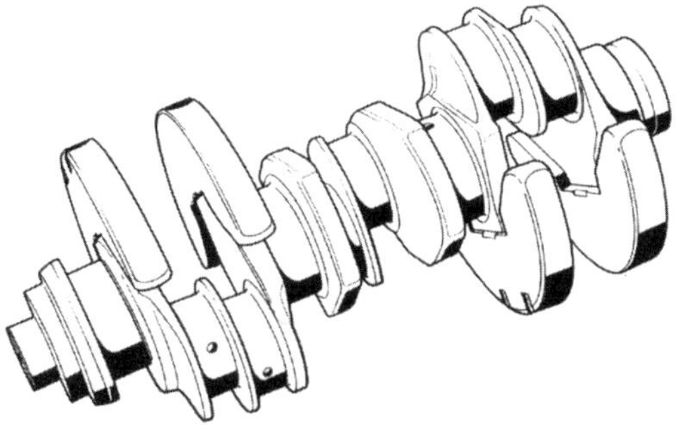

**Bild 6-61**
Kurbelwelle des MB BR 500
6-Zylinder-Nutzfahrzeug-V-Motors
(geschraubte Gegengewichte) [6-33]

Das Hub-Bohrungs-Verhältnis bestimmt bei gegebenem Zylindervolumen die Abmessungen und Gewichte der bewegten Bauteile mit entsprechendem Einfluss auf die Beanspruchung durch Gas- und Massenkräfte. In Anbetracht reduzierter Nenndrehzahlen sind heute längere Hübe möglich, ohne die mittlere Kolbengeschwindigkeit übermäßig zu steigern.

Aus Gründen des Wirkungsgrades, der Abgasemissionen, der Laufqualität und des Drehmomentenverhaltens wird das Hub-Bohrungs-Verhältnis möglichst langhubig ausgelegt, wie am Beispiel der leistungsstarken europäischen Nutzfahrzeugmotoren zu erkennen ist (zwischen 1,1 und 1,33). Eine langhubige Bauweise bietet Vorteile im Ventiltrieb aufgrund kleinerer bewegter Massen. Es ergeben sich jedoch Nachteile im Hinblick auf die Torsionssteifigkeit der Kurbelwelle und eine Zunahme der Biegebeanspruchungen der Kurbelwelle durch die Massenkräfte.

Unter der Voraussetzung gleicher Materialien und Dimensionierungsgrundlagen nimmt das Motorgewicht mit sinkender Zylinderanzahl und steigendem Hub-Bohrungs-Verhältnis ab. Für das jeweils gleiche Motorhubvolumen führt eine Steigerung des Hub-Bohrungs-Verhältnisses bei Reihen- und V-Motorbauformen zu einer Abnahme des Motorbauvolumens.

### *6.7.3.2 Kolben*

Die Aufgabe des Kolbens ist die Umsetzung der bei der Verbrennung freiwerdenden thermischen Energie in mechanische Arbeit. Als Teil des Kurbeltriebs wird der Kolben in erster Linie durch Gas- und Massenkräfte, verursacht durch Kolbengeschwindigkeiten bis zu 15 m/sec, sowie durch das auf den Kolbenschwerpunkt bezogene Moment von außen belastet. Die Gestaltung des Kolbenbodens zur Brennraummulde beeinflusst entscheidend die Strömungsverhältnisse und damit die Gemischaufbereitung und Verbrennung im Zylinder. Bild 6-62 zeigt einen Kühlkanalkolben, der insbesondere das Temperturniveau des ersten Kolbenrings und der Naben reduziert.

Für Nutzfahrzeug-Dieselmotoren werden standardmäßig Ringträgerkolben, meist aus einer eutektischen Aluminium-Silizium-Legierung, die im Kokillengussverfahren hergestellt werden, eingesetzt. Zur Abführung der bei der Verbrennung auftretenden Wärme und Abdichtung gegenüber dem Kurbelraum werden 2 oder maximal 3 Verdichtungsringe eingebaut. Unterhalb dieser Verdichtungsringe ist ein Ölabstreifring angeordnet. Durch die wesentlich höheren Verbrennungsdrücke gegenüber dem Ottomotor (Dieselmotor 130 ... 180 bar, Ottomotor ca. 75 bar) wird zur Reduzierung des Verschleißes und damit zur Steigerung der Motorlebensdauer die erste oder auch die erste und zweite Ringnut durch Eingießen eines Ringträgers aus einem austenitischen Gusseisen hergestellt. Die metallische Bindung zwischen dem Ringträgermaterial und dem Aluminiumkolben wird durch ein spezielles so genanntes Alfin-Verbundgussverfahren realisiert.

Zur Unterstützung der Kolbenkühlung wird zusätzlich das Schmieröl des Motors verwendet. Man unterscheidet dabei zwischen zwei Arten der Kühlung. Zum einen die Anspritzkühlung, bei der der Kolben von unten durch eine Ölbohrung/Düse im Pleuel mit einem Ölstrahl angespritzt wird und zum anderen die wesentlich bessere Kühlmöglichkeit durch Verwendung eines Kolbens mit Kühlkanal (Bild 6-62). Bei hoher Kolbenbeanspruchung ist darauf zu achten, dass die Temperatur im Nutengrund 240 °C nicht übersteigt.

Zur Einhaltung dieser Temperaturgrenze ist man dazu übergegangen, ringförmige Hohlräume im Innern des Kolbens darzustellen. Durch einen Zulaufkanal wird über eine Düse kontinuierlich Öl in den Ring eingebracht und so durch die längere Verweilzeit des Öls im Kolben eine wesentlich größere Wärmemenge über eine Ölablaufbohrung abtransportiert. Mit steigenden

Zünddrücken, zur günstigen Beeinflussung der Abgasemission und damit verbundenen steigenden thermischen Beanspruchungen der Verbrennungsmulde, kann es erforderlich werden den Muldenrand in der Festigkeit zu erhöhen. Realisiert wird dieses z. B. durch die Einbringung von keramischen Kurzfasern wie Aluminiumoxid (Bild 6-63). Da die Kolbenlegierung nur unter hohem Druck eine Verbindung mit dem Faserpaket eingeht, wird der Kolben im Flüssigpressverfahren und nicht mehr im Kokillenguss hergestellt. Bei besonders hohen thermischen und mechanischen Beanspruchungen kommt ein zweiteiliger Kolben mit getrennter Führungs- und Abdichtfunktion zum Einsatz. Hierbei übernimmt der aus geschmiedetem Stahl bestehende Kolbenkopf in Verbindung mit den Kolbenringen die Abdichtfunktion und der Kolbenschaft, der beweglich über den Kolbenbolzen mit dem Kolbenkopf verbunden ist, die Führung und überträgt hierdurch die Seitenkräfte an den Zylinder. Diese Kolben werden auch als Ferrotherm-Kolben bezeichnet. Da die erste Nut für den Kolbenring sich im Kolbenkopf, der aus Stahl gefertigt ist, befindet, kann auf die Ringträgerarmierung zur Festigkeitssteigerung verzichtet werden.

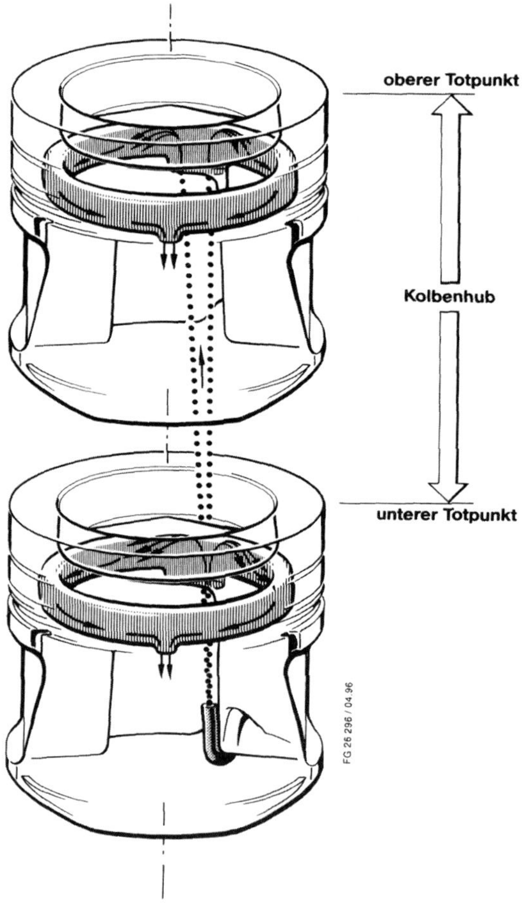


Bild 6-62 Querschnitt durch den Kolben eines Nutzfahrzeugmotors mit Kühlkanal

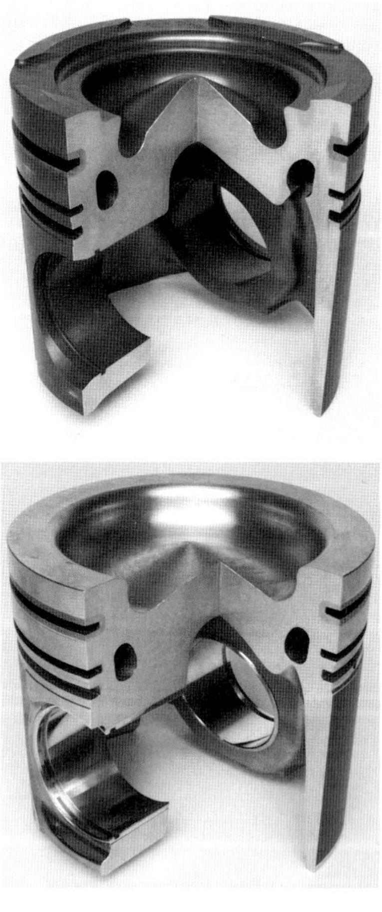

**Bild 6-63** Kühlkanalkolben mit Ringträger für Diesel-Nutzfahrzeuge [6-30]

Wie bereits erwähnt wird bei den Kolbenringen zwischen Verdichtungs- und Ölabstreifringen unterschieden. Aufgaben dieser Ringe sind:

- Abdichten des Verbrennungsraums gegen das Kurbelgehäuse
- Ölverbrauchsregulierung
- Abführung der vom Kolben aufgenommenen Wärme an die gekühlte Zylinderlaufbahn

Die Kolbenringe werden aus Grauguss oder Stahl hergestellt und durch Hartverchromen der Lauffläche verschleißreduzierend optimiert. Das Überziehen mit einer Molybdänschicht statt dem Hartverchromen steigert die Brandspursicherheit bei hochbelasteten Kolben, reduziert jedoch etwas die Verschleißfestigkeit.

Verbunden wird der Kolben mit der Pleuelstange durch den Kolbenbolzen. Dieser Bolzen ist im Innern hohl und wird unter dem Einfluss der Gas- und Massenkräfte auf Biegung, Abplattung sowie Abscherung beansprucht. Werkstoffe sind im Allgemeinen Einsatzstähle wie 16 Mn Cr 5 und Nitrierstähle wie 31 CrMoV 9.

Die Pleuelstange stellt die Verbindung zwischen Zylinder und Kurbelwelle dar. Das kleine Pleuelauge dient zur Lagerung des Kolbenbolzens, das große Pleuelauge zur Lagerung auf der Kurbelwelle.

### *6.7.3.3 Pleuel und Lager*

Aufgabe des Pleuels ist die Übertragung der auf den Kolben wirkenden Gas- und Massenkräfte auf den rotierenden Hubzapfen der Kurbelwelle. Durch den relativ großen Hubzapfendurchmesser der Kurbelwelle bei Nutzfahrzeugmotoren (70 ... 150 mm) muss, um den Ausbau durch den Zylinder zu ermöglichen, der Pleuelkopf stets schräg gestellt werden (Bild 6-64).

Der Pleuelkopf wird durch ein Bruchtrennverfahren (Cracken) getrennt. Die dabei auftretende Trennfuge wird nicht weiter bearbeitet und gewährleistet durch das Ineinandergreifen der Bruchflächen eine sehr hohe Passgenauigkeit. Das kleine Pleuelauge erhält zur Lagerung meist eine Bronzebuchse und ist immer ungeteilt. Das Pleuel kann aus Stahl geschmiedet oder gegossen werden, wobei je nach Beanspruchung legierte/vergütete Stähle verwendet werden.

Die Kurbelwellen-Hauptlager werden durch einen Presssitz mit dem Motorblock verbunden. Die Versorgung der Hauptlager mit Schmieröl erfolgt durch Schmierlöcher in den oberen Kurbelwellen-Hauptlager-Lagerschalen des Motorblocks. Die Schmierung der Pleuel-Buchsen erfolgt überwiegend durch Spritzöl über Öllöcher im kleinen Pleuelauge oder durch eine Ölbohrung im Pleuelschaft vom Pleuellager aus.

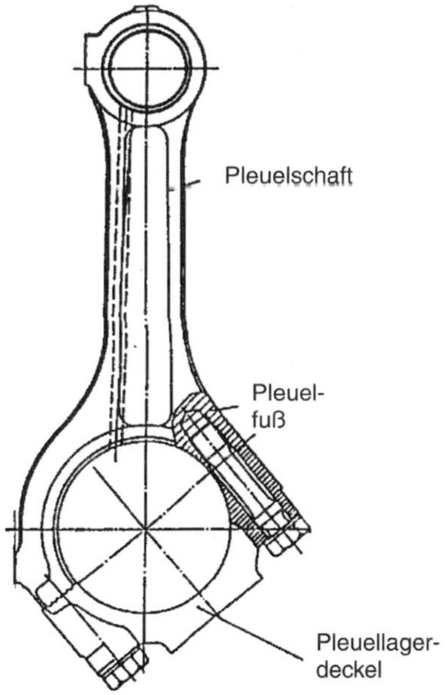


**Bild 6-64** Pleuelstange eines Nutzfahrzeugmotors mit schräg/geteilten Pleuelkopf [6-13]

Je nach Belastungsfall kommen die unterschiedlichsten Lager-Legierungen zum Einsatz. Bei niedrigen Belastungen Blei- oder Zinn-Legierungen, bei mittleren Belastungen Aluminium-Legierungen und bei hoher Belastung Kupfer-Legierungen. Zur Steigerung der Verschleißfestigkeit wird zusätzlich auf den Zweischicht-Legierungen eine dritte Lagerschicht galvanisch aufgebracht. Eine häufig verwendete so genannte Dreischicht-Werkstoff-Lagerung ist die Kupfer-Legierung CuPb 22 Sn auf Stahl mit einer Drittschicht aus PbSnCu.

Eine Besonderheit stellen die Sputterlager dar. Bei diesen Lagern wird der Beschichtungs-Werkstoff durch Aufprallenergie auf den zu beschichtenden Werkstoff unter einem Vakuum aufgedampft. Vorteil dieses Verfahrens ist die größere Vielfalt der aufbringbaren Werkstoffe und die wesentlich höhere Verschleiß-, Ermüdungs- und Korrosionsfestigkeit. Diese Hochleistungslager werden hauptsächlich in Dieselmotoren mit hoher Laufleistung als Hauptlagerdeckelschalen sowie im Bereich der Pleuellager eingesetzt. Ein Dreischicht-Werkstofflager mit Sputterschicht ist wie in Bild 6-65 gezeigt z. B. die Kupfer-Legierung CuPb 22 Sn auf Stahl mit einer Drittschicht aus AlSn 20.

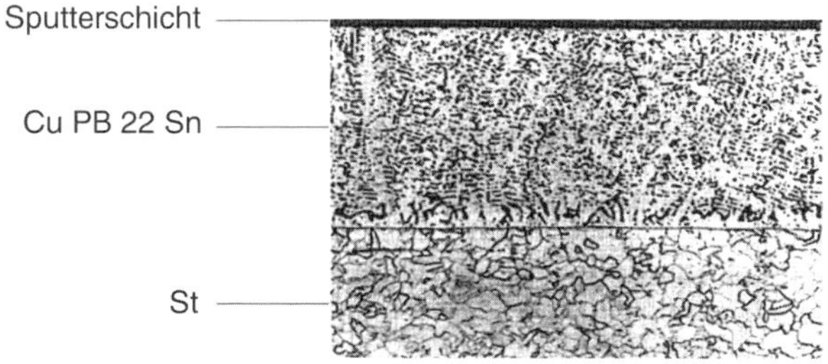


**Bild 6-65**
Sputterlager Schichtaufbau [5-3]

## 6.7.4 Steuerung und Ventiltrieb

Aufgabe der Motorsteuerung und damit des Ventiltriebes ist das zeitgerechte Einbringen von Frischluft zur Verbrennung des Luft-Kraftstoff-Gemisches im Zylinder sowie der Abtransport der während der Verbrennung entstehenden Abgase. Der Ventiltrieb (Bild 6-66) setzt sich zusammen aus:

- Nockenwelle
- Stößel
- Stoßstange
- Kipphebel
- Ventil und Ventilfeder

### *6.7.4.1 Nockenwelle*

Die Nockenwelle ist entweder direkt im Material des Kurbelgehäuses oder in Dreistofflagerbuchsen, innerhalb des Kurbelgehäuses gelagert und wird über Zahnräder von der Kurbelwelle angetrieben. Die untenliegende Nockenwelle wird deshalb gewählt, damit im Servicefall die einfache Demontage der Einzelzylinderköpfe sichergestellt ist. Hergestellt wird die Nockenwelle aus hochfesten Einsatzstählen oder Vergütungsstählen mit der Möglichkeit der Oberflächenhärtung oder Nitrierung im Bereich der Lagerstellen und Nocken.

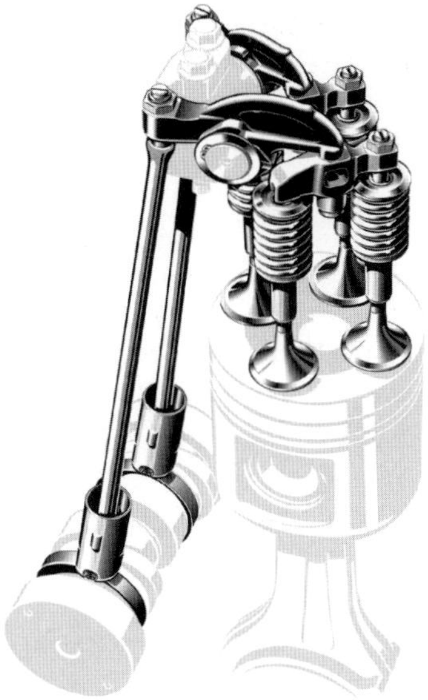

**Bild 6-66**
Ventiltrieb des MB BR 500-Motors [6-33]

Zwischen den Lagerstellen befinden sich die Ventilsteuernocken und je nach Motorausführung ein bis zwei Einspritznocken. Die Gleitbahnen der Steuernocken, auf denen die Ventil- und Einspritzrollenstößel laufen, werden häufig durch zusätzliche Ölbohrungen mit Schmieröl versorgt. Die Betätigung der Ventile erfolgt über ein System aus Stößel, Stoßstange und Kipphebel, wobei der Stößel mit der Nockenwelle verbunden ist. Bei der unten liegenden Nockenwelle sind die Stößel aus Schalenhartguss oder bei sehr hoher Beanspruchung auch aus Stahl mit aufgelöteten Hartmetallplättchen gefertigt. Zur Steigerung der Verschleißfestigkeit wird dem Stößel durch einen geringen axialen Mittenversatz des Nockens eine Drehbewegung erteilt. Der Nockenwellenantrieb erfolgt bei größeren Nutzfahrzeugmotoren immer über Zahnräder, die für die Übertragung der sehr hohen Einspritzpumpen-Drehmomente und den Antrieb von Nebenabtrieben benötigt werden.

### *6.7.4.2 Antrieb*

Die Anordnung der Steuerräder (Zahnräder) erfolgt meist am hinteren Kurbelwellenende und ist in einem SAE-Steuergehäuse untergebracht (Bild 6-67). Die häufig schrägverzahnten Räder treiben die im Kurbelgehäuse untergebrachte Nockenwelle, den Luftpresser, den eventuell vorhandenen Nebenabtrieb und bei Motoren mit Reihen-/Verteilereinspritzpumpentechnik die Einspritzpumpe an.

Der Antrieb und damit die Steuerung der Nebenaggregate erfolgt durch einen flankenoffen, formgezahnten Keilriemen (Poly-V-Riemen). Die Formverzahnung bietet den Vorteil der Verwendung kleinerer Scheibendurchmesser, zum Antrieb der Nebenaggregate.

Der Aufbau eines Poly-V-Riemens (flankenoffen, formgezahnt) ist in Bild 6-68 dargestellt.

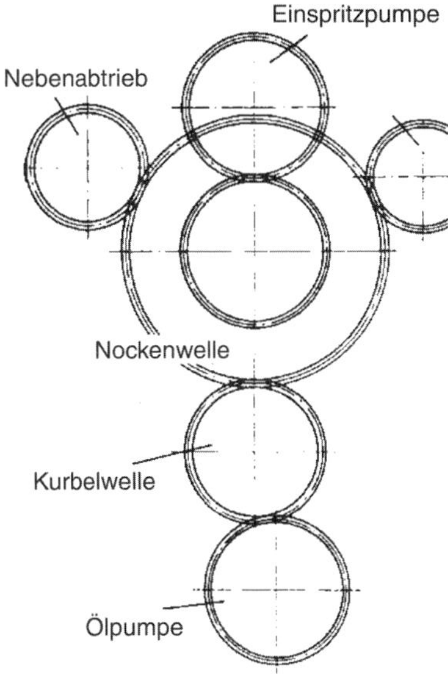


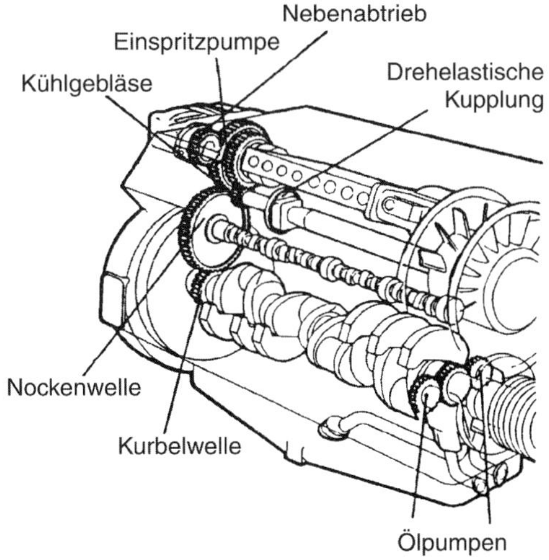


**Bild 6-67** Beispiel für im Steuergehäuse untergebrachten Rädertrieb [6-13]

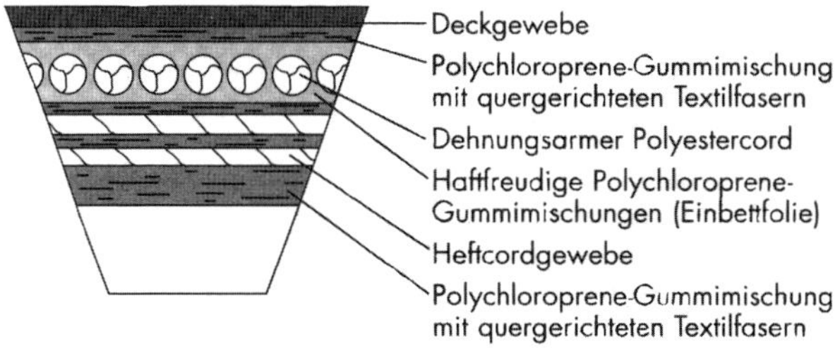


**Bild 6-68**
Aufbau eines Keilriemens für einen Nutzfahrzeugmotor [6-58]

### *6.7.4.3 Ventil/Ventilfeder*

Das Ventil besteht aus Ventilkopf und Ventilschaft. Der Ventilkopf hat eine konisch geschliffene Ventilsitzfläche am Ventilteller, die mit dem im Zylinderkopf eingeschrumpften Ventilsitzring eine Abdichtung des Brennraums gegen den Ansaug-/Ausblastrakt des Motors gewährleistet. Durch den Schaft wird das Ventil in der Ventilführung geführt. Die Einstichnuten am Ende des in diesem Bereich gehärteten Ventilschafts sind zur Aufnahme von Ventilkegelstücken vorgesehen. An diesen Ventilkegelstücken liegt der Ventilfederteller an, wodurch die vorgespannte Ventilfeder formschlüssig mit dem Ventilschaft verbunden ist.

Aufgabe der Ventilfeder ist das ruhende Ventil geschlossen zu halten sowie das in Abhängigkeit des rotierenden Nockens der Kurbelwelle zeitgerechte Öffnen und Schließen sicher zustellen. Die Ventilfeder liegt dabei immer in einer Flucht um den Ventilschaft. Als Werkstoff werden hochvergütete CrV- oder CrSi-legierte Federstähle eingesetzt.

Durch die unterschiedliche Temperaturbelastung der Ein- und Auslassventile, insbesondere die Auslassventile werden thermisch sehr hoch belastet, werden für die Ein- und Auslassseite unterschiedliche Ventilherstellungsverfahren eingesetzt.

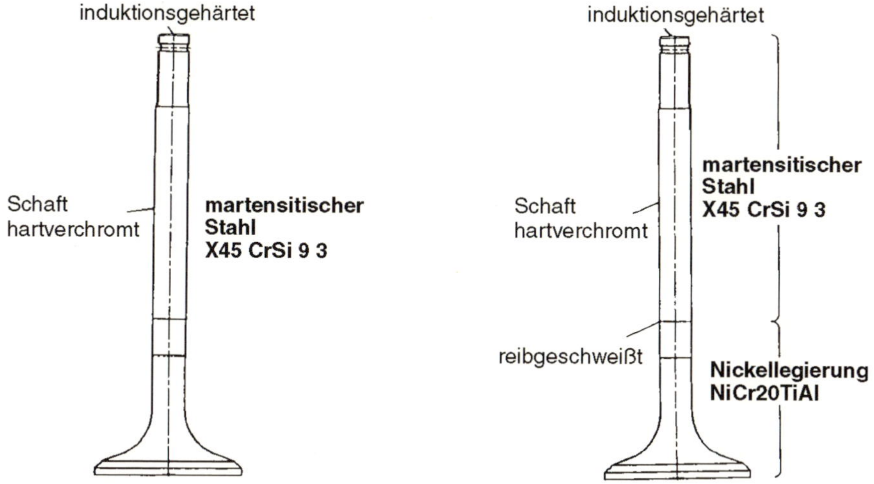


**Bild 6-69** Links: Monometall-Einlassventil, rechts: Bimetall-Auslassventil [6-22]

Derzeitiger Stand der Technik sind Monometallventile für die Einlassseite und Bimetallventile für die Auslassseite (Bild 6-69). Die Bimetallventile werden durch Reib- oder Stumpfschweißen zusammengefügt. Die früher häufig eingesetzten Austenite wie X45 CrNiW 18 9 zeigen eine geringe Warmfestigkeit und bedurften zur Steigerung der Temperaturbeständigkeit einer Aufschweißung bzw. Panzerung der Ventilsitzfläche zur Minimierung der Temperaturspitzen. Auch Sonderbauformen wie Hohlventile, die einen mit Natrium gefüllten Ventilschaft besitzen und dadurch die Wärmeübertragung vom Ventilkopf in den Ventilschaft begünstigen, kommen zur Anwendung. Die Werkstoffauswahl für die Ventile ist in der DIN 17480 angegeben und reicht von hochlegierten CrSi-Stählen über stickstofflegierte Austenite bis zu Nickel-Basis Legierungen. Zur Steigerung der Verschleißfestigkeit wird der Ventilschaft häufig verchromt oder nitriert.

### 6.7.5 Anordnung der Hilfsaggregate und deren Antrieb

Als standardmäßige Hilfs- bzw. Nebenaggregate werden die an den Motor angebauten Zusatzgeräte wie Wasser- und Ölpumpe, Klimakompressor, Drehstromgenerator, Servopumpe für die Lenkhilfe sowie der Lüfter bezeichnet (Bild 6-70). Da jedes Aggregat unterschiedliche Aufgaben zu erfüllen hat, ist die Art der Antriebskonzepte sehr unterschiedlich. Im Motorenbau werden formschlüssige Kraftübertragungen (wartungsarm, langlebig) z. B. durch Zahnräder bevorzugt. Obwohl es technisch möglich wäre, die Nebenaggregate über Zahnradkonstruktionen anzutreiben, werden bei heutigen Motoren aufgrund der baulichen Einfachheit und in der Herstellung billigeren Art der kraftschlüssigen Übertragung die Nebenaggregate mittels Keilriemen angetrieben. Eine Ausnahme hiervon bildet der Luftpresser mit der an ihm angeflanschten Hydraulikpumpe. Sein Antrieb erfolgt durch ein Zahnrad, das mit dem Nockenwellenrad des Motors verbunden ist.

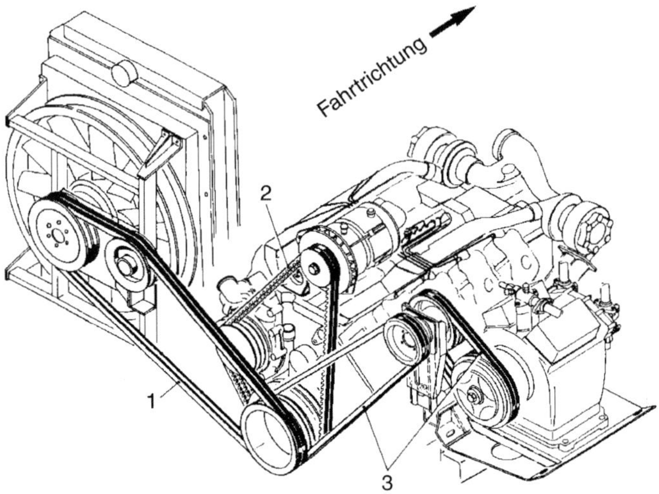


1 Lüfter
2 Wasserpumpe und Lichtmaschine
3 Kältekompressor

**Bild 6-70**
Beispiel Aggregateanordnung und Antrieb durch Keilriemen [6-8]

Die standardmäßigen Hilfsaggregate wie Wasserpumpe und Drehstromgenerator werden meist auf der Stirnseite des Motors über einen Keilrippenriemen, versehen mit einem automatischen Riemenspanner, angetrieben. Diese Art des Antriebes erweist sich als besonders langlebig und wartungsfrei. In diesem ersten Riementrieb können ein oder zwei zusätzliche Aggregate wie ein Kältemittelverdichter (Klimakompressor) integriert werden. In dem nachfolgend dargestellten Bild 6-71 ist die Einbindung eines Kältemittelverdichters in den Riementrieb von Wasserpumpe und Drehstromgenerator aufgezeigt.

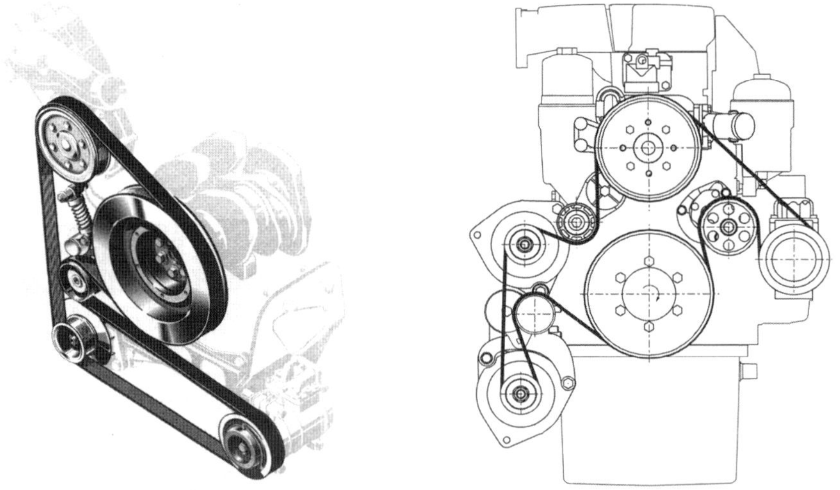

**Bild 6-71** Links: Poly-V-Riemen mit zusätzlichem Klimakompressor MB OM 502 LA, rechts: max. Aggregateanordnung im Einriementrieb für OM 904 LA von MB, mit Klimakompressor und zweitem Generator; links [6-33]; rechts [6-5]

In einer zweiten Riemenebene, realisiert durch eine zweite Riemenscheibe, ist es möglich Hydraulikpumpen und Drehstromgeneratoren für Zusatzaufbauten wie Frigoblock u.ä. zu integrieren und anzutreiben. Der Antrieb des Lüfters erfolgt bei aktuellen Nutzfahrzeugmotoren durch eine temperaturgeregelte Viskosekupplung, die direkt auf der Kurbelwelle des Motors oder aber auch bei Bedarf auf der Antriebswelle der Wasserpumpe sitzt, und eher seltener wie in Bild 6-70 dargestellt über einen Riemen. Die Kraftstoffförderpumpe und Lenkhilfepumpe kann, wie bei der Mercedes-Benz-Baureihe 500 realisiert, als Tandemeinheit ausgeführt und direkt an die Kurbelwelle des Luftpressers angeflanscht werden. Die Unterbringung des Vorgelegestarter erfolgt im hinteren Bereich direkt am Steuergehäuse des Motors. Falls der Motor als Sonderausstattung einen Nebenabtrieb besitzt, so besteht die Möglichkeit, diesen beispielsweise wie im Kapitel 7.3.5 dargestellt direkt im Steuergehäuse des Motors zu integrieren.

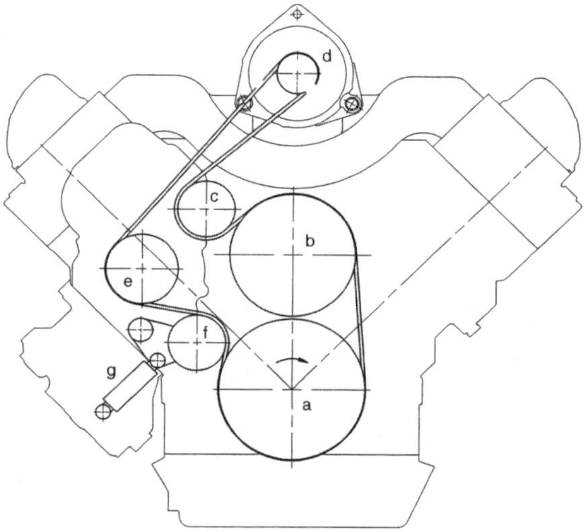


a) Kurbelwelle
b) Lüfter
c) Umlenkrolle
d) Generator
e) Wasserpumpe
f) Spannrolle
g) Feder-Dämpfer-Element

**Bild 6-72**
Nebenaggregate-Anordnung an einem schweren Nutzfahrzeug-V-Motor [6-22]

# 6.8 Öl- und Kühlkreislauf

## 6.8.1 Ölkreislauf

Die Lebensdauer des Motors hängt im Wesentlichen von der erfolgreichen Motorschmierung ab. Um jederzeit eine ausreichende Schmierung der drehenden und bewegenden Teile des Motors gewährleisten zu können, wird das Prinzip der Druckumlaufschmierung angewendet (Bild 6-73). Eine Ölpumpe saugt dabei aus der Ölwanne das Öl an und fördert es mit Druck über Leitungen und Bohrungen zu den einzelnen Schmierstellen. Zusätzlich erfüllt das Öl die Aufgabe der Kühlung aller Triebwerksteile, den Abtransport von Verunreinigungen sowie die Neutralisierung chemisch wirksamer Verbrennungsprodukte.

Bauteile dieses Ölkreislaufes eines Nutzfahrzeugmotors sind:

Ölwanne – Ölsieb – Ölpumpe – Überdruckventil – Ölfilter – Umgehungsventil – Öldruckmesser und meist ein Ölkühler.

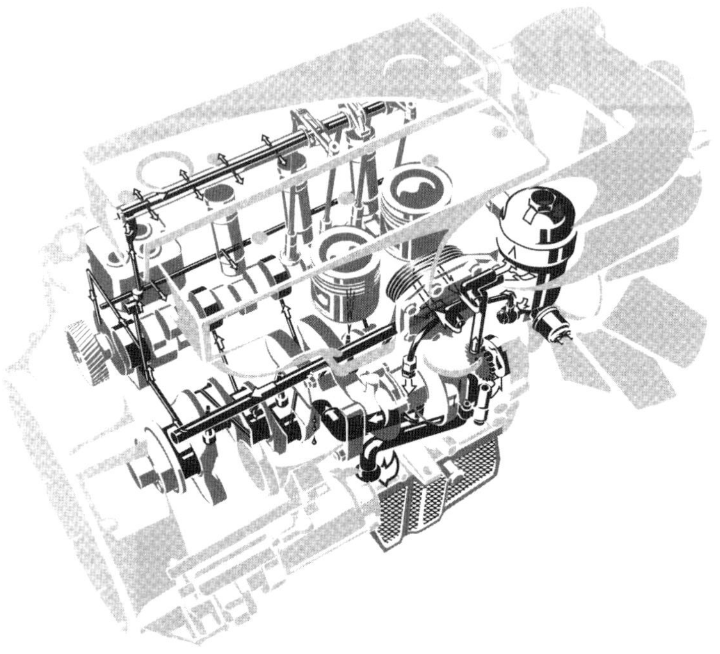

**Bild 6-73**
Druckumlaufschmierung, MB OM 904 LA [6-5]

### *6.8.1.1 Ölpumpe und Ölfilter*

Die *Ölpumpe* ist in der Regel als Zahnradpumpe (Bild 6-74) mit einem Zahnradpaar ausgeführt und wird durch den Motor angetrieben. Das Öl wird durch die Drehbewegung der Zahnräder zwischen den Zahnflanken mitgenommen und entlang der Wandung der Pumpe in den Druckraum gefördert. Hinter der Pumpe befindet sich ein Überdruckventil, das einen unzulässig hohen Öldruck im Ölkreislauf verhindert und auf einen maximalen Öldruck von ca. 4 bis 5 bar eingestellt ist. Bei der Auslegung des Ölpumpensystems muss darauf geachtet werden, dass die Ansaugstelle der Ölpumpe in der Ölwanne bei allen Bewegungszuständen des Fahrzeuges keine Luft ansaugt.

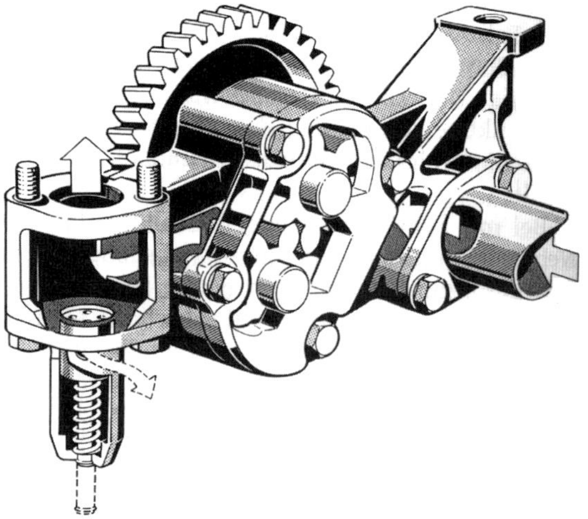

**Bild 6-74**
Zahnradölpumpe mit Überdruckventil [6-22]

Am *Öldruckmesser* wird der Öldruck des Motors angezeigt. Ein hoher Öldruck muss nicht zwangsläufig gute Schmierung bedeuten. So kann bei kaltem Motor, zähflüssigem Öl und einem verstopften Ölfilter ein hoher Öldruck auftreten und trotzdem die Schmierung schlecht sein. Um eine ausreichende Schmierung sicherzustellen, sollte der Öldruck nicht unter 1 bar fallen.

Bei den *Ölfiltern* wird zwischen zwei Filterarten unterschieden, zum einen den Hauptstromfilter (Bild 6-74) und zum anderen den Nebenstromfilter. Oftmals werden Motoren mit Haupt- und Nebenstromfiltern ausgerüstet. Die Bemessung des Ölfilters richtet sich nach dem Schmutzanfall des Motors sowie den vorgegebenen Wartungsintervallen des Motorenherstellers. Der Ölfilter wird grundsätzlich hinter dem Druckregelventil eingebaut.

Bei dem Hauptstromfilter wird, wie in Bild 6-75 dargestellt, die gesamte Ölmenge durch das Filterelement geleitet und gereinigt zu den einzelnen Schmierstellen geführt. Als Filterelement werden hauptsächlich Papierfeinfilter mit einer üblichen Porengröße von 10 bis 100 µm eingesetzt. Im oberen Bereich des Filtergehäuses befindet sich ein Umgehungsventil, das bei einer Verstopfung des Filterelements die Ölversorgung der Schmierstellen sicherstellt. Um ein Leerlaufen des Filters während des Motorstillstands zu verhindern, wird ein Rücklauf-Sperr-Ventil in das Filtergehäuse eingebaut. Für den Hauptstromfilter werden gefaltetes Papier oder Faserwerkstoffe wie Glasfaser als Filtermaterial verwendet.

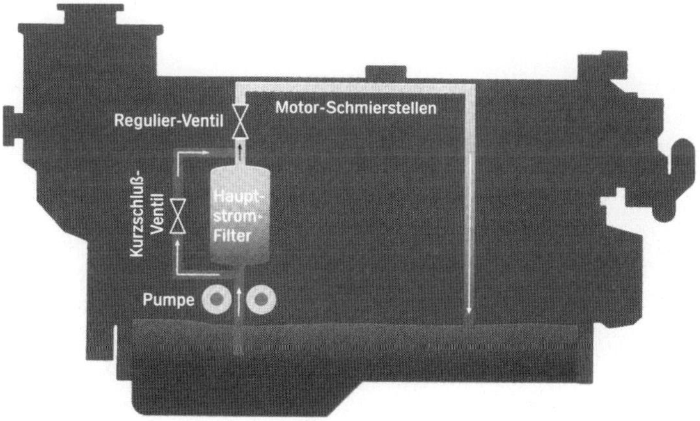


**Bild 6-75**
Hauptstrom-Filterung [6-48]

Bei dem Nebenstrom-System wird nur ein Teil (ca. 5 bis 10 % des Ölstroms) zur Reinigung abgezweigt. Als Filtermaterial kommt Baumwolle, gefaltetes Papier oder gestapelte Papierscheiben zum Einsatz, deren Porengröße bei 1 bis 5 µm liegt. Nebenstromfilter sollten nur in Verbindung mit Hauptstromfiltern eingesetzt werden. Sie können feinste Verunreinigungen des Öls, die vom Hauptstromfilter durchgelassen wurden, herausfiltern und so die Feinstverschmutzung im Öl reduzieren. Ein Umgehungsventil (Kurzschlussventil) ist nicht erforderlich, da Neben- und Hauptstrom parallel zueinander verlaufen.

Der Durchflusswiderstand von Hauptstromfiltern ist eine Größe, die bei der Bestimmung des Ölfilterwechselintervalls eine wichtige Rolle spielt. Zur Vermeidung des Zustandes, dass das Umgehungsventil im Ölfilter anspricht und so ungefiltertes Öl in den Motor gelangt, muss darauf geachtet werden, dass am Ende des Filterwechselintervalls der Durchflusswiderstand nicht zu stark ansteigt. Ist kein Umgehungsventil eingebaut, kann der hohe Durchflusswiderstand zu einer Zerstörung des Filterelementes oder zu einem Absinken des Öldrucks führen.

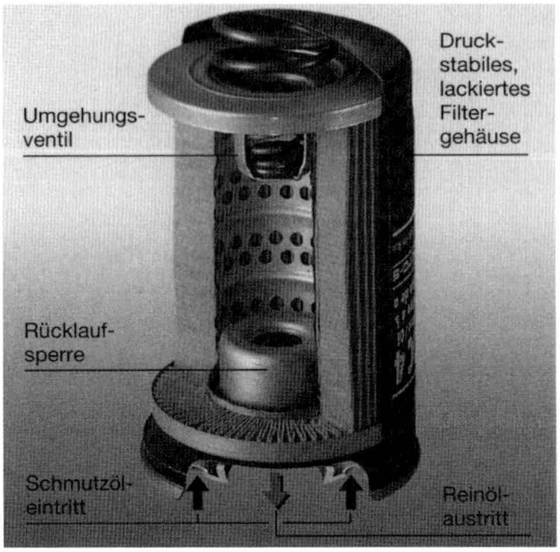


**Bild 6-76**
Darstellung des Ölfilteraufbaus eines Hauptstromfilters [6-56]

### *6.8.1.2 Ölkühler*

Da die Aufgabe des Öls nicht mehr nur alleine die Ölversorgung, sondern auch die Kühlung des Motors ist, muss bei schweren Nutzfahrzeugen eine Ölkühlung (Bild 6-77) eingesetzt werden. Die Öltemperatur sollte im Betrieb des Motors nicht über 120 °C liegen. Die Begrenzung der maximalen Öltemperatur ist erforderlich, um genügend Sicherheit für die Lagerdauerhaltbarkeit einerseits und die Ölbeanspruchung andererseits in Verbindung mit langen Ölwechselintervallen garantieren zu können. Ab einer Temperatur von 150 °C verringert sich die Lebensdauer des Öls pro 10 °C um etwa die Hälfte. Die zur Kühlung des Öls mit Kühlmittel umspülten Wärmetauscher gewährleisten die Einhaltung bzw. Unterschreitung dieses maximal zulässigen Temperaturniveaus im Betrieb. In umgekehrter Weise wird beim Kaltstart durch den Wärmetauscher das Öl schnell auf Betriebstemperatur gebracht, was den Verbrauch sowie die HC- und CO-Emission verringert. Zur Sicherheit vor zusätzlichen Verunreinigungen des Öls durch den Ölkühler (hohe Anzahl von Lötverbindungen) wird dieser stets vor dem Ölfilter angeordnet.

**Bild 6-77**
Ölkühler/Ölfiltereinheit MB BR 500 [6-33]

## 6.8.2 Kühlarten

Bei der Verbrennung des Luft-Kraftstoff-Gemisches im Motor wird neben der Umwandlung in mechanische Energie auch ein erheblicher Anteil Wärmeenergie (ca. 30 %) freigesetzt. Durch die begrenzte Hitzebeständigkeit des Motors ist der Einbau einer Kühlanlage zwingend erforderlich. Die Kühlung des Motors ist auf zwei Arten möglich, zum einen durch Luftkühlung zum anderen durch Wasserkühlung.

### *6.8.2.1 Luftkühlung*

Bei der Luftkühlung wird Luft von einem Gebläse angesaugt und über Kanäle und Leitbleche zu den Zylindern geführt. Der Antrieb des Gebläses erfolgt mittels Keilriemen oder direkter Montage auf die Kurbelwelle. Die Intensität des Luftstroms wird durch Veränderung der Gebläsedrehzahl (Temperaturregler) erreicht. Die vom Motoröl aufgenommene Wärme wird von einem luftgekühlten Ölkühler abgeführt.

Vorteile dieser Kühlung sind:

- Wartungsfreiheit
- Betriebstemperatur des Motors wird schnell erreicht.
- Kühlung unabhängig vom Siedepunkt des Kühlmittels

Nachteile sind:

- kein Wassermantel zur Geräuschdämpfung des Motors
- Leistungsbedarf des Lüfters groß (3 bis 6 %)
- große Schwankungen bei der Betriebstemperatur des Motors
- keine genaue Motortemperierung möglich

Von den europäischen Nutzfahrzeug-Herstellern bietet nur noch die Firma Deutz luftgekühlte Motoren für den schweren Nutzfahrzeug-Bereich mit einem Leistungsspektrum von mehr als 140 kW an.

Die luftgekühlten Motoren werden wegen ihres mangelnden Komforts, insbesondere wegen des geringen Heizwärmeangebots und den nur noch mit erheblichem konstruktivem Aufwand beherrschbaren Temperaturanstieg von höher aufgeladenen Motoren, verursacht durch den Anstieg der mittleren Nutzdrücke, die eine starke mechanische Belastung des Motors nach sich ziehen, kaum noch eingesetzt.

### *6.8.2.2 Wasserkühlung*

Die Wasserkühlung hat sich im Kraftfahrzeugbereich weitgehend durchgesetzt. Bei der Wasserkühlung sind Zylinderkopf und Zylinderkurbelgehäuse doppelwandig ausgeführt. Zwischen dieser Wandung befindet sich der Wassermantel, worüber die Verbrennungswärme des Motors abgeführt wird. Damit eine gleichmäßige Kühlung aller Zylinder gewährleistet ist und eine bestmögliche Kühlung von Einspritzdüse und Ventilstegen erzielt wird, werden zur Lösung dieses Problems modernste Konstruktions- und Berechnungsverfahren herangezogen. So werden dreidimensionale Strömungsberechnungen (CFD) in Verbindung mit Laser-Doppler-Anemometer-Messungen zur Ermittlung von Durchflusswiderständen und Strömungsverteilungen angewendet, damit eine optimale Kühlung des gesamten Motors sichergestellt werden kann.

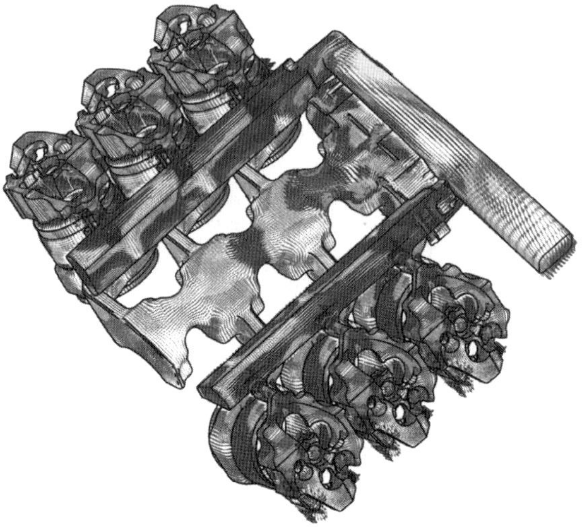

**Bild 6-78**
Rechnerische Optimierung des Kühlwasserkreislaufs [6-35]

Der Kühlkreislauf setzt sich aus Wasserpumpe, Thermostat, Verbindungsschläuchen, Kühler, Ausgleichsbehälter und Lüfter zusammen. Als Kühlmittel wird ein Gemisch aus sauberem Wasser und 30 bis 50 % Gefrier- und Korrosionsschutzmittel (überwiegend Ethylenglykol) verwendet. Neben der Wärmeabfuhr erfüllt das Kühlmittel die Aufgabe des Korrosionsschutzes, Anhebung der Siedetemperatur sowie Verhinderung des Einfrierens des Kühlkreislaufes. Der Kühlkreislauf wird unterteilt in Kurzschlusskreislauf und Hauptstromkreislauf. Wird der kalte Motor angelassen, so steht der Thermostat in der Kurzschlussstellung. Der Kühlmittelstrom fließt nur innerhalb des Motors, ohne Einbindung des Kühlers. Durch diesen geschlossenen inneren Kühlkreislauf wird der Motor recht schnell auf Betriebstemperatur gebracht. Bei einer Aufheizung auf ca. 85 °C öffnet der Thermostat und das Kühlmittel fließt durch den Hauptstromkreislauf in den Kühler, der es herunterkühlt und dem Motor auf niedrigerem Temperaturniveau wieder zuführt.

### *6.8.2.3 Komponenten des Kühlkreislaufs*

Der Antrieb der *Wasserpumpe* erfolgt durch den Keilriemen des Motors. Im Nutzfahrzeug-Bereich werden die Pumpen überwiegend als Kreiselpumpen ausgeführt. Im Innern der Pumpe befindet sich ein Flügelrad, das die Kühlflüssigkeit in Bewegung versetzt.

Zur Regulierung der Kühlmitteltemperatur wird allgemein ein *Dehnstoffthermostat* eingesetzt. Bei einem Temperaturanstieg des Kühlmittels dehnt sich der wachsartige Dehnstoff im Thermostat aus und bewirkt dadurch eine allmähliche Öffnung des Ventils. Diese Öffnung des Ventils bewirkt eine stetige Zunahme des Kühlmittelstroms im Hauptstromkreislauf unter Einbindung des Kühlers und eine Abnahme im Kurzschlusskreislauf im Innern des Motors, bis schließlich der Kurzschlusskreislauf ganz geschlossen ist. Durch die Variation des Öffnens und Schließens lässt sich eine konstante Betriebstemperatur des Motors, eine gute Heizleistung für das Fahrerhaus und eine günstige Abgaszusammensetzung erreichen.

Wasser hat die Eigenschaft, sich mit steigender Temperatur auszudehnen und mit fallender zusammenzuziehen. Um dieser Eigenschaft des Wassers Rechnung zu tragen, bedarf es eines *Ausgleichsbehälters*. Mit steigender Kühlmitteltemperatur baut sich Druck im Kühlkreislauf auf. Bei einem Überdruck von ca. 0,5 bis max. 1,1 bar öffnet ein im Verschluss des Ausgleichsbehälters eingebautes Überdruckventil und verhindert eine eventuelle Beschädigung des Kühlsystems. Durch den Öffnungsüberdruck von 0,5 bar kann die Wassertemperatur auf ungefähr 108 °C ansteigen, ohne dass das Wasser verdampft und damit unnötige Kühlmittelverluste eintreten. Mit fallender Kühlmitteltemperatur entsteht ein Unterdruck im Kühlsystem. Um ein Zusammendrücken der Kühlmittelschläuche oder des Kühlers durch den Umgebungsdruck zu verhindern, wird in den Verschlussdeckel zusätzlich ein Unterdruckventil eingebaut. Gefertigt werden diese Ausgleichsbehälter aus Kunststoff wie z. B. Polypropylen.

Da bei niedrigen Geschwindigkeiten die Luftkühlung des Kühlers durch den Fahrtwind nicht ausreicht, muss zur Sicherstellung einer gleichmäßigen Kühlleistung dieser zwangsbelüftet werden. Diese Zwangsbelüftung erfolgt durch das *Kühlluftgebläse*. Im Nutzfahrzeug-Bereich werden Vollkunststofflüfter eingesetzt deren Antriebsleistung bis zu 15 kW betragen kann. Bei kaltem Motor dreht sich der Lüfter ungefähr mit 25 % der Motordrehzahl. Mit steigender Kühlmitteltemperatur wird durch eine Bimetallfeder die Visko-Kupplung des Lüfters immer weiter zugeschaltet und so eine stetige Drehzahlerhöhung des Kühlluftgebläses mit einer erhöhten Kühlleistung erzielt. Ein Nachteil dieser Lüfter ist die erhebliche Schallemission bei hohen Kühlmitteltemperaturen von ca. 90 °C und mehr, bei denen der Lüfter durch die Viskosekupplung voll zugeschaltet ist.

Der *Kühlmittelkühler* sollte wegen des geringen Einbauraumes sehr kompakt und möglichst gewichtsoptimiert ausgeführt sein. Sie können hartgelötet oder mechanisch gefügt werden. Das Kühlnetz im Innern besteht aus wellenartig aufgebauten Lamellen mit einer Dicke von ca. 0,1 mm. Die Kühler werden sowohl aus Buntmetall (Bild 6-79) als auch mittlerweile verstärkt aus Aluminium gefertigt. Die Aluminiumausführung führt gegenüber der Bundmetallausführung zu einem Gewichtsvorteil von bis zu 40 %. Häufig ist die Kühlanlage modular aufgebaut (Kühlmodul), mit einem Übereinanderlegen von Ladeluft- und Kühlmittelkühler (Sandwich-Bauweise).

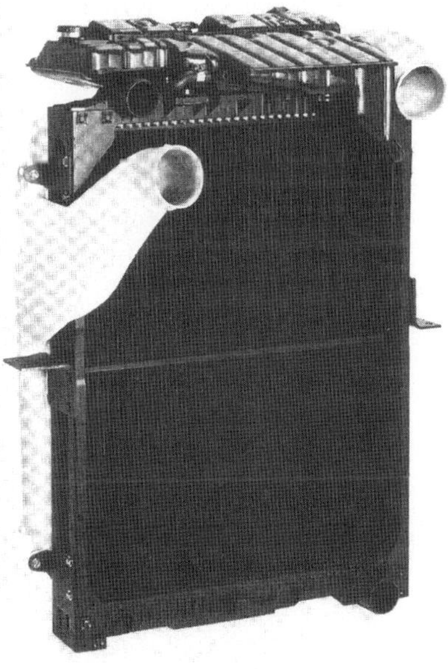

**Bild 6-79**
Kühlmodul eines Nutzfahrzeugmotors mit Kühlmittelkühler (Buntmetall) und vorgebautem Ladeluftkühler sowie aufgesetztem Ausgleichsbehälter [6-22]

## 6.9 Luftversorgung, Ladeluft- und Abgasführung

Aufgabe des Luftfilters ist die Reinigung der Ansaugluft von Verschmutzungen, sowie die Dämpfung des Ansauggeräusches. Das Ansauggeräusch der Luft muss gedämpft werden, damit die gesetzlichen Bestimmungen zur Einhaltung der Gesamtgeräuschemission des Fahrzeuges erfüllt werden.

Es kommen vorwiegend Papierluftfilter, auch Trockenluftfilter genannt, zum Einsatz. Als Variation dazu gibt es die Ölbadluftfilter, bei denen die angesaugte Luft über ein Ölbad strömt und dabei vorentstaubt wird. Beim Aufwärtsströmen durch den Ölbadluftfilter werden kleinste Öltropfen mitgerissen, die den Filtereinsatz (Stahlgestrickfüllung) benetzen und gleichzeitig die angesaugte Luft von Verunreinigungen befreit. Durch kontinuierliches Benetzen des unteren Filtereinsatzes wird eine Verstopfung des Filters vermieden. Das mit den Luftverschmutzungen angereicherte Öl tropft dabei wieder in das Ölbad zurück. Die überwiegend verwendeten Papierluftfilter sind im Innern mit einer speziellen Filterpatrone ausgestattet, die einen Ausscheidungsgrad von fast 100 % garantieren. Häufig sind Papierluftfilter mit einer Sicherheitspatrone versehen, die im Schadensfall der Hauptpatrone (z. B. Wartungsfehler) eine Staubfreiheit der Ansaugluft sicherstellt.

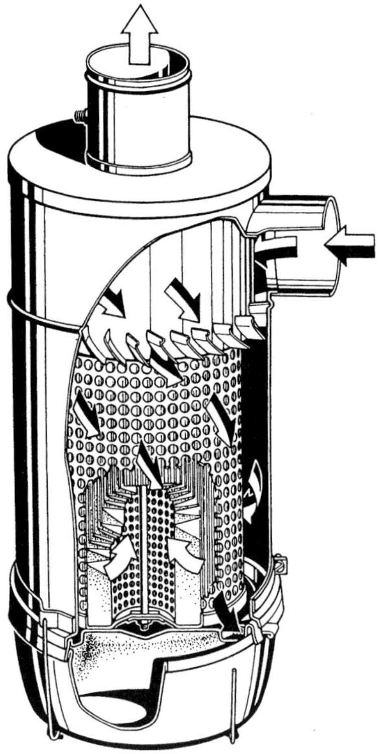

Zusätzlich zum Trockenluftfilter kann ein Zyklon-Vorabscheider, dargestellt in Bild 6-80, in das Filtergehäuse eingebaut werden (Zweistufenfilter). Diese Kombination wird heute bevorzugt verwendet und verlängert die Wartungsintervalle des Luftfilters erheblich. Die angesaugte Luft wird durch die Leitschaufeln in Rotation versetzt und die Staubpartikel dabei vor Erreichen des nachgeschalteten Papierfilters durch die Fliehkräfte nach außen getragen und abgeschieden. Der Wartungszeitpunkt des Luftfilters wird durch einen Wartungsanzeiger signalisiert, der das Erreichen des maximal zulässigen Durchflusswiderstands des Luftfilters anzeigt. Mit zunehmender Verschmutzung des Filterelementes wird ein rotes Feld am Wartungsanzeiger sichtbar. Durch einen Wartungsschalter kann der Filterwechsel optisch und akustisch angezeigt werden

**Bild 6-80**
Papierluftfilter mit Zyklon [6-65]

**Tabelle 6-11** Staubkonzentrationen im Straßenverkehr

| Einsatzgebiet | Staubkonzentration (in g/m³) |
|---|---|
| Autobahn, Straßen bester Qualität | ... 0,001 |
| Normaler europäischer Straßenverkehr | 0,001 ... 0,003 |
| Unsaubere Landstraßen, Lkw im Baustellen-Einsatz | 0,003 ... 0,015 |
| Sichtbare Lufttrübung | 0,010 ... 0,050 |
| Kolonnenfahrt auf Feldwegen | 0,050 ... 0,200 |

Die in der Tabelle 6-11 angegebenen Staubkonzentrationen sind wichtige Größen für die Auslegung und Ermittlung der erreichbaren Standzeit von Luftfiltern.

**Tabelle 6-12** Richtwerte für die Auslegung von Luftfiltern

| Fahrzeugart | Spezifische Fläche ($cm^2/m^3 \cdot min$) | Erreichbare Standzeiten (in km) |
|---|---|---|
| Nfz, Diesel | 4000 | 100.000 |
| Pkw, Diesel | 2500 | 50.000 |
| Pkw, Otto | 1500 | 60.000 |

## 6.9.1 Ladeluftkühler

Die Ladeluftkühler bewirken eine Leistungssteigerung aufgeladener Motoren und tragen gleichzeitig zur Senkung der Schadstoffemission bei. Je höher die Abkühlung der Ladeluft ist, desto größer ist der Dichterückgewinn der Luft und damit die Leistungssteigerung. Verwendet werden ausschließlich luftgekühlte Kühler. Am Kühleintritt beträgt die Temperatur bei Nutzfahrzeugmotoren bis zu 220 °C. Der Einbau dieser Kühler kann im Bereich des Kühlmittelkühler, aber auch an einer gänzlich anderen Stellen erfolgen. Bei unabhängiger Montage erfolgt die Kühlung durch ein separates Gebläse. Die Netze von Ladeluftkühlern sind vorwiegend aus Aluminium gefertigt und ähneln in der Konstruktion denen der Kühlmittelkühler (Bild 6-81). Auf der Innenseite der Kühlrohre sind zur Vergrößerung der Kühlfläche Rippen angebracht. Bei schweren Nutzfahrzeugen werden die Kühlkästen im Aluminium-Kokillenguss hergestellt und auf den Kühlblock aufgeschweißt. Für leichte und mittlere Nutzfahrzeuge werden die Kühlkästen mittlerweile auch aus temperaturbeständigem Kunststoff gefertigt.

Die entscheidende Größe für den Ladeluftkühler ist der Austauschgrad $\Phi$. Er gibt das Verhältnis zwischen Abkühlung der Ladeluft und Temperaturgefälle (Ladeluft/Kühlluft) an. Für Nutzfahrzeugmotoren gilt $\Phi = 0,65 \div 0,85$.

$$\Phi = \frac{(t_{1E} - t_{1A})}{(t_{1E} - t_{2E})} \qquad (6\text{-}56)$$

$t_{1E}$ = Ladelufteintrittstemperatur
$t_{1A}$ = Ladeluftaustrittstemperatur
$t_{2E}$ = Kühllufteintrittstemperatur

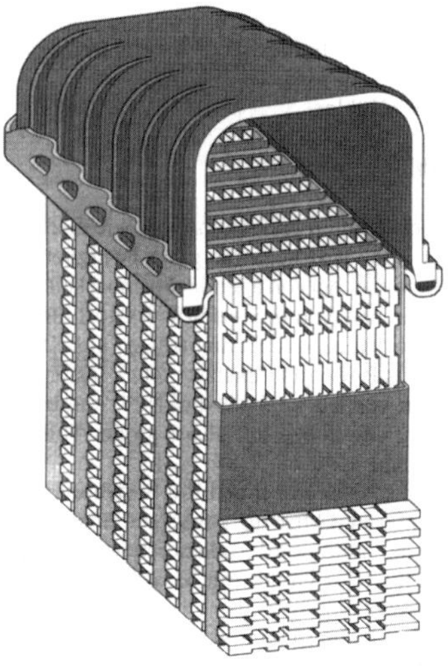

**Bild 6-81**
Ladeluftkühler [6-3]

## 6.9.2 Motorbremseinrichtungen

Die in Nutzfahrzeugen verwendeten Radbremsen sind nicht für einen Dauerbetrieb ausgelegt , beim länger andauernden Bremsen kommt es zur Überhitzung der Bremseeinrichtung (während des Bremsens wird Bewegungsenergie des Fahrzeugs über die Reibung in der Bremse in Wärmeenergie umgewandelt). Seit dem 01.01.1991 müssen Lkw, Sattelzugmaschinen und Anhänger mit einer von den Radbremsen unabhängigen, dauerbremsfesten Betriebs-Bremsanlage ausgerüstet sein. Neben der zusätzlichen Sicherheit wird die Betriebsbremse geschont und erreicht eine höhere Lebensdauer. Dauerbremsen lassen sich in zwei Gruppen einteilen: Motorbremsen und Retarder. Zu den dauerfesten Motorbremssystemen zählen die Bremsklappe sowie die Konstantdrossel.

Die größte Verbreitung bei Nutzfahrzeugen weist die Motorbremse mit Hilfe einer *Abgasklappe* auf (Bild 6-82). Diese Bremsklappe befindet sich im Auspufftrakt des Motors und ist drehbar gelagert in das Abgasrohr integriert. Durch die vom Fahrer betätigte Klappe wird der Querschnitt des Abgasrohres verengt. Gegen diesen Widerstand muss der Motor die Abgase ausschieben, das Fahrzeug wird somit gebremst. Durch Erhöhung des Abgasgegendruckes kann eine Bremsleistung bis zu 20 kW/l erzielt werden. Die Motorbremse nutzt die Schleppleistung des Motors, also die Energie, die benötigt wird, um den Motor „von Hand" zu drehen, und die Bremsleistung, die durch die Drosselung der Abgasströme im Abgaskanal entsteht.

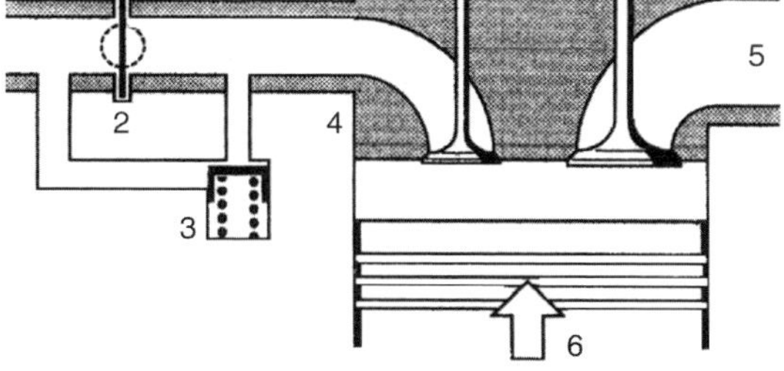


1 Auspuffklappen-Betätigung (Druckluft)
2 Bypass
3 Druckregelventil
4 Auslass
5 Einlass
6 Kolben (4. Arbeitstakt)

**Bild 6-82**
Drosselklappe mit Druckregelventil [6-65]

Im Gegensatz zur Abgasklappe wird das Fahrzeug durch die Nutzung der *Konstantdrossel* auch während des Verdichtungstaktes gebremst. Durch ein zusätzliches Ventil im Zylinderkopf, welches vom Fahrer betätigt werden kann, wird Kompressionsarbeit vom Motor erbracht, die das Fahrzeug bremst. Beim Motorbremssystem mit zusätzlicher Konstantdrossel (Bild 6-83) handelt es sich um ein von Mercedes-Benz entwickeltes Verfahren. Durch die Verwendung eines kleinen zusätzlichen Drosselventils, im Bypass zum Auslassventil ermöglicht es eine weitere Steigerung der Motorbremsleistung. Während des Motorbremsbetriebs wird durch Öffnen das Drosselventil ein Teil des Kompressionsdrucks im Kolben abgebaut. Durch das Ausbleiben der Expansionswirkung erreicht man, dass der Kolben im Expansionstakt nicht beschleunigt wird.

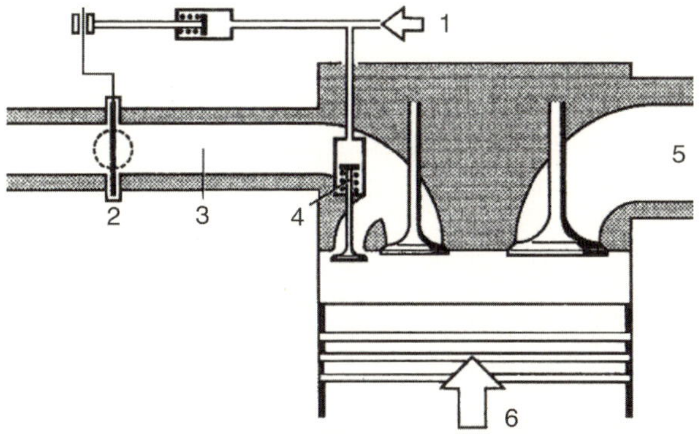


1 Druckluft
2 Auspuffklappe
3 Auslass
4 Konstantdrossel
5 Einlass
6 Kolben ( 2. Arbeitstakt)

**Bild 6-83**
Konstantdrossel mit Auspuffklappe [6-65]

Die *Turbobrake* ist ein neues Motorbremssystem, welches zusammen mit dem Mercedes Benz Axor eingeführt wurde. Sie führt im Zusammenspiel mit der Konstantdrossel dazu, dass die Bremswirkung des Motors verstärkt wird. Die Motorbremsleistung mit der Turbobrake liegt wesentlich höher als bei dem herkömmlichen Konstantdrossel- und Auspuffklappensystem. Die Turbobrake baut auf dem herkömmlichen Turbolader auf. Hauptmerkmal ist eine Art Drosselventil am Abgas-Turbinenrad. Sobald eine verstärkte Motorbremswirkung erforderlich ist, wird der Turbineneingang durch das Drosselventil verkleinert, dadurch verjüngt sich der Durchflussquerschnitt und die Abgasbeschleunigung hat eine Erhöhung der Turboladerdrehzahl zur Folge (Bild 6-84). Der dadurch erhöhte Ladedruck steigert die Motorbremswirkung. Im Gegensatz zu Retardern wird das Fahrzeuggewicht nicht wesentlich erhöht und auch der Kühlwasserkreislauf wird durch die Turbobrake nicht beeinflusst.

**Bild 6-84** Turbobrake

Als Neuheit bietet MAN den Pritarder an, ein drehzahlunabhängiges Bremssystem, das direkt an die Kühlmittelpumpe angebaut ist. Der Pritarder bestehend aus Rotor und Stator sitzt wie die Kühlmittelpumpe direkt auf der Kurbelwelle. Durch ein Ventil kann Kühlflüssigkeit in den Pritarder geleitet werden, wodurch die Kurbelwelle abgebremst wird und Energie als Wärme in das Kühlmedium abgeführt wird.

**Bild 6-85** Pritarder

### 6.9.3 Ladedruckregelung

Wie in Kapitel 6.6.2 beschrieben wird zur Anpassung des Turboladers an den Motor ein Bypass (Waste-Gate) mit einer Ladedruckregelklappe bzw. Ladedruckregelventil in die Abgasanlage eingebaut.

Die typische Ladedruckregelung erfolgt über eine Membrane, die mit einer Schraubenfeder vorgespannt ist und mit Ladedruck, also dem Abgasstrom, beaufschlagt wird (Bild 6-86). Übersteigt der Ladedruck die Vorspannkraft der Feder, so öffnet sich das Ventil und der Abgasstrom wird um die Turbine herum über einen Bypass in den nachfolgenden Abgasstrang geleitet.

Zunehmend wird das Ladedruckregelventil von der Ladedruckregelklappe (Bild 6-87) verdrängt. Bei diesem System wird der Bypass durch einen Klappenmechanismus geöffnet oder geschlossen. Das Regelgestänge der Klappe ist mit einer Steuerdose verbunden, die überwiegend direkt am Verdichter befestigt ist. Je nach Ladedruck wird auch hier der Abgasstrom durch den Turbolader geführt oder durch den Bypass unter Umgehung der Turbine in den Abgasstrang geleitet.

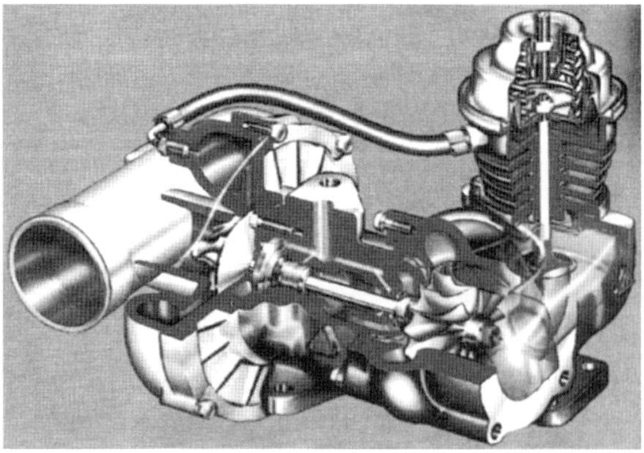

**Bild 6-86**
Turbolader mit Ladedruckregelventil [6-68]

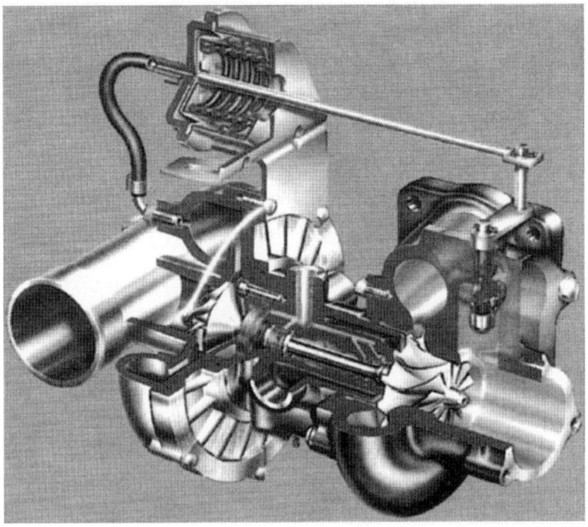

**Bild 6-87**
Turbolader mit Ladedruckregelklappe [6-68]

Im Bild 6-88 ist die Ladeluft- und Abgasführung eines V-8-Nutzfahrzeugmotors dargestellt.

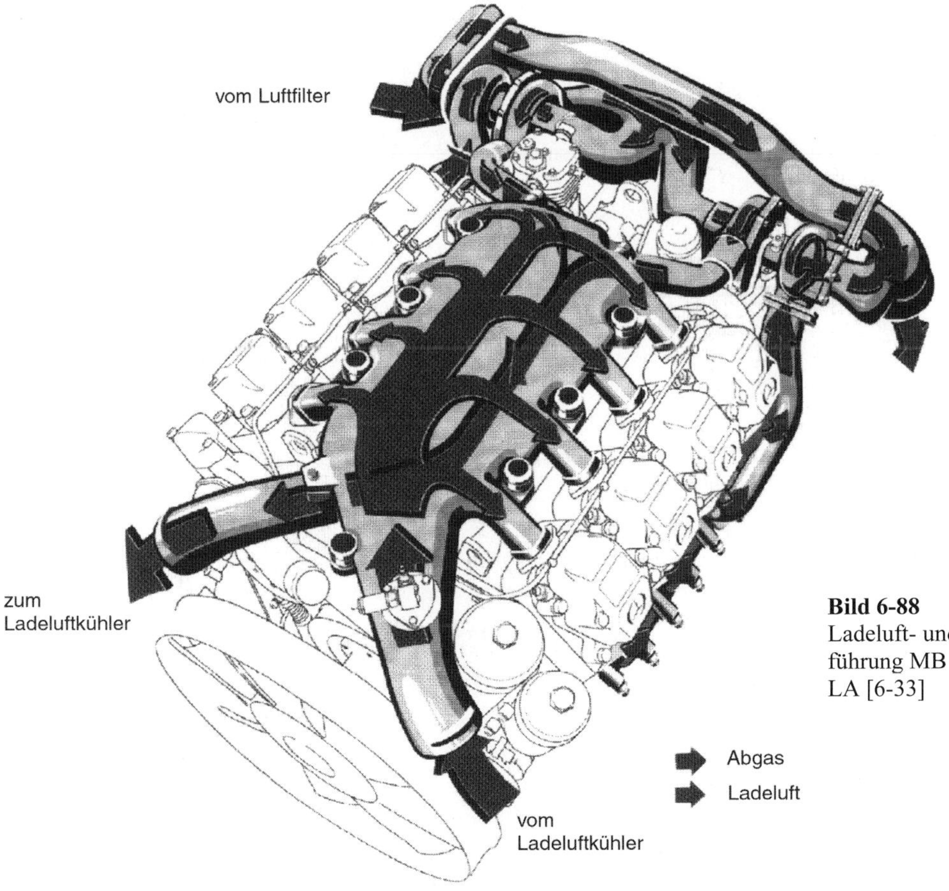


**Bild 6-88**
Ladeluft- und Abgasführung MB OM 502 LA [6-33]

# 6.10 Kraft- und Schmierstoffe

## 6.10.1 Anforderungen an den Kraftstoff

Kraftstoffe für Dieselmotoren sind Gemische aus Kohlenwasserstoffen. Je nach Kraftstoffqualität ergeben sich unterschiedliche Auswirkungen auf das Abgas-, Kraftstoffverbrauchs-, Akustik- und Leistungsverhalten des Motors.

Durch die Verbesserung der Kraftstoffqualität – Cetanzahl, Schwefelgehalt und Aromatengehalt – lässt sich das Emissionsverhalten des Dieselmotors primär durch eine optimierte Verbrennung und sekundär durch Abgasnachbehandlungsmaßnahmen verbessern.

### *6.10.1.1 Zündwilligkeit, Cetanzahl*

Dieselmotoren arbeiten nach dem Prinzip der Selbstzündung. Deshalb muss sich der Kraftstoff nach dem Einspritzen in die heiße komprimierte Luft im Brennraum nach einem möglichst geringen Zündverzug von selbst entzünden. Die Zündwilligkeit hängt im Wesentlichen von der Cetanzahl ab. Die Cetanzahl drückt die Zündwilligkeit des Kraftstoffes aus und entspricht in ihrer Bedeutung der Oktanzahl beim Ottomotor. Je leichter sich ein Kraftstoff entzünden lässt, desto höher ist die Cetanzahl. n-Hexadekan (Cetan) hat als sehr zündwilliger Kraftstoff die Cetanzahl 100 und Methylnaphthalin als sehr träger Kraftstoff die Cetanzahl 0. In der europäischen Anforderungsnorm für Dieselkraftstoff (EN 590) ist eine Mindestcetanzahl von 49 vorgeschrieben. Deutsche Dieselkraftstoffe haben etwa eine Cetanzahl von 52 mit der Tendenz zu höheren Werten in Sommerkraftstoffen und zur Sicherstellung ausreichender Kälteeigenschaften durch teilweisen Verzicht auf schwersiedende Paraffine eine Cetanzahl, die im Winter unterhalb von 52 liegt. Ein Kraftstoff der die Cetanzahl 49 hat verhält sich so, als wenn er aus 49 Teilen Cetan und 51 Teilen Methylnaphthalin zusammengesetzt ist.

Qualitativ hochwertige Dieselkraftstoffe enthalten also einen hohen Anteil an Paraffinen mit hohen Cetanzahlwerten. Paraffine zeichnen sich durch gute Zündwilligkeit aus und steigern die Cetanzahl des Kraftstoffes. Nachteilig ist das begrenzte Kälteverhalten der Paraffine, wodurch die Kältebeständigkeit des Diesels gemindert wird. Ermittelt wird die Cetanzahl durch einen speziellen 1-Zylinder Prüfmotor.

Mit zunehmender Cetanzahl verbessert sich die Verbrennung und somit das Start und Geräuschverhalten und insbesondere die gasförmige Abgasemission bezüglich HC, CO und $NO_X$ des Dieselmotors werden verringert.

Kraftstoffe, die eine geringe Zündwilligkeit aufweisen, bewirken einen höheren Zündverzug, was eine Verschlechterung der Kaltstarteigenschaften sowie höhere Druckspitzen nach sich zieht und damit einen Anstieg der Abgas- und Geräuschemission bewirkt.

### *6.10.1.2 Schwefelgehalt*

Von besonderer Bedeutung bei den Nachbehandlungskonzepten des motorischen Abgases ist der Schwefelgehalt, da seine Reduktion neben geringeren Partikelemissionen auch eine Absenkung der Sulfatbildung in Oxidations-Katalysatoren zur Folge hat. Geringerer Schwefelgehalt ist auch eine Grundvoraussetzung für den Einsatz katalytisch wirkender Partikelfilter. Auch die in Entwicklung stehenden Technologien des aktiven Denox-Katalysators und insbesondere des

$NO_x$-Adsorbers weisen eine starke Schwefel-Sensitivität auf. Bei der Verbrennung des Dieselkraftstoffs werden mehr als 95 % des Schwefelgehalts zu $SO_2$ verbrannt. Die restlichen ca. 5 % gehen als Sulfate in die Partikelemission ein.

Der Schwefelgehalt des Dieselkraftstoffes hängt vom verwendeten Rohöl ab. Ohne Entschwefelung des Diesels liegt der Schwefelgehalt bei ca. 0,1 bis über 2 Gewichtsprozent. Seit Oktober 1996 ist für europäische Dieselkraftstoffe von der EG ein maximal zulässiger Schwefelgehalt von 0,05 % vorgeschrieben. Seit dem 01.01.2000 war die erste Stufe einer europäischen Gesetzesgebung für Kraftstoffqualitäten in Kraft, sie limitiert den Schwefelgehalt EU-weit von bislang 500 ppm auf 350 ppm (oder Anzahl der Schwefelmoleküle pro 1 Million Treibstoffmoleküle) im Dieselkraftstoff. Ab dem 01.01.2005 bieten die europäischen Mineralölhersteller den Dieselkraftstoff dann schwefelarm mit einem Schwefelgehalt von nur noch 50 ppm an.

Um die bereits erwähnten Techniken realisieren zu können, ist jedoch ein noch deutlich geringerer Schwefelgehalt (10 ppm) anzustreben, damit Desulfatisierungsintervalle und Lebensdauer der Katalysatoren in einem akzeptablen Bereich gehalten werden können.

Die aus dem Schwefelgehalt des Dieselkraftstoffes gebildete Partikelmasse kann nicht durch motorische Maßnahmen beeinflusst werden. Allein durch eine Verminderung des Schwefelgehaltes im Kraftstoff (Bild 6-89) ist eine Reduzierung der Schwefelpartikel möglich. Durch die stetige Herabsetzung der Emissionsgrenzwerte, Reduzierung des Partikelausstoßes von EURO-2 nach EURO-3 um 33 %, ist zur Einhaltung dieser Werte, neben der Weiterentwicklung der Motoren durch innermotorische Maßnahmen wie in Kapitel 6.5.1 beschrieben, eine weitere Verminderung des Schwefelgehaltes im Dieselkraftstoff erforderlich.

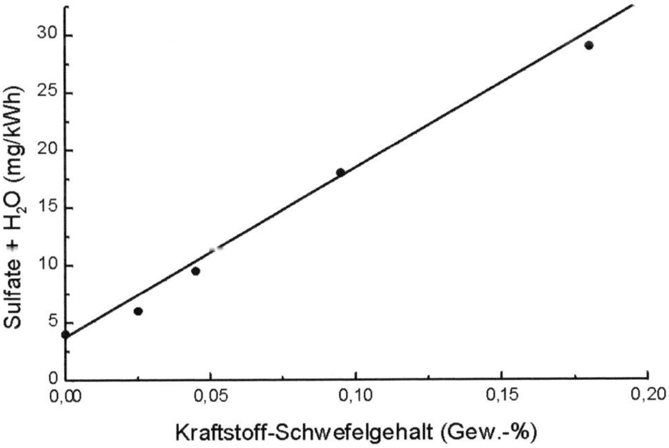


**Bild 6-89**

Partikelabsenkung durch Reduzierung des Kraftstoff-Schwefelgehaltes für einen 6,0-*l*-Nutzfahrzeugmotor

Ist das Nutzfahrzeug mit einem Oxidationskatalysator ausgestattet, steigt, in Abhängigkeit vom Katalysatortyp und der Katalysatortemperatur, der Anteil des zu $SO_3$ umgesetzten Kraftstoffschwefels. Im ungünstigen Fall kann hierdurch die Partikelmasse derart ansteigen, dass die Katalysatorwirkung neutralisiert wird und der Partikelausstoß höher liegt als bei Fahrzeugen die keinen Oxidationskatalysator besitzen. Deshalb muss zur Wahrung der Vorteile des Katalysator-Konzeptes bezüglich der Reduzierung der Partikelemission eine besonders sorgfältige Abstimmung zwischen Katalysator und Motor erfolgen. Auch auf die Lebensdauer des Dieselmotors wirkt sich ein hoher Schwefelgehalt im Dieselkraftstoff ungünstig aus. Durch die aggressiven Schwefelverbindungen, die bei der Verbrennung entstehen, wird der korrosive

Verschleiß an den Zylinderlaufbuchsen und Kolbenringen stark gefördert, was zu einem erhöhten Ölverbrauch und Leistungsverlust führt.

### *6.10.1.3 Aromatengehalt*

Aromaten sind ringförmige Kohlenwasserstoffverbindungen. Die bekannteste Verbindung ist Benzol (im Dieselkraftstoff wegen des niedrigen Siedepunktes von 80 °C nicht vorhanden) mit der Strukturformel $C_6H_6$. Im Dieselkraftstoff sind aufgrund des Siedebereiches, der zwischen 180 °C und 370 °C liegt, eine Vielzahl unterschiedlichster Mono- bzw. Mehr-Ring-Aromaten (Di- und Polyaromaten) vorhanden. Monoaromaten, zu denen alle Aromaten mit nur einem Kohlenstoffring zählen, zeigen nach Auswertung langjähriger Versuchsreihen keinen erkennbaren Einfluss auf die Partikel- und $NO_X$-Emission.

Je geringer der Anteil an polyzyklisch-aromatischen Kohlenwasserstoffen im Dieselkraftstoff ist, desto geringer ist die Partikelemission (Bild 6-90). Bis 2005 betrug dieser Wert innerhalb von Europa 11 Massenprozent, was eine geringe Partikel-Emissionsreduzierung bedeutete.

Gemessen wird der Aromatengehalt mittels der Hochdruckflüssigkeits-Chromatographie. Mit deren Analysetechnik wird die Gesamtheit der Moleküle, die aromatische Ein- und Mehrringverbindungen enthalten, erfasst. Bei der Prüfung des Dieselkraftstoffes auf Normgerechtigkeit wird der Polyaromatengehalt zur Zeit nicht ermittelt bzw. berücksichtigt.

Neben dem klassischen Dieselkraftstoff (aus Erdöl gewonnen) können in Dieselmotoren auch alternative Kraftstoffe verwendet werden. Zu den alternativen Kraftstoffen zählen unter anderem die Alkohole Methanol und Ethanol, sowie Pflanzenöle.

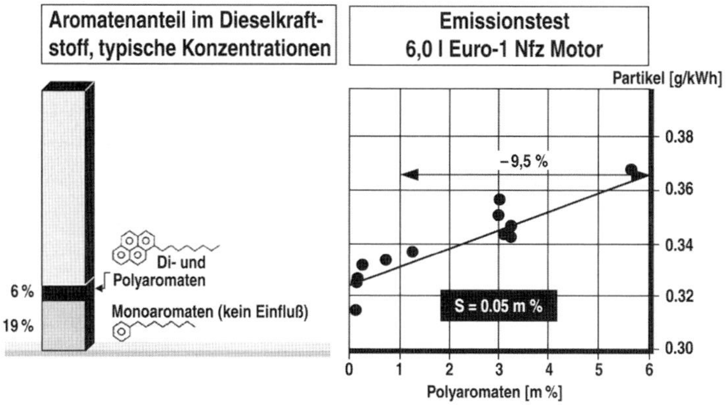


**Bild 6-90**
Einfluss der Di- und Polyaromaten auf die Partikelemission

### *6.10.1.4 Biokraftstoffe*

Biokraftstoffe sind Kraftstoffe, die aus nachwachsenden Rohstoffen gewonnen werden; dazu zählen insbesondere die Pflanzenöle wie Raps- oder Kokos-Öl.

Pflanzenöle sind als Kraftstoff im Dieselmotor prinzipiell geeignet. Sie weisen jedoch den Nachteil der hohen Viskosität bei niedrigen Temperaturen auf. Durch dieses zähflüssige Verhalten wird die Zerstäubung bei der Einspritzung in den Brennraum erschwert, wodurch die Abgasemission bei der Verbrennung negativ beeinflusst wird. Zusätzlich bereiten Pilz- und Bakterienbefall sowie Verunreinigungen Probleme. Diese Probleme treten auch bei geringer

Zumischung des Pflanzenöls in den Dieselkraftstoff auf, wie entsprechende Erfahrungen in Asien bei der kommerziellen Nutzung von Kokosöl gezeigt haben. Untersuchungen im Auftrag des Bundesministeriums für Forschung und Technologie ergaben, dass die sich auf dem Markt befindlichen Nutzfahrzeugmotoren (Stand 1997) nicht für die Verwendung von in Deutschland verfügbarem Rapsöl geeignet sind. Abgasmessungen an einem Pkw-Wirbelkammer-Motor zeigen, dass mit Ausnahme der $NO_X$-Emission alle anderen Schadstoffe wie Partikel, Kohlenmonoxid und Kohlenwasserstoffe ansteigen. Erschwerend hinzu kommt die Geruchsbelästigung durch die Abgase. Die aufgeführten Nachteile der Pflanzenöle können durch Veresterung (Pflanzenölmethylester) oder Hydrocracken in der Raffinerie in Mischung mit Kohlenwasserstoff-Raffinerieprodukten teilweise kompensiert werden. Erst nach dieser Umarbeitung kann das Pflanzenöl uneingeschränkt allein oder zusammen mit dem Dieselkraftstoff im Dieselmotor verwendet werden.

**Tabelle 6-13** Vergleich zwischen Diesel, Rapsöl, Rapsölmethylester (RME)

| | Cetanzahl | Dichte (15° C ) g/cm³ | Heizwert MJ/kg | Viskosität (20° C ) mm²/ sec. | Stockpunkt ° C |
|---|---|---|---|---|---|
| Diesel | 52 | 0,83 | 42,5 | 2 | -22 |
| Rapsöl | 40 | 0,915 | 35,0 | 74 | 18 |
| RME | 54 | 0,88 | 37,0 | 7 | -5 |

Die durch Methanol umgeesterten Öle (bekanntestes Produkt Rapsölmethylester) verhindern das bei der Verwendung von reinem Pflanzenöl auftretende starke Verkoken der Einspritzdüsen, besitzen eine Cetanzahl, die im Bereich von guten europäischen Dieselkraftstoffen liegt (> 52), und bieten darüber hinaus eine wesentlich bessere Umweltverträglichkeit (Wassergefährdungsklasse 1) als der Dieselkraftstoff. Die Verwendung von Rapsölmethylester ist bei heutigen Motoren ohne gravierende konstruktive Maßnahmen möglich, lediglich die Dichtungen müssen aus RME-verträglichen Werkstoffen hergestellt sein. Bei tiefen Temperaturen unterhalb 7 °C sind zusätzliche Fließverbesserer in Form von Kraftstoffadditiven erforderlich.

Die Verwendung von RME zeigt bei modernen Motoren ein Reduzierungspotenzial bezüglich HC und CO von bis zu 50 %. Dieses Reduzierungspotenzial kann aufgrund des nahezu schwefelfreien RME durch den Einbau eines Oxidationskatalysators weiter angehoben und die Partikelemission durch Verringerung der organischen Partikelbestandteile gesenkt werden. Nachteile bei der Verwendung von RME zeigen sich jedoch im Bereich der $NO_X$-Emission, diese steigen um ca. 8 % an und in der Geruchsbelästigung durch die nicht limitierten Aldehyde. Ein derzeitiger Einsatz von RME ist aufgrund der fehlenden Infrastruktur und den Umrüstmaßnahmen am Motor unwirtschaftlich und müsste, um gegenüber den konventionellen Kraftstoffen konkurrenzfähig zu sein, vom Staat subventioniert werden.

### *6.10.1.5 Cetanzahlverbesserer*

Cetanzahlverbesserer sind Additive für die Zündbeschleunigung. Zur Anhebung der Zündwilligkeit von Dieselkraftstoffen eignen sich zum einen insbesondere die organischen Nitrate und zum anderen die Peroxide. Hierbei hat sich für die Anwendung in handelsüblichen Kraftstoffen, auch im Bezug auf sichere Lagerung und Handhabung der Zündbeschleuniger vor der Einbringung in den Kraftstoff, das Ethyl-Hexyl-Nitrat (EHN) bewährt. Die Konzentration des

Zündbeschleunigers im Dieselkraftstoff liegt dabei zwischen 0,01 bis 0,1 Vol. %. Wie Bild 6-91 zeigt ist die Wirksamkeit vom Aromatengehalt des Kraftstoffes abhängig.

Der zulässige Dichtebereich für Dieselkraftstoff nach Anforderungsnorm EN 590 liegt zwischen 820 und 860 kg/m³ (Arktis 800 ... 840 kg/m³). Die Veränderung der Dichte wird zum einen durch die Reduzierung des Schwefel- und Aromatengehaltes und zum anderen durch Einsatz paraffinischer Komponenten zur Steigerung der Kältebeständigkeit beeinflusst. Das Siedeende wird durch die Kohlenwasserstoffgemische im Dieselkraftstoff bestimmt und liegt zwischen 170 °C und 380 °C.

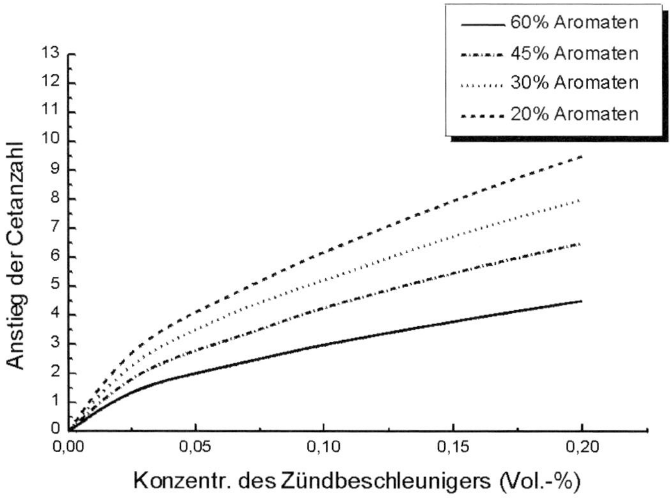


**Bild 6-91**
Einfluss der Zündbeschleuniger, in Abhängigkeit vom Aromatengehalt, auf die Cetanzahl

Die Änderung der Kraftstoffzusammensetzung sowie die Änderung der physikalischen Kenndaten (Dichte, Siedeende) mit dem Ziel der Emissionsminderung führen nicht immer für alle Dieselmotoren zu einer einheitlich positiven Auswirkung. Untersuchungen verschiedenster Forschungsanstalten und Firmen ergaben, dass einige Maßnahmen gegenläufige Effekte für Pkw- und Nutzfahrzeugmotoren nach sich ziehen. Lediglich die Anhebung der Cetanzahl wirkt sich für beide Motorvarianten positiv aus.

Abschließend folgt eine Darstellung der Anforderungen und Kenndaten von Dieselkraftstoffen sowie eine Gegenüberstellung der Variation verschiedener Kraftstoffparameter des Diesels und deren Auswirkung im Nutzfahrzeug-Bereich.

**Tabelle 6-14** Anforderungen und Kenndaten von Dieselkraftstoffen

| | Zahlenwert | Einheit |
|---|---|---|
| Schwefelgehalt | 0,2 | Gew. % |
| Zündwilligkeit | ca. 49 . . . 52 | CZ |
| h, c | 0,137; 0,863 | |
| $n_h$, / $n_c$ | ca. 1,90 | |
| Mittlere Molmasse | ca.190 | kg/kmol |
| Siedetemperatur | 170 . . . 350 | °C |

| | | |
|---|---|---|
| Elektrische Leitfähigkeit | $10^{-15}$ | S/cm |
| Heizwert $H_u$ | ca. 42800 | kJ/kg |
| Volumetrischer Heizwert | ca. 35600 | kJ/*l* |
| Dichte | ca. 0,840 | kg/*l* |
| Aromatengehalt | ca. 26 | Vol. % |
| Verdampfungswärme | ca. 300 | kJ/kg |
| Gemischheizwert $H_G$ | ca. 3790 | kJ/*l* |
| Stöchiometrischer Luftbedarf $L_{St}$ | ca. 14,6 | |
| Zündtemperatur | ca. 230 | °C |

**Tabelle 6-15** Reformulierter Dieselkraftstoff (Änderung der Zusammensetzung bzw. Kenndaten) Maßnahmen und Konsequenzen.

| Kraftstoffparameter | Einfluss auf Abgasemission | | | | | Nachteile |
|---|---|---|---|---|---|---|
| | CO | HC | $NO_x$ | PT | $SO_2$ | |
| Schwefelabsenkung | = | = | = | – | – | teurer, Abnahme der Schmierfähigkeit |
| Dichteabsenkung | + | + | – | = | = | teurer, höherer Verbrauch, weniger Leistung, verminderte Cetanzahl |
| Polyaromatenabsenkung | = | – | = | – | = | teurer, Abnahme der Schmierfähigkeit |
| Cetanzahlanhebung | – | – | = | = | = | durch Additivierung geringe Kosten |
| | – | – | – | + | = | durch scharfer Hydrotreater, teuer |
| Absenkung Siedeende | + | + | = / (–) | = | = | Mehrkosten, geringe Verfügbarkeit, verminderte Cetanzahl |
| Dk-Alkohol Mischung | + | + | – | – | – | erhebliche Mehrkosten, Korrosionsneigung, Cetanzahlsenkung |

=) entspricht keiner Veränderung
+) entspricht einem Anstieg
–) entspricht einer Senkung

## 6.10.2 Anforderungen an Motoröle

Bei Verbrennungskraftmaschinen dienen Motorenöle primär als Trennmittel zwischen zwei sich gegeneinander bewegenden Teilen. Ihre Aufgabe ist es, den direkten Kontakt zwischen den Reibflächen zu verhindern und dadurch die Reibung und den Verschleiß des Motors zu minimieren. Um dieser Aufgabe gerecht zu werden und zusätzlich weitere Funktionen wie Kühlung, Korrosionsschutz, Temperaturbeständigkeit usw. für alle Betriebszustände des Motors übernehmen zu können, werden an Motorenöle höchste Ansprüche gestellt.

Im Allgemeinen müssen die Öle folgenden Anforderungen genügen:

- Verschleißminderung

Das Schmieröl sichert eine guten Schmierung aller Lagerstellen und der Zylinderlaufflächen und reduziert damit den Verschleiß der sich drehenden Motorkomponenten.

- Abdichten

Die Gleitbewegung des Zylinders setzt eine gewisse Toleranz zwischen Kolbenring und Zylinderlaufbuchse voraus. Aufgabe des Öls ist dabei eine Art Feinabdichtung zwischen Zylinderbuchse, Kolbenring und Kolben, damit der Verbrennungsdruck im Zylinder ohne großen Druckverlust auf den Kolbenboden wirken kann.

- Kühlung

Für die Kühlung der Nockenwelle, Kolben und Kurbelwelle wird das Öl zur inneren Kühlung herangezogen, da eine Wasserkühlung für diese Bauteile nicht realisiert werden kann.

- Korrosionsschutz

Durch den Schwefelgehalt des Kraftstoffes bildet sich bei der Verbrennung Schwefeldioxid. Dieses Schwefeldioxid wiederum verbindet sich mit dem kondensierenden Wasserdampf zu einer schwefligen Säure, die stark korrosionsfördernd ist. Aufgabe des Öls ist dabei die Verhinderung einer Korrosionsbildung.

- Abtransport von Verunreinigungen

Bei nicht idealen Schmierbedingungen entsteht bei den sich drehenden und bewegenden Teilen ein minimaler, jedoch stetiger Abrieb. Zusätzlich können sich durch Oxidation Ruß, Zunder und ähnliche Verunreinigungen im Motor ansammeln und festsetzten. Aufgabe des Öls ist nunmehr der Abtransport dieser Verunreinigungen zum Ölfilter, wo diese herausgefiltert werden.

- Fließfähigkeit bei Kälte

Mit fallender Temperatur wird Öl zähflüssig. Unter ungünstigen Klimabedingungen kann es beim Kaltstart zu einem Ausfall der Schmierung durch Erreichen des Stockpunktes (Temperatur bei der Öl aufhört zu fließen) kommen. Zur Verhinderung dessen muss das Öl eine ausreichende Kältefestigkeit besitzen.

- Temperaturbeständigkeit

Mit zunehmender Erwärmung wird Öl dünnflüssig. Um einen konstanten Schmierfilm auch bei hohen Temperaturen und Drehzahlen gewährleisten zu können, muss das Öl auch bei diesen Betriebsbedingungen eine genügend hohe Viskosität aufweisen.

Zur Beurteilung der Leistungsfähigkeit von Nutzfahrzeug-Dieselmotoröle gibt es verschiedene Prüfmethoden bzw. Leistungsklassen:

- API-Klassifikationen (American-Petroleum-Institute)
- MIL-Spezifikationen (Military): MIL-L-2104F für Nutzfahrzeuge, sonst für zivilen Einsatz in Europa uninteressant
- ACEA, Association des Constructeurs Européens de l'Automobile (bis 1995: CCMC, Comité des Constructeurs d'Automobiles du Marché Commun)

- Spezielle Leistungsklassen nach : – MAN-Normen
  - – Mercedes-Benz Betriebstoff-Vorschrift
  - – Scania LDF (Long-Drain-Field-Test)
  - – Volvo VDS und VDS 2 (Volvo-Drain-Specification)
  
  u. a.

Durch die Maßnahmen Vergrößerung des Ölfilters, Reduzierung der Porengröße, Vergrößerung des Ölkühlers und Einführung flexibler Servicesysteme konnten wie in Bild 6-92 dargestellt die Ölwechsel bei Motoren der Baureihe 500 (MB) von 45.000 auf 100.000 km, im leichten Fernverkehr sogar auf 120.000 km und durch Einsatz eines Langzeitölfilter mit einem zusätzlichen Ölvolumen von 10 Litern auf 160.000 km angehoben werden.

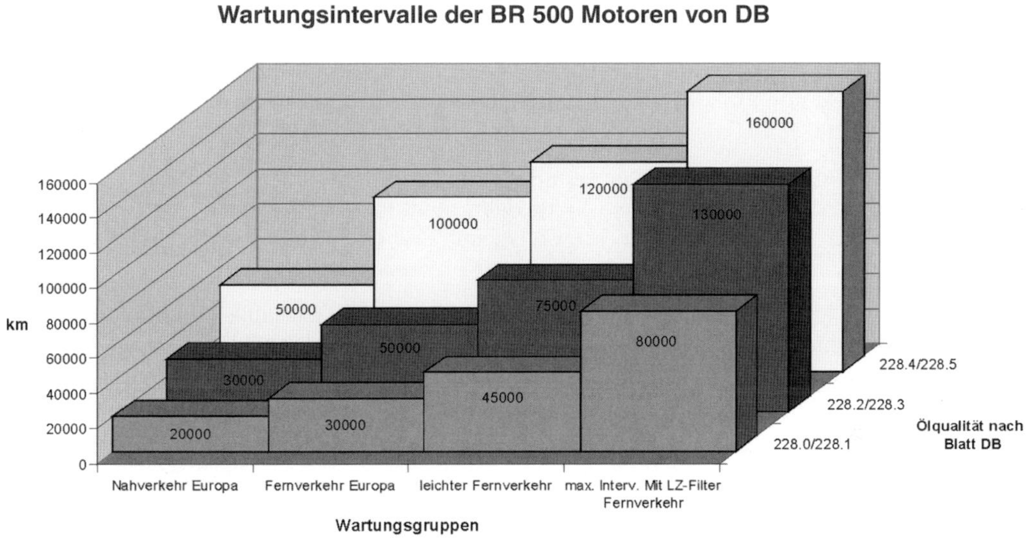


**Bild 6-92** Wartungsintervalle der Baureihe 500 von MB [6-32]

Eine Besonderheit stellt das flexible Servicesystem (FSS) von Mercedes-Benz dar. Die ohne dieses System durchgeführten Ölwechsel unterlagen immer einem Unsicherheitszuschlag, da die wirklichen Einsatzbedingungen des Nutzfahrzeug nicht bekannt sind. Ohne das FSS sind die Intervallgrenzen für die schwere Klasse von bis zu 160.000 km nicht zu erreichen. Das FSS berechnet durch Einbeziehung der tatsächlichen Einsatzbedingungen aus:

- Ölqualität
- Schwefelgehalt im Kraftstoff
- Öltemperatur
- Anzahl der Motorumdrehungen
- Anzahl der Kaltstarts,

bis an die Grenze der möglichen Ölbelastung gehend, den kommenden Ölwechselintervall. Durch ein optisches Display wird dem Fahrer der fällige Ölwechsel am Armaturenbrett angezeigt.

# 6.11 Kurbelwellendichtringe für Nutzfahrzeug- und Industriedieselmotoren

Wellendichtringe im Motor haben die Aufgabe, die aus dem Motor herausgeführten Wellen gegen Austritt des Motoröls auf der einen Seite und gegen das Eindringen von Schmutz von Außen auf der anderen Seite zu schützen. Im Wesentlichen sind dies Kurbelwellendichtringe und Nockenwellendichtringe, die an einem oder zwei Enden abgedichtet werden müssen.

Kurbelwellendichtringe zählen im Nutzfahrzeug mit zu den am höchsten beanspruchten Dichtelementen. Zum Einsatz kommen sowohl hochwertige Elastomer Dichtungen als auch PTFE-Dichtlippen.

## 6.11.1 Betriebsweise des Dieselmotors

Der Dieselmotor in Nutzfahrzeugen, heute mit Leistungen bis 400 kW, bei Drehzahlen von 1.700/min bis 2.300/min im höheren Leistungsbereich, arbeitet unter verschiedenen Bedingungen:

- Im Güterfernverkehr der 40-t-Züge ist auf ebenen Strecken längerer Betrieb mit gleichmäßiger Leistungsabgabe möglich; auf Steigungen steigt der Zugkraftbedarf auf ca. 100 % an und der kühlende Fahrtwind wird schwächer und das Temperaturniveau im Motor steigt. Die Ölwechselintervalle können 150.000 km erreichen.
- Im Regional- und Verteilerverkehr tritt eine stochastische Belastung durch häufige Auf- und Abladezeiten und Ampelstopps und wechselnde Beladung des Fahrzeugs ein. Die Drehzahl ändert sich ständig und die Betriebstemperatur schwankt. Die Ölwechselintervalle werden auf ca. 80.000 km verkürzt.
- Die Betriebsweise der Fahrzeuge im gemischten Baustellen- und Straßenverkehr liegt dazwischen, zusätzlich ist mit hoher Schmutzbelastung auf die Bauteile zu rechnen.
- In nördlichen Breiten treten Temperaturen bis –40°C auf, wodurch zusätzliche Probleme durch Kaltstart und längere Durchölzeit für die Motoren auftreten. Der Aufbau eines tragenden Schmierfilms im Dichtspalt der Kurbelwellendichtungen wird verzögert. In Extremfällen werden die Motoren über Nacht mit Warmluft startklar gehalten oder man lässt sie im Leerlauf weiter in Betrieb.

Die Industriedieselmotoren dagegen, zum Antrieb von Generatoren, Pumpen, Booten, auch von Hochseeschiffen, arbeiten meist im Dauerbetrieb mit gleichmäßiger Leistungsabgabe bei konstanter Drehzahl. Dementsprechend ist das Temperaturniveau einschließlich der Öltemperatur auf optimaler Höhe. Antriebe von Baumaschinen haben ein Belastungsprofil zwischen Industrie- und Fahrzeugmotoren.

## 6.11.2 Dynamik der Kurbelwellen in Dieselmotoren

Die Kurbelwelle ist ein schwingungsfreudiges Gebilde und stellt an die Radialwellendichtringe (RWDR) auf der Kraft abgebenden Seite und der Kraftgegenseite die höchsten Anforderungen. Durch die Eigenart des Hubkolbentriebwerks unterliegt die vielgestaltige Kurbelwelle einer wechselnden Belastung, die durch das notwendige Spiel in den Grundlagern zu einer hochfrequenten Biegeschwingung der Kurbelwelle führt. Die freien Enden der Kurbelwelle führen außerhalb der Endlager eine taumelnde Bewegung in radialer und axialer Richtung aus, die um so stärker auf die Dichtung wirkt, je weiter diese vom Endlager entfernt ist. Auf der Kraftabgabeseite wird das Taumeln des Endzapfens durch die Kreiselwirkung des Schwungrads noch verstärkt und als Folge davon ist hier die Belastung einer Dichtung am höchsten (Bild 6-93).

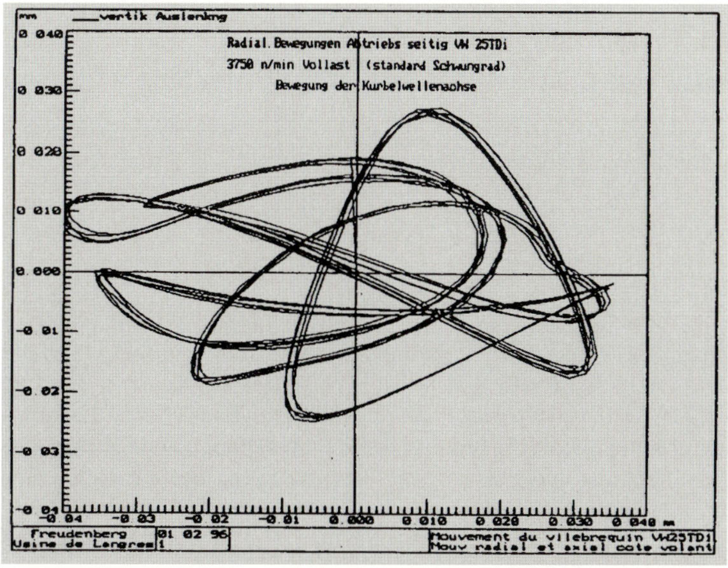


**Bild 6-93** Taumelbewegung eines Kurbelwellenendzapfens

Traditionell werden dem Dichtmechanismus der hoch belasteten Kurbelwellendichtungen eine besondere Bedeutung beigemessen, wodurch sie sich von anderen Abdichtfällen unterscheiden. Besonders erfolgreich haben sich seit einigen Jahren, speziell im Nutzfahrzeugbereich, thermisch hochbelastbare PTFE RWDR durchgesetzt.

Eine enge Abstimmung mit dem Dichtungshersteller ist von großer Bedeutung, wenn z. B. synthetische Hochleistungsschmierstoffe verwendet werden, oder um bei den Temperaturen des Motoröls in der Kurbelwanne bis 150° C und mehr Schäden an den Dichtungen zu vermeiden.

## 6.11.3 Anforderungsprofil für Kurbelwellendichtungen

Außer der bereits dargestellten Dynamik der Kurbelwellenzapfen auf der Antriebs- und Nichtantriebsseite, wird die Funktion der Kurbelwellendichtung durch weitere mechanische und chemische Einflüsse bestimmt:

- durch Staub, Spritzwasser und Flugrost von außen (z. B. bei längerem Transport zum Abnehmer) und Metallabrieb und Ölkohle von innen
- durch chemischen Angriff durch hoch additivierte Motoröle, besonders bei hohen Temperaturen
- Schmierölverdünnung durch Blow-By Gase mit ihrem Wasseranteil und den unverbrannten Kohlenwasserstoffen vermischen sich mit dem Öl im Kurbelgehäuse
- besondere Anforderungen an die Montage und Demontage müssen berücksichtigt werden

Die mechanische Belastung der Dichtung wird ferner durch Exzentrizität der Wellenzapfen und das Lagerspiel erhöht. Die Öltemperaturen bis maximal 150°C bei Industriemotoren und maximal 175°C bei Fahrzeugmotoren verstärken auch den chemischen Angriff und erfordern daher hochbeständige Dichtungswerkstoffe und eine darauf abgestimmte konstruktive Gestaltung des ganzen Dichtsystems.

### 6.11.4 Dichtungsbauformen

Für Industriedieselmotoren und Automotive Anwendungen eignen sich mehrere Konzepte von Wellendichtringen in verschiedenen Werkstoffen und Bauformen, bekannt als Simmerring.

#### *6.11.4.1 Elastomer-Dichtungen*

Dichtungen aus Elastomer-Werkstoffen werden im Motor seit über 40 Jahren erfolgreich eingesetzt. Sie bestechen durch ein robustes Dichtverhalten, auch bei schwierigen Umgebungsbedingungen, und einfacher Montage. Hochwertige FKM-Werkstoffe für die Dichtlippen werden heute ausschließlich (Bild 6-94) eingesetzt und haben früher verwendete Silkon (VMQ) Werkstoffe weitestgehend abgelöst. Der statische Presssitz zum Kurbelgehäuse wird zum Teil auch mit ACM- bzw. AEM-Werkstoffen ausgeführt. Die konstruktive Gestaltung der Dichtlippe ist das Ergebnis jahrzehntelanger Forschung und Entwicklung, verbunden mit der ständigen Auswertung von Erfahrungen aus der Praxis. Durch Integration von so genannten Drallstrukturen kann die Rückförderwirkung im Bereich der Kontaktzone zur Welle deutlich verbessert werden.

Einige charakteristische Eigenschaften von Elastomer-Dichtungen sind:

- exzellente Temperaturbeständigkeit bis zu 160 °C
- robustes Dichtverhalten und Abriebfestigkeit selbst bei verschmutztem Öl (Ruß)
- gutes Betriebsverhalten bei Schwingungen durch Wurmfeder
- Gefahr der Ölkohlebildung kann durch eine entsprechend reibungsarmes Dichtlippenprofil vermieden werden.
- Dynamische und statische Wellenauslenkungen von 0,3 mm können mühelos verkraftet werden.

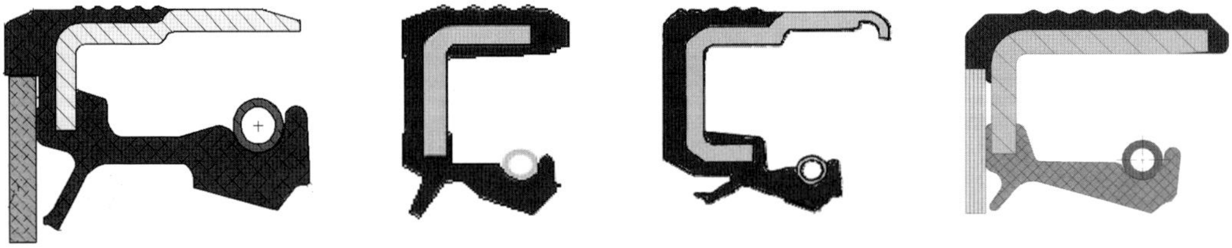

**Bild 6-94** Bauformen Elastomer-Dichtungen mit ganzer oder teilweiser Ummantelung des metallischen Gehäuses

### *6.11.4.2 Dichtungen mit PTFE Dichtmanschetten*

Die zunehmende thermische und mechanische Belastung heutiger Dieselmotoren und die längeren Ölwechselintervalle stellten die Motoröle und Dichtungen vor neue Aufgaben. Der neuartige Werkstoff PTFE auf Fluorbasis mit geringerem Reibungsbeiwert und höherer Beständigkeit gegen chemischen Angriff wird in der chemischen Industrie für Dichtungen und Formteile schon lange erfolgreich verwendet. Vorteilhaft ist das abweisende Verhalten, weshalb jedoch eine neue Technik der Verbindung mit dem metallischen Versteifungsblech entwickelt werden musste.

Durch das unelastische Verhalten des PTFE ergab sich eine neuartige werkstoffgerechte Gestaltung der Dichtlippe. Der Dichtmechanismus folgt daher anderen Gesetzen. Dadurch reagiert dieser für die Abdichtung von Kurbelwellen entwickelte RWDR anders auf die kurbelwellenspezifischen Verhältnisse. Die speziell geformte Manschette oder Dichtlippe kann den hochfrequenten Wellenschlag nur durch besondere Formgebung mit einem ausgeprägter Drall mit sägezahnartig geformten Gewindegängen folgen. Die so genannte Raupenform der Dichtlippe dient höherer Flexibilität.

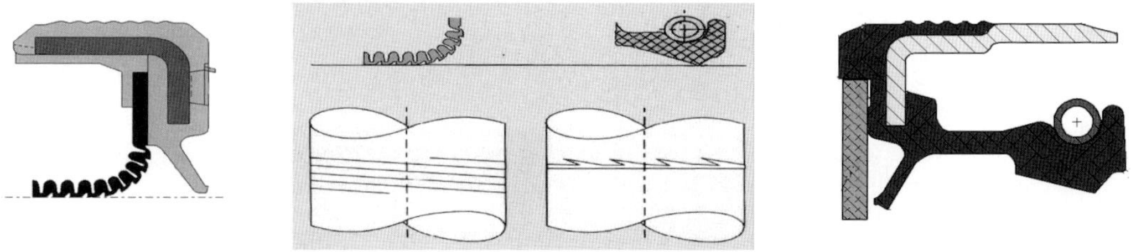

**Bild 6-95** Kontaktzone und Drallstruktur einer PTFE- Dichtlippe (links) und einer konventionellen Dichtlippe

Im Bild 6-95 sind die unterschiedliche Drallstruktur und die auf gegensätzliche Weise erzeugte Rückförderwirkung erkennbar. Durch ein bei Freudenberg entwickeltes Verfahren kann das PTFE über eine Gummischicht mit ausreichender Festigkeit an das Dichtringgehäuse anvulkanisiert werden (Bild 6-96).

Einige charakteristische Eigenschaften außer den genannten von PTFE-Dichtungen sind:

**positiv**

- gute Flexibilität und Tieftemperaturbeständigkeit
- sehr gute Verschleißfestigkeit bei Mangel- bzw. Ölnebelschmierung
- geringer Welleneinlauf durch breit anliegende PTFE-Scheibe
- reduzierte Anforderung an die Wellenoberfläche im Vergleich zu Elastomer Dichtlippen, auch auf nicht gehärteten Kurbelwellen
- dynamische and statische Exzentrizitäten bis 0,3 mm

**negativ**

- die eher geringe Abriebfestigkeit bei harten Partikeln
- spezielle Montagehilfsmittel sind in der Regel erforderlich
- mäßige Luftdichtheit bei Druckprüfungen in der Motor-Montagelinie
- PTFE-Dichtungen können nur für eine Drehrichtung eingesetzt werden

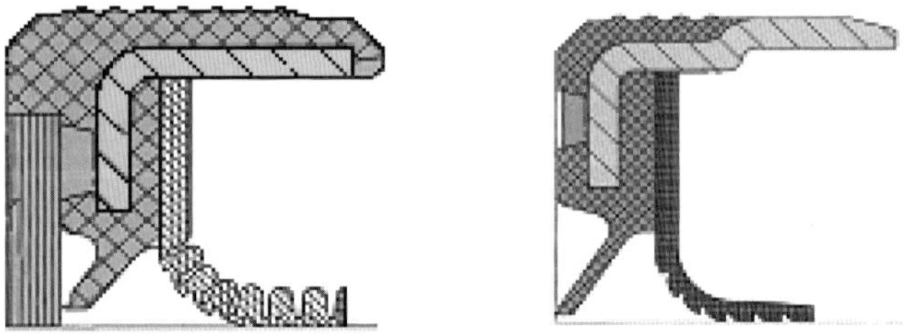

**Bild 6-96** Bauformen von PTFE-Dichtungen, links mit Vliesscheibe als Stauabdichtung

### *6.11.4.3 Kassettendichtungen als einbaufertiges Modul*

Die erforderliche relativ aufwändige Bearbeitung einer Welle an der Dichtstelle kann bei Reparaturen problematisch und auch kostenintensiv sein, wenn eine Laufspur auf der Kurbelwelle beseitigt werden muss. Es war naheliegend, eine Bauform für einen RWDR zu finden, bei der die Gegenlauffläche zum integralen Bestandteil eines Abdichtsystems wird. Damit bestimmt der Dichtungshersteller die optimale Oberflächengestalt und der Anwender wechselt bei einer Reparatur gleichzeitig die Dichtung mit der Lauffläche aus. Durch sein integriertes Schmutzabdichtsystem eignet sich diese so genannte Kassettendichtung in idealer Weise zur Abdichtung von Anwendungen im Landmaschinenbereich.

Die Lauffläche wird bevorzugt mit einer Innengummierung versehen, wodurch der Austausch im Service vereinfacht, und eine Beschädigung der Kurbelwelle während des Demontagevorganges, vermieden wird.

Kassettendichtungen ermöglichen zahlreiche Variationen der Hauptlippe mit Schutzlippen und Labyrinth, wodurch sich Anwendungen im Motor, Getriebe und Achsgetriebe ergeben. Die PTFE-Dichtlippe ist auch für eine Kassettendichtung im Motor ideal anwendbar. Der Nachteil der Empfindlichkeit der PTFE-Lippe bei der Montage wird in der Kassette umgangen, weil diese sachgemäß vormontiert geliefert wird. Der höhere Preis einer Kassettendichtung kann sich schon bei der Montage des kompletten Systems amortisieren, da das Handling vereinfacht ist und Arbeitsgänge bei der Montage und Reparatur gespart werden.

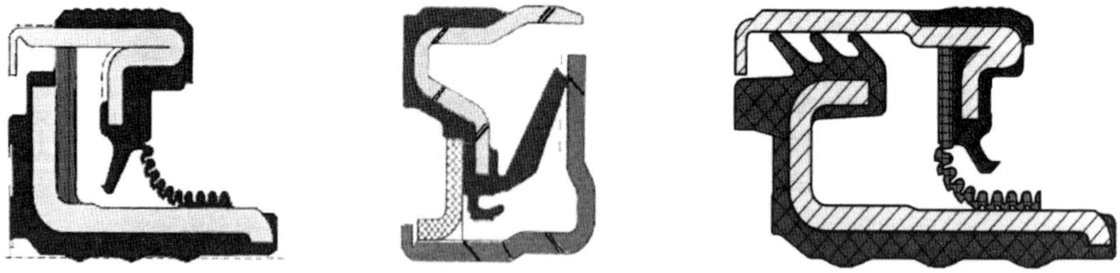

**Bild 6-97** Bauformen Motor Kassettendichtungen

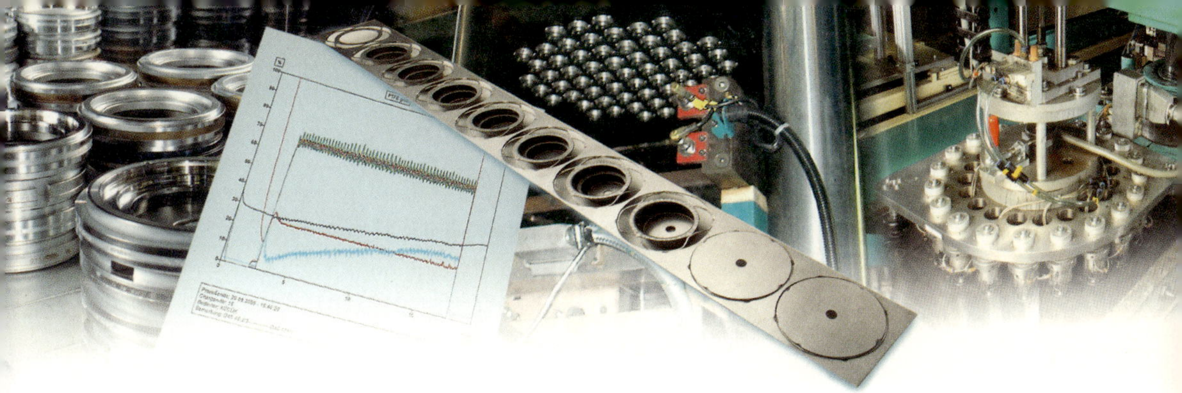

### *6.11.4.4 Dichtsysteme mit Zusatzfunktionen und Trends*

Steigender Kostendruck und eine weitere Verkleinerung der Bauräume, hat zur Entwicklung von so genannten Dichtflanschmodulen geführt, bei denen mehrere Funktionen in einem Bauteil integriert wurden (Bild 6-98). In der Endstufe entstehen komplexe Systeme, die neben der ursprünglichen Aufgabe des dynamischen Abdichtens zur Kurbelwelle, auch die statische Abdichtung zum Kurbelgehäuse und zur Ölwanne abdecken, sowie die Drehzahl- und Drehwinkelerfassung für die Motorsteuerung übernehmen.

**Bild 6-98** Bauformen als Modulsysteme „ Flansch mit Simmerring und statische Abdichtung“

Ein solches Modul besteht somit aus einem Flansch mit integrierter statischer Dichtung, einem Simmerring, einem Encoderelement in Form eines passiven oder aktiven Geberrades und dem Magnetfeldsensor zum Detektieren der Drehzahl (Bild 6-99).

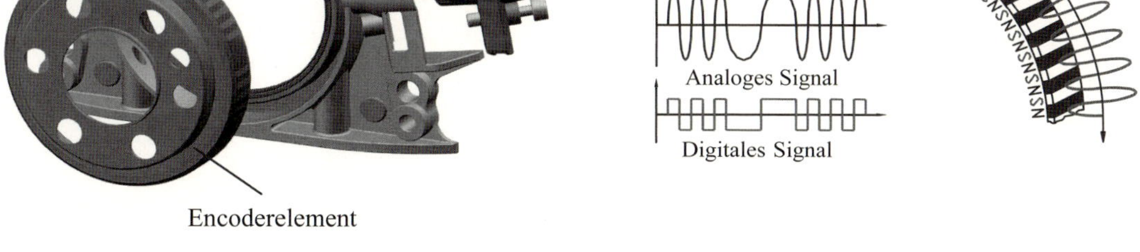


**Bild 6-99** Dichtflanschmodul mit integrierter Drehzahl- und Drehwinkelerfassung

Die stetige Weiterentwicklung der Dieselmotoren stellt insbesondere den Dichtungshersteller immer wieder vor neuen Herausforderungen. So steigen beispielsweise die Temperaturen an der Kurbelwellendichtung mit Einführung der Emissionsbegrenzung nach EURO-3-Norm und folgenden um bis zu 10 °C an. Auch der erhöhte Russ-Anteil im Öl, herbeigeführt durch Abgasnachbehandlungsprozesse oder Blow-By-Gase, macht den Dichtungen immer mehr zu schaffen und erhöht deren Verschleiß, wobei gleichzeitig verlängerte Ölwechselintervalle kontraproduktiv auf die Lebensdauer wirken. Neuartige Dichtungsvarianten zielen deshalb besonders auf Bauformen mit reduzierter Reibleistung und damit geringst mögliche Eigenerwärmung, sowie chemisch und thermisch resistentere Dichtungswerkstoffe. Damit leistet auch der Kurbelwellendichtring seinen Beitrag zur Kraftstoffeinsparung. Federlose Dichtelemente aus hochbeständigem FKM-Werkstoff erzeugen bis zu 50 Watt weniger Verlustleistung und tragen somit zur $CO_2$-Einsparung des Motors bei.

## 6.11.5 Ausfallursachen

### *6.11.5.1 Versagensarten*

Die Anforderungen an die Kurbelwellendichtung und hier besonders an den Dichtungswerkstoff sind besonders hoch und wurden mit dem Aufkommen der thermisch höher belasteten Motoren mit Turboaufladung noch verstärkt. Die Aufladung, in der Regel mit Abgasturbolader, wurde durch die Einführung der Abgasnormen nach EURO-1 und EURO-2 notwendig und ist heute bereits bei allen Nutzfahrzeugmotoren vom Transporter bis zum schweren Lkw zur Norm geworden. Dadurch steigen die mechanischen und thermischen Belastungen im Triebwerk. Dichtungswerkstoffe und Schmieröle erreichen die Grenze ihrer Belastbarkeit, so dass bei Überschreiten der zulässigen Grenzwerte mit Schäden der Dichtungen und mit Ausfällen zu rechnen ist.

Häufige Ausfallursachen für den Simmerring können sein:

- Thermische Überlastung z. B. bei längerer Bergfahrt mit ungenügender Kühlung des Motors bzw. durch Fahren in zu niedriger Gangstufe im Stadt- und Verteilerverkehr. Die Folge ist ein Verhärten des Elastomers, was zur Leckage führt.
- Mechanische Überlastung durch verschmutztes Öl, hoher Rußgehalt oder ungewöhnlicher metallischer Abrieb im Ölkreislauf führen zu Frühausfällen mit hohem Verschleiß.
- Chemischer Angriff durch Verwendung eines synthetischen Hochleistungsschmierstoffs, der mit dem Dichtungswerkstoff nicht verträglich ist. Die Folge ist ein stärkerer Verschleiß von Dichtlippe und Welle sowie eine Störung des Dichtmechanismus.

Bei Anwendungen mit starken Schmutzbefall von außen oder Spritzwasser ist es erforderlich, die Dichtlippe gegen störende Umgebungseinflüsse zu schützen. An der Kurbelwelle haben sich Schutzlippen aus Vlies bewährt, die außen am Dichtring angebracht werden (Bild 6-100).

Die Luftdurchlässigkeit dieser Vlies Werkstoffe verhindert ein Ansaugen der Dichtlippen durch Unterdruckbildung. Gleichzeitig werden selbst bei deutlicher Vorspannung zur Welle nur sehr geringe Reibmomente erzeugt.

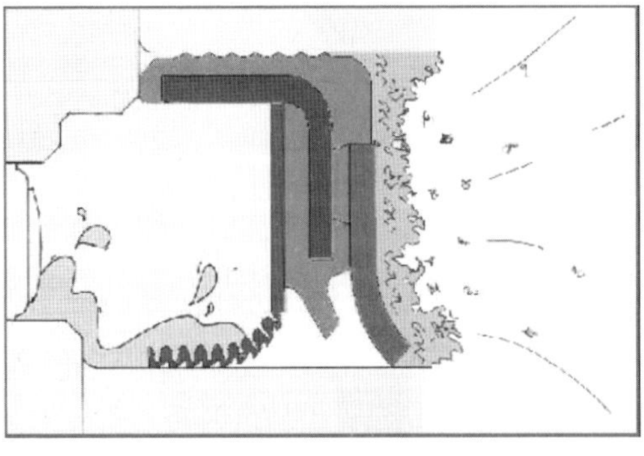

**Bild 6-100**
Typische Dichtung mit besonderem Schmutzabdichtsystem aus Vlies

In der Praxis sollte berücksichtigt werden, dass ein Simmerring oder RWDR nicht „nur eine Dichtung“ ist, sondern ein hochwertiges und wichtiges Maschinenelement darstellt. Bei vorzeitigem Ausfall einer Dichtung muss daher die Ausfallursache ergründet werden, um wieder optimale Verhältnisse zu erzielen. Je nach Einsatzfall kann die Lebensdauer 400.000 km bis >1 Million km betragen.

### 6.11.6 Zusammenfassung und Ausblick

In besonderem Maß beim Nutzfahrzeug hat der Radialwellendichtring die Aufgabe des Abdichten nach außen gegen Ölverlust. Am Motor sind es die als Gleitlager ausgebildeten Endlager, im Getriebe und Achsgetriebe sind es Wälzlager. In kritischen Fällen übersteigt der Aufwand für ein Schmutzabdichtsystem den für die Öldichtung. Konstruktiv werden Dichtungen meist den vorgegebenen Einbaustellen angepaßt, wobei ein starker Trend zur Bauteilverkleinerung berücksichtigt werden muß. Der Dichtungswerkstoff richtet sich nach der gegebenen mechanischen, thermischen und chemischen Belastung an der Einbaustelle.

Die Dichtung, ebenso der Schmierstoff, bilden bei den hohen Belastungen im Nutzfahrzeug in der Kette der metallischen Elemente das schwächste Glied. Deshalb sind Forschung und Entwicklung auf das Erreichen einer hohen Funktionssicherheit in allen geschilderten Bereichen gerichtet. Da gegen Motoröl, Getriebeöl und ATF mit ganz verschiedenen Eigenschaften und Unterschieden je nach Hersteller abgedichtet werden muss, entsteht eine fruchtbare Wechselwirkung zwischen dem Hersteller der Komponente eines Nutzfahrzeugs, dem Schmierstoffhersteller und dem Dichtungshersteller. So entsteht eine optimale Lösung und weitere Fortschritte werden möglich. Dabei übernimmt häufig einer eine Pilotrolle mit einer Neuerung, der sich die Anderen mehr oder weniger anpassen.

Zusammengefasst wird vom RWDR verlangt:

- Abdichten eines Schmierstoffs bei allen Betriebszuständen
- Abdichten der Einbaustelle gegen Umgebungseinfluss
- hohe Verschleißfestigkeit und Funktionssicherheit
- geringe Reibung und daraus resultierende zusätzliche Erwärmung des Dichtsystems
- Beständigkeit gegen alle Medien im Umfeld

Die ständige Auswertung der Praxiserfahrungen und intensive Forschung und Entwicklung führen zu der Dichtung als hochwertigem Maschinenelement, das den geschilderten Anforderungen gerecht wird

(Alle Bilder: Freudenberg Simrit GmbH & Co. KG in Weinheim)

# Literaturverzeichnis
# 6 Motor


[6-1] Bargende, Michael; Essers, Ulf und 43 Mitautoren: Dieselmotorentechnik 2000, Aktueller Stand und Entwicklungstendenzen; Kontakt & Studium Band 580 2000: Expert Verlag

[6-2] Basshuysen, Richard van; Schäfer, Fred (Hrsg.): Lexikon Motorentechnik; Vieweg Verlag, Wiesbaden, 2004

[6-3] Basshuysen, Richard van; Schäfer, Fred (Hrsg.): Lexikon Motorentechnik; Vieweg Verlag, Wiesbaden, 2004

[6-4] Bergmann, Horst; Schulze, Reinhard: Die Mechanik des neuen Nutzfahrzeugmotors OM 904 LA von Mercedes Benz. In: MTZ 57 (1996), Nr. 3

[6-5] Bergmann, Horst; Mack, Eberhard: Die Konstruktionsmerkmale des neuen Nutzfahrzeug-Dieselmotors OM 904 LA von Mercedes-Benz. In: MTZ 57 (1996), Nr. 2

[6-6] Bergmann, Horst; Scherer, Friedrich; Osterwald, Henning: Die Thermodynamik des neuen Nutzfahrzeugmotors OM 904 LA von Mercedes-Benz. In: MTZ 57 (1996), Nr. 4

[6-7] Bosnjakovic F.; Knoche, K. F.: Technische Thermodynamik Teil I, 7. Auflage Darmstadt: Steinkopff Verlag, 1988

[6-8] Braun, Heribert; Kolb, Günther: LKW; Ein Lehrbuch und Nachschlagewerk, 2. Auflage Bonn: Kirschbaum-Verlag GmbH, 1991

[6-9] Esch, Thomas: Einfluß der Zylindergestaltung auf die tribologischen Eigenschaften von wassergekühlten Viertakt-Verbrennungsmotoren, Dissertation, Aachen 1992

[6-10] Essers, U.; Prescher K. H.; unter Mitarbeit von 27 Ko-Autoren: Dieselmotorentechnik 96, Aktueller Stand und Entwicklungstendenzen; Kontakt & Studium Band 505 1996: Expert Verlag

[6-11] Essers, U.; unter Mitarbeit von 21 Ko-Autoren: Dieselmotorentechnik 98, Aktueller Stand und Entwicklungstendenzen; Kontakt & Studium Band 553 1998: Expert Verlag

[6-12] Friedl, Hubert: Katalytische Nachbehandlung von Dieselmotorenabgas unter besonderer Betrachtung der Partikel- und Schwefelemission; Fortschritt-Berichte VDI, Reihe 12, Verkehrstechnik/Fahrzeugtechnik Nr. 162 1991: VDI-Verlag

[6-13] Groth, Klaus: Verbrennungskraftmaschinen; Grundzüge des Kolbenmaschinenbaus I , Braunschweig/Wiesbaden: Vieweg, 1994

[6-14] Haar, Thomas; Mack, Eberhard; Schulze, Reinhard; Schmid, Wolfram: Der neue Sechszylinder-Dieselmotor OM 906 LA von Daimler-Benz. In: MTZ 59 (1998), Nr. 9

[6-15] Hoepke, Erich: Hundert Jahre Verbrennungsmotor im Nutzfahrzeug In: MTZ 57 (1996), Nr. 9

[6-16] Köhler, Eduard: Verbrennungsmotoren; Motormechanik, Berechnung und Auslegung des Kolbenmotors, 2. Aufl., Braunschweig/Wiesbaden: Vieweg, 2002

[6-17] Lechner, Gisbert; Naunheimer, Harald: Fahrzeuggetriebe; Grundlagen, Auswahl, Auslegung und Konstruktion, Berlin, Heidelberg: Springer, 1994

[6-18] MAN Nutzfahrzeuge Aktiengesellschaft: Leistung und Weg; Zur Geschichte des MAN Nutzfahrzeugbaus, Berlin, Heidelberg: Springer, 1991

[6-19] Marwitz, Hartmut: Mercedes-Benz Atego – die neuen Verteilerlastwagen von Daimler Benz. In: Sonderbeilage ATZ/MTZ (1998), Nr. 9/10

[6-20] Mayer, Michael: Abgasturbolader; Sinnvolle Nutzung der Abgasenergie 2. Auflage, Landsberg/Lech: Verlag moderne Industrie, 1995

[6-21] Mitschke, M.: Dynamik der Kraftfahrzeuge, Bd. A: Antrieb und Bremsung 3. Auflage, Berlin, Heidelberg, New York: Springer Verlag 1995

[6-22] Mollenhauer, Klaus: Handbuch Dieselmotoren: Springer-Verlag 1997

[6-23] Paulsen, Lutz: Die neue Telligent-Schaltung von Daimler-Benz- Teil 1. In: ATZ 100 (1998), Nr. 9

[6-24] Paulsen, Lutz: Die neue Telligent-Schaltung von Daimler-Benz- Teil 2. In: ATZ 100 (1998), Nr. 10

[6-25] Pischinger, F.: Verbrennungsmotoren, Vorlesungsumdruck, RWTH-Aachen Band I, II, 11. Auflage Aachen: Selbstverlag 1990

[6-26] Rabe, K.: Aller Laster Anfang – Technik, Geschichte und Geschichten Düsseldorf 1987: VDI-Verlag GmbH

[6-27] Reuß H.-J.: Hundert Jahre Dieselmotor in: MTZ 54 (1993)

[6-28] Remmels, Werner;Velji, Amin: Einfluß der Abgasrückführung auf die Rußemission; In: MTZ 57 (1996), Nr. 3

[6-29] Röttger, Daniel Erik: Brennverfahrensuntersuchung zur Abschätzung des Emissions- und Verbrauchsverhaltens eines direkteinspritzenden Dieselmotors mit Common-Rail Einspritzung, Diplomarbeit an der FH-Aachen, 1997

[6-30] Röhrle, Manfred D.: Kolben für Verbrennungsmotoren; Die Bibliothek der Technik; Band 98, 1994: Verlag Moderne Industrie

[6-31] Sass, F.; Bouchex, Ch.: Dubbel's; Taschenbuch für den Maschinenbau, Berlin/Heidelberg: Springer-Verlag, 1956, 1997

[6-32] Schneider, Günther: Verbrennungskraftmaschinen; Kolbenmotoren und Gasturbinentriebwerke 2. Auflage Ahrensburg: Selbstverlag, 1981

[6-33] Schittler, Michael; Heinrich, Rolf; Kerschbaum, Walter: Mercedes-Benz Baureihe 500 – eine neue V-Motorengeneration für schwere Nutzfahrzeuge. In: MTZ 57 (1996), Nr. 9

[6-34] Schittler, Michael; Heinrich, Rolf; Hase, Friedrich W.: Leistungsmerkmale der neuen Nutzfahrzeugmotoren OM 501 LA und OM 502 LA von Mercedes-Benz. In: MTZ 57 (1996), Nr. 11

[6-35] Schittler, Michael; Heinrich, Rolf; Treutlein, Wolfgang: Mercedes-Benz Baureihe 500 – Lebensdauerabsicherung und Wartungskonzept der neuen V-Motoren für schwere Nutzfahrzeuge. In: MTZ 57 (1996), Nr. 10

[6-36] Schrader, H.; Norbye, J.: Das Lastwagen-Lexikon, Alle Marken von 1900 bis heute, Stuttgart 1998: Schrader Verlag

[6-37] Schrader, H.: Deutsche Lastwagen-Klassiker, Stuttgart 1997: Motorbuch Verlag

[6-38] Schäfer, F.; Basshuysen, Richard van: Schadstoffreduzierung und Kraftstoffverbrauch von Pkw-Verbrennungmotoren; Die Verbrennungskraftmaschine Neue Folge Band 7, 1993: Springer-Verlag/Wien

[6-39] Strobel, Martin: Beeinflussung der Schadstoffemissionen direkteinspritzender Nutzfahrzeug-Diesel-Motoren durch innermotorische Maßnahmen, Dissertation, Aachen 1996

[6-40] Urlaub, Alfred: Verbrennungsmotoren, Grundlagen – Verfahrenstheorie – Konstruktion, 2. Auflage, 1994: Springer-Verlag

[6-41] Umweltbundesamt: Vorschlag für eine RICHTLINIE DES EUROPÄISCHEN PARLAMENTES UND DES RATES zur Änderung der Richtlinie 88/77/EWG des Rates zur Angleichung der Rechtsvorschriften der Mitgliedstaaten über Maßnahmen gegen die Emission gasförmiger Schadstoffe und luftverunreinigender Partikel aus Dieselmotoren zum Antrieb von Fahrzeugen, 1997

[6-42] von Fersen, Olaf: Ein Jahrhundert Automobiltechnik; Nutzfahrzeuge Düsseldorf: VDI-Verlag 1987

[6-43] Wächter, Wolfgang: Untersuchungen zum Emissionsverhalten von Nutzfahrzeug-Dieselmotoren; Fortschritt-Berichte VDI, Reihe 12 Verkehrstechnik/Fahrzeugtechnik Nr. 266, 1996: VDI-Verlag

[6-44] Ypma, Manfred; Streck, Richard: Wege zum kostengünstigen Euro II Motor – am Beispiel des 4.10 TCA von MWM Motores Diesel. In: MTZ 57 (1996), Nr. 7/8

[6-45] Zeitzen, Frank: Problemlöser, Hintergrund: Variable Ladergeometrie. In: lastauto omnibus 6/1999

[6-46] Zima, Stefan: Kurbeltriebe; Konstruktion, Berechnung und Erprobung von den Anfängen bis heute – Braunschweig; Wiesbaden: Vieweg, 1998

[6-47] Loseblattwerk FEE, Fahrzeugtechnik EWG/ECE Band 1-8: Kirschbaumverlag

[6-48] Aral AG: Aral-Publikationen: Dieselkraftstoff 1. Auflage 1995; Neue Herausforderungen an die Kraftstoffversorgung Sonderdruck aus ATZ 101 1999; Umweltfreundliche Kraftstoffe im Vergleich 1. Auflage 1995; Alternative Kraftstoffe 1. Auflage 1997; Schmierstoffe-Grundlagen 1. Auflage 1997; Schmierstoffe-Anwendung 1. Auflage 1998

[6-49] Aral AG: Verkehrstaschenbuch 1999/2000 42. Auflage: Aral AG 1999

[6-50] Cummins Diesel Deutschland GmbH: Prospektmaterial über die Dieselmotoren der Baureihe B, C, N, M und Signature 600

[6-51] Daimler AG: Prospekt-, Informationsmaterial, Datenblätter über Atego, Actros und Motoren der Baureihe 900 und 500

[6-52] HJS Fahrzeugtechnik GmbH & Co.: Prospektmaterial Abgastechnik Dieselmotoren (Oxidationskatalysator, Dieselpartikelfilter, CRT System)

[6-53] J. Eberspächer GmbH & Co.: Informationsmaterial Stand-Regeneration, Abgastechnik im Nutzfahrzeugsektor

[6-54] MANN+HUMMEL: Prospekte über Filtersysteme für Dieselkraftstoff

[6-55] MAN AG: Produktinformation über F2000, Datenblatt 19.414

[6-56] Mahle Filtersysteme GmbH: Prospektmaterial Ölfilter, Air-Filter-Systeme Serie 700, Lufttrockner-Patronen für Nutzfahrzeuge, Kraftstofffiltermodule für Dieselmotoren

[6-57] Mannesmann Sachs: Prospektmaterial Kupplungen für Kraftfahrzeuge, Beurteilung von Schäden an Kfz, Sachs Drehmomentwandler

[6-58] Optibelt: Antriebselemente für Nutzfahrzeuge, Kfz-Antriebsriemen, Technical Manual for V-Belt Drives.

[6-59] Robert Bosch GmbH: Technische Unterrichtung Dieseleinspritztechnik im Überblick 3. Auflage 1998

[6-60] Robert Bosch GmbH: Technische Unterrichtung Regler für Diesel-Reiheneinspritzpumpen 4. Ausgabe 1998

[6-61] Robert Bosch GmbH: Technische Unterrichtung Diesel-Reiheneinspritzpumpen PE 3. Ausgabe 1998

[6-62] Robert Bosch GmbH: Technische Unterrichtung, Diesel-Einspritzpumpen Typ PE und PF 1. Ausgabe Juni 1981

[6-63] Robert Bosch GmbH: Technische Unterrichtung, Diesel-Einspritzausrüstung, Drehzahlregler für Reiheneinspritzpumpen 1. Ausgabe 1975

[6-64] Robert Bosch GmbH: Technische Unterrichtung, Verteilereinspritzpumpe Typ VE, 1. Ausgabe 1983, 3. Ausgabe 1994

[6-65] Robert Bosch GmbH: Kraftfahrtechnisches Taschenbuch, 25. Aufl., Vieweg Verlag, Wiesbaden, 2004

[6-66] Siemens AG: Umweltbericht 1998

[6-67] ZF-Friedrichshafen AG: Informationsmaterial, Datenblätter, Betriebsanleitungen von ZF-Transmatic, ZF-Ecomat, ZF-Ecosplit Getrieben, Nebenabtrieben

[6-68] 3K-Warner Turbosystems GmbH: Informationsmappe Aufladesysteme

[6-69] Woschni, G.; Bergbauer, E.: Verbesserung von Kraftstoffverbrauch und Betriebsverhalten von Verbrennungsmotoren durch Turbocompounding, In: MTZ 51, (1990), Nr. 3

# 7 Getriebe

## 7.1 Leistungsangebot

Im Abschnitt 2.1 wurden die Fahrwiderstände berechnet und daraus der Leistungsbedarf ermittelt. Dieser muss vom Motor in Arbeitsgemeinschaft mit Kupplung und Getriebe gedeckt werden. Die Ursache für die Notwendigkeit dieser zusätzlichen Baugruppen liegt im Funktionsprinzip des Motors. Neben seinen zahlreichen, bedeutenden Vorteilen wie niedriges Leistungsgewicht, guter Wirkungsgrad und geringer Platzbedarf hat er folgende Nachteile [7-1; 7-2]:

- Im Gegensatz zum Elektromotor und der Dampfmaschine kann er nicht unter Last aus dem Stillstand anlaufen.
- Die maximale Leistung steht nur bei einer bestimmten Drehzahl zur Verfügung. Eine Drehzahlabsenkung ist nur über einen geringen Drehzahlbereich mit einer Drehmomenterhöhung verbunden, darüber hinaus ist ein Drehmomentwandler erforderlich.
- Der Motorwirkungsgrad ist nicht im gesamten Motorkennfeld gleich, so dass der Motor vorzugsweise nur in bestimmten Teilen desselben betrieben werden sollte.

Bevor auf die Drehzahl- und Drehmomentwandlung näher eingegangen wird, sollen die vorstehend aufgezählten Nachteile näher erläutert werden.

Bild 7-1 zeigt eine idealisierte Motorkennlinie für Drehmoment und Leistung für Volllast. Erst ab der minimalen Motordrehzahl kann der Motor ein Moment abgeben. Der Drehzahlbereich von 0 bis $n_{min}$ muss durch einen Drehzahlwandler überbrückt werden. Weitere markante Punkte der Drehmomentkennlinie sind das Drehmoment bei Nenndrehzahl und maximaler Leistung und das Drehmoment bei maximaler Drehzahl. Auf der Leistungskennlinie sind die Punkte für das maximale Moment, für die maximale Leistung (Scheitelpunkt der Kurve) und für die Höchstgeschwindigkeit von Bedeutung.

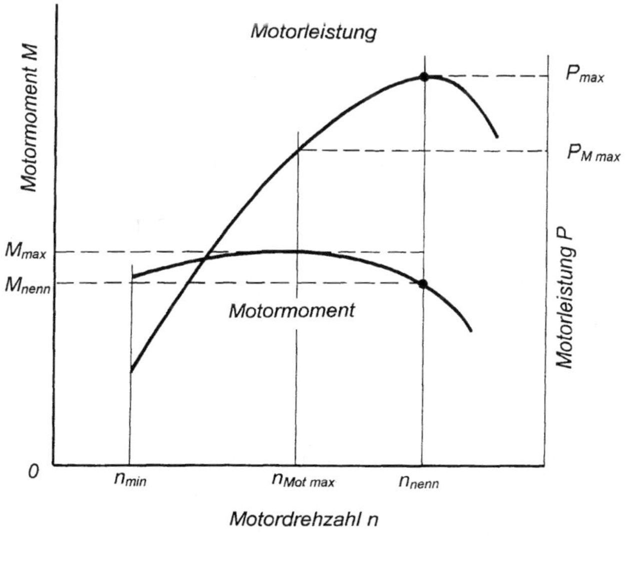


**Bild 7-1**
Drehmoment und Leistung eines Verbrennungsmotors als Funktion der Drehzahl [7-2]

Der Bedarf an Zugkraft ist in Bild 7-2 dargestellt. Das Kennfeld wird rechts von der Höchstgeschwindigkeit begrenzt. Die obere Grenze wird durch eine Kurve gebildet, die sich als Summe der Fahrwiderstände in Abhängigkeit von der Geschwindigkeit ergibt. Ihre Lage im Diagramm ist abhängig von der Größe der zu befahrenden Steigung und davon, ob die Geschwindigkeit konstant ist oder ob beschleunigt wird.

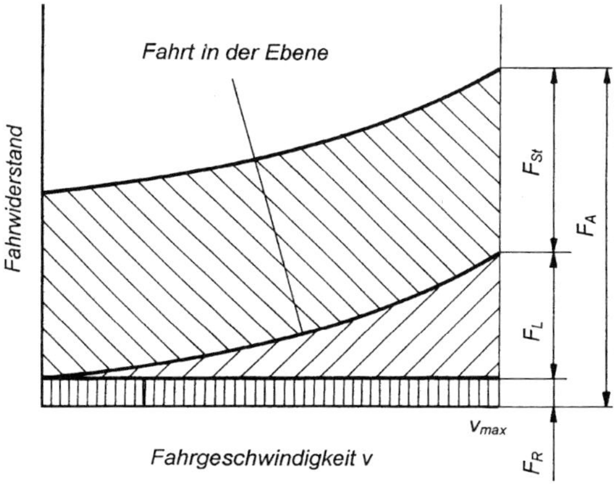


**Bild 7-2**
Zugkraftbedarf eines Kraftfahrzeugs [7-1]. Beschleunigungswiderstand, nicht mit eingezeichnet

Bild 7-3 zeigt ein ideales Lieferkennfeld. Es wird rechts durch die Höchstgeschwindigkeit des Fahrzeugs, nach oben durch zwei unterschiedliche Linien begrenzt. Die Rechte ergibt sich aus der Forderung, die verfügbare maximale Leistung über einen möglichst großen Geschwindigkeitsbereich hinweg nutzen zu können und hat damit die Form einer Hyperbel. Letztere wird häufig als „ideale Zugkrafthyperbel" bezeichnet.

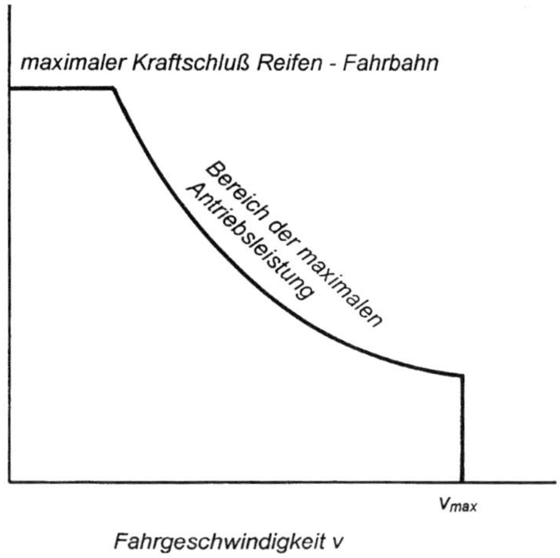


Die zweite, waagerechte Linie, welche das Kennfeld nach oben begrenzt, ergibt sich aus der Haftung der Räder auf der Straße. Da mit der Kennlinie eines Verbrennungsmotors, gleichgültig, ob er nach dem Diesel- oder Ottoverfahren arbeitet, das Lieferkennfeld nicht abgedeckt werden kann, muss im Kraftfluss vom Motor zu den Rädern eine Momentenwandlung erfolgen.

**Bild 7-3**
Zugkraftangebot eines idealen Kraftfahrzeugantriebs [7-1]

Der spezifische Kraftstoffverbrauch wird für den Betriebsbereich eines Motors in Verbrauchskennfeldern dargestellt. Bild 7-4 zeigt schematisiert ein solches für einen aufgeladenen Dieselmotor. Aufgetragen sind die Volllastkennlinie und die Linien konstanten spezifischen Kraftstoffverbrauchs $b_e$, welche wegen ihrer Form als Muschelkurven bezeichnet werden. Außerdem sind Hyperbeln konstanter Leistung eingetragen.

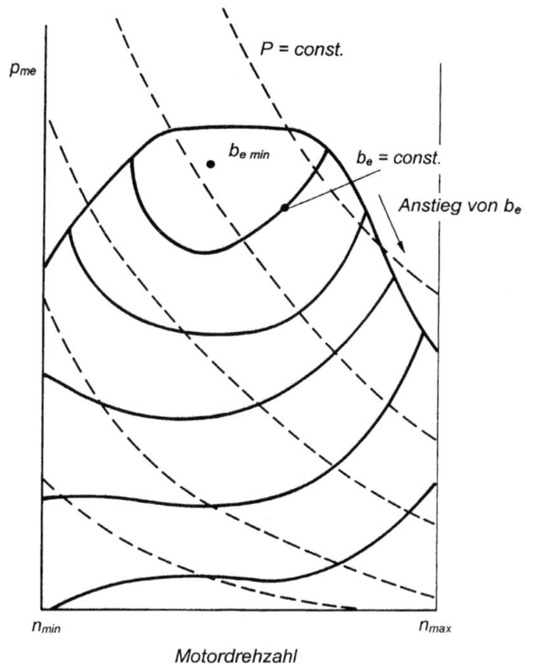


Geht man eine solche Linie entlang, so ist die gleiche Leistung durch Variieren von Drehzahl und Drehmoment bei unterschiedlichen spezifischen Verbräuchen zu erreichen. Sucht man auf der Linie konstanter Leistung den Punkt des niedrigsten spezifischen Verbrauches und verbindet diese Punkte miteinander, so erhält man die Linie des minimalen spezifischen Kraftstoffverbrauchs. Daraus ergibt sich als weitere Aufgabe für die Fahrzeugentwicklung, durch geschickte Auslegung des Antriebsstranges dafür zu sorgen, dass der Motorbetrieb weitgehend in verbrauchsgünstigen Bereichen des Kennfeldes erfolgt.

**Bild 7-4**
Verbrauchskennfeld, schematisiert

## 7.2 Zusammenwirken von Motor und Komponenten des Antriebsstranges

Im Abschnitt 7.1 wurden die Vor- und Nachteile des Verbrennungsmotors beschrieben und erläutert. Nachfolgend soll gezeigt werden, wie mit Hilfe der Komponenten des Triebwerksstranges die Möglichkeiten des Motors optimal genutzt werden.

### 7.2.1 Aufbau des Antriebsstranges

In Bild 7-5 ist der Antriebsstrang eines Nutzkraftwagens schematisch dargestellt. Das Dehmoment des Motors wird über eine Kupplung zum Schaltgetriebe geleitet. Die Kupplung dient als Drehzahlwandler beim Anfahren zur Überbrückung des Drehzahlbereiches von n = 0 bis $n_{min}$ und zum Unterbrechen des Kraftflusses beim Schalten konventioneller Stufengetriebe. Im Schaltgetriebe erfolgt eine Drehmomentwandlung bei gleichzeitiger Veränderung der Drehzahl. Bis auf ganz wenige Ausnahmen erfolgt eine Erhöhung des Drehmoments bei gleichzeitiger Drehzahlverringerung, ganz selten wird über einen Schongang umgekehrt verfahren. Das Schaltgetriebe ist entweder ohne zusätzliche Schaltgruppen mit bis zu 6 Gängen ausgeführt oder es sind zur Erhöhung der Gangzahl Vor- oder Nachschaltgruppen, bei schweren Fahrzeugen auch beides, vorhanden. Beim Vorhandensein beider beschränkt man sich in der Regel auf 4 Gänge im Hauptgetriebe. Beim Hinterachsantrieb und einer getriebenen Achse wird das Antriebsmoment unmittelbar in das Achsgetriebe eingeleitet, ebenso bei zwei angetriebenen Hinterachsen und Durchtrieb von der ersten zur zweiten Hinterachse. Bei Allradantrieb und direktem Antrieb der zweiten Hinterachse ist noch ein Verteilergetriebe dazwischen geschaltet. Im Achsgetriebe, bei machen Konstruktionen zusätzlich auch noch in Radvorgelegen, wird mit

Hilfe einer konstanten Übersetzung das Drehmoment nochmals bei gleichzeitiger weiterer Verringerung der Drehzahl erhöht. Vereinzelt ist im Achsgetriebe eine weitere, zusätzliche Schaltstufe zu finden.

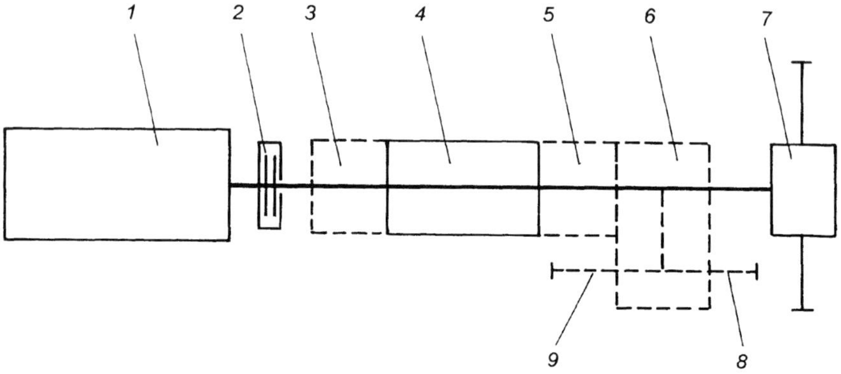


**Bild 7-5** Schematische Darstellung des Antriebsstranges eines Nutzfahrzeuges:
1 Motor
2 Kupplung
3 Vorschaltgruppe
4 Hauptgetriebe
5 Nachschaltgruppe
6 Verteilergetriebe
7 Achsgetriebe
8 Durchtrieb zur 2. Hinterachse
9 Antrieb der Vorderachse (nicht bei allen Fahrzeugen vorhandene Baugruppen sind gestrichelt gezeichnet) [7-2]

## 7.2.2 Drehzahlwandler

Wie bereits erläutert, muss die Drehzahllücke zwischen der Mindestdrehzahl des Motors, bei welcher ein Drehmoment abgegeben werden kann und der beim Anfahren stillstehenden Getriebeeingangswelle durch einen Drehzahlwandler geschlossen werden. Für Kraftfahrzeuge kommen hauptsächlich zwei Bauformen in Betracht:

- Ein- oder Mehrscheiben-Trockenkupplungen
- hydrodynamische Drehzahlwandler

Da bei Nutzfahrzeugen praktisch nur Ein- und Zweischeiben-Trockenkupplungen verwendet werden, sollen sich die Betrachtungen aus fahrdynamischer Sicht auf diese beschränken. Sie sind aus fahrmechanischer Sicht dadurch gekennzeichnet, dass nach abgeschlossenem Kuppelvorgang die Eingangsdrehzahl gleich der Ausgangsdrehzahl und das Ausgangsmoment gleich dem Eingangsmoment ist, wenn man von den sehr geringen Lüftungsverlusten infolge der Rotation in der umgebenden Luftschicht in der Kupplung und eventuellen Reibungsverlusten in den Lagern absieht.

Bild 7-6 zeigt den idealisierten Verlauf des mit einer Reibungskupplung durchgeführten Anfahrvorgangs. Aufgetragen wurden der Drehzahlverlauf für den Motor und die Kupplungseingangswelle vor dem Einkuppeln und während des Kuppelvorgangs, der Drehzahlverlauf für die Kupplungsausgangswelle vor und während des Kuppelvorgangs und die Drehzahlerhöhung des Motors und des mit ihm verbundenen Antriebsstrangs nach Beendigung des Kuppelvorgangs. Dieser läuft, wieder etwas idealisiert betrachtet, folgendermaßen ab: Der Fahrer beschleunigt den Motor aus dem Leerlauf heraus und entlastet das Kupplungspedal. Die Reibflächen der Kupplung kommen miteinander zum Zeitpunkt $t_K$ in Eingriff. Es wird ein Drehmoment übertragen. Die Kupplungsausgangswelle und der Triebwerksstrang beginnen zu rotieren. Das Fahrzeug beginnt zu rollen. Während des Kuppelvorgangs sinkt die Drehzahl des Motors etwas ab, die des Triebwerksstranges und damit die Geschwindigkeit des Fahrzeugs steigen. Nach Ablauf der Kuppelzeit ist die Drehzahldifferenz zwischen Motor und Triebwerksstrang auf Null reduziert.

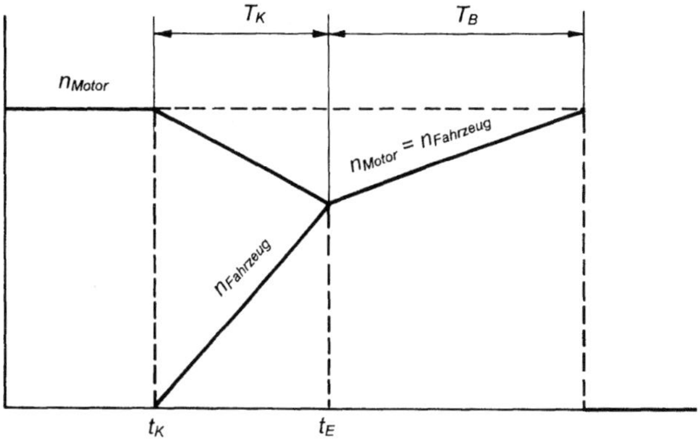


**Bild 7-6**
Idealisierter Anfahrvorgang bei einer Reibungskupplung

## 7.2.3 Drehmomentwandler

Im Abschnitt 7.2.1 war gezeigt worden, dass die Motorkennlinie keine ideale Anpassung an den Bedarf an Zugkraft ermöglicht. Außerdem war anhand des Verbrauchskennfeldes zu erkennen, dass die Beschränkung auf bestimmte Teile des Kennfeldes zur Kraftstoffeinsparung beitragen kann. Theoretisch ist es denkbar, den Motor bei konstanter oder nur geringfügig variierter Drehzahl zu betreiben und am Motor selbst nur die Größe des Drehmomentes je nach Zugkraftbedarf zu variieren. Die Anpassung an die Zugkrafthyperbel müsste in diesem Fall mit einem stufenlos arbeitenden Wandler mit einem großen Übersetzungsbereich und einem Wirkungsgrad nahe 100 % erfolgen.

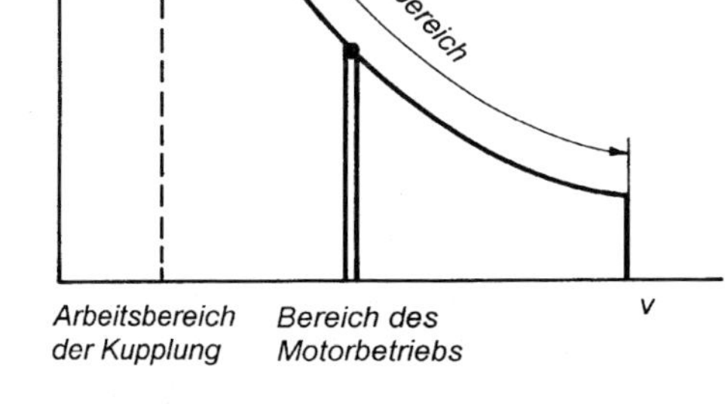


**Bild 7-7**
Motorkennlinie und ideale Zugkrafthyperbel

Bild 7-7 zeigt schematisch eine solche Kombination. Leider stehen solche idealen Wandler trotz aller anzuerkennender Fortschritte in der technischen Entwicklung nicht zur Verfügung, so dass diese theoretisch günstige Variante nicht praktisch realisierbar ist. Lässt man einen Mehrverbrauch von Kraftstoff in einem bestimmten Umfang zu, so steht motorseitig ein Drehzahlbereich zur Verfügung, dessen Größe von der Größe des zugelassenen Mehrverbrauchs abhängt. Der maximal nutzbare Bereich wird auch als Motorspreizung bezeichnet (Bild 7-8).

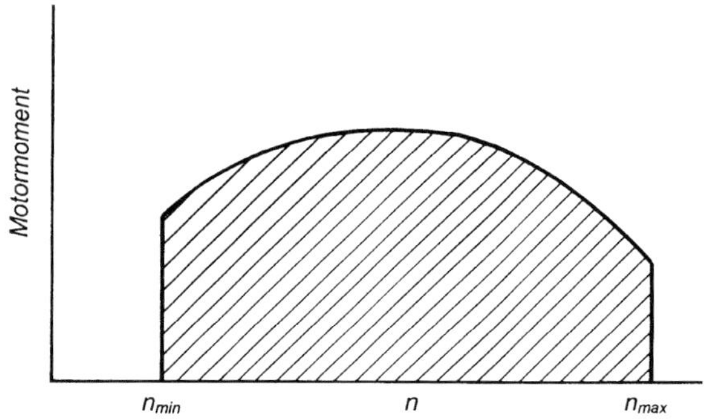


**Bild 7-8**
nutzbarer Drehzahlbereich eines Verbrennungsmotors

Dieser Drehzahlbereich muss durch Kombination mit einem Wandler so erweitert werden, dass die Anforderungen des praktischen Fahrbetriebs erfüllt werden können. Im Nutzfahrzeugbau werden heute so gut wie ausschließlich mechanische Stufengetriebe verwendet. Die fahrdynamischen Grundlagen der Getriebeauslegung sollen daher nachfolgend am Beispiel eines mechanischen Stufengetriebes erläutert werden. Kombiniert man den Motor mit einem solchen, so entsteht ein Zugkraftdiagramm nach Bild 7-9.

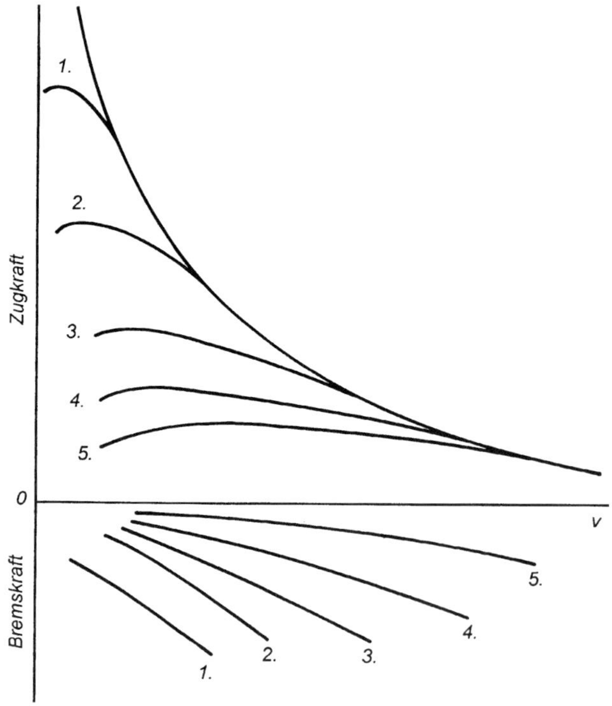


**Bild 7-9**
Zugkraftdiagramm eines Nutzkraftfahrzeugs mit einem 5-Gang-Getriebe einschließlich der Motorbremskurven [7-2]

Die einzelnen Gänge bewirken eine Annäherung an die Zugkrafthyperbel. Die Annäherung gelingt um so besser und das Getriebe kommt mit um so weniger Gängen aus, je besser sich die Kennlinie an die Zugkrafthyperbel anschmiegt. Bild 7-10 zeigt, um dies zu verdeutlichen, eine flache (Kennlinie 1), die einem nicht aufgeladenen und eine steile (Kennlinie 2), die einem aufgeladenen Dieselmotor entspricht. Um den konstruktiven Aufwand niedrig zu halten, soll die Zahl der Getriebegänge möglichst niedrig sein. Die Annäherung an die ideale Zugkrafthyperbel ist andererseits um so besser, je größer die Zahl der Getriebegänge ist. Um ein Getriebe fahrdynamisch auszulegen, ist es zweckmäßig, erst die Fahrleistungsgrenzen zu bestimmen, die sich durch die Steigfähigkeit im kleinsten Gang und durch die Höchstgeschwindigkeit in der Ebene ergeben.

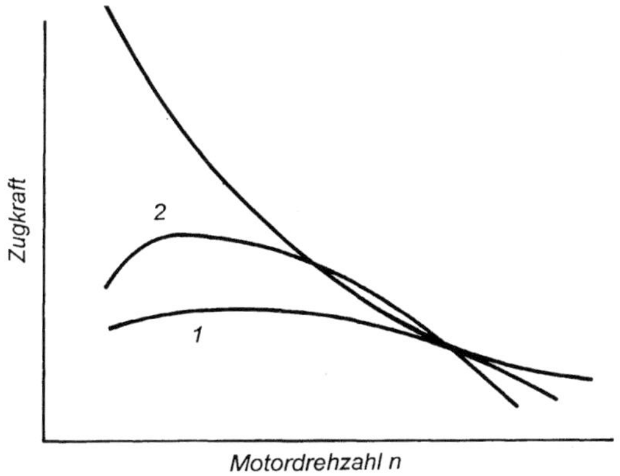


**Bild 7-10**
Flache (1) und steile (2) Motorkennlinie und ihre Anschmiegung an die Zugkrafthyperbel

Im Abschnitt 2.3.1 war gezeigt worden, wie die maximale Steigfähigkeit, der Kraftschlussbeiwert und der Steigungswinkel voneinander abhängen. Dabei war stillschweigend vorausgesetzt worden, dass die erforderliche Zugkraft ausreichend groß ist. Bei der Auslegung eines Schaltgetriebes wird durch die Wahl der Übersetzung des kleinsten Ganges diese Voraussetzung geschaffen, d. h., mit der Festlegung der Übersetzung wird die Steigfähigkeit bestimmt. Zur Berechnung derselben wird der Luftwiderstand vernachlässigt und die Beschleunigung Null gesetzt. Es wirken nur noch Roll- und Steigungswiderstand. Daraus ergibt sich die erforderliche Gesamtübersetzung im kleinsten Gang.

$$i_{ges} = \frac{r_{dyn} \cdot G\left(k_R \cos\alpha_{St} + \sin\alpha_{St}\right)}{M_{M,max} \cdot \eta_T}$$

Die Übersetzung im größten Gang kann rechnerisch aus der vorgegebenen Höchstgeschwindigkeit, der maximalen Motordrehzahl und dem dynamischen Reifenhalbmesser errechnet werden. Dabei ist durch Auftragen der Fahrwiderstände für Fahrt in der Ebene bei v = constant und der Volllastkennlinie der Schnittpunkt zwischen beiden Kurven zu suchen und zu prüfen, ob die vorgegebene Höchstgeschwindigkeit überhaupt erreicht wird (Bild 7-11). Die vorgegebene Höchstgeschwindigkeit wird bei Nutzfahrzeugen häufig durch gesetzliche Vorschriften geregelt.

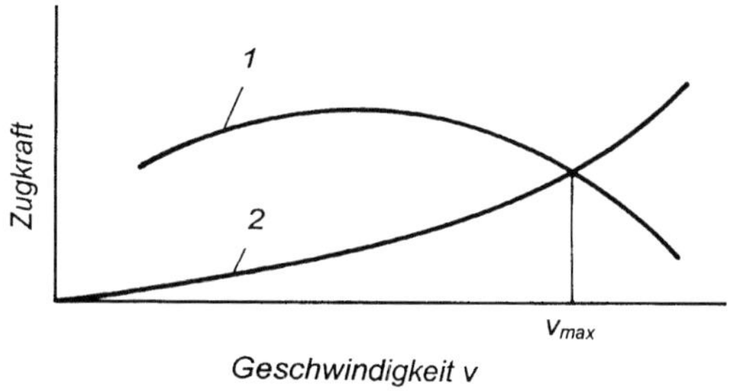


**Bild 7-11**
Ermittlung der Höchstgeschwindigkeit aus der Vollastkennlinie und der Fahrwiderstandskurve bei Fahrt in der Ebene,
1 Antriebskennlinie,
2 Fahrwiderstandskurve

Die kleinste und die größte Übersetzung bilden die obere und die untere Grenze eines Übersetzungsbereichs, der auch als Getriebespreizung bezeichnet und als Quotient aus der größten und der kleinsten Übersetzung dargestellt wird. In [7-2] werden für schwere Lkw Übersetzungsbereiche von 8 bis 18 und für leichte und mittlere 4,5 bis 9,5 angegeben. Die großen Streubereiche ergeben sich aus unterschiedlicher Motorspreizung, unterschiedlicher spezifischer, d. h., auf das Fahrzeuggewicht bezogener Leistung und dem Einsatzzweck.

Liegen die größte und kleinste Übersetzung fest, sind Anzahl und Übersetzungsverhältnis der Zwischengänge zu bestimmen. Man unterscheidet

- geometrische Abstufung
- progressive Abstufung

Die geometrische Abstufung ist dadurch gekennzeichnet, dass der Quotient aus zwei benachbarten Gängen, in der Regel teilt man den mit der größeren Übersetzung durch den mit der kleineren, immer gleich groß ist. Kleine Abweichungen können entstehen, weil ganzzahlige Zähnezahlen und gleiche Wellenabstände für die Zahnradpaare aller Gänge erforderlich sind.

Ein Zahlenbeispiel:
Der Getriebesprung eines 4-Gang-Getriebes möge $\varphi = 1{,}45$ betragen. Die Übersetzungen in den einzelnen Gängen ergeben sich wie folgt:

4. Gang $i = 1$
3. Gang $i = 1 \cdot 1{,}45 = 1{,}45$
2. Gang $i = 1 \cdot 1{,}45 \cdot 1{,}45 = 2{,}10$
1. Gang $i = 1 \cdot 1{,}45 \cdot 1{,}45 \cdot 1{,}45 = 3{,}04$

Das Bildungsgesetz ist zu erkennen. Den Sprungfaktor bei der geometrischen Abstufung findet man, indem man die n-te Wurzel aus dem Wert für die Getriebespreizung zieht. Im vorstehenden Beispiel ist das die dritte Wurzel aus 3,04.

Die progressive Abstufung unterscheidet sich von der geometrischen dadurch, dass der Sprungfaktor, im vorstehenden Beispiel den Wert 1,45 beträgt, nochmals mit einem weiteren Faktor multipliziert wird. Dadurch vergrößern sich die Abstände zwischen den gößeren Übersetzungen und man kommt entweder mit weniger Gängen aus oder kann die Abstände im Bereich der kleinen Übersetzungen verringern, was vorteilhaft ist, wenn diese häufiger benötigt werden. Getriebe für Nutzfahrzeuge werden geometrisch gestuft. Das hat zwei Hauptgründe. Auf Grund der geringeren spezifischen Motorleistung werden die großen Übersetzungen häufiger benötigt als beim Pkw und außerdem erfordern Vor- und Nachschaltgruppen eine geometrische Stufung.

Mit einem Getriebe ohne Vor- oder Nachschaltgruppe werden bei Nutzfahrzeugen maximal 6 Gänge realisiert. Eine höhere Gangzahl erfordert besondere konstruktive Maßnahmen, z. B. zusätzliche Lagerung der Wellen, um die Durchbiegung hinreichend klein zu halten. Darüber hinaus werden Vor- oder Nachschaltgruppen oder beides, kombiniert mit einem 4-Gang-Hauptgetriebe, eingesetzt.

Bild 7-12 zeigt das Zugkraft-Diagramm des Lkw Typ 1835 von Daimler [7-3] mit 16 Vorwärts- und 2 Rückwärtsgängen. Die Spreizung beträgt 17,03, die Steigfähigkeit mit der größten Übersetzung im Solobetrieb 80 %, wobei Anfahren noch auf einer Steigung von 76,8 % möglich ist. Das Fahrzeug hat eine zulässige Gesamtmasse von 18 t im Solobetrieb. Mit Anhänger als 40-t-Zug wird eine Steigung von 42,6 % bewältigt, Anfahren ist noch bei 34,1 % möglich.

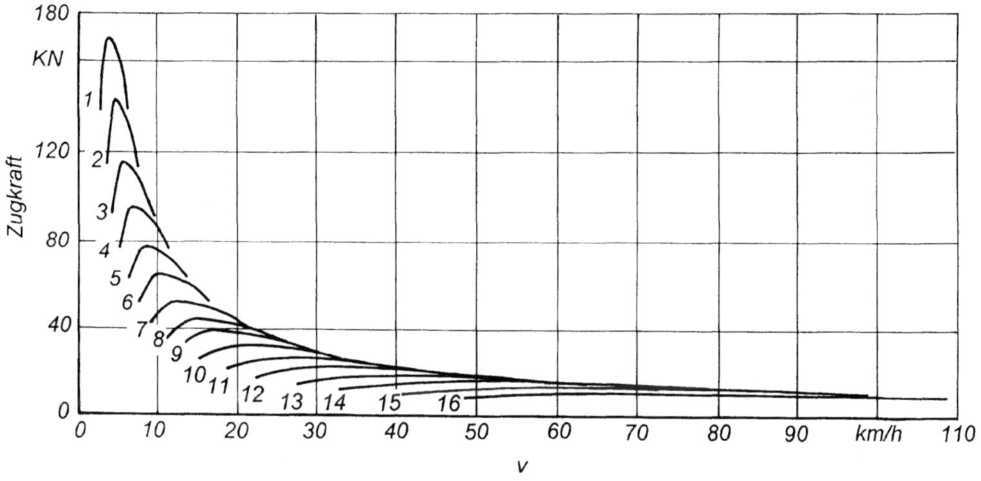


**Bild 7-12** Zugkraftdiagramm für einen schweren Lkw (Mercedes-Benz Typ 1835) mit 16-Gang-Getriebe [7-3]

# 7.3 Hydrodynamische Kupplungen und Wandler

Jedes Fahrzeug mit einem Verbrennungsmotorantrieb weist eine definierte Mindestdrehzahl auf. Beim Anfahrvorgang des Fahrzeuges muss die Drehzahldifferenz zwischen der niedrigsten Motordrehzahl und der stillstehenden Getriebeeingangswelle überbrückt werden. Hydrodynamische Kupplungen (Strömungskupplung) und hydrodynamische Wandler (Strömungswandler) sind Systeme bei denen die Kraftübertragung im Gegensatz zum mechanischen oder elektrischen Antrieb durch Strömungskräfte einer Flüssigkeit erfolgt.

Die Strömungskupplung wandelt nur die Drehzahl. Der Strömungswandler wandelt sowohl die Drehzahl, als auch das Moment und ist damit ein Getriebe. Die mechanische Energie der Antriebswelle wird durch eine Hydraulikpumpe in Strömungsenergie eines flüssigen Arbeitsmediums (meist ein Öl-Automatic Transmission Fluid (ATF-Öl)) gewandelt. Über ein Leitsystem wird das Arbeitsmedium zur Turbine transportiert und versetzt diese in Rotation. Die Rotationsenergie der Turbine wird dann zur Kraftübertragung zwischen Motor und Getriebe ausgenutzt. Durch die Idee von Ingenieur Hermann Föttinger Pumpenrad, Turbinenrad und Leitrad in einem Gehäuse zu vereinigen, konnten die Strömungsverluste minimiert, sowie Gewicht und Baugröße reduziert und damit der Einbau in Kfz ermöglicht werden. Alle im Nutzfahrzeugbereich eingesetzten Wandler arbeiten nach diesem so genannten „Föttinger-Prinzip“.

Die Leistungsaufnahme der Pumpe beträgt $P_P$:

$$P_P = \lambda \cdot \rho \cdot D^5 \cdot \omega_P{}^3 \tag{7-1}$$

$\lambda$ = Leistungsziffer, ist eine Funktion des Drehzahlverhältnisses $\nu$
D = Kreislauf-Durchmesser
$\rho$ = Dichte des Mediums, für ATF-Öl $800 \div 900$ kg/m$^3$
$\omega_p$ = Winkelgeschwindigkeit der Pumpe

Die Drehmomentaufnahme der Pumpe beträgt $T_P$:

$$T_P = \lambda \cdot \rho \cdot D^5 \cdot \omega_P{}^2 \tag{7-2}$$

Der Momentenwandlungsfaktor $\mu$ berechnet sich aus dem Verhältnis des Turbinenmomentes $T_T$ zum Pumpenmoment $T_P$:

$$\mu = \frac{T_T}{T_P} \tag{7-3}$$

Das Drehzahlverhältnis $\nu$ ergibt sich zu:

$$\nu = \frac{\omega_T}{\omega_P} \tag{7-4}$$

Der Schlupf s ist definiert als:

$$s = 1 - \nu \tag{7-5}$$

Der hydraulische Wirkungsgrad $\eta_{hyd}$ beträgt:

$$\eta_{hyd} = \mu \cdot (1 - s) \tag{7-6}$$

Vorteile der hydrodynamischen Kupplung und Wandler sind:

- stufenlose Drehzahl- und Drehmomentänderung
- Abbau von Drehmomentspitzen
- nahezu verschleißfreie Kraftübertragung
- Motor kann nicht abgewürgt werden, da bei niedrigen Motordrehzahlen nur ein geringes Drehmoment übertragen wird
- schwingungsdämpfende Wirkung
- absolut ruckfreies Anfahren möglich

Nachteile sind:

- schlechter Wirkungsgrad aufgrund des Schlupfes, können nur mit nachgeschaltetem mechanischem Stufengetriebe wirtschaftlich betrieben werden
- hoher Bauaufwand bei nachgeschaltetem Getriebe

### 7.3.1 Hydrodynamische Kupplung

Die hydrodynamische Kupplung (Bild 7-13 und 7-14) besteht aus Pumpenrad und Turbinenrad mit meist radial endenden Schaufeln. Pumpe und Turbine sind von einem gemeinsamen Gehäuse umschlossen. Aufgrund des fehlenden Leitrades zwischen Pumpenrad und Turbinenrad wird die Strömung der Betriebsflüssigkeit nicht umgelenkt. Daher ist das Turbinenmoment gleich dem Pumpenmoment ($\mu = 1$). Daraus folgt für den hydraulischen Wirkungsgrad: $\eta_{hyd} = 1 - s$.

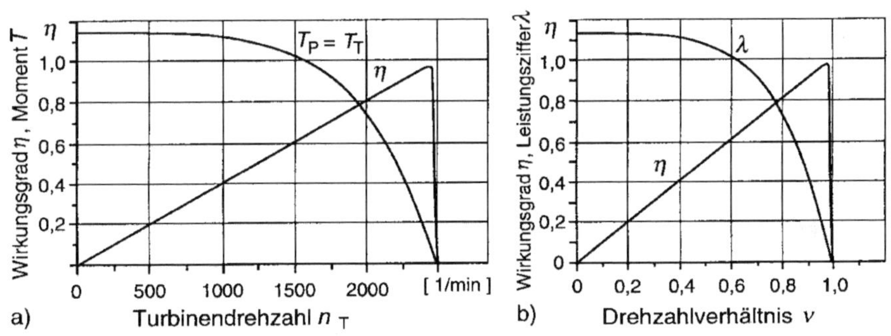


**Bild 7-13** Kennlinien einer hydrodynamischen Nutzfahrzeugkupplung [7-2]
a) dimensionsbehaftet, b) dimensionslos

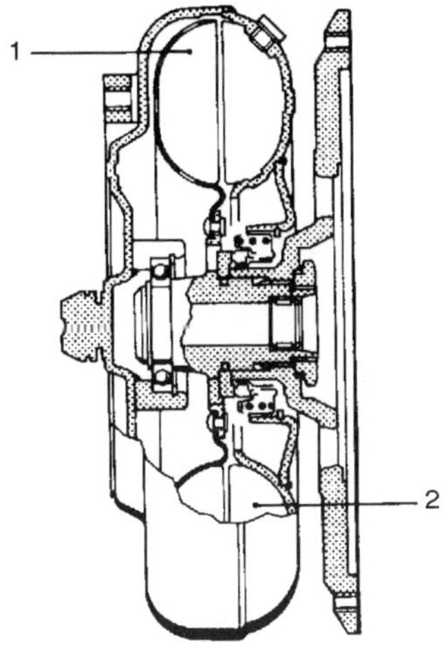


1 Turbinenrad
2 Pumpenrad

**Bild 7-14** Hydrodynamische Kupplung [7-4]

### 7.3.2 Hydromechanische Wandler

Der hydromechanische Wandler besteht aus Pumpenrad, Turbinenrad sowie einem Leitrad. Pumpe, Turbine und Leitrad sind in einem geschlossenen Gehäuse untergebracht, das vollständig mit einem unter Druck stehenden ATF-Öl gefüllt ist. Durch das feststehende Leitrad kann der Wandler ein Reaktionsmoment aufnehmen und so das vom Motor kommende Antriebsdrehmoment wandeln.

Im Kraftfahrzeugbereich hat sich der Föttinger-Wandler nach dem Trilok-System durchgesetzt (Bild 7-15). Der Wandler kann in zwei Bereichen arbeiten. Im ersten Bereich, mit Wirkung des Leitrades als Drehmomentwandler, im zweiten Bereich ohne Einfluss des Leitrades als hydrodynamische Kupplung. Dadurch, dass Pumpe und Turbine nicht direkt miteinander verbunden sind, arbeitet der Wandler nahezu verschleißfrei. Dieses System setzt sich aus einer Turbine, einem Leitrad mit Einwegfreilauf und einer Pumpe zusammen. Durch die Drehbewegung der Pumpe wird das im Gehäuse befindliche Öl in Bewegung versetzt, durch die auftretenden Fliehkräfte zum Außenrand des Gehäuses gedrückt und schließlich mit hoher Strömungsgeschwindigkeit zum Turbinenrad geführt. Die Strömungsenergie des Öls wird durch die gebogenen Schaufeln der Turbine umgelenkt und so in eine Rotationsbewegung der Turbine und damit mechanische Energie umgewandelt. Das zwischen Pumpenrad und Turbinenrad liegende Leitrad lenkt das Öl für die Wiederzuführung zur Pumpe um und stützt sich dabei über den Einwegfreilauf ab. Die Umlenkung durch das Leitrad bewirkt beim Anfahren des Fahrzeuges eine Wandlung des Drehmomentes vom Motor zum Getriebe auf das 2- bis 3,5-fache (je nach Wandlerauslegung). Je größer der Schlupf und damit die Drehzahldifferenz zwischen Pumpe und Turbine ist, desto größer ist die Drehmomenterhöhung

$$\mu = \frac{T_T}{T_P}$$

Bei stehender Turbine, also im Anfahrpunkt ( $\nu = 0$ ), erreicht die Momentenwandlung ihren Maximalwert. Mit zunehmender Angleichung der Turbinendrehzahl an die Pumpendrehzahl fällt das Momentenverhältnis nahezu linear ab und erreicht im Kupplungspunkt den Wert $T_T$ : $T_P$ = 1:1. Oberhalb des Kupplungspunktes läuft das Leitrad durch den Freilauf momentenfrei in der Strömung und stellt damit den Kupplungsbereich dar. Der hydraulische Wirkungsgrad liegt ungefähr bei 90 %. Extrem beanspruchte Wandler werden zur Reduzierung der thermischen Belastung mit einem zusätzlichen Kühlsystem versehen.

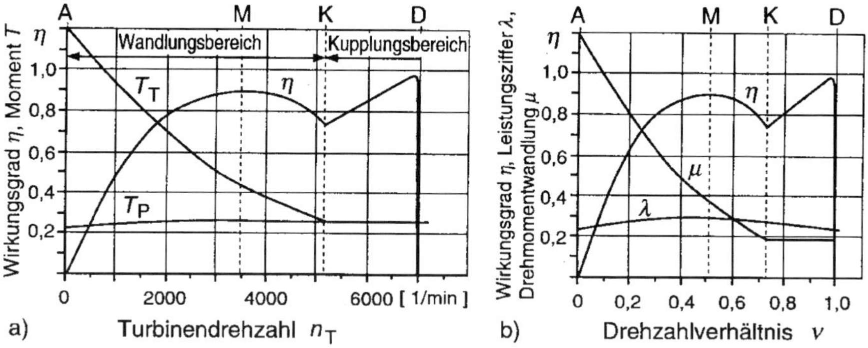


A = Anfahrpunkt M = Optimalpunkt K = Kupplungspunkt D = Durchgangspunkt

**Bild 7-15** Kennlinie eines Trilok-Wandlers a) dimensionsbehaftet, b) dimensionslos [7-2]

Zu erkennen sind die Wandler für Nutzfahrzeuge, wie in der in Bild 7-16 gezeigten Darstellungen ersichtlich, an der runden Torusform, im Gegensatz zu den Pkw-Wandlern die meistens eine längliche Torusform besitzen.

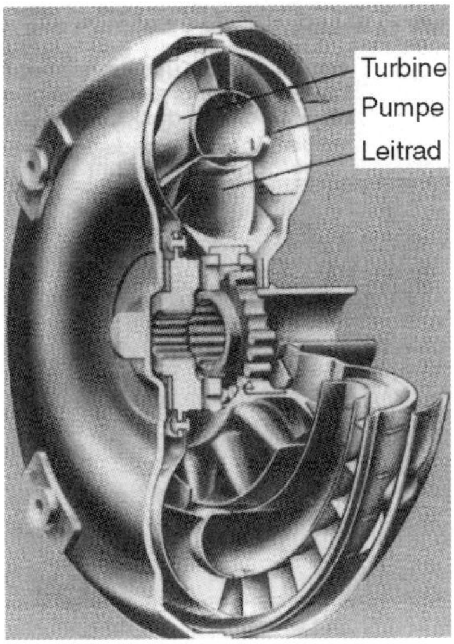


**Bild 7-16**
Föttinger Wandler (Trilok-Ausführung) [7-5]

Aufgabe der *Wandlerüberbrückungskupplung* (Bild 7-17) ist die Vermeidung von wirkungsgradungünstigem Schlupf, wenn z. B. auf eine Drehmomentwandlung verzichtet werden kann (Fahrbetrieb nach dem Anfahren). Hierzu wird durch die Kupplung eine reibschlüssige Verbindung zwischen Pumpe und Turbine hergestellt. Die Steuerung der Wandlerkupplung erfolgt in Abhängigkeit von der Motorlast und Getriebeabtriebsdrehzahl. Der Aufbau und die Funktion der Kupplung ist im Prinzip der Gleiche wie bei einer Reibungskupplung und setzt sich aus einem Kolben mit Reibbelag zusammen, der durch einen Torsionsdämpfer mit der Turbinennabe verbunden ist.

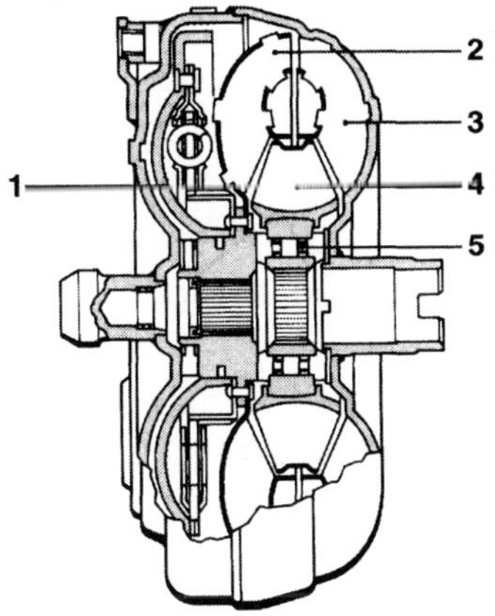


1 Überbrückungskupplung
2 Turbinenrad
3 Pumpenrad
4 Leitrad
5 Freilauf

**Bild 7-17**
Wandler mit Überbrückungskupplung [7-4]

# 7.4 Kupplungen

## 7.4.1 Reibungskupplungen

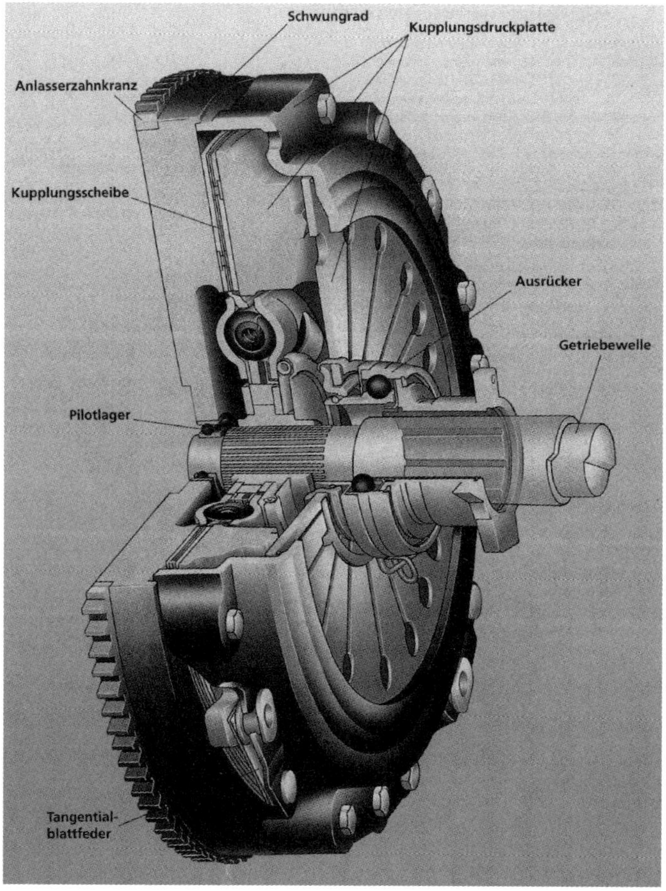


Die Kupplung stellt eine trennbare Verbindung zwischen Motor und Getriebe dar. Ihre Aufgabe ist die Übertragung des Motormoments auf das Getriebe. Im Nutzfahrzeugbereich kommen Einscheiben- und Zweischeibenkupplungen zum Einsatz. Überwiegend werden diese Kupplungen mit hydraulischer Unterstützung betätigt. Allgemein wird die Membranfederkupplung (Bild 7-18) der Schraubenfederkupplung vorgezogen.

**Bild 7-18**
Aufbau einer Nutzfahrzeugkupplung (Membranfeder) [7-6]

### *7.4.1.1 Einscheibenkupplung (Schraubenfederprinzip)*

Durch die Schraubenfedern wird die Kupplungsdruckplatte gegen die Kupplungsscheibe (Mitnehmerscheibe) gedrückt. Die Kupplungsscheibe, die zwischen Druckplatte und Schwungrad liegt, wird dabei axial auf der Kupplungswelle verschoben und gegen die Reibfläche des Schwungrades gepresst. Bei nicht betätigtem Kupplungspedal ist damit das Schwungrad des Motors reibschlüssig mit der Kupplungsscheibe verbunden, die wiederum durch eine Verzahnung mit der Getriebewelle verbunden ist und dadurch das vom Motor abgegebene Moment zum Getriebe weiterleitet. Der Antrieb der Kupplungsscheibe erfolgt durch die fest mit dem Schwungrad verbundene Druckplatte. Beim Betätigen des Kupplungspedals drückt die Ausrückplatte über die Ausrückhebel gegen die Federkraft der Schraubenfedern und hebt dadurch die Druckplatte von der Kupplungsscheibe ab, wodurch die kraftschlüssige Verbindung zwischen Motor und Getriebe unterbrochen wird.

### *7.4.1.2 Einscheibenkupplung (Membranfederprinzip)*

Die Membranfederkupplung (Bild 7-19) bietet den Vorteil der höheren Drehzahlfestigkeit sowie trotz geringer Baugröße einen höchstmöglichen Anpressdruck. Die erforderliche Anpresskraft zur Drehmomentenübertragung wird durch eine Spezialmembranfeder aufgebracht. Diese Membranfeder ist mit einer Tellerfeder zu vergleichen, die im Gehäuse durch zwei Drahtringe oder einen Drahtring und eine Sicke kippbar gelagert ist. Auf die bei der Schraubenfederkupplung benötigten separaten Ausrückhebel kann verzichtet werden. Die Anpressplatte wird durch die Blattfedern am Kupplungsgehäuse befestigt. Die Übertragung des Motormoments erfolgt zu 50 % von Anpressplatte und Blattfedern und zu 50 % direkt vom Schwungrad auf die Kupplungsscheibe. Wirkt die Ausrückkraft als Druckkraft auf die Membranfeder spricht man von einer gedrückten Druckplatte, mit dem Vorteil der einfachen Montage und Demontage. Wirkt die Ausrückkraft als Zugkraft spricht man von einer gezogenen Druckplatte, mit dem Vorteil der kleineren Ausrückkraft. Gezogene Kupplungen sind in schweren Nutzfahrzeugen Standard (Bild 7-20).

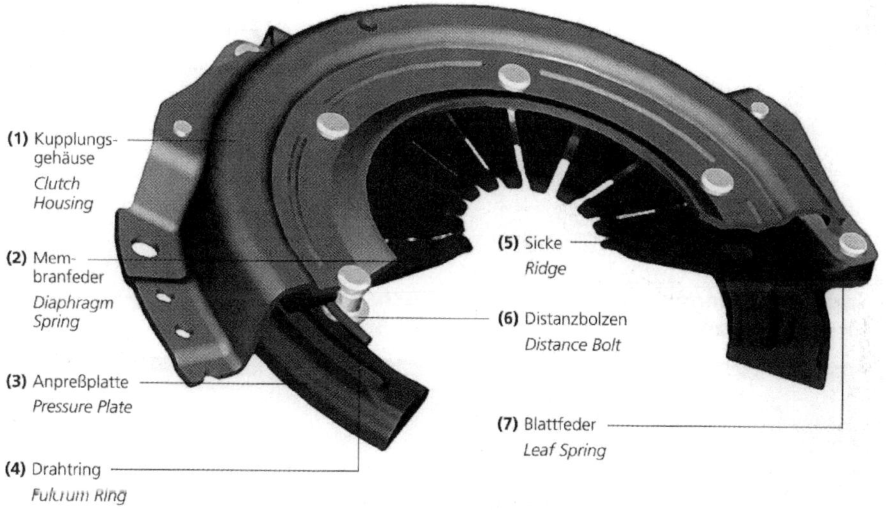


**Bild 7-19** Membranfeder-Kupplungs-druckplatte [7-6]

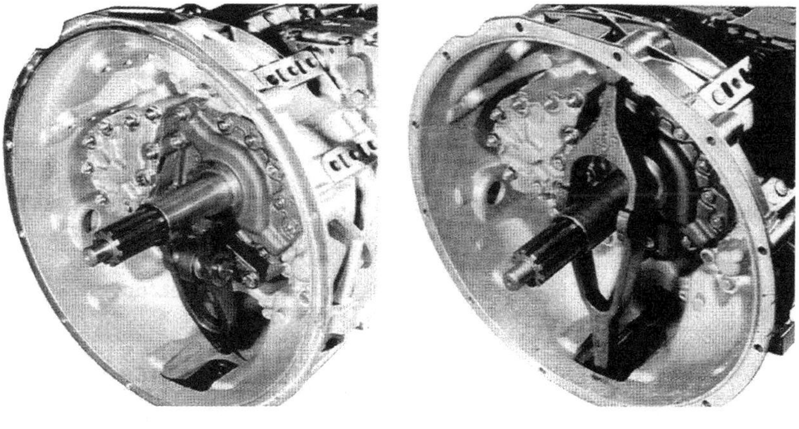

**Bild 7-20** SAE-Steuergehäuse-anschluss von einem ZF-Getriebe der SAE-Norm J 617 c bzw. der ISO-Norm 7649 für gezogene (links), gedrückte (rechts), servounterstützte Einscheibenkupplung zum Motor [7-7]

### *7.4.1.3 Zweischeibenkupplung*

Ab einer Leistungsklasse von ca. 275 kW werden in der Regel Zweischeibenkupplungen verwendet. Dadurch, dass zwei Kupplungsscheiben zum Einsatz kommen und insgesamt vier Reibflächen vorhanden sind, kann das zu übertragende Moment doppelt so groß sein wie bei Einscheibenkupplungen. Die beiden Kupplungsscheiben werden dabei durch eine Zwischenscheibe getrennt.

### *7.4.1.4 Hydraulische Kupplungsbetätigung*

Im Nutzfahrzeugbereich werden die Kupplungen hauptsächlich hydraulisch betätigt. Dies bietet den Vorteil, dass auf lange und aufwändig verlegte Kupplungsseile oder -gestänge verzichtet werden kann. Die hydraulische Kupplung (Bild 7-21) setzt sich aus folgenden Bauteilen zusammen:

- Kupplungspedal
- Geberzylinder
- Nehmerzylinder
- Ausrücklager
- Übertotpunktfeder

Die Übertotpunktfeder reduziert die Kupplungsbetätigungskräfte auf ca. 200 N und erleichtert damit das Auskuppeln.

Beim Betätigen der Kupplung drückt der Geberzylinder die Hydraulikflüssigkeit durch die Leitung zum Nehmerzylinder. Durch den vom Geberzylinder aufgebauten Druck fährt der Kolben des Nehmerzylinders aus und betätigt dabei über das Ausrücklager die Kupplung so das sie auskuppelt. Beim Einkuppeln wird durch die Kupplungsfedern sowie Rückholfedern in den Zylindern das Kupplungssystem wieder in den eingekuppelten Zustand zurückgeführt.

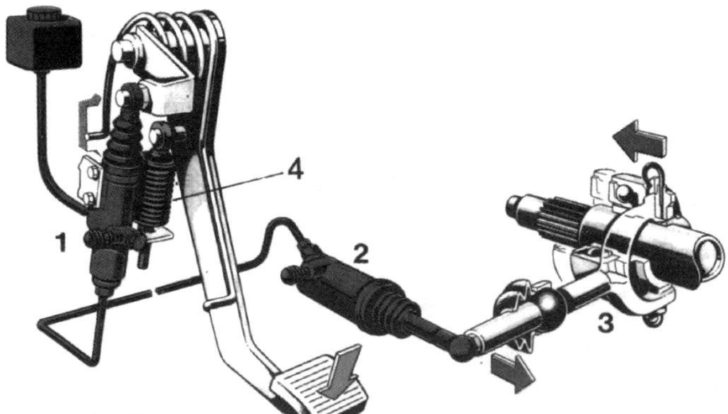


1 Geberzylinder
2 Nehmerzylinder
3 Ausrücklager
4 Übertotpunktfeder

**Bild 7-21**
Hydraulische Kupplungsbetätigung [7-5]

# 7.5 Konstruktive Getriebegrundkonzepte

Bei Nutzfahrzeugen hat sich fast ausnahmslos die Standardbauweise mit der Ausführung des längs zur Fahrtrichtung eingebauten Motors über bzw. hinter der Vorderachse sowie des in Längsrichtung zum Motor angeflanschten Getriebes und einem Achsantrieb mit Differential an der Hinterachse durchgesetzt. Verschiedene Antriebskonzepte für Lastkraftwagen zeigt Bild 7-22. In der Regel werden bei Mehrachsfahrzeugen alle nicht lenkbaren Achsen angetrieben. Fahrzeuge, die im OFF-Road-Betrieb eingesetzt werden, erhalten einen Allradantrieb, bei denen zusätzlich die Lenkachse angetrieben wird.

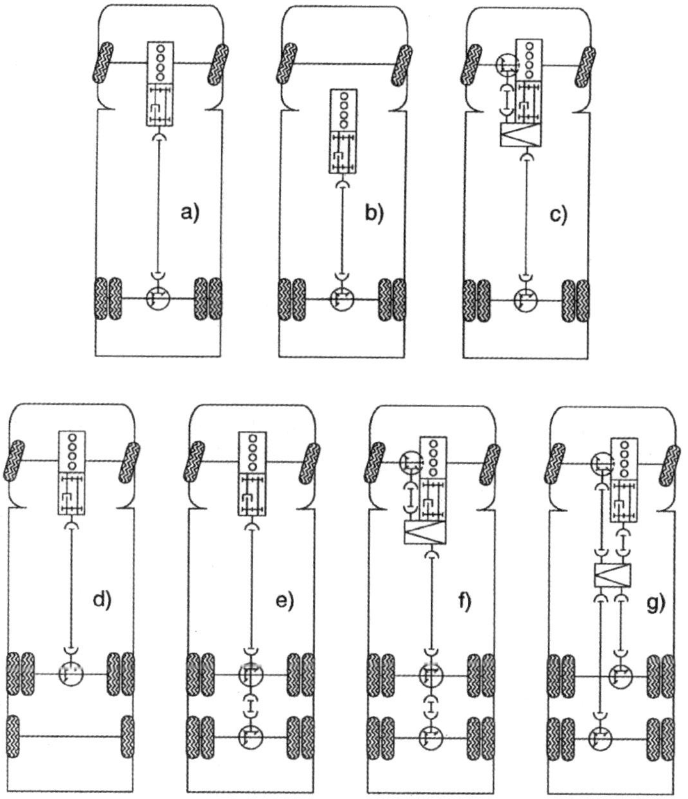


a) 4 x 2
b) 4 x 2, Unterflurmotor
c) 4 x 4, Allrad
d) 6 x 2, Nachlaufachse
e) 6 x 4
f) 6 x 6, Allrad mit Durchtrieb zur zweiten Hinterachse
g) 6 x 6, Allrad zweite Hinterachse direkt angetrieben

**Bild 7-22** Antriebskonzepte für Lastkraftwagen mit Ein- oder Mehrachsantrieb [7-2]

## 7.5.1 Bauform, Bauarten, Aufbau von Getrieben

Ausgeführte Getriebe werden nach Bauform und Bauart unterschieden. Die Bauform beschreibt die äußere Gestalt des Getriebes und damit die Anordnung von An- und Abtrieb, die Bauart den inneren Aufbau des Getriebes. Parameter zur Auswahl der Bauform sowie Bauart des Getriebes sind Fahrzeugbauart (Antriebskonzept), Motorisierung bzw. Leistungsklasse und Einsatzgebiet.

### *7.5.1.1 Bauform und Bauart*

Die Bauform wird im wesentlichen durch die Motor-Getriebe-Anordnung im Fahrzeug bestimmt. Zusätzliche Einflussparameter können begrenzter Einbauraum, Montageaspekte, Gehäusesteifigkeiten sowie Geräuschemissions-Grenzwerte sein. Bei Nutzfahrzeugen besteht das Getriebe oft aus mehreren Einzelgetrieben, die auch in verschiedenen Getriebegehäusen untergebracht sein können (Bild 7-23).

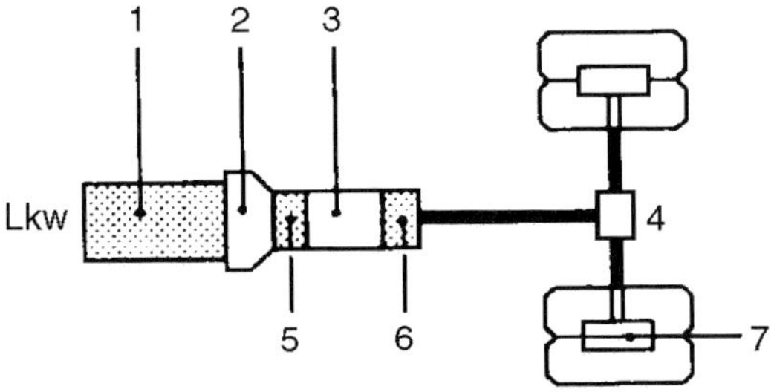


1 Motor
2 Kupplung
3 Schaltgetriebe
4 Achsübersetzung
5 Vorschaltgruppe
6 Nachschaltgruppe
7 Planetengetriebe

**Bild 7-23** Stufengetriebe im Triebstrang [7-4]

Die Bauart des Getriebes ergibt sich aus den gestellten Anforderungen bei der Neukonstruktion. Grundsätzlich muss jedes Getriebe vier Hauptfunktionen erfüllen:

- Anfahren ermöglichen (mechanisch, elektromechanisch usw.)
- Übersetzen bzw. Drehzahl verändern (mittels Stirn- oder Planetenräder)
- Schalten, (Rückwärtsfahrt ermöglichen) / Leistungsfluss herstellen (formschlüssig oder kraftschlüssig)
- Leistungsanpassung steuern (Handschaltung oder Automatik)

### *7.5.1.2 Aufbau von Getrieben*

Zahnradgetriebe werden nach dem konstruktiven Aufbau bzw. der Anzahl der Übersetzungsstufen unterschieden. Eine Stufe beschreibt dabei den Leistungsfluss von einem Zahnrad auf ein anderes. Nutzfahrzeuge verwenden hauptsächlich mehrstufige Koaxialgetriebe mit Vor- oder Nachschalt-Gruppengetriebe. Der mehrstufige Aufbau bietet den Vorteil der Kurzbauweise und damit eine Reduzierung des Bauvolumens.

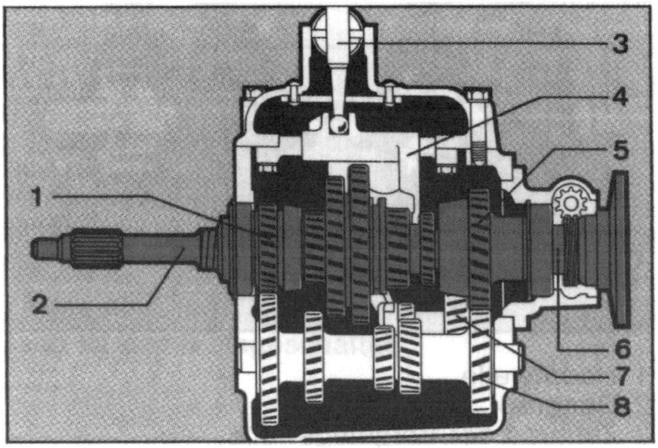


Wechselgetriebe bestehen wie in Bild 7-24 dargestellt aus folgenden Grundbauteilen:
1 Antriebszahnrad
2 Antriebswelle
3 Schalthebel
4 Schaltgestänge
5 Schiebeṙäder
6 Hauptwelle
7 Rücklaufrad
8 Vorgelegewelle

**Bild 7-24** Prinzipieller Aufbau eines Schaltgetriebes [7-5]

Bei Zahnradgetrieben wird unterschieden zwischen

- Stand-Getrieben
- Umlauf-Getrieben

Bei Stand-Getrieben (Bild 7-25) sind die Achsen aller Zahnräder ortsfest. Umlauf- oder auch Planetengetriebe (Bild 7-25) bestehen in der einfachsten Ausführung aus einem Planetensatz mit Sonnenrad, Hohlrad und Planetenradträgern mit den Planetenrädern. Bei diesen Getrieben bewegen sich die Achsen der Planetenräder relativ zum Getriebegehäuse.

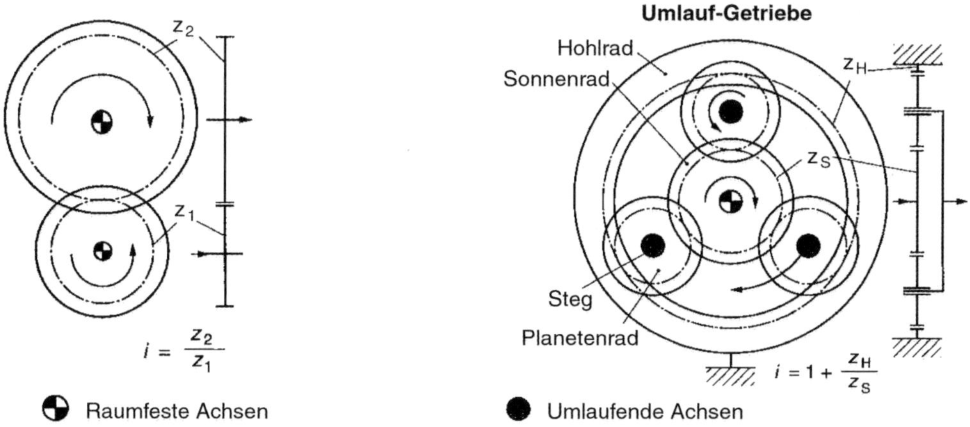


**Bild 7-25** Stand-Getriebe/Umlauf-Getriebe [7-2]

### *7.5.1.3 Mechanische Schaltung*

Beim unsynchronisierten Klauenschaltgetriebe sind alle Zahnräder der Vorgelegewelle mit den Zahnrädern der Hauptwelle im ständigen Eingriff. Die Zahnräder der Hauptwelle (Gangräder) drehen sich also stets mit. Durch eine verschiebbare Klauenmuffe wird beim Einlegen des Ganges eine formschlüssige Verbindung zwischen dem Gangrad und der Hauptwelle (Getriebewelle) hergestellt. Der Gangwechsel unterteilt sich dabei immer in eine Wähl- und eine Schaltbewegung. Mit der Wählbewegung wird die zur Einlegung des gewünschten Ganges benötigte Schaltmuffe ausgewählt und durch die Schaltbewegung das entsprechende Zahnrad in den Leistungsfluss eingebracht. Beim Einlegen des Ganges darf zwischen dem Gangrad und der Schiebemuffe keine Drehzahldifferenz herrschen. Dies wird durch zweimaliges Kuppeln beim Hochschalten und durch zusätzliches Zwischengasgeben beim Zurückschalten erzielt. Diese Art von Getriebe wird heute nicht mehr eingesetzt.

Bei den Synchrongetrieben kann auf das zweifache Kuppeln sowie Zwischengasgeben zum Einlegen der nächsten Gangstufe verzichtet werden. Der Aufbau ist dem Klauenschaltgetriebe recht ähnlich. Auch hier stehen die Zahnräder der Vorgelege- und Hauptwelle im ständigen Eingriff. Bei der mechanischen Synchronisierung dreht sich die Schiebeklaue mit der gleichen Drehzahl wie die Hauptwelle des Getriebes. Wie in Bild 7-26 gezeigt ist die Muffe mit einem Synchronring und das Losrad mit einer Reibfläche versehen. Beim Einlegen des Ganges wird die Schiebemuffe mit ihrem Synchronring gegen die Reibfläche des Losrades gedrückt und passt dadurch die unterschiedlichen Drehzahlen zwischen Getriebewelle und Losrad reibschlüssig an. Nach Synchronisierung der Drehzahlen lässt sich schließlich die Schiebemuffe über die Verzahnung schieben.

Vorteile der Synchrongetriebe sind:

- keine kritischen Momente beim Zurückschalten im Gefälle, da auf Zwischengasgeben verzichtet und zusätzlich die Fußbremse betätigt werden kann.
- bei einem Schaltvorgang können mehrere Gänge übersprungen werden.
- Schaltvorgang kürzer, dadurch kürzere Zugkraftunterbrechung.

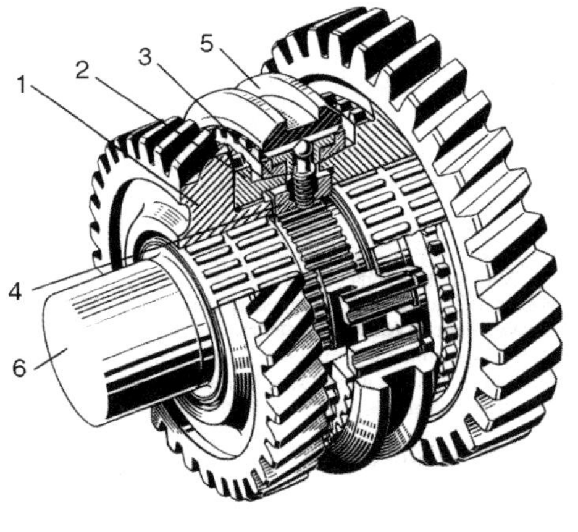


1 Losrad mit Reibfläche
2 Kupplungskörper
3 Synchronring
4 Synchronkörper
5 Schaltmuffe
6 Getriebewelle

**Bild 7-26**
Beispiel für Synchronisierung (ZF-B) [7-7]

### *7.5.1.4 Gruppen-, Range- und Splitgetriebe*

*Ein-Gruppengetriebe* sind so aufgebaut, dass sich die Übersetzung eines Gangs aus der Einzelübersetzung zweier Zahnradpaare ergibt. Das erste Zahnradpaar bleibt ständig im Eingriff und treibt die Vorgelegewelle an. Beim Gangwechsel ändert sich nur die Übersetzung des zweiten Zahnradpaares. Eingruppengetriebe mit Antriebskonstante (Bild 7-27) werden als Vorgelegegetriebe bezeichnet. Ist die Übersetzung des höchsten Ganges gleich eins, so werden die Vorgelegegetriebe als Bergganggetriebe, bei einer Übersetzung kleiner eins als Schnellganggetriebe bezeichnet.

Als Variante dazu gibt es Getriebe mit einer Abtriebskonstanten (Bild 7-27), bei denen die konstante Übersetzung hinter den Zahnradpaaren der einzelnen Gänge liegt.

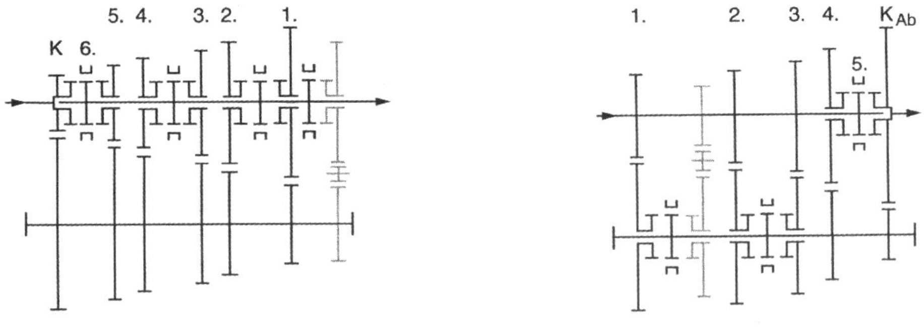


**Bild 7-27** 6-Gang-Getriebe mit Antriebskonstante / 5-Gang-Getriebe mit Abtriebskonstante [7-2]

Herkömmliche Getriebe haben bis zu 6 Vorwärtsgänge. Diese Anzahl von Gängen reicht häufig nicht aus, den Motor in allen Betriebszuständen drehmomentgünstig und wirtschaftlich arbeiten zu lassen. Würde man die Gangzahl auf 10, 12 oder noch mehr Gänge anheben, so würde sich das Bauvolumen sowie das Gewicht wesentlich erhöhen und damit der Einbau in das Fahrzeug erschwert. Um mit möglichst geringem Bauaufwand die Gangzahl des Getriebes dennoch zu steigern, ist man dazu übergegangen *Mehr-Gruppen-Getriebe* einzusetzen (Bild 7-30). Diese Getriebe setzen sich aus ein-, zwei- oder mehrstufigen Einzelgetrieben zusammen. Jedes Einzelgetriebe wird als Gruppe bezeichnet. Durch die Kombination des Hauptgetriebe mit einer Vor- und/oder Nachschaltgruppe kann die Gangzahl erhöht werden. Beide Gruppen sind synchronisiert und werden pneumatisch am Schalthebel für das Hauptgetriebe vorgewählt, oder erfolgt bei der Doppel-H-Schaltung auch automatisch beim Gangwechsel von 4 auf 5 bzw. 5 auf 4. Bei Vorschalt- und Nachschaltgruppen wird zwischen Splitgruppe und Rangegruppe unterschieden.

Die *Splitgruppe* kann dem eigentlichen Hauptgetriebe vor- oder nachgeschaltet sein und führt immer zu einer Verdichtung der Gangfolge (Bild 7-28). Unterschieden wird hierbei wiederum zwischen der High- und Lowstellung. Die Highstellung stellt eine Übersetzung ins Schnelle dar, die Lowstellung eine Untersetzung ins Langsame. Üblicherweise wird die Splitgruppe mit zwei Gängen ausgestattet. Die Gangzahl des Getriebes errechnet sich aus der Multiplikation der Gangzahl der Splitgruppe mit der Gangzahl des Hauptgetriebes, so dass bei einer Zwei-Gang-Splitgruppe eine Verdoppelung der Gangzahl des Getriebes erzielt wird. Aufgrund des geringen Stufensprungs von ca. 1,1 bis 1,2 wird fast ausschließlich die Konfiguration der Vorschalt-Splitgruppe verwendet, da das Hauptgetriebe nur einem unwesentlich höheren Drehmoment ausgesetzt ist. Bei Verwendung einer Nachschalt-Splitgruppe müsste sie für die maximal erreichbare Drehmomentsteigerung im Hauptgetriebe ausgelegt sein, was gegenüber der Vorschalt-Splitgruppe teurer wäre.

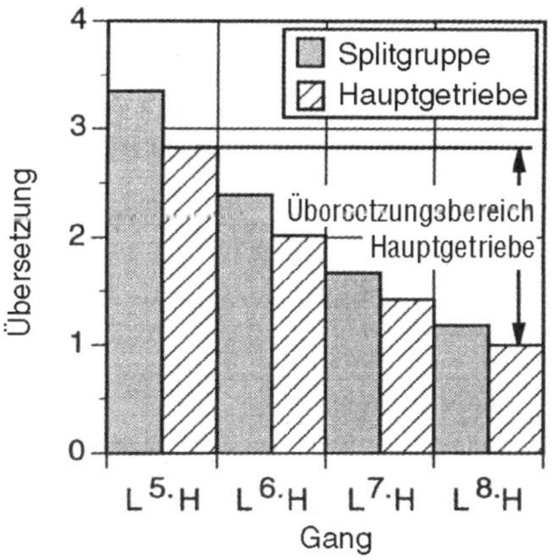


**Bild 7-28** Splitgruppe, Verdichten der Gangfolge [7-2]

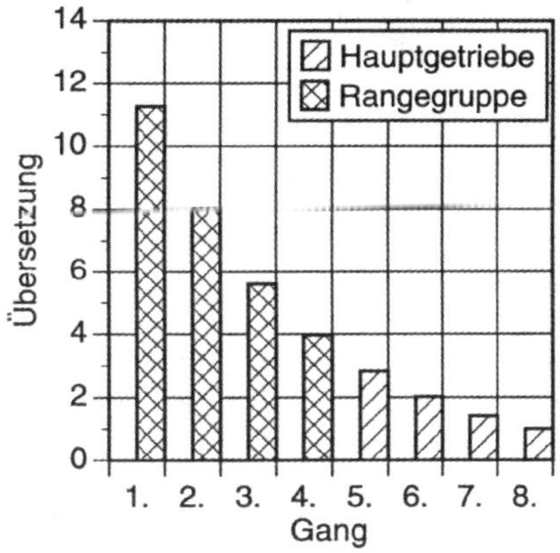


**Bild 7-29** Rangegruppe, Erweitern der Gangfolge [7-2]

Die *Rangegruppe* erweitert die Gangfolge (Bild 7-29) und übersetzt immer ins Langsame. In der Rangegruppe tritt eine Drehmomentsteigerung von ca. $i_R = 3 \dots 4$ auf. Dieser hohe Drehmomentanstieg führt dazu, dass die Rangegruppe ausschließlich dem Hauptgetriebe nachgeschaltet wird, da sonst das hohe Drehmoment zusätzlich durch das Hauptgetriebe geleitet werden müsste und dies zu einer unzulässig hohen Belastung des Hauptgetriebes führt. Auch die

Rangegruppe bewirkt eine Verdoppelung der Gangzahl. Sie kann als Vorgelegegetriebe oder als Planetengetriebe ausgeführt werden.

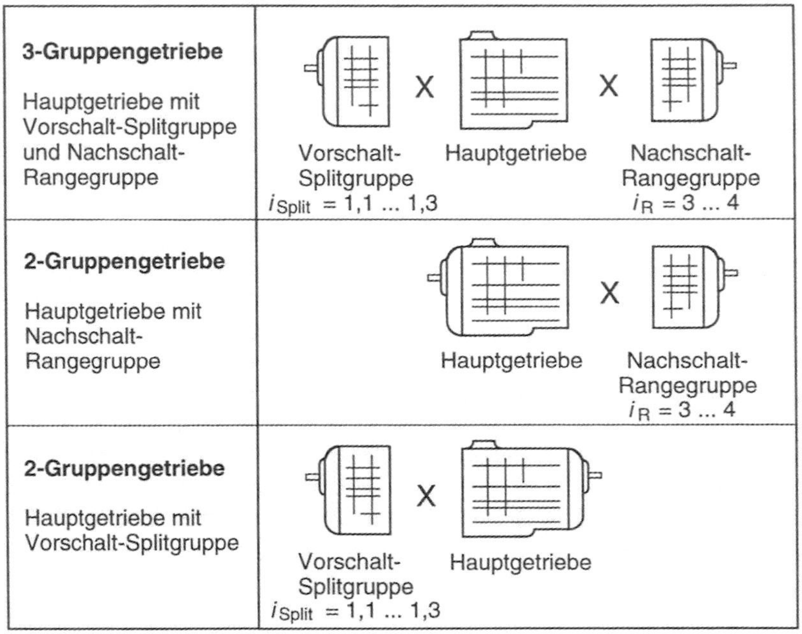


**Bild 7-30** Gängige Anordnungen von Zwei- und Drei-Gruppen-Getrieben [7-2]

### *7.5.1.5 Automatisierte Schaltgetriebe*

Automatisierte Schaltgetriebe sind Handschaltgetriebe, bei denen die Bedienvorgänge des Kuppeln, Anfahren und „Gang wechseln" je nach Automatisierungsgrad durch eine Steuer- bzw. Stellautomatik übernommen werden. Die Automatisierungsgrade unterteilen sich in voll- und teilautomatisierte Getriebe. Vollautomatisierte Schaltgetriebe haben eine automatisierte Anfahrkupplung und führen die Gangwahl und den Gangwechsel selbstständig durch. In der Regel gibt es für den Fahrer die Möglichkeit bei Bedarf manuell in dieses Geschehen einzugreifen. Teilautomatisierten Getriebe gibt es in den Ausführungen manueller Anfahrvorgang und automatisiertes Schalten oder automatisierter Anfahrvorgang, Gangwahl durch den Fahrer und automatisierter Schaltvorgang.Vollautomatisierte Schaltgetriebe verbessern die Wirtschaftlichkeit, da das Zusammenspiel zwischen Motor, Kupplung und Getriebe methodisch optimiert werden kann und somit unabhängig von dem individuellen Fahrverhalten des Fahrers ist. Durch Hinterlegen des Verbrauchkennfeldes in der Steuerung kann für jeden Fahrzustand, welcher einen bestimmten Leistungsbedarf definiert, die bestmögliche Übersetzungsstufe gewählt werden, siehe Bild 7-4. Auch der mit Verlustleistung behaftete Anfahrvorgang wird automatisch möglichst ökonomisch durchgeführt. Durch Plausibilitätsabfragen kann der Antriebsstrang vor Fahrfehlern geschützt werden. Manche Hersteller geben bei automatisierten Schaltgetrieben eine Garantieverlängerung auf die Kupplung.

Die Zugkraftunterbrechung beim Schalten liegt bei etwa 1,0 sec, einige der automatisierten Getriebe haben ein geringeres Gesamtgewicht (50 bis 100 kg), da mechanische Übertragungselemente entfallen.

Das Automatisiern des Antriebstranges bedingt, dass die Steuerung Kenntnisse über den Fahrzustand erhält. Dies ist zum Einen möglich dadurch, dass der Fahrer über einen Wählhebel bestimmte Fahrprogramme anwählt, wie z. B. einen Rangiermodus. Hier wird die Drehzahl begrenzt und der Fahrer hat den ganzen Weg des Gaspedals zur Dosierung der Kupplung zur Verfügung. Zum Anderen kann das Steuergerät wichtige Informationen auch durch die vorhandenen Daten selbst bestimmen, z. B. über den Beladungsszustand oder das Befahren einer Steigung. Nach dem Starten des Fahrzeugs findet üblicherweise eine Gewichtserkennung statt. Diese erfolgt durch den Vergleich der Momentenänderung mit der resultierenden Geschwindigkeitsänderung. Dieser Zusammenhang kann aus der Gleichung für die benötigte Antriebskraft, welche sich aus der Summe für der Roll-, Luft,- Steigungs- und Beschleunigungswiderstand ergibt, hergeleitet werden:

$$F_A = k_R \cdot m \cdot g \cdot \cos\alpha_{St} + \frac{\rho}{2} \cdot c_w \cdot A \cdot v_R^2 + m \cdot g \cdot \sin\alpha_{St} + m \cdot a_x \tag{7-7}$$

Betrachtet man beim Anfahren zwei zeitlich unmittlelbar hintereinanderliegende Punkte kann man davon ausgehen, dass sich zwischen diesen Punkten die Steigung so gut wie nicht geändert hat und der Luftwidestand auf Grund der geringen Geschwindigkeit vernachlässigt werden kann. Die Momentenlinie für den Antrieb zeigt eine Abhängigkeit von der Drehzahl. Das heißt, dass auch die Antriebskraft für die beiden Zeitpunkte unterschiedlich ist.

$$\Delta F_A = F_{A1} - F_{A2} = m\left(a_{x1} - a_{x2}\right) = m\,\Delta a_x = \frac{\Delta M_M \cdot \eta_T \cdot i_G \cdot i_A}{r_{dyn}} \tag{7-8}$$

$\Delta$ bedeutet die zeitliche Differenz der entsprechenden Größen. Mit Kenntnis des Motormomentes und den Geschwindigkeiten, somit auch der Beschleunigung und der Änderung der Beschleunigung ist es möglich auf die Fahrzeugmasse zurück zu schließen:

$$m = \frac{\Delta F_A}{\Delta a_x} = \frac{\Delta M_M \cdot \eta_T \cdot i_G \cdot i_A}{\Delta a_x \cdot r_{dyn}} \tag{7-9}$$

Nach der Bestimmung der Fahrzeugmasse im Anfahrvorgang kann man im weiteren Verlauf der Fahrstrecke auf die Steigung zurückschließen.

#### *7.5.1.6 Automatische Getriebe*

Bei automatischen Getrieben erfolgt der Anfahrvorgang, das Kuppeln sowie die Gangwahl selbsttätig. Der Anfahrvorgang erfolgt grundsätzlich mittels eines Wandler. Die Steuerung des Getriebes kann entweder rein hydraulisch oder elektronisch-hydraulisch in Abhängigkeit von der Schaltprogrammwahl des Fahrers, der Gaspedalstellung, dem Motorzustand und der Fahrgeschwindigkeit erfolgen. Die automatischen Getriebe lassen sich in folgende Bauarten unterteilen:

- Konventionelle Automatgetriebe mit hydrodynamischen Wandler und nachfolgenden, je nach Gangzahl variierenden Planetengetriebe-Sätzen. Sie sind lastschaltbar und besitzen bis zu 7 Gänge, von der Firma ZF als Ecomat-Getriebe bezeichnet.
- Vollautomatisierte Vorgelegegetriebe schalten mit Zugkraftunterbrechung, bauen auf herkömmlichen Getrieben auf und bieten bis zu 16 Gängen.
- Stufenlosgetriebe mit vorgeschaltetem Wandler oder automatisierter Kupplung.

Mechanische Stufenlosgetriebe z. B. als Kettenwandlergetriebe ausgeführt, werden aufgrund ihrer zu geringen Drehmomentkapazität derzeit nicht in Nutzfahrzeugen mit mehr als 4,0 t eingesetzt.

Bauelemente konventioneller Automatgetriebe sind:

- Hydromechanische Drehmomentwandler überwiegend in der Trilog-Ausführung (siehe Kapitel 7.3), grundsätzlich mit Überbrückungskupplung
- Planetengetriebe
- Getriebesteuerung zur Bestimmung von Gang und Schaltzeitpunkt in Abhängigkeit vom Fahrzustand des Nutzfahrzeuges

#### *7.5.1.7 Vorgelegegetriebe mit Wandlerkupplung*

Für spezielle Einsatzfälle gibt es auch Vorgelegegetriebe die zum Anfahren mit einer Wandlerkupplung mit Überbrückungskupplung ausgestattet sind, dem dann eine Reibkupplung als Schaltkupplung und eine Schaltgetriebe nachgeschaltet sind. Diese Gertiebeart wird bei besonders verschleißträchtigen Anfahrvorgängen eingesetzt.

### 7.5.2 Endantrieb

Der Endantrieb setzt sich je Fahrzeugkonzept aus folgenden Getriebebaugruppen zusammen:

- Achsgetriebe
- Nabengetriebe
- Ausgleich- oder Differentialgetriebe

Die Übersetzung des Endantriebs setzt sich aus der Übersetzung des Mittelgetriebes und des Nabengetriebes zusammen. Das Mittelgetriebe beinhaltet die Antriebskegelräder bzw. den Schneckentrieb sowie das Differentialgetriebe. Bei mehrstufiger Ausführung zusätzlich die Stirnrad- oder Planetenstufe und bei Mehr-Achsantrieb den Durchtrieb zur nächsten Achse. Einstufige Mittelgetriebe werden in drei Gruppen unterteilt:

- Kegelradantrieb
- Doppelkegelradantrieb
- Schneckengetriebe (nicht mehr verwendet)

Mehrstufige Mittelgetriebe werden in vier Gruppen unterteilt:

- Vorgelege (front mounted)
- Vorgelege (top mounted)
- Zweigang mit Stirnradvorgelege
- Zweigang mit Planetengetriebe

Front mounted bedeutet: Kardanwelle und Antriebswelle liegen auf gleicher Höhe, Antrieb erfolgt direkt von vorn.

Top mounted bedeutet: Kardanwelle liegt höher als die Antriebswellen zu den Radnaben, Durchtrieb zu einer zweiten angetriebenen Achse problemlos möglich, siehe Bild 7-31.

**Bild 7-31** Durchtriebsachse Top mounted [7-8]

Die Übersetzung des Endantriebs kann zum Einen nur durch das Mittelgetriebe realisiert werden, zum Anderen aber auch durch Kombination von Mittelgetriebe und Nabengetriebe. Nabengetriebe bieten den Vorteil der Drehmomenterhöhung in der Nabe, wodurch das Mittelgetriebe sowie die Antriebswellen zu den Radnaben geringer belastetet und dementsprechend kleiner dimensioniert werden können.

Differentialgetriebe werden unterschieden zwischen:

- Längsdifferential, welches einem Verteilergetriebe entspricht
- Querdifferential, welches einem Ausgleichsgetriebe entspricht

### *7.5.2.1 Verteilergetriebe*

Aufgabe der Verteilergetriebe ist die vom Motor gelieferte Leistung zu den angetriebenen Achsen des Fahrzeuges zu leiten. Längsdifferentiale werden überwiegend als Stirnraddifferential ausgelegt. Da Nutzfahrzeuge häufig mehr als eine angetriebene Achse besitzen, muss die vom Motor zur Verfügung gestellte Leistung auf die einzelnen Achsen verteilt werden. Werden an einem Fahrzeug die beiden Hinterachsen angetrieben, so wird die mittlere Achse als so genannte Durchtriebsachse konstruiert. Diese Achse beinhaltet ein Verteiler- bzw. Ausgleichsgetriebe zur Verteilung der Antriebskraft zwischen der zweiten und dritten Achse.

### *7.5.2.2 Ausgleichgetriebe*

Bei der Durchfahrt einer Kurve müssen die Räder die außen liegen einen größeren Weg zurücklegen als die inneren. Hierdurch kommt es zu einer Drehzahldifferenz zwischen den Radpaaren einer Achse. Um diese Drehzahldifferenz auszugleichen und ein „radieren" der äußeren Räder zu vermeiden verwendet man Ausgleichgetriebe. Der Grundaufbau eines Ausgleichgetriebe ist in Bild 7-32 dargestellt.

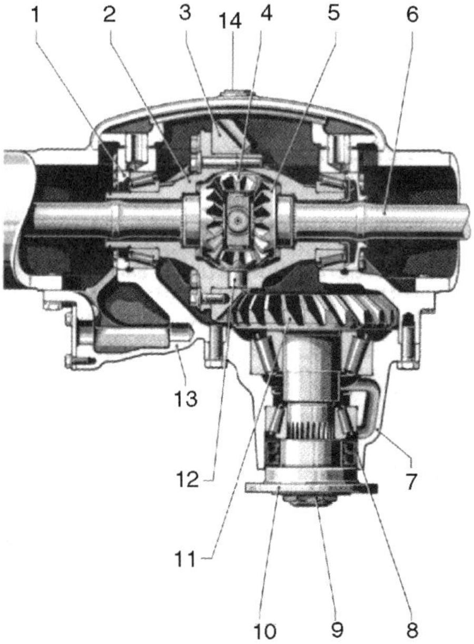


1 Gewindering
2 Ausgleichgehäuse
3 Tellerrad
4 Ausgleichkegelrad
5 Hinterachswellenrad
6 Hinterachswelle
7 Ritzelgehäuse
8 Radialdichtringe
9 Sechskantbundmutter
10 Kupplungsflansch
11 Antriebskegelrad
12 Ausgleichsstern
13 Hinterachsgehäuse
14 Kegelradausgleichgetriebe

**Bild 7-32**
Kegelradausgleichgetriebe [7-5]

Untergebracht sind die Querdifferentiale meist im Endantrieb des Antriebstrangs. Im allgemeinen sind die Ausgleichsgetriebe als Umlaufgetriebe ausgeführt. Standard für den Querausgleich sind im allgemeinen Kegelraddifferentiale.

Bei der Geradeausfahrt stehen die Ausgleichsräder still, kreisen nur im Achsgehäuse und Übertragen das Drehmoment im Verhältnis 50:50 auf die beiden Triebräder. Bei einer Kurvenfahrt herrscht keine Drehzahlgleichheit mehr zwischen den Rädern. Dadurch, dass das äußere Rad einen längeren Weg zurücklegen muss, muss es sich schneller drehen als das innere. Dies bewirkt gleichzeitig eine unterschiedliche Drehzahl der Achswellenräder. Jetzt beginnen sich die Ausgleichsräder zu drehen und wälzen sich auf den unterschiedlich schnell drehenden Achswellenrädern ab. Der Drehzahlausgleich zwischen den Rädern findet statt. Die Drehmomentverteilung im Verhältnis 50:50 ändert sich dabei nicht.

## 7.6 Ausgeführte Beispiele

Die Entwicklung der NFZ-Motoren insbesondere in Hinblick auf mehr Drehmoment und eine breitere Drehzahlspanne in der das hohe Drehmoment verfügbar ist, zog eine Abpassung der Getriebe nach sich.

Für schwere Nutzfahrzeuge hatte sich das 16-Gang-Getriebe als Wandlungseinheit für das Kennfeld des Motors in das Kennfeld des Antriebs über Jahre hinweg etabliert. Die hohe Anzahl der Gänge ist nötig, um zum Anfahren und in jeder Steigung eine möglichst passende Übersetzung zur Verfügung zu haben. Dabei ergeben sich Übersetzungen von 13:1, um Rangiermanöver bei geschlossener Kupplung fahren zu können bis zu 1:1, um einen möglichst guten Getriebewirkungsgrad im meistgefahrenen Gang zu erzielen. Overdrive-Getriebe untersetzen das Verhältnis der Getriebeeingangswellendrehzahl zur -ausgangswellendrehzahl auf

Werte kleiner als 1, d. h., die Ausgangswelle dreht schneller als die Eingangswelle. Im nachgeschalteten Achsgetriebe wird die Getriebeausgangswellendrehzahl dann noch mal im Verhältnis 3 bis 4:1 übersetzt.

Als Bauweise dieser Getriebe hat sich eine Gruppenbauweise durchgesetzt. Ein 16-Gang-Getriebe besteht es aus einem Hauptgetriebe mit 4 Gängen, einem nachgeschalteten Rangegetriebe, mit 2 unterschiedlichen Übersetzungen, so dass diese beiden Baugruppen bereits 2x4-Gänge darstellen. Durch die Vorschaltung eines 2-stufigen Splittgetriebes wir die Anzahl der Gänge eine weiteres mal verdoppelt, so dass 16 Gänge zur Verfügung stehen. Die Zahnräder für den Rückwärtsgang liegen ebenfalls im Hauptgetriebe, so dass dieser Aufbau auch immer zu 4 technisch möglichen Rückwärtsgängen führt. Die Nomenklatur der Getriebegruppen resultiert aus ihren unterschiedlichen Funktionen. Eine Range- oder Bereichsgruppe übersetzt die Drehzahlen in einem so hohen Maß, dass ein neuer Übersetzungsbereich entsteht, der sich nicht mit dem Bereich der ersten Stufe überschneidet. Typisch sind Übersetzungen von 3 bis 4:1.

Die Splittgruppe hingegen verdichtet die Gangfolge, ihr Übersetzungsverhältnis ist so gering, etwa bei 1,2:1, dass sie nur die Hälfte einer Gangstufe im Hauptgetriebe darstellt. Alle Getriebegruppen haben eine 1:1-Übersetzungsstufe, um einen direkten Gang zu ermöglichen. Dieser Direktgang, welcher gerade durchs Getriebe führt, zeichnet sich durch einen besonders hohen Wirkungsgrad aus, da er keine Leistung über Zahnradpaare übertragen muss, was Reibung zwischen den Zahnflanken verursacht und damit Wärme- bzw. Energieverlust.

Der Aufbau eines solchen Gruppengetriebes beginnt getriebeeingangsseitig immer mit der Splittgruppe, weil diese durch ihr geringes Übersetzungsverhältnis das Drehmoment nur geringfügig anhebt. Das Drehmoment ist die ausschlagsgebende Größe zur Dimensionierung der Zahnräder und Wellen im Getriebe. Als nächste folgt das Hauptgetriebe und als letztes die Range- oder Bereichsgruppe, die mit Ihren großen Übersetzungsverhältnis das Drehmoment im Antriebsstrang am stärksten beeinflusst.

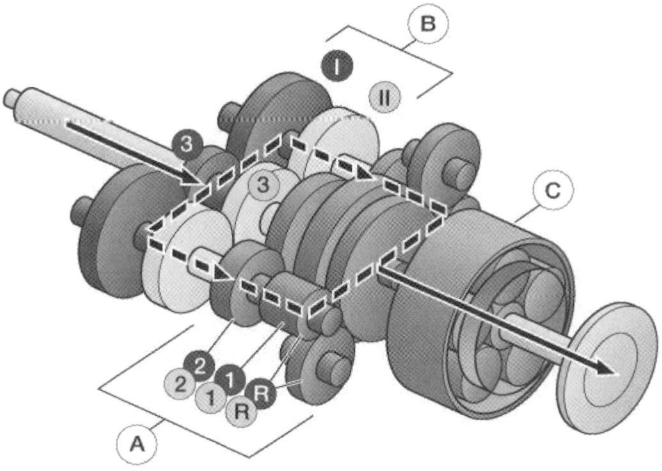


**Bild 7-33**
Funktionsschema Gruppengetriebe
A – 3-Gang-Hauptgetriebe
B – Vorschaltgruppe: I – langsam, II – schnell
C – Nachschaltgruppe (Planetengetriebe)
[7-9]

Aufgebaut ist ein solches Getriebe aus 4 Wellen, die alle mit unterschiedlicher Drehzahl rotieren können. Drei Wellen davon, die Eingangswelle, Hauptgetriebewelle und Ausgangswelle, liegen in einer Flucht, die Vorgelegewelle liegt parallel dazu. Es gibt Ausführungsarten mit einer oder zwei Vorgelegewellen. Zwei parallele Vorgelegewellen, eine rechts, die andere links der Hauptwelle haben den Vorteil eines kürzer bauenden Getriebes, sind dafür aber breiter. Durch die Splittgruppe, welche auf der Eingangswelle und der Vorgelegewelle sitzt, wird die Drehzahl der Vorgelegewelle bestimmt. Diese Übersetzung nennt man Getriebekonstante und besitzt durch die 2-Stufigkeit des Splittgetriebes eine langsame und eine schnelle Übersetzung. Auf der Vorgelegewelle sind alle Zahnräder als Festräder ausgeführt, d. h., sie sind fest mit der Welle verbunden. Auf der Eingangswelle sind die beiden Antriebszahnräder für die Vorgelegewelle Losräder, d. h. sie sind drehbar auf der Welle gelagert. Erst durch eine Schaltklaue, die entweder das eine oder das andere Zahnrad mit der Eingangswelle verbinden kann, erfolgt der Antrieb auf die Vorgelegewelle. Alle Zahnräder auf der Hauptwelle sind Losräder und können wahlweise mit der Hauptwelle verbunden werden. Somit kann man das Übersetzungsverhältnis von der Vorgelegewelle zur Hauptwelle ändern. Eine Besonderheit stellt der größte Gang des Hauptgetriebes dar, hier ist die Hauptwelle direkt mit dem 2. Zahnrad der Splittgruppe verbunden. Ist dieses mit der Eingangswelle verbunden, stellt dieses einen direkten Durchtrieb dar, andernfalls geht der Kraftfluss über die ersten Zahnräder der Splittgruppe auf der Vorgelegewelle und von dort über die 2. Zahnräder der Splittgruppe zurück auf die Hauptwelle.

Als letzte Schaltstufe folgt ein Planetengetriebe, welches einen koaxialen Abtrieb erlaubt. In der hohen Übersetzungsstufe werden die Planetenradträger fest mit dem Getriebegehäuse verbunden, der Kraftfluss erfolgt vom zentralen Sonnenrad über die Planetenräder auf das Hohlrad. Der Hohlradausgang ist gleichzeitig Getriebeausgang. In der niedrigen Übersetzungsstufe wird durch Trennen der Verbindung zwischen Getriebegehäuse und Planetenträger und schalten einer Verbindung zwischen Planetenträger und Hohlrad ein direkter Gang dargestellt, Rangegruppeneingangswelle und –ausgangswelle drehen mit der gleichen Drehzahl.

Das sukzessive Durchschalten eines solchen Getriebes sieht wie folgt aus: 1. Gang bedeutet: große Übersetzung im Splittgetriebe (low), größte Übersetzung im Hauptgetriebe (1, Gang), große Übersetzung im Rangegetriebe. Beim Schalten in den 2. Gang wird nur das Splittgetriebe auf die kleinere Übersetzung (high) geschaltet. Für den 3. Gang muss im Splittgetriebe wieder auf die große Übersetzung geschaltet und im Hauptgetriebe auf den 2. Gang geschaltet werden. Für den 4. Gang wird dann wieder nur im Splittgetriebe umgeschaltet. Dieses setzt sich fort, bis man im 6. Gang ist. Beim Schalten in den 7. Gang muss das Splittgetriebe auf die große Übersetzung, das Hauptgetriebe zurück in den 1. Gang und die Rangegruppe auf die direkte Übersetzung geschaltet werden. Bei allen weiteren Gängen bleibt die Rangegruppe auf den Direktgang geschaltet und die Schaltfolge wie bei den Gängen 1 bis 6 wiederholt sich.

Eine Entwicklungstendenz stellt die Automatisierung des Schalt- und Kupplungsvorgang dar, wie es vor ca. 20 Jahren mit der ESP-Schaltung von Mercedes Benz begann. Mittlerweile bieten alle NFZ-Hersteller Automatikgetriebe an, bei denen der Schaltvorgang selbsttätig ablaufen kann. Auf Wunsch kann der Fahrer noch manuell eingreifen. Im Unterschied zu den meisten Pkw-Automatikgetrieben handelt es sich bei den hier beschriebenen Getrieben um automatisierte Schaltgetriebe, also Stirnradgetriebe mit einer konventionellen Kupplung. Verglichen mit einer Automatik mit Wandlerschaltkupplung und Planetengetrieben liegt der Wirkungsgrad deutlich günstiger. Der gesamte Schaltvorgang läuft automatisch ab, einschließlich der Erkennung des Schaltpunktes.

Nach einer Ära des Automatisierens der herkömmlichen Getriebe, begann ein weiterer Trend, indem man Getriebe kompromisslos für diesen Einsatzzweck baut. Dies bedeutet, das man im Hauptgetriebe ganz auf die Synchronisiereinrichtung verzichtet, statt dessen eine Klauenkupplung verwendet und das Synchronisieren der Motorelektronik überlässt. Diese übernimmt das Synchronisieren, ähnlich wie es vor langer Zeit von Fahrern solcher nicht synchronisierten Getriebe übernommen werden musste. Dank Mechatronik und einer zusätzlichen Vorgelegebremse geht das heute automatisch und deutlich schneller. An allen Stellen auf Synchronisierungseinheiten verzichten kann man nicht, da bei einigen Schaltvorgängen an mehreren Wellen gleichzeitig ein Drehzahlausgleich stattfinden muss.

Eine weitere Tendenz ist der Übergang auf 12-Gang-Getriebe. Dies ist eine Reaktion auf die drehmomentstarken Motoren, die auch mit 12 Gängen eine dynamisches Fahren ermöglichen.

## 7.6.1 Handschaltgetriebe

### *7.6.1.1 Daimler G211-16*

Das G 211-16 von Daimler ist ein 16-Gang-Dreigruppen-Getriebe, wie im vorangegangenen Abschnitt beschrieben. Es ist nicht nur als Handschaltgetriebe im Einsatz, sondern wird ebenfalls automatisiert betrieben. Auf der linken Seite, siehe Bild 7-34, befindet sich die zweistufige Splittgruppe, in der Mitte das 4-Gang-Grundgetriebe, mit dem 4. Gang als Direktgang und auf der rechten Seite die Rangegruppe (Planetengetriebe). Es handelt sich um ein Direktganggetriebe, d. h., der 16. Gang ist als Direktgang ausgeführt. Das maximale Eingangsdrehmoment beträgt 2100 Nm. Die Getriebespreizung ist mit 17 recht groß. Das bedeutet gute Steigfähigkeit und niedrige Rangiergeschwindigkeiten bei geschlossener Kupplung auf der einen Seite und niedrige Motordrehzahlen bei hohen Fahrgeschwindigkeiten auf der anderen Seite.

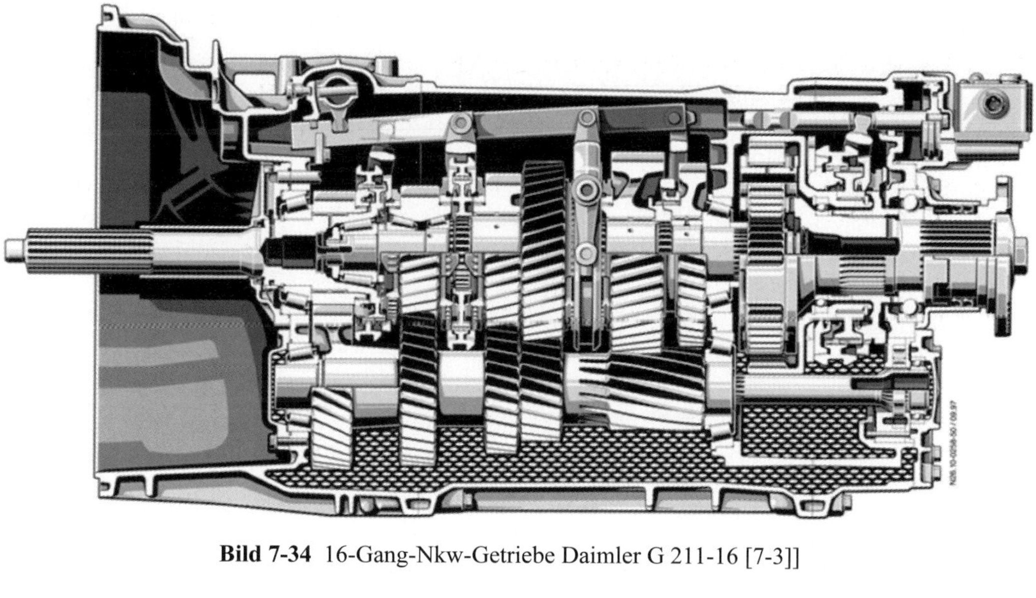

**Bild 7-34** 16-Gang-Nkw-Getriebe Daimler G 211-16 [7-3]]

In der Schnittdarstellung der Rangegruppe erkennt man die Schaltvorrichtung, die entweder das Hohlrad mit dem Planetenträger verbindet, dann erhält man die Übersetzung 1:1, oder das Hohlrad am Gehäuse festhält, in den Fall beträgt die Übersetzung 4,4. Alle Gänge sind synchronisiert. Die Baulänge beträgt ca. 1 m und das Gewicht liegt bei etwa 310 kg inkl. 16 l Öl.

### *7.6.1.2 Eaton-Twin-Splitter-Getriebe*

Das Eaton-Twin-Splitter-Getriebe ist ein 12-Gang-Getriebe mit einem 4-Gang-2-Wellen-Vorgelege-Hauptgetriebe und einer nachgeschalteten 3-Gang-Splitgruppe. Das besondere daran ist, dass die Nachschaltgruppe neben dem Direktgang eine schnelle und langsame Splitstufe besitzt. Durch diese Bauart erhält das Getriebe insgesamt 12 Vorwärts- und 3 Rückwärtsgänge. Das Schalten der Splitstufe erfolgt pneumatisch über einen Schalthebel, der vom Fahrer bedient wird. Bei Zugkraftunterbrechung durch Gaswegnehmen oder Kuppeln, wird der Schaltvorgang ausgelöst. Die Gänge des Hauptgetriebes sind klauengeschaltet. Das Getriebegehäuse ist in Topfform gefertigt und hat durch die zwei Vorgelegewellen eine relativ kurze, aber breite Bauform.

**Bild 7-35** Eaton-Twin-Splitter-12-Gang-Getriebe mit zwei Vorgelegewellen [7-5]

## 7.6.2 Automatisierte Getriebe

### *ZF-AS Tronic*

Das ZF-AS Tronic ist ein elektrisch-pneumatisch geschalteten Klauengetriebes mit einer automatisierten Trockenkupplung. Bedingung für den Einsatz des ZF-AS-Tronic-Getriebes ist eine elektronische Motorsteuerung sowie eine CAN-Kommunikation. Durch die automatisierte Kupplung entfällt die Kupplungsbetätigung durch den Fahrer. Der eigentliche Schaltablauf wird von der elektronischen Getriebesteuerung ausgeführt. Der Fahrer hat die Möglichkeit, das Fahrzeug sowohl im Halbautomatikbetrieb als auch vollautomatisch zu fahren. Beim Halbautomatikbetrieb wird das manuelle Schalten durch einen Fahrschalter erleichtert. Beim Vollautomatikbetrieb erfolgt die Gangwahl und Schaltung durch die elektronische Getriebesteuerung, wobei ein Eingriff durch den Fahrer möglich ist. Über das Display werden alle notwendigen Systemfunktionen angezeigt, wie z. B. Neutral, Gangwechsel, Kupplungsüberlastung und Diagnoseinformation.

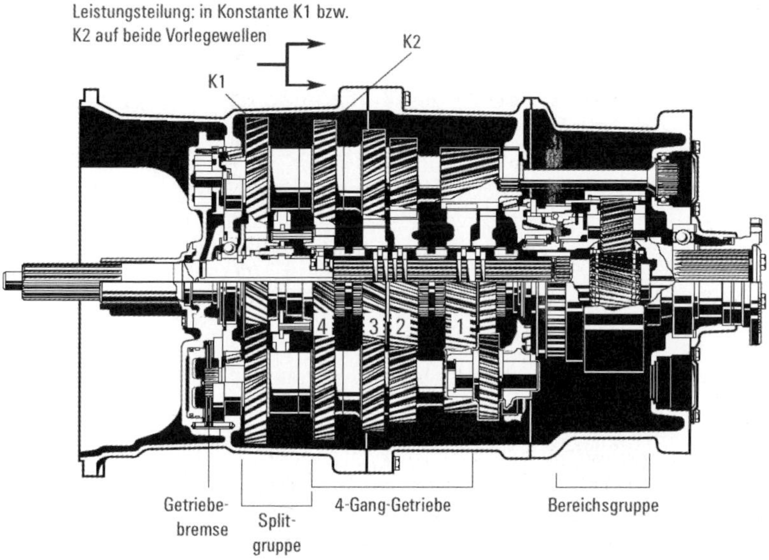


**Bild 7-36**
ZF-AS-Tronic-16-Gang-Getriebe mit zwei Vorgelegewellen [7-7]

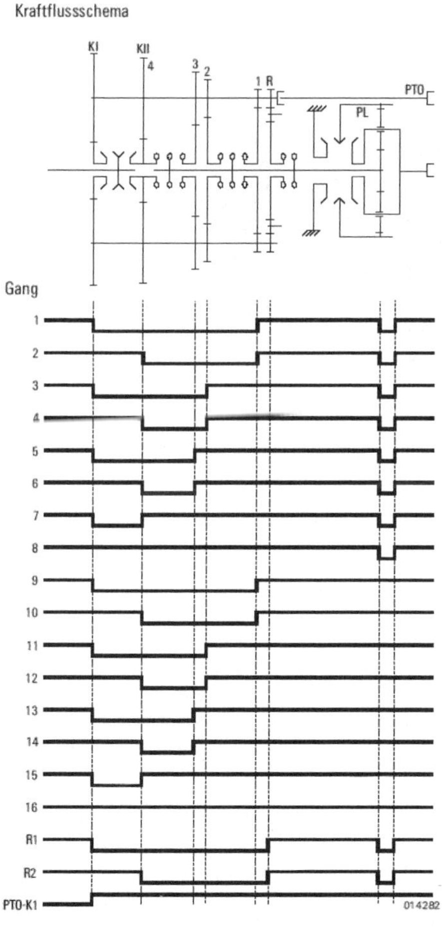


Ausgeführt ist dieses Getriebe in 3 Gruppenbauweise, einem 4-Gang-Hauptgetriebe ist eine Splittgruppe vor und eine Rangegruppe nachgeschaltet. Die AS Tronic bedient sich zweier Vorgelegewelle, wodurch es etwas breiter aber dafür kürzer baut. Die Gänge im Hauptgetriebe sind nicht synchronisiert, sie werden über die Motorelektronik und eine zusätzliche Getriebebremse auf der Vorgelegewelle in Gleichlauf gebracht. In Direktgangausführung gelten 2200 Nm als Grenze für das Eingangsmoment, in Overdriveausführung werden 2600 Nm zugelassen. Die Spreizung ist 17, um zum einen langsam rangieren zu können, zum anderen auch bei hohen Geschwindigkeiten niedrige Drehzahlen fahren zu können. Das Gewicht beträgt ca. 280 kg inkl. 12 l Öl. Die Länge beträgt 953 mm. Bild 7-37 stellt den Kraftfluss im Getriebe für die einzelnen Schaltstufen dar. KI und KII sind die beiden Übersetzungskonstanten für die Vorgelegewelle (Splittgruppe), 1 bis 4 mit R die vier Gänge und der Rückwärtsgang des Hauptgetriebe, Pl ist das als Planetengetriebe ausgeführte Rangegetriebe und PTO ist der Ausgang für ein Nebenabtrieb (Power Take Off).

**Bild 7-37**
Kraftflussschema AS Tronic 16 AS 2230 TD [7-7]

### 7.6.3 Wandler-Schaltgetriebe

*ZF-TC Tronic*

Das Wandler-Schaltgetriebe ZF-TC Tronic wird als „Baukastengetriebe" aus Serienteilen beispielsweise aus einer ZF Wandlerschaltkupplung WSK 440 und einem ZF-AS-Tronic-Getriebe zusammengesetzt. Das Getriebe ist synchronisiert und setzt sich aus einem Hauptgetriebe mit vorgeschalteter Split- und nachgeschalteter Rangegruppe zusammen, das im Aufbau einem ZF-AS-Tronic-Getriebe entspricht. Ein Getriebesystem ZF 12 TC 2740 TO kann ein Drehmoment von 2700 Nm übertragen, wiegt ca. 545 kg und beinhaltet 11 l Öl im Schaltgetriebe, sowie ca. 18 l Öl im Wandler.

Ein Wandler-Schaltgetriebe kommt häufig bei Schwerlasttransporten zum Einsatz. Der hydraulische Wandler vergrößert zum einen das zur Verfügung stehende Drehmoment, zum anderen erlaubt es ein verschleisfreies Anfahren. Beides Eigenschaften, die beim Bewegen von Schwerlasten von großem Vorteil sind. Ein Anfahren am Berg mit 250 t würden eine normale Reibungskupplung überfordern. Der Wandler hat beim Stillstand des Fahrzeugs sein größtes Drehmoment und unterstütz damit den Anfahrvorgang. Ist das Fahrzeug in Bewegung sinkt die Drehmomentenüberhöhung durch den Wandler und eine Überbrückungskupplung verblockt die Turbinen- mit der Pumpenwelle, so dass der Wandler überbrückt wird. Zum Wechsel der Getriebegänge wird eine zusätzliche, konventionelle Schaltkupplung benötigt. Optional kann ein Primärretarder intergriert werden.

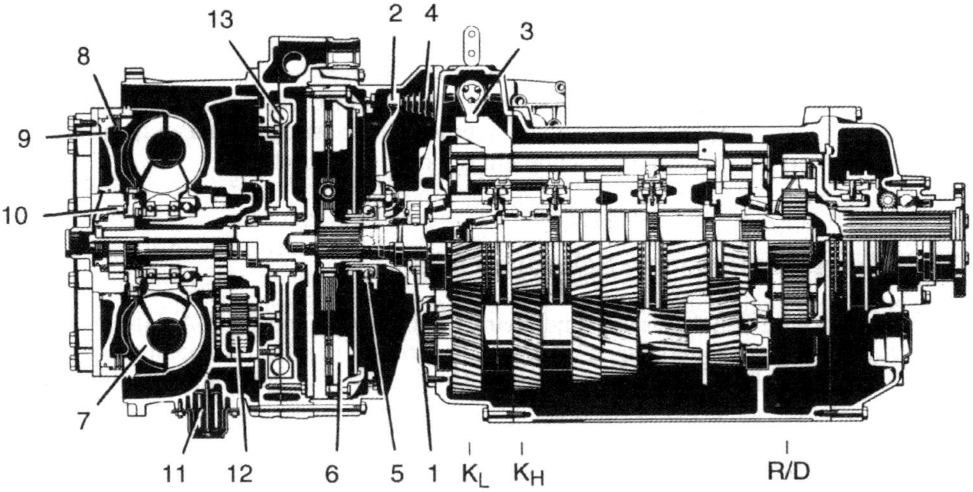


| | | |
|---|---|---|
| 1 Ölpumpe | 2 Ausrücker | 3 Schaltfinger |
| 4 Faltenbalg | 5 Ausrücklager | 6 Schaltkupplung |
| 7 Wandler | 8 Überbrückungskupplung | 9 Hydraulikkolben |
| 10 Schubfreilauf | 11 Ölfilter | 12 Ölpumpe |
| 13 Optionaler Retarder | $K_L$ = Konstante Low | $K_H$ = Konstante High |
| Rangegruppe: | R = Range | D = Direkt |

**Bild 7-38** ZF-Transmatic-Getriebe mit ZF WSK 400 und ZF 16 S 220 [7-7]

### 7.6.4 Automatgetriebe

*Allision Transmission – Serie 4500*

Das Allision-4500-Automatikgetriebe ist ein 6-Gang-Automatgetriebe, wie es z. B. bei Scania zum Einsatz kommt. Es besteht aus einem Drehmomentwandler, welcher das Drehmoment des Motors bei Stillstand um ca. 50 % überhöhen kann, einer Überbrückungskupplung und einem nachgeschalteten 6-Gang-Planetengetriebe. Das Planetengetriebe ist ein Lastschaltgetriebe, d. h., es kann ohne Zugkraftunterbrechnung geschaltet werden. Der Schaltvorgang wird durch eine Steuerelektronik in Abhängigkeit von Gaspedalstellung, Motorzustand, Geschwindigkeit und Fahrbereichsschalter durch Lamellenkupplungen/Lamellenbremsen mittels elektrisch gesteuerten Hydraulikkolben eingeleitet. Durch den Vorteil des Schaltens unter Last ist das Automatikgetriebe in fast jedem Stadtbuss implementiert, da stehende Gäste sehr empfindlich auf Zugkraftunterbrechung reagieren. In den Überland- und Reisebussen ist das automatisierte Getriebe auf dem Vormarsch.

Die Allison 4500 Serie, Bild 7-39, kann im ersten Gang Eingangsmomente von ca. 2200 Nm vertragen, ab dem zweiten Gang, je nach Einsatzart, 2400 bis 2500 Nm. Das Getriebe wiegt trocken 377 kg, beinhaltet ca. 40 l Öl und hat eine Länge von 793 mm. Das Getriebe kann mit einem motorabhängigen Nebenabtrieb versehen werden, Bild 7-36 vone links, dieser darf bis zu 928 Nm belastet werden, bei dem Betrieb von zwei Nebenabtrieben können bis zu 1593 Nm entnommen werden. Im hinteren Teil der Schnittzeichnung kann man den optionalen sekundär Retarder erkennen, welcher bis zu 2700 Nm Bremsmoment generiert.

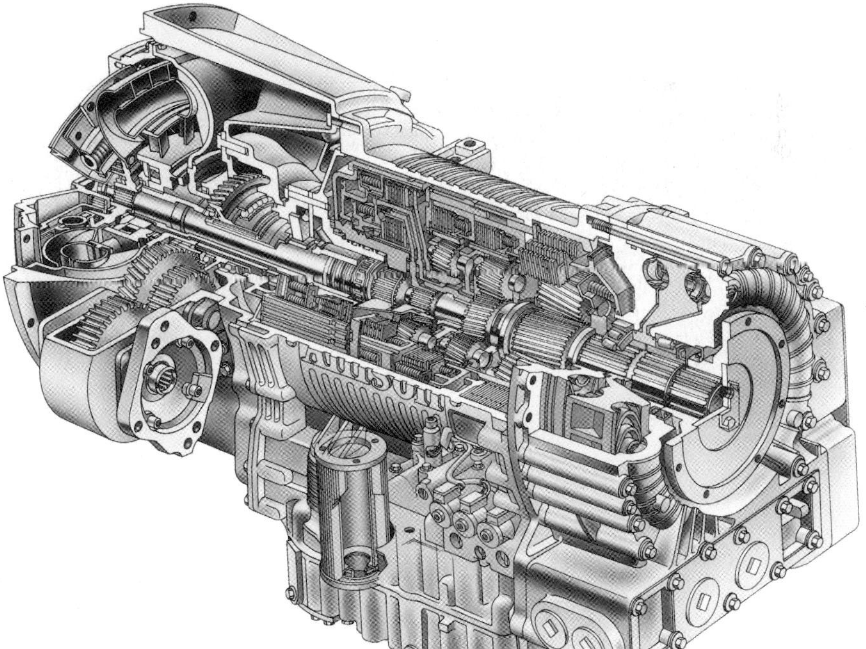

**Bild 7-39** 6-Gang-Automatgetriebe Allison Serie 4500 [7-8]

### 7.6.5 Nebenabtriebe

Viele Nutzfahrzeuge besitzen einen Aufbau der eine eigene Funktion ausführt, wie z. B. Betonmischer oder -pumpen, Müllfahrzeuge, Kipper, Krane usw. Zum Betrieb dieser Funktionen braucht man einen Antrieb. Dafür wird häufig der vorhandene Motor genutzt. Auf verschiedenste Arten stellt man so genannte Nebenabtriebe dar. Das geht zum einen über Riemenscheiben an der Front des Fahrzeugs, jedoch ist der Platz hier sehr begrenzt. Häufig gibt es die Möglichkeit vom Nockenwellenantrieb auf der Rückseite des Motors einen Nebenantrieb darzustellen. Beide Möglichkeiten sind motorabhängige Nebenabtriebe, d. h. die Nebenabtriebsdrehzahl ist immer proportional zur Motordrehzahl. Verlässt man den Motor kann man nur noch mit recht hohem Aufwand einen motorabhängigen Nebenabtrieb realisieren. Man unterscheidet dann weiter zwischen kupplungsabhängigen und geschwindigkeitsabhängigen Nebenabtrieben.

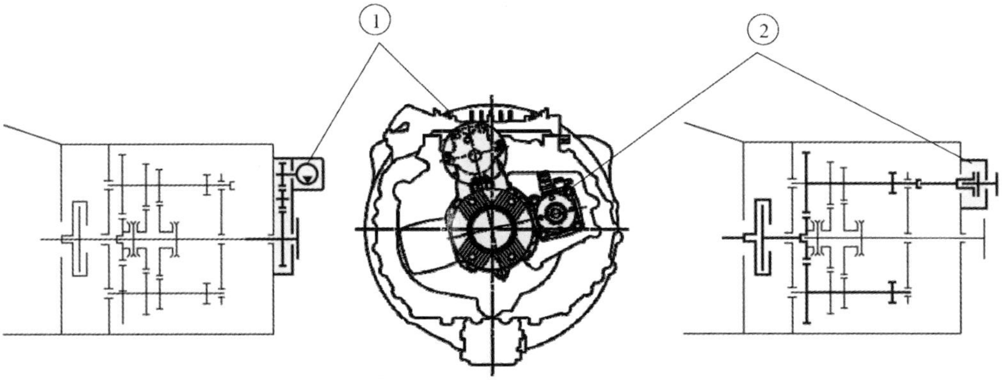


**Bild 7-40** Beispiel für die Anordnung von Nebenabtrieben: 1 geschwindigkeitsabhängig, 2 kupplungsabhängig [7-7]

#### *7.6.5.1 Kupplungsabhängige Nebenabtriebe*

Bei kupplungsabhängigen Nebenabtrieben (Bild 7-41) liegt die Leistungsverzweigung zum Nebenabtrieb hinter der Anfahrkupplung. Die Leistungsabgabe an den Abtrieb erfolgt nur bei geschlossener Kupplung. Sie können sowohl im Leerlauf bei stehendem Fahrzeug, als auch im Fahrbetrieb eingesetzt werden. Durch die Verbindung mit der Vorgelegewelle wird das Getriebe und insbesondere hierbei die Synchronisierung zusätzlich beansprucht.

Kupplungsabhängige Nebenabtriebe werden für folgende Zwecke eingesetzt:

- Silo- und Tankfahrzeuge
- Kipper
- Ladekrahn
- Müllfahrzeuge

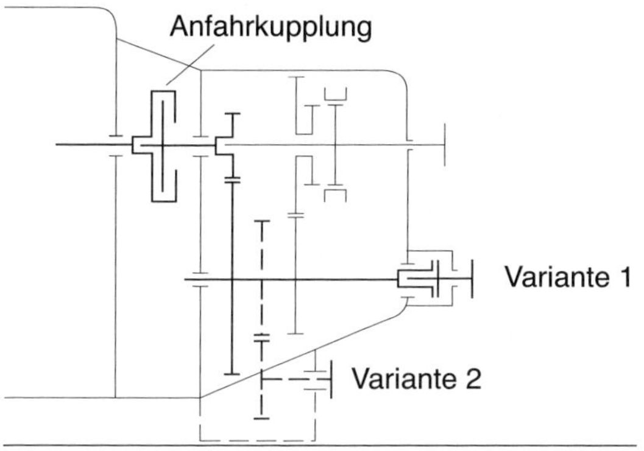


**Bild 7-41**
Kupplungsabhängiger Nebenabtrieb [7-2]

### *7.6.5.2 Motorabhängige Nebenabtriebe*

Konstruktiv wird der motorabhängige Nebenabtrieb (Bild 7-42) durch eine Hohlwelle realisiert, durch die die Antriebswelle des Hauptgetriebes geführt wird. Hierdurch ist der Nebenabtrieb vom Kraftschluss der Fahrkupplung unabhängig. Durch den direkten Leistungsfluss zwischen Motor und Abtrieb, unter Aussparung des Haupgetriebes, kann ein wesentlich höherer Leistungsfluss gegenüber dem kupplungsabhängigen Nebenabtrieb erzielt werden. Auch dieser Abtrieb lässt sich bei stehendem oder fahrendem Fahrzeug zum Antrieb von:

- Betonmischern, Betonpumpen
- Feuerwehrfahrzeugen
- Spühl- und Saugfahrzeuge

einsetzen.

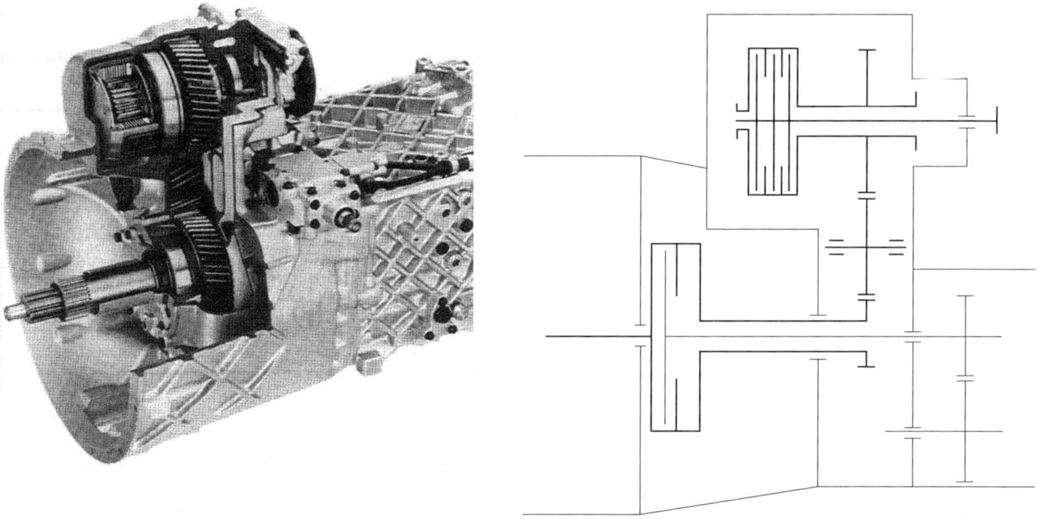

**Bild 7-42** Im Getriebegehäuse integrierter motorabhängiger Nebenabtrieb [7-7, 7-2]

# Literaturverzeichnis
# 7 Getriebe


[7-1] Mitschke, M.: Dynamik der Kraftfahrzeuge, Bd. A: Antrieb und Bremsung, Springer-Verlag, Berlin, Heidelberg, New York, 3. Auflage, 1995

[7-2] Lechner, Gisbert; Naunheimer, Harald: Fahrzeuggetriebe; Grundlagen, Auswahl, Auslegung und Konstruktion, Berlin, Heidelberg: Springer, 1994

[7-3] Materialien der Daimler AG

[7-4] Robert Bosch GmbH: Kraftfahrtechnisches Taschenbuch, 22. Auflage Düsseldorf: VDI-Verlag, 1995

[7-5] Braun, Heribert; Kolb, Günther: LKW; Ein Lehrbuch und Nachschlagewerk, 2. Auflage Bonn: Kirschbaum-Verlag GmbH, 1991

[7-6] Mannesmann Sachs: Prospektmaterial Kupplungen für Kraftfahrzeuge, Beurteilung von Schäden an Kfz, Sachs Drehmomentwandler

[7-7] ZF-Friedrichshafen AG: Informationsmaterial, Datenblätter, Betriebsanleitungen von ZF-Transmatic, ZF-Ecomat, ZF-Ecosplit Getrieben, Nebenabtrieben

[7-8] Scania Deutschland AG: Prospekt-, Informationsmaterial

[7-9] MAN Nutzfahrzeuge: Grundlagen der Nutzfahrzeugtechnik, Kirschbaum-Verlag GmbH, 2006

# 8 Elektrik und Elektronik

## 8.1 Vorwort

Wirtschaftlichkeit, Betriebssicherheit und gesetzliche Bestimmungen sind die für den Einsatz von Elektrik und Elektronik im Nutzfahrzeug bestimmenden Faktoren. Gemäß dieser Voraussetzung haben z. B. elektronische Systeme im Nutzfahrzeug in den zurückliegenden Jahren einen maßgeblichen Einfluss u. a. auf den Kraftstoffverbrauch, das Fahr- und Bremsverhalten sowie Abgas und Geräuschemissionen gewonnen.

Aber auch die Kundenerwartungen an Sicherheit, Zuverlässigkeit und Funktionalität erhöhen den Umfang der elektrisch oder elektronisch realisierten Funktionen in Nutzfahrzeugen stetig.

Es lassen sich folgende generelle Trends erkennen:

1. Mechanik wird durch Elektromechanik ersetzt (z. B. elektrisch unterstützte Lenkung).
2. Elektromechanik wird durch Elektronik ersetzt (z. B. elektronische Blinkersteuerung).
3. Mechanik/Elektromechanik/Elektronik wird durch Software ersetzt (z. B. Ermittlung des Zielgangs bei automatisch gesteuerten Getrieben).

Daraus ergibt sich, dass die Funktionalität des Nutzfahrzeuges immer stärker durch elektrische oder elektronische Systeme und durch Software bestimmt wird – d. h., Elektrik und Elektronik werden zunehmend wichtiger.

## 8.2 Einführung

### 8.2.1 Begriffsdefinition

*Elektrik*
Elektrische Funktionen und deren Komponenten benötigen elektrische Energie aus der Fahrzeugbatterie oder vom Generator, um funktionsfähig zu sein. Unter Elektrik verstehen wir hier die Gesamtheit aller elektrischen Funktionen und der zugehörigen Komponenten eines Fahrzeuges.

*Elektronik*
Elektrische Funktionen, die aus technischen oder wirtschaftlichen Gründen statt in konventioneller Elektrotechnik mit Hilfe elektronischer Schaltungen oder Mikroprozessortechnik und Software realisiert werden.

Wenn nicht anders vermerkt, geht es in diesem Kapitel immer um elektrische oder elektronisch realisierte Funktionen.

*Komponente*
Einzelteil oder Baugruppe wie z. B. Batterie, Sensor, Stecker, Leitung, Aktor

*Funktion*

Zum Realisieren einer elektrischen Funktion werden mindestens die Komponenten Energiequelle, Sensor, Verbindungsleitung und Aktor benötigt. Zum Beispiel die Funktion „hupen“ benötigt die Komponenten Batterie (Energiequelle), Taster (Sensor), Kabel (Verbindungsleitung) und Horn (Aktor).

*System*

Anordnung/Zusammenschaltung mehrerer Komponenten zur Realisierung mindestens einer, meist mehrerer Funktionen

*Gesamtfahrzeug*

Gesamtsystem Fahrzeug mit allen seinen elektrisch oder elektronisch realisierten Funktionen und den dazu erforderlichen Systemen und Komponenten

## 8.2.2 Grundsätzliches

### *8.2.2.1 Historie*

Die Elektronik hielt im Jahr 1976 im Bereich der Bremse Einzug im Nutzfahrzeug. Die erste Anwendung war das „Anti Blockier System“ (ABS) in Mercedes-Benz Nutzfahrzeugen. Da die mechanischen Systeme zur Blockierverhinderung besonders bezüglich ihrer Regelgeschwindigkeit nicht ausreichten, wurde die Lösung durch Elektronik gesucht. Mittels eines in Analogtechnik aufgebauten Systems wurde aus den Raddrehzahlen die Drehverzögerung und die Drehbeschleunigung der Einzelräder ermittelt. Aus diesen Werten errechnete der Analogrechner die Differenzbeschleunigung zwischen den Rädern. Daraus wurde erkannt, ob ein Rad eine wesentlich stärkere Verzögerung oder Beschleunigung erfährt als die anderen und die Bremskraft konnte im Blockierfall reduziert werden. Dieses Steuergerät hatte eine „enorme“ Größe, mit einer Grundfläche von 900 cm$^2$ (Seitenlänge 30 cm x 30 cm) und einer Höhe von 6 cm. Es besaß eine sehr große Anzahl von einzelnen Transistoren, Komparatoren, Kondensatoren, Widerständen und anderen Bauteilen. Alle Bauteile waren diskret aufgebaut und mussten in aufwändigen Arbeitsgängen auf die Platinen gebracht und getestet werden. Das in Analogtechnik ausgeführte System erfüllte aufgrund der sehr hohen Anzahl von Bauteilen auch in Bezug auf die Zuverlässigkeit nicht alle gewünschten Anforderungen.

Dies und vor allem die zunehmenden Anforderungen an die Verarbeitungsgeschwindigkeit und die Speicherkapazität führten dann konsequenterweise auch im Fahrzeug zum Einsatz der Digitaltechnik. Darin wird die Signalerfassung und die Endstufenansteuerung weiterhin überwiegend mittels Analogschaltungen realisiert, die Berechnung der Algorithmen wird dagegen vollständig in Prozessortechnik ausgeführt.

Bei der Prozessortechnik werden die Rechenvorgänge im Prozessor durch digitale Operationen anstatt durch analoge Schaltungen dargestellt. Diese digitale Berechnung hat allerdings nicht nur Vorteile, bei Einsatz der Prozessortechnik muss beim Entwurf der Algorithmen berücksichtigt werden, dass die Ergebnisse der Berechnung wegen der endlichen Anzahl von berechneten Stellen nicht genau sind. Quantisierungsfehler und Rundungsfehler können das Ergebnis beeinflussen.

Als Prozessoren wurden anfänglich 4-Bit-Rechner eingesetzt, d. h., Rechenoperationen wurden in einer Datenbreite von 4-Bit durchgeführt. Diese Rechenleistung erlaubte nur die Realisierung einfacher Steuer- und Regelalgorithmen, die keine komplexen Rechenoperationen benötigten. Ferner war der Programm- und Datenspeicher bei diesen Prozessoren sehr begrenzt.

Mit der Einführung der 8-Bit-Rechner und der Erweiterung der Prozessoren um die Komponenten

- Analog/Digital- und Digital/ Analog-Wandler
- parallele und serielle Schnittstellen
- Speicher (RAM und ROM)
- Digitalein- und -ausgänge
- Timer/Counter
- etc.

„on Chip“ zu µ-Controllern (µC) wurden die Voraussetzungen für die Umsetzung komplexerer Algorithmen und für einen hohen Integrationsgrad in Steuergeräten geschaffen (Bild 8-1).

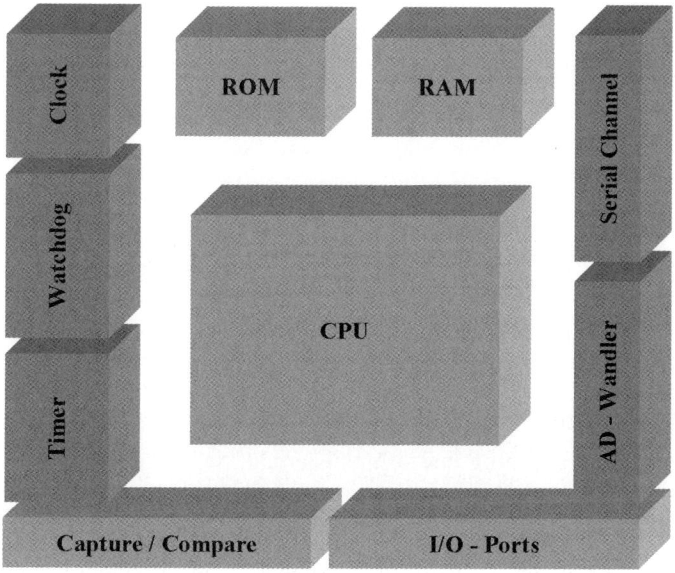


**Bild 8-1** Schema µ-Controller

Die in Kraftfahrzeug-Anwendungen am weitesten verbreiteten 8-Bit µ-Controller gehören der INTEL 80C51xx oder der Motorola 68HCxx05 Familie an. Die Bausteine der Motorola Familie 68HCxx05 werden in den nächsten Jahren durch die 68HCxx08-Bausteine abgelöst. Der Begriff „Familie“ bezeichnet µ-Controller, die denselben Rechnerkern (Core) besitzen und je nach Anwendung unterschiedlichste Erweiterungen (s. Liste oben) besitzen.

Die nächste Integrationsstufe der µ-Controller sind 16-Bit Controller; diese sind heute als Standard-Controller für Anwendungen im Antriebsstrang in fast jedem Fahrzeug vorhanden. Am häufigsten vertreten sind die Bausteine der Firma Siemens 80C16xx, INTEL 80C196x und Motorola 68HCxx32. Diese haben oft bereits Bausteine für steuergeräteexterne Kommunikation (z. B. CAN-Controller)[1] auf dem gleichen µC integriert (embedded).

Die nächste Generation der µ-Controller basiert auf der 32-Bit-Rechnertechnik. Diese µCs erlauben Anwendungen, welche sehr rechenintensive Funktionen und hohe Speicherkapazitäten benötigen, unter Verwendung eines Betriebsystems. Sie werden heute fast ausnahmslos in Hochsprachen, z. B. ‚C‘, programmiert.

[1] CAN Controller Area Network, Standardisiertes Protokoll (ISO 11898) für serielle Datenübertragung im Fahrzeug

Mit der Weiterentwicklung der Prozessortechnik konnten immer mehr Funktionen in elektronischen Steuergeräten realisiert werden. Diese Steuergeräte haben neben dem µ-Controller eine Reihe von Funktionsmodulen, die oft mittels Baugruppenbibliotheken realisiert sind. Die einzelnen Module sind je nach Funktionsanforderung mehrfach vorhanden (Bsp.: Endstufenansteuerung) und müssen auf der Platine des Steuergerätes verbunden werden. Diese Bibliotheken enthalten z. B. Stromversorgung, Endstufenbeschaltungen, Sensorauswertungen und den µC selbst. Der Vorteil solcher Bibliotheken ist, dass man auf vorhandene, bewährte analoge und digitale Schaltungen zurückgreifen kann, welche bereits ihre Tauglichkeit für den Einsatz in Kraftfahrzeugen unter Beweis gestellt haben.

Nach dem Anti-Blockier-System war die Entwicklung der elektronischen Motorsteuerung der nächste Einsatzbereich der Elektronik. Um den gesetzlichen Anforderungen in der Abgasemission gerecht zu werden, wurde das Elektronische Diesel Control (EDC) entwickelt.

Weitere Anwendungsfelder folgten, wie z. B. die elektronische Niveauregulierung (NR). Die Niveauregulierung misst die Höhe zwischen der Achse und dem Fahrzeugaufbau und stellt eine vorgegebene Höhe ein. Dieses Einstellen erfolgt durch Belüften bzw. Entlüften der Luftfederbälge des Fahrzeuges.

Auch bei der Instrumentierung ist der Einsatz von rechnergestützten Systemen Stand der Technik. Die Informationen, wie z. B. die Fahrzeuggeschwindigkeit, gelangen nicht mehr über mechanische Verbindungen zum Anzeigeinstrument, sondern werden mit einem Sensor eingelesen und elektrisch zum Anzeigeinstrument übertragen. Die Anzeigesteuerung wird dann von einem Prozessorsystem übernommen.

Den aktuellen Stand der Entwicklung stellen zur Zeit elektronische Steuerungen für

- Komfortfunktionen wie Innenraumbeleuchtung und -klimatisierung, Schließanlage, Fensterheber, Spiegelverstellung/-heizung, Radio-/Telefonbedienung über Lenkradtasten sowie
- Assistenzsysteme wie z. B. Abstandsregeltempomat und Spurassistent dar

Insgesamt rückt neben den reinen Fahreigenschaften auch der Fahrerarbeitsplatz stärker in den Focus. Der Mensch-Maschine-Schnittstelle (HMI, human maschine interface) wird wegen ihrem Einfluss auf Fahrsicherheit und Kondition des/der Fahrers/Fahrerin zunehmend mehr Bedeutung beigemessen.

### *8.2.2.2 Aufbau eines elektronisch gesteuerten Systems*

Ein elektronisch gesteuertes System besteht aus dem eigentlichen Steuergerät und den daran angeschlossenen elektromechanischen Komponenten (Bild 8-2). Über Sensoren werden die Soll- und Istwerte verschiedener, für die Steuerung/Regelung notwendigen Größen, ermittelt und dem Steuergerät zur Verfügung gestellt. Die vom Steuergerät ermittelten Sollwerte führen zu einer Ansteuerung von Aktoren, die das mechanische, pneumatische oder hydraulische System entsprechend verstellen.

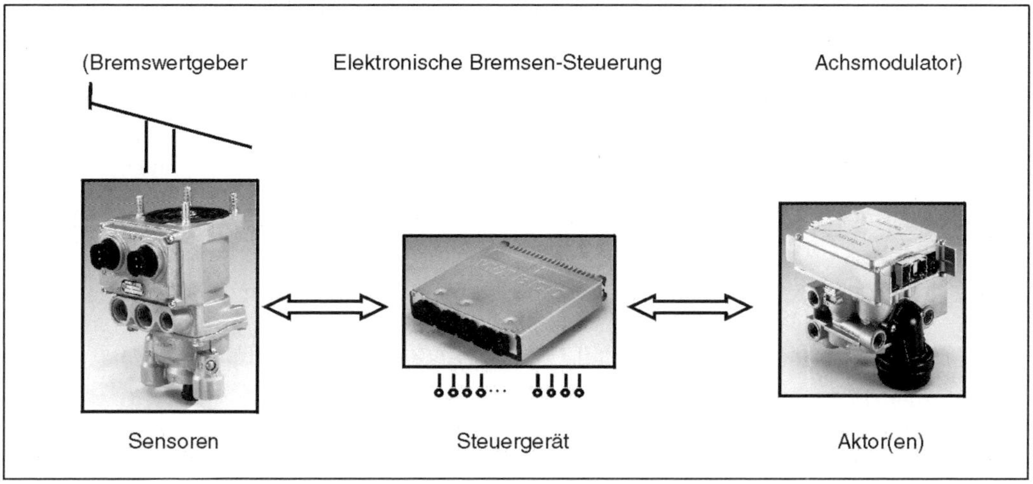


**Bild 8-2** Elektronisches System (Beispiel: elektronisch gesteuerte Bremse)

Das Steuergerät des Systems besteht im Allgemeinen aus einem Applikationsrechner für die Berechnung der Steuerungs-/Regelungs-Algorithmen und ggf. einem Sicherheitsrechner, der die korrekte Funktion des Applikationsrechners überprüft (Bild 8-3). Dies kann z. B. dadurch erfolgen, dass beide µ-Rechner die gleiche Aufgabe haben und das Ergebnis vergleichen. Oder es wird geprüft, ob der Applikationsrechner sich zu einer bestimmten Zeit an einer definierten Programmstelle befindet.

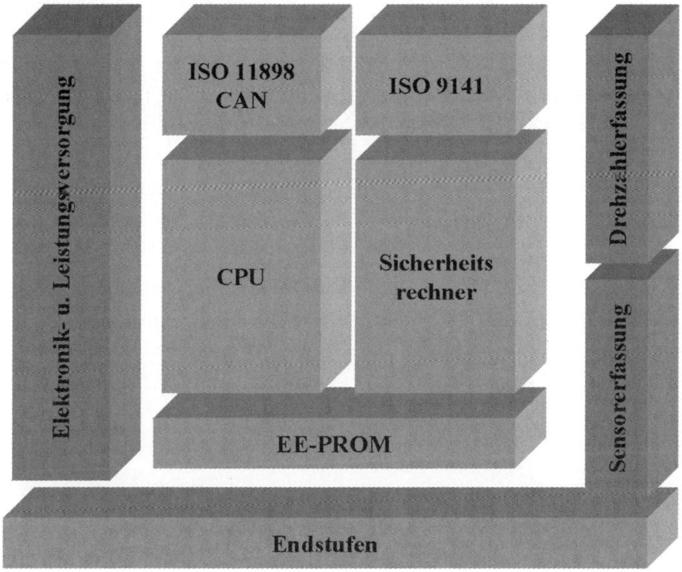


**Bild 8-3**
Blockschaltbild
des Steuergerätes

Für die Abspeicherung von Informationen, wie z. B. Parameter oder Fehlercode, ist in den meisten Steuerelektroniken ein nichflüchtiger Speicher[2] vorgesehen. Eine Spannungsreglerschaltung im Steuergerät übernimmt die Versorgung der Elektronik und der Leistungshalbleiter. Ein weiterer Baustein eines Steuergerätes sind die Endstufen für die Aktoren und die Auswerteschaltung der Sensoren inklusive der Filterung. Für den Informationsaustausch zwischen dem Steuergerät und anderen Systemen sind heute auch serielle Datenschnittstellen vorgesehen. Dies sind z. B. die ISO 9141[3] oder die ISO 11898[4] Schnittstelle und darauf aufbauende Standards.

#### *8.2.2.3 Entwicklungsprozess elektronischer Steuergeräte*

Um die im vorherigen Kapitel beschriebenen Systeme zur Serienreife bringen zu können, sind die Prozesse zur Entwicklung eines elektronischen Systems in verschiedenen Vorgaben beschrieben. Der Verband der Deutschen Automobil Industrie (VDA) hat in der VDA 6.1 [8-1] einen solchen Prozess definiert. Hierin sind die Abläufe beschrieben, die das Produkt von der Idee bis zur Serienproduktion im Werk durchläuft. Die einzelnen Phasen sind wie folgt definiert:

- **Initialphase** mit der Erarbeitung des Rahmenheftes. Dieses ist eine Sammlung von Anforderungen, die das spätere Produkt erfüllen muss.
- **Produktdefinition und Produktkonfiguration**, die mit dem Lastenheft abschließt. Das Lastenheft beschreibt die geforderte Funktion, ohne auf die technische Realisierung einzugehen. Dieses Dokument dient als Grundlage für eine Ausschreibung[5] oder einen Konzeptwettbewerb.
- **Pflichtenheftphase**, dort wird gemeinsam mit dem Zulieferer das Pflichtenheft geschrieben und verabschiedet. Dieses Pflichtenheft stellt die Beschreibung der technischen Realisierung der Lastenheftanforderungen dar.
- **Serienentwicklung** mit den A-, B-, und C-Musterphasen. In diesen Phasen wird das geforderte System, je nach Entwicklungsstand, auf seine Funktion im Fahrzeug getestet. Das C-Muster entspricht in seinen Funktionen dem angestrebten Serienumfang, und die Komponenten werden bereits mit den Serienwerkzeugen gefertigt.
- **Serienvorbereitung,** in dieser Phase wird das serienreife System im Produktionswerk getestet. Pilotserien sichern dabei die Abläufe im Werk ab.
- **Serienproduktion,** Serienteile werden vom Hersteller an das Produktionswerk geliefert und in das Fahrzeug eingebaut – es entsteht das Endprodukt.

Auch die Qualifikation bzw. Schulung der Mitarbeiter ist dort gefordert. Diese Richtlinie stellt damit auch gleichzeitig die Grundlage für eine hohe Entwicklungs- und Fertigungsprozessqualität dar. Die VDA 6.1 Vorgaben werden von Auditoren in regelmäßigen Abständen überprüft

---

2 Für diese Aufgabe wird meist ein so genanntes EEPROM (elektrisch beschreibarer und löschbarer Speicher) und zunehmend FLASH-Speicher eingesetzt.

3 ISO 9141 ist ein Standard für die Diagnosekommunikation im Fahrzeug.

4 ISO 11898 ist eine Standard für serielle Datenübertragung im Fahrzeug. Hier wird das CAN (Controller Area Network)-Protokoll verwendet.

5 Anfrage an potentielle Lieferanten, ein Angebot für die Entwicklung und Lieferung eines solchen Systems abzugeben.

und bewertet. Eine verwandte Art der Vorgabe enthält die ISO 9000. In dieser sind ebenfalls Abläufe beschrieben, die eingehalten werden müssen, um eine hohe Entwicklungs- und Fertigungsprozessqualität zu erreichen.

All diese Vorgaben beschreiben den Prozess der Entwicklung. Sie sagen nichts darüber aus, welchen funktionalen und technischen Anforderungen das Serienprodukt genügen muss. Diese sind z. B. in „Hausnormen" der Kraftfahrzeug-Hersteller beschrieben. Es werden Eigenschaften beschrieben, die für eine zuverlässige Funktion des Produktes über die gesamte Lebensdauer des Fahrzeuges notwendig sind.

Beispielhaft sind das Anforderungen bezüglich:

- Klima/Temperatur (–40 °C bis +80 °C im Innenraum, –40 °C bis +125 °C im Außenbereich)
- Werkstoffeigenschaften
- Schwingungsbelastung (unterschiedlich für Innenraum und Rahmenbereich)
- Dichtigkeit des Gehäuses (Schutzklassen IP...)
- Elektrische Eigenschaften (z. B. Kurzschlussfestigkeit der Anschlüsse des Steuergerätes)
- Elektromagnetische Verträglichkeit (EMV)
- Lebensdauer
- Ausfallraten

Nach diesen Vorgaben können Einzelsysteme fahrzeugtauglich entwickelt werden.

Wegen der immer kürzer werdenden Entwicklungszyklen ist es notwendig, nicht wettbewerbsdifferenzierende Funktionen nicht für jedes Steuergerät neu zu entwickeln, sondern möglichst standardisierte Softwarebausteine einzusetzen. Ein Beispiel für diese Bausteine ist das Betriebssystem für Steuergeräte OSEK/VDX[6]. Damit wird es möglich Funktionen/Applikationen unabhängig von der vorgesehenen Serienhardware (μ-Controller) zu entwickeln. Auch können bei Einsatz eines Betriebssystems Funktionen von mehreren verschiedenen Zulieferern wesentlich leichter in einem Steuergerät kombiniert werden. Der Fahrzeughersteller kann dabei auch selbst als Softwarehersteller auftreten und zukünftig die wettbewerbsdifferenzierenden Teile der Funktionen im eigenen Hause entwickeln.

### 8.2.3 Abgrenzung System – Fahrzeug

Generell ist bei allen Nutzfahrzeugherstellern der Trend zu erkennen, die Entwicklungstiefe immer weiter zu verringern. Das bedeutet, dass mehr und mehr der Komponenten und Systeme eines Nutzfahrzeuges nicht vom Nutzfahrzeughersteller selbst, sondern von einem Lieferanten entwickelt und geliefert werden. Die Rolle des Nutzfahrzeugherstellers ist hier die des Systemintegrators. Seine Aufgabe ist es die gewünschten Funktionen und Eigenschaften der Komponenten und Systeme und ihre Schnittstellen zu anderen Komponenten und Systeme im Fahrzeug zu definieren. Der Lieferant entwickelt und liefert die entsprechend spezifizierten Teile und der Nutzfahrzeughersteller integriert sie dann zu dem Gesamtsystem Fahrzeug.

---

[6] OSEK = Offene Systeme und deren Schnittstellen für die Elektronik im Kraftfahrzeug / VDX Vehicle Distributed Executive

Nun gilt es bei jeder Neu- oder Weiterentwicklung erneut anhand klarer Kriterien zu entscheiden, welcher Umfang der Entwicklung beim Nutzfahrzeughersteller selbst und welcher bei dem oder den Lieferanten durchgeführt wird. Zu diesen Kriterien gehört zum einen die Wirtschaftlichkeit, d. h. eine Komponente oder ein System wird möglichst dort entwickelt, wo es für den gesamten Prozess am preiswertesten ist. Zum anderen ist ein weiterer wesentlicher Aspekt das Thema Wettbewerbsdifferenzierung. D.h. es muss die Frage beantwortet werden, ob die zu entwickelnde Funktion geeignet ist, das eigene Fahrzeug von denen der Mitbewerber so zu unterscheiden, dass der Kunde dieses Fahrzeug beim Kauf bevorzugt. Ist das der Fall, so muss versucht werden, das Know-how hierfür beim Nutzfahrzeughersteller im eigenen Haus zu behalten. Dies kann z. B. dadurch erreicht werden, dass es im eigenen Haus entwickelt wird.

Generell kann man zur Abgrenzung System – Fahrzeug sagen, dass vom Gesamtsystem Fahrzeug immer dann gesprochen werden kann, wenn es um die Zusammenfügung mehrerer Systeme und/oder Komponenten geht, und dann, wenn sich ein System über das gesamte Fahrzeug erstreckt, wie z. B. die Energieversorgung und die Informationsübertragung zwischen den Systemen und Komponenten (siehe auch Abschnitt 8.5).

## 8.3 Funktionen

Hier wird unterschieden zwischen den zum vorschriftsmäßigen und sicheren Betrieb eines Nutzfahrzeuges notwendigen Basisfunktionen und den heute darüber hinaus in jedem Nutzfahrzeug vorhandenen Standardfunktionen. Ein weiteres Kapitel bilden die Schnittstellenfunktionen. Sie stellen eine funktionale Verbindung zu elektrisch/elektronischen Systemen an Anhänger oder Fahrzeugaufbau her.

### 8.3.1 Basisfunktionen

Zu den Basisfunktionen zählen die Signalisierung, die Scheibenreinigung und die Außenbeleuchtung.

#### *8.3.1.1 Signalisierungsfunktionen*

Signalisierungsfunktionen können optisch oder/und akustisch realisiert werden. Zu den optisch realisierten gehören:

- die Blinkfunktionen
- die Bremslichtfunktion
- die Lichthupe
- und die Anzeigenfunktionen im Instrument (siehe Abschnitt 8.4.3.1)

Akustisch realisierte Signalisierungsfunktionen sind:

- das Signalhorn
- die Rückfahrwarnung
- der Lichtwarnsummer
- und der Betriebsgrenzenwarnsummer

Nachfolgend werden diese Funktionen im Einzelnen beschrieben.

**Blinkfunktionen**

In der StVZO (Straßenverkehrszulassungsordnung) wird die Blinkfrequenz mit 60 bis 120 Schaltungen pro Minute vorgeschrieben. Dabei soll die Einschaltzeit zwischen 30 % und 80 % der Blinkperiode betragen. Aus Gründen der Verkehrssicherheit soll mit der Hellphase begonnen werden. Der Ausfall einer Blinkleuchte muss dem Fahrer vom Blinkgeber angezeigt werden. Dies kann z. B. durch Verdoppelung der Blinkfrequenz oder durch Nichtansteuerung der Kontrolllampe erfolgen.

Noch vor einigen Jahren waren so genannte Hitzdrahtblinkgeber im Einsatz. Heute werden jedoch nur noch elektronische Blinkgeber eingesetzt. Die elektronischen Blinkgeber haben gegenüber den thermischen Hitzdrahtblinkgebern Vorteile in der Lebensdauer, der Betriebssicherheit und der Betriebsfestigkeit. Die Blinkgeber werden unterschieden in Einkreis- und Zweikreis-Blinkgeber. Werden in Pkws hauptsächlich Einkreisblinkgeber eingebaut, so sind im Nutzfahrzeug Zweikreisblinkgeber vorgeschrieben. Einkreisblinkgeber haben, wie der Name schon ausdrückt, für Zugfahrzeug und Anhänger nur einen Überwachungskreis. Bei den Zweikreisblinkern werden Zugfahrzeug und Anhänger in getrennten Kreisen überwacht. Die Blinkgeber haben deshalb zwei bzw. vier Kontrollleuchten, wenn noch zwischen linken und rechten Richtungsblinkern in der Instrumententafel unterschieden wird.

In den Blinkgebern ist gleichzeitig auch die Warnblinkfunktion integriert. Hierbei werden alle Blinkleuchten gleichzeitig angesteuert. Dies dient zur Sicherung haltender oder durch einen technischen Defekt liegengebliebener Fahrzeuge. Die Warnblinkanlage muss durch einen separaten mit einer auffälligen roten Kontrolllampe ausgestatteten Warnblinkschalter ein- bzw. ausgeschaltet werden können.

Die Blinkgeber bestehen aus den Komponenten Taktgeber und Kontrollstufe mit einer oder mehreren Kontrolllampen sowie dem Blinkstromkreis mit Lastrelais. Die gesamte Blinkanlage ist in nachstehendem Bild 8-4 schematisch dargestellt.

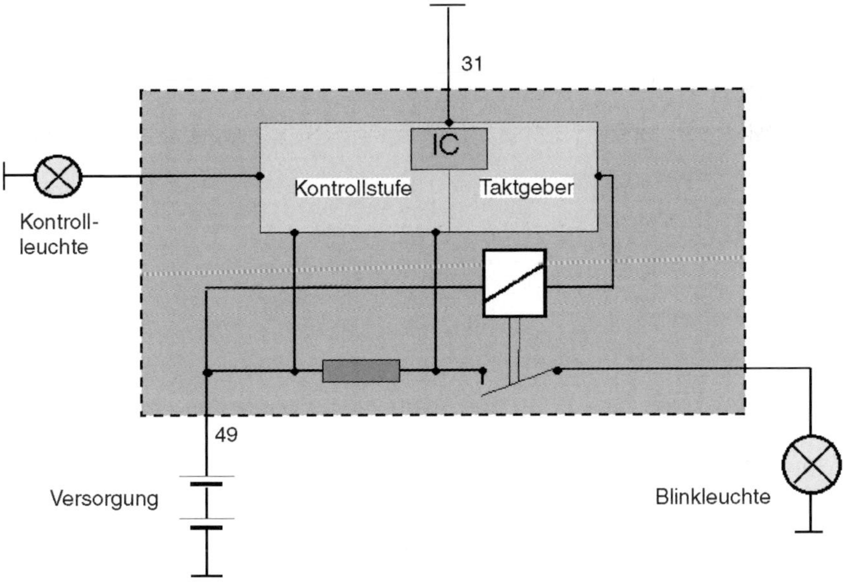


**Bild 8-4** Blinkanlage eines Nutzfahrzeug, schematisch

Das Lastrelais, angesteuert vom Taktgeber, übernimmt das Ein- und Ausschalten des Stromes für die Blinkleuchten. In den meisten Blinkgebern wird auch heute noch kein Schalttransistor für diese Funktion eingebaut, da der Lampenstrom im Einschaltfall das zehn- bis zwanzigfache der Nennstromstärke der Lampen betragen kann. Lampen sind keine ohmschen Widerstände, sondern sie verhalten sich wie PTC[7]-Widerstände, deren Widerstand mit steigender Temperatur zunimmt. Wegen der dadurch bedingten hohen Einschaltströme müssen Transistoren mit aufwändigen Schutzschaltungen versehen werden, sodass Relais hier noch immer einen Kostenvorteil haben.

Die Innenschaltung eines elektronischen Blinkgebers kann z. B. wie folgt aussehen:

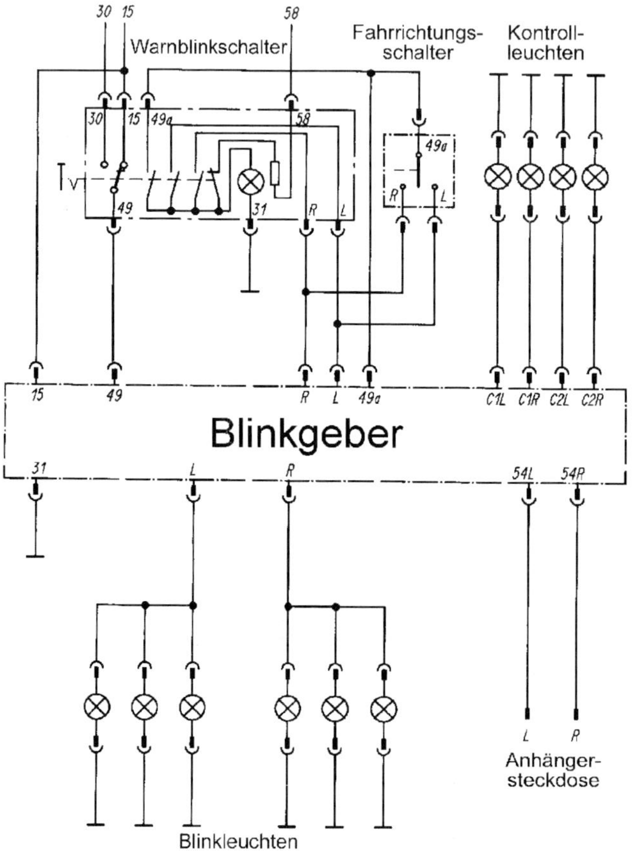


**Bild 8-5**
Innenschaltung eines elektronischen Blinkgebers

In den neueren Entwicklungen wird die Blinkfunktion in einem elektronischen Steuergerät, z. B. einer Zentralelektronik, von einem µ-Controller übernommen.

### Bremslichtfunktion

Die Bremsleuchten werden bei Betätigung der Bremse über einen vom Bremspedal betätigten Bremslichtschalter angesteuert. Meist sind die Bremsleuchten in den Heckleuchten integriert.

In vielen modernen Nutzfahrzeugen gehört eine verschleißfreie Bremse, z. B. ein Retarder, zur Serienausstattung. Beim Einsatz dieser Systeme dürfen die Bremsleuchten ebenfalls eingeschaltet werden.

---

[7] Positive Temperature Coefficient

**Lichthupe**

Mit dieser Einrichtung werden Leuchtzeichen gegeben. Dazu wird das vorhandene Fernlicht im Scheinwerfer über einen Tastschalter, meist nahe am Lenkrad, angesteuert.

**Signalhorn**

Bei Kraftfahrzeugen sind akustische Signaleinrichtungen vorgeschrieben, damit im Gefahrenfall andere Verkehrsteilnehmer gewarnt werden können. Die wichtigsten Bauarten der Signalhornanlagen sind (Bild 8-6):

a) Aufschlaghörner
b) Elektropneumatische Hörner
c) Drucklufthörner

Als serienmäßige Ausstattung sind heute meist Aufschlaghörner verbaut. Beim Betätigen des Funktionsknopfes wird Plus 24 V (Klemme 30 oder 15[8]) über eine Wicklung an Masse gelegt. Der Elektromagnet zieht eine Ankerplatte an, die ihrerseits über Kontakte den Stromkreis öffnet. Der Stromkreis wird dadurch unterbrochen und die Ankerplatte fällt ab. Somit wird der Stromkreis wieder geschlossen und die Ankerplatte wird erneut angezogen. Dadurch schwingt die Ankerplatte und die damit verbundene Membran mit der durch die Dimensionierung festgelegten Frequenz.

Elektropneumatische Hörner haben ein ähnliches Antriebssystem. Der Anker schlägt jedoch nicht auf den Magneten auf, sondern schwingt mit der Membrangruppe ohne Berührung vor dem Magnetkern und regt dadurch eine Luftsäule in dem Schneckentrichter zum Mitschwingen an.

Bei Drucklufthörnern wird elektrisch nur ein Magnetventil angesteuert, welches Druckluft in eine besonders gestaltete Druckkammer lässt, die eine Membran zu Resonanzschwingungen anregt. Wie bei den elektropneumatischen Hörnern wird die Grundfrequenz durch die Trichterlänge bestimmt. Bild 8-6 zeigt die verschiedenen Bauarten.

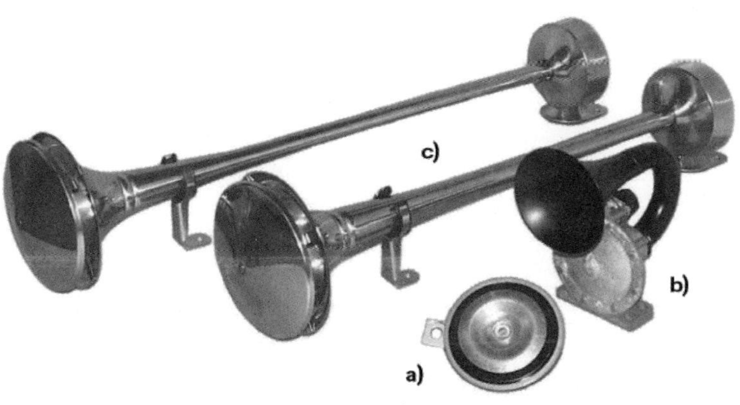


**Bild 8-6**
Bauarten von Signalhörnern

[8] Klemme 30 wird üblicherweise für Dauerplus (+24V) verwendet, und Klemme 15 für geschaltetes Plus (+24V bei Zündung Ein). Darüber hinaus steht Klemme 31 für Masse.

**Rückfahrwarnung**

In manchen Ländern wird vom Gesetzgeber bei Rückwärtsfahrt die Ansteuerung eines Warnsummers verlangt. Dieser soll Personen, welche sich im Rückraum des Fahrzeuges aufhalten, auf das rückwärts fahrende Fahrzeug aufmerksam machen. In Deutschland wird diese Funktionalität bei Müllfahrzeugen durch die EN 1501 vorgeschrieben. Technisch wird diese Forderung entweder durch Einbau eines Warnsummers in der Heckleuchte realisiert, der parallel zur Rückfahrleuchte angesteuert wird, oder man verwendet spezielle Glühbirnen für die Rückfahrleuchte, die in ihrem Sockel einen integrierten Summer haben.

**Lichtwarnsummer**

Bleibt die Lichtanlage aus Versehen bei einem abgestellten Fahrzeug länger in Betrieb, benötigt das Fahrzeug bei entleerten Batterien externe Starthilfe. Eine einfache und sehr wirkungsvolle Hilfe stellt hier der Lichtwarnsummer dar. Ein in der Tür bzw. im Schloss untergebrachter Schalter steuert einen Warnsummer bei eingeschalteter Fahrbeleuchtung und ausgeschalteter Zündung an, und macht so den Fahrer auf diese Situation aufmerksam.

**Betriebsgrenzwarnsummer**

Bei einigen Betriebszuständen soll der Fahrer durch akustische Warnung auf diese Situationen aufmerksam gemacht werden. So wird vielfach in Nutzfahrzeugen z. B. vor Überdrehzahl oder zu niedrigem Kühlwasserstand gewarnt. Die Überdrehzahlwarnung wird durch eine Auswerteelektronik ausgelöst, die beim Rückschaltvorgang über Drehzahlsensoren die Drehzahl von Motor und Getriebe vergleicht und bei zu großer Differenz warnt, noch bevor der Fahrer die getrennte Kupplung wieder schließt. Dieser Fall kann dann eintreten, wenn ein zu kleiner Gang und damit eine zu hohe Untersetzung gewählt wird. Bezüglich des Kühlwasserstandes wird von einem Füllstandsensor die Unterschreitung eines Mindeststandes erfasst und dieser dann signalisiert.

### *8.3.1.2 Scheibenreinigung*

Eine Scheibenreinigungsanlage besteht aus einem Motor, dem Gestänge und den Wischblättern. Von der StVZO werden Scheibenwischer am Kraftfahrzeug vorgeschrieben, dabei sind das zu reinigende Blickfeld und die Anzahl der Wischzyklen je Zeiteinheit vorgegeben.

Die Motoren haben üblicherweise 2 Geschwindigkeitsstufen. Die Drehzahl der Motoren wird über ein Schneckengetriebe auf ca. 50 U/min in der 1. Stufe und ca. 70 U/min in der 2. Stufe heruntergesetzt. Es werden vorwiegend permanenterregte Gleichstrommotoren mit ca. 75 W bis 500 W in Nutzfahrzeug eingesetzt.

In Bild 8-7 wird die Schaltung der Scheibenwischfunktion dargestellt. Beim Einschalten der Stufe 1 wird Spannung auf Klemme 53 gegeben und über den Anker der Stromkreis nach Klemme 31 geschlossen.

Bei feinem Regen oder Nebel muss die Windschutzscheibe nur in gewissen Zeitabständen gereinigt werden. Dies wird in den heutigen Wischanlagen durch eine weitere Schaltstufe realisiert. Die Zeitabstände bei der so genannten Intervallstellung sind entweder fest vorgegeben, frei einstellbar oder über einen Regensensor variabel steuerbar.

Mechanisch ist eine Wischanlage so aufgebaut, dass an der herausragenden Welle des Motors eine kleine Drehkurbel angebracht ist, die mit einem Gestänge die drehende Bewegung des Motors in eine pendelnde Bewegung des Wischerarmes umwandelt. Motor und Gestänge werden meist funktionsgerecht als komplette Einheit ins Fahrzeug eingebaut.

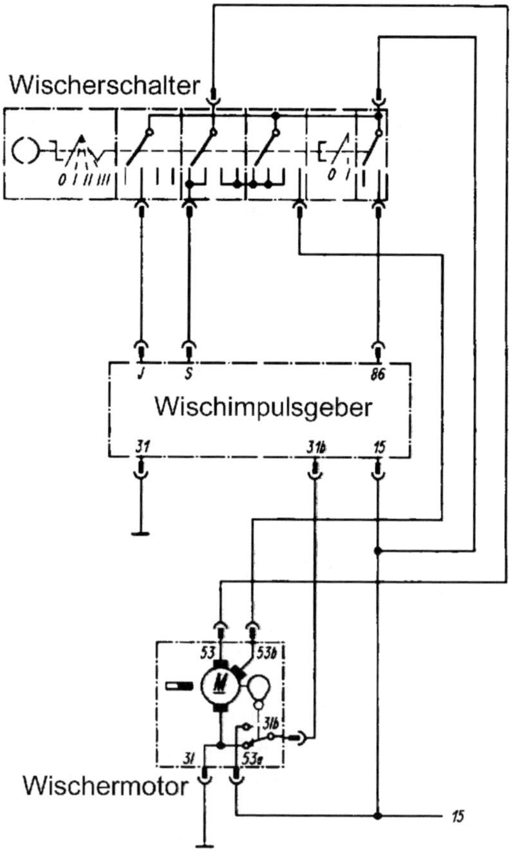


**Bild 8-7**
Schaltung der Scheibenwischfunktion

Dazu gibt es noch eine Waschfunktion, welche es erlaubt mit Hilfe einer Pumpe Waschwasser auf die Scheibe zu spritzen. Dies unterstützt den Reinigungsvorgang durch den Scheibenwischer bei trockener Witterung wesentlich. Deshalb löst der Taster für diese Pumpe üblicherweise auch den Scheibenwischer für einige wenige Wischvorgänge mit aus.

### *8.3.1.3 Außenbeleuchtung*

Neben der Bremsanlage sind insbesondere die Beleuchtungseinrichtungen durch Gesetze und Vorschriften eingehend geregelt, z. B. in der Basisrichtlinie EG 76/756/EWG „Anbau der Beleuchtungs- und Lichtsignaleinrichtungen für Kraftfahrzeuge und Kraftfahrzeuganhänger". Dies ist verständlich angesichts des immer dichter werdenden Kraftfahrzeugverkehrs. Im Interesse der Sicherheit aller Verkehrsteilnehmer gibt es deshalb bei dieser Kraftfahrzeugausrüstung so viele Vorschriften. Wichtig ist hierbei, dass die Verkehrsteilnehmer möglichst gut auf ausreichende Entfernung sehen und auch ohne Blendung gesehen werden. In den Vorschriften sind die Leuchten in der Anbringung und Lichtstärke beschrieben. Man unterscheidet vorgeschriebene und zulässige Außenbeleuchtungen. Vorgeschrieben sind Scheinwerfer, Schlussleuchten, Rückfahrscheinwerfer, Rückstrahler, Umrissleuchten, Seitenmarkierungsleuchten, Kennzeichenleuchten, Nebelschlussleuchten, Blinkleuchten, und Bremsleuchten. Darüber hinaus dürfen Nebelscheinwerfer, Zusatzfernscheinwerfer, Arbeitsscheinwerfer und Suchscheinwerfer zusätzlich angebaut werden.

**Scheinwerfer**

Die Aufgabe der Scheinwerfer, die Fahrbahn zu beleuchten oder Lichtsignale für andere Verkehrsteilnehmer zu geben ohne diese zu blenden, wird durch einige Entwicklungen in den letzten Jahren immer besser erfüllt. Der Übergang vom symmetrischen zum asymmetrischen Abblendlicht brachte eine verbesserte Ausleuchtung des rechten Fahrbahnrandes und der Einsatz von Halogenlampen eine Anhebung der Leuchtstärke. Die so genannten Gasentladungslampen, wie sie im Pkw-Bereich teilweise bereits als Serienausstattung verbaut werden, sind aus Kostengründen in Nutzfahrzeugen bisher nur als Sonderausstattung gegen Aufpreis zu finden.

An die Schaltungstechnik der Scheinwerfer müssen folgende Anforderungen gestellt werden:

- Der Abblendschalter muss bewirken, dass alle Scheinwerfer für Fernlicht gleichzeitig ausgeschaltet werden.
- Ist Fernlicht eingeschaltet, darf auch Abblendlicht eingeschaltet bleiben.
- Bei Fernlicht ist eine Einschaltkontrolle vorgeschrieben, bei Abblendlicht ist sie zulässig.

Um der Anforderung, den Gegenverkehr nicht zu blenden unter allen Umständen gerecht zu werden, wird in Deutschland eine Leuchtweitenregelung oder eine handbetätigte Leuchtweiteneinstellung vorgeschrieben. Wenn die einzuhaltenden lichttechnischen Toleranzen durch andere Mittel wie z. B. durch eine Niveauregulierung eingehalten werden, können obige Einrichtungen entfallen. Die handbetätigte Leuchtweitenverstellung benötigt in der Nähe des Fahrerplatzes Einstellschalter, die in der Grundstellung einrasten. Für die einzelnen Belastungszustände, die eine Verstellung erfordern, müssen Markierungen an den Schaltern angebracht sein. Bei beiden Anlagen, der hand- und der automatisch verstellbaren, sind in oder an den Scheinwerfern Stellelemente angebaut, die den Reflektor oder den kompletten Scheinwerfer entsprechend bewegen.

**Heckleuchten**

Die heutigen Heckleuchten sind meist kombinierte Mehrkammerleuchten, in denen die Funktionen Schlusslicht, Rückfahrlicht, Rückstrahler, Umriss- und Seitenmarkierungslicht, Kennzeichenlicht, Nebelschlusslicht und Blinklicht integriert sind. Die einzelnen Kammern unterliegen bestimmten vorgegebenen Abmessungen und Abstandsmaßen. Die elektrische Schaltung muss so ausgeführt sein, dass die Schlussleuchten, Begrenzungsleuchten, Seitenmarkierungsleuchten und die Kennzeichenleuchte nur gleichzeitig ein- und ausgeschaltet werden können. Die Absicherung der Leuchten erfolgt für die linke und rechte Fahrzeugseite in getrennten Kreisen, so dass bei einer Störung nicht beide Seiten gleichzeitig ausfallen.

**Schlussleuchten**

Für das Schlusslicht ist die Farbe Rot vorgeschrieben. Gegenüber den ebenso roten Bremsleuchten muss die Helligkeit merklich geringer sein.

**Rückfahrscheinwerfer**

Dieser ist bei Kraftfahrzeugen vorgeschrieben, bei Anhängern ist er zulässig. Es dürfen auch zwei Rückfahrscheinwerfer angebaut sein. Der oder die Rückfahrscheinwerfer dürfen nur bei eingelegtem Rückwärtsgang und eingeschalteter Klemme 15 leuchten.

**Rückstrahler**

Dies sind keine aktiven Leuchten, sondern Reflektoren. Durch Reflexion des einfallenden Lichts soll das Vorhandensein eines Fahrzeuges oder Anhänger angezeigt werden. Zur Unterscheidung sind am Kraftfahrzeug nicht dreieckige rote, am Anhänger dreieckige rote Rückstrahler vorgeschrieben.

**Umrissleuchten**

Vorgeschrieben bei Fahrzeugen, die breiter als 2,10 m sind. Zulässig sind diese Leuchten bei Fahrzeugen mit Breiten von 1,80 m bis 2,10 m. Die Farben sind von vorne gesehen weiß und von hinten betrachtet rot. Dadurch ist erkennbar, ob sich das Fahrzeug auf den Betrachter zu oder von ihm weg bewegt.

**Seitenmarkierungsleuchten**

Neben der passiven Funktion als gelber Reflexionsstrahler ist bei allen Kraftfahrzeugen, die länger als 6 m sind, eine aktive Seitenmarkierungsleuchte in Gelb vorgeschrieben. Diese sind aus Lebensdauer- und Energieverbrauchsgründen häufig in LED[9]-Technik ausgeführt.

**Kennzeichenleuchte**

Die Aufgabe dieser Leuchte ist die Ausleuchtung des hinteren Kennzeichens, sodass es bei Nacht auch aus 25 m Entfernung lesbar ist.

**Nebelschlussleuchten**

Es muss eine Nebelschlussleuchte an Kraftfahrzeugen oder Anhängern vorhanden sein. Es dürfen aber auch zwei Leuchten angebaut werden. Sie dürfen jedoch nur eingeschaltet werden, wenn Abblend-, Fern- oder Nebellicht in Funktion sind. Sie müssen unabhängig von jeder anderen Leuchte ausgeschaltet werden können. Weiterhin ist vorgeschrieben, dass bei Ausschaltung der Begrenzungsleuchten die Nebelschlussleuchten ebenfalls ausgeschaltet werden, bis sie bewusst wieder eingeschaltet werden. Oder dass eine Warneinrichtung zusätzlich zur vorgeschriebenen gelben Einschaltkontrolle warnt, wenn der Nebelschlusslichtschalter in der Stellung „Ein“ verbleibt, der Zündschlüssel abgezogen und die Fahrertür geöffnet wird.

**Bremsleuchten/Blinkleuchten**

Die Funktion wurde bereits im Abschnitt 8.3.1.1 beschrieben. Für die Bremsleuchten ist die Farbe Rot vorgeschrieben, für die Blinkleuchten die Farbe Gelb.

**Nebelscheinwerfer**

Nebelscheinwerfer dienen zur Verbesserung der Ausleuchtung der Fahrbahn im Nahbereich bei schlechten Sichtverhältnissen, z. B. bei Nebel, Schneefall oder starkem Regen.

Die Nebelscheinwerfer müssen unabhängig von den Scheinwerfern für Fern- und Abblendlicht ein und ausgeschaltet werden können und ihre Ausrichtung darf sich nicht mit dem Lenkwinkel ändern. Eine Einschaltkontrolle ist nicht vorgeschrieben, aber zulässig.

**Zusatzscheinwerfer**

Sie dienen der Verbesserung der Fernlichtwirkung. Bei Anbau ist zu beachten, dass bei gleichzeitiger Einschaltung mit dem Fernlicht eine maximale Gesamtleuchtstärke nicht überschritten werden darf.

---

[9] LED: light emitting diode (deutsch: Licht aussendende Diode)

**Arbeitsscheinwerfer**

Arbeitsscheinwerfer dürfen nur verwendet werden, wenn dies zu einem Arbeitsvorgang gehört, wie z. B. bei Sattelfahrzeugen zum Anhängen von Aufliegern. D.h. im normalen Fahrbetrieb sind sie ausgeschaltet. Derartige Scheinwerfer sind so ausgelegt, dass der benötigte Arbeitsbereich, evtl. auch durch leichtes Verstellen der Scheinwerfer, ausgeleuchtet werden kann.

**Suchscheinwerfer**

Suchscheinwerfer sollen in großen Entfernungen gezielt kleine Bereiche beleuchten. Aus diesem Grund erzeugen diese Leuchten einen stark gebündelten Lichtstrahl. Man findet sie z. B. bei Einsatzfahrzeugen von Polizei, Feuerwehr und Rettungsdiensten.

## 8.3.2 Standardfunktionen

### *8.3.2.1 Innenbeleuchtung*

Waren vor ein paar Jahren nur einfache Innenleuchten, die über Türkontaktschalter eingeschaltet wurden, gebräuchlich, so sind heute kombinierte Leuchteinheiten im Einsatz. Diese beinhalten zusätzlich Leseleuchten mit besonderer Linsenoptik, damit ein stark gebündelter Lichtstrahl entsteht, und zusätzlich ein rotes oder blaues Nachtfahrlicht, welches die Konturen des Innenraums während der Nachtfahrt erkennen lässt. Die Innenleuchten können direkt über Schalter oder über die Türkontaktschalter geschaltet werden, die sich entweder als einfacher Schalter in der Tür bzw. im Türholm oder integriert im Türschloss befinden. Diese Schalter werden vielfach von Einbruchs-Diebstahl-Warnanlagen (EDW) mitbenutzt.

Wurden bisher die einzelnen Funktionen größtenteils hardwaremäßig verdrahtet und die elektrischen, logischen Beziehungen rein über den Kabelsatz realisiert, wird in vielen Entwicklungsabteilungen an der Einführung von Bussystemen auch für die klassische Elektrik gearbeitet. Es wird auf dem Gebiet der Beleuchtungssteuerung an einer Dezentralisierung mit vernetzten Leuchteinheiten entwickelt. Über intelligente Leistungshalbleiter werden die dezentralen Schalt- und Diagnosefunktionen realisiert.

Diese elektronische Steuerung lässt auch erweiterte Komfortfunktionen, wie z. B. das verzögerte Ausschalten oder das Einschalten des Innenlichtes mit dem Öffnen der Schließanlage, zu. Zusätzlich sind bei diesen elektronisch realisierten Funktionen Fehler viel leichter festzustellen und zu lokalisieren. Das macht eine Information des Fahrers möglich und die Reperatur kann schneller und damit kostengünstiger erfolgen. Z.B. kann dann dem Fahrer angezeigt werden wenn eine Glühbirne defekt ist und welche!

### *8.3.2.2 Heizung/Lüftung/Klima*

Jedes Fahrzeug besitzt serienmäßige eine Innenraumheizung. Die bei der Motorkühlung anfallende Wärmeenergie wird hierbei genutzt und gezielt in den Fahrzeuginnenraum geleitet. Bei wassergekühlten Motoren wird die im Kühlmittel enthaltene, bei luftgekühlten Motoren die im Abgas vorrätige Abwärme des Motors genutzt. Die Aufgabe der Heizung und Klimaanlage ist:

- im Innenraum des Fahrzeuges ein behagliches Klima zu schaffen und
- die Scheiben von Beschlag und Eis freizuhalten

Die Belüftung übernimmt meist ein mehrstufiges, über Vorwiderstände einstellbares, oder ein elektronisch getaktetes Gebläse. Abhängig von der Außentemperatur und der Fahrgeschwindigkeit ändert sich auch die Innenraumtemperatur und es muss deshalb von Hand nachreguliert werden.

Mehr Komfort bieten die elektronischen Heizungsregelungen. Sie halten die vom Fahrer gewünschte Innenraumtemperatur konstant. Temperatursensoren messen die Temperatur des Innenraums und der austretenden Luft. Die Ergebnisse werden bewertet und mit dem Sollwert verglichen. Ein im Kühlmittelkreislauf liegendes Magnetventil wird vom Regler mit den entsprechenden Impulsen angesteuert. Entsprechend der Taktfrequenz öffnet und schließt das Ventil und ermöglicht so die Regelung des Kühlmitteldurchflusses. In manchen Heizungsanlagen wird heute eine Restwärmeausnutzung, die im Motorstillstand über eine gewisse Zeit in Betrieb bleibt, integriert.

Die oben erwähnte Aufgabe der Heizung, im Innenraum des Fahrzeugs ein behagliches Klima zu schaffen, kann nur bei Außentemperaturen bis ca. 20 °C erfüllt werden. Bei höheren Temperaturen muss die Luft gekühlt werden. Hierzu sind dann Kompressionskälteanlagen mit entsprechenden Kältemitteln im Einsatz. Die für die Klimasteuerung zusätzlichen Funktionen wie Aktivierung der 1. Gebläsestufe und des Vereisungsschutzes, der in Abhängigkeit von der Temperatur des Verdampfers den Laststrom der Kompressorkupplung schaltet, sind meist in den Heizungssteuergeräten integriert.

Für größten Komfort sorgt die Klimaautomatik. Vorteilhaft ist bei diesen Anlagen, dass die oft schwierige Einstellung eines angenehmen Innenraumklimas vollständig übernommen wird. Die automatische Regelung mit Programmwahl sorgt für die richtige Raumtemperatur, Luftmenge und Verteilung. Das elektronische Steuergerät erfasst alle wichtigen Parameter und vergleicht diese mit der Sollwertvorgabe. Die im Steuergerät ermittelte Differenz zu der Sollvorgabe erzeugt die Führungsgrößen für Heizung, Kühlung und Luftmengenverteilung. In manchen Fahrzeugen kann dies für Fahrer- und Beifahrerseite getrennt eingestellt werden.

Neben diesen vom Fahrbetrieb abhängigen Heizungen gibt es noch unabhängige Zusatzheizungen, die ebenfalls als Warmluft- oder Warmwasserheizung ausgelegt sind. Warmluftheizungen werden entweder mit dem Dieselkraftstoff des Fahrzeugs oder auch mit Propangas betrieben. Die Warmwasserzusatzheizung wird meist mit dem schon mitgeführten Kraftstoff versorgt.

### *8.3.2.3 Schließanlage*

Zentralverriegelung

Eine Zentralverriegelung (ZV) gehört heute bei den Pkw bereits fast zum Standardumfang. Auch beim Nfz erreicht sie mittlerweile große Verbreitung. Dies hat Vorteile beim Bedienkomfort. Es können beide Türen in einem „Arbeitsgang" verriegelt bzw. entriegelt werden. Beispielsweise ermöglicht die ZV:

- das Verriegeln der Fahrer- und Beifahrertür von außen mit dem Schlüssel am Schloss der Fahrertür
- das Verriegeln/Entriegeln der Fahrer- und Beifahrertür von innen mit einem Taster
- und das Entriegeln der Fahrer- oder Beifahrertür von innen mit dem Tür-Öffnungshebel der entsprechenden Tür

**Komfortschließanlage**

Die Komfortschließanlage (KSA) ist eine erweiterte Ausführung der Zentralverriegelung (ZV) für Fahrzeuge mit einer elektronisch gesteuerten Fensterheberanlage und elektrischem Schiebe-Hebe-Dach.

Sie ermöglicht gegenüber der Zentralverriegelung (ZV) beim Verriegelungsvorgang zusätzlich das Schließen der Fenster und des Schieb-Hebe-Daches sowie beim Entriegelungsvorgang das Öffnen der Fenster und des Schiebe-Hebe-Dachs.

Sie kann auch mit einer Funkfernbedienung bedient werden, welche meist in einem entsprechenden Fahrzeugschlüssel oder Schlüsselanhänger untergebracht ist.

Zusätzlich zu den bei der ZV beschriebenen Funktionen bietet die KSA:

- das Verriegeln der Fahrer- und Beifahrertür mit automatischem Schließen der Fenster und des Schiebe-Hebe-Dachs von außen mit dem Schlüssel am Schloss der Fahrertür oder mit der Funkfernbedienung
- das Entriegeln der Fahrertür mit automatischem Öffnen der Fenster und des Schiebe-Hebe-Daches von außen mit dem Schlüssel am Schloss der Fahrertür
- das Entriegeln der Fahrer- und Beifahrertür mit automatischem Öffnen der Fenster und des Schiebe-Hebe-Daches mit der Funk-Fernbedienung

Ein weiterer Vorteil der elektrischen Vernetzung von Einzelfunktionen ist hierbei eine mögliche Rückmeldung über die Abläufe an den Bediener. Zum Beispiel wird das Verriegeln/Entriegeln des Fahrzeuges mit einer Funkfernbedienung üblicherweise mit einem optischen (Blinken) oder akustischen (Hupen) des Fahrzeuges quittiert.

### *8.3.2.4 Anhängerversorgung*

Anhänger müssen zum Betrieb mit elektrischer Energie sowie einer Vielzahl von Informationen aus dem Zugfahrzeug versorgt werden. Dazu wurden verschiedene Anhängerschnittstellen genormt:

**24-V-Schnittstellen**

7-polige DIN ISO 1185 Steckdose Typ 24N (normal)

| Kontakt Nr. | Stromkreis |
|---|---|
| 1 | Masse |
| 2 | Linke Schlussleuchte und Begrenzungsleuchte und Kennzeichenbeleuchtung |
| 3 | Fahrtrichtungsanzeiger, links |
| 4 | Bremsleuchten |
| 5 | Fahrtrichtungsanzeiger, rechts |
| 6 | Rechte Schlussleuchte und Begrenzungsleuchte und Kennzeichenbeleuchtung |
| 7 | Steuerung der Bremsung des Anhängers |

7-polige DIN ISO3731 Steckverbindung Typ 24S (zusätzlich)

| Kontakt Nr. | Stromkreis |
|---|---|
| 1 | Masse |
| 2 | nicht angeschlossen |
| 3 | Rückfahrleuchte |
| 4 | Stromversorgung |
| 5 | Steuerung über Masse |
| 6 | zusätzlich Stromversorgung |
| 7 | Nebelschlussleuchte |

Die neue und technisch hochwertigere 15-polige ISO12098 Steckverbindung, welche die 24 N und 24 S Steckverbindungen ersetzt, ist auch für GGVS[10]-Fahrzeuge zugelassen. Diese Steckverbindung hat neben den klassischen Signalen noch zwei Pins für Datenübertragung.

| Kontakt Nr. | Stromkreis |
|---|---|
| 1 | Fahrtrichtungsanzeiger links |
| 2 | Fahrtrichtungsanzeiger rechts |
| 3 | Nebelschlussleuchte |
| 4 | Masse |
| 5 | Schlusslicht links, Begrenzungsleuchte und Kennzeichenbeleuchtung |
| 6 | Schlusslicht rechts, Begrenzungsleuchte und Kennzeichenbeleuchtung |
| 7 | Bremsleuchten |
| 8 | Reserve |
| 9 | Stromversorgung |
| 10 | Bremsbelagverschleiß-Sensor |
| 11 | Drucksensor Federspeicherbremse |
| 12 | Achsliftkontrolle |
| 13 | Masse für Kontakt 14 und 15 |
| 14 | Reserviert für Datenleitungen |
| 15 | Reserviert für Datenleitungen |

Hier sind auch die Adapter zwischen den 24N und 24S Steckverbindungen und der 15-poligen Steckverbindung spezifiziert.

7-polige DIN ISO 7638 Steckverbindung für Automatische Blockierverhinderer (ABS)

| Kontakt Nr. | Stromkreis |
|---|---|
| 1 | Plus Magnetventil |
| 2 | Plus Elektronik |
| 3 | Minus Elektronik |
| 4 | Minus Magnetventil |
| 5 | Warneinrichtung |
| 6 | Reserviert für Datenleitungen |
| 7 | Reserviert für Datenleitungen |

[10] Gefahrgut-Transporte (z. B. Mineralöle, Chemikalien etc.). GGVS steht für Gefahrgutverordnung Straße.

**12-V-Schnittstellen**

Für ältere Anhänger und kommunale Spezialanhänger sind teilweise noch 12-V-Versorgungen notwendig.

7-polige DIN ISO1724 Steckverbindung Typ 12N (normal)

7-polige DIN ISO 3732 Steckverbindung Typ 12S (zusätzlich)

Im Prinzip werden hier die gleichen Funktion wie bei den 24-N- und 24-S-Steckverbindungen übertragen, jedoch mit anderer Kontaktbelegung.

Die im Pkw-Bereich neuere 13-polige DIN ISO 11 446 Steckverbindung

Ähnlich wie bei der 24-V-Schnittstelle wurde auch für die 12-V-Schnittstelle eine technisch hochwertigere Steckverbindung geschaffen, die statt der 12-N- und 12-S-Steckverbindung verwendet werden kann. Zusätzlichen Datenleitungen, wie bei der 24-V-Lösung wurden hier jedoch nicht berücksichtigt.

### 8.3.3 Schnittstellenfunktionen

Zum Umfang der elektrisch/elektronisch realisierten Funktionen in einem Nfz gehören auch die Schnittstellen zu zugfahrzeugexternen Geräten und Systemen. Dies betrifft zum einen die Anhänger, von denen immer mehr mit einer elektronischen Steuerung für Bremsen und Beleuchtung ausgerüstet werden. Zum anderen werden nahezu die Hälfte aller Lkw nach der eigentlichen Fahrzeugproduktion noch mit Aufbauten für die verschiedensten Einsatzzwecke versehen.

In den letzten Jahren wird für Flottenbetreiber auch zunehmend eine Telematik-Schnittstelle interessant. Sie bietet die Möglichkeit technische Daten und Einsatz-/Logistik-Informationen über z. B. Telefon (GSM) zwischen Fuhrpark und Fahrzeug auszutauschen.

All diesen Schnittstellen gemeinsam ist der Wunsch nach Standardisierung. Weder Aufbauhersteller noch Flottenbetreiber wollen für jeden Nfz-Hersteller eine spezielle Anbindung realisieren. Außerdem soll selbstverständlich jeder zugelassene, mechanisch kompatible, Anhänger an jedes Zugfahrzeug passen.

#### *8.3.3.1 Anhänger-/Aufbauhersteller*

Typische Einsatzfälle für Nutzfahrzeuge sind z. B. Kommunalfahrzeuge zur Straßenreinigung und Müllabfuhr, Sondereinsatzfahrzeuge der Polizei, der Feuerwehr und der Rettungsdienste und Warentransporte für z. B. Kühl-/Gefriergut oder auch Fertigbeton.

Die hierzu notwendigen zusätzlichen Aufbauten werden branchenüblich nicht beim Fahrzeughersteller gefertigt, sondern bei spezialisierten Aufbauherstellern nachträglich montiert.

Da die verschiedenen Funktionen des Aufbaus auch elektrische Energie und Signale benötigen, manche benötigen auch eine Eingriffsmöglichkeit in die Fahrzeugsteuerung, muss das Nfz dafür vom Hersteller aus eine Schnittstelle bieten.

Dies geschieht meist mit einem speziellen Steuergerät. Dieses erfasst hierzu Daten im Zugfahrzeug und übersetzt diese Daten in die benötigte Form. Über herkömmliche Ein-/Ausgänge oder eine standardisierte digitale Schnittstelle (ISO 11992) werden diese dann an die Aufbauelektronik übergeben. Dort werden die Informationen dann für die jeweiligeAnwendung weiterverarbeitet. Für komplexere Funktionen etabliert sich zurzeit CANopen als Kommunikationsstandard für die Aufbauelektronik.

### *8.3.3.2 Flottenmanagement*

Nachdem zunächst Firmenlösungen der Fahrzeughersteller den Markt beherrschten, gibt es seit 2002 auch für die Übertragung von Daten/Informationen zwischen Nutzfahrzeug und Fuhrpark einen Standard. Dieser FMS-Standard (Fleet Management System) wurde durch die europäischen Nutzfahrzeughersteller als Industriestandard erarbeitet. Dadurch können jetzt die Flottenbetreiber auch ihre Fahrzeuge verschiedener Hersteller mit der gleichen Datenschnittstelle erreichen.

Dabei sind auf Basis der Fahrzeugtechnik und moderner Telmatik-Systeme Fahrzeuginformationen an jedem beliebigen Ort verfügbar. So lassen sich beispielsweise vom Fuhrparkdisponent jederzeit der Beladungszustand und die aktuelle Position des Fahrzeugs sowie Informationen über die Fahrweise des Fahrers und alle Wartungs- und Service-Informationen abrufen.

# 8.4 Systeme

## 8.4.1 Antriebsstrangsysteme

### *8.4.1.1 Motor*

Wie im Abschnitt 8.2.2.1 Historie bereits dargestellt, konzentrierte sich die Entwicklung von Nutzfahrzeugelektronik nach dem ABS auf die Motorsteuerung. Getrieben durch gesetzliche Anforderungen (Abgasemission EURO-1[11]) wurden die mechanischen Einspritzsysteme durch die Elektronische Diesel Control (EDC) abgelöst.

Bei diesem System wird der Fahrerwunsch über den Sensor Fahrpedal, umgangsprachlich auch Gaspedal, ermittelt und über den Aktor Einspritzpumpe der Motor betrieben. Die ersten Systeme ermittelten aus verschiedenen Fahrzeugzuständen die notwenige Kraftstoffmenge, die in die Zylinder eingespritzt werden musste, um den optimalen Betriebspunkt des Motors einzustellen. Nachteil dieses Prinzips ist, dass die einzelnen Zylinder nicht zustandsabhängig, getrennt voneinander mit Kraftstoff versorgt werden können. So ist eine zylinderorientierte Optimierung der Einspritzung mit diesen Systemen nicht möglich.

Nutzfahrzeuge werden fast ausschließlich mit Dieselmotoren betrieben. Die Entwicklung auf dem Gebiet der Dieseleinspritzung wurde durch das Prinzip der Steckpumpen in den einzelnen Zylindern erweitert – Pumpe-Leitung-Düse (PLD). Diese Steckpumpen werden von einer motorfesten Elektronik, Motorregelung (MR), angesteuert, die für die aggregatespezifischen Funktionen verantwortlich ist. Aggregatespezifische Funktionen sind z. B. die Drehzahl- bzw. Drehmomentenregelung, der Schutz vor zu hoher Drehzahl, die Überwachung von Öldruck und -temperatur, die Anpassung der Einspritzung an die Temperatur der Ladeluft oder die Temperatur des eingespritzten Kraftstoffes usw. Das PLD-Sytem besteht aus einer Steckpumpe, einer Einspritzleitung und einer Düsenhalter-Kombination je Zylinder. Die Steckpumpen werden über separate Nocken der Nockenwelle gesteuert. Die Kraftstoffzuführung von den Steckpumpen zu den Düsenhalter-Kombinationen erfolgt über kurze, für alle Zylinder gleiche Einspritzleitungen.

Das Steuergerät am Motor erfasst über Sensoren die momentane Drehzahl und andere für die Motorsteuerung relevante Größen. Durch die Montage der Elektronik direkt am Motor muss diese aufgrund der hohen Umgebungstemperaturen gekühlt werden. Dies kann z. B. durch den Kraftstoff, welchen man durch das speziell geformte Elektronikgehäuse leitet, erreicht werden.

---

11 EURO 1 ist die erste Stufe der Europäischen Abgasnorm

Das motorfeste Steuergerät PLD erhält von der meist im Fahrerhaus untergebrachten Fahrregelung (FR) die Sollwertvorgaben für i.W. Drehmoment und Drehzahl und liefert die augenblicklichen Istwerte des Aggregates zurück. Diese Fahrregelung (FR) ermittelt die fahrzeug- und fahrsituationsspezifischen Anforderungen über Sensorik und eine Datenbusverbindung zu anderen Steuergeräten. Auch die Motor- und die Fahrregelung sind heute über einen CAN-Datenbus miteinander verbunden (Bild 8-9).

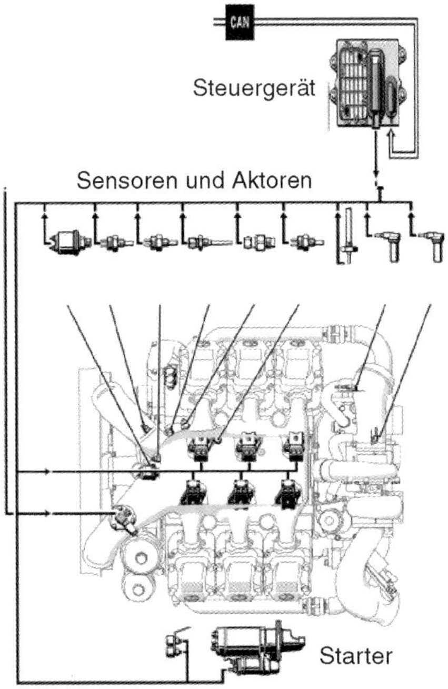


**Bild 8-8** Prinzipbild PLD

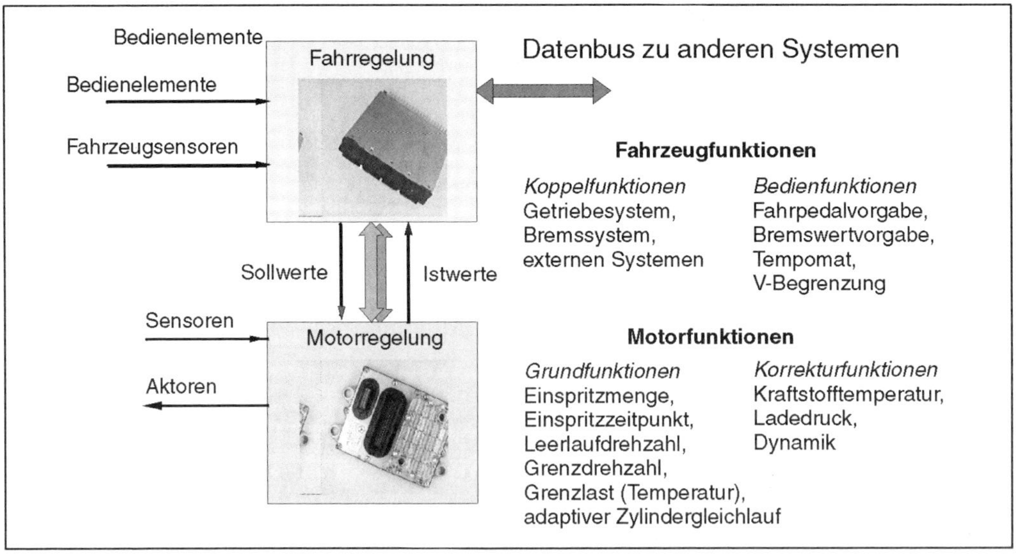


**Bild 8-9** Aufteilung der Funktionen auf Fahr- und Motorregelung

Die Fahrregelung steuert allerdings nicht nur die Beschleunigung des Fahrzeuges, sondern kann, über die Ansteuerung von so genannten verschleißfreien Bremsen, das Fahrzeug auch verzögern. Zu diesen verschleißfreien Bremsen gehören zum einen die klassischen Motorbremsen, wie Auspuffklappe und Konstantdrossel, und zum anderen auch die Retarder.

### *8.4.1.2 Getriebe*

Neben dem Motor wird bei neueren Fahrzeugen auch das Getriebe elektronisch gesteuert. Der Fahrer wählt über einen Stellhebel den gewünschten Gang, und die Elektronik schaltet unter Berücksichtigung des Fahrzeugzustandes den „richtigen“[12] Gang. Zum Beispiel wird beim Mercedes-Benz ACTROS ein 16-Gang-Getriebe über 10 Magnetventile pneumatisch geschaltet (EPS: Elektro-Pneumatische Schaltung).

Solche Systeme sind schon seit 1985 erfolgreich im Einsatz. Der Einsatz einer elektronischen Schaltunterstützung war notwendig, da die Motorleistung und damit auch die notwendigen Schaltkräfte sich immer mehr erhöhten, sodass dies dem Fahrer nicht mehr zuzumuten war. Ein Übergang von der mechanischen Schaltung zu einem Automatgetriebe war in diesen Leistungsklassen aufgrund der Verlustleistung nicht einfach möglich. Ein elektronisch geregeltes und pneumatisch gestelltes Schaltsystem kann mittels berührungsloser Sensoren die Stellung der Zahnräder im Getriebe ermitteln. Aus dieser Stellung wird mittels Übersetzungstabelle die jeweilige Gangstufe berechnet. Die Information von der Getriebeelektronik kann über einen Datenbus zur Instrumentierung übertragen werden und als Istgang dem Fahrer auf dem fahrzeugeigenen Multifunktions-Display angezeigt werden. Bei einem Gangwechsel gibt der Fahrer mit dem Bediengerät seinen Wunschgang an. Dieser wird auf dem Fahrzeugdisplay angezeigt. Dieser Wunschgang wird mit dem Betriebszustand abgeglichen und, wenn möglich, zur Schaltung freigegeben. Bei Gangsprüngen, die nicht ausgeführt werden können, z. B. beim Herunterschalten in einen Bereich, der zu überhöhter Motordrehzahl führen würde, kann die Schaltung verhindert werden und der Fahrer wird durch Anzeige im Display und akustisch darüber informiert.

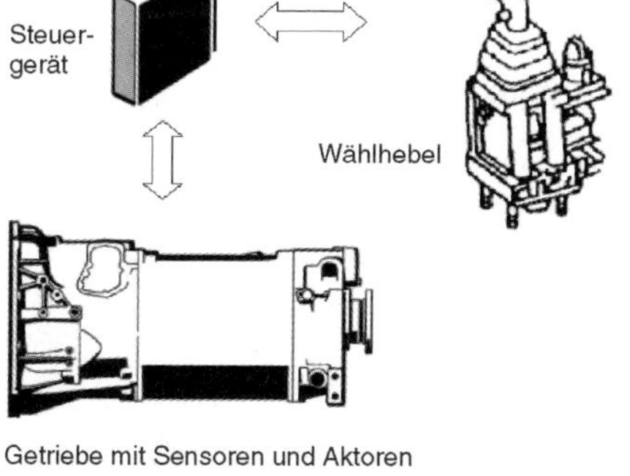


**Bild 8-10**
Aufbau einer elektronischen Getriebesteuerung

[12] Den Gang, der der aktuellen Fahrsituation entspricht, abhängig von der Motordrehzahl und dem Motormoment im Zielgang

## Automatisierte Schaltung

Die beschriebene elektronisch gesteuerte pneumatische Schaltung kann durch zusätzliche Komponenten/Systeme, wie eine automatisierte Kupplung und eine automatische Gangermittlung, zu einer Vollautomatik erweitert werden. Hierbei handelt es sich um ein konventionelles Schaltgetriebe, bei dem der Schaltvorgang durch eine elektronische Steuerung vollautomatisch, d. h. ohne Zutun des Fahrers, ausgeführt wird.

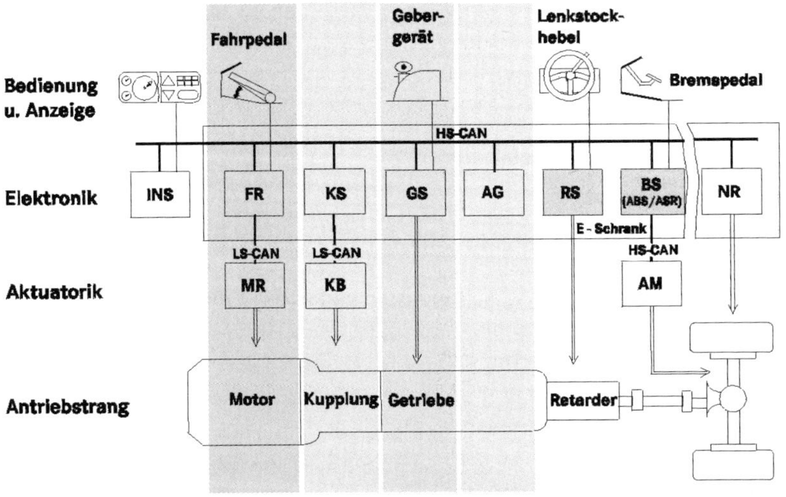


INS = Instrument
FR = Fahrregelung
KS = Kupplungssteuerung
GS = Gangsteuerung
AG = Automatische Gangwahl
RS = Retardersteuerung
BS = Bremssteuerung
NR = Niveau Regelung
MR = Motorregelung
KB = Kupplungsbetätigung
AM = Achsmodul
HS/LS-CAN = HighSpeed-/LowSpeed- Controller Area Network

**Bild 8-11** Elektronisch gesteuerte, automatische Schaltung

Eine wichtige Komponente dieses Systems ist die automatisierte Kupplungsbedienung.

Im Fahrbetrieb ist es relativ einfach die Kupplung zu öffnen, sowie nach erfolgtem Schaltvorgang die Drehzahlen von Motorabtriebs- und Getriebeeingangswelle so anzugleichen, dass wieder ruckfrei eingekuppelt werden kann. Die Betätigung der Kupplung kann z. B. mit einem elektromotorischen Stellglied erfolgen, welches den Kupplungsweg geregelt einstellt. Der Kupplungsweg wird dabei dauernd mit einem Sensor an der Kupplungsscheibe gemessen. Über eine Anpassung der Kennlinie im internen Algorithmus des Steuergerätes wird die Nichtlinearität der Kraftübertragung der Kupplung für die Berechnung linearisiert. Die Anpassung der Motordrehzahlen erfolgt durch eine Sollwertvorgabe über den fahrzeugeigenen Datenbus an die Motorelektronik. Diese stellt unter Berücksichtigung des Fahrzeugzustandes und des Fahrerwunsches diese Drehzahl ein.

Schwieriger ist es den Anfahrvorgang bei unterschiedlichen Lasten und Fahrbahnsteigungen zu regeln[13]. Durch die Möglichkeiten des Informationsaustausches im Fahrzeug mittels Datenbus, können der Kupplungsregelung alle wichtigen Informationen für die Berechnung des Kupplungsvorganges zur Verfügung gestellt werden.

**Automatische Gang Ermittlung**

Ein System mit einer automatischen Gangermittlung kann ein mechanisches Getriebe automatisiert stellen, ohne die Nachteile[14] eines Automatikgetriebes zu haben. Bei einer Gangermittlung werden die wichtigsten Kennwerte des Fahrzeugbetriebes berücksichtigt wie z. B. die Beladung und die Fahrbahnsteigung. Unter Berücksichtigung all dieser Werte wird der Sollgang ermittelt und an die Schaltungselektronik übertragen. Diese lässt von der Kupplungsregelung die Kupplung öffnen, der Gang wird eingelegt, die Motordrehzahl angepasst und die Kupplung kann geregelt wieder geschlossen werden.

#### *8.4.1.3 Retarder*

Retarder sind Aggregate, welche, in den Antriebsstrang eingebaut, die Antriebswelle des Fahrzeuges entweder elektromagnetisch (z. B. Telma) oder hydraulisch (z. B. Voith) abbremsen. Diese verschleißfreie Bremsfunktion wird ebenfalls von einem elektronischen Steuergerät geregelt.

Durch die Einführung der Datenübertragung mittels Datenbus zwischen den elektronischen Systemen im Fahrzeug ist es möglich, diese Dauerbremsen und die motoreigenen Bremsen zu einem gesamtheitlichen Dauerbremsmanagement zusammenzufassen. Je nach Betriebszustand kann die der Fahrsituation und des Verzögerungswunsches jeweils optimal angepasste Dauerbremse bzw. Kombination von Dauerbremsen zur Verzögerung des Fahrzeuges eingesetzt werden.

### 8.4.2 Brems- und Fahrwerksysteme

#### *8.4.2.1 ABS (Anti Blockier System)*

Das ABS, welches 1976 bei Mercedes-Benz Nutzfahrzeugen in Serie ging, war das erste System, welches aktiv in die Fahrsituation eingreift. Es verhindert das Blockieren der Räder beim Bremsen und erzielt damit zwei Effekte:

- Es wird die größtmögliche Verzögerung des Fahrzeuges erreicht.
- Das Fahrzeug bleibt auch bei maximaler möglicher Verzögerung lenkbar.

Dass diese beiden Effekte die Fahrstabilität und die Fahrsicherheit äußerst positiv beeinflussen ist leicht verständlich.

---

[13] Ein Lastzug (Zugfahrzeug und Anhänger/Auflieger) kann hierbei eine Gewichtsdifferenz bis zu 30 Tonnen haben. Dazu kann eine Fahrbahnsteigung (z. B. Anfahren am Berg) die Situation weiter erschweren.

[14] Automatgetriebe haben in manchen Betriebzuständen bis zu 10 % Verlust (Verbrauch!). Das würde bei einem Nutzfahrzeug mit einer Antriebsleistung von 370 KW immerhin 37 KW Wärmeverluste bedeuten, die nebenbei noch abgeführt werden müssen.

Das System ABS besteht i. W. aus dem elektronischen Steuergerät, den Sensoren für die Raddrehzahlen und den Magnetventilen für den Bremseneingriff.

Über die Sensoren wird an jedem Rad die Drehzahl und daraus die Drehbeschleunigung ermittelt. Mittels geeigneter Algorithmen wird dann bestimmt, ob das Rad sich gerade noch dreht oder ob es bereits blockiert. Im Blockierfall wird über die Ansteuerung eines Magnetventiles der Bremsdruck auf einen Wert reduziert, der das Blockieren verhindert.

Dieses System ist bei Nutzfahrzeugen über 7,5 t zGg (zulässigem Gesamtgewicht) heute gesetzlich vorgeschrieben. Auch für Anhänger und Auflieger gibt es ABS, sie sind bisher allerdings noch selten im Straßenverkehr anzutreffen.

#### *8.4.2.2 ASR (Antriebs Schlupf Regelung)*

Die ASR ist im Prinzip die Umkehrung des ABS. Sie verhindert das Durchdrehen der angetriebenen Räder bei rutschigem Untergrund, z. B. bei Nässe, Schnee oder Eis, beim Beschleunigen. Über die Drehzahlsensoren des ABS wird festgestellt, ob eines oder mehrere der angetriebenen Räder durchdreht. Dazu wird z. B. die Drehzahldifferenz zwischen den angetriebenen Rädern ermittelt. Dreht eines der Antriebsräder durch, so gibt es verschiedene Möglichkeiten des Eingriffs:

a) das betreffende Rad wird abgebremst, dies wirkt sich nur auf dieses eine Rad aus
b) die Antriebsleistung des Motors wird verringert, dies wirkt auf alle angetriebenen Räder
c) oder die Kombination aus a) und b)

Z.B. über einen Datenbus werden Soll-Antriebsmoment und Istmoment zwischen der Bremse und dem Motor ausgetauscht. Beim Durchdrehen der angetriebenen Räder wird vom Bremssystem die Anforderung „Antriebsmoment reduzieren“ an das Motorsystem ausgegeben und gleichzeitig das durchdrehende Rad abgebremst. Das Motorsystem stellt aufgrund dieser Vorgabe ein reduziertes Moment ein. Der Motor, als relativ träges System, reduziert durch Einsatz der motoreigenen Bremsen[15] und durch Reduzierung der Einspritzmengen/-zeiten das Motormoment. Das Abbremsen der Räder am Anfang ist notwendig, um das Antriebsmoment an den entsprechenden Rädern schnell genug zu verringern. Diese Ansteuerung der Radbremse wird nach der Reduzierung des Antriebsmomentes durch den Motor zurückgenommen.

#### *8.4.2.3 Übergang zur EBS (Elektronischen Bremsen Steuerung)*

Bei den Nutzfahrzeug- und den Bremssystemherstellern wurde genau untersucht, an welchen Stellen die Systeme ABS und ASR durch den Einsatz einer weiterentwickelten elektronischen Steuerung noch weiter verbessert werden können.

So integriert eine moderne EBS die Funktionen von ABS und ASR und bietet darüber hinaus noch folgende wesentlichen Vorteile gegenüber diesen Systemen:

1. Durch Ersetzen der pneumatischen Bremsleitungen durch elektrische, wo immer dies möglich ist, wird die Ansprechzeit der Bremse drastisch verringert. Das verkürzt den Bremsweg eines mit diesem System ausgestatteten Nutzfahrzeuges erheblich (Bild 8-12).

[15] Z.B. Drosselklappe oder Konstantdrossel

2. Die Bremskraft lässt sich, durch den Wegfall des Einflusses der kompressiblen Luft, ähnlich gut dosieren wie im Pkw.
3. Auch die Anpassung der Bremsung an den Beladungszustand[16] des Fahrzeugs, der bei Nutzfahrzeugen bekanntermaßen besonders stark variiert, ist ein wesentlicher Vorteil eines solchen elektronischen Bremssystems.
4. Durch Messen des Bremsbelagverschleißes lässt sich dieser bei leichten Bremsungen bei allen Bremsen harmonisieren. D.h. die Beläge nutzen sich alle gleichmäßig ab.
5. Bei Einsatz einer EBS auch im Anhänger/Auflieger, lässt sich der komplette Zug (Zugfahrzeug mit Anhänger/Auflieger) optimal bremsen. Hier ist auch die Bremskraftverteilung zwischen Zugfahrzeug und Anhänger/Auflieger steuer- bzw. regelbar.

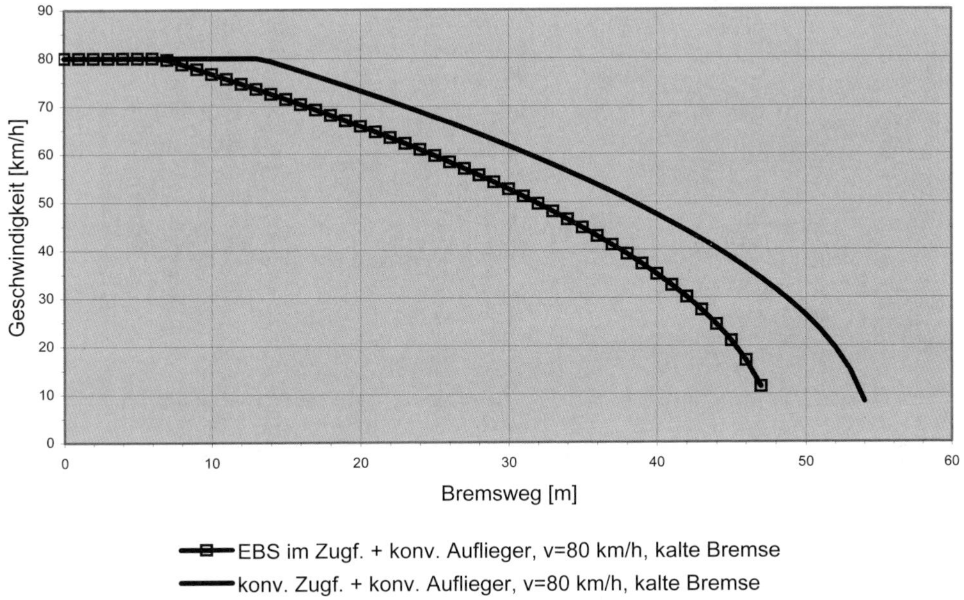


**Bild 8-12** Bremswegvergleich ohne/mit EBS (Prinzip)

### *8.4.2.4 FDR (Fahrdynamikregelung)*

Mit ABS wird das Blockieren beim Bremsen verhindert und mit ASR das Durchdrehen der Antriebsräder unterbunden. Kritische Fahrsituationen, wie unter- oder übersteuerndes Fahrverhalten, können damit jedoch nicht vollständig ausgeglichen oder korrigiert werden. Dieses wird durch Fahrdynamikregelsysteme geleistet. Diese Systeme bauen auf den vorhandenen ABS- und ASR-Funktionen auf. Zusätzlich wird noch die Information über den aktuellen Lenkwinkel, die Gierrate, die Querbeschleunigung und die Fahrgeschwindigkeit für die Berechnung der Fahrzeugbewegung benötigt (Bild 8-13).

[16] Gesamtgewicht und Achslastverteilung

Durch entsprechende Auswertung der von den Sensoren gelieferten Informationen wird der aktuelle Fahrzustand ermittelt. Dabei wird z. B. unterschieden, ob es sich um eine Kurvenfahrt handelt oder das Fahrzeug zu schleudern beginnt. Etwaiges Schleudern wird, im Rahmen der physikalischen Grenzen, dadurch verhindert, dass die Räder des Fahrzeuges einzeln und zum richtigen Zeitpunkt abgebremst werden. Durch eine solche Beeinflussung der Kräfte, und dem damit verbundenen Drehmomentimpuls bezüglich der vertikalen Drehachse des Fahrzeuges, an den einzelnen Rädern, kann in vielen kritischen Situationen das Gefahrenpotential soweit gesenkt werden, dass das Fahrzeug für den Fahrer beherrschbar bleibt.

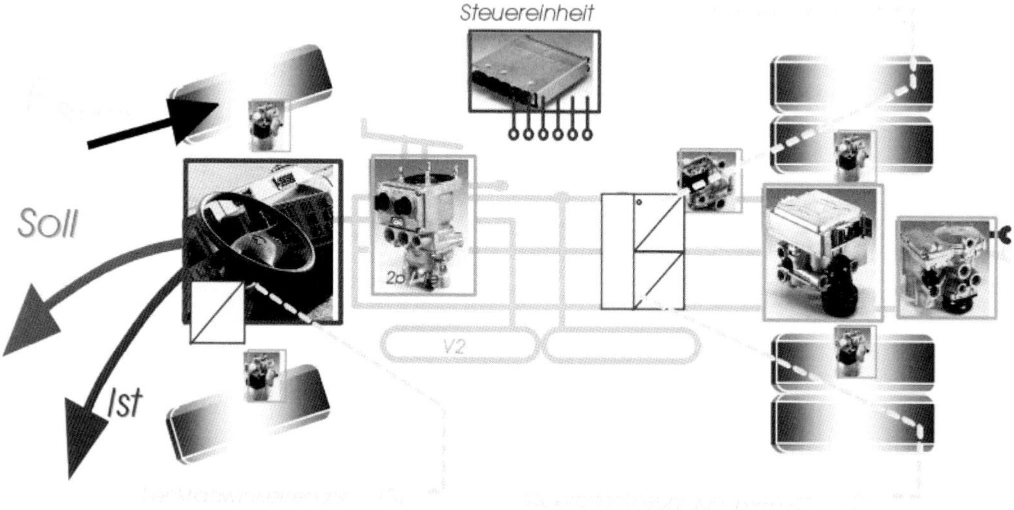


**Bild 8-13** Prinzipieller Aufbau eines Fahrdynamiksystems, mit Gierratensensor (1), Querbeschleunigungssensor (2) und Lenkwinkelsensor (3)

## *8.4.2.5 Niveauregulierung*

Die Federung der Nutzfahrzeuge wird, abhängig vom Einsatzprofil des Fahrzeuges, z. B. im Fernverkehr oder auf der Baustelle, mehr und mehr von der herkömmlichen Blattfederung auf Luftfederung umgestellt. Mit diesen luftgefederten Systemen ist es möglich, die Federung der Fahrzeuge elektronisch zu unterstützen und das Niveau des Fahrzeugaufbaus bzw. des Ladegutes an die Betriebsbedingungen anzupassen.

Die Niveauregulierung (NR) misst mittels Wegsensoren den Abstand zwischen den Achsen und dem Fahrzeugaufbau und regelt danach die vom Fahrer über ein Bediengerät vorgegebene Höhe ein (Bild 8-14). Dieses Einstellen erfolgt durch Belüften bzw. Entlüften der Luftfederbälge des Fahrzeuges über Magnetventile. Durch die elektronische Unterstützung ist es möglich auch beim Beladen oder Entladen des Fahrzeuges die Höhe der Ladefläche einer Laderampe anzupassen. Dadurch ist eine bequeme Be-/Entladung z. B. mittels Gabelstapler machbar.

Diese Systeme sind auch für den Gesamtzug, also Zugmaschine und Anhänger/Auflieger verfügbar. Die Zugmaschine und der Anhänger/Auflieger können die dazu notwendigen Informationen über eine standardisierte Schnittstelle[17] austauschen.

[17] ISO 11992 – 1 und 2 Truck-Trailer Datenschnittstelle

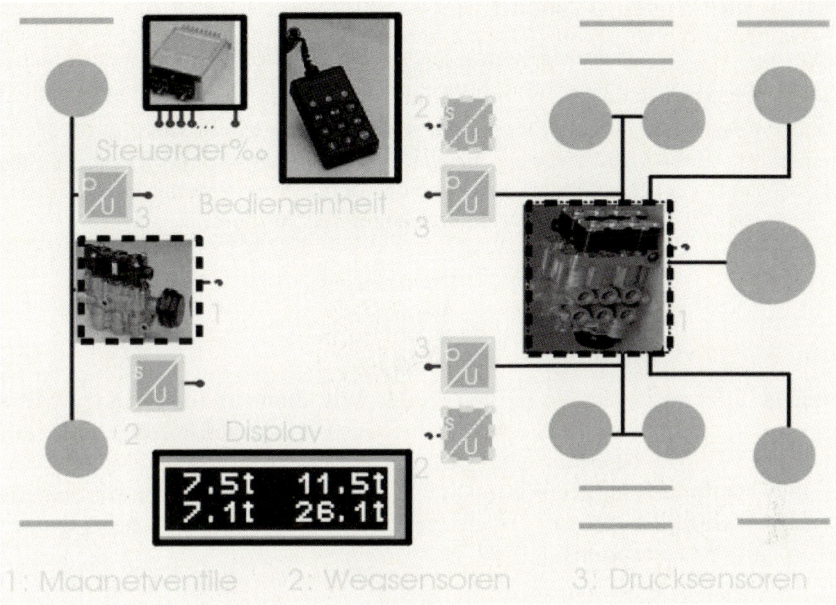


**Bild 8-14** Aufbau einer elektronischen Niveauregulierung

### *8.4.2.6 Stoßdämpferregelung*

Eine Weiterentwicklung der Fahrwerksregelung ist die Stoßdämpferregelung. Mittels der Wegsensoren der Niveauregulierung wird, wie beschrieben, laufend der Abstand zwischen dem Fahrzeugrahmen und den Achsen ermittelt. Aus den Änderungen dieses Abstandes wird auf die Fahrbahnbeschaffenheit der zurückgelegten Strecke geschlossen und daraus wird dann ein Fahrbahnkennwert, wie z. B. glatt, rau, stark uneben etc., ermittelt. Das System geht nun davon aus, dass sich die Fahrbahn auch im nächsten Streckenabschnitt in etwa im gleichem Zustand befinden wird und stellt die elektronisch verstellbaren Dämpfer auf einen Dämpfungswert, der diesem Fahrbahnkennwert entspricht. Die Stoßdämpferregelung ist also ein lernendes/adaptives System und erstellt Prognosen in Bezug auf die Beschaffenheit der vor dem Fahrzeug liegenden Fahrbahn.

### *8.4.2.7 Wankregelung*

Der nächste Entwicklungsschritt ist die Wankregelung. Dabei soll das zu starke Wanken des Fahrzeuges verhindert werden. Dies ist insbesondere dann von Bedeutung, wenn die transportierte Ladung während der Fahrt ihre Position/Lage, und somit den Schwerpunkt des Zugfahrzeuges oder des Anhängers/Aufliegers, verändern kann. Das tritt vor allem bei teilweise beladenen Flüssigkeitstransporten auf.

### 8.4.3 Bedien- und Anzeigesysteme

Den Bedien- und Anzeigesystemen kommt auch im Nutzfahrzeug eine herausragende Bedeutung zu. Sie bilden die Schnittstelle zum Menschen der das Fahrzeug bedienen – fahren – soll.

Es sind bei der Entwicklung dieser Systeme deshalb Aspekte wie Ergonomie, z. B. Anordnung und Bedienbarkeit, ebenso zu beachten wie die Funktionalität, ein ansprechendes Design und die Haptik.

Im folgenden Abschnitt wird jedoch i. W. die Funktionalität der jeweiligen Systeme und Komponenten beschrieben.

#### *8.4.3.1 Instrumentierung*

Die wesentliche Informationsquelle für den Fahrer stellt die Instrumentierung (Bild 8-15) dar. Sie umfasst im Nutzfahrzeug üblicherweise eine Geschwindigkeitsanzeige (13), einen Drehzahlmesser (14), zwei Anzeigen für den Luftdruck in den beiden Bremskreisen (15,16), Tankfüllstands- und Kühlmitteltemperaturanzeige (12,11). Darüber hinaus sind im untenstehenden Bild noch Einzelkontrollleuchten (7) sowie zwei Matrixdisplays (2, 8) zur Anzeige verschiedenster Informationen zu erkennen.

Dem Fahrer soll angezeigt werden, ob

1. ein geschalteter Vorgang richtig ausgelöst wurde (Statusrückmeldung)
2. noch genügend Betriebsstoffe vorhanden sind
3. ein außergewöhnlicher Betriebszustand (Störung) eingetreten ist

Für die Anzeigeleuchten werden Glühlampen von 1,2 bis 2 Watt verwendet. Verstärkt werden in diesem Bereich mittlerweile jedoch auch Leuchtdioden eingesetzt. In modernen Instrumenten werden die Anzeigenfunktionen zum großen Teil durch Displays mit Symbol oder Klartextanzeigen ersetzt.

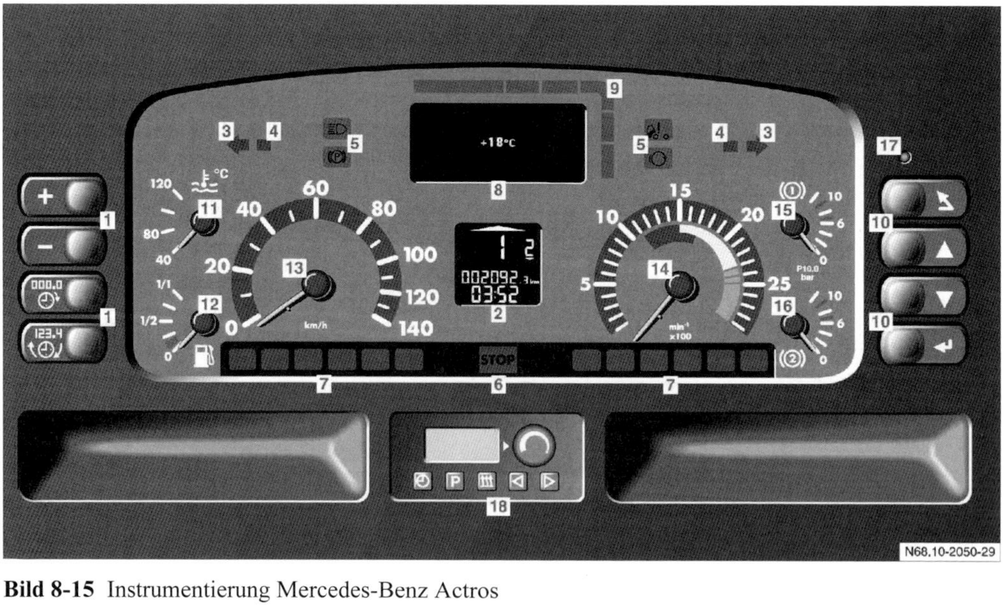


**Bild 8-15** Instrumentierung Mercedes-Benz Actros

### *8.4.3.2 Multifunktionslenkrad*

Das Multifunktionslenkrad dient, in Verbindung mit dem Instrument, zur Erhöhung der aktiven Fahrsicherheit im Straßenverkehr.

Das heißt, der Fahrer kann sich bei der Steuerung und Bedienung verschiedener Fahrzeugkomponenten (z. B.: Radio, Telefon), ungehindert auf das Verkehrsgeschehen konzentrieren. Das Multifunktionslenkrad erlaubt dem Fahrer die Bedienung und Abfrage verschiedener Systeme (abhängig von Typ und Ausstattung), ohne die Hände vom Lenkrad nehmen zu müssen.

Sämtliche zur Verfügung stehenden Funktionen können mit Hilfe des Instrumentes über einzelne Menüs gewählt und bedient werden.

So stehen z. B. Menüs

- zum Abrufen von Füllständen und Messwerten, wie der Kühlmitteltemperatur oder des Motorölstandes
- zur Lautstärkeregulierung oder zum Bedienen des CD-bzw. Kassetten-Spielers
- zur Bedienung eines eingebauten Telefons oder eines Navigationssystems

zur Verfügung.

## 8.4.4 Assistenzsysteme

Die stetig steigende Verkehrsdichte und die damit verbundenen häufig wechselnden Rollgeschwindigkeiten erfordern ständig hohe Aufmerksamkeit vom Fahrer. Es gibt deshalb mittlerweile verschiedene Assistenzsysteme, welche den Fahrer bei seiner „Arbeit" unterstützen können. Die Verantwortung liegt jedoch stets beim Fahrer. Auf wechselnde Straßen- und Sichtverhältnissen z. B. reagieren diese Systeme (noch) nicht!

### *8.4.4.1 Abstandsregeltempomat*

Um den Fahrer insbesondere bei langen Kolonnenfahrten zu entlasten, kommt der Abstandsregeltempomat (ART) zum Einsatz.

Der Abstandsregeltempomat (ART) erfasst mit Hilfe eines Radarsensors den Verkehrsbereich bis zu 150m vor dem eigenen Fahrzeug. Dabei werden die Fahrzeugabstände und Differenzgeschwindigkeiten aufgenommen und deren Veränderungen ausgewertet.

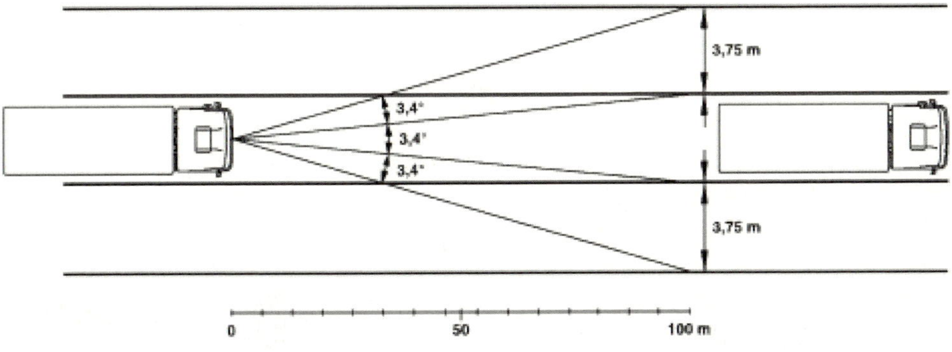


**Bild 8-16** Funktionsschema Abstandsregeltempomat (ART)

Gekoppelt mit der Fahrzeugelektronik entsteht eine Regelungsautomatik, die durch Verzögern des Fahrzeugs über Konstantdrossel, Motorbremse, Retarder und/oder Betriebsbremse oder evtl. durch Beschleunigung die Fahrgeschwindigkeit ohne Zutun des Fahrers dem vorausfahrenden Fahrzeug anpasst.

Eine vom Fahrer vorher eingestellte Geschwindigkeit wird dabei nicht überschritten.

Der Abstand orientiert sich an der Grundeinstellung, welche von der jeweiligen Geschwindigkeit abhängig ist, und an den gesetzlich vorgeschriebenen Mindestabständen zum vorausfahrenden Fahrzeug.

Die nachfolgende Funktionsbeschreibung bezieht sich auf die im Mercedes-Benz Actros verwendete Anlage:

Der Abstandsregeltempomat (ART) kann mit dem Betätigungshebel Motorregelung/Dauerbremse zwischen 15 km/h und 89 km/h aktiviert werden.

Nach der Aktivierung regelt er bei freier Fahrspur wie der herkömmliche Tempomat die eingestellte Geschwindigkeit ein und die Abweichungen durch Berg- oder Talfahrt entsprechend nach.

Beim Annähern an ein vorausfahrendes Fahrzeug wird die Geschwindigkeit reduziert und dem vorausfahrenden Fahrzeug im eingestellten Abstand gefolgt. Dies wird durch den automatischen Eingriff auf Motor, Dauer- und Betriebsbremse erreicht.

Lässt die Verkehrssituation es wieder zu, beispielsweise aufgrund eines Fahrspurwechsels des vorausfahrenden Fahrzeuges, so wird die eingestellte Geschwindigkeit wieder eingeregelt.

Bei plötzlich auftretenden Fahrzeugen (z. B. durch Spurwechsel) versucht der Abstandsregeltempomat (ART) diese Situation auszuregeln. Der Bremseingriff ist jedoch aus Sicherheitsgründen auf 2 $m/s^2$ begrenzt. Dies entspricht ca. 20 % der maximal möglichen Verzögerung. Ist mehr Bremsleistung erforderlich bzw. besteht die Gefahr einer Kollision, erfolgt eine Abstand-Warnung.

Dazu zeigt das Display Fahrerinformationssystem ein entsprechendes Warnsymbol an. Zusätzlich wird über den Lautsprecher Dach Mitte ein doppelter Signalton (Übernahmeton) ausgegeben.

### *8.4.4.2 Spurassistent*

Der Spurassistent (SPA) ist ein optisches System, das den Fahrer bei einer ungewollten Abweichung von der Fahrbahn akustisch warnt. Das System schützt nicht bei Übermüdung, Unachtsamkeit oder Ablenkung.

Mit einer an der Frontscheibe des Fahrzeuges angebrachten Kamera ermittelt das System das Bild der Fahrbahn in einem Bereich von 6 bis 10 m vor dem Fahrzeug.

Das Steuergerät wertet das Bild nach hellen Fahrbahnmarkierungen aus und untersucht, ob diese dem vorgegebenen Muster einer symmetrischen Fahrspurbegrenzung entsprechen.

Nachdem es das Bild einer symmetrischen Fahrspurbegrenzung erkannt hat, überwacht es dieses ständig auf Symmetrie und löst, sobald es zu einer seitlichen Abweichung kommt, ein akustisches Warnsignal aus. Der Zeitpunkt für die Auslösung des Warnsignals ist von der Annährungsgeschwindigkeit an die Fahrbahnmarkierung und von der Breite der Fahrspur abhängig.

Das akustische Warnsignal, ein von Baustellen her bekanntes Nagelbandrattern, wird entsprechend der Abweichung über den Lautsprecher links oder rechts ausgegeben. Das Radio wird zur besseren Darstellung des Warnsignals während des Warnvorgangs stumm geschaltet.

Das System warnt nicht bei:

- fehlenden oder schlecht sichtbaren Fahrbahnmarkierungen
- Fahrzeuggeschwindigkeiten unter einem definierten Geschwindigkeitsgrenzwert (z. B. 60 km/h)
- gesetztem Fahrtrichtungsanzeiger
- betätigter Betriebsbremse

Eine Unterbrechung der Warnfunktion wird dem Fahrer durch eine gelb Kontrollleuchte angezeigt.

## 8.5 Übergreifende Aspekte

### 8.5.1 Systemarchitektur

#### *8.5.1.1 Elektrik/Elektronik-Architektur für das Gesamtsystem Fahrzeug*

Das Elektrik/Elektronikkonzept für ein Nutzfahrzeug muss auf Basis einer Analyse des gesamten elektrisch bzw. elektronisch gesteuerten Funktionsumfangs des Fahrzeuges entwickelt werden. Dabei muss z. B. berücksichtigt werden, dass zukünftige Systeme neben bereits existierenden Systemen in das Konzept integriert werden können.

Dazu wird zunächst ein Systemmodell des Fahrzeuges entwickelt (Bild 8-17), in dem alle elektrisch/elektronisch gesteuerten Funktionen dargestellt werden können [8-2].

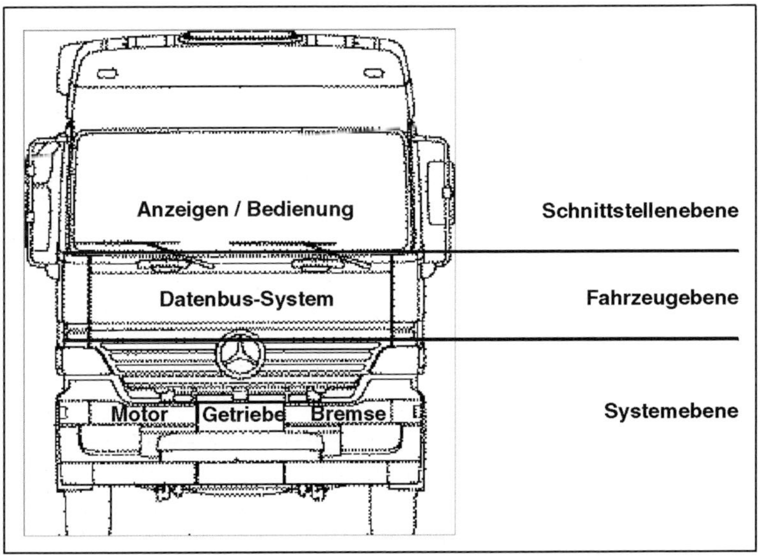


**Bild 8-17** Fahrzeug-Systemmodell

Darin sind in der Systemebene die Grundsysteme wie Motor, Getriebe, Bremse etc. angeordnet. Alle Systeme dieser Ebene sind grundsätzlich eigenständig und eigensicher ausgelegt.

Im oberen Bereich des Bildes befindet sich die umwelt- und fahrerorientierte Schnittstellenebene. Ihre Aufgabe besteht beispielsweise in der Bedienerschnittstelle die durch Anzeigen und Schalter etc. dargestellt wird. Schnittstellen zu anderen externen Systemen, wie z. B. elektrisch/elektronischen Aufbau- und/oder Anhängersystemen, sind hier ebenfalls angeordnet.

Die Fahrzeugebene verbindet die Grundsysteme der Systemebene miteinander. Auch die Verbindung zur Schnittstellenebene wird hier hergestellt. Die Aufgabe dieser Ebene ist der Daten/Informationsaustausch, damit diejenigen Fahrzeugfunktionen, welche mehr als ein System zur Realisierung benötigen; also verteilte Funktionen bzw. Koppel-/Querschnittsfunktionen wie z. B. Fahrerinformation, ASR, Bremsenmanagement etc., realisiert werden können.

Dabei ist die Elektrik/Elektronik-Architektur (E/E-Architektur) eines Fahrzeuges i.W. von den folgenden 3 Einflussgrößen abhängig:

1. der Gesamtheit aller im Fahrzeug elektrisch/elektronisch zu realisierenden Funktionen
2. den topologischen Randbedingungen wie z. B. die Montageorte von Sensoren und Aktoren
3. den für die Realisierung der Funktionen zur Verfügung stehenden Technologien

Die Aufgabe der Entwickler ist es nun alle geforderten Funktionen unter den gegebenen Randbedingungen zu realisieren. Dazu werden alle Funktionen auf existierende und neu zu entwickelnde Steuergeräte verteilt.

Die E/E-Architektur definiert damit also:

- welche Komponenten gibt es in einem bestimmten Fahrzeug
- welche Funktionen führen diese Komponenten aus
- welche Informationen (Signale) werden zwischen den Komponenten ausgetauscht
- welche Technologien werden für diesen Datenaustausch genutzt

Dabei ist selbstverständlich ein Optimum bezüglich der Kosten für ein Fahrzeug und der Modularität und Skalierbarkeit über mehrere Fahrzeugfamilien hinweg zu suchen. Denn bei einheitlicher Architektur können die gleichen Komponenten für mehrere Fahrzeuge verwendet werden. Das reduziert die Entwicklungskosten und beeinflusst über die größere Stückzahl natürlich auch den Teilepreis positiv.

#### *8.5.1.2 Software-Architektur in einem elektronischen Steuergerät*

Auch in den Steuergeräten, wird auf eine abgestimmte Architektur hoher Wert gelegt. Wie im Abschnitt 8.2 Einführung bereits erwähnt, kann es sinnvoll sein, Softwaremodule, welche verschiedene Funktionen realisieren und evtl. von verschiedenen Herstellern kommen können, in einem Steuergerät, also einer Hardware, zusammenzubringen. Das ist natürlich nur mit einer klar definierten Architektur und genau spezifizierten Schnittstellen möglich. Deshalb ist es notwendig, möglichst in jedem Steuergerät das gleiche µ-Controller-Betriebssystem zu verwenden, für welches die einzusetzende Applikations-Software von verschiedenen Entwicklern erzeugt werden kann. Darüber hinaus ermöglicht diese Vorgehensweise auch Softwaremodule für Funktionen, welche in mehreren/allen Steuergeräten benötigt werden, nur einmal zu entwickeln und zu testen und dann mehrfach zu verwenden. Solche Funktionen sind z. B. Kommunikationsdienste und Ähnliche. Bild 8-18 zeigt eine solche typische Software-Architektur.

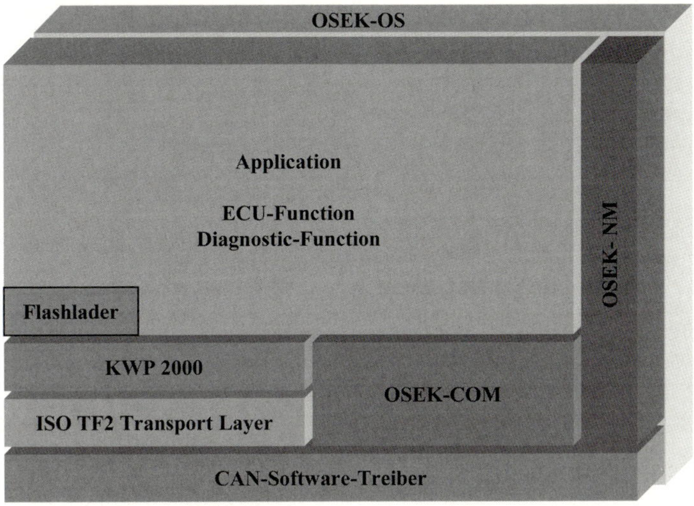


**Bild 8-18**
Beispiel einer Software-Architektur für elektronische Steuergeräte

## 8.5.2 Energiebereitstellung und -verteilung

### *8.5.2.1 Komponenten des Bordnetzes*

Im Kfz muss jederzeit genügend elektrische Energie zur Verfügung stehen, damit der Motor gestartet werden kann, elektrische Dauerverbraucher wie z. B. Tachograph rund um die Uhr betrieben werden können, während der Betriebszeit die ausreichende Versorgung aller elektrischer Verbraucher gesichert ist, und einige Verbraucher auch nach dem Abstellen des Fahrzeugs über einen bestimmten Zeitraum noch versorgt werden können. Dazu gehört z. B. das Speichern von bestimmten Daten, der Nachlauf von Zusatzheizungen oder der Niveauregulierung bei luftgefederten Nutzfahrzeugen.

Darüber hinaus sind in vielen Lkw die weite Strecken im Fernverkehr fahren Schlafplätze und sogar kleine Küchen integriert. In diesen Fahrzeugen wohnt der Fahrer (und manchmal auch ein Beifahrer) regelrecht während seiner Reise. Das heißt für das Bordnetz, dass auch bei Motorstillstand einige Verbraucher mit elektrischer Energie versorgt werden müssen. Das sind z. B. die Beleuchtung im Fahrerhaus, Audio- und TV-Geräte, Telefon, Kaffemaschinen und Mikrowellengeräte, Heizungen und Klimaanlagen.

Damit dies gewährleistet werden kann, müssen die Hauptkomponenten des Bordnetzes Batterien, Generator und Starter aufeinander abgestimmt sein. Bei der Auslegung muss auf niedriges Gewicht, kleines Volumen, hohen Wirkungsgrad und lange Lebensdauer geachtet werden. Die Komponenten sollen nahezu wartungsfrei sein und unter allen Betriebsbedingungen und Umwelteinflüssen die gestellten Anforderungen erfüllen.

Die elektrische Energie wird bei stehendem Motor aus der Batterie entnommen, bei laufendem Motor wird über einen Riementrieb ein Drehstromgenerator angetrieben, der bei ausreichender Auslegung des Bordnetzes alle Verbraucher versorgt und gleichzeitig noch die Batterie auflädt.

**Batterie**

Bei oben beschriebenem Einsatz wird speziell von einer Nutzfahrzeug-Batterie eine hohe Kaltstartleistung wie auch hohe Zyklenfestigkeit für die Stillstandsverbraucher gefordert. Unter der Zyklenfestigkeit versteht man die Eigenschaft, möglichst viele Lade-/Entladezyklen zu erreichen. Neben diesen elektrischen Anforderungen wird aber noch eine ausreichende Rüttelfestigkeit verlangt. Alle Anforderungen lassen sich jedoch mit den heutigen Blei-Säure-Batterien nicht gleichzeitig maximal erfüllen. Für die hohen Ströme beim Starten von schweren Dieselmotoren, in der Spitze bis zu 1500 Ampere, werden große Oberflächen von aktiver Masse, dies bedeutet viele dünne Platten in den Batteriezellen, benötigt. Für Zyklenfestigkeit hingegen braucht man möglichst dicke Batteriezellen. Diese gegensätzlichen Forderungen werden heute in Nutzfahrzeugen mit so genannten Heavy-Duty-Batterien (HD) am besten gelöst. Die Kapazität der Batterie, angegeben in Amperestunden, errechnet sich aus der entnehmbaren Strommenge und der Entladezeit ($K = I \cdot t$). Sie ist stark abhängig von der Größe des Entladestromes sowie der Dichte und der Temperatur des Elektrolyten. Die Nennkapazität einer 12-V-Batterie ist nach DIN definiert als Strommenge, die innerhalb von 20 Stunden bis zu einer Entladeschluss-Spannung von 10,5 V mit konstantem Strom entnommen werden kann. Dieser Wert wird neben einer fünfstelligen Typennummer, der Nennspannung und dem Kälteprüfstrom auf den Batterien aufgedruckt. Der Kälteprüfstrom wird definiert als die Stromstärke, die eine voll geladene Batterie bei -18 °C abgeben muss, ohne dass die Klemmenspannung nach 10 sec. Entladezeit 7,5 V unterschreitet.

In kleineren Nutzfahrzeugen sind in der Regel 88 Ah- bis 125 Ah-Batterien, in schweren Nutzfahrzeugen ca. 165 Ah- bis 230 Ah-Batterien eingebaut.

An dieser Stelle soll auf die Bleibatterie und deren internen Vorgänge nur kurz eingegangen werden, da es hierzu genügend weiterführende Literatur gibt.

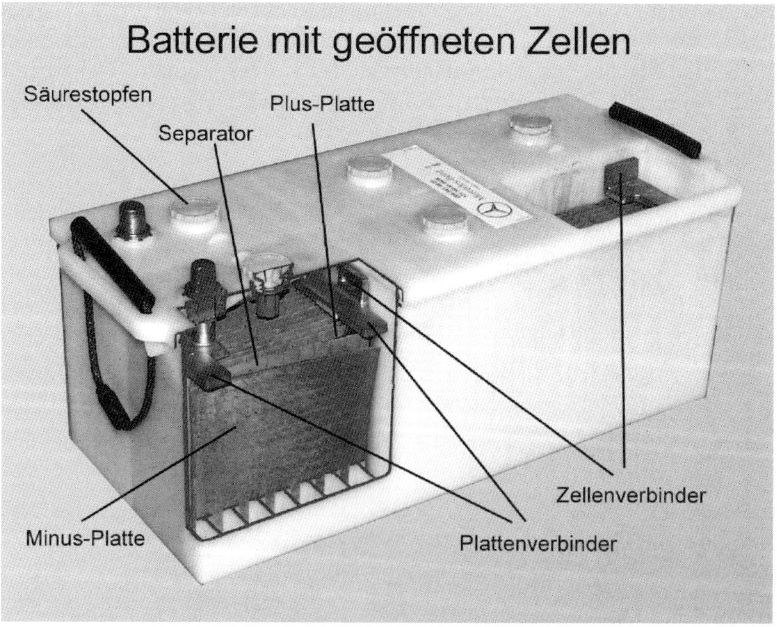


**Bild 8-19** Aufbau einer Nutzfahrzeug-Batterie

Die 12-V-Starterbatterien bestehen aus 6 in Reihe geschalteten Zellen mit je 2 V Zellenspannung (Bild 8-19). Eine Zelle besteht jeweils aus einem positiven und einem negativen Plattensatz. Die Platten sind aus Hartbleigitter, in die die aktiven Massen als Paste aus Bleioxid bzw. Bleipulver, Zusatzstoffen und Bindemittel eingebracht werden. Diese positiven und negativen Plattensätze sind ineinandergeschoben und durch poröse Separatoren elektrisch getrennt. Die 6 Zellen sind in einem Batteriegehäuse aus säurebeständigem Kunststoff, meist Polypropylen, getrennt durch Trennwände eingebaut. Durch die Trennwände werden die Zellenverbinder dicht durchgeführt. Als Elektrolyt dient verdünnte Schwefelsäure mit einer Dichte von 1,28 g/cm$^3$, die den Zellenraum und die Poren von den Platten und Separatoren ausfüllt. Jede Zelle besitzt einen Nachfüllstopfen der zur Erstbefüllung, Wartung und gleichzeitig zur Ableitung der beim Laden entstehenden Gase dient.

Neben diesem konventionellen Batterietyp gibt es Weiterentwicklungen, die auf dem gleichen Grundprinzip der Blei-Säuretechnologie basieren, jedoch verschlossen, also ohne Säurestopfen ausgeführt sind. In derartigen Batterien ist der flüssige Elektrolyt in einem Fliesscheider gebunden oder durch ein Schwefelsäure-Gel ersetzt. Die Vorteile solcher Batterien liegen in der 2- bis 3-fach höheren Zyklenfestigkeit, der absoluten Wartungsfreiheit und der geringeren Empfindlichkeit bei Tiefentladung. Der Nachteil ist der höhere Preis.

**Generator**

Zur Stromerzeugung bei drehendem Motor ist der Drehstromgenerator am weitesten verbreitet. Er wird über einen Riementrieb vom Verbrennungsmotor angetrieben. Er soll entsprechend seiner Kennlinie und seinem Drehzahlbereich im Fahrbetrieb ausreichend Strom für das Bordnetz liefern und sicherstellen, dass die Batterie genügend gut geladen wird.

Wie schon der Name des Generators erkennen lässt, liefert dieser Generator zunächst Wechselstrom. Für das Bordnetz wird jedoch Gleichstrom benötigt, somit muss der dreiphasige Wechselstrom über Leistungsdioden gleichgerichtet werden. Der größte Teil des Stroms fließt über die Leistungsgleichrichterdioden in das Bordnetz. Ein kleiner Teilstrom fließt über die Erregerdioden zur Klemme D+ sowie durch den Regler und Schleifring zur Erregerwicklung. Der Regler hat die Aufgabe, bei der im Fahrzeug stark schwankenden Drehzahl und der veränderlichen Belastung durch das Bordnetz, die Spannung möglichst konstant zu halten. Damit der Generator schon bei kleineren Drehzahlen Strom liefern kann, wird eine Vorerregung über die Ladekontrolllampe oder einen entsprechenden Widerstand notwendig. Es entsteht ein zum vorhandenen Restmagnetismus zusätzliches Magnetfeld, das ausreicht, eine Spannung zu induzieren, die größer als die Schwellspannung der Dioden ist. Von Vorteil ist, wenn anstelle der Leistungsdioden des Gleichrichters 60V-Zenerdioden eingesetzt werden. Somit werden neben dem Regler auch spannungsempfindliche Verbraucher im Bordnetz sicher geschützt, da die Spannung z. B. bei einem Lastabwurf, Load-Dump genannt, im Bordnetz nur bis maximal 60V ansteigen kann.

Neu auf den Markt kommende Generatoren haben zusätzliche Funktionen. Über eine sog. Sense-Leitung wird der Spannungsabfall auf der Leitung zur Batterie gemessen und kompensiert, sodass die Batterien optimaler geladen werden können. Darüber hinaus wird der Bruch einer Ladeleitung erkannt und angezeigt.

Die zukünftige Entwicklung bei den Generatoren geht in Richtung des Kurbelwellengenerators. Dieser vereint die Funktion des Generators und des Anlassers. Im Stillstand startet dieses Aggregat den Verbrennungsmotor in dem es die Kurbelwelle direkt antreibt. Bei laufendem Motor wird der Asynchron-Motor als Generator benutzt. Der Nachteil dieser elektrischen Maschine ist, dass diese, anders als bei den Anbaumaschinen heutiger Bauart, gleich bei der Auslegung des Verbrennungsmotors bezüglich der elektrischen und geometrischen Dimensionierung berücksichtigt werden muss. Der Vorteil liegt in dem berührungslosen und verschleißfreien und damit leisen Startvorgang.

**Startanlagen**

Starter für Verbrennungsmotoren werden aus der Batterie gespeist. Beim Starten sind die Massenträgheit sowie die Reibungs- und Verdichtungswiderstände des Verbrennungsmotors zu überwinden. Für Nutzfahrzeugdieselmotoren werden ca. 4 bis 8 kW Starterleistung benötigt.

Ein Starter besteht im Wesentlichen aus einem Elektromotor, einem Einrückrelais, einem Einspurgetriebe und einem Freilaufsystem. Als Elektromotor wird in den meisten Fällen ein Gleichstrom-Reihenschlussmotor wegen seinem hohen Anzugsmoment und der hohen Leerlaufdrehzahl verwendet. Zu Beginn des Startvorgangs muss das Anlasserritzel in den Zahnkranz am Schwungrad des Motors einspuren. Das mit dem Elektromotor verbundene Ritzel bringt den Verbrennungsmotor dann auf Startdrehzahl.

Damit der Starter nach dem Anspringen des Motors durch die hohe Übersetzung nicht auf unzulässige Drehzahlen gebracht wird, hebt ein Freilauf den Kraftschluss zwischen Ritzel und Anker auf. Er verhindert somit die Zerstörung des Ankers. Trotzdem ist nach dem erfolgten Start ein schneller Ausspurvorgang notwendig, damit der Starter durch ein zu langes Mitlaufen nicht beschädigt werden kann.

### *8.5.2.2 Zukünftige Entwicklungen für Bordnetze*

**Bordnetzmanagement**

Betrachtet man bei heutigen gut ausgestatteten Fahrzeugen die Bordnetzauslegung, wird man feststellen, dass die Summe der erforderlichen elektrischen Leistung gerade noch bereitgestellt werden kann. Kritisch ist dies vor allem bei den 12-V-Netzen, welche überwiegend im Pkw und in Transportern eingesetzt werden. In den nächsten Jahren werden noch viele neue komfortsteigernde elektrische Komponenten mit noch höherer Anschlussleistung zu den bestehenden Anlagen hinzukommen. Dies können z. B. elektrisch angetriebene Lenkhilfen, Klimakompressoren oder elektromechanische bzw. elektrische Bremsen und dergleichen sein. Solche innovativen Systeme benötigen zusätzliche elektrische Leistung.

Gegen eine entsprechende Vergrößerung von Generator und Batterie sprechen nicht nur finanzielle Gründe. Auch eine Gewichtszunahme will man bei Nutzfahrzeugen möglichst verhindern, bedeuten sie doch eine direkte Reduzierung der möglichen Zuladung und damit der Transportkapazität.

Deshalb wird in den Entwicklungsabteilungen der Nutzfahrzeughersteller zur Zeit an Lösungen gearbeitet, welche den Zustand der Batterie, sowie den Energieverbrauch des Fahrzeuges überwachen. Bei bevorstehenden Engpässen in der Energieversorgung kann dann der Fahrer informiert werden, um dann z. B. Verbraucher abzuschalten oder den Motor zu starten.

In weitergehenden Entwicklungen kann man dann auch durch das Bordnetzmanagement selbst aktuell weniger wichtige Verbraucher in ihrer Funktion, und damit ihrem Energieverbrauch, reduzieren oder ganz abschalten. Zum Beispiel wäre es durchaus denkbar, eine Sitzheizung zeitweise leistungsreduziert zu betreiben, ohne das dies den Fahrer stört.

In USA gibt es sogar eine Funktion, optimized idle genannt, die es erlaubt den Motor ohne Eingriff des Fahrers zu starten, wenn die Batterie sont zu schwach werden würde. Dies geschieht natürlich unter Beachtung von Randbedingungen, welche die Sicherheit bei diesem Vorgehen sicherstellt.

Oberstes Ziel ist bei all diesen Überlegungen ist immer die Erhaltung der Startfähigkeit des Fahrzeuges. Und hier wird die eigentliche Herausforderung bei dieser Thematik deutlich: wenn der Fahrer in seinem Fahrzeug übernachten will, muss schon abends während er z. B. fern sieht, prognostiziert werden ob das Fahrzeug am nächsten morgen noch startbar ist. Andernfalls müsste das Bordnetzmanagement den Fahrer bereits am Abend warnen bzw. selbst stromverbrauchsreduzierend eingreifen.

**Brennstoffzelle**

Zur Energiebereitstellung werden der Brennstoffzelle seit einiger Zeit große Zukunftschancen eingeräumt. Die Brennstoffzelle könnte als Antrieb und in kleiner Ausführung als Energieversorger in Kraftfahrzeugen eingesetzt werden. Im zweiten Fall bedeutet dies für das Bordnetz, dass evtl. nur noch eine kleine Batterie als wirkliche „Starterbatterie" für die hohen, schnell zur Verfügung stehender Ströme benötigt wird, und die Bordnetzversorgung vor allem im Stillstand des Fahrzeugs von der Brennstoffzelle übernommen wird. Der Generator könnte somit entfallen. Die Brennstoffzelle erzeugt Strom aus chemisch gebundener Energie. In einer umgekehrten Elektrolyse wird Wasserstoff und Sauerstoff zu Wasser synthetisiert. Bei diesem Prozess wird die elektrische Leistung für die Bordnetzversorgung erzeugt.

### 8.5.3 Informationsübertragung/Netzwerke

Die Aufgabe der Fahrzeugebene (siehe auch Abschnitt 8.5.1 Systemarchitektur) ist es, den Daten/ Informationsaustausch zwischen den verschiedenen Systemen zu ermöglichen. Sie wird durch ein Kommunikationssystem dargestellt, welches alle Elektroniken der System- und Schnittstellenebene untereinander und diese beiden Ebenen miteinander verbindet. Dies wird z. B. durch ein CAN-Datenbussystem entsprechend ISO 11898 realisiert, da eine Verkabelung der Systeme mit Einzeldrahtverbindungen aufgrund der Vielzahl der auszutauschenden Informationen und Signale nicht mehr wirtschaftlich darstellbar ist. Auch der neuere Datenbus nach dem LIN[18] Standard kommt mittlerweile dafür zum Einsatz.

So sind in modernen Nutzfahrzeugen ganze Netzwerke zur Daten-/Informationsübertragung realisiert, welche unterschiedliche Anforderungen an Übertragungsrate und mechanische und elektrische Störunempfindlichkeit erfüllen müssen.

Bild 8-20 zeigt eine mögliche Ausprägung eines solchen Informationsnetzes.

Das Gesamtsystem muss dabei so ausgelegt werden, dass auch bei einem teilweisen Ausfall der Datenübertragung das Fahrzeug noch sicher fahrbar und beherrschbar bleibt, wenn auch mit Einbußen bezüglich der Funktionalität und des Komforts.

[18] LIN (local interconnect network), serielle Datenübertragung, basicrend auf ISO 9141

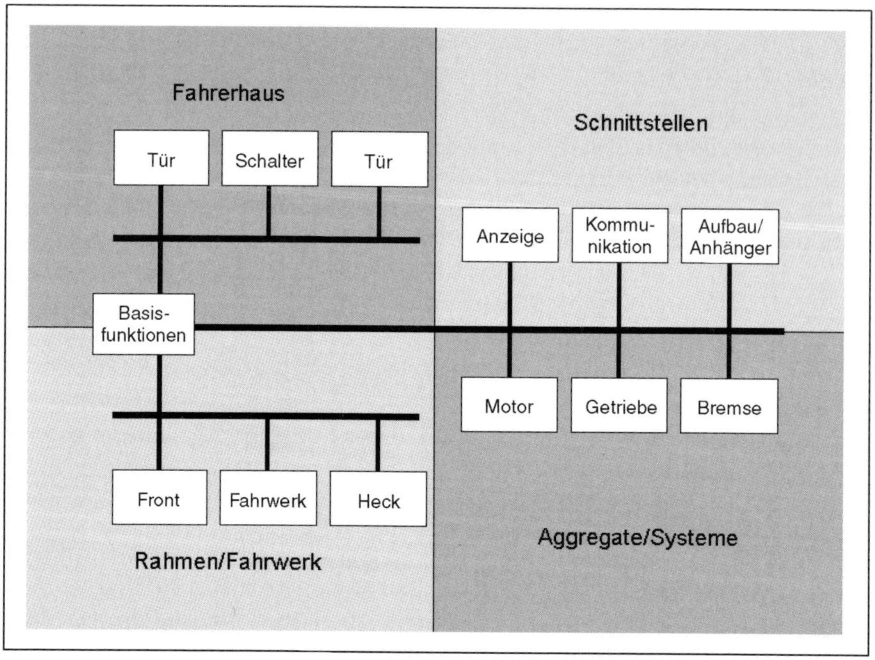


**Bild 8-20** Beispiel einer möglichen Struktur eines Informationsnetzwerkes in Nutzfahrzeugen

### 8.5.4 Diagnose

Mit zunehmender elektrisch/elektronischer Komplexität der Nutzfahrzeuge gewinnt ein weiterer übergreifender Aspekt immer mehr an Bedeutung: die Diagnose.

Unter Diagnose wird die Erkennung von Ursachen für Funktionsstörungen oder -ausfällen verstanden.

Beim Nutzfahrzeug gibt es grundsätzlich 3 Adressaten für Diagnoseinformationen:

1. *Die Produktion* Dort muss beim Zusammenbau des Nutzfahrzeuges sichergestellt werden, dass alle Funktionen gemäß der Bestellung vorhanden sind und entsprechend ihrer Spezifikation arbeiten.

2. *Der Service* Tritt z. B. während der Fahrt eine Störung auf, so muss diese erkannt und es müssen Informationen über die möglichen Ursachen gespeichert werden. Bei einem nachfolgenden Werkstattaufenthalt werden diese Informationen genutzt, um schnellstmöglich die Ursache für die Störung zu finden und diese beheben zu können.

3. *Der Fahrer* Wenn erforderlich, wird der Fahrer über die aufgetretene Störung informiert. Dabei ist zu beachten, dass dieser, im Gegensatz zum Service, nicht unbedingt wissen muss, welche Komponente defekt ist, sondern welche Funktionalität beeinträchtigt ist und welche Auswirkungen sich daraus ergeben.

Die Diagnosefunktionalität ist heute üblicherweise ein integrativer Bestandteil der Funktionssoftware, d. h. bei der Realisierung einer Funktion wird die Erkennung möglicher Fehler mit untersucht und entsprechende Handlungsanweisungen für den Fahrer mit entwickelt.

Die Signalisierung des Zustandes eines Systems erfolgt dann für die drei oben genannten Adressaten auf verschiedenen Wegen. Für die Produktion und den Service werden die Informationen auf einer eigens dafür vorgesehenen Diagnoseschnittstelle bereitgestellt, wo sie mit den entsprechenden Testgeräten ausgelesen werden können. Für den Fahrer werden die für ihn wichtigen Informationen z. B. in der Instrumententafel angezeigt.

### 8.5.5 Elektromagnetische Verträglichkeit

Alle elektrisch betriebenen Komponenten und Systeme sind grundsätzlich Quellen und Senken elektromagnetischer Strahlung. D.h. sie senden im Betrieb elektromagnetische Strahlung aus (Quelle), und sie können durch elektromagnetische Strahlung beeinflusst werden (Senke).

Deshalb sind in einem Fahrzeug grundsätzlich zwei Forderungen aufzustellen:

1. Die abgestrahlte elektromagnetische Feldstärke, gemessen in [V/m]), einer Komponente, eines Systems und des gesamten Fahrzeuges darf einen bestimmten vorgegebenen Grenzwert nicht überschreiten.
2. Die Komponenten, die Systeme und das Fahrzeug dürfen durch eine auf sie einwirkende elektromagnetische Feldstärke, welche einen bestimmten Grenzwert nicht übersteigt, nicht beeinflusst werden.

Nur wenn beide Forderungen erfüllt werden ist sichergestellt, dass die Komponenten und Systeme im Fahrzeug sich nicht gegenseitig beeinflussen, das Fahrzeug in seinen Funktionen nicht beeinträchtig und das Umfeld nicht störend beeinflusst wird.

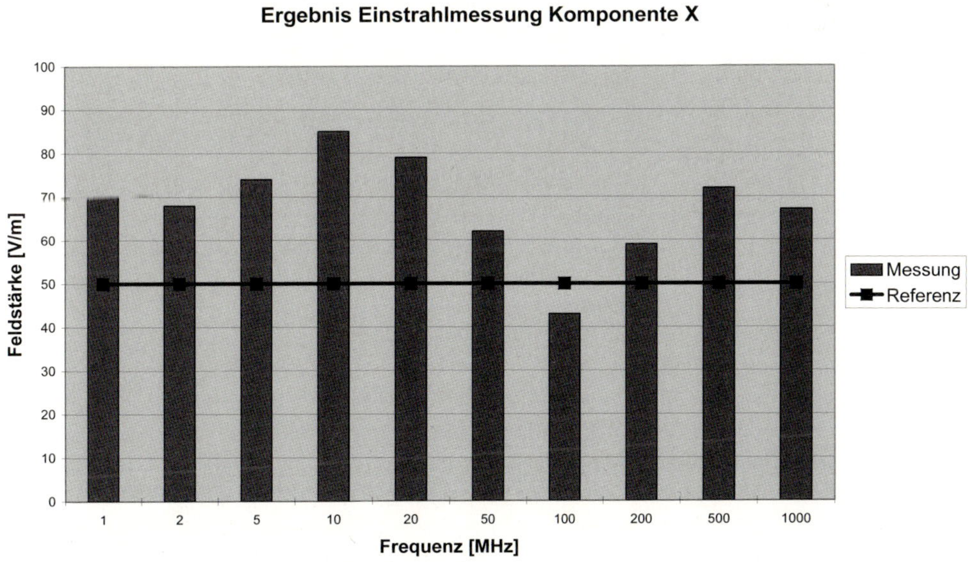


**Bild 8-21** Messprotokoll Einstrahlmessung. Beispiel mit unerlaubter Reaktion des Prüflings bei der Frequenz 100 [MHz] unterhalb der Referenzfeldstärke von 50 [V/m]

Um dies sicherzustellen, werden so genannte Einstrahl- und Abstrahlmessungen sowohl mit allen elektrischen Komponenten als auch dem gesamten Fahrzeug durchgeführt.

Bei der Einstrahlmessung wird der Prüfling, die Komponente bzw. das Fahrzeug, in einer speziellen, elektromagnetisch abgeschirmten Messkabine gezielt elektromagnetischer Strahlung unterschiedlicher Frequenzen und zunehmender Feldstärke ausgesetzt. Der Prüfling ist dabei in Betrieb und seine Ein- und Ausgänge werden überwacht. Zeigt der Prüfling während der Messung eine abweichende Reaktion, so wird die aktuelle Frequenz und die Feldstärke, bei der die Reaktion auftrat, in einem Messprotokoll festgehalten. Ein Vergleich mit einer Referenzkurve ergibt dann das Prüfergebnis. Ist bei irgendeiner Frequenz eine abweichende Reaktion des Prüflings unterhalb der zulässigen Feldstärke aufgetreten, so muss die entsprechende Komponente konstruktiv überarbeitet werden.

Bei der Abstrahlmessung wird die Komponente bzw. das Fahrzeug in der oben beschriebenen Messkabine in Betrieb gesetzt und die von ihr bzw. ihm ausgesendete elektromagnetische Strahlung gemessen. Überschreitet diese einen vorgegebenen Referenzwert bei keiner der gemessenen Frequenzen, so ist die Komponente bzw. das Fahrzeug bezüglich der Abstrahlung in Ordnung. Bild 8-22 zeigt ein entsprechendes Messprotokoll.

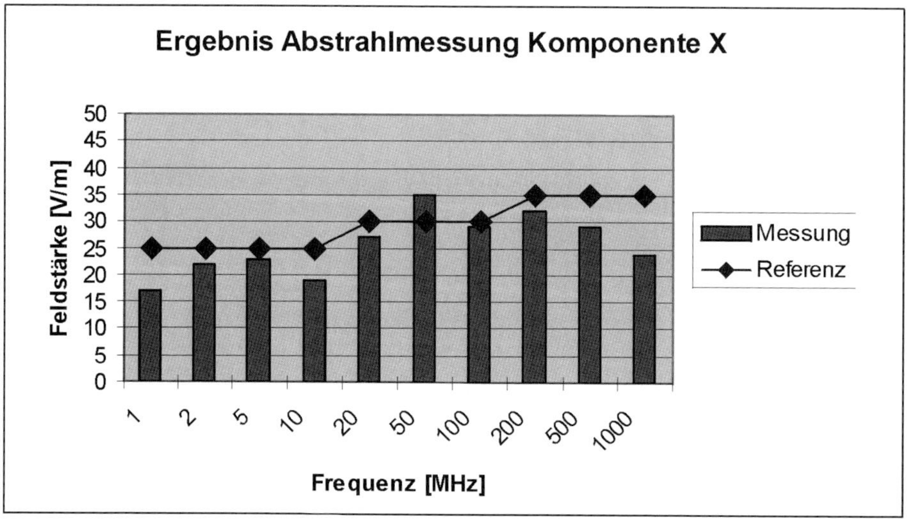


**Bild 8-22** Messprotokoll Abstrahlmessung. Beispiel mit Abstrahlung zu hoher Feldstärke (über der Referenzfeldstärke von 30 [V/m]) bei einer Frequenz von 50 [MHz]

## 8.6 Ausblick

Der Anteil der Elektrik und Elektronik im Nutzfahrzeug wird auch zukünftig weiter wachsen, insbesondere wird der überwiegende Anteil der Innovationen durch Elektrik und Elektronik geprägt sein. Darüber hinaus wird auch die Vernetzung der elektronischen Systeme untereinander und die Kommunikation des Nutzfahrzeuges mit externen Systemen, wie z. B. Telematik, zunehmen.

Damit verändern sich auch die Anforderungen, die an zukünftige Nutzfahrzeugentwickler und an das Servicepersonal gestellt werden müssen.

# Literaturverzeichnis

# 8 Elektrik und Elektronik

[8-1] VDA 6, Qualitätsmanagement in der Automobilindustrie, ISO/TS 16949:1999(D)

[8-2] Stephan, W., Fritz, M., Appel, W.: Elektronik im Actros von Mercedes-Benz, Automobiltechnische Zeitschrift, ATZ, 99. Jahrgang/Nr. 2, Wiesbaden: Vieweg, 1997

[8-3] Robert Bosch GmbH (Hrsg.): Autoelektrik, Autoelektronik, 4. Aufl., Braunschweig/Wiesbaden: Vieweg Verlag, 2002

[8-4] Gretzmeier, F., Staudt, W., Blüml, S.: KFZ-Elektrik KFZ-Elektronik, 2. Auflage, Braunschweig/ Wiesbaden: Vieweg Verlag, 1999

[8-5] ATZ/MTZ-Sonderausgabe Januar 2000, Automotive Electronics, Braunschweig/Wiesbaden: Vieweg-Verlag 2000

# Sachwortverzeichnis